# O QUE ESPERAR DO PRIMEIRO ANO

Heidi Murkoff, Arlene Eisenberg
Sandee Hathaway

# O QUE ESPERAR DO PRIMEIRO ANO

Tradução de
CELIMAR DE LIMA
MÔNICA REIS
RYTA VINAGRE

7ª edição

Consultoria de Pesquisa: Sharon Mazel

Revisão técnica:
SÉRGIO LUIZ SALEK TEIXEIRA

EDITORA RECORD
RIO DE JANEIRO • SÃO PAULO
2016

CIP-Brasil. Catalogação na fonte
Sindicato Nacional dos Editores de Livros, RJ.

M954q  Murkoff, Heidi
7ª ed.   O que esperar do primeiro ano / Heidi Murkoff, Arlene Eisenberg e Sandee Hathaway; tradução de Ryta Vinagre, Mônica Reis e Celimar de Lima. – 7ª ed. – Rio de Janeiro: Record, 2016.

Tradução de: What to expect the first year
Apêndice
ISBN 978-85-01-07070-8

1. Lactentes. 2. Crianças – Formação. 3. Lactentes – Cuidado e tratamento. I. Eisenberg, Arlene. II. Hathaway, Sandee. III. Título.

06-1135
CDD – 649.122
CDU – 649.16

Título original norte-americano
WHAT TO EXPECT THE FIRST YEAR

Texto revisado segundo o novo Acordo Ortográfico da Língua Portuguesa.

Copyright © 1989, 1996, 2003 by What to Expect LLC
What to Expect® é uma marca registrada de What to Expect LLC.

Direitos exclusivos de publicação em língua portuguesa para o Brasil adquiridos pela
EDITORA RECORD LTDA.
Rua Argentina 171 – Rio de Janeiro, RJ – 20921-380 – Tel.: (21) 2585-2000
que se reserva a propriedade literária desta tradução

Impresso no Brasil

ISBN 978-85-01-07070-8

EDITORA AFILIADA

Seja um leitor preferencial Record.
Cadastre-se e receba informações sobre nossos lançamentos e nossas promoções.

Atendimento e venda direta ao leitor:
mdireto@record.com.br ou (21) 2585-2002

Observação: Todas as crianças são únicas, e este livro não pretende substituir o aconselhamento do pediatra ou de outro médico, que deve ser consultado sobre problemas da infância, especialmente quando um bebê mostra qualquer sinal de doença ou comportamento anormal.

PARA EMMA E WYATT, RACHEL, ETHAN E ELIZABETH, PELOS PRIMEIROS
ANOS MÁGICOS E MEMORÁVEIS QUE NOS DERAM

A NOSSOS PARCEIROS NA CRIAÇÃO DOS FILHOS, ERIK, HOWARD E TIM, SEM
OS QUAIS NÃO TERÍAMOS SUCESSO NAQUELES PRIMEIROS ANOS

# UMA SEGUNDA RODADA DE AGRADECIMENTOS

Se existe uma coisa mais difícil do que escrever um livro, é reescrever um livro. Da mesma forma que reinventar a roda (como fazê-la melhor?), requer muita reavaliação, muita revisão e muita adivinhação (o que funciona bem? O que costumava funcionar mas não funciona mais? O que nunca funcionou realmente? O que pode funcionar — com pouco trabalho?). Também requer muita ajuda, de um monte de pessoas. De amigos, colegas, acadêmicos, profissionais de saúde — e algumas pessoas especiais que se enquadram nas quatro categorias ao mesmo tempo; gente que nos apoiou desde o primeiro rascunho da primeira edição, outros que só recentemente se juntaram à equipe; muitas outras pessoas maravilhosas que poderíamos relacionar aqui, isto é, sem estourar muito o número de páginas esperado para esta segunda edição. Somos gratos a todos, inclusive a:

Suzanne Rafer, uma editora de texto maravilhosa e amiga melhor ainda, que corajosamente passou por milhares e milhares de páginas dos originais de *O que esperar* nos últimos vinte anos, orientando as frases sem sentido (e os trocadilhos ruins), deletando com habilidade palavras (isto é, aquelas que eram irrelevantes), agitando incansável suas bandeiras cor-de-rosa até que nos rendêssemos a seu melhor discernimento — por tudo o que você faz, e por sempre estar presente.

Peter Workman, um editor de caráter, habilidade e sobretudo fé incomuns (pelo menos hoje em dia) — por nos apoiar desde os despretensiosos primórdios de *O que esperar*. Dividimos cada sucesso com você e com...

Lisa Hollander, por fazer com que cada livro pareça melhor, e Barbara Balch, por dar uma ajuda com este; Judith Cheng, por outra bela capa (e outro bebê memorável), e Judy Francis, por suas ilustrações adoráveis (e esclarecedoras!). Anne Cherry, por suavizar as lombadas nos originais. Robyn Schwartz, pelo bom humor e os reflexos rápidos. Carolan Workman, Suzie Bolotin, David Schiller, Jenny Mandel, Sarah Edmond, Jim Eber, Kate Tyler, Bruce Harris, Pat Upton, Saundra Pearson, Beth Doty e todos os outros maravilhosos membros da família Workman — um monte de beijos e abraços para cada um de vocês, por todo o trabalho árduo, pelo apoio e pelo amor. Agradecemos também a todos vocês que trabalharam na primeira edição, mas que não estão mais conosco.

Sharon Mazel, por absolutamente tudo o que você faz (e pela velocidade sensacional com que faz tudo; provavelmente o fato de você nunca dormir ajuda nisso); a melhor companhia na troca de *e-mails*, pesquisadora incansável (que leva sua pesquisa a sério — e tem Kira e Sophia para provar isso) e escritora, guardiã constante da TMI — você é metade de nosso golpe duplo, e eu a aprecio muito. Obrigada, também, ao Dr. Jay Mazel — não só por compartilhar Sharon, mas por proporcionar horas intermináveis de conselhos médicos — e pelas quatro (virão mais?) meninas Mazel: Daniella, Arianne, Kira e especialmente a oportuna Sophia. Agradecimentos especiais ao pediatra das meninas, o Dr. Jeffrey Bernstein, que pacientemente respondeu às centenas de perguntas do *Primeiro ano* que Sharon aproveitou para fazer quando das visitas a seu consultório. E Aliza Graber, por nos manter organizados.

Dr. Mark Widome, professor de pediatria no Hospital Pediátrico da Penn State e estrela tanto da prática pediátrica (invejamos as crianças que estão sob seus cuidados!) e do programa *Today*, e nosso extraordinário consultor médico. Não só por seus inestimáveis conhecimento, sabedoria e discernimento, que fizeram com que nos sentíssemos bem, como por seu senso de humor, empatia e compaixão, que fizeram com que nos sentíssemos melhor ainda. Sua atenção aos detalhes (em cada palavra de cada página dos originais) sempre superou as expectativas — e nenhuma gratidão é suficiente.

Lisa Bernstein, diretora-executiva da What to Expect Foundation, por sua dedicação determinada à saúde e ao bem-estar de todos os bebês — e sempre, por seu amor, apoio e amizade. (E, é claro, a Zoe, Teddy e Dan Dubno.) Marc Chamlin, Ellen Goldsmith-Vein e Alan Nevins — por me protegerem, me apoia-

rem e sobretudo por cuidarem de mim. Medora Heibron, por seus *insights* inestimáveis sobre adoção. Todo o pessoal maravilhoso e dedicado da Academia Americana de Pediatria, com quem sempre podemos contar quando procuramos as informações e atitudes mais atualizadas (e mais equilibradas). E aos incontáveis membros da AAP que responderam a perguntas, ofereceram retorno e ajudaram a fazer deste livro o melhor que ele poderia ser.

Com amor, a meu marido, meu melhor amigo e parceiro na criação dos filhos, parceiro nos negócios e na vida, Erik Murkoff, por tornar tudo possível. Eu não poderia começar a preparar este livro sem você, e jamais quereria tentar. E a Emma e Wyatt, minha inspiração e cobaias (na vida real); eu amo vocês, crianças.

Aos dois dos melhores amigos e pais que existem, Howard Eisenberg e Tim Hathaway, às maravilhosas crianças Hathaway, Rachel, Ethan e Liz. E a Mildred e Harry Scharaga, Victor Shargai e John Aniello, por seu amor e apoio.

A Arlene Eisenberg, por tudo: seu legado vive no coração de muita gente. Sempre a amaremos e teremos saudades suas.

Com admiração, a todos os médicos, enfermeiras pediátricas e enfermeiras de toda parte que cuidam de bebês — e de seus pais nervosos. E a nossos leitores — nossa inspiração, nossa fonte favorita e a razão para fazermos o que fazemos — e para continuarmos fazendo (e refazendo).

— *HEIDI MURKOFF*

# SUMÁRIO

Prefácio: Um Livro Ímpar para os Pais, de Mark D. Widome . . . . . . . . . . . . . . 27

Introdução: Nasceu o Segundo Filho . . . . . . . . . . . . . . . . . . . . . . . . . . 31

---
*Parte 1*
## O PRIMEIRO ANO
---

## Capítulo 1: Prepare-se . . . . . . . . . . . . . . . . . . . . . . . . . . 35
## Como Alimentar seu Bebê: Peito ou Fórmulas, ou Ambos . . . . . . 35

> Os prós do aleitamento materno ♦ *Mitos do aleitamento materno* ♦ Os prós da alimentação com fórmulas ♦ Os fatos sobre os sentimentos ♦ Quando você não pode ou não deve amamentar no peito ♦ *Adoção e aleitamento materno*

## As Preocupações Comuns . . . . . . . . . . . . . . . . . . . . . . . . . . 47

> Lidar com a maternidade ♦ Um estilo de vida que se transforma ♦ *Cuidados com a mãe* ♦ Voltar ou não voltar ao trabalho ♦ *Este livro é para você também* ♦ Avós ♦ *Licença: não é mais apenas para as mães* ♦ A falta de avós ♦ Uma enfermeira ou doula ♦ Outras fontes de auxílio ♦ Circuncisão ♦ Que fraldas usar ♦ Parar de fumar ♦ Um nome para o bebê ♦ Preparando o animal de estimação da família ♦ Preparando seus seios para a amamentação ♦ *Não tire leite sozinha — ainda não*

## O Que É Importante Saber:
## A ESCOLHA DO MÉDICO CERTO . . . . . . . . . . . . . . . . . . . . 70

> *Plano de saúde para uma família saudável* ♦ Pediatra ou médico da família? ♦ Que tipo de prática é perfeita? ♦ Encontrando o Dr. Certo ♦ A certeza de que o Dr. Certo é o certo para você ♦ *Quando a escolha não é sua* ♦ A entrevista pré-natal ♦ Sua parceria com o Dr. Certo

## Capítulo 2: Comprando para o Bebê ... 87

*Liste as necessidades de seu bebê* ♦ O guarda-roupa do bebê ♦ Cama e banho do bebê ♦ As necessidades de higiene do bebê ♦ *Não use amendoim* ♦ O armário de remédios do bebê ♦ Suprimentos para a alimentação do bebê

## Necessidades e Requintes no Quarto do Bebê ... 97

*Recalls*

## Equipamento para Sair ... 105

*O que está no fecho?* ♦ *Assento para bebês voltados para a traseira* ♦ *O sistema latch* ♦ *Assento conversível/voltado para a frente*

## Quando o Bebê Fica mais Velho ... 116

*Compras para o futuro do bebê*

## Capítulo 3: O Básico da Amamentação ... 121

## O Início da Amamentação ... 122

*Conseguindo ajuda*

## Lições de Amamentação ... 126

Como funciona a lactação ♦ Começando a amamentar ♦ Posições para amamentar ♦ A pega adequada ♦ *Mamar e chupar* ♦ Por quanto tempo amamentar ♦ Com que frequência amamentar ♦ *Que tipo de lactente é seu bebê?*

## As Preocupações Comuns ... 135

Colostro ♦ Seios ingurgitados ♦ Superabundância de leite ♦ Vazamento e borrifos ♦ Reflexo de descida ♦ Aleitamento contínuo ♦ Mamilos feridos ♦ *Lombadas na estrada para o sucesso?* ♦ Tempo de amamentação ♦ A moda no aleitamento materno ♦ Amamentando em público ♦ Caroços nos seios ♦ Mastite ♦ Amamentação durante uma doença ♦ Amamentar no peito durante a menstruação ♦ Exercícios e amamentação ♦ *Anticoncepcionais e a mãe que amamenta* ♦ Combinando o peito e a mamadeira ♦ *A confusão de bicos deixa você confusa?* ♦ Relactação

## O Que É Importante Saber:

### MANTENDO SEU LEITE SAUDÁVEL E SEGURO . . . . . . . . . . . . . 156

O que comer ◆ *Os alimentos podem fazer leite?* ◆ O que beber ◆ Que remédios tomar ◆ O que você deve evitar ◆ *Não comer amendoim enquanto alimenta seu amendoinzinho?*


# Capítulo 4: Seu Recém-Nascido . . . . . . . . . . . . . . 165

# O Que seu Bebê Pode Estar Fazendo . . . . . . . . . . . . . . . . . . . 166

# O Que Você Pode Esperar dos *Check-ups* do Hospital . . . . . . . . 166

*Testando seu bebê* ◆ *Exame de audição do recém-nascido* ◆ O teste de apgar ◆ Tabela de apgar ◆ Os reflexos de seu recém-nascido ◆ *Procedimentos hospitalares para bebês nascidos em casa* ◆ *Retrato de um recém-nascido*

# Como Alimentar seu Bebê: o Início da Alimentação com Fórmula . . . . . . . . . . . . . . . . . . . . . . . . . . . . . . . . . 174

Escolhendo uma fórmula ◆ *Precisa de ajuda para amamentar no peito?* ◆ *DHA: opção inteligente nas fórmulas para bebês?* ◆ *Quanto de fórmula é um banquete?* ◆ Alimentação com mamadeira segura ◆ A mamadeira dada com amor ◆ *Da mamadeira, com amor* ◆ A mamadeira dada com facilidade

# As Preocupações Comuns . . . . . . . . . . . . . . . . . . . . . . . . . . . 184

Peso ao nascimento ◆ Vínculo ◆ *Só para os pais: tornando-se apegado* ◆ Perda de peso ◆ Aparência do bebê ◆ Cor dos olhos ◆ Olhos injetados ◆ Pomada ocular ◆ Dividindo o quarto ◆ *Já ouviu aquela do...* ◆ Remédio para a dor ◆ Sonolência do bebê ◆ Mamas vazias ◆ *O estado de espírito do recém-nascido* ◆ Obstruções e engasgos ◆ Dormir nas refeições ◆ *Decifrando o código do choro* ◆ Mamar sem parar ◆ Tremor no queixo ◆ Sobressaltos ◆ *Dicas para sessões de amamentação bem-sucedidas* ◆ Marcas de nascença ◆ Problemas na cor da pele ◆ Cistos ou manchas na boca ◆ Dentição precoce ◆ Sapinho ◆ *Não se esqueça de cobrir seu bebê* ◆ Icterícia ◆ *Você acha que não pode pagar o plano de saúde do bebê?* ◆ Cor das fezes ◆ *Segurança do recém-nascido* ◆ *As novidades na popa do recém-nascido* ◆ Uso de chupeta ◆ *A ida para casa*

## O Que É Importante Saber:

### O MANUAL DOS CUIDADOS COM O BEBÊ ................ 211

O banho do bebê ♦ Passando xampu no bebê ♦ Colocando o bebê para arrotar ♦ *Sentado em segurança* ♦ *Seguro de todos os lados?* ♦ A troca de fraldas ♦ Vestindo o bebê ♦ Cuidados com as orelhas ♦ Erguer e carregar o bebê ♦ As unhas em ordem ♦ Cuidados com o nariz ♦ Saindo com o bebê ♦ *Negócios de bebê* ♦ Cuidados com o pênis ♦ Posição para dormir ♦ O cueiro no bebê ♦ Cuidados com o coto umbilical

## Capítulo 5: O Primeiro Mês ................ 237

## O Que seu Bebê Pode Estar Fazendo ................ 237

*O que seu bebê pode estar fazendo neste mês* ♦ O que você pode esperar do *check-up* deste mês

## Como Alimentar seu Bebê este Mês: Tirando o Leite Materno ................ 241

Por que as mães tiram leite ♦ Escolhendo uma bomba ♦ *Informações fascinantes* ♦ Tudo sobre as bombas ♦ Preparando-se para bombear ♦ *A prática de bombear faz a perfeição* ♦ *O outro lado da história* ♦ Como tirar leite materno ♦ Guardando o leite materno ♦ *Para onde vai o leite?* ♦ *Dica rápida*

## As Preocupações Comuns ................ 250

"Quebrar" o bebê ♦ As fontanelas ♦ Bebê magro ♦ Ter leite suficiente ♦ Bebê que consome leite o bastante ♦ Calos de amamentação ♦ Programa de amamentação ♦ *Trabalho dobrado, diversão dobrada* ♦ Mudando de ideia sobre a amamentação ♦ Fórmula demais ♦ Água suplementar ♦ *O timing é tudo* ♦ Suplementos vitamínicos ♦ *O sentido dos suplementos* ♦ Regurgitação ♦ *Dica rápida* ♦ Sangue na regurgitação ♦ Alergia a leite ♦ Alergia a leite em bebês amamentados no peito ♦ Evacuação ♦ Evacuação explosiva ♦ Eliminação de gases ♦ Constipação ♦ Posições para dormir ♦ Padrões de sono ♦ Sono irrequieto ♦ Trocando o dia pela noite ♦ Ruídos quando o bebê está dormindo ♦ A respiração do bebê ♦ *Um sono melhor para o bebê* ♦ Mudando um bebê adormecido para a cama ♦ Choro ♦ Cólica ♦ Sobrevivendo à cólica ♦ *Receita para a cólica* ♦ *Lidando com o choro* ♦ Bebê mimado ♦ Chupeta ♦ Tratando do cordão umbilical ♦ Hérnia umbilical ♦ Cuidados na circuncisão ♦ Escroto inchado ♦ Hipospadias ♦ Cueiro ♦ Mantendo o bebê na temperatura certa ♦ Saindo com o bebê ♦ Exposição a estranhos ♦ Acne infantil ♦ Mudanças na cor da pele ♦ Audição ♦ Música alta ♦ Visão ♦ *Mantendo o bebê seguro* ♦ *Flashes* de fotografia ♦ Estrabismo ♦ Olhos lacrimosos ♦ Espirros ♦ Os primeiros sorrisos ♦ Soluços ♦ O uso de detergentes nas roupas do bebê

## O Que É Importante Saber:

### OS BEBÊS SE DESENVOLVEM DE FORMAS DIFERENTES ...... 314

*Os bebês mais lentos de hoje* ♦ *Em que mês estamos, afinal?*

## Capítulo 6: O Segundo Mês ................. 319

## O Que seu Bebê Pode Estar Fazendo ................. 319

## O Que Você Pode Esperar do *Check-up* deste Mês ............ 321

*Fazendo a maior parte dos* check-ups *mensais*

## Amamentando seu Bebê:
## Apresentando... a Mamadeira ................. 322

*Sem mamadeira* ♦ O que colocar na mamadeira? ♦ *Mitos da suplementação* ♦ *Misture* ♦ Fazendo a apresentação ♦ *Acostumando o bebê* ♦ *A suplementação quando o bebê não está se desenvolvendo*

## As Preocupações Comuns ................. 328

Sorrisos ♦ Arrulhos ♦ *Olha quem está falando* ♦ *Como falar com seu bebê?* ♦ Fala de criança ♦ Uma segunda língua ♦ *Entendendo seu bebê* ♦ Comparação de bebês ♦ Vacinação ♦ *Aproveitando ao máximo os primeiros três anos* ♦ O abc de dtap... e mmr... e ipv... ♦ *Mitos da vacinação* ♦ *Programa recomendado de vacinação* ♦ *Quando consultar o médico depois de uma vacinação* ♦ Caspa de berço ♦ Pés tortos ♦ Testículos não descidos ♦ Adesão peniana ♦ Hérnia inguinal ♦ Mamilos invertidos ♦ Preferência por um seio ♦ Usando uma *kepina* ou *sling* ♦ O bebê rebelde ♦ *Você tem um bebê rebelde?* ♦ O bebê que não dorme de costas

## O Que É Importante Saber:

### ESTIMULANDO SEU BEBÊ NOS PRIMEIROS MESES .......... 359

A criação de um bom ambiente ◆ Dicas práticas para o aprendizado e as brincadeiras ◆ *Local, sempre o local*

## Capítulo 7: O Terceiro Mês ........................ 369

## O Que seu Bebê Pode Estar Fazendo ...................... 369

## O Que Você Pode Esperar do *Check-up* deste Mês ............ 371

## Alimentando o Bebê: Aleitamento Materno
## e Trabalho ........................................ 371

Amamentação e trabalho — como fazer para que dê certo para você ◆ *Programas de lactação corporativos*

## As Preocupações Comuns ............................ 376

O estabelecimento de um horário regular ◆ *Filosofias conflitantes de criação dos filhos* ◆ Colocando o bebê para dormir ◆ Despertando para as mamadas noturnas ◆ Síndrome da morte súbita infantil (SIDS) ◆ *O que é a SIDS?* ◆ *A prevenção da SIDS* ◆ *O relato de emergências respiratórias ao médico* ◆ Dividindo o quarto com o bebê ◆ Dividindo uma cama ◆ Usando ainda uma chupeta ◆ Desmame precoce ◆ *Quanto mais tempo, melhor* ◆ Suplementação com leite de vaca ◆ Menos evacuação ◆ Assaduras ◆ Feridas no pênis ◆ Movimentos espásticos ◆ Brincadeiras brutas ◆ *Nunca sacuda um bebê* ◆ Ficar presa à amamentação no peito ◆ Deixando o neném com uma babá

## O Que É Importante Saber:

### A ASSISTÊNCIA CERTA AO BEBÊ ...................... 404

Cuidados em casa ◆ *Lista de verificação da babá* ◆ *A babá bem informada* ◆ *Eles são bons para esse trabalho?* ◆ Creches ◆ *A contratação de uma babá* ◆ *De olho na babá* ◆ *Seu filho é o barômetro da creche* ◆ Creche familiar ◆ Creche corporativa ◆ *Segurança para dormir* ◆ Bebês no trabalho ◆ Quando seu filho estiver doente

# Capítulo 8: O Quarto Mês ....................... 423

## O Que seu Bebê Pode Estar Fazendo ..................... 423

## O Que Você Pode Esperar do *Check-up* deste Mês ........... 425

## A Alimentação do seu Bebê: Pensando nos Sólidos ........... 426

## As Preocupações Comuns ..................... 428

Rejeição do seio ♦ Agitação na troca de fraldas ♦ Apoiando o bebê ♦ Bebê de pé ♦ Agitação do bebê na cadeirinha ♦ Bebê insatisfeito na cadeirinha do carro ♦ Chupar dedo ♦ Bebê gorducho ♦ *Suspenda o suco* ♦ *Como fazer para seu bebê crescer?* ♦ Bebê magro ♦ Sopro cardíaco ♦ Fezes pretas ♦ Massagem no bebê ♦ Exercícios

## O Que É Importante Saber:

### BRINQUEDOS DE BEBÊ ..................... 446

*Adequado para abraçar*

# Capítulo 9: O Quinto Mês ..................... 451

## O Que seu Bebê Pode Estar Fazendo ..................... 451

## O Que Você Pode Esperar do *Check-up* deste Mês ........... 453

## Como Alimentar seu Bebê este Mês: Introduzindo Alimentos Sólidos ..................... 453

*Bons alimentos iniciais para dar ao bebê* ♦ Noite de estreia — e outras mais ♦ Alimentos para a estreia ♦ Ampliando o repertório do bebê ♦ *Este ano não, bebê* ♦ A dieta do primeiro ano para iniciantes ♦ *Quem está contando?* ♦ A dieta ideal do bebê ♦ *Nada de mel para o seu docinho* ♦ *Potes com dupla jornada*

## As Preocupações Comuns ..................... 463

Dentição ♦ *O mapa da dentição* ♦ Tosse crônica ♦ Puxões nas orelhas ♦ Sonecas ♦ Eczema ♦ Usando uma *kepina* de costas ♦ Conselhos gratuitos ♦ Começando com o copo ♦ *A segurança dos copos com canudinho* ♦ Ali-

*mentando seu bebê com segurança* ♦ Alergias alimentares ♦ *Dicas de segurança para as cadeiras de refeições* ♦ Cadeirinhas ♦ Andadores ♦ Aparelho para pular ♦ *Reduzindo os riscos do andador* ♦ Balanço do bebê

## O Que É Importante Saber:

### OS RISCOS AMBIENTAIS E SEU BEBÊ . . . . . . . . . . . . . . . . . . . . 486

Controle de pragas domésticas ♦ Chumbo ♦ *Inadequada para cavar?* ♦ Água contaminada por outras substâncias ♦ *Protegendo as crianças* ♦ Ar interior poluído ♦ *A salvo no mundo rural* ♦ *Riscos alimentares em perspectiva* ♦ Contaminantes na comida ♦ *Fora da boca dos bebês* ♦ *Alimentos orgânicos — cada vez mais disponíveis*

## Capítulo 10: O Sexto Mês . . . . . . . . . . . . . . . . . . . . . . . . 499

## O Que seu Bebê Pode Estar Fazendo . . . . . . . . . . . . . . . . . . 499

## O Que Você Pode Esperar do *Check-up* deste Mês . . . . . . . . . . . 501

## Como Alimentar seu Bebê: Alimentos Infantis Industrializados ou Preparados em Casa . . . . . . . . . . . . . . . . . . . . . . . . . . 502

Alimentos infantis industrializados ♦ *Alimento para o pensamento* ♦ Alimentos infantis preparados em casa ♦ *Atenção ao faça você mesmo*

## As Preocupações Comuns . . . . . . . . . . . . . . . . . . . . . . . . 505

Ainda não dorme a noite toda ♦ *É tudo uma questão de tempo* ♦ *O que será que os vizinhos pensam?* ♦ *Compartilhando o sono* ♦ Acordar cedo ♦ Virando-se durante a noite ♦ Usando a banheira grande ♦ *Banho seguro na banheira* ♦ Rejeição à mamadeira em bebê que mama no peito ♦ Mudanças na evacuação ♦ Escovar os dentes do bebê ♦ *A primeira escova de dentes do bebê* ♦ Cárie de mamadeira ♦ Desmame para o leite de vaca ♦ Ingestão de sal ♦ Rejeição aos cereais ♦ Dieta vegetariana ♦ *Sem carne? Sem problemas* ♦ Exame para anemia ♦ Calçados para o bebê

## O Que É Importante Saber:

### ESTIMULANDO SEU BEBÊ MAIS VELHO . . . . . . . . . . . . . . . . . 527

*Como falar com seu bebê agora?*

# Capítulo 11: O Sétimo Mês . . . . . . . . . . . . . . . . . . . . . . . . . 533

# O Que seu Bebê Pode Estar Fazendo . . . . . . . . . . . . . . . . . . . 533

# O Que Você Pode Esperar do *Check-up* deste Mês . . . . . . . . . . 535

# Como Alimentar seu Bebê: Saindo dos Alimentos Peneirados . . 535

# As Preocupações Comuns . . . . . . . . . . . . . . . . . . . . . . . . . . 536

Pegando o bebê no colo ♦ Avós mimando o bebê ♦ Bebê que faz travessuras com você ♦ Meu bebê tem algum dom? ♦ Não se senta ainda ♦ Morder mamilos ♦ Lanches ♦ *Jantar e um bebê* ♦ Comer o dia todo ♦ Dentes que nascem tortos ♦ Manchas nos dentes

# O Que É Importante Saber:

## O SUPERBEBÊ . . . . . . . . . . . . . . . . . . . . . . . . . . . . . . . . 551

# Capítulo 12: O Oitavo Mês . . . . . . . . . . . . . . . . . . . . . . . . . 553

# O Que seu Bebê Pode Estar Fazendo . . . . . . . . . . . . . . . . . . . 553

# O Que Você Pode Esperar do *Check-up* deste Mês . . . . . . . . . . 555

# Como Alimentar seu Bebê: Finalmente — Alimentos em Pedacinhos . . . . . . . . . . . . . . . . . . . . . . . . . . . . . . . . . . . 555

# As Preocupações Comuns . . . . . . . . . . . . . . . . . . . . . . . . . . 557

As primeiras palavras do bebê ♦ Linguagem de sinais com o bebê ♦ O bebê ainda não engatinha ♦ Correria ♦ Casa bagunçada ♦ Comendo coisas do chão ♦ Comer terra — e coisa pior ♦ Sujando-se ♦ Ereções ♦ A descoberta dos genitais ♦ Cercadinho ♦ Lendo para o bebê ♦ Habilidade com a mão esquerda ou a direita ♦ *Segurança no berço agora* ♦ Sua casa à prova de crianças

# O Que É Importante Saber:

## COMO TORNAR A CASA SEGURA PARA O BEBÊ . . . . . . . . . . . . . 575

Mude seus modos ♦ Mude o ambiente de seu bebê ♦ *Controle de intoxicação* ♦ *Equipamento de segurança* ♦ Mude seu bebê ♦ *Sinal vermelho para os verdes*

# Capítulo 13: O Nono Mês . . . . . . . . . . . . . . . . . . . . . . 593

## O Que seu Bebê Pode Estar Fazendo . . . . . . . . . . . . . . . . . . . 593

## O Que Você Pode Esperar do *Check-up* deste Mês . . . . . . . . . . . . 595

## Como Alimentar seu Bebê: Estabelecendo Bons Hábitos desde Já . . . . . . . . . . . . . . . . . . . . . . . . . . . . . . . . 596

## As Preocupações Comuns . . . . . . . . . . . . . . . . . . . . . . . . . . . 598

Alimentando o bebê à mesa ◆ Perda de interesse na amamentação ◆ *Leite? Ainda não* ◆ Hábitos alimentares confusos ◆ *Cereais com uma pitada de sabor* ◆ Alimentando-se sozinho ◆ Fezes estranhas ◆ Mudanças nos padrões de sono ◆ Levantando-se ◆ Pés chatos ◆ Andando cedo demais? ◆ Desenvolvimento lento ◆ Medo de estranhos ◆ Objetos de segurança ◆ Sem dentes ◆ Ainda sem cabelo

## O Que É Importante Saber:

JOGOS PARA BEBÊS . . . . . . . . . . . . . . . . . . . . . . . . . . . . . . 614

# Capítulo 14: O Décimo Mês . . . . . . . . . . . . . . . . . . . . 617

## O Que seu Bebê Pode Estar Fazendo . . . . . . . . . . . . . . . . . . . 617

## O Que Você Pode Esperar do *Check-up* deste Mês . . . . . . . . . . . . 619

## Como Alimentar seu Bebê: Quando Desmamar . . . . . . . . . . . . . . 619

## As Preocupações Comuns . . . . . . . . . . . . . . . . . . . . . . . . . . . 623

Bagunça na hora da refeição ◆ Bater a cabeça, balançar e rolar ◆ Enrolar e puxar o cabelo ◆ Ranger os dentes ◆ *A cena social do bebê* ◆ Morder ◆ Piscar ◆ Prender a respiração ◆ Começando as aulas ◆ Sapatos para andar ◆ Cuidados com os cabelos ◆ Medos

## O Que É Importante Saber:

O INÍCIO DA DISCIPLINA . . . . . . . . . . . . . . . . . . . . . . . . . . 639

*Bater ou não bater*

# Capítulo 15: O Décimo Primeiro Mês .................. 651

# O Que seu Bebê Pode Estar Fazendo ................... 651

# O Que Você Pode Esperar do *Check-up* deste Mês ............. 653

# Como Alimentar seu Bebê: Desmamando da Mamadeira ...... 653

# As Preocupações Comuns .................... 656

Pernas arqueadas ♦ Nudez dos pais ♦ Quedas ♦ Ainda não se levanta ♦ Danos nos dentes do bebê ♦ Colesterol na dieta do bebê ♦ Mudanças no crescimento

# O Que É Importante Saber:

AJUDANDO O BEBÊ A FALAR .................... 662

# Capítulo 16: O Décimo Segundo Mês .................. 669

# O Que seu Bebê Pode Estar Fazendo .................... 670

*Você conhece seu bebê melhor do que ninguém*

# O Que Você Pode Esperar do *Check-up* deste Mês .......... 672

# Como Alimentar seu Bebê: Desmamando do Peito ........... 673

Desmamando do peito ♦ *Ficando à vontade* ♦ *O sentido do leite*

# As Preocupações Comuns .................... 678

A primeira festa de aniversário ♦ Ainda não está andando ♦ *Cuide com carinho* ♦ Ansiedade de separação maior ♦ Ligação com a mamadeira ♦ *Não fique nervosa* ♦ Colocando o bebê que foi desmamado para dormir ♦ Ansiedade de separação na hora de dormir ♦ Timidez ♦ Habilidades sociais ♦ Dividindo ♦ Batendo ♦ "Esquecendo" uma habilidade ♦ Uma queda no apetite ♦ Exigência ao comer ♦ *A hora do amendoim* ♦ Aumento no apetite ♦ Recusando-se a comer sozinho ♦ Aumentando a independência ♦ Linguagem não verbal ♦ Diferenças de gênero ♦ *Aprendendo a andar* ♦ Mudando de cama ♦ Usando o travesseiro ♦ Assistindo à TV ♦ Software para bebês ♦ Hiperatividade ♦ Negação

**O Que É Importante Saber:**

ESTIMULANDO SEU BEBÊ DE 1 ANO DE IDADE.............. 710

*Os olhos estão... prontos* ♦ *Um lembrete de segurança*

---
###### Parte 2
# AS PREOCUPAÇÕES ESPECIAIS
---

## Capítulo 17: Um Bebê para Todas as Estações........ 717

## As Preocupações Comuns no Verão......................... 718

Como manter o bebê refrescado ♦ *Brotoejas no verão* ♦ Insolação ♦ Sol demais ♦ *O que procurar ao escolher um filtro solar* ♦ Picadas de insetos ♦ Segurança no verão ♦ *Água, bebê?* ♦ Bebês aquáticos ♦ *Quando a comida volta*

## As Preocupações Comuns no Inverno....................... 729

Mantendo o bebê aquecido ♦ Queimadura pelo frio ♦ *Mudança de temperatura* ♦ Queimadura pela neve ♦ Mantendo o bebê aquecido dentro de casa ♦ Pele seca ♦ Fogo da lareira ♦ Perigos das festas ♦ *Dentro dos embrulhos* ♦ Presentes seguros

## O Que É Importante Saber:

A ÉPOCA PARA VIAJAR.................................... 736

Planejando com antecedência ♦ *Só vocês dois?* ♦ Como fazer as malas de maneira inteligente ♦ Chegar lá já é metade da diversão? ♦ *Em altitudes elevadas* ♦ Hotéis ou casas ♦ Divertindo-se

## Capítulo 18: Quando o Bebê Adoece.................. 751

## Antes de Ligar para o Médico............................ 752

*Intuição dos pais*

## De Quanto Descanso o Bebê Doente Precisa?................. 755

## Como Alimentar um Bebê Doente ........................... 755

## Quando um Remédio É Necessário .......................... 756

O que é importante saber sobre remédios ♦ Como dar o remédio corretamente ♦ Ajudando o bebê a engolir o remédio

## Os Problemas de Saúde mais Comuns em Bebês .............. 761

Alergias ♦ *Ter um bichinho não é má ideia* ♦ *É alergia — ou apenas intolerância?* ♦ *Resfriado ou alergia?* ♦ Resfriado comum ou infecção do trato respiratório superior ♦ *Combatendo o vírus da gripe* ♦ *Lavar as mãos é a solução* ♦ *Como tratar os sintomas do bebê* ♦ *Resfriados frequentes* ♦ Constipação ♦ *Tosse súbita* ♦ *Medicina complementar e alternativa* ♦ Diarreia ♦ Inflamação no ouvido médio (otite média) ♦ *Um suco melhor para o seu bebê doente?* ♦ Refluxo gastroesofágico (RGE) ♦ *Histórico de saúde do seu bebê* ♦ Infecção do trato urinário (ITU) ♦ Vírus sincicial respiratório (VSR)

## O Que É Importante Saber:

### TUDO SOBRE A FEBRE ..................................... 790

*Convulsões em um bebê com febre* ♦ Como medir a temperatura do bebê ♦ *A febre não diz tudo* ♦ *Antes daquela primeira febre* ♦ Avaliando uma febre ♦ *Como lidar com as convulsões febris* ♦ *Acetaminofeno ou ibuprofeno?* ♦ O tratamento de uma febre

## Capítulo 19: O Que Fazer em Casos de Emergência ........................................ 803

*Esteja preparado* ♦ Afogamento ♦ Arranhões ♦ Asfixia ♦ Choque ♦ Choque elétrico ♦ Contusões, pele ♦ Convulsões ♦ Cortes ♦ Corte ou rachadura nos lábios ♦ Dedos dos pés, ferimentos ♦ Dentes, ferimentos nos ♦ Deslocamento ♦ Desmaio/perda da consciência ♦ Envenenamento ♦ Envenenamento por hera, carvalho ou sumagre ♦ Feridas na pele ♦ Ferimentos abdominais ♦ Ferimentos nos olhos ♦ Ferimentos com perfuração ♦ Ferimentos no ouvido ♦ Ferimentos na boca ♦ Ferimentos na cabeça ♦ Ferimentos no nariz ♦ Ferimentos nos dedos ♦ *Tratando um jovem paciente* ♦ Hemorragia interna ♦ Hipotermia ♦ Lesões pelo calor ♦ Lascas ou estilhaços ♦ Língua, ferimentos na ♦ Membro ou dedo decepado ♦ Mordidas ♦ Mordidas de cachorro ♦ Mordidas e picadas de insetos ♦ Objetos estranhos ingeridos ♦ Ossos quebrados ou fraturas ♦ Queimaduras e escaldaduras ♦ Queimadura pelo frio e hipotermia ♦ Queimaduras de sol ♦ Queimaduras químicas ♦ Sangramento ♦ *Colocando um curativo no dodói*

## Técnicas de Ressuscitação para Bebês e Crianças . . . . . . . . . . . . . . 826

Quando o bebê engasgar ♦ *O objeto inalado insuspeito* ♦ Ressuscitação cardiopulmonar (RCP): respiração de salvamento e massagem no peito ♦ Respiração de salvamento (ressuscitação boca a boca) ♦ Massagem no peito (RCP): bebês de menos de 1 ano ♦ Massagem no peito (RCP): bebês de mais de 1 ano

## Capítulo 20: O Bebê de Baixo Peso ao Nascimento . . . . 841

## Como Alimentar seu Bebê: Nutrição para o Bebê Prematuro ou para o Bebê com Baixo Peso ao Nascimento . . . . . 842

*Perda de peso precoce* ♦ *Tirando leite para um bebê prematuro* ♦ Como amamentar em casa

## As Preocupações Comuns . . . . . . . . . . . . . . . . . . . . . . . . . . . . . . . . . . 849

Unidade de tratamento intensivo neonatal (UTIN) ♦ *Retrato de um prematuro* ♦ Recebendo cuidados ideais ♦ Falta de laços de família ♦ *Luzes apagadas?* ♦ Hospitalização prolongada ♦ Restrição de crescimento intrauterino ♦ Irmãos ♦ Mamando no peito ♦ *Levando o bebê para casa* ♦ Como segurar o bebê ♦ Problemas permanentes ♦ Alcançando os outros ♦ *Vacinas para prematuros* ♦ *Dicas de cuidados domésticos para bebês prematuros* ♦ Assentos do carro ♦ Culpa

## O Que É Importante Saber:

### PROBLEMAS DE SAÚDE COMUNS EM BEBÊS
### NASCIDOS ABAIXO DO PESO . . . . . . . . . . . . . . . . . . . . . . . . . . . . 869

*Re-hospitalização*

## Capítulo 21: O Bebê com Necessidades Especiais . . . . . . 875

## Como Alimentar seu Bebê: A Dieta Pode Fazer a Diferença? . . . . 876

## As Preocupações Comuns .................................. 876

Sentindo-se responsável ◆ *Quando a culpa é real* ◆ Sentindo raiva ◆ Não amar o bebê ◆ *Trabalhando seus sentimentos* ◆ O que dizer aos outros ◆ Lidando com tudo ◆ Obtendo o diagnóstico correto ◆ *Seja um amigo de verdade* ◆ *Apenas os fatos* ◆ Aceitar ou não o tratamento ◆ *Onde procurar ajuda* ◆ Recebendo o melhor cuidado e tratamento ◆ Efeitos do bebê nos irmãos ◆ Efeitos no seu relacionamento ◆ Uma repetição com o próximo bebê ◆ Uma deficiência congênita diferente da próxima vez

## O Que É Importante Saber:

### PROBLEMAS DE NASCENÇA MAIS COMUNS ................. 892

AIDS/HIV perinatal ◆ Anemia falciforme ◆ Anencefalia ◆ Autismo ◆ Cardiopatias congênitas ◆ Doença celíaca ◆ Doença de Toy-Sachs ◆ Doença hemolítica fetal ◆ *Como os defeitos são herdados* ◆ Espinha aberta — ver espinha bífida ◆ Espinha bífida (espinha aberta) ◆ Estenose do piloro ◆ Fibrose cística (FC) ◆ *Quando o diagnótico faz toda a diferença* ◆ Fístula traqueoesofágica ◆ Hidrocefalia ◆ Lábio leporino e/ou fenda palatina ◆ Malformações ◆ Paralisia cerebral ◆ Pé torto e outras deformidades de pé e tornozelo ◆ Problema cardíaco — ver cardiopatias congênitas deformidade ◆ Síndrome alcoólica fetal ◆ Síndrome de Down ◆ Talassemia

## Capítulo 22: O Bebê Adotivo ...................... 913

## As Preocupações Comuns .............................. 913

Preparativos ◆ *A medicina da adoção* ◆ Não se sentindo pai ou mãe ◆ Amando o bebê ◆ O choro do bebê ◆ *O período de espera* ◆ Depressão pós-adoção ◆ Amamentando um bebê adotivo no peito ◆ Atitude dos avós ◆ Problemas de saúde desconhecidos ◆ *Anticorpos da adoção* ◆ Como lidar com amigos e com a família ◆ Como contar ao bebê ◆ *Apoio para a família adotiva* ◆ *Benefícios da adoção*

---
Parte 3
# PARA A FAMÍLIA
---

## Capítulo 23: Para a Mamãe: Aproveitando o Primeiro Ano ......................... 929

## O Que Você Deve Comer: A Dieta Pós-Parto ............... 930

Nove princípios básicos da dieta para novas mães ◆ A dieta ideal para o pós-parto e amamentação ◆ *Um pacote em dois* ◆ Se você não estiver amamentando

## As Preocupações Comuns ................................... 937

Exaustão ◆ *Recém-nascido?* ◆ Depressão pós-parto ◆ Cuidando das tarefas de casa ◆ *Conseguindo ajuda para a depressão pós-parto* ◆ Não estar no controle ◆ Não se sentir competente ◆ *Quando você está sozinha* ◆ Fazendo a coisa certa ◆ Dores e sofrimentos ◆ Retorno da menstruação ◆ *Hora de fazer estoque de absorventes?* ◆ Incontinência urinária ◆ *É hora do Kegel novamente* ◆ Recuperando a forma ◆ Voltando à forma ◆ *Um exercício com o carrinho* ◆ Devolvendo o sexo à vida ◆ *Facilitando a volta ao sexo* ◆ Vagina dilatada ◆ *Alerta de sangramento leve* ◆ O estado de seu romance ◆ Pensando no próximo bebê ◆ *Planejando com antecedência* ◆ Anticoncepcionais ◆ *Sinais de alerta contra anticoncepcionais hormonais* ◆ *Sinais de alerta do DIU* ◆ *Sinais de alerta dos métodos de barreira* ◆ *Temperatura basal do corpo* ◆ Diagnosticando uma nova gravidez ◆ Passando germes para o bebê ◆ Encontrando tempo para si mesma ◆ Descobrindo outros interesses ◆ *Traga o bebê junto* ◆ Amizades ◆ Estilos diferentes de maternidade ◆ Ciúmes das habilidades de paternidade do papai ◆ Ciúmes da atenção que o papai dá ao bebê ◆ Tempo de qualidade ◆ Deixando o bebê com uma babá

## O Que É Importante Saber:

### TRABALHAR OU NÃO TRABALHAR ........................ 990

*Trabalhos que ajudam a família* ◆ Quando retornar ao trabalho

# Capítulo 24: Tornando-se Pai ........................ 997

## As Preocupações Comuns ............................ 997

Licença-paternidade ♦ *Não pare por aqui* ♦ Pai em tempo integral ♦ A depressão pós-parto da esposa ♦ A sua depressão ♦ Sentimentos confusos ♦ Ciúmes da atenção da mãe ao bebê ♦ *Um caso a três* ♦ Sentindo-se inadequado como pai ♦ *O toque do pai* ♦ Fardo injusto? ♦ *Coisas de papais* ♦ *Um presente para a vida inteira* ♦ Não ter tempo suficiente para passar com o bebê

# Capítulo 25: De Filho Único a Filho mais Velho ...... 1011

## As Preocupações Comuns ............................ 1012

Como preparar um filho mais velho ♦ *Leia sobre o assunto* ♦ Irmãos na hora do parto ♦ Separação e visitas no hospital ♦ Tornando a volta para casa mais fácil ♦ Ressentimento ♦ Como explicar as diferenças genitais ♦ Amamentando na frente do filho mais velho ♦ O filho mais velho quer mamar ♦ Como ajudar um irmão a conviver com cólicas ♦ Comportamento regressivo ♦ Quando o filho mais velho machuca o bebê ♦ *Enxergando verde?* ♦ Como dividir o tempo e a atenção ♦ *Irmãos com uma grande diferença de idade* ♦ Ligação entre irmãos ♦ Aumentando a guerra

---

*Parte 4*

# REFERÊNCIA RÁPIDA

---

## As Primeiras Receitas do Bebê ......................... 1041

## 4 a 8 Meses ......................................... 1041

Qualquer vegetal no vapor ♦ Qualquer fruta assada

## 6 a 12 Meses ........................................ 1043

Cozido de lentilhas ♦ Primeira caçarola do bebê

## 8 a 12 Meses ........................................ 1044

Macarrão com queijo e tomate ♦ Primeiro peru para o bebê ♦ Pão passado no ovo ♦ Croque bebe ♦ Rabanada de banana ♦ Tirinhas divertidas ♦ *Sundae* de fruta ♦ Cubos de uva-do-monte e maçã ♦ Gelatina de banana e laranja ♦ *Comidinhas fabulosas* ♦ *Frozen* iogurte de pêssego ♦ Primeiro bolo de aniversário ♦ *Ideias rápidas para a hora da refeição* ♦ Glacê de *cream cheese*

## Remédios Caseiros Comuns ............................... 1051

Almofada térmica ♦ Aspiração nasal ♦ Aumento de líquidos ♦ Bolsa de água quente ♦ Bolsa de gelo ♦ Compressas frias ♦ Compressas geladas ♦ Compressas mornas ♦ Compressas nos olhos ♦ Compressas quentes ♦ Imersão em água quente ♦ Imersão gelada ♦ Irrigação com soro fisiológico ♦ Umidificador ♦ Vapor ♦ *Quadro de dosagem para remédios contra a febre para bebês*

## Infecções Comuns na Infância .......................... 1055

Quadro de doenças ♦ Quadros de altura e peso

Índice ...................................................... 1091

# Um Livro Ímpar para os Pais

Quando, perto de 15 anos atrás, as autoras do popular predecessor deste livro — *O que esperar quando você está esperando* — decidiram se aventurar para além da gravidez e publicar um livro para os pais de primeira viagem, elas deviam saber que estavam entrando em um território concorrido e competitivo. Desde que Benjamin Spock publicou a primeira edição de seu *Meu filho, meu tesouro*, em 1946, muitos escritores tentaram produzir um livro que nos ajudasse a criar filhos mais felizes e mais saudáveis. Entre os autores que seguiram os passos do Dr. Spock, havia muitos especialistas: pediatras, psicólogos infantis, acadêmicos e especialistas variados. Ironicamente, estas autoridades seguiam os passos de uma pessoa que repetidamente lembrava os pais de que, quando criassem os filhos, não deviam depender tanto dos especialistas; que muitas vezes é melhor confiar nos próprios instintos.

*O que esperar do primeiro ano* era diferente. Era um projeto ao mesmo tempo ousado em sua abrangência e singular em sua perspectiva. Prometia explicar "tudo o que os pais precisam saber sobre o primeiro ano de vida". E em vez de ser escrito por especialistas, era escrito por uma equipe de escritoras realizadas que mereciam nossa atenção somente pelo fato de terem filhos, como nós. Começaram com a intenção de fornecer aos outros pais respostas a perguntas que elas próprias haviam feito — ou poderiam ter feito — sobre a criação de seus próprios filhos.

*O que esperar do primeiro ano* tem sido muito bem recebido e extraordinariamente bem-sucedido. Com mais de 7 milhões de exemplares impressos, ele cumpre sua promessa, e os leitores certamente têm validado sua abordagem centrada nos pais. Mas seu sucesso — e o sucesso desta revisão — deve-se, acredito eu, não só a sua ampla cobertura e abordagem única, mas também à pesquisa cuidadosa que foi realizada sobre cada tópico, às discussões ponderadas e racionais dos problemas cotidianos e a uma atenção aos detalhes que é frequentemente surpreendente.

Escrito do ponto de vista dos pais, o *Primeiro ano* oferece o tipo de aconselhamento que os pais com frequência apreciam, mas os profissionais mal pensam em incluir. Heidi Murkoff, que teve a ideia de *O que esperar quando você está esperando* quando estava grávida de sua filha Emma, sem dúvida teve muitas das ideias para este livro enquanto pensava em como alimentar melhor Emma e como lidar com suas crises de choro, e quando observava e se maravilhava em ver como Emma crescia e passava pelos marcos do desenvolvimento de seu primeiro ano. Se Heidi e suas coautoras fossem pediatras além de mães, trariam a experiência clínica e o raciocínio médico, mas talvez em detrimento de sua experiência e seu raciocínio como mães. Elas podiam ter mencionado todas as vantagens do aleitamento materno e dado fundamentos lógicos para evitar os alimentos infantis até que o desenvolvimento do bebê estivesse concluído. Mas teriam mencionado as vantagens de escolher um nome para o bebê que seja fácil de pronunciar e soletrar, e evitar nomes que são modismos ou políticos? Elas ainda teriam falado dos alimentos que compreendem a "dieta ideal" para ajudar a garantir uma boa nutrição, mas teriam nos dito sobre como aproveitar os potes vazios de alimentos infantis para aquecer e servir pequenas porções? Elas enfatizam a importância de tomar toda a posologia de um remédio que tenha sido receitado com toda a convicção do médico de seus filhos, mas acrescentam que você pode considerar resfriar o remédio, um truque para torná-lo mais palatável sem afetar sua potência. E experimente usar uma colher rasa de remédio... bem, você poderá ler o porquê.

A abrangência de *O que esperar do primeiro ano* quase o coloca em uma categoria própria. Embora alguns autores se saiam bem com os conselhos médicos, são acanhados no aspecto do desenvolvimento, ou não conseguem ir além do básico sobre a nutrição. Outros que destacam o desenvolvimento infantil não conseguem convencer — e portanto não são tranquilizadores — nas questões de saúde física e prevenção de doenças. Este livro abrange quase tudo o que os pais podem querer saber sobre a criação de um bebê. Esteja você preparando uma fórmula, ou retirando farpas, ou considerando as vantagens de ensinar a linguagem de sinais a um bebê, ou ainda curioso para saber se a brotoeja se deve à Quinta Doença, este livro lhe será útil. Ele nem sempre pode substituir as fontes mais definitivas e especializadas de informação, mas provavelmente o fará. É muito provável que você não consiga desgrudar do *Primeiro ano* até o amanhecer!

Os leitores gostarão da atenção aos detalhes no *Primeiro ano*. Entre a lista de riscos ambientais estão o pouco mencionado material de costura e tricô que são pequenos e afiados demais para ocupar com segurança o mesmo espaço de um bebê ativo e inquisitivo de 8 meses. Se você quer saber sobre a acne infantil, como e onde encontrar uma boa assistência domiciliar, qual é a perspectiva para um bebê prematuro com doença pulmonar crônica, ou só precisa de um gráfico de posologia para remédios comuns para a febre, está tudo aqui. A abordagem testada mês a mês pelas autoras, inclusive a tranquilizadora seção

"O que seu filho pode estar fazendo", permanece na segunda edição. Há também uma atenção especial à periodicidade adequada da consulta médica, uma seção sobre primeiros-socorros, sobre bebês prematuros e sobre bebês adotivos. Há aconselhamento especial para pais e para irmãos. E, como na edição anterior, há uma excelente seção de referência que abrange receitas, remédios caseiros e doenças comuns.

Enquanto permanece aqui a maior parte do que tornou tão popular a primeira edição do *Primeiro ano*, muitas seções passaram por uma importante atualização. Esta segunda edição atualiza informações sobre assentos infantis seguros, recomendações para ressuscitação cardiopulmonar infantil, informação para pais de filhos com necessidades especiais, inclusive prematuros pequenos, e há informação atualizada sobre vacinação e doenças infantis comuns. Capítulos como "Tornando-se pai", "O bebê adotivo" e "Os primeiros dias do pós-parto" continuam a proporcionar aos pais a informação prática e tranquilizadora que mantém este livro um campeão de vendas ano após ano.

*O que esperar do primeiro ano* não só envelheceu bem, ele se tornou melhor. Há muito tempo aconselho os pais de primeira viagem a manter vários livros de referência na estante, se for possível. Mas se eles tivessem de escolher apenas um livro, deveria ser este. *O que esperar do primeiro ano* é ímpar e talvez seja o melhor livro atualmente sobre os cuidados com o bebê.

— *MARK D. WIDOME*
*PROFESSOR DE PEDIATRIA DO*
*HOSPITAL PEDIÁTRICO DA PENN STATE*
*HERSHEY, PENSILVÂNIA*

# Nasceu o Segundo Filho

Como o tempo voa quando criamos filhos e escrevemos livros! Embora pareça que tenha sido só ontem (tudo bem, talvez antes de ontem) que meu marido, Erik, e eu trouxemos do hospital para casa nossa primeira filha, Emma, já se passaram mais de vinte anos (18 anos desde que trouxemos o irmão dela, Wyatt). E embora pareça que foi só ontem que minhas coautoras e eu terminamos a primeira edição de *O que esperar do primeiro ano*, na verdade já se passou quase uma década e meia desde então.

Tempo para outro bebê? Nem pensar (apesar de eu ter ficado tentada sempre que essa coisinha quente ficava à distância de um abraço, fiquei meio apegada demais a um sono ininterrupto). Tempo para outra edição do *Primeiro ano*? Absolutamente.

O que traz à lembrança uma pergunta que eu fiz várias vezes: por que você precisaria escrever outra edição de *O que esperar do primeiro ano*? Ter bebês realmente mudou tanto nos últimos 15 anos?

É verdade, embora todo bebê seja único (como os pais com um segundo filho rapidamente descobrem), coletivamente os bebês de hoje não são diferentes dos bebês nascidos quando foi publicado o *Primeiro ano* (embora eles sejam, em média, um pouco maiores). Eles ainda passam uma boa quantidade de tempo comendo, dormindo e chorando. Ainda não têm muito cabelo nem todos os dentes. Ainda precisam muito das fraldas. Ainda têm um cheiro mais doce do que qualquer perfume. Eles ainda são rechonchudos, macios e (por falta de uma palavra melhor) gostosinhos. Ainda têm as mesmas necessidades básicas: comida, conforto e muito amor. E porque ainda não vêm com manual de instruções, eles ainda deixam os pais conjeturando (e voltando-se para livros como este) — e muito.

Mas embora os bebês não tenham mudado tanto, mudou o modo como cuidamos deles. Da forma como os colocamos para dormir (de costas, por favor, e não de bruços) à forma como os acalmamos (que tal uma massagem, neném?) e à forma como nos comunicamos com eles (sai o tatibitate, entram os sinais). Das diretrizes sobre alimentação (aleitamento no peito por mais tempo, alimentos sólidos mais tarde) às diretrizes sobre vacinação (vacinas combinadas significam menos lágrimas) e orientações sobre segurança no carro (os bebês agora sentam-se no banco traseiro, em um assento próprio, até um ano de idade, independente de seu tamanho antes disso). Pense na explosão de produtos infantis (de travesseiros para bebês a bombas de leite *hands-free*, de mamadeiras em ângulo a copos à prova de transbordamento, de monitores de alta tecnologia para bebês a *slings* de baixa tecnologia), e você verá que evidentemente é hora de fazer uma revisão.

O que você pode esperar desta segunda edição? Uma profusão de novidades e aprimoramentos; dezenas de novas perguntas e respostas, muitas inspiradas por cartas de leitores; seções ampliadas sobre uma multiplicidade de temas (de compreender seu recém-nascido a esti-

mular seu bebê mais velho, de fazer malabarismos com o trabalho e a família a meditar sobre as brigas entre irmãos); um novo capítulo dedicado ao aleitamento materno; as mais recentes informações e as últimas tendências sobre tudo do bebê: mais ilustrações — todas novas.

Mas uma vez que algumas coisas sobre os bebês nunca mudam, você pode esperar que algumas coisas em *O que esperar do primeiro ano* também não tenham mudado. O formato de fácil utilização, a filosofia nenhuma-pergunta-é-boba-demais, a tranquilização familiar que gera conforto — e felizmente toda a ajuda que precisará para ver você e o bebê felizes e saudáveis nestes primeiros 12 meses extraordinários (e exaustivos).

Eu lhe desejo um Primeiro Ano maravilhoso!

*— Heidi Murkoff*

# Parte 1

# O PRIMEIRO ANO

# CAPÍTULO 1

# Prepare-se

Depois de aproximadamente nove meses de espera, finalmente há uma luz no fim do túnel (talvez até obliteração e dilatação no fim da cérvice). Mas com apenas algumas semanas antes do dia D, você chegou a um termo com seu bebê chegando a termo? Será que você estará pronta para a chegada de seu bebê quando ele estiver pronto para chegar?

Até ex-escoteiros acharão que não é possível estar completamente preparado para a hora em que o bebê forma um trio (ou mais). Mas há uma miríade de passos que podem ser dados para tornar a transição mais branda — de escolher o nome certo para o bebê a escolher o médico certo, de decidir entre fraldas de pano e descartáveis, de se preparar psicologicamente para as mudanças que trará o recém-chegado a preparar o cachorro da família. Às vezes a azáfama de atividades enquanto você tenta se preparar pode parecer frenética, mas você se verá pronta para o ritmo ainda mais febril que a espera depois do nascimento do bebê.

## Como Alimentar seu Bebê:
## PEITO OU FÓRMULAS, OU AMBOS

Talvez esta nunca tenha sido uma dúvida sua. Quando fecha os olhos e tem um devaneio rápido da vida com seu bebê, você claramente se vê amamentando sua preciosa coisinha no peito ou, com a mesma clareza, embala seu recém-nascido enquanto ele toma a mamadeira. Quaisquer que sejam seus motivos — práticos, emocionais ou médicos —, sua mente se decidiu sobre a amamentação do bebê no início de sua gravidez, talvez até antes da concepção.

Ou talvez esse devaneio rápido não seja tão bem focalizado. Talvez você não possa se ver exatamente amamentando no peito, mas tenha ouvido tanto sobre como o leite materno é melhor para o bebê que não consegue se ver dando mamadeira. Ou talvez você realmente prefira experimentar o aleitamento no peito, mas tem medo de que ele não combine com o trabalho, ou com o sono, ou com o romance. Ou talvez sejam os sentimentos confusos de seu cônjuge — ou de uma amiga, ou de sua mãe — que a está fazendo pensar duas vezes no assunto.

Independente do que esteja causando sua indecisão, ou sua ambivalência, ou sua confusão quanto ao método correto de amamentação para você, a melhor maneira de colocar em foco este quadro obscuro é explorar a realidade, bem como seus sentimentos. Antes de tudo, quais são os fatos?

## OS PRÓS DO ALEITAMENTO MATERNO

Não importa o quanto a tecnologia tenha progredido, sempre haverá algumas coisas que a natureza faz melhor. Entre elas: formular o melhor alimento e o melhor sistema de fornecimento de alimento para os bebês — um sistema que é ao mesmo tempo bom para as mães. Como disse Oliver Wendell Holmes Senior há bem mais de um século: "Um par de substanciais glândulas mamárias leva vantagem sobre os dois hemisférios do cérebro do professor mais versado na arte de compor um fluido nutritivo para os bebês." Hoje, os pediatras, obstetras, enfermeiras-parteiras e até fabricantes de alimentos infantis concordam: na maior parte das circunstâncias, o peito é, de longe, o melhor. A seguir estão alguns dos motivos para isso:

**É feito sob medida.** Talhado para as necessidades dos bebês humanos, o leite materno contém pelo menos 100 ingredientes que não são encontrados no leite de vaca e que não podem ser sintetizados em laboratório. Além disso, ao contrário das fórmulas infantis, a composição do leite materno muda constantemente para atender às necessidades sempre cambiantes do bebê: de manhã é diferente do final da tarde; no começo da amamentação é diferente do final; no primeiro mês, diferente do sétimo; para bebês prematuros é diferente de para bebês nascidos no tempo normal. Os nutrientes do leite materno são combinados para as necessidades de um bebê e sua capacidade de lidar com eles. Por exemplo, o leite materno contém menos sódio do que o leite de vaca, tornando-o de processamento mais fácil pelos rins do bebê.

**É digerido mais facilmente.** O leite materno é feito para a sensibilidade de um bebê humano e seu sistema digestivo ainda em desenvolvimento, em vez de para um jovem bezerro. Suas proteínas (principalmente lactoalbumina) e suas gorduras são digeridas com muito mais facilidade pelo bebê do que as proteínas (principalmente caseinogênio) e gorduras do leite de vaca. Os bebês também absorvem os importantes micronutrientes do leite materno melhor do que os do leite de vaca (em que, novamente, os nutrientes são ideais para serem absorvidos pelo jovem bezerro). Resultado prático: é menos provável que os bebês amamentados no peito sofram de gases e expectoração excessiva.

**É seguro.** Você pode ter certeza de que o leite fornecido por seus seios não é preparado de forma inadequada, nem está estragado, nem contaminado (pressupondo-se que você não tenha uma doença que tornaria a amamentação insegura para o bebê; poucas doenças o fazem).

**Evita as alergias.** Os bebês quase nunca são alérgicos ao leite materno. Embora um bebê possa ser sensível a algo que a mãe tenha comido e que tenha passado para seu leite, o leite materno é quase sempre bem tolerado. Por outro lado, mais de um em dez bebês, depois de uma exposição inicial, torna-se alérgico à fórmula de leite de vaca. (Uma troca para uma fórmula de soja ou hidrolisada em geral resolve o problema — embora estas fórmulas se afastem ainda mais da composição do leite humano do que a fórmula de leite de vaca.[1]) Alguns estudos também mostram que é menos provável que os bebês amamentados no peito desenvolvam asma infantil ou eczema do que aqueles bebês alimentados com fórmulas.

**Acalma o estômago.** Graças ao efeito naturalmente laxante do leite materno e a sua digestibilidade mais fácil, os bebês amamentados no peito quase nunca têm constipação. Além disso, embora sua evacuação normalmente seja muito solta, eles raramente têm problemas de diarreia. Na verdade, o leite materno parece reduzir o risco de problemas digestivos tanto por destruir os microorganismos prejudiciais quanto por estimular o desenvolvimento dos benéficos.

**Evita as brotoejas por uso de fraldas.** É menos provável que a evacuação de cheiro adocicado do bebê amamentado no peito provoque brotoejas, embora esta vantagem (bem como o odor menos desagradável) desapareça quando os sólidos são introduzidos na alimentação.

**Previne as infecções.** Da primeira à última vez que os bebês mamam no peito da mãe, eles recebem uma dose saudável de anticorpos para estimular sua imunidade às doenças. Em geral, eles terão febres mais baixas, menos infecções de ouvido, menos infecções no trato respiratório, no trato urinário e uma incidência menor de outras doenças se comparados com os bebês alimentados com mamadeira e, quando adoecem, em geral se recuperam mais rápido e com menos complicações. O aleitamento materno também melhora a resposta imunológica para a maioria das doenças (como tétano, difteria e pólio). Além disso, ele pode proporcionar alguma proteção contra a síndrome de morte súbita infantil (SMSI).

**Combate as gorduras.** Os bebês amamentados no peito com frequência são menos gorduchos do que seus pares ali-

---

[1]Os *leites* de soja, contudo, não são nutricionalmente adequados e não devem ser usados para a alimentação dos bebês. Nem o leite de vaca; os bebês devem ser alimentados somente com as fórmulas.

mentados com mamadeira. Isto se deve, em parte, ao fato de que o aleitamento materno coloca o controle do consumo no apetite do bebê. Um bebê amamentado no peito provavelmente parará quando estiver saciado, enquanto um bebê que toma mamadeira pode ser instado a continuar sugando até que a mamadeira se esvazie. Além disso, o leite materno é na verdade caloricamente controlado. O leite que um bebê toma no final de uma sessão de amamentação é mais rico em calorias do que o leite do início, e tende a deixar o bebê mais satisfeito — um sinal para parar de sugar. A amamentação também parece reduzir o risco de obesidade durante a infância e mais tarde na vida. Estudos recentes mostram que as crianças que são amamentadas principalmente no peito quando bebês têm uma probabilidade menor de sofrer de excesso de peso quando adolescentes do que seus pares alimentados com fórmulas. Os estudos também revelaram que quanto mais tempo um bebê é amamentado no peito, menos provável será que ele seja obeso. O aleitamento materno também pode estar relacionado com índices mais baixos de colesterol na idade adulta.

**É um estimulante para o cérebro.** Parece que o aleitamento materno aumenta um pouco o QI de uma criança, pelo menos até os 15 anos, e possivelmente no adulto. Isto pode estar relacionado não só com os ácidos graxos que participam da composição do cérebro (ácido docosa-hexanoico, DHA) presentes no leite materno, mas também à interação mãe-bebê mais estreita formada na amamentação, o que possivelmente fomenta o desenvolvimento intelectual.

**Mais satisfação ao sugar.** Um bebê pode continuar sugando em um peito quase vazio depois que termina a amamentação. Este sugar não nutricional é especialmente conveniente se o bebê está aflito e precisa ser acalmado. Uma mamadeira vazia não permite que ele continue sugando.

**Forma bocas mais fortes.** Os mamilos da mãe e a boca do bebê são uma combinação perfeita (embora com frequência não pareça na primeira vez em que a mãe e o bebê tentam trabalhar juntos). Até o mamilo mais cientificamente projetado não consegue dar às mandíbulas, às gengivas, aos dentes e ao palato de um bebê o exercício que ele tem com o peito da mãe — um exercício que garante um ótimo desenvolvimento oral e algumas vantagens para os futuros dentes do bebê. Os bebês que são amamentados no peito terão uma probabilidade menor de desenvolver cáries mais tarde na infância do que aqueles que tomam mamadeira.

A seguir estão também os benefícios do aleitamento materno para a mãe (e para o pai):

**A conveniência.** O leite materno é o alimento conveniente por excelência, sempre em estoque, pronto para o consumo, limpo e sempre na temperatura perfeita. Não há nenhuma fórmula a ser procurada, comprada ou carregada, nenhuma mamadeira para lavar ou encher, nenhum pó a ser misturado, nenhum alimento a ser aquecido. Onde quer que você esteja — na cama, na estrada, em um restaurante, na praia —, toda a nutrição de que seu bebê precisa está sempre pronta para o consumo. Se o bebê e a mãe tiverem de ser separados à noite, durante o dia ou até no fim de semana, o leite materno poder ser extraído antecipadamente e armazenado na geladeira ou no freezer para ser ministrado na mamadeira.

**Custo mais baixo.** O leite materno é gratuito, enquanto a mamadeira pode sair cara. Com o aleitamento materno, não existem mamadeiras e fórmulas a serem compradas; não existe o desperdício de mamadeiras pela metade e latas de fórmula abertas. Também é uma economia em termos de custos com a saúde. Quer você mesma esteja pagando, ou seu plano de saúde, é mais alto o custo de tratar as doenças a que em geral são suscetíveis os bebês alimentados com fórmula.

**Recuperação pós-parto mais rápida.** Todas as suas motivações para amamentar no peito não têm de ser egoístas. Porque o aleitamento é parte do ciclo natural de gravidez-nascimento-cuidados maternos, ele é melhor não só para o bebê, mas também para você. Ele ajudará seu útero a se retrair para o tamanho pré-gravidez mais rapidamente (a cólica mais intensa que você provavelmente sentirá nos primeiros dias pósparto enquanto seu bebê suga), o que por sua vez reduzirá seu fluxo de lóquios (a eliminação pós-parto) mais rapidamente, o que significa menos perda san-

guínea. E ajudará você a perder os quilos ganhos na gravidez ao queimar mais de 500 calorias extras que se acumularam na forma de reservas de gordura especialmente para ajudá-la a produzir leite; agora é sua chance de usá-las.

***Alguma* proteção contra a gravidez.** A ovulação e a menstruação são suprimidas na maioria das mães (mas não em todas) que amamentam pelo menos até que seus bebês comecem a tomar uma suplementação significativa (seja com as fórmulas ou com sólidos), com frequência até o desmame, e às vezes por vários meses depois disso. (O que não quer dizer que você não possa engravidar. Uma vez que a ovulação pode preceder rapidamente seu primeiro período pósparto, você nunca pode ter certeza de quando vai cessar a proteção que vem recebendo da amamentação. Ver página 966 para mais informações sobre contraceptivos.)

**Redução do risco de câncer.** Amamentar seu bebê no peito pode reduzir o risco de a mãe contrair algumas formas de câncer no futuro. As mulheres que amamentam no peito têm um risco um pouco menor de desenvolver câncer uterino, ovariano e de mama pré-menopausa.

**Formação dos ossos.** As mulheres que amamentam no peito têm menos risco de desenvolver osteoporose posteriormente do que as mulheres que nunca amamentaram.

**Períodos de descanso forçados.** O aleitamento materno garante interrupções

# MITOS DO ALEITAMENTO MATERNO

**MITO: Você não pode amamentar se tem seios pequenos ou mamilos achatados.**
*Realidade:* De nenhuma maneira a aparência externa afeta a produção de leite ou a capacidade da mãe de amamentar. Seios e mamilos de todas as formas e tamanhos podem satisfazer um bebê faminto. Os mamilos invertidos que não ficam eretos quando estimulados em geral nem sequer precisam de alguma preparação para torná-los plenamente funcionais; ver página 69.

**MITO: O aleitamento materno traz um monte de problemas.**
*Realidade:* No futuro será muito mais fácil alimentar seus filhos (depois que você pegar o jeito). Os seios, ao contrário das mamadeiras, estão prontos quando o bebê está. Você não precisa se lembrar de levá-los com você quando está planejando passar o dia na praia, transportá-los em uma bolsa, nem se preocupar que o leite dentro deles estrague com o sol.

**MITO: A amamentação tolhe sua liberdade.**
*Realidade:* É verdade que amamentar no peito é naturalmente mais adequado a mães que planejam ficar com os filhos na maior parte do tempo. Mas aquelas que estão dispostas a fazer o esforço de bombear e armazenar leite, ou que preferem suplementar com fórmulas, podem satisfazer a suas necessidades de trabalhar — ou ver um filme, ou ir a um seminário de um dia — e seu desejo de amamentar no peito. E quando é necessário sair com seu bebê, é a mãe que amamenta no peito a que tem mais mobilidade, sempre tendo um amplo suprimento de alimento com ela, independente de aonde vai ou quanto tempo planeja ficar fora.

**MITO: O aleitamento materno acaba com os seios.**
*Realidade:* Para a surpresa de muita gente, não é o aleitamento que afeta a forma ou o tamanho de seus seios, mas a própria gravidez. Durante a gravidez, seus seios se preparam para a lactação, mesmo que você não vá amamentar — e estas mudanças às vezes são permanentes. Ganho excessivo de peso durante a gravidez, fatores hereditários, idade ou uma sustentação deficiente (ficar sem sutiã), também podem resultar em seios menos firmes. O aleitamento não tem culpa nenhuma.

**MITO: O aleitamento materno não funciona na primeira vez, então não vai funcionar novamente.**
*Realidade:* Mesmo que você tenha problemas para amamentar seu primeiro filho, as pesquisas mostram que você provavelmente produzirá mais leite e terá um período de amamentação mais tranquilo na segunda vez. O ditado "Se na primeira não deu certo, tente novamente" é válido enfaticamente para a amamentação no peito.

**MITO: O aleitamento materno exclui o pai.**
*Realidade:* Um pai que quer se envolver nos cuidados com seu filho pode encontrar muitas oportunidades — para dar banho, trocar as fraldas, segurá-lo, embalá-lo, brincar com ele, dar mamadeira com o leite bombeado da mãe ou com fórmulas suplementares e, depois que os sólidos são introduzidos, dar as colheradas com "olha o aviãozinho".

frequentes em seu dia, especialmente no início (às vezes com mais frequência do que você gostaria). Quer você sinta ou não que precisa de tempo para relaxar, seu corpo pós-parto necessita de um período de descanso que a amamentação a obriga a reservar.

**Alimentação noturna menos complicada.** Muitos pais que não convivem o bastante com seus adoráveis bebês durante o dia nem sempre ficam na expectativa para vê-los às duas horas da manhã (ou em qualquer outro horário entre a meia-noite e o amanhecer). Mas o despertar noturno do bebê pode ser muito mais fácil quando o conforto está perto, como em seus seios, em vez de longe, na geladeira, precisando ser colocado em uma mamadeira. (É até mais fácil para a mamãe se o papai completa a transferência do bebê do berço para o seio e de volta ao berço.)

**Por fim, multitarefas mais fáceis.** Depois que você se tornar mestre em amamentar — e mestre no uso de um só braço —, você descobrirá que pode amamentar e fazer quase qualquer coisa ao mesmo tempo — virar as páginas de uma revista, verificar seu *e-mail*, ou ler para seu filho pequeno o livro favorito dele. (Mas não se esqueça de passar bastante tempo da amamentação interagindo também com seu bebê.)

**Laços mais fortes entre mãe e filho.** Como lhe dirão quase todas as mães que amamentaram no peito, o maior benefício do aleitamento provavelmente é o vínculo que ele cria entre a mãe e o fi-

lho. A experiência da amamentação no peito promove contato físico e olho no olho, e a oportunidade de afagar, balbuciar com o bebê e arrulhar. É verdade que você pode desfrutar dos mesmos prazeres quando o alimenta com a mamadeira, mas é preciso mais esforço consciente (ver página 180-181), uma vez que você pode encarar a tentação de relegar a alimentação a terceiros quando está cansada, por exemplo, ou escorar a mamadeira quando está ocupada. Outro benefício para as mães que dão o peito: as pesquisas afirmam que as mulheres que amamentam no peito têm uma probabilidade menor de sofrer de depressão pós-parto.

# OS PRÓS DA ALIMENTAÇÃO COM FÓRMULAS

Se não houvesse nenhuma vantagem na alimentação com mamadeira, ninguém que fosse capaz de amamentar no peito procuraria as fórmulas. Mas existem algumas vantagens reais, e para algumas mães (e alguns pais) elas são atraentes, mesmo à luz dos muitos benefícios do aleitamento materno:

**O bebê fica satisfeito por mais tempo.** As fórmulas infantis feitas de leite de vaca são de digestão mais difícil do que o leite materno, e os coágulos flexíveis que formam ficam por mais tempo no estômago do bebê, dando uma sensação de saciedade que pode durar várias horas, aumentando o período entre as mamadas para três ou quatro horas, mesmo no princípio. Como o leite materno é digerido fácil e rapidamente, por outro lado, muitos recém-nascidos são alimentados com tanta frequência que às vezes parece que estão permanentemente grudados nos seios de suas mães. Embora este aleitamento frequente sirva a um propósito prático — ele estimula a produção de leite e melhora seu fornecimento —, pode consumir tempo demais da mãe.

**Monitoramento fácil da sucção.** Você sabe quanto um bebê alimentado com mamadeira está tomando. Porque os seios não são calibrados para medir a sucção do bebê, uma mãe que amamenta no peito pode se preocupar que seu recém-nascido não esteja mamando o suficiente para se alimentar (embora isso raramente aconteça — em especial depois que o aleitamento se estabelece —, uma vez que os bebês amamentados no peito tendem a mamar a quantidade de que necessitam). A mãe que dá mamadeira não tem esse problema — uma olhada na mamadeira dirá a ela exatamente o que quer saber. (Isto pode representar uma desvantagem, contudo, se pais ansiosos pressionam os bebês a mamarem mais do que eles querem.)

**Mais liberdade.** A alimentação com fórmulas não prende a mãe ao bebê dia e noite. Quer sair para jantar e ir ao cinema com seu marido? Ou dar uma escapada para um fim de semana romântico? Uma avó ou uma babá podem ficar com o bebê. Pretende voltar a trabalhar quando o bebê estiver com três meses? Não será necessário desmamar nem bombear o leite — basta um suprimento diá-

rio de mamadeiras e fórmulas para que o responsável pelos cuidados com o bebê use na alimentação de seu filho. (É claro que essas opções também estão abertas a mães que amamentam no peito e bombeiam leite ou o suplementam com fórmulas.)

**Menos exigências.** As mulheres que chegam cansadas de um dia de trabalho podem ter a recompensa de dormir em vez de amamentar no meio da noite ou ao amanhecer. O pai, a avó (se estiver presente), uma enfermeira, uma doula, ou qualquer pessoa disponível podem fazer as honras. Também há menos esgotamento físico dos recursos de uma mãe de primeira viagem se ela não tem de acrescentar a produção de leite a seus muitos desafios diários — e noturnos.

**Mais participação do pai.** O pai pode compartilhar os prazeres de alimentar o bebê quando o filho é amamentado com mamadeira de uma forma que é impossível com o aleitamento materno, a menos que você bombeie regularmente ou suplemente o leite com fórmulas.

**Mais participação dos irmãos mais velhos.** Uma criança mais velha se sentirá muito mais envolvida nos cuidados de seu "novo bebê" quando dá a mamadeira. (Novamente, esta opção também está aberta a mães que amamentam no peito e suplementam com leite bombeado ou fórmulas.)

**Nenhuma interferência da moda.** Uma mãe que usa mamadeira pode se vestir como gosta. O guarda-roupa da mãe que amamenta no peito não é tão limitado quanto o de uma gestante, mas na maioria das vezes ela não pode usar certas roupas devido a aspectos práticos. Ela terá que deixar de lado os vestidos que não abotoam na frente. (Experimente acomodar um bebê faminto erguendo seu vestido acima da cintura e você entenderá o porquê.)

**Menos restrição aos métodos anticoncepcionais.** Uma mãe que amamente no peito tem de limitar suas opções de contracepção àqueles métodos que são seguros durante a lactação (mas eles são muitos; ver página 966). A mãe que alimenta com fórmulas não tem estas restrições.

**Menos exigências e restrições dietéticas.** Uma mãe que alimenta com fórmulas pode parar de comer por dois. Ao contrário da mãe que amamenta no peito, ela pode desistir da proteína e do cálcio extra, e pode esquecer os suplementos vitamínicos pós-natais. Pode tomar alguns drinques numa festa, remédios, comer todos os alimentos condimentados e todo o repolho que quiser (embora muitos bebês não façam objeção a estes sabores no leite materno), sem se preocupar com o possível efeito que terão em seu bebê. Depois das seis primeiras semanas pós-parto (mas não antes, quando seu corpo ainda está em fase de recuperação), ela pode fazer uma dieta mais rigorosa para perder qualquer peso gestacional que ainda permaneça. Esta é uma coisa que a mãe que amamenta no peito não pode fazer até que o bebê

tenha sido desmamado — embora seja possível, por causa das calorias exigidas para a produção do leite, que ela não precise fazer dieta para atingir sua meta.

**Menos constrangimento para as tímidas.** Embora a mãe que amamenta no peito possa receber olhares curiosos (ou infelizmente às vezes espantados) quando escolhe amamentar em público, ninguém olhará duas vezes nem de esguelha para uma mulher que alimenta seu filho com uma mamadeira. E a mãe que usa mamadeira não precisará se preocupar com o desagradável procedimento de se vestir novamente (recolocar as alças do sutiã, puxar a blusa de volta, abotoar tudo de novo) depois de amamentar. (Estas dificuldades, porém, com frequência são contornáveis; muitas mulheres que optam por tentar amamentar no peito logo descobrem que o aleitamento passa a ser sua segunda natureza — mesmo em restaurantes lotados.)

**Maior possibilidade de ter relações sexuais.** Depois de meses fazendo amor sob condições inferiores às ideais, muitos casais procuram retomar a vida onde pararam antes da concepção. Para algumas mulheres que amamentam no peito, uma vagina seca pelas mudanças hormonais da lactação, somada aos mamilos feridos e aos seios vazando podem fazer do sexo um desafio. Para a mãe que alimenta com mamadeira, depois que ela se recupera do parto, nada (exceto por um despertar inesperado e um bebê chorando) precisa ficar entre ela e seu parceiro.

## OS FATOS SOBRE OS SENTIMENTOS

As informações estão diante de você; você as lê e relê, considera cada uma delas repetidamente. E no entanto talvez você ainda esteja indecisa. Isto porque, como muitas outras decisões que você está tomando atualmente, a decisão entre os seios e as fórmulas não depende só de informações. Também depende dos sentimentos.

Será que você sente que realmente quer alimentar no peito mas acredita que não é prático porque está planejando voltar a trabalhar logo depois de seu bebê nascer? Não deixe que as circunstâncias privem você e seu bebê da experiência. Algumas semanas de amamentação são melhores do que nenhuma; os dois se beneficiarão até do mais breve contato com ela. E com um pouco mais de dedicação e planejamento (tudo bem, talvez muita dedicação e planejamento), você deve ser capaz de pensar num sistema para continuar a amamentar no peito mesmo depois de voltar a seu emprego (ver página 371).

Você se sente fundamentalmente negativa em relação a amamentar no peito, embora pense que os prós são convincentes demais para que sejam ignorados? Novamente, você pode experimentar amamentar no peito. Se seus sentimentos não mudam para o positivo, você pode desistir. Pelo menos seu bebê terá colhido os benefícios do aleitamento no peito por algum tempo (e isto é melhor do que nada) e você saberá que tentou, eliminando aquelas dúvidas persistentes. (Mas é melhor não desistir antes de ter tentado ao máximo amamentar. Uma tentativa realmente justa duraria pelo menos um mês, ou, melhor ainda, seis semanas, uma vez que, para algumas mulheres, estabelecer um bom relacionamento de amamentação mesmo na melhor das circunstâncias pode levar tempo.)

Você se sente fundamentalmente desconfortável com a ideia de amamentar no peito, e até tem aversão a ela? Ou amamentou no peito antes e não gostou da experiência? Mesmo nestas circunstâncias, ainda será sensato considerar seriamente uma tentativa de seis semanas, que dará a seu filho alguns dos benefícios do aleitamento materno e a você uma chance de colocar seus sentimentos à prova. Se depois dessa tentativa você ainda achar que a amamentação no peito não é adequada para você, pode se voltar para as fórmulas sem arrependimentos.

Você tem medo de não ser capaz de amamentar no peito por causa de um temperamento agitado (não consegue ficar parada), mas concorda que o leite materno é melhor para o bebê? Novamente, você não perde nada por tentar, e tem tudo a ganhar se sua personalidade se tornar mais compatível com a amamentação no peito do que você pensa. Não avalie a situação cedo demais, porém. Até mulheres comumente abençoadas com a tranquilidade dos santos podem descobrir que as primeiras semanas de aleitamento (ou de maternidade) são uma época de muita ansiedade. Muitas, entretanto, se surpreendem em descobrir que depois de estabelecer um relacionamento de amamentação mais suave, a amamentação reduz em vez de produzir estresse — os hormônios liberados quando o bebê suga aumentam o relaxamento, e a própria experiência é um dos caminhos mais saudáveis para o alívio da tensão. (No começo, dê a si mesma a oportunidade de usar algumas técnicas de relaxamento antes de amamentar seu recém-nascido.) Tenha em mente que você sempre pode passar mais tarde para as fórmulas, se seus instintos iniciais se mostrarem corretos.

Se o pai sente ciúme ou fica perturbado com a ideia da amamentação no peito, faça com que ele leia as informações também. Elas podem convencê-lo de que a perda da esposa (que, afinal, é somente temporária) ou sua aversão à amamentação (que também será temporária; depois que a amamentação começa, a maioria dos pais descobre que a acham maravilhosa) representarão um ganho para o bebê. Também mostre a ele a seção sobre aleitamento materno e pais do Capítulo 24. Pode ser útil entrar em contato com um pediatra, médico da família ou consultor em lactação para reforçar os fatos. Conversar com outros pais cujos bebês foram amamentados no peito também o ajudará a se sentir mais à vontade, o que contribuirá para a sua amamentação. Tenha em mente que o apoio do pai é extremamente importante e vale a pena conquistá-lo. Embora você certamente possa amamentar no peito sem ele, estudos mostram que as mulheres que têm o apoio integral de seus parceiros durante o aleitamento têm uma probabilidade maior de continuar amamentando no peito.

Independente dos motivos que as levam à amamentação, a maioria das mulheres por fim a acha uma experiência tremendamente positiva — prazerosa, estimulante e incomparavelmente satisfatória (pelo menos, depois que elas e seus filhos pegam o jeito). Mesmo aquelas mulheres que começam a amamentar no peito por obrigação com frequência continuam a fazê-lo por causa do prazer que lhes traz. Muitas que, antes da chegada do bebê, não conseguiam se imaginar envolvidas nesse ato íntimo na companhia de estranhos engolem o que disseram e levantam a blusa ao som do primeiro choro do bebê — em um avião, em um parque apinhado, em um restaurante.

No final, contudo, se você optar por não amamentar no peito (com ou sem a tentativa), não se sinta culpada. Quase nada do que você faz para seu bebê é certo se não parece certo para você — e isso inclui a amamentação no peito. Até os bebês que nasceram ontem são sensatos o bastante para perceber os sentimentos de desconforto de suas mães; uma mamadeira dada com amor pode ser melhor para seu filho do que um seio oferecido com relutância.

# QUANDO VOCÊ NÃO PODE OU NÃO DEVE AMAMENTAR NO PEITO

Para algumas mulheres, os prós e contras da amamentação no peito e com fórmulas são acadêmicos. Elas não têm a opção de amamentar seus bebês, seja por causa de sua própria saúde, seja pela de seu filho. Os fatores maternos mais comuns que *podem* evitar ou interferir na amamentação no peito incluem:

♦ Doença debilitante grave (como doença cardíaca ou renal, ou anemia grave), ou extrema magreza (seu corpo precisa de reservas de gordura para produzir leite) — embora algumas mulheres consigam superar estes obstáculos e amamentar seus filhos no peito.

♦ Infecção grave, como tuberculose ativa e não tratada (depois de duas semanas de tratamento, o aleitamento deve ter carta branca); ou AIDS ou infecção por HIV, que pode ser transmitida pelos fluidos corporais, inclusive o leite materno. Você *pode* amamentar se está infectada com hepatite A (depois de o bebê receber gamaglobulina) ou hepatite B (depois de o bebê receber gamaglobulina e a vacina contra hepatite B).[2]

♦ Um problema que exija medicação regular que passe para o leite materno e possa ser prejudicial para o bebê, como drogas anticâncer, alguns antitireoidianos ou anti-hipertensivos; lítio, tranquilizantes ou sedativos. Uma necessidade temporária de medicação, como de penicilina, mesmo na época do início do aleitamento, não deve interferir com a amamentação. As mulheres que precisam de antibióticos durante o trabalho de parto ou por causa de uma infecção (mastite) podem continuar a amamentar no peito enquanto tomam a medicação. Sempre verifique com o médico de seu filho antes de começar a tomar um novo remédio durante a lactação.

♦ Abuso de drogas — inclusive o uso de tranquilizantes, anfetaminas, barbitúricos ou outros comprimidos, heroína, metadona, cocaína, maconha ou o abuso de álcool (um drinque ocasional não tem problema; ver página 160).

♦ Exposição a certas substâncias químicas tóxicas no local de trabalho. Para determinar se você tem sido exposta a substâncias tóxicas, verifique com o Ministério do Trabalho.

♦ Tecido glandular inadequado nos seios (isto nada tem a ver com o tamanho de seus seios) ou dano ao nervo do mamilo (por lesão ou cirurgia). Em alguns casos, você pode tentar amamentar no peito, mas sob cuidadosa supervisão médica, para se certificar de que seu bebê está prosperando. Se você fez uma cirurgia de câncer de mama em um seio, pergunte a seu médico sobre a possibilidade de amamentar com o outro.

Alguns problemas médicos no recémnascido podem tornar a amamentação difícil, mas não impossível (com o apoio clínico correto). Eles incluem:

♦ Um distúrbio metabólico, como a fenilcetonúria ou a intolerância a lactose, que torna o bebê incapaz de digerir tanto o leite humano quanto o

---

[2]Se você desenvolver uma infecção enquanto estiver amamentando, na época do diagnóstico ter sido feito, o bebê já terá sido exposto. Continue amamentando para que seu bebê receba seus anticorpos do leite materno.

## ADOÇÃO E ALEITAMENTO MATERNO

Só porque você não deu à luz seu bebê, não significa necessariamente que não possa amamentar. Com muito planejamento e preparação antecipados, as mães adotivas às vezes podem ser bem-sucedidas na amamentação de seus filhos no peito (embora em geral não possam dispensar a suplementação) se começaram alguns dias antes do nascimento. Ver página 916 para obter dicas sobre aleitamento materno de bebês adotivos.

de vaca. O tratamento para bebês com fenilcetonúria envolve a suplementação com uma fórmula sem fenilalanina. A amamentação com fórmulas pode ser combinada com o aleitamento no peito, desde que os níveis sanguíneos sejam cuidadosamente monitorados e a quantidade de leite materno seja controlada. No caso de intolerância a lactose (que é extremamente rara na infância), o leite bombeado da mãe pode ser tratado com lactase para torná-lo digerível.

♦ Lábio leporino ou fenda palatina que interferem com o sugar o seio. Em alguns casos, especialmente quando só está presente o lábio leporino, é possível amamentar no peito. O uso de um utensílio bucal especial pode permitir a um bebê com fenda palatina ser amamentado. Procure um consultor em lactação antes de tomar a decisão de amamentar. Pode ser também viável bombear leite materno até depois da cirurgia (em geral realizada durante as primeiras semanas de vida), e começar a amamentá-lo no peito a partir daí.

Se você não pode amamentar no peito, ou se não deseja fazê-lo, certifique-se de que uma fórmula comercial para bebês o nutra adequadamente (as raras exceções incluiriam bebês com alergias múltiplas que exigem fórmulas especiais). Milhões de bebês saudáveis e felizes (entre eles, possivelmente o seu) têm sido criados com a mamadeira, e seu filho pode ser também.

# As Preocupações Comuns

## LIDAR COM A MATERNIDADE

*"Está tudo pronto para o bebê — só eu não estou. Não consigo me imaginar como mãe."*

Até as mulheres que se imaginaram como mães desde a primeira vez em que seguraram uma boneca, às vezes, começam a duvidar da validade de sua vocação, quando ela ameaça se tornar uma realidade 24 horas por dia. Aquelas que rejeitaram bonecas em troca de caminhõezinhos e bolas de futebol, as que cortam a grama em vez de bancar as babás e raramente dão aos carrinhos de bebês mais que um olhar de relance (até o dia em que seu teste de gravidez dá positivo) podem encarar o dia do parto com uma angústia ainda maior.

Mas esta desintegração da confiança nos nove meses não só é normal, como também é saudável. Entrar na maternidade (ou na paternidade, se for o caso) alegremente segura de si mesma só pode dar num choque rápido e perturbador de realidade quando a tarefa se mostra mais assoberbante do que você imaginava — o que quase sempre acontece, pelo menos em princípio.

Assim, se você não se sente pronta para a maternidade, não se preocupe, mas prepare-se. Leia pelo menos os primeiros capítulos deste livro e tudo o que puder sobre recém-nascidos e bebês (sempre tendo em mente que eles nem sempre são "como os do livro"). Passe algum tempo, se possível, com recém-nascidos ou bebês novos; segure-os, até troque as fraldas enquanto se informa com os pais as novidades sobre os prazeres e desafios de cuidar de um bebê. Fazer um curso pós-natal também ajudará a prepará-la para a tarefa mais difícil (e definitivamente a mais satisfatória), e você até vai gostar. (Todos estes conselhos também se aplicam a futuros pais que encaram este novo papel com alguma angústia).

Acima de tudo, perceba que as mães (e os pais) não nasceram prontos — eles foram criados na tarefa. Uma mulher que conquistou alguma experiência com os bebês dos outros pode ficar mais à vontade na primeira vez do que a mãe que é uma completa novata, mas na época do *check-up* dos seis meses será difícil distinguir entre as duas.

## UM ESTILO DE VIDA QUE SE TRANSFORMA

*"Eu realmente quero ter meu bebê. Mas estou preocupada com a possibilidade de o estilo de vida a que meu marido e eu nos acostumamos mudar completamente."*

Certamente as fraldas não serão as únicas coisas a serem trocadas em sua casa depois da chegada do bebê. Quase todo o seu estilo de vida — de suas prioridades a suas atitudes, de seus padrões de sono a seus padrões de alimentação, da forma como você passa seus dias e noites à forma como passa os fins de semana, do romance às finanças — mudará, pelo menos em certo grau. Por exemplo, você ainda pode conseguir ter alguns almoços e jantares fora (especialmente se vai voltar ao trabalho), mas poucos deles podem acontecer em bistrôs franceses à luz de velas e a maioria será em restaurantes familiares com cadeiras altas e uma grande tolerância a ervilhas e cenouras caindo no tapete. As noitadas fora de casa provavelmente darão lugar a noitadas dentro de casa; os cafés na cama provavelmente terão todo um novo significado (às 5 da manhã uma sessão de amamentação em vez de café, torradas e o jornal do fim de sema-

## CUIDADOS COM A MÃE

Quer você ainda esteja esperando impaciente a chegada do bebê, ou tenha acabado de trazer sua nova alegria para casa, provavelmente tem quase tantas perguntas sobre como cuidar de si mesma no período pós-parto quanto tem sobre cuidar de seu recém-nascido. Veja o Capítulo 23 para obter informações sobre o primeiro ano pós-parto.

na às 11); fazer amor provavelmente será menos inspirado pela paixão do que programado em torno da soneca do bebê (se for programado). As blusas de seda e as calças de lã provavelmente ficarão amarrotadas no fundo do armário para dar espaço para roupas que possam suportar o contato com a expectoração e as fraldas que vazam; mais filmes serão vistos em DVD do que nas salas de cinema (e é mais provável que depois que você voltar ao cinema regularmente, será para pegar as primeiras sessões do último sucesso dos desenhos animados).

Em outras palavras, crianças pequenas fazem uma grande diferença no modo como você leva sua vida. Mas embora todo casal descubra que seu estilo de vida muda um pouco depois que se tornam pais, como o seu mudará depende de você, de seu marido e sobretudo de seu bebê. Alguns pais descobrem que não perdem completamente o estilo de vida que tinham antes do bebê; para a maioria, encasular-se como um trio aconchegante é bastante adequado. Alguns pais descobrem que não perderam tanto quanto pensavam, mas também descobrem que anseiam por um pouco de vida noturna juntamente com a vida caseira

(em todo caso, babás regulares para as noites de sábado podem atenuar este anseio). Alguns bebês mostram-se mais adaptáveis (o que significa que podem ser facilmente carregados nas noites e excursões de fim de semana); outros mostram-se escravos de seu horário de alimentação (o que significa que seus pais provavelmente terão de ser também).

Assim, embora as mudanças no estilo de vida sejam diferenciadas, é melhor estar preparada para elas agora — pelo menos emocionalmente —, pois é difícil prever, até que o filho chegue, em que medida a sua vida mudará e como você se sentirá com ela. É útil ter em mente que a mudança, embora sempre seja desafiadora, pode também ser estimulante. Embora não haja dúvida de que sua vida será diferente, também não há dúvida de que será — de muitas maneiras — mais rica e melhor do que nunca. Pergunte a qualquer pai ou mãe.

## VOLTAR OU NÃO VOLTAR AO TRABALHO

*"Toda vez que falo com uma amiga ou leio um artigo sobre o assunto,*

*mudo de ideia sobre se volto ou não a trabalhar logo depois do nascimento do meu filho."*

As gestantes que trabalham hoje em dia têm muito o que esperar: toda a realização de uma carreira satisfatória, todo o prazer de criar uma família — e toda a culpa, a ansiedade e a confusão inerentes à decisão de qual das duas coisas terá prioridade em sua vida depois do parto.

Mas embora pareça uma escolha que você deve fazer agora, na realidade não é. Decidir, enquanto você ainda está grávida, se vai ficar em casa ou voltar ao trabalho (e quando) depois do nascimento do bebê é como escolher entre um emprego que lhe é familiar e outro do qual você nada sabe. Em vez disso, pressupondo-se que você tenha as opções, mantenha-as em aberto até que passe algum tempo em casa com seu bebê. Você pode descobrir que nada do que já fez — incluindo seu emprego — lhe dará tanta satisfação quanto cuidar de seu recém-nascido, e você pode adiar a volta ao trabalho indefinidamente. Ou pode descobrir que, embora goste de ser mãe, não quer ser mãe em tempo integral — você sente muita falta de sua carreira. Ou pode descobrir que gosta de combinar o melhor dos dois mundos, assumindo um cargo de tempo parcial, dividindo o trabalho com o cônjuge ou trabalhando em casa em tempo parcial ou integral. Tenha em mente que não existem decisões "certas" quando se trata desta questão muito pessoal, somente a decisão que é certa para você. Lembre-se também de que você sempre pode

mudar de ideia se a decisão que acha certa se mostrar errada. (Ver página 990 para ter alguns conselhos sobre tomar a decisão depois que o bebê aparece em cena.)

---

## ESTE LIVRO É PARA VOCÊ TAMBÉM

Ao ler *O que esperar do primeiro ano*, você perceberá muitas referências aos relacionamentos familiares tradicionais — a "esposas" e "maridos". Estas referências não pretendem excluir as mães e pais que são solteiros, que têm parceiros do mesmo sexo, ou que escolheram não se casar com seus parceiros. Estes termos são, na verdade, uma forma de evitar expressões (por exemplo, "seu marido ou o companheiro") que podem ser mais inclusivas, porém também dificultam a leitura. Por favor, edite mentalmente qualquer expressão que não se ajuste e a substitua por aquela que seja correta para você e sua situação.

---

# AVÓS

*"Minha mãe fez as malas e está pronta para pegar um avião e 'me dar uma mãozinha' quando o bebê chegar. A ideia me deixa nervosa porque minha mãe tende a ser controladora, mas não quero ferir seus sentimentos e dizer a ela para não vir."*

Quer seja amoroso e caloroso, distante e frio, ou oscile entre as duas coisas, o relacionamento de uma mulher

## LICENÇA: NÃO É MAIS APENAS PARA AS MÃES

Não há melhor maneira de uma família novata se conhecer do que passar as primeiras semanas em casa, sem ser perturbada pelo trabalho ou pelas distrações de outras obrigações. Também é a melhor maneira de mamães e papais de primeira viagem entenderem do ofício de ter filhos. E isso porque um número cada vez maior de pais está tirando vantagem da licença-paternidade. A lei permite que o pai se ausente do serviço, para auxiliar a mãe, no período de puerpério (período que se segue ao parto até que o estado geral da mulher retorne à normalidade). Neste período não poderá haver desconto salarial. A licença-paternidade é de cinco dias consecutivos a partir do dia de nascimento do bebê. Verifique com sua empresa para obter mais detalhes.

com sua mãe (ou com a sogra) é um dos mais complicados de sua vida. Torna-se ainda mais complicado quando a filha se torna mãe e a mãe, avó. Embora possa haver centenas de ocasiões nas próximas décadas em que seus desejos entrarão em conflito com os de seus pais, esta pode ser uma situação que criará o precedente para o que estiver por vir.

Em outras palavras, a oportunidade para a primeira visita dos avós é uma das primeiras decisões que vocês tomarão como pais. Vocês devem baseá-la, como muitas decisões que tomam como pais, no que é certo para os dois e para seu recém-chegado. Se vocês acham que o trio não se beneficiaria da companhia neste momento — particularmente o tipo de companhia que tende a trazer muita bagagem (e não estamos falando só das malas) —, então sua decisão deve refletir isso. Faça com que seus pais (e seus sogros também, se necessário) saibam que você e seu cônjuge precisam passar algum tempo sozinhos com o

bebê antes de fazerem a primeira visita. Explique que este tempo permitirá que você fique mais à vontade em seu novo papel, para adaptar-se a sua nova vida e para criar um vínculo com o novo membro da família. Assegure a eles que sua companhia e sua ajuda com o bebê e na casa serão muito bem-vindas em algumas semanas. Lembre a sua mãe também de que o bebê será mais responsivo, mais interessante, mais desperto e mais fotogênico nessa época (todos os bebês sonolentos tendem a parecer iguais, de qualquer forma).

Sua mãe ficará um pouco magoada no começo, até se sentirá rejeitada ou com raiva — e ela pode até dispor daquela arma materna nada secreta, a culpa. Mas não se preocupe (e não ceda). Depois que ela pegar o neto nos braços, é muito provável que tudo seja esquecido e perdoado. O que não se deve esquecer é que você e seu marido são os únicos que ditam as regras para sua família, um conceito importante a ser transmitido a pais e sogros desde cedo (particularmente aqueles que costumam ser controladores).

Por outro lado, muitas novas mamães e papais sentem um impulso de renovar ou fortalecer os laços com seus próprios pais durante a gravidez e depois dela. E alguns novos pais apreciam a experiência, o par extra de mãos, e talvez a comida quente no jantar e os carpetes aspirados que vêm com uma visita pós-parto dos avós. Assim como aquelas que sentem a necessidade de dizer: "Mãe, eu posso cuidar disso sozinha", não devem ser dominadas pela culpa, aquelas que sentem que precisam da ajuda não devem ter pudores em dizer: "Eu *não* posso cuidar disso sozinha." A decisão que é certa para você é a decisão a tomar.

*"Meus sogros têm opiniões sobre tudo o que fazer com nosso bebê e como devemos criá-lo — dos horários de alimentação e sono a se eu devo voltar a trabalhar. Eu adoro os dois, mas como consigo convencê-los a não se meterem?"*

Não é um conceito fácil de se apreender no início (embora ele um dia desapareça, em geral no meio de uma mamada às 3 da manhã ou em uma crise de cólica de quatro horas): vocês agora são os pais. É uma tarefa que vem com prazeres enormes, mas também com responsabilidades enormes. E uma das primeiras responsabilidades que vocês terão é fazer com que seus sogros saibam que você e seu cônjuge são responsáveis pelos cuidados, pela alimentação e criação do novo filho. Quanto mais cedo você transmitir esse recado, mais cedo todos

poderão começar a se sentir à vontade em seus novos papéis (vocês como pais, seus sogros como avós).

Fale no assunto no início (e com frequência, se necessário), diga com firmeza, mas acima de tudo, diga amorosamente. Explique a seus bem-intencionados mas intrometidos sogros que eles fizeram um ótimo trabalho criando o filho, e agora é sua vez e a do casal de ser pais. Haverá ocasiões em que você apreciará o conselho deles (especialmente se a avó catalogou em algum lugar de sua vasta reserva de experiência um truque infalível para acalmar um recém-nascido chorão), mas haverá outras em que você vai querer aprender com seu pediatra, com os livros sobre bebês e com seus erros — como eles próprios provavelmente fizeram. Explique também que não só é importante para você ditar as regras (como eles fizeram quando foram pais pela primeira vez), mas que muitas das regras mudaram (os bebês não são mais colocados para dormir de bruços nem alimentados em um horário determinado) desde que eles estavam no jogo de criar filhos, e é por isso que a maneira deles de fazer as coisas pode não ser mais recomendada. E não se esqueça de dizer essas coisas com humor. Assinale que muito provavelmente a mesa vai virar de novo quando sua filha se tornar mãe — e acusar você de dar conselhos ultrapassados.

Dito isto, tenha duas coisas em mente. Primeira, a sabedoria que os avós têm é inestimável. Quer você pense que seus pais (ou os do seu marido) fizeram um ótimo trabalho criando você ou só fizeram um trabalho justo, sempre existe alguma coisa a ser aprendida com a experiência deles, mesmo que seja apenas o que não se deve fazer. Embora muita sintonia e reforma sejam inevitavelmente necessárias, não tem sentido reinventar completamente a roda — ou as práticas de criação dos filhos — a cada geração. E segunda, se criar um filho é uma responsabilidade, ser avó é a recompensa — uma recompensa de que você vai querer desfrutar um dia. Enquanto você afirma sua independência como mãe, certifique-se de não privar seus sogros da recompensa deles.

## A FALTA DE AVÓS

*"Os pais de meu marido são separados. Os meus são idosos e moram em outro estado. Sinto que não tenho família com quem conversar sobre minha gravidez e sobre a neném. Acho que será pior quando ela nascer."*

Você não é a única a se sentir só. Embora nas gerações passadas as famílias grandes raras vezes se estendessem para além dos limites da cidade (e com frequência não iam mais longe que a casa vizinha), milhões de casais na sociedade móvel de hoje vivem a centenas ou milhares de quilômetros dos pais e da família. Essa separação é sentida com mais intensidade — dos dois lados — quando uma nova geração está sendo acrescentada.

Manter contato com seus pais por telefone, e-mail, vídeos, fotos e visitas regulares ajudará a preencher o hiato entre as vastas gerações, e também ajudará sua neném a conhecer os avós enquanto ela estiver crescendo. Mas para o tipo de apoio emocional e prático que você anseia depois do nascimento do bebê, e que você obteria de seus pais se eles morassem perto, você precisará encontrar substitutos. Grupos de pais, que às vezes desdobram-se em educação ao nascimento e aulas de exercícios, ou simplesmente desenvolvem-se espontaneamente entre conhecidos casuais, podem proporcionar esse tipo de apoio (além da multiplicidade de dicas que trocam sobre os cuidados com o bebê). Da mesma forma, podem existir lugares de culto, especialmente aqueles com um forte senso de comunidade e muitas famílias jovens. Você pode considerar também passar um tempo com um cidadão mais velho (ou um casal de idosos) de seu bairro que também esteja longe de sua família e sinta falta da companhia dos netos tanto quanto você sente falta da companhia dos avós. Visitas semanais e saídas conjuntas podem dar a você e a seu bebê um sentido de família, enquanto dá aos avós "adotivos" um sentido de serem necessários — preenchendo o vazio em ambos os lados.

## UMA ENFERMEIRA OU DOULA

*"Alguns amigos meus contrataram enfermeiras pediátricas quando os bebês nasceram. Será que preciso de uma também?"*

Se você decidiu que há dinheiro suficiente em seu orçamento para uma enfermeira (elas não são baratas), precisará considerar vários outros fatores antes de decidir se contrata ou não uma. A seguir estão alguns motivos pelos quais você pode optar por essa ajuda:

- Ter à mão algum treinamento no cuidado de bebês. Se você não tem experiência ou fez um curso pós-natal e acha que não aprende com os erros que comete na tarefa e com seu bebê, uma boa enfermeira pediátrica será capaz de instruir nestas questões básicas de como dar banho, colocar para arrotar, trocar as fraldas e até amamentar no peito. Se este é seu motivo para contratar uma enfermeira, contudo, certifique-se de que a pessoa que você contratar esteja tão interessada em ensinar quanto em aprender. Algumas não toleram pais novatos piando em seus ombros; uma enfermeira com esta atitude controladora e ditatorial pode deixar você tão inexperiente e insegura quando parte quanto você estava quando ela chegou.

- Evitar acordar no meio da noite para amamentar. Se você está amamentando com fórmulas e dormiria a noite toda, pelo menos nas primeiras semanas da fadiga pós-parto, uma enfermeira pediátrica 24 horas por dia ou contratada apenas para passar a noite pode assumir ou dividir essa responsabilidade com você e seu cônjuge.

- Passar mais tempo com uma criança mais velha. Alguns pais contratam uma enfermeira pediátrica para que possam ficar mais disponíveis para seus filhos mais velhos, e é de se esperar que sejam poupados das agonias de

ciúmes que com frequência são provocadas pelos recém-chegados. Uma enfermeira pode ser contratada para trabalhar algumas horas por dia durante o tempo que você quer passar com seu filho mais velho. Se este é o principal motivo para contratar uma enfermeira, porém, tenha em mente que sua presença provavelmente só serve para adiar os sentimentos de ciúme entre irmãos. Ver Capítulo 25 para problemas com irmãos.

- Dar a si mesma a oportunidade de se recuperar de uma cesariana ou de um parto normal difícil. Uma vez que você provavelmente não sabe de antemão se passará por dificuldades, não é uma má ideia procurar antecipadamente por enfermeiras, só para garantir. Se você tem o nome de uma ou duas enfermeiras em potencial, ou pelo menos conversou com uma agência, pode ligar logo depois do nascimento e ter uma auxiliar contratada antes mesmo de você chegar em casa.

Uma enfermeira pediátrica pode não ser a melhor solução para suas necessidades pós-parto se:

- Você está amamentando no peito. Uma vez que uma enfermeira não pode amamentar um recém-nascido e a amamentação é uma das tarefas que mais consomem tempo nos cuidados de um novo bebê, ela pode não se mostrar assim tão útil. Para a mãe que amamenta, a ajuda em casa — alguém para cozinhar, limpar e lavar a roupa — provavelmente é um investimento mais sensato, a não ser que você escolha uma enfermeira que faça todas estas tarefas e ainda dê dicas de amamentação.

- ◆ Você não fica à vontade com uma estranha morando na sua casa. Se a ideia de ter uma pessoa que não é da família compartilhando seu banheiro, sua cozinha e sua mesa 24 horas por dia a deixa pouco à vontade, contrate uma enfermeira de meio expediente em vez de uma residente, ou opte por uma das outras fontes de ajuda descritas a seguir.

- ◆ Você pode se virar sozinha. Se você quer ser aquela que dá o primeiro banho, recebe o primeiro sorriso (até se disserem que são só gases), acalma seu bebê na primeira crise de choro (mesmo que seja às duas da manhã), não contrate uma enfermeira, contrate ajuda doméstica para liberá-la para se divertir com o bebê.

- ◆ O pai também ajudaria. Se você e seu marido estão planejando dividir os cuidados com o bebê, uma enfermeira pode atrapalhar. Pode não restar muita coisa para ela fazer — a não ser pegar o cheque do pagamento —, especialmente se o pai está presente o tempo todo enquanto desfruta da licença-paternidade. Neste caso, o dinheiro pode ser gasto de forma mais sensata em uma ajuda com a limpeza da casa.

Se você decidir que uma enfermeira pediátrica é o certo para você, a melhor maneira de encontrar uma é pedir re-comendações de amigos que utilizaram esse tipo de serviço. Certifique-se de descobrir se a enfermeira em questão tem as qualificações e as qualidades que você procura. Algumas cozinham; outras, não. Algumas farão tarefas domésticas leves e lavarão a roupa; outras, não. Algumas são gentis e maternais, e nutrirão sua capacidade inata para a maternidade e a deixarão mais confiante; outras são mandonas, frias e paternalizam, e a farão se sentir totalmente inadequada. Muitas são enfermeiras pediátricas formadas; algumas também se especializaram nos cuidados de mães e de bebês, no relacionamento mãe-filho e em ensinar amamentação no peito e os cuidados básicos com o bebê. Uma entrevista pessoal é extremamente importante, uma vez que é a única maneira de saber se você se sentirá à vontade com uma determinada candidata. Mas referências excelentes (verifique-as) são fundamentais. Uma enfermeira contratada através de uma agência deve ser formada e ter vínculo contratual. Também é muito importante que uma enfermeira — ou qualquer pessoa que você contrate que possa entrar em contato com o bebê — tenha feito exame de tuberculose. Ela também deve ser treinada em ressuscitação cardiopulmonar e segurança infantil, bem como deve estar atualizada com as práticas de cuidados com os bebês (colocar o bebê para dormir de barriga para cima; manter brinquedos, travesseiros e lençóis longe do berço, e assim por diante).

Você também pode considerar uma doula pós-parto. Como uma enfermeira pediátrica, uma doula ajuda a nova mãe com o bebê. Ao contrário da maioria das enfermeiras, ela também cuidará da casa. Ela vai montar o quarto do bebê, dar dicas de cuidados, cozinhar, limpar, fazer pequenas tarefas na rua, ajudar a cuidar de uma criança mais velha (ou passar tempo cuidando do recém-nascido para que você possa paparicar seu outro filho) e mais, dependendo de suas necessidades. Provavelmente também será uma boa fonte de dicas de amamentação e nutrirá você, a nova mamãe (a maioria das doulas faz isso), para que você possa nutrir melhor seu bebê. Em outras palavras, uma doula é mãe da mãe, proporcionando um ouvido atento e servindo como antídoto para o isolamento que muitas novas mães experimentam. As doulas pós-parto em geral cobram por hora (ao contrário das enfermeiras, que em geral cobram por semana), então elas podem sair caro — mas se você usar seu tempo com eficácia, uma doula pode valer seu preço.

Para mais informação sobre doulas ou para localizar uma em sua região, entre em contato com Doulas do Brasil no site www.doulas.com.br; verifique o verbete "doula" nas páginas amarelas; ou peça a seu médico ou hospital que lhe indique uma.

## OUTRAS FONTES DE AUXÍLIO

*"Com minha perda de renda, não podemos arcar com as despesas de uma enfermeira pediátrica. Como eu posso precisar de uma cesariana — a posição de meu bebê está invertida —, eu me pergunto se vamos conseguir lidar com tudo sem ajuda."*

Só porque você não pode pagar — ou não quer contratar — uma enfermeira pediátrica, não significa que tenha de fazer tudo sozinha. A maioria das mulheres, na verdade, depende de outras fontes de ajuda, e pelo menos uma delas pode estar disponível para você.

**O pai.** Se seu marido conseguir organizar sua agenda para que possa ficar com vocês dois nas primeiras semanas (ou se puder usar a licença-paternidade), provavelmente ele será seu melhor auxiliar. Juntos e sem assistência ou interferência externa, vocês aprenderão mais sobre seu bebê e os cuidados que devem ter do que se você fizesse de outra forma. Nenhuma experiência é necessária para a tarefa; os dois entenderão tudo rapidamente. Façam juntos um curso de cuidados infantis em um hospital local ou centro comunitário (existem cursos para pais também), e leiam um ou dois livros sobre cuidados infantis antes do nascimento do bebê para pegar alguns conceitos básicos de antemão. Considerem procurar a família, os amigos, o médico do bebê, a equipe do berçário do hospital e outras fontes de informação e conselhos para preencher os hiatos. Seu parceiro na criação do filho deve também estar preparado para realizar mais do que sua parcela nas tarefas de casa naquelas primeiras seis semanas do pós-parto, quando você ainda está se recuperando, independente do tipo de parto que teve.

**Uma avó.** Se você tem mãe ou sogra que a deixe à vontade morando com você ou vindo regularmente nas primeiras semanas (e que você ache que pode "ajudar" sem "controlar" — um limite tênue que algumas avós não conseguem deixar de ultrapassar), esta pode ser outra boa solução. As avós (e muitos avôs) têm pelo menos 101 utilidades; elas podem ninar um bebê chorão, fazer um jantar maravilhoso, lavar e dobrar a roupa, fazer compras e muito, muito mais. Esse tipo de arranjo funciona particularmente bem se você souber lidar com naturalidade com interferências bem-intencionadas. É claro que se a avó em questão já tem uma vida ocupada e não está interessada em revisitar a mesa de troca de fraldas, esta não é uma alternativa.

**Se você tiver sorte, uma doula.** Alguns hospitais e maternidades oferecem os serviços de uma doula, sem encargos e por um curto (mas inestimável) período de tempo, como parte do pacote do parto. Verifique para saber se seu hospital ou maternidade tem um programa desse tipo ou visite o site www.doulas.com.br para obter mais informações.

**Seu freezer.** Você não pode colocar o bebê no gelo quando está cansada, mas poderá colocar as refeições no fundo do *freezer* se prepará-las nas últimas semanas de gestação quando, se você não esteve trabalhando, pode ter tido bastante tempo. Alguns ensopados nutritivos, um frango assado pronto para aquecer ou um molho de massa preparado facilitarão a pressão de ter de se alimentar e ao resto de sua família à noite. Depois, você pode se concentrar mais na alimentação do bebê (que você pode considerar um trabalho de tempo integral por algum

tempo, se não tiver uma enfermeira). Não hesite em estocar vegetais congelados também; eles requerem pouco tempo de preparo e são igualmente nutritivos.

**Seu restaurante delivery favorito.** Se você não teve tempo nem oportunidade (ou energia, ou ambição) de preparar refeições: antecipadamente, também não o terá para cozinhar naqueles atarefados dias pós-parto. Quase todo bairro tem um ou mais restaurantes *delivery* e lojas de congelados onde você pode comprar ótimas refeições: frango, às vezes peixe, e pratos de acompanhamento prontos para aquecer e comer — e, cada vez mais, saladas frescas que só exigem um garfo e o apetite para serem desfrutadas. Coloque seu restaurante *delivery* favorito na memória de seu telefone, e não se esqueça das saladas prontas vendidas no supermercado de seu bairro.

**Descartáveis.** Quando o jantar acaba, quer tenha sido preparado em casa ou comprado fora, sempre existem pratos para lavar — a não ser que você use pratos, copos e talheres descartáveis. Os descartáveis também servirão para servir lanches às visitas que aparecem para admirar o bebê. (Mas estimule ao mínimo esse tipo de entretenimento se você quiser sobreviver ao período pós-parto.)

**Ajuda na limpeza.** Se existe uma tarefa que a maioria dos pais passaria adiante, alegremente, é a limpeza. Desista dela — em favor de um serviço de limpeza, uma faxineira, alguém cujo serviço você já utilizou antes, ou alguém novo —, qualquer pessoa que possa aspirar e tirar o pó, passar pano no chão e lavar os banheiros, a fim de que você e seu marido possam ter mais tempo e energia para dedicar ao bebê, aos outros filhos, a si mesmos e um ao outro. Este é um bom caminho para os pais que querem fazer a maior parte do trabalho de cuidar do recém-nascido sozinhos mas não querem sacrificar sua saúde, sua sanidade ou as condições de sua casa.

Lembre-se, mesmo que você contrate ajuda, e mais especialmente se você não contratar, inevitavelmente haverá coisas que não serão feitas nestas primeiras semanas. Desde que cuidar de seu bebê e descansar não estejam entre elas, não se preocupe — mas não se acostume com isso. Embora um certo nível de ordem acabe por ser restaurado em sua casa, a vida com filhos quase sempre incluirá viver com pelo menos algumas pontas soltas — para não falar de alguns pratos sujos na pia... algumas bolas de poeira debaixo da mesa de centro... algumas roupas lavadas que ainda não foram dobradas...

# CIRCUNCISÃO

*"Pensei que a circuncisão fosse rotina hoje em dia, mas meu pediatra disse que não é realmente necessária."*

A circuncisão provavelmente é o procedimento médico mais antigo que ainda é realizado. Embora o registro histórico mais amplamente conhe-

cido da prática seja do Antigo Testamento, quando Abraão circuncidou Isaac, suas origens se perdem na Antiguidade, remontando provavelmente a uma época anterior ao uso de ferramentas de metal. Praticada pelos muçulmanos e por judeus na maior parte da história como um sinal de obediência a Deus, a circuncisão tornou-se disseminada nos Estados Unidos no final do século XIX, quando se teorizava que a remoção do prepúcio deixaria o pênis menos sensível (não deixa), tornando assim a masturbação menos tentadora (não torna). Nos anos que se seguiram, foram propostas muitas outras justificativas médicas para a circuncisão de rotina — entre outras, que ela pode prevenir ou curar epilepsia, sífilis, asma, insanidade e tuberculose —, mas nada disso é verdade.

A circuncisão reduz o risco de infecção do pênis, mas a atenção cuidadosa à limpeza sob o prepúcio depois que ele se torna retrátil (em geral por volta do segundo aniversário) terá o mesmo efeito. Ela também elimina o risco de fimose, um problema em que o prepúcio permanece esticado enquanto a criança cresce e não pode ser retraído como acontece normalmente em meninos mais velhos. A fimose pode ser extremamente dolorosa e às vezes interfere na ereção. Estima-se que entre 5 e 10% dos meninos não circuncidados passam pelo desconforto da circuncisão em alguma época depois da infância por causa de infecção, fimose ou outros problemas.

Em 1999, uma força-tarefa da Academia Americana de Pediatria (AAP) determinou que, embora existam evidências científicas que demonstrem os benefícios clínicos da circuncisão de recém-nascidos, estes benefícios não são significativos o bastante para que a circuncisão seja recomendada como procedimento de rotina. Embora estudos mostrem que o risco de desenvolver uma infecção do trato urinário no primeiro ano de vida seja mais alto para meninos que não são circuncidados, a AAP concluiu que o risco real de um menino não circuncidado desenvolver uma infecção urinária é muito baixo — cerca de 1%. Eles também concluíram que, embora os riscos de desenvolver câncer peniano ou contrair doenças sexualmente transmissíveis, inclusive a AIDS, possam ser um pouco maiores em homens não circuncidados, estes riscos também são extremamente baixos e podem não ser convincentes quando comparados com os desejos de um pai de deixar o prepúcio de seu filho intacto — ou se comparado ao risco também remoto de complicação durante a circuncisão ou depois dela. As complicações da circuncisão, embora raras, podem incluir hemorragia, infecção (tratável com antibióticos) e um prepúcio que pode ser curto demais ou longo demais, ou que não é curado adequadamente (muito raramente, uma segunda cirurgia pode ser necessária para corrigir este problema).

A circuncisão ainda é controvertida, com informações e evidências que apoiam escolas de pensamento a favor e contra ela. A AAP recomenda que os pais estejam conscientes dos riscos e benefícios potenciais da circuncisão e que por fim devam fazer o que acham que é melhor para o seu filho. Com isto em mente, você deve tomar sua decisão a respeito da circuncisão em conjunto com o médico de seu bebê e baseada em muita reflexão sobre os benefícios médicos e os riscos, bem como os fatores estéticos, sociais, culturais e religiosos — e, mais importante, o que parece certo para você. Se você decidir circuncidar seu filho, a AAP recomenda a analgesia (com o uso de um anestésico local).

Atualmente, mais da metade de todos os meninos nos EUA são circuncidados, um decréscimo em relação a mais de 80% no início da década de 1980. Os motivos mais comuns para os pais optarem pela circuncisão, além de apenas "achar que deve ser feita", incluem:

- Observância à religião. As leis religiosas do islã e do judaísmo exigem que os meninos recém-nascidos sejam circuncidados.

- Higiene. Uma vez que é mais fácil manter limpo um pênis circuncidado, a higiene é um dos motivos mais comuns para a circuncisão nos EUA.

- A síndrome do quarto trancado. Os pais que não querem que seus filhos se sintam diferentes dos amigos, ou de seus pais e irmãos, com frequência escolhem a circuncisão. (Isto pode não ser considerado quando um número menor de meninos é circuncidado.)

- Aparência. Alguns acham que a remoção do prepúcio deixa o pênis mais atraente.

- Saúde. A esperança de reduzir o risco de infecção, câncer ou outros problemas futuros (inclusive a possível circuncisão mais tarde) incentiva muitos a decidirem pela cirurgia imediatamente depois do nascimento.

Os motivos para que um número cada vez maior de pais decidam contra a circuncisão incluem:

- A falta de necessidade médica. Muitos questionam o sentido de remover uma parte do corpo da criança sem um bom motivo.

- Medo de sangramento e infecção. Embora as complicações sejam raras, particularmente quando o procedimento é realizado por um médico experiente ou um circuncidador ritual com treinamento médico, muitos pais ficam compreensivelmente apreensivos com a possibilidade.

- Preocupação com a dor. As evidências mostram que os recém-nascidos circuncidados sem analgesia experimentam dor e estresse medidos por mudanças no batimento cardíaco, na pressão sanguínea e nos níveis de cortisol. A política da Academia Americana de Pediatria declara que a analgesia (como o creme tópico EMLA, bloqueador do nervo peniano dorsal ou bloqueador subcutâneo do anel) é segura e eficaz na redução da dor associada com a circuncisão.

- O desejo de que o filho seja parecido com o pai não circuncidado. Outra versão da crença tal pai tal filho.

- Uma crença nos direitos da criança. Alguns pais desejam deixar que a criança tome a decisão mais tarde.

- Permitir o máximo de prazer no sexo. Há os que ainda acreditam que um pênis não circuncidado é mais sensível, embora não exista apoio científico para esta atitude.

- Menos risco de irritação por uso de fraldas. Sugeriu-se que o prepúcio intacto pode proteger contra a assadura no pênis resultante do uso de fraldas.

Embora os riscos da circuncisão sejam mínimos, podem ocorrer complicações. Para reduzir o risco, certifique-se de que a pessoa que está realizando o procedimento é experiente e, se for um circuncidador ritual, que seja bem treinada e seja altamente recomendada. Também se certifique de que a cirurgia não seja feita na sala de parto, mas quando seu bebê se estabilizar, em geral depois de pelos menos 12 a 24 horas. E não permita a cauterização com um grampo de metal, que pode causar queimaduras graves.

Se você continua indecisa sobre a circuncisão à medida que se aproxima o dia do parto, leia sobre o assunto na página 299 e discuta a questão com o médico que você escolheu para seu bebê — e possivelmente com os amigos que tomaram o caminho da circuncisão.

# QUE FRALDAS USAR

*"Todo mundo que eu conheço usa fraldas descartáveis, e elas parecem fazer menos confusão do que as de pano. Mas são boas para o bebê?"*

Desde Eva, os pais têm de enfrentar o problema de como cobrir o bumbum do bebê. E com o passar dos milênios, evoluíram algumas soluções engenhosas — embora não necessariamente convenientes. Por exemplo, as mães indígenas americanas aparentemente mantinham seus bebês (e suas próprias costas) secos e confortáveis envolvendo os fundilhos de seus bebês com a face interna, macia e retalhada da taboa.

Por sorte, como pais do século XXI, vocês não têm de chapinhar diariamente nos pântanos para escolher as taboas mais macias e mais absorventes para acolchoar o bumbum do bebê. Mas você terá de escolher entre muitas possibilidades, que vão de vários tipos de fralda de pano (que você mesma deve lavar ou mandar a uma lavanderia especializada) a uma gama atordoante e sempre cambiante de fraldas descartáveis.

A escolha que é certa para você e seu bebê pode ser muito diferente daquela que é certa para seus vizinhos e os filhos deles. Os fatores pessoais serão de maior importância, uma vez que, científica e economicamente, não existe um vencedor definitivo no páreo das fraldas. Considere o que se segue ao tomar sua decisão:

**Fraldas descartáveis.** De longe a opção feita pelos pais, as descartáveis são com mais frequência escolhidas por sua conveniência. E para pais ocupados (existe outro tipo?), esta é sua principal vantagem. Não existem fraldas sujas para recolher, transportar e acumular para serem pegas semanalmente pela lavanderia. As fraldas descartáveis também economizam uma certa quantidade de tempo e esforço; colocá-las e tirá-las é mais rápido e mais fácil (o que é especialmente importante se seu bebê se remexe muito). Os modelos mais novos (e mais caros) são cada vez mais absorventes e teoricamente é menos provável que causem brotoejas e assaduras. Eles são mais bonitos, se ajustam melhor e têm uma probabilidade menor de vazar.

Essas características desejáveis também trazem uma desvantagem: uma vez que as fraldas descartáveis absorvem muita urina e com frequência "parecem" secas quando estão muito longe disso, é menos provável que os pais troquem as fraldas com a frequência necessária, e as trocas infrequentes podem levar a assaduras. O alto poder de absorção dessas fraldas também dificulta saber o nível de micção de seu recém-nascido, para aferir se sua ingesta de leite é suficiente. Além disso, as novas super-raças de fraldas mantêm os bebês tão confortáveis quando molhados que pode ser mais difícil fazer com que aprendam a usar o banheiro no futuro. Também no aspecto negativo está o efeito das fraldas descartáveis no ambiente quando são despejadas nos aterros sanitários. (Embora as fraldas de pano também cobrem um tributo da Mãe Natureza em relação ao uso de talco e água, bem como o escoamento de sabão.) Ter de comprar e levar para casa as fraldas também é uma desvantagem em potencial, quando comparada com a conveniência de um serviço de fraldas, mas este problema pode ser evitado se você encomenda por telefone ou pela internet.

**Fraldas de pano com entrega em domicílio.** Para os que relutam em envolver as nádegas de seu filho em papel e plástico, as fraldas de algodão macias, confortáveis, esterilizadas e possivelmente ecológicas são atraentes, em especial quando entregues na sua casa semanalmente. Alguns estudos (que os serviços de fraldas adoram citar) mostram uma incidência menor de assaduras com o uso destas fraldas; outros (citados pelos fabricantes de fraldas descartáveis) mostram que as descartáveis com alta absorção geram uma incidência mais baixa de assadura. Se o uso das fraldas de pano se prolonga até que o bebê esteja engatinhando (muitos pais trocam para as descartáveis antes disso), aprender a ir ao banheiro pode ser mais fácil, porque o contato direto entre uma fralda de pano molhada e a pele deixa a criança muito desconfortável, mais consciente de estar molhada e, espera-se, mais inspirada a usar o penico.

Mas existem desvantagens. Em geral é necessário usar calças plásticas para evitar ter de trocar o bebê, o berço e com frequência as roupas dos pais toda vez que o bebê se molha (embora existam as "dois em um" — fraldas de pano ajustadas, com uma capa de plástico já costurada). Estas calças plásticas aumentam o risco de assadura porque impedem a entrada do ar e a saída da umidade, embora as calças para fraldas respiráveis ou coberturas feitas de algodão ou lã (às vezes com forro reticulado e aerado e/ou enchimento absorvente de espuma) possam reduzir e até eliminar este problema. Como envolvem mais estardalhaço e movimentação (embora os avanços técnicos na área têxtil — como fraldas ajustadas e alfinetes mais rápidos — continuem a reduzir este problema significativamente), as trocas de fraldas em geral são mais problemáticas com as fraldas de pano, em particular quando o bebê se contorce com mais habilidade. Como a capacidade de absorção é mais limitada, em geral é necessário usar fraldas duplas à noite e, para os que urinam mais, durante o dia. Os meninos, que concentram sua urina na frente, podem precisar de um forro de fraldas descartáveis. Mas aí existem os sacos plásticos de fraldas sujas a serem levados de casa para fora e o sempre presente cesto de fraldas sujas, que nunca fica inteiramente sem cheiro (embora o mesmo possa se dizer das fraldas descartáveis que ficam tempo demais em um cesto de fraldas.)

Por fim, embora as fraldas de pano não terminem em aterros sanitários, sua lavagem tem um impacto negativo no ambiente; se é tão significativo quanto o impacto causado pelas descartáveis, é uma questão controversa.

**Fraldas de pano lavadas em casa.** Estas podem ser as perdedoras patentes quando comparadas com as outras duas opções. Como não podem ser adequadamente saneadas, é mais provável que as fraldas lavadas em casa, de acordo com os estudos, causem brotoejas e assaduras. E embora elas pareçam bem menos caras do que qualquer das duas outras opções, elas são apenas um pouco mais baratas, quando se considera o custo do sabão, da água e do talco utilizados. Além disso, elas exigem um dispêndio maior de tempo e esforço — para lavar, enxaguar, secar e dobrar no período entre um uso e outro.

Alguns pais decidem usar fraldas de pano nos primeiros meses, uma época em que o bebê em geral passa mais tempo em casa do que fora, e depois passam aos poucos para as descartáveis à medida que a logística de carregar roupas torna-se um trabalho muito mais pesado. Mas com frequência usarão, desde o princípio, fraldas descartáveis quando saem e às vezes à noite (porque sua maior capacidade de absorção mantém o bebê mais confortável por mais tempo e pode garantir uma noite de sono melhor).

Qualquer que seja a fralda de sua escolha agora, você pode achar que seu bebê desenvolve assadura com frequência. Isto pode indicar uma sensibilidade à opção que você fez. Se ocorrer, não hesite — troque. Experimente um tipo diferente de fralda (mude da fralda de pano para a descartável, ou vice-versa) ou uma marca diferente de descartável. Veja também as dicas para prevenir e tratar assaduras na página 396.

## PARAR DE FUMAR

*"A não ser pelos primeiros meses de gravidez, quando eu não podia fumar porque ficava enjoada, eu nunca consegui parar por completo — nem meu marido. Até que ponto fumar perto do bebê pode afetá-lo?"*

Nada que você possa comprar em uma loja de enxoval para bebês, gastar em uma loja de brinquedos ou guardar em uma poupança pode se equiparar ao presente que é dar a seu recém-nascido um ambiente sem fumaça de cigarro. O tabagismo dos pais tem sido relacionado com um risco maior de Síndrome de Morte Súbita Infantil, com mais doenças respiratórias (gripes, resfriados, bronquite, asma) e com infecções de ouvido durante o primeiro ano de vida, com uma função pulmonar deteriorada e uma capacidade pulmonar reduzida, bem como com um risco maior de destruição dos dentes mais tarde na infância. Não só os filhos de fumantes adoecem com mais frequência do que os de não fumantes, como sua doença dura mais tempo. Eles também têm uma probabilidade maior de ser hospitalizados nos primeiros três anos de vida. Quanto mais fumantes existirem na casa, mais graves são os efeitos negativos, uma vez que a quantidade de fumaça que uma criança inala é relacionada com o número de fumantes com quem ela tem contato regularmente. E os riscos não são eliminados mesmo quando os pais fumam do lado de fora da casa. Pesquisadores descobriram que as crianças em lares de fumantes que só fumam do lado de fora *ainda* estão expostas a 70% de mais partículas prejudiciais ao pulmão do que aquelas que vivem em lares de não fumantes.

Talvez o pior de tudo, a probabilidade de que os descendentes de fumantes tornem-se também fumantes é maior do que para os filhos de pais que não fumam. Assim, parar de fumar pode não só manter seu filho mais saudável na infância, mas também, ao reduzir a probabilidade de seu filho fumar mais tarde na vida, pode mantê-lo vivo e saudável por mais tempo. E se isso não é motivação suficiente, tenha em mente também que ao parar de fumar você estará dando a seu bebê o presente de ter pais mais saudáveis.

Se você não foi capaz de parar até agora, obviamente não foi fácil. Quando se trata de qualquer vício em drogas (particularmente uma droga tão poderosa), seu corpo e sua mente se alinharão contra você. Mas se você está decidida a lutar — por sua segurança e a do bebê —, pode triunfar sobre ambos. E a melhor época para fazer isso é agora, antes de seu bebê nascer. Desistir de fumar antes do parto aumentará o oxigênio disponível para seu bebê durante o nascimento. E seu recém-nascido virá do hospital para uma casa com o ar limpo e respirável e, se você amamentar no peito, para um leite sem nicotina. Se você ainda está nos primeiros meses de gravidez, parar agora também reduzirá o risco de ter um parto prematuro e um bebê de baixo peso ao nascimento. (Mas qualquer hora é boa para parar, em especial quando há um novo par de pulmões em casa. Se você não consegue fazê-lo antes do parto, redobre os esforços depois que o bebê estiver compartilhando o ar de sua casa.)

# UM NOME PARA O BEBÊ

*"Eu sempre detestei meu nome. Como posso ter certeza de que nosso filho não ficará infeliz com o nome que escolhermos para ele?"*

O que é um nome? Para um recém-nascido, não muito. Alimente-o, vista-o, conforte-o e brinque com ele, e você poderá até chamá-lo de "Vagabundo" que ele não dará a mínima. Mas depois que os amigos e o mundo exterior começarem a desempenhar um papel mais importante na vida de seu filho (em geral no início do curso elementar), a antipatia com o nome que você escolheu pode se desenvolver. Embora não haja uma garantia de que o bebê vá gostar a vida toda do nome que vocês escolherem, uma seleção cuidadosa e sensata diminuirá a probabilidade de um nome se transformar em um problema. Aqui estão algumas dicas para se ter em mente quando escolher um nome para o seu filho:

- ◆ Certifique-se de que você e seu marido gostem do nome — do modo como soa e parece, e das conotações que traz. Perguntem a si mesmos: "Eu gostaria se fosse meu nome?"

- ◆ Escolha um nome significativo — batize seu bebê com o nome de um membro querido da família, um personagem histórico ou bíblico respeitável, ou um personagem favorito da literatura. Um nome desses dá à criança o sentido de pertencer a alguma coisa, de fazer parte de uma família ampliada ou de um mundo maior.

- Escolha um nome adequado. Flávia, por exemplo, que significa "de cabelos louros", seria adequado para uma menina loura; Luís, "guerreiro famoso", pode ser apropriado para um menino que tenha passado por um parto difícil. Ou um nome que seja espiritualmente adequado, simbolizando, talvez, uma qualidade que você deseja para seu filho, como Esperança, ou Cristiana. Ou que reflita seus sentimentos com o nascimento — Beatriz ("a que faz as pessoas felizes"), por exemplo, ou Ian ("dádiva graciosa de Deus"). Um nome adequado pode fazer com que a criança se sinta especial, embora combinar o bebê com o nome possa exigir que vocês adiem a decisão para depois do nascimento.

- Como o nome soará para os outros? Há algum possível significado oculto ou palavras com uma sonoridade que um dia possa tornar o nome constrangedor para seu filho? Verifique as iniciais; elas significam alguma coisa que possa fazer com que seu filho seja alvo de piadas e zombaria no futuro? O nome Patrícia Ulrich Tavares de Almeida, por exemplo, só pode ser uma fonte de tormento para uma criança. E quanto aos possíveis apelidos? Poderiam estimular insultos infantis? Se é um nome extremamente incomum, ou um nome muito étnico, considere se pode ser difícil para seu filho conviver com ele mais tarde.

- Inclua um nome do meio para que, se seu filho ficar infeliz com seu primeiro nome, o nome do meio possa ser um substituto.

- Considere escolher um nome que seja fácil de pronunciar e escrever. Um nome muito incomum que os professores estão sempre pronunciando errado ou um nome que está sempre sendo grafado errado pode se tornar um fardo — não só na escola, mas também mais tarde na vida. Por outro lado, algumas crianças (e mais tarde, adultos) definitivamente preferem ter um nome incomum porque ele as destaca dos outros.

- Evite modismos ou a política. Não sobrecarregue seu filho com o nome de sucesso do ano (de um programa de tevê, ou estrela de cinema, ou de político que tenha aparecido em cada capa de revista). Quando o nome famoso se revela fogo de palha ou, pior, o nome pode se tornar ultrapassado ou colocar seu filho sob uma luz que é desagradável.

- Use um nome real em vez de um diminutivo (Roberto, e não Beto; Isabel, e não Bel). Você pode usar o diminutivo durante a infância, mas seu filho depois terá a opção de mudar para a versão mais respeitável quando ingressar na idade adulta.

- Se você não quer que seu filho seja um dos seis Brunos ou uma das seis Marianas da turma na escola, evite escolher um nome que esteja na lista dos dez mais. Muitas revistas e sites para pais fazem uma enquete anual sobre os nomes mais populares, então dê uma olhada na internet para conhecer os vencedores do ano. Você também pode saber quais são os nomes mais populares de seu bairro lendo os anúncios de nascimento, ou dando um giro pelo *playground* e ouvindo os nomes (próprios) com que os pais chamam os filhos.

♦ Considere os sentimentos da família, mas não deixe que eles a dominem. Se existe um nome da família de que você não goste mas seus pais gostariam de ver perpetuado, seja por tradição ou sentimento, experimente colocá-lo como nome do meio, altere-o para que seja mais atraente para você, escolha outra forma do mesmo nome (muitos nomes na verdade têm várias formas), ou escolha um nome com o mesmo significado. Um bom livro de nomes para o bebê será útil aqui. E lembre-se, não importa que nome você escolha, seus pais e avós vão amar as crianças — mesmo que não fiquem satisfeitos com os nomes que têm.

♦ Certifique-se de que o nome ou os nomes sejam eufônicos com o sobrenome e entre si. Uma boa regra geral: um sobrenome curto cai bem com um nome longo (Elizabeth Santos) e vice-versa (Pedro Guimarães), enquanto nomes de duas sílabas em geral complementam sobrenomes de duas sílabas (Ana Kramer).

## PREPARANDO O ANIMAL DE ESTIMAÇÃO DA FAMÍLIA

*"Nossa cadelinha é muito ciumenta de meus carinhos — ela sempre tenta se colocar entre mim e meu marido quando nos abraçamos. Estou preocupada com a reação que ela terá com o novo bebê."*

É difícil para um cão que sempre foi tratado como um bebê bancar o cachorrinho quando aparece um bebê de verdade em cena. Mas é exatamente o que ele tem de fazer quando seu lugar no coração da dona tem de ser dividido com aquele novo ser humano pequenininho mas ameaçador que você logo estará trazendo do hospital. Embora o cão possa inevitavelmente ficar amuado no início, você vai querer fazer o possível para evitar o ciúme excessivo e, é claro, qualquer reação agressiva. Comece agora.

♦ Invista em um treinamento de obediência para seu cão se ele já não é adestrado — e mesmo que você nunca tenha julgado necessário. A vivacidade e a exuberância dos filhotes em geral não são um problema em uma casa sem crianças, mas podem se tornar problemáticas com um novo bebê. Em especial, como o comportamento do bebê não será controlável nem previsível, o do seu cão deve ser. O treinamento de obediência não tirará o ânimo de seu cachorro, mas o tornará mais estável, e assim será menos provável que ele machuque o bebê.

♦ Faça com que o cachorro se acostume com bebês agora, se puder. Convide amigos com bebês para irem a sua casa, ou leve o cachorro (com supervisão estreita, e se os pais concordarem) para farejar perto de um bebê no parque ou ser afagado por uma criança pequena, para que possa se acostumar com os cheiros e os movimentos.

- Faça com que seu cão se acostume com a vida na casa com um bebê. Use uma boneca do tamanho de um bebê como instrumento de treinamento (também será útil no seu). Troque as fraldas da boneca; carregue-a, cante para ela, embale-a; "amamente-a"; coloque-a para dormir no berço; leve para um passeio no carrinho (se você não se importar com os olhares dos vizinhos). De vez em quando, toque uma gravação de um bebê chorando.

- Acostume seu cão a dormir sozinho, se este será o arranjo pós-parto, para que a mudança não seja um choque para ele. Coloque uma caminha de cachorro confortável em um canto — com seu travesseiro ou cobertor favorito como companhia. Considere mantê-lo em uma área livre de bebês; uma invasão de um bebê engatinhando no espaço de dormir do cachorro pode provocar uma reação agressiva no mais amistoso dos cães.

- Leve seu cachorro para um *checkup* médico. Certifique-se de que a vacina antirrábica esteja atualizada, que ele não tenha pulgas nem carrapatos (pergunte a seu veterinário sobre o uso de comprimidos ou outro método que seja eficaz contra estes parasitas que também sejam

seguros para utilização perto de seu bebê). Não se esqueça também de vermifugar seu cão.

- Se seu bebê terá um quarto separado, treine o cão para ficar de fora do quarto enquanto você estiver ausente. Um portão para impedir a passagem pela porta pode ajudar a desestimular visitas inesperadas. Se o berço de seu bebê vai ficar em seu quarto ou em um canto da sala de estar, treine o cão para não ir para debaixo do berço, uma vez que ele pode acidentalmente abrir a grade e deixar o bebê cair.

- Se a tigela com que o cão é alimentado pode mais tarde ser alvo fácil para as mãos do bebê, mude-a para o porão, a garagem ou outra área que não convide a um engatinhador curioso, uma vez que até um cão tranquilo pode se tornar violento quando sua comida é ameaçada. Se você mora em um apartamento pequeno, faça com que seu cão tenha horários noturnos para comer e retire a tigela durante o dia. Não deixe a comida por perto quando o cachorro estiver do lado de fora, porque os nacos de ração saborosos são do agrado não apenas de cães — muitos bebês adoram experimentá-los, e há o risco de sufocamento. E use uma tigelinha de água sem pontas, a não ser que você goste de secar o chão com frequência.

- Depois do parto, mas enquanto você ainda estiver no hospital ou na maternidade, peça a seu marido para levar para casa uma peça de roupa de seu bebê que esteja suja para que o cachorro possa se familiarizar com o cheiro dele. Quando você chegar em casa, deixe que seu marido segure o bebê enquanto você acaricia seu cão. Depois, para satisfazer a curiosidade do cachorro, deixe que ele fareje o bebê — que deve estar bem agasalhado, com a cabeça e o rosto protegidos das patas do cão. Depois que o bebê estiver confortável no berço, dê um tratamento especial ao cão e passe um tempinho sozinha com ele.

- Seja atenta a seu novo bebê, é claro, mas não seja superprotetora por causa de seu cão. Isso só vai deixar o animal mais ciumento e inseguro. Em vez disso, como você faria com um parente (embora em um grau diferente, é claro), tente fazer com que seu cachorro se envolva com o novo morador e deixe que ele saiba que ainda é um membro amado da família. Acaricie-o enquanto amamenta, passeie com ele quando levar o bebê no carrinho, permita que ele entre no quarto do bebê enquanto você estiver presente. Tente passar pelo menos cinco minutos por dia sozinha com o cão. Mas se ele demonstrar a mais leve agressividade em relação a seu filho, repreenda-o imediatamente.

- Se, apesar de seus esforços para preparar e tranquilizar seu cão, ele parecer hostil com o recém-chegado, mantenha-o na guia e afastado do bebê até que você tenha certeza de

que ele se acalmou. Só porque um cachorro nunca mordeu ninguém antes não quer dizer que não será capaz disso sob coerção. Se prender o cachorro só aumenta sua hostilidade, pense em encontrar outro lar para ele. (Com cães machos, a castração pode reduzir a agressividade.)

*"Estou preocupada que nosso gato, que sempre dormiu conosco, possa ter ciúme do novo bebê."*

Até os gatos mais amistosos podem passar por mudanças na personalidade quando chega um bebê. E uma vez que os gatos são tão capazes de machucar uma criança de colo quanto os cães, com suas garras e com os dentes, é igualmente importante se certificar de que eles estejam preparados para a expansão da família. A maioria das dicas anteriores para preparar um cão pode funcionar para um gato também. Seja particularmente cuidadosa ao tranquilizar seu gato — com muita atenção — de que ele ainda é o favorito da família. E como os gatos em geral adoram se aninhar perto de um corpo quente e podem rapidamente subir pelas laterais do berço, não se esqueça de fixar uma tela especialmente projetada e presa com segurança acima do berço para evitar que seu gato durma com o bebê — um gesto amigável que pode terminar em tragédia. Também impeça que gatos (e cães) lambam o rosto do bebê ou qualquer ferimento na pele.

# PREPARANDO SEUS SEIOS PARA A AMAMENTAÇÃO

*"Tenho uma amiga que insiste que eu devia enrijecer meus mamilos para me preparar para a amamentação. É uma boa ideia?"*

Os mamilos femininos são projetados para amamentar. E, com muito poucas exceções, eles chegam para o trabalho plenamente qualificados, sem a necessidade de preparação prévia. Na verdade, em alguns casos os procedimentos que costumavam ser recomendados para enrijecer ou preparar os mamilos para a amamentação podem fazer mais mal do que bem. Por exemplo, aplicar álcool, hamamélis ou tintura de benjoim pode secar os mamilos e aumentar, em vez de diminuir, a probabilidade de criar rachaduras e fissuras; até o sabão pode ressecar, e seu uso nos mamilos deve ser evitado no último trimestre de gestação e durante a própria lactação. O mesmo ocorre com o uso de escova nos mamilos, que pode irritar os tecidos moles, aumentando, e não diminuindo, a probabilidade de que eles rachem com a pressão da amamentação. Massagear ou usar uma bomba para a mama a fim de preparar os mamilos não só é contraproducente como pode ser perigoso; estas manipulações podem estimular contrações e ocasionalmente até incitar uma infecção mamária.

Embora a grande maioria dos mamilos não precise de nenhuma preparação para a amamentação, um exame pré-natal feito por seu médico pode verificar seus seios em busca de qualquer característica anatômica que possa se mostrar problemática depois do início do aleitamento, como tecido glandular subdesenvolvido ou mamilos invertidos.

---

### NÃO TIRE LEITE SOZINHA — AINDA NÃO

Pode ser tentador tentar extrair o colostro antes do nascimento para ver se ele está ali — mas não faça isso. Não só essa manipulação do mamilo pode causar contrações uterinas, como pode também resultar em alguma perda dos valiosos elementos deste pré-leite. Para mais informação sobre o colostro, ver página 135.

---

### CONCHAS MAMÁRIAS

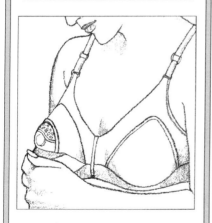

*As conchas mamárias exercem constante pressão, porém indolor, o que alonga os mamilos invertidos ou achatados.*

Se você tem mamilos invertidos (seus mamilos se retraem para dentro da mama em vez de se projetar quando você está com frio ou quando comprime seu seio com os dedos na borda da aréola), pergunte a seu médico se eles vão precisar de alguma preparação para a amamentação. Embora pesquisas mostrem que esta preparação não é necessária de modo geral (depois que começa o aleitamento, a maioria dos mamilos invertidos fazem seu trabalho tão bem quanto qualquer outro), alguns médicos continuam a recomendar o uso de conchas mamárias. Estas conchas plásticas gradualmente puxam para fora os mamilos achatados ou invertidos (ver ilustração) exercendo uma pressão indolor nos seios.

O aspecto negativo disso é que as conchas mamárias podem ser constrangedoramente visíveis e podem também causar suor e assaduras.

Mais importante do que preparar seus seios para a amamentação é preparar sua mente. Aprenda tudo o que puder sobre o aleitamento: faça um curso pré-natal, se possível; leia o Capítulo 3 e livros sobre o assunto; mantenha contato com a Sociedade Brasileira de Pediatria (www.sbp.com.br) ou acesse www.aleitamento.org.br; escolha um pediatra que defenda fortemente o aleitamento materno; pegue dicas e *feedback* com amigas que amamentam; e considere informar-se com um consultor em lactação.

# O Que É Importante Saber:
## A ESCOLHA DO MÉDICO CERTO

Quando você começou a procurar um médico para o parto de seu bebê, era difícil imaginar que havia mesmo um bebê para parir. Agora, com os minúsculos mas poderosos punhos, pés e joelhos usando-a regularmente como saco de pancada, você não tem mais nenhuma dúvida. Não só há um bebê ali, como ele está ansioso para sair. E antes que isso aconteça, você deve começar a procurar melhor pelo médico que cuidará disso. Adiar sua decisão pode significar ter um médico que você não sabe se vai se preocupar com seu bebê se você tiver um parto prematuro; ninguém a quem fazer perguntas importantes durante aqueles primeiros dias confusos; e nenhum rosto conhecido no caso de um problema com o recém-nascido.

Supondo que você fique na mesma comunidade e esteja relativamente satisfeita com os cuidados que recebe, o médico que você escolheu pode acompanhar o bebê — e a você — pelos próximos dezoito anos de nariz escorrendo, dores de ouvido, gargantas inflamadas, febres altas, dores de barriga, pancadas e hematomas, talvez até ossos quebrados; pelos marcos do drástico desenvolvimento físico e psicológico que emocionarão a ambos e a deixarão perplexa;

# PLANO DE SAÚDE PARA UMA FAMÍLIA SAUDÁVEL

Escolher um plano de saúde é bastante complicado quando não se tem filhos. Mas depois que você se torna mãe ou pai, há muito mais do que apenas você (e seu cônjuge) a ser considerado. Você vai precisar escolher um plano (pressupondo-se que pode escolher um) que seja mais adequado para as necessidades de sua *família*, considerando, em particular, como o plano atende as crianças. Quando procurar um plano de saúde, tente saber:

♦ Que serviços são cobertos pelo plano.

♦ Que limites, se houver algum, existem sobre o número de consultas para o bebê, seja por doença ou consulta de acompanhamento.

♦ Que despesas reembolsáveis você terá de pagar, como copagamentos, deduções ou pagamentos mensais.

♦ Que tipo de assistência será coberto no caso de uma emergência ou necessidades de longo prazo.

Você também deve saber que serviços específicos cobrem os planos que você está escolhendo. Estes devem incluir:

♦ Assistência preventiva e primária (inclusive exames de rotina; vacinação; visitas domiciliares; exames de fala, audição e vista; serviços de raios X e de laboratório; medicamentos receitados).

♦ Principais serviços médicos (inclusive consulta com especialistas, hospitalização, ambulância).

♦ Assistência especial (inclusive fisioterapia, terapia ocupacional ou outras formas de reabilitação; instalações de assistência de longo prazo ou cobertura de atendimento domiciliar; assistência psiquiátrica).

Você também deve estar familiarizada com os tipos de planos de saúde disponíveis hoje em dia. A Agência Nacional de Saúde Suplementar (ANS) é uma agência reguladora vinculada ao Ministério da Saúde que promove a defesa do interesse público na assistência suplementar à saúde, regula as operadoras e contribui para o desenvolvimento das ações de saúde no país. O setor de saúde suplementar reúne mais de 2 mil empresas operadoras de planos de saúde, milhares de médicos, dentistas e outros profissionais, hospitais, laboratórios e clínicas. Toda essa rede prestadora de serviços atende milhões de consumidores que utilizam planos privados de assistência à saúde para realizar consultas, exames ou internações.

Os planos privados de assistência à saúde oferecidos pelas operadoras seguem as diretrizes estabelecidas na Lei nº 9.656/98. Existem vários tipos de plano de saúde, que se diferenciam por algumas características específicas: forma de contratação (individual ou familiar, coletivo com patrocinador ou coletivo sem patrocinador), tipo de cobertura assistencial (tratamentos, serviços, procedimentos médicos, hospitalares e/ou odontológicos a que um usuário faz jus pela contratação de um plano de saúde), abrangência geográfica (cobertura municipal, estadual ou nacional) e organização da rede de serviços.

pelos momentos que você nem sequer pode conceber. Você não vai querer morar com o médico do bebê nestes anos (embora haverá ocasiões, particularmente à noite e nos fins de semana, que você desejará isso), mas ainda assim vai querer alguém com quem se sinta à vontade e que seja compatível com você. Alguém que você não hesite em acordar às duas da manhã quando a febre de seu bebê de nove meses atinge um novo pico, alguém com quem não se sentirá constrangida em perguntar sobre o súbito fascínio de seu filho de seis meses com os genitais, alguém com quem se sinta livre para perguntar quando não tiver certeza de que o antibiótico receitado será necessário.

Antes de começar a garantir nomes, você precisa tomar algumas decisões fundamentais sobre o tipo de médico que você quer para cuidar de seu bebê.

## PEDIATRA OU MÉDICO DA FAMÍLIA?

Quando as gerações passadas tinham um nariz escorrendo ou um caso difícil de assadura, os pais não pegavam o bebê e o levavam ao pediatra. Era mais provável que eles levassem seu filho ao mesmo médico que o havia trazido ao mundo, que tratava da bursite do pai e da artrite da avó, que removeu as pedras dos rins do tio e as amídalas dos primos: o médico da família, um clínico geral que pendurava a tabuleta depois da faculdade de medicina e só fazia um ano de residência. Hoje em dia esse tipo de

médico está praticamente extinto, e a maioria dos narizes escorrendo e bumbuns com assadura é tratada por um pediatra, um especialista nos cuidados infantis, ou pelo sucessor de alta tecnologia do clínico geral — o clínico de família. Decidir que tipo de médico é melhor para você é seu primeiro passo para encontrar o Dr. Certo.[3]

**O pediatra.** Bebês, crianças e às vezes adolescentes fazem parte de seu ofício — seu único ofício. Além de quatro anos de faculdade de medicina, os pediatras têm três anos de especialização em pediatria. Se eles têm registro no conselho, também passaram por um exame de qualificação. A maior vantagem de escolher um pediatra para seu bebê é óbvia — uma vez que só cuida de crianças, e muitas vezes ele está mais familiarizado do que os outros médicos com o que é e o que não é normal nos jovens pacientes. Também têm mais experiência em cuidar de crianças doentes. E, talvez mais importante, é mais provável que eles tenham as respostas para as perguntas que perturbam os novos pais (que os pediatras já ouviram centenas de vezes antes), de "Por que ele quer mamar o tempo todo?" a "Por que ela não está dormindo mais?", e "Por que ele chora tanto?"

---

[3]Se o diagnóstico pré-natal ou o histórico da família sugerem que você pode ter um bebê com um problema específico de saúde (síndrome de Down, alergias, asma), você pode considerar escolher um pediatra ou clínico de família com um interesse especial ou uma especialização em cuidar de crianças com esse tipo de problema.

Um bom pediatra estará sintonizado com toda a família e reconhecerá quando o problema de uma criança tem sua origem no que estiver acontecendo, seja física ou emocionalmente, com um genitor ou outro membro da família. O problema de escolher um pediatra é que se toda a família for acometida de alguma coisa que exija tratamento médico (uma inflamação na garganta em todos), pode ser necessário apelar aos serviços de dois médicos.

**O clínico de família.** Como o pediatra, o clínico de família em geral tem três anos de especialização depois da faculdade de medicina. Mas o programa de residência de um clínico é muito mais abrangente do que o do pediatra, cobrindo medicina interna, psiquiatria e ginecologia e obstetrícia, além de pediatria. A vantagem de escolher um clínico de família é que toda a sua família pode ser tratada pelo mesmo médico, que conhece todos vocês, tanto pessoalmente quanto como pacientes, e pode usar esta informação no diagnóstico e no tratamento. Se você já usa um clínico de família, acrescentar seu bebê na lista de pacientes terá a vantagem adicional de levar o novo membro da família a um velho amigo.

Uma desvantagem em potencial: como o clínico tem menos treinamento e experiência em pediatria do que um pediatra, ele pode estar menos acostumado a lidar com os tipos de perguntas que você pode levantar sobre um bebê saudável, bem como ser menos astuto para fazer o diagnóstico de um problema obscuro. Para minimizar esta desvan-

tagem, procure um clínico de família que atenda a muitos bebês, não só a crianças maiores. Muitos atendem. Outro possível problema: o clínico de família pode estar menos disposto a cuidar de seu filho durante uma hospitalização, ou ser menos capaz disso.

## QUE TIPO DE PRÁTICA É PERFEITA?

Para alguns pais, o tipo de prática pode ser quase tão importante quanto o tipo de médico. Existem várias opções; as mais atraentes para você dependerão de suas preferências e prioridades pessoais.

**A prática solo.** Neste tipo de prática, o médico trabalha sozinho, usando outro médico para cobrir quando está fora ou indisponível por qualquer motivo. A principal vantagem de um médico que trabalha sozinho é que ele tem a oportunidade de formar relacionamentos próximos com cada um de seus pacientes. Mas também há uma desvantagem: esse tipo de médico provavelmente não estará por perto 24 horas por dia o ano todo. Ele estará disponível para consultas marcadas (a não ser que haja uma emergência), e ao telefone na maior parte do tempo, mas tirará férias e ocasionalmente passará as noites e os fins de semana fora, deixando os pacientes que precisam de assistência ou consulta emergencial para um médico de cobertura que pode não estar familiarizado com ele. Se você escolher um médico que trabalha sozinho, pergunte quem lhe dá cobertura nestas ocasiões, e certifique-se de que em uma emergência o prontuário de seu filho esteja disponível mesmo na ausência do médico.

**A parceria.** Às vezes, ter dois médicos é melhor do que ter um. Se um não está disponível, o outro quase sempre está. Se você os procura alternadamente, você e seu filho, graças a visitas de acompanhamento frequentes no primeiro ano, em geral podem formar um bom relacionamento com ambos. Embora os parceiros provavelmente vão concordar na maioria das questões e provavelmente terão filosofias semelhantes de prática, de vez em quando eles podem ter opiniões diferentes. Em alguns casos, ter mais de uma opinião pode causar confusão, mas pode ser útil ouvir duas abordagens a um problema particularmente confuso. (Se um não parecer capaz de resolver os problemas de sono de seu bebê, o outro talvez seja.)

Uma questão importante a ser levantada antes de decidir por uma parceria: você pode marcar consultas com o médico de sua preferência? Se não, e se você descobrir que gosta de um e não gosta do outro, você pode passar metade de suas visitas com um médico com quem não se sente à vontade. Mesmo que você possa escolher o médico favorito para os exames, as crianças doentes em geral devem ser vistas por quem quer que esteja disponível no momento.

**A prática de grupo.** Se ter dois é bom, será melhor ter três ou mais? Em alguns casos, provavelmente, sim; em outros, possivelmente, não. É mais provável que um grupo seja capaz de proporcionar cobertura 24 horas pelos médicos, mas é menos provável que garanta um relacionamento próximo entre médico e paciente — novamente, a não ser que você escolha o mesmo médico (ou dois deles) para visitas regulares. Quanto mais médicos seu filho consultar em visitas de acompanhamento ou em caso de doença, mais tempo será necessário para se sentir à vontade com cada um deles, embora este possa ser um problema muito menor se todos os médicos são calorosos e cuidadosos. Também há um fator aqui: se você consulta vários médicos alternadamente, conselhos contraditórios podem esclarecer ou confundir. A longo prazo, mais importante do que o número de médicos em uma clínica será a confiança que você tem neles individualmente e como grupo.

**Uma clínica que tenha enfermeira pediátrica ou assistente pediátrica.** Qualquer um dos tipos de prática mencionados anteriormente pode incluir em suas fileiras uma ou mais enfermeiras pediátricas, o equivalente da enfermeira-parteira do consultório do obstetra, ou assistente de pediatria. A enfermeira pediátrica é bacharel em enfermagem ou enfermeira registrada com formação adicional (em geral um mestrado) em sua área de especialização; a assistente pediátrica é uma profissional de saúde licenciada que trabalha sob supervisão médica. Uma enfermeira ou assistente em geral lida com consultas de acompanhamento e com frequência tratam de problemas menores também, consultando colegas médicos quando necessário. Os problemas que estão além do escopo de uma enfermeira ou assistente pediátrica são encaminhados a um dos médicos do consultório. Como a parteira, a enfermeira ou assistente pediátrica frequentemente passa mais tempo com os pacientes em cada visita, muitas vezes dedicando tanta atenção aos problemas de estilo de vida quanto aos problemas clínicos. Mas pelo fato de o nível de treinamento não ser igual ao de um médico, você pode ter menos confiança na assistência que seu bebê está recebendo. Isto, contudo, não é necessariamente uma preocupação válida, uma vez que muitos estudos mostraram que as enfermeiras pediátricas e assistentes pediátricas são, em média, pelo menos tão bem-sucedidas, e às vezes mais bem-sucedidas, que os médicos no diagnóstico e tratamento de doenças menos importantes. Elas também ajudam a manter os custos baixos e reduzem o tempo de espera.

# Encontrando o Dr. Certo

Existe um Dr. Certo para cada paciente. Uma vez que você saiba que tipo de médico e em que tipo de prática quer, você já está pronta para sair em busca do seu. Algumas comunidades têm serviços *on-line* para combinar médicos e pacientes; se a sua não tem, você terá de depender de fontes mais tradicionais, mas em geral confiáveis.

**Seu obstetra ou parteira.** Os médicos geralmente recomendam colegas cujo estilo e filosofia são semelhantes aos seus próprios, cujo trabalho eles conhecem bem e respeitam. Assim, se você está satisfeita com o médico que a acompanhou na gravidez, peça uma sugestão. Por outro lado, se você está decepcionada, procure recomendação em outro lugar.

**Uma enfermeira pediátrica ou obstétrica.** Se você conhece uma enfermeira que trabalhe com pediatras, no hospital ou no consultório, ela certamente será uma boa fonte de informação sobre que médicos são competentes, conscienciosos, cuidadosos e se relacionam bem com as pacientes e seus filhos. Se você não conhece uma enfermeira, pense em telefonar para o centro de enfermagem da pediatria ou do berçário do hospital em que você fará o parto para pedir recomendações.

**Pais.** Ninguém é mais indicado para falar com você sobre se um médico tem jeito para tratar de doentes do que seus pacientes satisfeitos (ou insatisfeitos), ou neste caso, pais de pacientes. As recomendações são melhores quando vêm de amigos ou conhecidos que têm o mesmo temperamento e a mesma filosofia de educação dos filhos que você. Além disso, as próprias qualidades que os fazem afiançar seu pediatra podem fazer você querer afiançá-lo também.

**A sociedade ou associação médica local.** Embora estas organizações não recomendem um médico em detrimento de outro, elas poderão providenciar uma seleção de pediatras respeitáveis em sua região para que você escolha o seu.

**Serviços de indicação do hospital ou de outras fontes.** Alguns hospitais, grupos médicos e empresas criaram serviços de indicação para fornecer nomes de médicos em determinadas especialidades. Os hospitais recomendam médicos que têm privilégios em sua instituição; um serviço de indicação pode ser capaz de fornecer, além de informações sobre a especialização, o treinamento e a certificação de um pediatra, informações sobre se ele foi processado ou não por erro médico ou negligência.

**La Leche League.** Se a amamentação no peito é uma prioridade, sua seção local da La Leche (veja na lista telefônica ou acesse www.lalecheleague.org) pode fornecer nomes de pediatras que são particularmente atentos e têm conhecimento sobre aleitamento materno.

**Plano de saúde.** Seu plano de saúde provavelmente poderá fornecer uma lista de médicos disponíveis para você em seu plano.

**As páginas amarelas.** Como último recurso, dê uma olhada em "Pediatras" ou "Médico de família" na lista telefônica. Mas tenha em mente que essas listas são

incompletas; muitos médicos, particularmente aqueles que já prosperaram na prática clínica, optam por não anunciar nas páginas amarelas.

# A CERTEZA DE QUE O DR. CERTO É O CERTO PARA VOCÊ

Procurar em uma lista de nomes de qualquer uma das fontes mencionadas anteriormente é um bom começo em sua busca pelo Dr. Certo. Mas para reduzir a lista a um rol pequeno de candidatos ao cargo de "Certo" e, por fim, para encontrar o médico de seus sonhos, você precisará de mais alguns telefonemas investigativos, terá de andar mais um pouco e ter entrevistas pessoais com os poucos finalistas.

**Afiliação hospitalar.** É um ponto positivo definitivo se o médico que você escolheu é afiliado a um hospital próximo para que o tratamento de emergência seja de fácil acesso. E é bom que o médico tenha privilégios no hospital em que você está planejando ter o parto, para que ele possa examinar seu filho antes do nascimento. Mas não elimine de sua lista um bom candidato que não tenha esse tipo de afiliação. Um médico da equipe pode realizar o exame hospitalar e arranjar tudo para o parto, e você pode levar o bebê ao médico escolhido depois de sair do hospital.

**Credenciais.** Um diploma de uma universidade respeitada parece ótimo na parede do consultório, mas é ainda mais importante a residência em pediatria ou medicina familiar na certificação do Conselho Regional de Medicina.

Alguns médicos cobram uma taxa para a entrevista, outros não. Durante o sétimo ou o oitavo mês de gravidez, marque uma hora com aqueles de sua pequena lista e chegue pronta para avaliar o possível médico de seu bebê, levando em consideração o que se segue:

**Localização do consultório.** Carregar uma barriga de grávida com você a toda parte pode ser difícil agora, mas é uma viagem leve se comparada com o que você estará carregando depois do parto. As distâncias que não podem ser cobertas a pé exigirão mais planejamento do que só esperar pelo ônibus, pelo metrô ou ir de carro, e quanto maior a distância a ser percorrida, particularmente no mau tempo, mais complicadas serão suas saídas. Quando você estiver lidando com uma criança doente ou machucada, um consultório próximo não é apenas conveniente; pode também significar um atendimento e um tratamento mais rápidos. Mas quando você tomar sua decisão, tenha em mente: um médico verdadeiramente especial pode valer uma viagem mais longa.

**Horário de consulta.** O que constitui um horário de consulta conveniente dependerá de sua própria agenda. Se um de vocês, ou ambos, têm emprego em horário integral, o atendimento de manhã cedo, à tardinha ou no fim de semana pode ser um quesito importante.

**Ambiente.** É possível dizer muito do ambiente de um consultório antes mesmo de entrar nele. Se você foi tratada laconicamente ao telefone, é mais provável que a experiência no consultório não seja das mais agradáveis. Se, por outro lado, foi recebida por uma voz encantadoramente receptiva, provavelmente vai encontrar solicitude e gentileza quando aparecer com uma criança doente, machucada ou ansiosa. Você poderá perceber mais facilmente quando fizer sua primeira visita ao consultório para uma entrevista com o médico. A recepcionista é simpática, ou suas maneiras são ríspidas e insípidas? A equipe é responsiva e paciente com os clientes, ou a comunicação com eles limita-se a "Desce", "Não toque nisso" e "Fique quieto"?

**Decoração.** Um pediatra precisa de mais do que algumas revistas na mesa e algumas pinturas expressionistas na parede para ter o *design* "certo" na sala de espera. Em sua visita de reconhecimento, procure por características que tornarão a espera menos penosa para você e o filho que vai nascer: uma área confortável de brincar para as crianças pequenas, bem como uma área de espera para crianças maiores (se o espaço permitir); uma seleção de brinquedos limpos e com boa manutenção e livros adequados para várias idades; cadeiras baixas ou outro espaço para sentar, projetado para corpos pequenos. Papel de parede em cores vivas e padrões intrigantes (cangurus laranja e tigres amarelos em vez de tons terrosos de bom gosto que nada dizem) e imagens luminosas (tanto na sala de espera quanto na sala de exames) também darão às mentes inquietas algo confortador para olhar enquanto se esperam ou se experimentam os cutucões e picadas de um exame. (Mas tenha em mente que nem todo médico é um boneco da Disney.) Outro detalhe muito bem-vindo no consultório do médico de família: áreas de espera separadas somente para adultos e para adultos com crianças.

**Tempo de espera.** Uma espera de 45 minutos quando você está acalmando um bebê agitado ou tentando distrair uma criança maior inquieta com outro livro de figuras pode ser uma experiência penosa para todos os envolvidos. Mas essas esperas não são incomuns quando o consultório vive cheio. Para alguns pais, uma longa espera pode ser só uma inconveniência; para outros, é algo que sua agenda simplesmente não pode comportar.

Ao tentar avaliar o tempo de espera médio em um consultório particular, não considere quanto tempo *você* ficou esperando pela entrevista. Essas visitas são uma cortesia, em vez de uma necessidade médica; bebês chorando ou crianças doentes terão (e deverão ter) prioridade. Em vez disso, pergunte à recepcionista, e se sua resposta for vaga ou evasiva, faça a pergunta aos pais que estão esperando.

Um longo tempo de espera pode ser um sinal de desorganização do consultório, de excesso de consultas marcadas, ou de um médico que tem mais pacientes do que pode dar conta. Mas não diz muito sobre a qualidade do atendimento médico. Alguns médicos muito bons não são bons administradores. Eles podem terminar passando mais tempo com cada paciente do que o previsto (uma coisa que lhe agradará na sala de exame, mas não na de espera). Ou eles podem não ter o hábito de rejeitar solicitações para encaixar crianças doentes em uma agenda já lotada (uma coisa que você definitivamente vai apreciar quando o filho doente for o seu).

Nem toda espera ocorre na sala de espera. A espera mais desagradável com frequência acontece na sala de exame, segurando um bebê infeliz e despido, sem espaço para se mexer, ou tentando distrair uma criança que já engatinha sem o benefício de uma coleção de brinquedos por perto. Embora as longas esperas na sala de exame possam não ser motivo suficiente para rejeitar um médico, se elas se mostrarem um problema, certifique-se de que a enfermeira tome conhecimento de que você prefere passar a maior parte desse tempo na sala de espera.

**Visitas domiciliares.** Sim, alguns pediatras e clínicos de família ainda permitem isso. Na maior parte do tempo, porém, como seu médico provavelmente irá explicar, as visitas domiciliares são não apenas desnecessárias, elas não são o melhor para o bebê. No consultório, um médico pode usar o equipamento e fazer exames que não podem ser guardados em uma maleta preta. No entanto, podem surgir ocasiões em que você apreciará muito o médico que está disposto a prestar uma consulta domiciliar — quando o filho mais velho chega da creche com dor de barriga, o bebê está com febre alta e uma tosse brônquica e você está sozinha em casa no meio de uma tempestade.

**Protocolo para fazer consultas telefônicas.**
Se os novos pais corressem ao consultório do médico cada vez que tivessem perguntas sobre a saúde ou o desenvolvimento de seu bebê, a conta com o médico seria estratosférica e os consultórios médicos ficariam abarrotados dia e noite. É por isso que muitas perguntas são respondidas e muitas preocupações são aliviadas pelo telefone. E é por isso que você vai querer saber antecipadamente como o possível médico de seu bebê lida com essas chamadas. Alguns pais preferem a abordagem com chamadas em horários fixos: um período determinado reservado no dia para que o médico atenda aos telefonemas. Nenhum paciente é visto durante esse período e as distrações são poucas. Isto garante acesso quase imediato ao médico — embora em várias ocasiões o sinal possa estar ocupado ou possa haver uma curta espera para um retorno do telefonema. Outros pais acham difícil restringir suas preocupações ao horário de 7 às 8 da manhã ou de 11 ao meio-dia, ou pior, esperar até o horário do dia seguinte para ter um alívio para suas preocupações. Eles preferem o sistema de retorno de telefonemas do médico: eles ligam quando surge um problema ou uma dúvida, e o médico liga de volta quando tem um momento livre entre os pacientes. Mesmo que o retorno da chamada não venha por horas (em um caso não emergencial, é claro), quem telefona pode pelo menos transferir o peso para a pessoa que atende ao telefonema — e às vezes ser tranquilizado ou consolado por ela. E há o conforto de saber que se conversará com o médico no final do dia. Outra opção que os pediatras usam é um serviço de atendimento por enfermeiras. Com esse sistema, enfermeiras respondem às perguntas comuns dos pais e dão conselhos, transferindo para o médico somente as questões urgentes ou mais complicadas. Outra opção menos comum empregada por alguns médicos é o *e-mail*.

**Como as emergências são tratadas.**
Quando acontecem acidentes — e eles acontecerão —, a forma como seu médico lida com as emergências será de grande importância. Alguns médicos instruem os pacientes a procurarem diretamente o pronto-socorro do hospital local, onde a equipe de plantão pode providenciar o tratamento. (Alguns planos de saúde exigem que os pacientes telefonem para o médico primeiro antes de se dirigirem à emergência do hospital.) Outros pedem que você telefone para seu consultório primeiro e, dependendo da natureza da doença ou do ferimento, verão seu bebê no consultório ou encontrarão você no pronto-socorro. Alguns médicos estão disponíveis (a não ser que estejam fora da cidade) dia, noite e fins de semana para emergências. Outros usam colegas ou sócios para lhes dar cobertura quando estão fora do trabalho.

**Hospitalização.** Felizmente, muitas crianças nunca são hospitalizadas. Mas na improvável eventualidade de seu filho ter de ser internado em um hospital, você precisará saber a que hospital o médico de sua preferência é afiliado. Alguns hospitais são mais bem equipados para cuidar de crianças doentes do que outros (os hospitais pediátricos em geral são melhores, mas não estão disponíveis em todos os bairros). Você também vai querer saber quem cuidará de seu filho no hospital — o médico de sua preferência ou um médico do hospital?

**Questões financeiras.** Para todo mundo, exceto os muito ricos e os que têm planos de saúde com a melhor cobertura, como lidar com as questões financeiras é uma importante consideração. Alguns consultórios exigem o pagamento no ato da consulta (a não ser que outro acordo seja feito antecipadamente); outros emitem faturas. Alguns consultórios oferecem um pacote para a assistência no primeiro ano que cobre quaisquer consultas feitas. Embora o pacote custe mais do que a soma dos honorários pelo número de *check-ups* programados no ano, em geral vale a pena fazer: você terá o retorno de duas ou três visitas por doença e sairá ganhando. Os reembolsos do plano de saúde para visitas de doença, sejam por pacote ou não, existirão de acordo com os termos de sua cobertura.

Os cronogramas de pagamento também estão disponíveis em alguns consultórios, seja rotineiramente ou em circunstâncias especiais, como quando ocorre uma dificuldade financeira. Se você optar por um arranjo desses, discuta o assunto com o encarregado da cobrança.

Particularmente, se as finanças estão difíceis, você também pode querer perguntar se o serviço laboratorial de rotina é feito no consultório; se for assim, provavelmente custará a você menos do que os exames enviados a um laboratório não conveniado.

**Estilo.** Quando você está em busca de um médico, como quando compra móveis para o bebê, o estilo certo dependerá do seu estilo. Você prefere um médico que seja informal e despreocupado, formal e com um jeito mais profissional, ou algo entre os dois? Você fica mais à vontade com uma figura paternal (ou maternal), ou com um médico que a trata como parceira nos cuidados com seu filho? Você quer um médico que dê a impressão de ter todas as respostas, ou outro que está disposto a admitir: "Não sei, mas vou me informar?"

Assim como há certas características que todos os pais procuram em um berço ou num carrinho (qualidade, acabamento, valor), há certas características que querem em um pediatra: a capacidade de ouvir (sem ficar olhando para o nome seguinte em sua agenda); receptividade a indagações e disposição para respondê-las com clareza e abrangência (sem ficar na defensiva ou se sentir ameaçado); e, sobretudo, uma genuína afeição pelas crianças.

**Filosofia.** Até no mais bem-sucedido dos casamentos, os cônjuges nem sempre estão de acordo, e até nas melhores relações médico-paciente podem existir algumas divergências. Mas, como os casamentos, é mais provável que a relação médico-paciente seja bem-sucedida se as duas partes concordarem na maioria das questões mais importantes. E o momento ideal para saber se você e seu médico em potencial têm a mes-

## QUANDO A ESCOLHA NÃO É SUA

À medida que proliferam os planos empresariais de saúde, um número cada vez maior de famílias está perdendo o direito de escolher seus médicos. Pode haver um só pediatra, um só obstetra, ou um só médico de família em seu bairro que conste de seu "catálogo". Se você se vê nessa situação e está insatisfeita com a assistência dada pelo médico designado, faça com que seu empregador (ou o do seu marido) e a diretoria do plano de saúde saibam disso. Seja específica em suas queixas, mas evite discussões. Seu objetivo deve ser melhorar a qualidade da assistência oferecida pelo plano e, portanto, a assistência que seu bebê recebe. Se sua queixa não resultar em nenhuma mudança, talvez você possa convencer o empregador a mudar para um plano diferente.

ma filosofia é na entrevista, antes de marcar uma consulta.

Pergunte qual a posição do médico em qualquer uma das seguintes questões que você considere importante:

- Aleitamento. Se você está ansiosa para amamentar no peito, um médico que não se manifeste muito a favor em relação a isso ou confesse pouco conhecimento do assunto pode não proporcionar o apoio e a assistência de que precisa uma mãe novata.

- Alta do hospital cedo. Se você prefere ir para casa o quanto antes, vai querer um pediatra que esteja de acordo com seus desejos e assine a alta de seu bebê e a sua, pressupondo-se que tudo esteja bem, é claro. (Mas que não seja ninguém que concorde tanto com seus desejos a ponto de colocá-los na frente do que for melhor para seu bebê.)

- Circuncisão. Quer decida contra ou a favor da circuncisão, você vai querer um médico que respeite sua opção.

- Vegetarianismo. Se você e sua família não comem carne nem peixe, é útil ter um médico que não só aceite essa opção, mas que também saiba alguma coisa sobre atender às necessidades nutricionais de uma criança em crescimento com uma dieta vegetariana ou vegan.

- Medicina preventiva. Se você acredita bastante na prevenção, é uma boa ideia escolher um médico que compartilhe de sua filosofia — destacando o "aconselhável" nos cuidados com o bebê (boa nutrição, atividade física, vacinação e assim por diante).

- Antibióticos. É uma boa ideia escolher um médico que esteja atualizado com as mais recentes recomendações em relação a quando e com que frequência prescrever antibióticos. As pesquisas indicam que muitos médicos receitam antibióticos com demasiada frequência, muitas vezes quando a situação não os exige (em geral a pedido dos pais).

♦ Medicina complementar ou alternativa. Se uma abordagem mais holística à assistência médica de sua família é importante para você, procure um médico que esteja familiarizado com a medicina alternativa e complementar e esteja disposto a incorporar terapias não convencionais que sejam seguras e eficazes nos cuidados com seu bebê.

## A ENTREVISTA PRÉ-NATAL

Depois de ter se decidido por um médico para seu filho, provavelmente há várias questões — muitas delas examinadas neste capítulo e no seguinte — que você desejará discutir em uma consulta, entre elas:

**Seu histórico obstétrico e o histórico de saúde da família.** Que impacto terão sobre o parto por vir e sobre a saúde do bebê?

**Procedimentos hospitalares.** Que medicação será usada nos olhos do bebê para prevenir infecção? Que exames são rotineiros depois do nascimento? Como lidarão com a icterícia? Quais são os critérios para a primeira expectoração?

**Circuncisão.** Quais são os prós e os contras? Quem deve realizar o procedimento e quando, se você optar por ele? Será usada anestesia local?

**Amamentação.** Como o médico de seu bebê pode ajudar você a ter um bom começo? Ele cuidará para que você seja capaz de amamentar na sala de parto? Será que ele poderá ordenar a proibição do uso de chupetas e mamadeiras suplementares no berçário e facilitar a demanda de amamentação se você não estiver ocupando o mesmo quarto? Poderá ser combinada uma visita extra no consultório uma ou duas semanas depois do parto se você estiver tendo dificuldades em amamentar ou quiser avaliar seu progresso?

**Mamadeira.** Que tipo de mamadeira, bicos e fórmulas o médico recomenda?

**Suprimentos e equipamento para o bebê.** Consiga recomendações de suprimentos de saúde como acetaminofen, termômetro e unguento para assaduras, e equipamento como cadeirinhas para carro.

**Sugestões de leitura.** Há algum livro e/ou vídeo que o médico gostaria de recomendar especificamente, ou evitar que você veja?

**Etiqueta no consultório.** Será que você deve saber como o consultório funciona — por exemplo, os horários em que os telefonemas são dados ou como eles lidam com as emergências?

## SUA PARCERIA COM O DR. CERTO

Depois de ter escolhido o Dr. Certo, você não pode simplesmente largar a assistência médica de seu bebê no colo dele, sentar com uma revista na sala de espera e relaxar, segura dos resultados corretos. Como pais, vocês, e não seu médico, têm o impacto mais significativo na saúde de seu bebê. Se vocês não assumem sua parte na parceria, até o melhor médico do mundo não será capaz de proporcionar a melhor assistência ao seu filho. Para ser o parceiro certo para o Dr. Certo, você tem uma longa lista de responsabilidades.

**Siga a etiqueta do consultório.** Chegue para as consultas a tempo ou, se o atendimento se atrasa perpetuamente, ligue meia hora antes do horário agendado e pergunte a que horas você poderá chegar; tente cancelar a consulta com pelo menos 24 horas de antecedência; e cumpra os acordos de pagamento. Lembre-se, os pacientes (neste caso, os pais de pacientes) são em parte responsáveis pela tranquilidade das operações no consultório médico.

**Pratique a prevenção.** Embora seja sensato escolher um pediatra que acredite na medicina preventiva e se concentre na assistência a um bebê saudável, o fardo de manter a saúde do bebê recairá mais sobre você do que sobre o médico. É você quem deve cuidar para que o bebê tenha a nutrição adequada, desfrute de um equilíbrio entre repouso e brincadeiras ativas, não seja exposto desnecessariamente a infecção ou fumaça de cigarro e seja protegido ao máximo de lesões acidentais. É você quem deve ajudar seu bebê a estabelecer uma boa saúde e hábitos seguros que podem durar e dar benefícios por toda a vida.

**Coloque suas preocupações no papel.** Muitas perguntas que lhe ocorrerão entre os *check-ups* merecem sua preocupação sem que requeiram um telefonema especial. ("Por que ele ainda não tem nenhum dente?", ou "Como eu posso fazer com que ele goste do banho?") Tome nota enquanto elas ocorrerem a você, antes que tenham a chance de escapar durante um dia particularmente agitado com o bebê. Depois pergunte ao médico na visita seguinte.

**Tome notas.** O médico lhe dá instruções sobre o que fazer se seu bebê tiver uma reação às primeiras vacinas. Você chega em casa, ele está com febre e você em pânico. O que foi mesmo que ele disse? Não é de surpreender que você se esqueça — o neném estava chorando depois da vacina e você mal conseguiu ouvir as instruções enquanto lutava para vesti-lo, o que dirá lembrar delas. A solução para a perda de memória dos pais: sempre leve caneta e papel nas consultas médicas e anote os diagnósticos, instruções e qualquer outra informação a que você possa querer recorrer mais tarde. Isto pode não ser fácil enquanto se equilibra um bebê no colo (é por isso que o ideal é que os dois pais levem o bebê ao consultório), mas vale a pena fazer as contorções que podem estar envolvidas. Ou pergunte à enfermeira ou ao médico se eles podem anotar parte das informações para você.

Tome notas das consultas por telefone também. Embora você acredite que vá se lembrar do nome do unguento que o médico recomendou para a assadura do bebê ou a posologia de acetaminofen receitada para a dor de dente, esses detalhes podem lhe escapar facilmente quando você estiver segurando o fone enquanto vê o bebê sujar toda a parede da cozinha com batata-doce.

**Acelere os telefonemas.** Graças a Alexander Graham Bell, o alívio para suas preocupações é somente um telefonema. Mas não use o médico de seu bebê como referência pronta; antes de telefonar, tente encontrar a resposta a suas perguntas neste livro ou em outro livro sobre bebês na sua estante. Se você não tiver sucesso, contudo, não hesite em telefonar por medo de abusar de seus privilégios de falar com ele ao telefone. Nos primeiros meses, os pediatras esperam um monte de telefonemas, especialmente de pais de primeira viagem. Não fale com frieza, porém. Componha a maior parte da conversa com base no *checklist* da seção "Antes de Ligar para o Médico" que começa na página 752 e prepare-se.

**Siga os conselhos do médico.** Em qualquer boa parceria, os dois lados contribuem com o que sabem ou fazem melhor. Nesta parceria, o médico de seu filho estará colaborando com anos de treinamento e experiência. Para obter o maior benefício dessas contribuições, faz sentido considerar o conselho do médico quando for viável e informá-lo quando você não pretende fazê-lo, ou por algum motivo não possa fazê-lo. Isto é particularmente essencial em situações médicas. Digamos que um antibiótico tenha sido receitado para uma dor de ouvido. O bebê cuspiu o medicamento e não tomou outra gota. Uma vez que a

dor de ouvido parece ter melhorado, você desiste de tentar forçar o remédio por sua pequena garganta e não se preocupa em fazer com que o médico tome conhecimento disso. Então, dois dias depois, a temperatura do bebê está alta. O que o médico teria dito a você, se você tivesse telefonado, é que depois que começa a medicação, o bebê pode melhorar, mas a doença pode voltar com uma força maior se todo o tratamento não foi concluído. Ele pode também aconselhar você sobre a melhor maneira de dar a medicação ou uma forma alternativa de medicá-lo.

**Fale.** Dizer que é importante seguir o conselho do médico não é o mesmo que dizer que a mãe ou o pai não sabem mais do que ele — às vezes ainda melhor do que o médico. De vez em quando, os instintos dos pais são tão precisos para entender os sintomas de doença quanto um instrumento na maleta do médico. Se você acha que o diagnóstico do médico ou seu tratamento é inadequado, diga isto (com calma e racionalmente, não de forma desafiadora). Vocês podem aprender alguma matéria um com o outro.

Fale também se você soube de um novo tratamento para cólica ou para coriza, ou qualquer outra coisa que você ache que pode beneficiar seu filho. Se é alguma matéria que você tenha lido, leve a fonte quando for possível. Talvez o médico já tenha tomado conhecimento deste avanço e possa dar informações adicionais a favor ou contra ele. Se o médico não souber, provavelmente vai querer saber mais sobre o assunto antes de dar uma opinião. Esteja ciente, entretanto, de que as matérias sobre medicina (em especial na internet) podem ser irregulares. Com a ajuda de seu médico, você poderá separar o joio do trigo.

**Termine um relacionamento que não dá certo.** Não existe um médico perfeito (como não existem pais e mães perfeitos). E, novamente, mesmo na melhor das parcerias, pode haver desavenças. Mas se parece haver mais discordância que harmonia, experimente deixar as coisas claras com o médico antes de pensar em terminar o relacionamento. Você pode descobrir que há mal-entendidos em vez de diferenças filosóficas sérias por trás do desentendimento, e neste caso você pode recomeçar tudo com o mesmo médico. Se o médico que escolheu se mostra na verdade o Dr. Errado, você começará a procurar um novo médico com mais sabedoria e, assim se espera, terminará com resultados melhores. Para se certificar de que não está deixando o bebê sem um médico enquanto procura outro, evite terminar seu relacionamento atual até que tenha encontrado um substituto. Quando o conseguir, certifique-se de que os prontuários de seu filho sejam transferidos imediatamente.

◆ ◆ ◆

# CAPÍTULO 2

# Comprando para o Bebê

Você resistiu à tentação por meses. Passou tristonha pela loja de enxoval para bebês a caminho da maternidade, sem ousar sequer passar o dedo nos macacões de rendinha e suéteres tricotados a mão, não deu mais que uma olhadela desejosa nos móbiles musicais e ursinhos de pelúcia fofos. Mas agora, finalmente, com o parto a apenas algumas semanas, não só não tem problema parar de resistir e começar a comprar, isto é absolutamente necessário.

Mas combata o impulso de encostar a barriga no balcão e se colocar nas mãos da vendedora boazinha que está esperando para lhe vender tudo o que tem em estoque e mais algumas coisas que está pronta para encomendar ao puxar do cartão de crédito. Sua conversa de vendedor do tipo "voz da experiência" pode fazer com que você se esqueça de que ganhará algumas coisas de segunda mão de sua cunhada, aquelas dezenas de presentes que logo esta-

rão inundando sua casa e que você estará na lavanderia frequentemente. E você pode terminar com sacolas de compras lotadas com mais roupinhas, brinquedos e parafernália do que seu bebê jamais será capaz de usar antes de crescer demais para tudo aquilo.

Em vez disso, faça o dever de casa antes de começar as compras. Calcule suas necessidades mínimas (você sempre será capaz de atendê-las depois) usando a lista de compras que começa na página 91, e encare a vendedora armada com estas diretrizes básicas:

♦ Não compre um enxoval completo como é patrocinado pela loja ou qualquer lista; use listas apenas como guia. Assim como todo bebê é diferente, toda necessidade de bebês (e dos pais) é diferente.

♦ Tenha em mente quantas vezes por semana você (ou outra pessoa) estará cuidando da lavagem das roupas. Se você vai lavar quase todo dia, compre o menor número de itens sugeridos na lista; se você terá de carregar a roupa para a lavanderia de seu bairro e só pode fazer isso semanalmente, então compre uma quantidade maior.

♦ Aceite de bom grado qualquer roupa de segunda mão dada a você por amigos ou parentes. Seu bebê provavelmente vai trocar de roupa duas ou três vezes por dia nos primeiros meses. A essa taxa, seu orçamento terá de ser muito esticado para você poder acompanhar o ritmo das necessidades do guarda-roupa dele. Mesmo que todas as roupas de segunda mão não façam exatamente o seu estilo, será bom tê-las à disposição nessa época, quando a lavanderia não aprontou toda a roupa (novamente). Verifique os itens que pegou emprestado ou ganhou antes de finalizar sua lista de compras.

♦ Se os amigos e familiares perguntam o que você precisa, não fique constrangida em dizer. Eles realmente comprariam para você alguma coisa que você vai usar em vez de algo que você não terá de trocar na loja no pós-parto. Sugira alguns itens em várias faixas de preço para dar a eles liberdade de escolha, mas não sugira os mesmos itens a diferentes pessoas. Melhor ainda, registre as necessidades de seu bebê para facilitar o dar e receber e torná-lo mais eficiente (ver quadro na página 89).

♦ Evite comprar itens desnecessários agora (uma cadeira alta, um assento de bebê para a banheira, brinquedos avançados demais para a idade) e itens que você pode terminar não precisando (toda a quota de pijamas, toalhas, camisetas) até que tenha recebido todos os presentes. Quando o caminhão de entrega parar para descarregar os presentes do dia, recalcule suas necessidades e afaste-se da loja mais uma vez.

♦ Compre principalmente tamanhos para seis a nove meses. Você pode querer algumas blusinhas para 3 meses e talvez uma roupa ou duas para vestir quando o tamanho for adequado, mas em geral é mais prático arregaçar as mangas e aguentar um *look* mais folgadão por algumas semanas até que o bebê comece a encher os tamanhos maiores (o que acontece aparentemente da noite para o dia). E embora possa ser irresistível desembrulhar suas compras no novo armário do bebê, resista. Mantenha todas as roupas do bebê (até o conjunto com que você está planejando levar o bebê para casa) em sua embalagem original. Desta forma, se o bebê chegar com 4 quilos e meio, seu marido, sua mãe ou uma amiga poderão trocar pelo menos alguns dos itens menores para o tamanho de seis meses, enquanto você ainda está no hospital ou na maternidade, e os outros logo depois. Da mesma forma, se seu bebê é prematuro, pesando só 2 quilos e meio, alguns dos tamanhos maiores podem ser trocados.

## LISTE AS NECESSIDADES DE SEU BEBÊ

Pode ser a ideia que conta quando se trata dos presentes para o bebê — isto é, até que você termine com três banheirinhas, 27 camisetas tamanho 3 meses e quatro porta-bebês idênticos para o banho do bebê. Uma vez que os que dão presentes estão tão ansiosos para lhe dar o que você quer quanto você está para receber, ajude-os e a si mesma fazendo uma lista para o bebê. As listas estão disponíveis na maioria das lojas que vendem produtos para bebês (e *on-line*) e permitem que os futuros pais registrem sua listas antes do parto, assim como noivos registram suas listas de presentes antes do casamento. Registrar também ajudará a garantir que você terá o que quer, não terá o que não quer ou não precisa (múltiplos do mesmo item, por exemplo), e que você não tenha de passar seus dias pós-parto correndo de loja em loja para devolver e trocar os presentes.

Em geral, compre pelo menos um tamanho acima (a maioria dos bebês de 6 meses veste tamanhos de 9 a 12 meses; alguns até sobram em tamanhos de 18 meses), mas veja com atenção antes de comprar porque alguns estilos (particularmente os importados) podem ficar muito largos ou muito menores que a média. Quando em dúvida, compre grande, tendo o seguinte em mente: as crianças crescem e as roupas (se são de algodão) encolhem.

♦ Tenha a estação em mente quando for comprar. Se o bebê vai nascer no pico de uma estação, compre apenas pequenos itens para o clima imediato e itens maiores para o clima esperado nos meses seguintes. Continue a considerar as estações à medida que o bebê crescer. Aquela adorável roupinha de verão com apliques, perfeita para janeiro, pela metade do preço, pode ser difícil de desprezar, mas se tem tamanho para 12 meses e seu bebê estará um ano mais velho em setembro seguinte, é uma compra de que você acabará se arrependendo.

♦ Quando escolher roupas para o bebê, considere a conveniência e o conforto primeiro, a moda em segundo lugar. Botõezinhos no colarinho do bebê podem ser um charme, mas a luta para desabotoá-los com o bebê se remexendo no trocador não será nada charmosa. Um vestido de organdi para festa pode parecer encantador no cabide, mas pode ter de ficar ali se ele irrita a delicada pele do bebê. Um traje de marinheiro importado pode parecer lindo — até a hora em que você tem de trocar o bebê e não encontra o acesso para a fralda. Uma gola com renda pode ser bonita, mas quando seu bebê desanda a cuspir, será um problema para lavar o *seu* pescoço.

Sempre procure roupas feitas de tecidos macios e de fácil manutenção, com fechos de pressão em vez de botões (inconvenientes, e se o bebê conseguir mastigar ou tirar um deles, perigosos), aberturas na cabeça que sejam largas (ou tenham colchetes no pescoço) e fundilhos que se abram convenientemente para a troca de fraldas. Fuja de cordões longos, que são potencialmente perigosos (nenhum deles deve ter mais de 15 centímetros), e costuras duras, que são potencialmente desconfortáveis. Espaço para o crescimento é outra característica importante: correias de ombro ajustáveis, tecidos elásticos, linhas da cintura indefinidas em roupas de uma peça, cintura com elástico, duas carreiras de costura na roupa de dormir, calças que podem ter as pernas arregaçadas, bainhas largas que possam ser abaixadas, pregas, franzidos, ou cangas. Pijamas com "pés" devem estar no tamanho certo, ou devem ter tornozelos com elástico para mantê-los no lugar.

♦ Se você não soube o sexo de seu bebê em exames pré-natais, não compre tudo amarelo ou verde (a não ser que você seja louca por estas cores), em especial porque muitos bebês não têm uma tez que combina com estes tons. Meninos e meninas podem usar vermelho, azul, azul-marinho, branco e creme. Se você esperar para fazer algumas compras depois de o bebê nascer, poderá se comprazer com um rosa bonito para a filha ou um estilo mais de menino para o filho. Nas mesmas lojas, você pode encomendar um enxoval e não pegá-lo até que o bebê tenha nascido —

uma época em que você poderá especificar a cor. Isto só funcionará se o papai, a vovó ou uma amiga puderem pegar sua encomenda enquanto você estiver no hospital ou na maternidade, ou se o pedido puder ser entregue em sua casa antes de você chegar.

♦ Quando comprar móveis para o bebê, a praticidade e a segurança devem ter precedência sobre o estilo. Um berço antigo, seja comprado ou herdado, pode dar aquele ar de herança ao quarto do bebê — mas você pode estar colocando seu bebê em risco no caso de uma queda se a base não for resistente o bastante para sustentar seu peso, ou a uma *overdose* de chumbo se a pintura também for antiga. Se você tem um cachorro, pode ser que o berço fique perto demais do chão para que lhe deixe tranquila. Tenha em mente também que muitos berços de segunda mão não obedecem aos padrões atuais. Um carrinho de bebê sofisticado pode trazer um monte de sorrisos quando você passeia pela rua, mas um monte de caras franzidas quando você empata a fila do ônibus enquanto luta para dobrá-lo e carregá-lo, o bebê e a bolsa de fraldas pela escada do ônibus. Para outras características desejáveis em móveis para bebês, ver a página 97.

♦ Quando comprar artigos de toalete para o bebê, compre somente o que você precisa (ver a lista na página 94), em vez de tudo o que vê pela frente. Quando comparar produtos, procure aqueles que não contenham álcool (o álcool é ressecante para a pele do bebê) e contenha a menor quantidade de corantes artificiais, conservantes e outros aditivos químicos.

♦ Mas quando preparar o armário de remédios do bebê, peque pelo excesso, enchendo-o, só por garantia, com tudo o que você pode precisar numa emergência (e espera nunca ter de usar). Se não, você poderá se ver de mãos atadas quando o bebê acordar no meio da noite, ardendo em febre, e você não tem nenhum remédio a mão para dar a ele. Ou quando a secreção no nariz do bebê o está mantendo acordado (e a você também), e você percebe que nunca pensou em comprar um aspirador nasal.

## O GUARDA-ROUPA DO BEBÊ

A coisa mais divertida que você terá de preparar para o bebê será comprar aquelas roupinhas bonitinhas. Na verdade, pode exigir reservas consideráveis de força de vontade resistir a abarrotar o armário de seu filho com tantas roupas adoráveis (em especial aquelas que são tão pouco práticas quanto irresistíveis). Aqui estão algumas diretrizes gerais; novamente, você pode *precisar* de mais ou menos todas as mencionadas; quantas você vai *querer* é uma história completamente diferente:

**De três a dez camisetas/*body*.** Para seu recém-nascido, a melhor coisa são as camisetas que abrem na frente, com fechos nas laterais. São mais fáceis de colocar em seu bebê nas primeiras semanas

e, até que o cordão umbilical caia, é melhor não ter roupas apertadas causando atrito. Depois que o cordão cair, você poderá trocar para o estilo pulôver *body*, que é mais macio e mais confortável para o bebê. Esta roupa de uma peça é fechada com colchetes nos fundilhos e não sobe, mantendo a barriga coberta no clima frio.

**Quatro a sete macacões elásticos com pés,** para o outono ou inverno, mas apenas três ou quatro para o final da primavera e a chegada do verão. As roupas com pés mantêm os pezinhos sem meias, tornado-as especialmente práticas (como você logo descobrirá, as meias e sapatinhos raramente ficam nos pés por muito tempo). Certifique-se de que tenham fechos (ou zíperes) na entrepernas para facilitar o acesso ao bumbum do bebê, que você estará visitando com bastante frequência — senão, você terá de despi-lo e vesti-lo novamente a cada troca de fraldas.

**Roupas de duas peças.** Elas são menos práticas, então tente limitar seu uso (será difícil!) a uma ou duas delas. Procure por aquelas que se juntam na cintura com fechos para que as calças não caiam e a blusa não suba.

**Três a seis macacõezinhos** (de uma peça, manga curta, com fechos nos fundilhos e sem pernas), para o final da primavera e o verão do bebê.

**Três a seis camisolas com fundo elástico.** Embora os macacões elásticos também possam funcionar como roupa para dormir, alguns pais preferem camisolas para seus bebês, especialmente nas primeiras semanas, quando a fácil abertura dos fundilhos torna aquelas trocas de fraldas do meio da noite mais convenientes. As camisolas que se fecham embaixo com cordões (a maioria tem elástico) não devem ser usadas antes que seu bebê fique mais ativo (retirar o cordão elimina qualquer risco de sufocamento ou estrangulamento, mas se você o fizer, a camisola vai enroscar para cima durante a noite). Roupas para dormir para crianças devem atender aos padrões de segurança de resistência a fogo; em geral terão uma etiqueta informando aos pais se este item específico obedece ou não a esses padrões.

**Dois ou três pijamas**, para o final do outono ou o inverno. Estes pijamas mantêm o bebê confortável e aquecido sem um edredom ou cobertor (que devem ser evitados por causa do risco de sufocamento ou síndrome da morte súbita infantil — ver página 385). Pijamas tipo saco não devem ser usados antes dos 5 meses de idade.

**Um a três suéteres.** Um suéter leve será usado no verão; os mais pesados serão necessários no clima frio. Procure aqueles que possam ser lavados e secos com facilidade.

**Um a três bonés ou gorros.** No verão, os bebês precisam de pelo menos um boné com pala (para proteger do sol). No inverno, os bebês precisam de um ou mais gorros pesados (muito calor corporal escapa pela cabeça, e uma vez que a cabeça do bebê é desproporcionalmente grande, há um imenso potencial para a perda de calor). Os bonés ou gorros devem ser modelados para cobrir bem as orelhas, mas sem apertar.

**Dois ou três pares de sapatinhos ou meias.** Como você logo descobrirá, eles são frequentemente retirados pouco depois de colocados (algo que você não vai perceber até ter descido metade da rua ou esteja do outro lado do *shopping*), então procure estilos que prometam ficar no lugar.

**Três babadores laváveis.** Mesmo antes que você dê ao bebê purê de ervilhas e cenoura amassada, vai precisar deles para proteger as roupas das cusparadas e da baba.

**Três a quatro calças ou capas plásticas para fraldas,** se você está planejando usar fraldas de pano. Se você está usando descartáveis, pode considerar um par para ocasiões especiais (embora provavelmente só se seu bebê for uma menina e estiver usando vestido).

## CAMA E BANHO DO BEBÊ

Quaisquer que sejam as cores e padronagens que você escolher, quando se trata de roupa de cama e banho, o tamanho é importante. Lençóis e colchas devem ficar *apertados* no colchão que você estará usando. Desta forma eles não ficarão frouxos e não representarão risco para a segurança.

óis com elástico,
com balanço e/ou
Todos os lençóis de-
*justados*, porque assim
arrancados. Você tam-
siderar protetores de col-
amarrados ou presos com
fechos ... barras do berço e ficam por
baixo do lençol com elástico. Se seu bebê
cospe muito, será mais fácil trocar só o
lençol sem que o colchão também se
suje. No entanto, certifique-se de que os
lençóis estejam presos com segurança.

**Duas a seis almofadas à prova d'água,**
para proteger o berço, o carrinho, os
móveis e o colo.

**Duas almofadas de colchão,** para o berço (para proteger o colchão). Novamente, devem estar muito bem ajustadas.

**Dois cobertores laváveis para o berço**
(opcional). São ótimos para usar no carrinho ou sobre o bebê que está afivelado na cadeirinha do carro (ou um bebê
que não esteja sendo supervisionado).
Mas os cobertores devem ser evitados
para dormir (em especial depois do primeiro mês) porque são um fator de risco
para a síndrome de morte súbita infantil. É muito mais seguro vestir seu bebê
com pijama ou outra roupa noturna
quente. Se você escolher usar um cobertor, ele deve ser leve e não ter uma trama muito densa, não pode ter franjas
nem um tecido frouxo que possa se des-
fazer; deve estar preso sob o colchão e
só ir até os braços do bebê. Depois que
o bebê conseguir se mexer mais (em al-

gum momento depois do primeiro mês,
embora possivelmente mais cedo ou
mais tarde), você não deverá usar um cobertor para dormir.

**Um a dois cobertores para o carrinho.**
Só um cobertor leve para o verão.

**Duas a três toalhas de fio de pelo.** As
toalhas com capuz são as melhores, uma
vez que mantêm a cabeça do bebê aquecida depois do banho.

**Duas ou três toalhas de rosto.**

**Uma dúzia de fraldas de pano quadradas,**
para proteger seus ombros quando o
bebê arrotar, para proteger os lençóis
quando o bebê cuspir, como babadores
de emergência e muito mais.

**Dois a cinco cueiros,** dependendo da
estação. Os recém-nascidos gostam de
ser embrulhados, e os cueiros são úteis
quando se tenta deixar o bebê confortável. Ver a página 234 para obter dicas sobre como embrulhar o bebê
adequadamente.

**Fraldas.** Se você está usando fraldas descartáveis, compre um ou dois pacotes
para recém-nascidos e depois espere até
que o bebê tenha nascido (assim você
saberá o tamanho de seu filho) antes de
comprar dezenas de fraldas no tamanho
certo. Se você está usando fraldas de
pano e planeja lavá-las você mesma,
compre de duas a cinco dúzias de fraldas pré-dobradas, mais duas dúzias de
descartáveis (depois que souber o tama-

nho de seu bebê) para que você possa usá-las para saídas e emergências. Se está planejando usar um serviço de fraldas, assine o serviço em seu oitavo mês de gestação e eles estarão prontos para entregar assim que você quiser. Você também pode querer comprar alguns forros para fraldas para acolchoar a frente da fralda se você está esperando um menino (é mais provável que o fluxo mais concentrado dos meninos levem a vazamentos) ou para uma proteção noturna extra.

## AS NECESSIDADES DE HIGIENE DO BEBÊ

Os bebês têm um cheiro maravilhoso naturalmente, e desde que suas necessidades de higiene sejam satisfeitas, menos é quase sempre mais. Assim, compre produtos que tenham a menor quantidade possível de aditivos e fragrâncias (lembre-se, a pele do bebê é muito sensível), e tenha em mente que muitos produtos vendidos aos pais de bebês não são sequer necessários. Até alguns dos citados a seguir são opcionais. Os itens necessários para as trocas de fraldas devem ser mantidos em uma prateleira alta, acima da mesa de troca, para evitar que o bebê os pegue, mas baixa o suficiente para que você possa alcançar com facilidade.

**Sabonete, sabonete líquido ou espuma para o bebê**, para ser usado com parcimônia. Procure uma fórmula suave.

**Xampu para bebês.** Para 1 os sabonetes ou espumas para beb não provocam lágrimas (que podem se mais fáceis de controlar porque não entornam) podem ser usados no lugar do xampu.

**Óleo para bebê.** Pode ser usado se você precisa limpar suavemente o bumbum depois de uma evacuação quando houver ferimentos. Também é com frequência prescrito para a crosta láctea (dermatite seborreica).

**Talco para bebê**, opcional. Ao contrário da crença popular, os bebês não precisam realmente usar talco (embora um pouco seja bom no clima quente). Mas se você preferir usá-lo, procure um produto à base de amido de milho, e não de talco (esteatita).

**Unguento ou creme para assaduras.** Peça recomendação ao médico.

**Vaselina**, para lubrificar os termômetros retais. Não use para tratar assaduras.

**Produtos de limpeza** para a troca de fraldas, lavar as mãos, limpeza após cusparadas ou incidentes de vazamento de fraldas e dezenas de outros usos. Mas use bolas de algodão e água para limpar o bumbum do bebê durante as primeiras semanas e se houver o problema de assaduras.

**Bolas de algodão estéreis**, para limpar os olhos do bebê, para a troca de fraldas nas primeiras semanas e quando o bebê tiver assadura.

## NÃO USE AMENDOIM

Quando comprar loções para seu bebê, leia os rótulos cuidadosamente e não compre produtos que contiverem óleo de amendoim. Os pesquisadores descobriram que os bebês (particularmente aqueles com problemas cutâneos) que são esfregados com estes cremes podem ter um risco maior de desenvolver alergia a amendoim aos dois anos. Felizmente, a maioria das loções para bebês feitas no Brasil não contém óleo de amendoim, mas alguns produtos estrangeiros sim, e da mesma forma alguns cremes caseiros que não são vendidos especificamente para bebês.

**Tesouras de unha para bebês.** Nunca use as tesouras afiadas de adultos; os bebês se mexem muito e pode ser muito fácil cortá-los.

**Escova e pente para bebês,** que os bebês carecas não vão precisar por alguns meses. Se o bebê acaba tendo muito cabelo, use somente um pente de dentes largos no cabelo molhado e embaraçado.

**Oito alfinetes de segurança para fraldas,** se você está usando fraldas de pano. As cabeças de metal são melhores que as de plástico, que podem rachar.

# O ARMÁRIO DE REMÉDIOS DO BEBÊ

Tenha estes suprimentos à mão em vez de esperar para comprá-los quando precisar deles (em geral no meio da noite e/ou no meio de uma tempestade). Peça recomendações a seu médico sobre marcas e dosagens. Mais importante, guarde-os fora do alcance de crianças e bebês.

**Substituto líquido de aspirina,** como Tylenol infantil (paracetamol).

**Creme ou unguento antibiótico,** como bacitracina ou neomicina, para cortes pequenos e arranhões.

**Água oxigenada,** para limpeza de cortes. Um *spray* que não arda e entorpeça ou alivie a dor enquanto limpa pode tornar a tarefa mais fácil.

**Loção de calamina ou creme de hidrocortisona** (0,5%), para picadas de mosquito e brotoejas.

**Fluido de reidratação (como Pedialyte),** se o médico do bebê recomenda para o tratamento da diarreia.

**Protetor solar,** recomendado para bebês de até seis meses quando é impossível protegê-los do sol de outra forma. Procure uma formulação suave e própria para bebês.

**Álcool,** para passar no cordão umbilical ou para limpar termômetros, mas não para massagem.

**Colher ou conta-gotas graduados, e/ou seringa oral**, para administrar medicamentos. (Sempre que possível, use aquela que vem com o remédio.)

**Esparadrapo**, para prender os curativos de gaze.

**Pinças**, para retirar lascas.

**Aspirador nasal**, uma seringa de bulbo para limpar um nariz congestionado (ver página 769).

**Seringa auricular**, para remover cera, se o médico do bebê recomendar.

**Vaporizador/umidificador.** Se você escolher comprar um umidificador, escolha um de calor úmido. Nem os obsoletos umidificadores a vapor (que podem produzir queimaduras), nem o umidifica-dor frio (que estimula o crescimento bacteriano e pode disseminar germes) são recomendados.

**Um termômetro digital.** A Academia Americana de Pediatria (AAP) recomenda que os pais não usem mais termômetros de vidro a mercúrio por causa dos riscos de exposição ao mercúrio. Os termômetros timpânicos (auriculares) são menos confiáveis em bebês do que os retais ou axiais (axilas). O mais novo termômetro para artéria temporal, que toma a temperatura na testa, tem se mostrado muito preciso nos estudos; ele pode ser mais amplamente disponível e mais barato. (Ver página 793 para mais informações sobre termômetros.)

**Lanterna pequena**, para verificar inflamações na garganta ou ver a pupila depois de uma lesão na cabeça (ver página 815).

**Depressores de língua**, para examinar a garganta.

**Saco de água quente ou almofada quente**, para atenuar uma barriga com cólica ou aliviar a dor muscular.

## SUPRIMENTOS PARA A ALIMENTAÇÃO DO BEBÊ

Você vai precisar estocar mais destes suprimentos, é claro, se der mamadeira, seja exclusivamente ou em combinação com a amamentação no peito. Mas até as mães que amamentam apenas no peito terão de investir em alguns dos suprimentos seguintes, mesmo que seja só por segurança.

**Quatro mamadeiras de 100 mililitros e 10 a 12 mamadeiras de 200 mililitros, com bicos e anéis**, se você está dando mamadeira; quatro a seis mamadeiras de 200 mililitros com bicos e anéis se você está suplementando; uma mamadeira de 200 mililitros com bico e anel para alimentação suplementar de emergência se você amamenta exclusivamente no peito. Existem três tipos de mamadeiras: as *tradicionais*, que têm gargalos e corpos estreitos; as de *gargalo em ângulo*, projetadas para reduzir a ingesta de ar pelo bebê ao manter o bico cheio de líquido (menos ar equivale a menos gases; alguns dizem que a mamadeira em ângulo pode reduzir a incidência de infecções no ouvido por manter o bebê em uma posição mais ereta durante a amamentação); os sistemas *descartáveis* consistem em um cabo reutilizável com forros ou sacos plásticos, que encolhem enquanto o bebê mama, minimizando também a deglutição de ar.

Os bicos têm vários formatos (inclusive o formato ortodôntico e aqueles com uma base larga para imitar o mamilo da mãe) e orifícios de diferentes tamanhos (menores para bebês mais novos, maiores para os mais velhos). Os bicos de silicone são inodoros e não têm sabor, não ficam viscosos, podem ser colocados no lava-louças e são transparentes (assim você pode ver se estão limpos). Você pode querer experimentar diversos tipos para ver o que funciona melhor para seu bebê.

**Utensílios para preparação de fórmulas**, se você está dando mamadeira. Exatamente que itens você vai precisar dependerá do tipo de fórmula que pretende usar, mas a lista de compras em geral incluirá escovas para mamadeira e bicos, um jarro grande graduado, copo graduado, possivelmente um abridor de latas, colher para misturar com cabo comprido e um cesto de lava-louças para evitar que bicos e anéis (colarinhos) sejam lançados pelo interior do lava-louças.

**Uma bomba mamária**, se você está amamentando no peito e quer retirar leite para que outra pessoa possa alimentar o bebê enquanto você está no trabalho ou sai por algumas horas. Ver página 243 para ter informações sobre os tipos de bombas mamárias disponíveis e conselhos sobre como escolher uma.

**Uma chupeta**, se você decidir usar uma. Tecnicamente, não é um suprimento para alimentação, mas atenderá às necessidades orais de seu bebê quando ele quiser sugar mas não estiver com fome. Procure uma feita de material resistente e com buracos para ventilação no escudo. Como os bicos, as chupetas também podem ser de silicone, fáceis de limpar. Nunca prenda um cordão que tenha mais de 15 centímetros de comprimento na chupeta.

# Necessidades e Requintes no Quarto do Bebê

As necessidades do bebê são básicas: um par de braços amorosos para ser ninado e embalado, um par de seios (ou uma mamadeira) para ser alimentado e um ambiente seguro. Na verdade, grande parte da multiplicidade de produtos, móveis e acessórios vendidos para o quarto do bebê não são sequer necessários. Entretanto, você estará fazendo muitas compras quando se tratar do novo quarto do bebê. A decoração não é mais importante do que o morador do quarto (pelo menos não a princípio). Embora você provavelmente vá passar horas de agonia neste aspecto, seu recém-nascido não se importará se os protetores de berço são decorados com coelhinhos saltitantes ou estrelas cadentes, ou se o papel de parede combina com os lençóis. O que importa, na verdade, é que o quarto proporcione um ambiente seguro para as necessidades de seu bebê. O que significa, entre outras coisas, um berço que atenda aos padrões de segurança atuais, protetores de berço que sejam bem ajustados, um trocador daqueles que não deixam o bebê cair e pintura com tinta sem chumbo em tudo. Quando escolher os móveis para o quarto de seu bebê, como você já deve ter percebido em suas primeiras incursões na loja, existem intermináveis estilos, cores, acabamentos e características a escolher. Embora você certamente possa escolher com um olho no estilo (e no orçamento, é claro), seu principal dever deve ser escolher os produtos que sejam os mais seguros e mais eficientes.

Em geral, procure itens que não sejam pintados com tinta à base de chumbo; tenham uma construção sem pontas e firme; bordas suaves e cantos arredondados; e faixas de restrição para entrepernas e cintura, quando apropriado. E embora a maioria, se não todos, dos fabricantes cumpra com as normas de segurança, quando comprar, você deve evitar escolher qualquer item que tenha bordas ásperas, pontas afiadas ou peças pequenas que possam ser perdidas; franjas ou molas expostas; ou cordões, cordas ou elásticos presos. Certifique-se de seguir as orientações de uso e manutenção do fabricante de todos os itens e verifique regularmente o berço do bebê, a cadeirinha e outro equipamento em busca de parafusos frouxos, tiras rasgadas, suportes que estalam e outros sinais de desgaste. Também mande sempre o cartão de registro do produto para que você possa ser notificada no caso de um *recall*.

**Berço.** O berço de seu bebê é uma das partes mais importantes dos móveis que você vai comprar. Você vai querer que seja seguro, confortável, prático e durável (que não só sobreviva aos dois ou três anos em que seu filho estará dormindo nele, mas que também possa ser reutilizado por qualquer irmão que venha no futuro). Existem dois tipos básicos de berço: os berços *padrão* têm lateral articulada simples ou dupla, tornando mais fácil erguer o bebê. Alguns modelos têm uma conveniente gaveta na base para guardar os lençóis e outros itens do quarto. Um berço *conversível* pode, teoricamente, ser usado por seu filho da infância à adolescência (se durar até lá), convertendo-se em uma caminha e depois em uma cama de tamanho normal.

Quando escolher um berço, procure uma etiqueta que declare atender aos padrões da Associação de Fabricantes de Produtos Juvenis (JPMA, Juvenile Products Manufactures Association); que tenha ripas separadas a uma distância que não seja maior que 6 centímetros (menor que o diâmetro de uma lata de refrigerante), sem lascas ou rachaduras na madeira; uma altura mínima da grade de 65 centímetros quando o colchão estiver na posição mais baixa; pelo menos 22 centímetros entre o apoio do colchão e o topo da lateral articulada quando abaixada; um mecanismo de trava seguro para a lateral articulada; e nenhuma tinta descascando, cantos ásperos ou colunas ou calombos projetados para fora. Você também deve procurar um berço que tenha apoio de metal para o colchão (que suportará um bebê pulando melhor do que a madeira), altura ajustável para o colchão para que ele possa ser abaixado enquanto seu bebê cresce, rodinhas (com uma trava de roda) para a mobilidade e uma cobertura plástica nos dentes da grade (para que seu bebê não mastigue a madeira).

Não use antiguidades nem berços que tenham mais de dez anos. Os berços antigos (especialmente aqueles produzidos antes de 1973, mas até alguns feitos nas décadas de 1980 e 1990) podem ser encantadores ou de grande valor sentimental, mas não atendem aos padrões de segurança atuais. Eles podem ter ripas separadas demais, podem conter chumbo em sua pintura, podem ter madeira rachada ou lascada, ter sido recolhidos pelo fabricante e podem apresentar outros perigos.

**Colchão para o berço.** Como seu bebê provavelmente vai passar de 12 a 16 horas por dia (ou mais) dormindo nele, você vai querer ter certeza de que o colchão que escolher não seja apenas seguro e confortável, mas também de alta qualidade. Há dois tipos de colchão para berço: de *molas* e de *espuma*. Um colchão de molas é mais pesado que o de espuma e em geral durará mais e manterá melhor sua forma, oferecendo mais sustentação. Também é mais caro que um colchão de espuma. Uma boa regra (embora não seja absoluta) a ser seguida quando você escolher um colchão de

> ## RECALLS
>
> Por motivo de segurança, preencha e devolva qualquer cartão de registro que esteja incluído nos produtos que você comprar para que possa receber notificações de *recalls*.

molas é procurar um com um alto número de espirais. Quanto maior o número (em geral, 150 ou mais), mais firme (e de melhor qualidade, e mais seguro) será o colchão. Um colchão de espuma, feito de poliéster ou poliéter, pesa menos que o de molas (tornando as trocas de lençóis — que serão feitas com frequência — muito mais fáceis). Se você vai comprar o de espuma, procure um colchão com espuma de alta densidade, que significará mais apoio e segurança para seu bebê. Mais importante do que o tipo de colchão que você escolher, é que seja firme e se ajuste bem no berço, com não mais que dois dedos adultos de espaço entre o colchão e o berço.

**Protetores de berço.** Do riscadinho rosa e branco ao Ursinho Pooh, marias-fumaça em cores vivas a flores delicadas, os pais de hoje não têm nenhum problema em encontrar um protetor de berço que combine com seus gostos e a decoração do quarto do bebê. Mas, embora você possa apreciar o protetor por seu *design*, ele não é uma necessidade no quarto. O bebê não se machuca realmente se seus braços ou suas pernas ficarem momentaneamente presos entre as grades do berço, embora o protetor evite isso. Qualquer que seja o *design* que você escolher, o protetor deve estar bem ajustado (não deve ser frouxo) em todo o perímetro do berço. Também deve ter pelo menos seis laços ou conjuntos de fechos para fixá-lo na grade do berço. Os laços não devem ter mais de 15 centímetros, para evitar qualquer risco de estrangulamento.

Na maioria das lojas para bebês, os protetores são vendidos como parte do jogo de cama (o kit berço); o protetor, o lençol do berço e o edredom vêm em um pacote só. Embora possa parecer muito natural, usar um edredom como cobertor para seu bebê não é boa ideia. Para reduzir o risco de sufocamento ou síndrome da morte súbita infantil, uma roupa de cama macia, travesseiros e cobertores ou acolchoados felpudos *nunca* devem ser usados no berço de seu bebê (ver página 385). Use o edredom e o travesseiro como peças decorativas em qualquer lugar do quarto de seu bebê, ou poupe-os para quando ele estiver pronto para usar uma cama.

**Berço com balanço.** Como você não precisa realmente de um berço com balanço (ele pode ser usado apenas para os quatro primeiros meses mais ou menos; você pode dispensá-lo e ir diretamente para um berço fixo), ele não se enquadra na categoria dos "necessários". Entretanto, certamente pode ser bom ter um deles nas primeiras semanas, quando o bebê pode desfrutar seu cantinho aconchegante e você pode apreciar sua conveniência. Outra vantagem do berço com balanço é que sua altura em geral fica perto de sua cama, permitindo que você alcance seu bebê e o conforte (ou o erga) no meio da noite, sem ter de sair da cama. Um berço com balanço também é leve e pode ser deslocado de um quarto para outro. Alguns podem pegar a estrada também, dobrando-se para viagem. Um balanço é menos móvel, mas a maioria balança de um lado para outro, proporcionando o movimento suave de que os bebês precisam (embora a maioria dos especialistas concorde que a direção mais eficaz para embalar é o movimento da cabeça aos pés de uma cadeira de balanço e não o movimento lateral de um balanço). Alguns berços com balanço vêm com vibrador a bateria para ajudar a colocar os bebês para dormir. Procure uma trava que evite que o berço com balanço se mova quando o bebê estiver dormindo.

Quando estiver procurando um berço com balanço ou um berço fixo, resista às antiguidades e heranças, que podem não ser seguras. Procure um que tenha uma base firme e estável, tenha o tamanho adequado para o seu bebê, tenha um colchão firme que seja bem ajustado, laterais rígidas (não macias) e atenda a todos os padrões de segurança. As laterais do berço com balanço devem ter pelo menos 20 centímetros de altura (quando medidas a partir do colchão). Você vai gostar de um berço com balanço que tenha rodas, mas procure um que tenha travas nas rodas. Se for um modelo dobrável, aprenda a travar as pernas com segurança; se ele tiver capuz, certifique-se de que ele se dobra para trás (para que você possa colocar seu bebê para dormir nele com facilidade). Alguns berços com balanço são convertidos em berços laterais (ver a seguir).

**Berços laterais.** Outro item que não entra na categoria dos "necessários", um berço lateral é ótimo de se ter se você quer dormir com seu bebê, está amamentando ou só quer alcançá-lo no meio da noite para um carinho tranquilizador. O berço lateral tem um aro nos três lados e um lado aberto que encaixa diretamente no colchão de sua cama na mesma altura da cama de um adulto, permitindo o fácil acesso ao bebê.

**Espaço para a troca de fraldas.** Na época que seu bebê chegar ao primeiro aniversário, é muito provável que você já tenha trocado 2.500 fraldas (sem que com isso mereça qualquer menção no *Guiness*). Com este número assustador em mente, você vai querer criar um espaço confortável para trocar as fraldas — um espaço que também seja conveniente, seguro e fácil de limpar. Embora seja bom comprar uma mesa projetada especificamente para as trocas de fraldas, ela não é realmente necessária. Você pode usar uma mesa comum ou uma cômoda com espaço para as trocas. Se você optar por este caminho, vai precisar comprar uma almofada grossa com um fecho de segurança para colocar na cômoda e mantê-la protegida, e o bebê, seguro e confortável. Certifique-se também de que a altura da cômoda seja confortável para você (e para qualquer pessoa que vá trocar as fraldas) e que a almofada não escorregue da cômoda quando você estiver trocando um bebê agitado.

Se você pretende comprar um trocador, terá duas opções: um trocador *unifuncional* (procure um que seja forte e tenha pernas sólidas, com acolchoado lavável, armazenamento de fraldas ao seu alcance e armazenamento dos produtos de toalete longe do alcance do bebê), ou um trocador que é uma *combinação* de mesa e cômoda, que tem um tampo maior ou um tampo articulado com acolchoamento. Se usar um trocador com tampo articulável, não coloque todo o peso do bebê na borda externa: isso pode tombar todo o tampo. Com o trocador unifuncional, procure um que seja firme e tenha tiras de segurança, um acolchoado lavável e espaço adequado para guardar fraldas, óleos, cremes e outros itens.

Se você optar pelo estilo unifuncional, certifique-se de comprar (ou conseguir) um baú de toalhas ou outro tipo de unidade de armazenamento para as roupas do bebê.

**Cesto para as fraldas.** O bumbum de seu bebê certamente é doce e adorável. Mas o que vem dele provavelmente não é. Felizmente, as fraldas estão ali para recolher tudo. Mas para recolher todas aquelas fraldas sujas, você vai precisar de um cesto de fraldas projetado para carregar e guardar as provas (ou os cheiros). Se você está usando fraldas descartáveis, pode escolher um cesto de fraldas ornamental que sela bem (ou até enrola) as fraldas em forros plásticos à prova de cheiro. Ou procure um que use sacos de lixo comuns (porque os refis dos forros podem sair caro). Qualquer que seja o tipo que você usar, lembre-se de esvaziar o cesto com frequência (mas tape o nariz quando fizer isso, porque o fedor de fraldas sujas guardadas pode nocautear você).

Se você está usando fraldas de pano, escolha um cesto que seja fácil de lavar e tenha uma tampa bem ajustada que o bebê ou criança pequena não consiga abrir. Se está usando um serviço de fraldas, em geral a empresa providenciará um cesto de fraldas com desodorizador e levará o conteúdo fedorento semanalmente.

**Banheirinha.** Os bebês novinhos são escorregadios quando estão molhados — para não falar de sua agitação. Tudo isso pode servir para enervar até a mais confiante das mães quando for hora de dar o primeiro banho. Para ter certeza de que seja divertido e seguro o esfrega-esfrega quando seu filho estiver na banheira, compre ou pegue emprestada uma banheirinha de bebê — a maioria delas é projetada para seguir os contornos do bebê e oferecem apoio ao mesmo tempo que evitam que ele escorregue para baixo da água. Elas vêm em uma infinidade de estilos: plásticas, com recheio de espuma, com *sling* de malha e assim por diante. Algumas "crescem" junto com seu bebê e podem ser usadas até que ele comece a engatinhar (quando pode ser colocado em uma banheira comum).

Quando comprar uma banheirinha, procure uma que tenha fundo antiderrapante e uma borda suave e arredondada, que manterá sua forma quando cheia de água (e do bebê); que seja fácil de lavar; que tenha drenagem rápida, um

tamanho razoável (grande o bastante para seu bebê aos 4 ou 5 meses, bem como agora), apoio para a cabeça e os ombros do bebê, que seja portátil e tenha acolchoamento de espuma resistente a mofo (se aplicável). Uma alternativa à banheirinha é uma esponja grossa especialmente desenhada para amortecer o bebê em uma pia ou uma banheira comum.

**Assentos infantis.** Cadeiras de balanço para bebês ou assentos para atividades infantis (projetados para recém-nascidos até a idade de 8 ou 9 meses) podem ser inestimáveis para pais de bebês novos, não só porque podem acalmar um bebê agitado, mas também porque podem dar um descanso aos braços dos pais. Uma cadeirinha para bebê permitirá que você o mantenha seguro por perto (mas não em seus ombros) enquanto você cozinha, dobra a roupa lavada, usa o computador, toma um banho ou faz outra coisa qualquer. E uma vez que estas cadeirinhas são leves e ocupam pouco espaço, podem ser transferidas da cozinha para o banheiro e o quarto facilmente. E seu bebê vai gostar de ficar apoiado em uma inclinação suave, permitindo que tenha uma ótima vista para observá-la (a diversão favorita do bebê) enquanto você cuida de sua rotina diária.

Há dois tipos básicos de assentos para bebês: o assento leve *estruturado* (também conhecido como cadeira de balanço para bebês), que tem uma estrutura flexível coberta com um tecido e oscila ou balança para a frente e para trás usando o próprio peso e o movimento do bebê; e o assento rígido *movido a bateria*, que, ao virar de um interruptor, proporciona um balançar constante ou um movimento de vibração. Os dois tipos de assentos em geral vêm com um dossel com guarda-sol (útil se você for usá-lo ao ar livre) e uma barra de brinquedo removível que pode proporcionar diversão e atividades a seu bebê. Alguns modelos têm sons e música. Existem também cadeirinhas para bebês que se dobram como berços de viagem, enquanto há outros que podem ser transformados em cadeirinha para crianças pequenas quando seu bebê fica mais velho.

Quando escolher um assento para bebês, procure um com uma base ampla, firme e estável; uma base que não seja escorregadia; faixas de restrição seguras que envolvam a cintura do bebê e entre suas pernas; acolchoamento confortável; e uma almofada removível suplementar inserida para que a cadeirinha possa ser usada por seu recém-nascido e depois mais tarde, quando o bebê estiver maior. Escolha uma que seja leve e portátil e, se for movida a bateria, que tenha velocidade ajustável. Para uma segurança ideal, nunca deixe um bebê, mesmo um muito novinho, em uma cadeirinha na beirada de uma mesa ou no canto ou perto de alguma coisa (como uma parede) que ele possa usar como apoio para se empurrar. Certifique-se de sempre manter seu bebê seguramente preso nele. Não leve o assento com seu bebê nele, e nunca use um assento para bebês como cadeirinha de carro.

**Cadeira de balanço ou *glider*.** A tradicional cadeira de balanço que existe há

anos (inclusive na capa de *O que esperar quando você está esperando*), nos últimos anos, tem tido sua popularidade usurpada pela cadeira de balanço-*glider*, que "balança" você e seu bebê em um movimento horizontal e suave de deslizar. Os *gliders* são mais seguros em um quarto de bebê do que as cadeiras de balanço porque eles não têm patins, que podem prender a criança por baixo. Embora um *glider* seja opcional, muitos pais descobrem que é ótimo para alimentar e acalmar o bebê. Muitos vêm com divãs deslizantes para que você possa colocar seus pés cansados enquanto desliza. Uma vantagem do *glider*-balanço é que é uma compra que continuará a ser usada mesmo quando o bebê crescer (você pode ler para o filho pequeno nele, usá-lo para si mesma enquanto vê tevê e assim por diante).

Há muitos *designs* diferentes à sua escolha quando você comprar um *glider*; a maioria tem almofadas no assento e no espaldar; alguns têm braços acolchoados (que seus braços cansados vão apreciar). Experimente antes de comprar; teste-o em uma loja para encontrar aquele que seja mais confortável para você.

**Babá eletrônica.** Uma babá eletrônica (monitor do bebê) permite que os pais controlem o sono do bebê sem ficar de guarda junto ao berço (embora, na realidade, você vá montar guarda muitas vezes nas primeiras semanas). É o ideal se o bebê não pode ser ouvido de seu quarto ou de outras partes da casa. Durante o dia, uma babá eletrônica permite a você ter liberdade para fazer tarefas na casa enquanto seu bebê tira um cochilo; à noite você pode dormir em outro quarto, mas ainda ouvir quando seu bebê acorda para uma mamada.

Existem dois tipos de monitores: de áudio e de áudio-vídeo. Os monitores básicos de *áudio* só transmitem o som. O transmissor fica no quarto do bebê e o receptor vai para onde você estiver (operado a bateria e preso a sua cintura), ou fica ligado na tomada do cômodo onde você estiver. Alguns monitores têm dois receptores para que ambos os pais possam ouvir (ou você pode manter um receptor em seu quarto e outro na cozinha, por exemplo). Outra característica dos monitores de áudio é o "som e luz". Um monitor desses tem um *display* LED especial que permite que você "veja" o nível do som de seu bebê. O modelo *áudio-vídeo* permite que você veja e ouça seu bebê em um monitor de tevê usando uma pequena câmera colocada perto do berço do bebê. Os modelos mais avançados têm tecnologia de infravermelho para que você possa ver seu filho mesmo que o quarto esteja escuro.

Quando escolher uma babá eletrônica, primeiro você terá de determinar se precisará de uma de baixa frequência (49 MHz) ou de alta frequência (900 MHz). Se você mora em um prédio de apartamentos alto ou em uma área densamente povoada, provavelmente vai sofrer interferência de outras fontes, como celulares, telefones sem fio ou rádios, se escolher uma de baixa frequência. Assim, escolha uma de 900 MHz (ou a mais recente, de 2,4 GHz, para ter ainda mais clareza), e procure uma que ofereça mais de um canal (para que você possa trocar de canal se estiver pegando a conversa telefônica do vizinho em vez do choro de seu bebê, embora o primeiro caso possa ser bem interessante). Procure também modelos que possam usar bateria e adaptadores para tomada; que tenham um indicador de uso de bateria; controle de volume (para que você possa decidir se quer ouvir cada respiração do bebê ou só o choro dele); de tamanho compacto; e que sejam seguros (não tenham peças expostas que possam causar eletrocussão). Lembre-se de manter o transmissor e o receptor longe do bebê (e de crianças maiores).

**Cadeirinha de balanço motorizada.** Pergunte à maioria dos pais qual é a melhor peça do equipamento do bebê que eles compraram, e muito provavelmente eles dirão que é a cadeirinha de balanço motorizada. Elas podem ser miraculosas quando é preciso acalmar um bebê agitado; podem também dar aos pais algum tempo muito necessário para descansar os braços de balançar o bebê. (Alguns bebês não gostam da cadeirinha e não são acalmados por ela; antes de comprar uma, teste — com seu bebê nela — na casa de um amigo ou na loja). As cadeirinhas ou têm um mecanismo de término ou são operadas à bateria (uma coisa que você certamente apreciará se seu bebê realmente gostar dela). Existem também cadeirinhas de balanço portáteis que são leves e fáceis de carregar (no caso de você achar que seu bebê precisará dela enquanto estiver visitando a vovó).

Quando escolher uma cadeirinha de balanço motorizada procure uma que tenha a estrutura firme; uma base ampla; tiras de segurança; superfícies suaves sem arestas, sem franjas que possam prender os dedinhos nem peças pequenas que possam se separar; um assento que recline para um bebê novo; uma bandeja de atividade para a diversão; velocidades ajustáveis; motor silencioso ou mecanismo de manivela silencioso; de fácil acessibilidade. Verifique se a cadeirinha que você está comprando é segura para bebês de menos de 6 semanas (algumas não são), e pare de usá-la quando seu bebê tiver de 6 a 9 quilos (verifique as recomendações de peso do fabricante). Nunca use a cadeirinha como substituta para a supervisão; use-a somente quando o bebê estiver no mesmo cômodo que você. Além disso, limite a quantidade de tempo que seu bebê passa na cadeirinha, especialmente nas velocidades altas; alguns bebês podem ficar tontos quando permanecem muito tempo nela.

**Luz noturna.** Quando cambalear para fora da cama para outra mamada no meio da noite, você agradecerá por uma luz noturna (ou um abajur com *dimmer*)

no quarto de seu bebê. Não só isso evitará que você tropece na girafa de pelúcia que você deixou no meio do quarto, como também evitará que você acenda uma luz mais forte (que incomodará você e o bebê, perturbando a escuridão soporífera e dificultando a volta à terra dos sonhos). Procure um modelo com interruptor que possa ser deixado aceso, e lembre-se de colocá-lo em um local que o bebê não possa alcançar.

**Berço portátil.** Se você planeja viajar com frequência para lugares onde este equipamento não estará disponível (ou que possa não obedecer aos padrões de segurança), você deve considerar um berço portátil. Os berços portáteis são menores que os berços normais, dobram-se facilmente, cabem na mala do carro e estão disponíveis em madeira, plástico ou com laterais de tela. Se comprar, procure um que seja fácil de dobrar, de guardar e seja portátil. Veja "Chiqueirinho", página 118, para mais informações sobre as características de segurança.

# Equipamento para Sair

Como você não quer ser *literalmente* uma mãe caseira — mesmo que não vá voltar ao trabalho —, você precisará se preparar para sair com seu filho obtendo (no mínimo) um carrinho e um assento para carros. Da mesma forma que com a mobília do quarto do bebê, há à sua escolha intermináveis estilos, cores, acabamentos e

características de apetrechos para sair. Mais uma vez, sua tarefa é se certificar de que o que você escolher para seu bebê tenha segurança, conforto e corresponda a seu orçamento. Você também vai querer levar em conta seu estilo de vida (você sai de carro com frequência? Você vai a pé até o supermercado para fazer compras? Você pega ônibus com o bebê diariamente?) antes de escolher o equipamento para sair.

Em geral, procure itens que atendam aos padrões de segurança nacionais e tenham tiras de segurança adequadas na virilha e na cintura, quando for apropriado. Você deve evitar escolher quaisquer itens que tenham arestas duras, pontas agudas ou peças pequenas que possam ser perdidas; ou cordões, cordas ou fitas amarradas. Certifique-se de seguir as orientações do fabricante para o uso e a manutenção de todos os itens e de verificar regularmente o carrinho do bebê, o assento para carro e outro equipamento em busca de parafusos frouxos, tiras esgarçadas, suportes quebrados e outros sinais de desgaste. Além disso, sempre guarde o cartão de registro do produto para que você possa ser notificada em caso de *recall*.

**Carrinho do bebê.** O carrinho certo pode tornar sua vida diária com o bebê — da proverbial caminhada no parque àquela andada pelo *shopping* — muito mais viável e muito menos exaustiva. Mas ter de escolher entre dezenas de opções (e preços) na loja pode ser assoberbante, para dizer o mínimo. Como há tantos tipos diferentes de carrinhos, sistemas de viagem, *joggers* e combinações carrinho/bebê conforto disponíveis, você precisará considerar seu estilo de vida para encontrar aquele (ou aqueles) que seja certo para você. Você pretende dar longos passeios com seu bebê nas ruas tranquilas de um bairro (ou no parque)? Ou pegará trilhas de *jogging* com o filho? Vai passar muito tempo entrando e saindo do carro? Ou mais tempo

subindo e descendo de ônibus ou estações de metrô? Vai fazer principalmente caminhadas curtas até a loja da esquina, ou também vai fazer longas viagens com seu bebê em aviões ou trens? Você tem uma criança pequena em casa que ainda gosta de andar no carrinho? Você (ou seu cônjuge, ou quem cuida do bebê) é muito alto ou muito baixo? Você mora em apartamento de prédio baixo, sem elevador, ou num prédio com elevador, ou numa casa com muitos degraus na porta da frente? Depois de responder a estas perguntas, você estará armada com informações suficientes para fazer sua escolha. E, dependendo do orçamento, você pode considerar comprar mais de um tipo para ter mais flexibilidade. Os carrinhos básicos de bebê disponíveis incluem:

- *Carrinho clássico:* Considerado a "limusine" dos carrinhos, este carrinho em estilo inglês é parecido com o que era usado pela vovó. Em geral é muito resistente, tem rodas grandes (não giram sobre um eixo) para um movimento suave, suspensão para absorção de choques e dosséis de tecidos elegantes. Na maioria deles, o componente de vime é encaixado no chassi (e pode se dobrar como um berço de viagem) e o bebê fica de frente para os pais. Os carrinhos são grandes, pesados (em torno de 20 quilos), extremamente duráveis (podem ser usados por todos os seus futuros filhos) e em geral são caros. São uma ótima opção se você vai dar longos passeios com o bebê mas não tem que subir escadas ao sair ou chegar em casa.

- *Carrinho conversível:* Como só os carrinhos planos ou os carrinhos que reclinam são adequados para um bebê de menos de 3 meses, um carrinho conversível pode ser uma boa opção para os pais que querem a resistência e o conforto de um carrinho reclinável, mas também a conveniência e a facilidade de manobra de um carrinho plano. Os modelos conversíveis reclinam totalmente a uma superfície plana, permitindo que a mãe olhe seu recém-nascido no carrinho. Só quando os bebês ficam um pouco maiores (de quatro a seis meses), os punhos são dobrados, o encosto é erguido e pronto, você tem um carrinho em que o bebê fica voltado para você. A maioria dos modelos se dobra de forma relativamente compacta, e embora sejam mais pesados e mais incômodos que os carrinhos médios (ver a seguir), são também muito resistentes e durarão muitos anos (e passarão por muitos bebês, se você pretender ter mais filhos).

- *Carrinho médio padrão:* Esses modelos são portáteis e podem se dobrar de forma compacta. A maioria é feita de alumínio (em geral pesam menos de 7 quilos); são robustos e fáceis de dobrar; têm assento reclinável; e proporcionam um movimento suave. Embora sejam mais pesados e mais incômodos quando em viagem (ou quando se sobe ou se desce de ônibus ou metrôs) do que os carrinhos *umbrella*, eles são uma boa opção para os pais que procuram durabilidade e conforto.

- *Carrinho umbrella (leve):* Os carrinhos *umbrella* (assim chamados por causa do guidom curvo) são muito leves (em geral pesam entre 2 e 7 quilos) e excepcionalmente fáceis de dobrar. Quando dobrados, são extremamente compactos para o transporte e o armazenamento conveniente. Uma vez que a maioria deles não reclina nem oferece acolchoamento ou suporte suficiente, não podem ser usados para bebês pequenos, mas são ideais para bebês maiores, especialmente em viagens, quando se usa transporte público ou para entrar e sair do carro com frequência. Você pode querer adiar a compra de um carrinho *umbrella* até que o bebê esteja grande o bastante para usá-lo. (Um descanso traseiro é um grande acréscimo a um carrinho *umbrella*; ele pode evitar que um carrinho sobrecarregado de bolsas tombe para trás quando você tira seu bebê dele.)

- *Carrinho para viagem:* Os carrinhos para viagem são convenientes "tudo em um", combinando assentos para carro e carrinho de bebê em um só produto. A base é um carrinho padrão que permite o encaixe do assento para carro no topo. Os pais acham isso extremamente conveniente porque eles podem tirar um bebê adormecido do carro e colocá-lo no carrinho sem precisar acordá-lo. E depois que o bebê ficar maior que o assento para carro, a base pode ser usada como um carrinho semelhante aos carrinhos médios descritos anteriormente. Esses carrinhos de viagem em geral são mais pesados do que os carrinhos padrão (muito embora a base do carrinho não seja tão robusta), mas são uma boa opção para os que procuram pela conveniência no carro. Existem também *armações* de carrinhos leves que permitem que qualquer marca de assento de bebê para carro seja presa, proporcionando as mesmas vantagens daqueles carrinhos maiores, embora, quando o bebê ficar grande demais para o assento para carro, a armação não poderá ser usada como carrinho.

♦ *Carrinho jogger:* Procurando por uma maneira de entrar em forma e levar o bebê junto? Se você é uma praticante ávida de *jogging* ou gosta de dar longas caminhadas no campo, um carrinho *jogger* pode ser a opção correta. Estes carrinhos têm três rodas grandes, ótima suspensão, proporcionam um movimento suave para seu filho em qualquer terreno e são leves. Muitos têm um sistema de freios, vêm com tiras de pulso e uma cesta para armazenagem, e são fáceis de manobrar (embora só devam ser usados em terrenos suaves). A maioria não é projetada para levar recém-nascidos, então, se você pretende voltar ao *jogging* mais cedo, escolha um que venha com um assento para bebê, para que seu filho possa se reclinar confortavelmente e com segurança enquanto você sua aqueles quilos extras que adquiriu na gravidez.

♦ *Carrinho duplo (ou triplo):* Se você está esperando o segundo filho e tem uma criança pequena em casa, ou se está esperando gêmeos, vai precisar

de um carrinho duplo (ou triplo, se estiver esperando trigêmeos, ou se tem uma criança pequena e está esperando gêmeos, ou se tem duas crianças de colo e um novo bebê). Os carrinhos duplos oferecem a conveniência de empurrar duas crianças com (quase) o mesmo conforto com que se leva uma. Os dois tipos de carrinhos duplos são o modelo lado a lado e o em fila (um assento na frente do outro). Se você comprar um modelo lado a lado, procure um que tenha assentos reclináveis e possa caber nas calçadas e corredores (a maioria cabe, mas alguns são largos demais para passagens estreitas). Um modelo em fila é ótimo para um recém-nascido e um bebê de colo, mas pode ser pesado para empurrar e, quando o bebê cresce, seus filhos podem brigar para ver quem vai ficar com a "cadeira da frente". Outra opção, se você tem um filho mais velho: um carrinho que tem uma plataforma ou saliência na frente ou atrás, para que você possa empurrar os dois filhos juntos.

Independente do tipo de carrinho que você comprar, certifique-se de que ele atenda aos padrões de segurança. Procure um com uma base larga da roda e rodas com eixo (se aplicável) para que seja manobrado com facilidade, e bons freios de roda. Tenha em mente que as rodas de náilon de melhor qualidade ou de metal (mais caras) durarão muito mais tempo, são mais fáceis de manobrar e proporcionam um movimento mais suave do que as rodas feitas de plástico macio. Uma boa marca também terá fivelas que sejam fáceis para você prender e soltar (mas não para seu bebê levado). As fivelas também devem se ajustar bem em torno da cintura e da entreperna de seu bebê, ser ajustáveis e confortáveis. Um carrinho *jogger* deve ter arnês de cinco pontos (com tiras para o ombro), para proporcionar a máxima segurança. Os carrinhos de plástico são leves e fáceis de carregar, mas não são tão resistentes (e não duram tanto) quanto os de alumínio. Os de aço também são resistentes, mas podem ser bem pesados. Tecido e acolchoado laváveis e removíveis são itens a considerar, quando você descobrir pela primeira vez a fralda vazando ou o bebê babando o suco.

Cada tipo de carrinho vem com seu próprio conjunto de acessórios. Decida, a partir das muitas características disponíveis, por aqueles que você não poderá dispensar, que você ache útil e que provavelmente terminará não precisando: uma grande cesta ou área de armazenamento para fraldas, alimentos ou brinquedos para o bebê (não sobrecarregue o guidom com bolsas ou outros itens, uma vez que o peso pode virar o carrinho com o bebê dentro dele); punho de altura ajustável, se quem estiver empurrando o carrinho for muito alto; uma cobertura contra a chuva; uma bandeja para alimentação do bebê; uma bandeja para os pais com suporte para copos (para seu café); ganchos para bolsa de fraldas; cobertura removível para o clima; dossel solar ou sombrinha; dossel com teto solar; apoio ajustável para os pés; que possa ser dobrado; e conduzido com uma só mão.

Os carrinhos com assentos reclináveis são necessários para um bebê pequeno

e são vantajosos quando seu bebê de colo está dormindo. Se você vai dobrar o carrinho com frequência (para guardar em casa, para colocar no carro, para levar no ônibus), vai querer um modelo que tenha mecanismo de abertura e fechamento fácil, e que possa ser dobrado e desdobrado enquanto você segura o bebê.

Por fim, antes de comprar qualquer carrinho, faça um *test-drive* na loja para ver com que facilidade é empurrado e se é confortável para você e seu filho, e como ele se dobra e se abre.

**Assento de segurança para bebê.** Os assentos para carros não existem só para a sua paz de espírito e a segurança de seu filho, eles são exigidos por lei. Na verdade, a maioria dos hospitais nem sequer deixa que você leve o bebê para casa a não ser que você tenha um assento de bebês para carro seguramente preso no banco traseiro de seu carro. Mesmo que você não possua um carro, vai precisar de um assento para carro se está planejando pegar um táxi, passear no carro de outra pessoa ou alugar um veículo. Mais que qualquer outro item de sua lista de compras, este é um produto de que você vai precisar antes que comecem as contrações.

Quando escolher um assento de segurança infantil, certifique-se de que ele atenda aos padrões de segurança para veículos automotivos. Nunca pegue emprestado um assento para carro mais antigo nem use algum que já tenha se envolvido em um acidente. Certifique-se também de mandar o cartão de registro para que o fabricante possa notificá-la se houver um *recall*. Ver página 218 para obter informações sobre a instalação adequada de seu assento infantil para carro e mais dicas de segurança.

Há muitos tipos de assentos de bebês para carros. O tipo certo de assento de segurança dependerá da idade, do tamanho e do peso de seu bebê. As características de cada categoria variam de um fabricante para outro; então decida que modelo funciona melhor para sua situação, depois escolha um assento que seja fácil de usar e que se ajuste bem a seu veículo.

◆ *Assento infantil voltado para trás:* Estes assentos, projetados para sustentar a cabeça, o pescoço e as costas do bebê, são instalados voltados para trás (de frente para o vidro traseiro do carro) no banco traseiro e inclinado em um ângulo de 45 graus. Você pode escolher um sistema de fecho com arnês de três ou cinco pontos, embora o de cinco pontos proporcione uma proteção muito maior e seja o preferido dos especialistas em segurança. Muitos modelos têm uma base destacável que permanece no carro e permite a instalação rápida e a remoção fácil. Depois de afivelar seu bebê no assento, você simplesmente trava o assento na base. (Esta característica também é útil se você usa um carrinho de viagem; ver página 106.) Estes assentos também podem ser usados sem a base. Os assentos infantis voltados para trás em geral têm punhos de estilo e facilidade de uso variáveis. Indicadores de ângulo, adaptadores de ângulo embutidos e sistemas de

## O QUE ESTÁ NO FECHO?

**O arnês de cinco pontos** tem cinco tiras: duas nos ombros, duas nos quadris e uma na entreperna. Os especialistas em geral classificam este tipo de arnês como o mais seguro porque ele oferece mais pontos de proteção. Procure este tipo se escolher um assento conversível para carro; um recém-nascido se adapta melhor a este tipo de arnês.

apoio à cabeça são o padrão na maioria dos assentos infantis. Um assento voltado para trás deve ser usado até que seu bebê tenha *pelo menos* 1 ano de idade *e* 10 quilos. As crianças que atingem os 10 quilos antes do primeiro aniversário (muitos bebês chegam a esse peso por volta do nono mês ou até antes), ou que ficaram maiores que o assento (eles têm cerca de 70 centímetros de altura e/ou a cabeça chega ao topo do banco traseiro do carro) ainda precisam ficar voltados para a traseira até que te-

## ASSENTO PARA BEBÊS VOLTADOS PARA A TRASEIRA

*Um assento voltado para a traseira deve ser usado até que o bebê tenha pelo menos 1 ano e 10 quilos. As aberturas de encaixe do arnês devem estar no mesmo nível ou abaixo do nível dos ombros do bebê; o fecho peitoral do arnês deve estar no nível da axila do bebê. Verifique as instruções para ver como as alças devem estar posicionadas durante a viagem.* **Nunca** *coloque nenhum assento infantil voltado para a traseira no banco dianteiro do veículo, particularmente se o carro for equipado com* air bags.

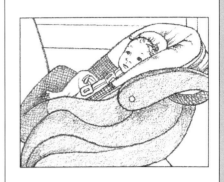

nham 1 ano de idade. Alguns assentos para bebês voltados para a traseira podem ser usados por crianças de até 13 a 15 quilos, tornando mais fácil para você manter o ano todo um bebê grande voltado para a traseira, ou você pode trocar para um assento conversível (e usá-lo voltado para a traseira) quando o bebê não couber no assento.

◆ *Assentos conversíveis para crianças de colo:* Estes assentos podem ser usados voltados para a traseira por bebês de até 1 ano de idade e 10 quilos, e voltados para a frente por crianças de até 20 quilos (por volta de quatro anos de idade; as especificações de peso variam de um modelo para outro; então leia as instruções da embalagem cuidadosamente). Uma vantagem desse tipo de assento é que seu bebê pode usá-lo do nascimento até os anos em que ele engatinha.

Outra vantagem é que pode acomodar bebês que são altos ou pesados demais para a maioria dos assentos infantis, mantendo-os na posição recomendada, voltados para a traseira, até pelo menos o primeiro aniversário. A desvantagem é que proporciona uma segurança menor para o recém-nascido do que o assento infantil voltado para a traseira. Se você escolher um assento conversível, certifique-se de que seu filho possa se reclinar confortavelmente no assento na posição voltada para a traseira.

◆ *Assentos voltados para a frente, somente para bebês maiores:* Estes assentos para carros são usados por crianças de *pelo menos* 1 ano *e* mais de 10 quilos e podem ser usados, dependendo do modelo, até que seu bebê tenha de 20 a 30 quilos. Em geral estão disponíveis com o arnês de cinco pontos (considerado de longe o mais seguro), o escudo em T ou elevado (ou bandeja). Alguns modelos podem ser convertidos em um assento com posicionamento pelo cinto quando seu filho tem mais de 20 quilos.

♦ *Assentos de transição:* Um cinto de segurança de três pontos para adultos não é adequado (e portanto não é seguro) até que a criança tenha pelo menos 8 anos e uma altura de aproximadamente 1,40 metro. Assim, a partir da época em que seu filho tiver 20 quilos e não couber nos maiores assentos para bebês (ou em assentos conversíveis), até que esteja alto e preparado para se sentar com um cinto de segurança para adultos, você vai precisar usar um assento de transição. Um assento de transição com posicionamento pelo cinto é usado com os cintos de segurança do carro. Ele ergue seu filho para que os cintos de segurança de adultos se ajustem adequadamente, garantindo que a parte superior do corpo e a cabeça estejam protegidas contra colisão. (O assento com barra horizontal, um modelo mais antigo projetado para ser usado somente com o cinto de segurança de um ponto, não proporciona proteção suficiente para a parte superior do corpo, de acordo com a maioria dos especialistas, e não é mais indicado para crianças que pesem mais de 20 quilos.)

Seu filho deve continuar a usar um assento de transição até que possa se sentar apoiando totalmente as costas no encosto do banco traseiro com os joelhos dobrados confortavelmente na beira do estofamento; a parte do cinto no colo deve se ajustar bem ao alto das coxas (e não subir para a barriga), e a parte do ombro deve se ajustar bem ao ombro (e não atingir o pescoço ou o rosto). Você não vai precisar de um assento de transição até que seu filho tenha passado pelo assento conversível, e uma vez que os modelos mudam de um ano para outro, será muito melhor você esperar para fazer esta compra. (Para mais detalhes sobre assentos de transição e segurança, ver *O que esperar dos primeiros anos*).

♦ *Assentos de segurança integrados:* Alguns carros possuem assentos de segurança infantis voltados para a frente que são embutidos, ou integrados, no próprio banco do veículo e podem acomodar uma criança de 27 a 30 quilos. Estes assentos são muito convenientes, eliminando a necessidade de instalar e retirar o assento de segurança (e a possibilidade de instalá-lo incorretamente). Tenha em mente, porém, que você ainda precisará de um assento de segurança infantil voltado para a traseira para seu filho e um assento de transição quando ele estiver mais velho.

*Kepina* ou *sling.* Os marsupiais (como os cangurus) e muitas culturas humanas conhecem há milênios os benefícios de "vestir" o bebê: a conveniência (nenhum carrinho para empurrar), a eficiência (as mãos da mãe ou do pai ficam livres para várias tarefas, de lavar a roupa a verificar *e-mail*, colocar as compras no carrinho do supermercado, fazer as refeições), mais conforto para

## O SISTEMA LATCH

Este sistema de trava do assento de segurança, desenvolvido pelo Departamento Nacional de Segurança no Trânsito dos Estados Unidos (NHTSA, National Highway Traffic Safety Administration), torna os assentos de segurança infantis mais fáceis de usar e mais seguros do que nunca. O sistema, chamado Lower Anchors and Tethers for Children (LATCH), torna a instalação correta muito menos complicada porque você não precisa usar os cintos de segurança para prender o assento de segurança.

O NHTSA exige que todos os novos assentos infantis voltados para a frente sejam equipados com tiras de engate superiores. A tira ajustável é um cinto que estabiliza melhor o assento e reduz a possibilidade de a cabeça de seu filho ser lançada para a frente em uma colisão. A tira é ancorada à parte superior traseira do assento infantil e enganchada na área da prateleira traseira, no teto, ou no piso de seu veículo. Todos os carros, minivans e caminhonetes construídos depois do lançamento do modelo em 2000 podem acomodar a tira; *kits* de tiras estão disponíveis para a maioria dos assentos de carros mais antigos.

Veículos feitos depois de 2002 também possuem âncoras inferiores localizadas entre o estofamento do carro e as costas do banco traseiro, o que permite que o assento para carro (feito depois de 2002) seja encaixado nas âncoras, obtendo-se um ajuste seguro. Juntas, as âncoras inferiores e as tiras superiores compõem o sistema LATCH. Lembre-se, se você tem um assento para carro e/ou carro produzido antes de 2002, ainda *deve* usar os cintos de segurança de seu carro para prender o assento infantil.

---

o bebê (os bebês choram menos) e mais prazer para os pais (nada supera ter um bebê doce e quentinho agarrado a seu peito). Por estas razões e dezenas de outras, a maioria dos pais gostará de ter uma *kepina* ou um *sling* no primeiro ano de vida do bebê e além dessa época. Há tantos estilos de *kepinas* e *slings* a escolher como há motivos para comprar ou pegar um emprestado:

Os *slings frontais* consistem em um compartimento de tecido sustentado por duas tiras no ombro. São projetados para que seu bebê possa ficar voltado para dentro (especialmente útil quando o bebê está dormindo ou para um recém-nascido que não tem muito controle da cabeça) ou voltado para fora (assim o bebê pode desfrutar a mesma vista que você). Apresentam tiras ajustáveis

## ASSENTO CONVERSÍVEL/VOLTADO PARA A FRENTE

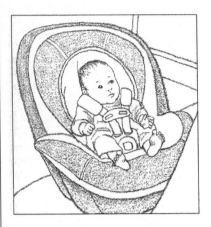 

*Projetado para crianças do nascimento aos 20 quilos, esta unidade fica voltada para a traseira em uma posição semirreclinada para uso por bebês, depois pode ser trocada para uma posição ereta e virada para a frente quando o bebê fica mais velho. Quando na posição voltada para a frente, a cadeirinha (como uma cadeirinha para bebês que engatinham) deve estar na posição erguida e as tiras do ombro devem ser movidas para as ranhuras acima dos ombros do bebê. O fecho do arnês no peito deve estar no nível das axilas da criança. Coloque este assento (e todas as crianças com menos de 13 anos) no banco traseiro do carro.*

que distribuem o peso por igual, para que suas costas e seus ombros dividam a carga. A maioria pode acomodar um bebê de até 15 quilos, embora muitos pais descubram que é melhor usá-lo nas costas depois que o bebê passa dos 6 meses. Alguns *slings* frontais se convertem em traseiros.

Quando escolher um *sling* frontal, procure um modelo que seja fácil de enganchar e não exija que você acorde o bebê para colocá-lo ou tirá-lo do *sling*; que tenha tiras ajustáveis e acolchoadas que não penetrem em seu ombro; que seja fácil de lavar; de tecido respirável (para que o bebê não transpire demais); que tenha apoio para a cabeça e os ombros do bebê; e uma base ampla que sustente o bumbum e as coxas.

Uma *kepina* é uma faixa de tecido larga que fica suspensa em seu corpo, sustentada por uma tira no ombro. Os bebês podem se deitar confortavelmente nelas ou olhar para a frente. Um bebê mais velho pode cavalgar em seus quadris enquanto é sustentado pela *kepina*. E outra vantagem para as mães que amamentam no peito: as *kepinas* permitem uma amamentação discreta e conveniente. Quando escolher uma *kepina*, procure uma que tenha tecido lavável e respirável; com tiras acolchoadas e confortáveis; e sem enfeites (que não seja volumosa com excesso de tecido).

Um *sling estruturado* é uma armação do tipo mochila, feita de plástico ou metal, com um assento de tecido. Ao contrário dos *slings* frontais, que distribuem o peso do bebê em seus ombros e no seu pescoço, um *sling* do tipo mochila coloca o peso em suas costas e na cintura. Este tipo de *sling* não é recomendado para bebês menores de 6 meses, mas podem ser usados por crianças de mais de 20 quilos e 3 anos de idade (dependendo do modelo). Quando escolher um, procure modelos que tenham tira embutida, o que ajuda a tornar o carregar e erguer mais fácil; que seja resistente à umidade; e tenha tecido lavável, que seja ajustável, que tenha tiras de segurança ou arnês para evitar que seu filho caia, que tenha tiras acolchoadas firmes e grossas para os ombros, apoio lombar para ajudar a distribuir o peso nos seus quadris e bolsos para a parafernália do bebê (assim você não terá de levar uma bolsa de fraldas separada em seu ombro também). Uma mochila pesada é necessária para longas caminhadas. Um modelo leve é ótimo para caminhadas curtas. Uma mochila que se converte em um carrinho pode ser de grande ajuda.

Os *slings* não devem ser usados enquanto você dirige, pratica exercícios ou cozinha. Sempre dobre os joelhos para pegar alguma coisa quando estiver "vestindo" seu bebê (para que ele não deslize para fora), e fique longe de bancos e escadas. *Nunca* use um *sling* em lugar de um assento para carro, e nunca deixe uma criança sem assistência e sem apoio em um *sling* traseiro — nem por um minuto.

**Bolsa de fraldas.** Tenha um bebê, viaje — mas não vá muito longe sem a bolsa de fraldas. Uma bolsa de fraldas é, para a maioria dos pais, algo sem o qual não saem de casa... nunca. Mas com tantas opções no mercado, o que escolher? Simples: a melhor bolsa de fraldas para você é aquela que melhor atende a suas necessidades. Por exemplo, se você está amamentando na mamadeira, vai querer uma bolsa de fraldas que tenha uma área separada para guardar a mamadeira. Considere também o tamanho e o conforto ao carregar. Você não vai querer uma bolsa em que não caiba mais que uma fralda e uma mamadeira; por outro lado, uma bolsa de fraldas muito grande será desajeitada demais para levar por aí. Procure uma bolsa de material resistente à umidade, como o náilon ou o vinil, com múltiplos compartimentos (para que você possa guardar as fraldas, especialmente as sujas, afastadas da mamadeira e do alimento); uma tira para o ombro ou no estilo mochila; um zíper que feche o compartimento principal; uma almofada de troca destacável; estilo, se isso é importante para você (alguns pais preferem o tipo de bolsa de fraldas macia e sofisticada que pode passar por bolsa de mão; outros gostam daquelas que gritam "bebê" — com tudo o que têm direito, patinhos em tom pastel ou blocos de alfabeto, enquanto ainda outros procuram uma bolsa que combine com o carrinho ou a manta do bebê). Você também pode adaptar qualquer outra bolsa (como a bolsa de ginástica, a mochila, ou uma grande bolsa de mão) para levar as coisas do bebê.

# Quando o Bebê Fica mais Velho

Já está sobrecarregada pelo tamanho (e pelo custo) de sua lista de compras? Aqui estão as boas novas: os itens seguintes só serão necessários quando o bebê estiver mais velho, o que significa que você pode adiar sua compra. Mas você ainda pode querer tomar nota dos itens mais caros para o caso de um amigo íntimo ou parente (ou um grupo de amigos ou de parentes juntos) optar por comprá-los para você agora.

**Cadeirinha alta.** Você só vai precisar de uma cadeira alta quando seu filho esti-

---

## COMPRAS PARA O FUTURO DO BEBÊ

Agora que você comprou um caminhão da parafernália que o bebê vai precisar no primeiro ano, é hora de começar a pensar no tipo de planejamento que não se vende em nenhuma loja — planejar o que protegerá o futuro de seu bebê.

**Faça um testamento.** A maioria das pessoas não tem testamento. Não ter testamento é sempre arriscado, pode resultar em circunstâncias especialmente infelizes no caso de famílias jovens, cujos filhos podem ficar desprotegidos se seus pais falecem. Mesmo que você não tenha bens, precisará nomear pelo menos um guardião capaz de criar seu filho (ou filhos), se você e seu cônjuge morrerem antes que ele(s) alcance(m) a maioridade. Se você não tem um testamento declarando suas preferências, são os tribunais que determinarão quem ficará com a custódia de seus filhos.

**Começar uma poupança.** Criar seu filho provavelmente custará muito mais do que você pensa. Quanto mais cedo você começar a economizar dinheiro para as despesas futuras de seu filho (especialmente com educação), melhor, porque seu investimento inicial, mesmo sendo pequeno, terá mais tempo para crescer. Comece agora, com seu próximo contracheque; daqui a 18 anos, você ficará feliz por ter feito isso.

**Adquira um seguro de vida para você mesma (não para o bebê).** Mas certifique-se de que seja o tipo certo de seguro. Os planejadores financeiros aconselham que os pais adquiram seguro de vida a termo para proteger o resto da família no caso de você vir a falecer. Este seguro proporciona um benefício sobre a morte sem nenhuma acumulação de dinheiro. Você também deve considerar um seguro por invalidez, uma vez que adultos mais jovens têm uma probabilidade maior de se tornar incapacitados (e assim incapazes de ganhar dinheiro suficiente) do que de morrer prematuramente.

ver comendo sólidos (em geral por volta dos 6 meses de idade; bebês que começam com os sólidos mais cedo podem ser alimentados no assento para bebê). Entretanto, junto com o berço ou o assento do carro, a cadeira alta é um dos móveis mais indispensáveis para o bebê. Novamente, você encontrará um número atordoante de modelos a sua escolha, com uma variedade de características; alguns têm altura ajustável, outros reclinam (o que os tornam perfeitos para alimentar bebês de menos de seis meses), enquanto outros se dobram para armazenamento.

Quando escolher uma cadeira alta, procure uma que tenha certificação e uma base ampla, sólida e sem pontas; uma bandeja que possa ser retirada facilmente ou travada no local com uma só mão; uma beirada larga para pegar o que o neném babar; as costas altas o bastante para sustentar a cabeça de seu bebê; acolchoamento confortável; tiras de segurança; uma coluna na entreperna para impedir que o bebê escorregue; rodas que travem; um dispositivo de tranca seguro se a cadeira se dobrar; e nenhuma aresta afiada. Também é importante: certifique-se de que a cadeira alta que você escolher seja fácil de limpar (assento plástico ou de vinil, bandeja de plástico).

Há várias cadeiras de madeira pintadas a mão no mercado (a um preço alto) para os pais que se preocupam com o estilo; mas elas em geral ficam marcadas logo no primeiro dia de uso por um bebê não tão preocupado com o estilo quando ele começa a manchá-la com papinha de maçã e banana amassada.

**Assento de alimentação portátil.** Também chamado de *assento para bebê*, é inestimável quando você visita amigos ou parentes ou janta em restaurantes que não os fornecem; de outra forma, seu bebê será alimentado no seu colo. Eles também são úteis quando seu filho crescido está pronto para se mexer na mesa com você, mas não está pronto ainda para se sentar como um adulto. (Depois que começam a andar — e às vezes antes disso —, os bebês perdem a paciência de ficar confinados em espaços apertados, como as cadeiras altas, e gostam da relativa liberdade de um assento para bebê). Um assento para bebê é um assento plástico que pode ser encaixado em uma cadeira comum. Muitos têm níveis de assento ajustáveis; alguns dispõem de bandejas que podem ser encaixadas.

Outra opção é o assento para bebê que trava diretamente na mesa, embora alguns questionem a segurança desse tipo; existe o risco de que seu filho possa se desprender da cadeira, empurrando-a para trás com os pés. Nem todas as mesas podem acomodar os modelos com ganchos. Quando comprar um assento portátil de alimentação, procure um com assento confortável; *design* sólido; tiras de segurança para impedir que o bebê escorregue; que seja portátil; se aplicável, uma bandeja removível; e um mecanismo de trava para prevenir quedas. Ver página 480-481 para obter dicas de segurança.

**Suporte para banho.** Quando o bebê não couber mais na banheirinha, mas antes que ele seja grande o bastante para se sentar confortavelmente em uma banheira para adultos, um suporte para banho vem a calhar. A Comissão de Segurança em Produtos para o Consumidor dos Estados Unidos está trabalhando atualmente em novos padrões de segurança para assentos de bebê para banho por causa das preocupações com a segurança dos *designs* atuais. Até que os suportes para banho sejam reprojetados, se você decidir adquirir um, procure um modelo que tenha tiras de segurança e um botão de sucção. Mais importante, nunca deixe seu filho sozinho em um suporte para banho, e sempre o mantenha ao alcance de seus braços. Uma criança pode escorregar na água e cair no tempo que se leva para pegar uma toalha ou atender ao telefone.

**Chiqueirinho.** Também conhecido como cercadinho (embora agora seja considerado menos politicamente correto por causa de suas conotações negativas), os chiqueirinhos são em geral retangulares, com um piso, laterais com tela e grades que se trancam e destrancam para ser desmontada e dobrada de forma mais fácil (embora segura). Muitos se dobram em um retângulo comprido e vêm com uma caixa para facilitar o transporte. Alguns têm rodas; outros têm trocadores de fraldas acolchoados e removíveis que são encaixados no topo, berço embutido para recém-nascidos, áreas de armazenamento laterais e até um dossel para fazer sombra (útil se você levar o chiqueirinho para o ar livre). Os chiqueirinhos também podem ser usados como berços portáteis quando em viagens. Quando escolher um chiqueirinho, procure um que atenda aos padrões internacionais de segurança, com uma tela bem acabada que não prenda os dedos ou botões; lençóis removíveis para limpeza mais fácil; almofadas firmes que não se rasguem facilmente; dobradiças de metal acolchoadas; um mecanismo à prova de queda do bebê; montagem rápida; dobramento fácil; e que seja portátil.

**Portão de segurança.** Assim que seu filho começa a engatinhar (ou começa a circular por aí de outra forma, como engatinhando ou rodando), você deve instalar portões de segurança sempre que existir algum risco oculto (portas para salas que não sejam seguras para o bebê; o alto e o pé de escadas). Os portões *fixados por pressão* consistem em dois painéis deslizantes que se ajustam ao tamanho da soleira da porta e depois travam no lugar com calços no batente. Esse tipo de portão não deve ser usado em escadas.

Outra opção é o portão *fixado na parede*, que se prende diretamente à parede por parafusos e pode resistir a muito mais força do que os portões fixados por pressão. Este tipo de portão em geral tem uma porta de vai e vem, além de uma tranca que o mantém fechado. Quando escolher um portão de segurança, procure a certificação do Inmetro; que seja expansível (para encaixar em todos os tamanhos de soleiras e escadas); que seja forte; com ripas (se houver) distantes não mais que 6 centímetros uma da outra; uma trava que seja fácil de abrir e de fechar (ou que você possa se esquecer de fechar), preferivelmente que possa ser aberta com uma só mão. Não use um velho portão no estilo sanfona — eles não são seguros.

**Mesa estacionária de brincadeiras.** Os andadores móveis não são mais recomendados, e na verdade a Academia

Americana de Pediatria (AAP) tem apelado pela proibição da fabricação e da venda de andadores infantis móveis por causa do imenso risco de lesões e até de morte. Em lugar deles, os pais têm a opção de comprar uma mesa estacionária de brincadeiras que permite que o bebê pule, quique, gire e brinque enquanto fica parado com segurança em um lugar. Quando escolher, procure uma com ajuste de altura (para que possa crescer junto com seu bebê); um assento lavável e acolchoado que descreva um círculo completo quando girar; e uma ampla seleção de brinquedos e atividades ligados a ele. Se você optar por uma mesa estacionária de brincadeiras, certifique-se de não deixar seu bebê nele por longos períodos de tempo (ver página 482 para saber o porquê).

◆ ◆ ◆

# CAPÍTULO 3

# O Básico da Amamentação

Para elas parece tão fácil, aquelas mães amamentando que a gente vê por aí. Sem perder nem um pedacinho da conversa nem um bocado da salada, elas erguem a blusa e colocam seu filho no peito. Com habilidade e indiferença, como se fosse o processo mais natural do mundo.

Mas a verdade é que embora a fonte possa ser natural, o conforto e o *knowhow* da amamentação — especialmente para mães que amamentam pela primeira vez — com frequência não é. Às vezes existem fatores físicos que frustram aquelas primeiras tentativas; em outras vezes, é só uma simples falta de experiência por parte dos dois participantes.

Suas primeiras experiências com a amamentação podem ser abençoadas — com o bebê agarrando-se rapidamente e mamando até se saciar. Ou, o que é mais provável, elas podem ser parecidas com isso: mesmo com seus esforços mais concentrados, você não parece conseguir que o bebê fique no mamilo, e ainda menos que o sugue. O bebê fica nervoso; você fica frustrada; logo os dois estão às lágrimas.

Se este segundo cenário representa você e seu bebê quando você começa a amamentar, não atire o sutiã de aleitamento no lixo. Você não está fracassando, só está começando. A amamentação, como a maioria dos outros cuidados maternos, se aprende, não é instintiva. Depois de algum tempo e com um pouco de orientação, não demorará muito para que o bebê e seus seios entrem numa sintonia perfeita. Alguns dos relacionamentos mais satisfatórios entre o peito e o bebê começam vários dias ou até semanas depois de trapalhadas, de esforços confusos e de lágrimas dos dois lados. Antes que você perceba, estará fazendo com que pareça fácil — e natural também.

# O Início da Amamentação

Não existe fórmula mágica (por assim dizer) para um aleitamento bem-sucedido. Mas existem vários passos que você pode dar, bem do comecinho, para dar a você e a seu bebê uma oportunidade de sucesso na amamentação:

**Comece o quanto antes.** As mães que amamentam desde cedo tendem a pegar o jeito mais rápido, para não falar de compreender tudo mais cedo. Se você e seu filho estão prontos para isso, amamente o mais cedo possível depois do nascimento — melhor ainda, diretamente na sala de parto ou no berçário. Os bebês mostram uma ânsia e uma presteza para mamar nas primeiras duas horas depois do nascimento, e o reflexo de sugar é mais poderoso cerca de 30 minutos depois do parto. Mas não se preocupe se você e seu bebê não tiverem sucesso logo de saída. Tentar forçar a amamentação quando os dois estão exauridos de um parto difícil só monta o palco para uma experiência decepcionante. Aconchegá-lo ao peito pode ser tão satisfatório quanto amamentar nos primeiros momentos da vida de seu bebê. Se você não pode amamentar logo depois do parto, peça para que levem o bebê a seu quarto para amamentar assim que for possível, depois que todos os procedimentos necessários sejam concluídos. Tenha em mente também que mesmo um começo precoce não garante o sucesso imediato. Independente de quando você comece, será necessária muita prática antes que você e seu bebê formem um par perfeito.

**Quebre as regras.** Muitos hospitais e a maioria das maternidades reconhecem a importância de uma mãe e o bebê terem um bom começo na amamentação. Mas mesmo os hospitais mais esclarecidos em geral são administrados visando ao bem maior — o que às vezes não coincide com as necessidades da mãe que amamenta e seu filho. Para se certificar de que você não tenha seus esforços frustrados por regulamentos arbitrários, peça a seu médico *antecipadamente* para levar ao conhecimento da equipe do hospital as suas preferências (exija o aleitamento no peito, sem mamadeiras nem chupetas), ou explique-os às enfermeiras você mesma.

**Juntem-se.** Certificar-se de que você e seu bebê estejam juntos na maior parte do tempo pode dar uma oportunidade muito maior de sucesso à amamentação precoce, e é por isso que o ideal é o bebê ocupar o quarto da mãe. Se você está cansada de um parto difícil, ou ainda não se sente confiante o bastante para lidar com o bebê 24 horas por dia, pode ser preferível compartilhar parcialmente o quarto (durante o dia, mas não à noite). Com este sistema você pode ter seu bebê com você o dia todo para a alimentação necessária, e ter uma enfermeira alimentando seu bebê à noite quando ele acorda, talvez permitindo que você tenha o sono muito necessário.

Se não é possível compartilhar o quarto com o bebê 24 horas por dia (alguns hospitais permitem isso somente em quartos particulares ou quando as duas pacientes em um quarto duplo querem ficar com os bebês), ou se isso não é do seu interesse, você pode pedir para que lhe tragam o bebê quando ele estiver acordado ou com fome, ou pelo menos a cada duas ou três horas.

**Proíba a mamadeira.** Certifique-se de que o apetite e os instintos de mamar de seu bebê não sejam sabotados. Alguns berçários de hospital ainda tentam aquietar um bebê que chora entre as sessões de mamada com uma mamadeira de água com açúcar. Mesmo alguns goles de água com açúcar satisfarão o apetite sensível e as necessidades iniciais de mamar, deixando o bebê mais sonolento do que faminto quando é levado a você mais tarde. Você também pode achar que seu filho reluta em se empenhar com o mamilo depois de alguns encontros com um bico artificial, que produz resultados com muito menos esforço. Pior ainda, se seus seios não são estimulados a produzir leite suficiente, começa um ciclo vicioso — um ciclo que interfere no estabelecimento de um bom sistema de oferta e demanda.

As chupetas e a alimentação com fórmulas também podem interferir na amamentação. Assim, dê ordens estritas através do médico de seu filho para que, como

recomendado pela Academia Americana de Pediatria, a alimentação suplementar e as chupetas não sejam dadas a seu bebê no berçário a não ser que seja uma necessidade médica. Você pode inclusive colocar uma placa no berço do bebê: "Somente amamentado no peito — sem mamadeiras, por favor."

**Insista.** A amamentação de acordo com a demanda — quando o bebê está com fome, e não quando manda um cronograma — em geral é melhor para o sucesso do aleitamento. Mas nos primeiros dias, quando o bebê está menos faminto do que sonolento, é mais provável que não haja muita demanda, e você terá que iniciar a maioria das mamadas. Empenhe-se por pelo menos oito a 12 mamadas por dia, mesmo que a demanda ainda não tenha atingido este nível. Não só isso manterá sue bebê satisfeito, mas também aumentará a oferta de seu leite para atender à demanda à medida que ela crescer. Impor um cronograma de mamadas a cada quatro horas, por outro lado, pode piorar a saciedade cedo e resultar em um bebê subnutrido mais tarde.

**Não deixe que os bebês adormecidos fiquem deitados.** Alguns bebês, especialmente nos primeiros dias de vida, podem ter mais interesse em dormir do que em se alimentar, e podem não acordar para serem nutridos com frequência suficiente. Embora os bebês não precisem de tanto leite (ou do colostro) nos primeiros dias, seus seios precisam de toda a estimulação que puderem conseguir para que haja a certeza de que, quando seu filho de uma semana acordar para as mamadas, você tenha leite suficiente para combater a fome dele. Para dicas sobre acordar um bebê adormecido para a amamentação, ver página 196.

**Conheça os sinais.** O ideal é que você alimente o bebê quando ele mostrar os sinais de fome ou interesse em mamar, o que pode incluir colocar as mãos na boca ou procurar o mamilo, ou apenas ficar particularmente alerta. Chorar não é uma dica para a amamentação, então procure não esperar até o início de um choro frenético — um sinal tardio de fome. Mas se ele começa a chorar, embale-o um pouco e suavemente antes de amamentá-lo. Ou ofereça seu dedo para que ele mame até que se acalme. Afinal, já é bem difícil para um mamador inexperiente encontrar o mamilo quando está calmo; quando seu bebê está em pleno frenesi, pode ser impossível.

**Pratique, pratique, pratique.** Considere as mamadas antes da chegada de seu leite um "exercício", e não fique preocupada que o bebê tenha avançado pouco no caminho da nutrição. Seu suprimento de leite é modelado de acordo com as necessidades do bebê. Agora mesmo estas necessidades são mínimas. Na verdade, o estômago do recém-nascido não pode suportar muita comida, e a quantidade minúscula de colostro que você está produzindo é a correta. Use aquelas primeiras sessões de amamentação para aperfeiçoar sua técnica de aleitamento em vez de

encher a barriga do bebê, e garanta que ele não passe fome enquanto os dois aprendem.

**Dê tempo ao tempo.** Nenhum relacionamento de amamentação bem-sucedido é formado em um dia. O bebê, recém-saído do útero, certamente é inexperiente — e também você, se esta é sua primeira vez. Os dois têm muito a aprender, e os dois têm de ter paciência enquanto aprendem. Haverá muitas tentativas e ainda mais erros antes que fornecedora e consumidor trabalhem em harmonia. Mesmo que você tenha tido sucesso na amamentação de outro bebê antes, cada recém-nascido é diferente, e a estrada para a harmonia no aleitamento pode ter curvas diferentes desta vez.

Tenha em mente que as coisas podem ficar ainda mais lentas se um ou ambos passaram por momentos difíceis durante o trabalho de parto, ou se você tomou anestesia. Mães sonolentas e bebês lentos podem ainda não estar prontos para enfrentar a arte da amamentação. Recupere-se dormindo (e deixe o bebê fazer o mesmo) antes de enfrentar seriamente a tarefa que está diante de você.

**Não prossiga sozinha.** Consiga alguma ajuda profissional, se puder. Um especialista em lactação se unirá a você durante pelo menos algumas das primeiras mamadas de seu bebê para oferecer orientações úteis, dicas e talvez literatura sobre o assunto — como é rotina em alguns hospitais e na maioria das maternidades. Se este serviço não for ofereci-

# CONSEGUINDO AJUDA

Há muitos recursos úteis para a mãe que amamenta no peito. Eis alguns lugares com os quais entrar em contato em busca de ajuda e mais informação:

♦ La Leche League International
Há um filial no Brasil, em Maceió
tel.: (82) 314-1577

♦ Rede Internacional em Defesa do Direito de Amamentar (International Baby Food Action Network)
Coordenação nacional
Caixa Postal 34
Paraguaçu Paulista - SP
19700-970
tel.: (18) 3361-6637
www.ibfan.org.br

♦ Clínica Interdisciplinar de Apoio à Amamentação
Rua Carlos Góis, 375, sala 404 - Leblon
Rio de Janeiro - RJ
22440-040
tel.: (21) 2249-0312
www.aleitamento.com

♦ Grupo de Apoio e Promoção ao Aleitamento Materno
www.aleitamento.org.br

♦ Amigas do Peito
Rua do Catete, 214/612
Rio de Janeiro - RJ
22220-001
Tel.: (21) 2285-7779
www.amigasdopeito.org.br

---

do a você, pergunte se um consultor em lactação ou uma enfermeira que tenha conhecimento de amamentação pode observar sua técnica e orientá-la se você e seu bebê não estiverem na direção certa. Se você sair do hospital ou da maternidade antes de conseguir ajuda, alguém com conhecimentos de amamentação — seja o médico do bebê, uma enfermeira, uma doula ou um consultor externo em lactação — deve avaliar sua técnica em alguns dias. (Procure um consultor em lactação que tenha sido aprovado em um exame do International Board of Lactation Consultant Examiners — IBLCE; ver quadro anterior.)

Você também pode encontrar empatia e conselhos ligando para a seção local da La Leche League. As voluntárias da La Leche são mães experientes em amamentação que são treinadas para se tornar líderes autorizadas. Elas fazem reuniões regulares e estão disponíveis para consultas telefônicas. Ou arregimente o apoio de amigas, parentes e outras que amamentaram no peito com sucesso.

**Fique tranquila.** Isto não é fácil de fazer quando você é uma mãe de primeira viagem, mas é essencial para o sucesso da amamentação. A tensão pode inibir a liberação de leite, o que significa que mesmo que você o esteja produzindo, ele pode não ser dispensado até que você relaxe. Se você está se sentindo impaciente, proíba as visitas em seu quarto antes de alimentar seu filho. Faça exercícios de relaxamento se achar que eles podem ajudar, pegue um livro ou uma revista, ou apenas feche os olhos e ouça música suave por alguns minutos.

# Lições de Amamentação

Formar um relacionamento de amamentação bem-sucedido com seu bebê dependerá da técnica adequada e de *know-how*. Entender como a lactação funciona, aprender como posicionar adequadamente seu bebê no peito, ter certeza de que seu filho pegou corretamente o mamilo e saber quando acabou a mamada ou quando o bebê precisa de outra refeição levarão gradualmente a um senso de confiança cada vez maior, à sensação reconfortante de que você está "fazendo tudo certo". Para melhorar suas chances de sucesso, fomente seus conhecimentos de amamentação antes de colocar o bebê no peito fazendo este minicurso primeiro.

## COMO FUNCIONA A LACTAÇÃO

A lactação, ou amamentação, é a conclusão natural do ciclo reprodutivo; eis como funciona:

- Como é feita. O processo de produção de leite é iniciado automaticamente no momento em que você expulsa a placenta, quando seu corpo, que passou nove meses alimentando seu bebê dentro de você, trabalha diligentemente para as mudanças nos hormônios que lhe permitirão alimentar o bebê fora do corpo. Os níveis dos hormônios estrogênio e progesterona caem drasticamente logo após o parto, e o nível do hormônio prolactina (um dos hormônios responsáveis pela lactação) aumenta drasticamente, ativando as células produtoras de leite em seus seios. Mas embora os hormônios estimulem o início da lactação, eles não podem manter a continuidade da produção de leite sem ajuda — e a ajuda vem na forma de uma boquinha minúscula, a de seu bebê. Enquanto essa boquinha suga em seu peito, seus níveis de prolactina aumentam, intensificando a produção de leite. Igualmente importante, começa um ciclo — um ciclo que garante que uma produção estável de leite continue: seu bebê retira leite de seus seios (criando demanda), seus seios produzem leite (criando oferta). Quanto maior a demanda, maior a oferta. Qualquer coisa que impeça que seu bebê retire leite de seus seios inibirá a oferta. Mamadas infrequentes, mamadas que são curtas demais ou o sugar ineficaz podem resultar rapidamente na diminuição da produção de leite. Pense desta maneira: quanto mais leite seu bebê toma, mais leite suas mamas produzirão.

- Como flui. Não basta produzir leite; se ele não for liberado das minúsculas bolsas onde é produzido, o bebê não se alimenta e a produção é suprimida. É por isso que a função mais importante que afeta o sucesso da amamentação é o reflexo de descida do leite, que permite que o leite flua. A descida ocorre quando seu bebê mama, estimulando a liberação do hormônio ocitocina, que por sua vez estimula o fluxo de leite. Mais tarde, quando seus seios pegam o jeito da descida do leite, ele pode ocorrer sempre que a mamada pareça iminente (pelo menos, para seu corpo) — como quando o bebê espera a amamentação, ou até quando você está pensando em seu filho.

♦ Como muda. O leite que seu bebê toma não é um fluido uniforme como as fórmulas. A composição de seu leite muda de uma mamada a outra e até na mesma sessão de amamentação. O primeiro leite a fluir quando seu bebê começa a mamar é o leite do começo. Este leite foi adequadamente batizado de "extintor" porque é diluído e pobre em gorduras. À medida que progride a sessão de amamentação, seus seios produzem e secretam o segundo leite — o leite que é rico em proteínas, gorduras e calorias. Se você reduzir uma sessão de amamentação, seu bebê estará recebendo somente o primeiro leite e não o segundo leite mais nutritivo e mais gordo, causando fome mais cedo, e até inibindo o ganho de peso. Certifique-se de que pelo menos um seio seja bem drenado em cada mamada para garantir que seu bebê tenha esvaziado o bastante do seio se

ele parece muito mais mole quando a mamada termina do que quando começa. (Tenha em mente que um seio em lactação nunca está verdadeiramente vazio; sempre haverá algum leite disponível, e sempre haverá leite sendo produzido). Você também perceberá que o fluxo de leite diminuiu a um pingo e o bebê engole com menos frequência do que quando seu seio estava cheio de leite.

## COMEÇANDO A AMAMENTAR

Aqui está como ter certeza de que o leite chega aonde deve chegar:

♦ Procure um lugar tranquilo e silencioso. Até que amamentar torne-se a segunda natureza sua e do bebê (e vai se tornar!), você precisará se concentrar enquanto amamenta. Para isso, fique em um local que tenha poucas distrações e baixo nível de ruídos. À medida que você se tornar mais à vontade com a amamentação, poderá ler um livro ou revista para se ocupar durante as longas mamadas. (Mas não se esqueça de baixar o material de leitura periodicamente para que possa interagir com seu bebê; não é apenas parte da diversão de amamentar, é parte dos benefícios para o bebê.) Falar ao telefone também pode distrair nas primeiras semanas, então desligue a campainha do telefone ou deixe que a secretária eletrônica pegue os recados. Você também deve evitar assistir à tevê durante as mamadas até que pegue o jeito da amamentação.

- Fique confortável. Coloque-se em uma posição que seja confortável para você e o seu filho. Experimente se sentar no sofá da sala (desde que não seja fundo demais), numa cadeira de balanço no quarto do bebê, numa poltrona num canto tranquilo, ou apoiada na cama. Você pode até amamentar deitada na cama. Se estiver sentada, um travesseiro em seu colo ajudará a erguer o bebê a uma altura confortável. Além disso, se você fez cesariana, o travesseiro evita que o bebê pressione sua cicatriz. Certifique-se, também, de que seus braços estejam apoiados no travesseiro ou nos braços da poltrona; tentar segurar de 3 a 3,5 quilos sem apoio pode provocar cãibras e dores nos braços. Eleve as pernas também, se puder. Experimente encontrar a posição que melhor funcione para você — de preferência uma posição que possa manter por um longo tempo sem se sentir cansada ou enrijecida.

- Mate sua própria sede. Beba alguma coisa — leite, suco ou água — para repor os fluidos enquanto você amamenta. Evite bebidas quentes (que podem queimá-la e ao bebê, caso entornem). Se não quiser tomar uma bebida fria, opte por alguma coisa morna. E acrescente um lanche saudável, se já passou algum tempo desde a última refeição; quanto mais bem alimentada você estiver, mais bem alimentado será o bebê.

## POSIÇÕES PARA AMAMENTAR

Há muitas posições que você e seu filho podem explorar durante as mamadas. Mas a mais importante a saber é conhecida como posição "básica", aquela da qual deriva a maioria das outras posições: coloque seu filho a seu lado, olhando para seu mamilo. Faça com que todo o corpinho do bebê fique voltado para você — barriga com barriga — com a orelha, o ombro e os quadris dele em linha reta. Você não quer que a cabeça de seu filho vire para o lado; em vez disso, ela deve estar alinhada com o corpo dele. (Imagine a dificuldade que seria para você beber e deglutir enquanto vira a cabeça para o lado. É igualmente difícil para seu bebê.)

Especialistas em lactação recomendam duas posições de mamar durante as primeiras semanas: a cruzada e a de futebol americano. Depois que você estiver mais à vontade com a amamentação, poderá acrescentar a posição de ninar e a posição deitada de lado. Assim, fique na sua posição inicial e experimente:

- *Posição cruzada:* Segure a cabeça de seu bebê com a mão oposta ao seio em que ele irá mamar (se estiver amamentando com o seio direito, segure a cabeça do bebê com a mão esquerda). Seu pulso deve descansar entre as omoplatas do bebê, seu polegar atrás de uma orelha, os outros dedos por trás da outra orelha. Coloque a mão direita em concha no seio direito, colocando o polegar acima do mamilo e a aréola no ponto em que o nariz do bebê tocará o seio. Seu

# O BÁSICO DA AMAMENTAÇÃO

*Posição cruzada*

*Posição de futebol americano*

*Posição de ninar*

*Posição deitada de lado*

dedo indicador deve estar no local em que o queixo do bebê tocará o seio. Comprima *levemente* seu seio. Isto dará a ele a forma que mais combina com a boca de seu filho. Você agora está pronta para que o bebê se agarre a você.

♦ *Posição de futebol americano:* Esta posição é especialmente útil se você fez cesariana e quer evitar colocar o bebê contra o abdome, se seus seios são grandes, se seu bebê é pequeno ou prematuro, ou se está amamentando gêmeos. Não é necessária nenhuma experiência anterior em futebol americano. Apenas segure o bebê sob o braço como uma bola de futebol americano: posicione seu bebê de lado em uma posição semissentada, de frente para você, com as pernas do bebê sob seu braço (seu braço direito, se você vai amamentar com o seio esquerdo). Use travesseiros para levar o bebê até seu mamilo. Apoie a cabeça do bebê com a mão direita e coloque a mão esquerda em concha no seio como se você fosse fazer um lançamento da bola.

♦ *Posição de ninar:* Nesta clássica posição de amamentação, a cabeça do bebê repousa na curva de seu cotovelo e sua mão segura a coxa e as nádegas do bebê. O antebraço do bebê (se você estiver amamentando com o seio direito, é o braço esquerdo do bebê) fica dobrado, debaixo de seu braço e em volta de sua cintura. Coloque a mão esquerda em concha sob o seio (se estiver amamentando com o seio direito), como na posição cruzada.

♦ *Posição deitada de lado:* Esta posição é uma boa opção quando você está amamentando no meio da noite ou quando precisa descansar um pouco (ou quando *pode* descansar um pouco; você sempre vai precisar de descanso). Deite-se de lado com um travesseiro apoiando a cabeça. Coloque o bebê a seu lado de frente para você, barriga com barriga. Certifique-se de que a boca do bebê esteja alinhada com seu mamilo. Apoie seu seio com a mão, como nas outras posições de amamentação. Você pode querer colocar um pequeno travesseiro atrás das costas do bebê para sustentá-lo mais perto de você.

Qualquer que seja a posição que você escolher, certifique-se de trazer o bebê ao seio — e não levar o seio ao bebê. Muitos problemas de pega ocorrem porque a mãe se inclina sobre o bebê, tentando enfiar o seio na boca da criança. Em vez disso, mantenha as costas retas e traga o bebê ao seio.

# A PEGA ADEQUADA

Uma boa posição é um ótimo ponto de partida. Mas para que a amamentação tenha sucesso, uma pega adequada — certificando-se de que o bebê e o peito se enganchem corretamente — é uma habilidade que você terá de dominar. Para algumas mães e crianças, não requer esforço nenhum; para outras, exige muita prática.

♦ Como é uma boa pega: Uma pega adequada envolve o mamilo e a aréola (a área escura em torno do mamilo). Para que o fluxo tenha início, as gengivas do bebê precisam comprimir a aréola e as bolsas lácteas localizadas por baixo. Mamar, somente no mamilo não só deixará o bebê com fome (porque as glândulas que secretam o leite não serão comprimidas), mas também machucará seus mamilos e eles até racharão. Certifique-se também de que seu bebê não errou o alvo e começou a mamar em outra parte do seio. Os recém-nascidos são ansiosos para mamar, mesmo que não venha leite nenhum, e podem causar um hematoma doloroso mascando o tecido sensível do seio.

♦ Prepare-se para uma boa pega: Depois que você e seu filho estiverem em uma posição confortável, toque gentilmente os lábios de seu bebê com o mamilo até que sua boca se

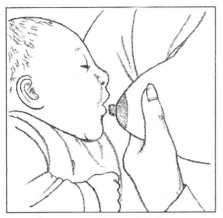
*Fazendo cócegas nos lábios do bebê*

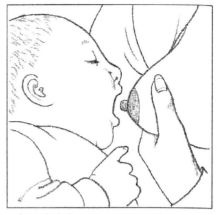
*A boca do bebê se abre bem*

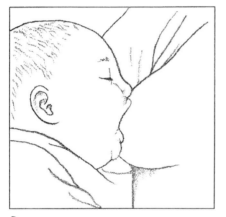
*Pega*

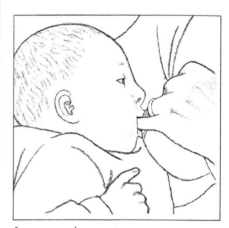
*Interrompendo a sucção*

abra bem — como em um grito. Alguns especialistas em lactação sugerem direcionar o mamilo para o nariz do bebê e depois descer à parte do lábio superior para induzir o bebê a abrir a boca. Isto evita que o lábio inferior se contraia durante a amamentação. Se seu filho não está de boca aberta, você pode tentar espremer algum colostro (e, mais tarde, leite) em seus lábios para estimular a pega.

Se o bebê se virar, afague delicadamente a bochecha do lado mais próximo de você. O reflexo de sucção fará com que o bebê vire a cabeça para seu seio. (Não pressione as duas bochechas para abrir a boca do bebê; isso só causará confusão.) Depois que o bebê pegar o jeito de mamar, bastará sentir o peito e às vezes até o cheiro do leite para que ele se vire para o mamilo.

♦ Sele o acordo: Depois que a boca está bem aberta, aproxime mais o bebê.

Não mova o seio para ele, nem empurre a cabeça dele para seu seio. E não encha a boca de seu filho com o mamilo se ele não estiver disposto a mamar; deixe que ele tome a iniciativa. É possível que haja necessidade de algumas tentativas antes que a boca do bebê se abra o bastante para pegar adequadamente. Lembre-se de manter a sustentação do seio até que o bebê tenha agarrado com firmeza e esteja mamando bem; não o afaste do seio muito rapidamente.

♦ Verifique a pega: Você saberá que o bebê pegou adequadamente quando o queixo e a ponta do nariz estiverem tocando seu seio. Enquanto o bebê mama, seu mamilo será atraído para o fundo da garganta dele, e aquelas gengivas minúsculas comprimirão sua aréola. Os lábios do bebê devem estar virados para fora, como boca de peixe, em vez de dobrados para dentro. Verifique se seu filho não está mamando o próprio lábio inferior (recém-nascidos sugarão qualquer coisa) ou a língua (porque o mamilo é posicionado sob a língua, e não sobre ela). Você pode verificar puxando o lábio inferior para baixo durante a mamada. Se parece que a língua está sendo sugada, interrompa a mamada com o dedo, retire o mamilo e confira se a língua do bebê está abaixada antes de começar novamente. Se for o lábio, afaste-o delicadamente enquanto o bebê mama.

♦ Dê ao bebê espaço para respirar. Se seu seio está bloqueando o nariz do bebê durante a pega, abaixe *levemente* o seio com o dedo. Elevar o bebê um pouco também pode ajudar a proporcionar um pouco de espaço para respirar.

---

## MAMAR E CHUPAR

É uma distinção sutil que pode fazer toda a diferença no sucesso da amamentação. Para ter certeza de que seu bebê está mamando (isto é, extraindo leite de seu seio) e não apenas chupando (mascando seu seio sem resultado algum), observe um padrão forte e estável de mamar e engolir. Você perceberá um movimento ritmado na bochecha, na mandíbula e na orelha do bebê. Depois, quando o leite surgir, você também ouvirá o som da deglutição (às vezes até de engolir) que fará com que você saiba que a mamada está acontecendo.

---

Mas enquanto você faz isso, certifique-se de não afrouxar a pega que os dois custaram tanto a conseguir.

♦ Liberte com cuidado: Se o bebê já terminou de mamar mas ainda está preso a seu seio, puxá-lo abruptamente pode causar lesões ao mamilo. Em vez disso, interrompa a sucção colocando primeiro o dedo no canto da boca do bebê para que entre algum ar e, delicadamente, empurre seu dedo entre as gengivas até sentir que ele soltou.

## POR QUANTO TEMPO AMAMENTAR

Costumava-se pensar que manter mamadas iniciais curtas (de cinco minutos em cada seio) evitaria lesões nos mamilos ao permitir que eles endurecessem gradualmente. Os mamilos feridos, contudo, resultam do posicionamento inadequado do bebê no seio e têm pouco a ver com a duração da mamada. Desde que você o posicione corretamente, não há necessidade de limitar o tempo que seu bebê passa no seio. Em vez disso, deixe que ele seja seu guia; todo bebê tem seu próprio padrão de mamada, e seguir este padrão ajudará a garantir que bebê e seios se satisfaçam. No início, espere que as mamadas sejam verdadeiras maratonas. Alguns recémnascidos podem levar 45 minutos para completar uma mamada (embora o tempo médio seja de 20 a 30 minutos). Assim, não desligue a tomada só porque seu bebê se alimentou por 15 minutos no primeiro seio. Espere até que ele pareça pronto para sair, depois ofereça o segundo seio, mas não o obrigue a nada.

O ideal é que um seio seja esvaziado a cada mamada (embora, novamente, seu seio nunca esteja verdadeiramente "vazio", só está sendo drenado). Isto é mais importante do que se certificar de que o bebê se alimenta dos dois seios. Depois você pode ter certeza de que o bebê conseguiu o segundo leite (ou gordo) que vem no final da mamada, e não só o primeiro leite que surge no começo (ver página 127).

A melhor maneira de terminar uma mamada é esperar até que o bebê se afaste do mamilo. Se o bebê não se afasta do mamilo (os bebês com frequência deixam-se levar e dormem no trabalho), você saberá terminar a mamada quando o padrão ritmado de chuparengolir se tornar mais lento, com qua-

tro sugadas para uma engolida. Com frequência, seu bebê cairá no sono no final da primeira mamada e despertará para mamar de novo (depois de um bom arroto; ver página 217) ou dormirá até a mamada seguinte. Comece a mamada seguinte no seio em que o bebê não mamou da última vez ou ele não drenará completamente. Como lembrete, você pode prender um alfinete de segurança no sutiã do lado em que começou com a mamada anterior, ou pode colocar um absorvente para seios ou lenço no sutiã daquele lado. O absorvente também absorverá qualquer vazamento do seio que você não deu de mamar (que terá um reflexo de descida com a expectativa).

## COM QUE FREQUÊNCIA AMAMENTAR

No início, você precisará amamentar com frequência — *pelo menos* oito a 12 vezes em 24 horas (às vezes mais, se o bebê exigir isso), drenando pelo menos um seio em cada mamada. Trocando em miúdos, isso significa que você amamentará a cada duas ou três horas (contando do início de cada sessão de mamada). Mas não deixe que o relógio seja seu guia. Siga a liderança do bebê (a não ser que ele não acorde para as mamadas), tendo em mente que os padrões de amamentação variam muito de um bebê para outro. Alguns recémnascidos precisarão mamar com mais frequência (a cada hora e meia a duas horas), outros com menos frequência (a cada três horas). Se você tem um mamador mais frequente, pode fazer um intervalo

# QUE TIPO DE LACTENTE É SEU BEBÊ?

Assim como cada bebê tem uma personalidade única, cada um deles tem um estilo único de mamar. Seu bebê pode recair em uma destas categorias, classificadas por pesquisadores. Ou você pode descobrir que seu bebê desenvolveu uma *persona* mamadora toda própria.

**Barracuda:** O estilo de mamar de seu filho é semelhante ao da barracuda se ele pega no seio com tenacidade e suga vorazmente por 10 a 20 minutos. Um bebê barracuda não é enrolão — a hora de mamar não é um absurdo para ele. Ocasionalmente, a mamada de um filhote de barracuda é tão vigorosa que na verdade machuca. Se seus mamilos são vítimas da forte sucção do bebê barracuda, não se preocupe — eles endurecerão rapidamente enquanto se aclimatam à mamada com os tubarões. (Ver dicas para atenuar mamilos feridos na página 142.)

**Excitado Ineficaz:** Se seu bebê dá tantas voltas de excitação quando é apresentado ao seio que com frequência não consegue pegá-lo — e depois grita e chora de frustração —, provavelmente você tem um excitado ineficaz nas mãos. As mães desse tipo de mamador têm de ter uma paciência extra; você precisará acalmar seu filho antes de colocá-lo de volta ao trabalho. Em geral, os excitados ineficazes ficam menos excitados e mais eficazes à medida que pegam o jeito da mamada, e nesse ponto eles serão capazes de conquistar o prêmio sem incidentes.

**O Procrastinador:** Os procrastinadores são apenas isso — procrastinadores. Estes bebês lentos não demonstram interesse ou capacidade particular em mamar até o quarto ou quinto dia, quando o leite surge. Forçar um procrastinador a se alimentar antes que ele esteja pronto não é bom (como forçar alguém a fazer o dever de casa antes do último minuto certamente tem o efeito contrário, mas você descobrirá isso mais tarde). Em vez disso, é melhor esperar; os procrastinadores tendem a lidar com o problema da amamentação quando estão prontos.

**O *Gourmet*:** Se seu filho gosta de brincar com seu mamilo, colocando a boca, experimentando o leite, estalando os lábios e depois lentamente saboreando cada porção de leite como se compusesse a análise de um restaurante, ele é um *gourmet*. No que diz respeito ao *gourmet*, o leite materno não é só um lanchinho rápido. Experimente apressar os *gourmets* em suas refeições e eles ficarão completamente furiosos — então, deixe-os levar o tempo que quiserem para desfrutar da experiência da mamada.

**O Descansado:** Os descansados gostam de mamar por alguns minutos e depois descansam por alguns minutos. Alguns até preferem a abordagem comer e dormir: mamam por 15 minutos, dormem por 15 minutos, depois acordam para continuar a mamar. Bebês desse tipo levarão tempo e exigirão paciência, mas apressar um descansado durante sua mamada, da mesma forma que apressar um *gourmet*, não será uma boa ideia.

entre uma mamada e outra de apenas uma hora — o que não dá muito descanso a seus seios fatigados. Mas não se preocupe. Esta frequência é apenas temporária, e à medida que seu suprimento de leite aumentar e seu bebê ficar maior, os intervalos entre as mamadas será maior.

A regularidade com que as mamadas de seu filho se espaçarão também poderá variar, dependendo da hora do dia. Alguns bebês conscienciosos mamam a cada hora e meia durante o dia, mas alongam o tempo entre as mamadas noturnas a três ou quatro horas. Considere-se com sorte se seu bebê recai nesta categoria — só não se esqueça de verificar as fraldas molhadas do bebê para garantir que ele esteja dormindo bem alimentado (ver página 257). Outros bebês podem operar como um relógio o tempo todo — esperando a cada duas horas e meia uma mamada, esteja no meio da manhã ou no meio da noite. Mesmo estes bebês se acomodarão a um padrão mais civilizado nos meses seguintes; enquanto eles começam a diferenciar entre dia e noite, seus pais, agradecidos, ficarão satisfeitos com os intervalos cada vez maiores entre as mamadas noturnas.

Embora você vá ficar muito tentada a esticar o tempo entre as mamadas no começo, resista. A produção de leite é influenciada pela frequência, pela intensidade e pela duração da mamada, especialmente nas primeiras semanas de vida. Reduzir esta demanda necessariamente frequente — ou reduzir as sessões de mamada — rapidamente sabotará sua oferta de leite. Assim, em vez disso, deixe que o bebê durma durante as mamadas quando ele deve ser alimentado; se já se passaram horas desde que seu recém-nascido se alimentou da última vez, então é hora de acordá-lo. (Ver página 196 para as técnicas de acordar seu bebê.)

# As Preocupações Comuns

## COLOSTRO

*"Acabei de dar à luz horas atrás; estou exausta e minha filha está dormindo. Será que realmente preciso amamentar agora? Eu nem tenho leite ainda."*

Quanto mais cedo você der de mamar, mais cedo terá leite para amamentar, uma vez que o suprimento de leite depende da demanda. Mas amamentar cedo e com frequência faz mais do que garantir que você vá produzir leite nos dias que virão; também garantirá que sua filha vá receber toda quota de colostro, o alimento ideal para os primeiros dias de vida. Este líquido espesso e amarelo (e às vezes claro), batizado de "líquido de ouro" por sua poderosa fórmula, é rico em anticorpos e glóbulos brancos, que podem defender contra bactérias e vírus prejudiciais e também, de acordo com os pesquisadores, estimular a produção de anticorpos no sistema imunológico do próprio recém-nascido.

O colostro também reveste a parede interna dos intestinos do bebê, evitando com eficácia que bactérias prejudiciais invadam seu sistema digestivo imaturo e protegendo contra alergias e distúrbios digestivos. E como se não fosse o bastante, o colostro estimula a passagem do primeiro movimento intestinal de seu bebê (o mecônio; ver página 208) e ajuda a eliminar a bilirrubina, reduzindo qualquer icterícia em potencial em seu recém-nascido (ver página 205).

Um pouco do colostro segue um longo caminho. Seu bebê extrairá apenas colheradas dele — mas, surpreendentemente, isso é tudo o que ele precisa. E uma vez que o colostro é fácil de digerir — é rico em proteína, vitaminas e sais minerais, e pobre em gorduras e açúcar —, ele serve como o tira-gosto perfeito para as aventuras alimentares que estão por vir.

Mamar o colostro por alguns dias satisfaz o suave apetite de seu filho enquanto proporciona a ele um começo mais saudável de vida. Mas também estimula a produção do leite de transição. O leite de transição, que seus seios servem entre o colostro e o leite maduro, com frequência se assemelha ao leite misturado com suco de laranja (felizmente, seu sabor é muito melhor do que isso para os novos bebês) e é o leite que aparece quando seu leite "surge". Ele contém níveis mais baixos de imunoglobulinas e proteína do que o colostro, mas tem mais lactose, gordura e calorias. O leite maduro, chegando entre o décimo dia e a segunda semana pósparto, é fino e branco (às vezes parece ligeiramente azulado). Embora pareça um leite aguado, é na verdade um composto poderoso de gordura e outros nutrientes de que precisa o bebê em crescimento.

## SEIOS INGURGITADOS

*"Desde que meu leite chegou, meus seios estão três vezes maiores que seu tamanho normal, estão duros e tão doloridos que mal consigo ficar de pé. Como vou amamentar desse jeito?"*

Eles crescem sem parar durante os nove meses de gravidez — e quando você acha que não podem ficar maiores (pelo menos, sem uma visita a um cirurgião plástico), é exatamente o que acontece na primeira semana pós-parto. E eles doem, e muito — tanto que colocar um sutiã pode ser uma agonia. Pior ainda, agora que o leite finalmente chegou, amamentar pode na verdade ser ainda mais desafiador do que antes de o leite estar ali — não só porque seus seios estão dolorosamente sensíveis, mas também porque estão tão duros e inchados, que os mamilos podem estar achatados e pode ser difícil para seu bebê pegar.

O ingurgitamento que acompanha a chegada do leite da mãe (e que pode ser pior quando a amamentação tem um início lento) surge de repente e de forma drástica, em uma questão de horas. Com mais frequência ocorre no terceiro ou quarto dia pós-parto, embora ocasionalmente já no segundo dia, ou tardiamente, no sétimo. Embora o ingurgitamento seja um sinal de que seus seios estão começando a se encher de leite, a dor e o inchaço são também um resultado do fluxo de sangue para o local, garantindo que a fábrica de leite funcione a todo vapor.

O ingurgitamento é mais desconfortável para algumas mulheres do que para outras, em geral é mais pronunciado nos primeiros filhos e também ocorre com maior frequência com os primeiros filhos do que com os subsequentes. Algumas mulheres de sorte (em geral no segundo ou terceiro filho) obtêm seu leite sem pagar o preço do ingurgitamento, especialmente se amamentam regularmente desde o princípio.

Felizmente, o ingurgitamento é temporário; aos poucos ele diminui, enquanto o bem coordenado sistema de oferta e demanda de leite é estabelecido. Para a maioria das mulheres, o inchaço e a dor não duram mais que 24 a 48 horas, embora algumas sofram por toda uma semana.

Até lá, existem algumas medidas que você pode tomar para reduzir o desconforto:

♦ Use *por pouco tempo* o calor para ajudar a amolecer a aréola e estimular a descida no *início* de cada mamada. Para isso, coloque uma toalha de banho embebida em água morna, não quente, na aréola, ou incline-se sobre uma tigela de água morna. Você também pode estimular o fluxo de leite massageando suavemente o seio que seu bebê está sugando.

♦ Use sacos de gelo *depois* de amamentar para reduzir o ingurgitamento. Embora isso possa parecer um tanto estranho e pareça mesmo estranho,

folhas de repolho resfriadas também podem ter um efeito surpreendentemente calmante (use as grandes folhas externas, lave e seque, e faça uma abertura no meio de cada uma para os mamilos). Ou use resfriadores desenvolvidos especialmente para isso.

♦ Use um sutiã de aleitamento bem ajustado (com alças largas e sem revestimento plástico) o tempo todo. Pressionar seus seios feridos e ingurgitados pode ser doloroso, então se certifique de que o sutiã não esteja apertado demais. E use roupas soltas que não rocem em seus seios sensíveis.

♦ O melhor tratamento para o ingurgitamento é amamentar com frequência, então não fique tentada a pular ou reduzir mamadas por causa da dor. Quanto menos seu bebê mama, mais ingurgitados ficarão seus seios, e mais dor você vai sentir. Quanto mais você amamenta seu recém-nascido, por outro lado, mais rapidamente o ingurgitamento vai ceder. Se seu bebê não mama com vigor suficiente para aliviar o ingurgitamento nos dois seios em cada mamada, use uma bomba de mama para fazer isso você mesma. Mas não bombeie demais, só o bastante para aliviar o ingurgitamento. Caso contrário, seus seios produzirão mais leite do que o bebê está tomando, levando a um sistema de oferta e demanda desequilibrado e a mais ingurgitamento.

♦ Tire um pouco de leite manualmente de cada seio antes de amamentar para reduzir o ingurgitamento. Isso levará seu leite a fluir e amaciará o mamilo para que seu bebê possa pegá-lo melhor.

♦ Altere a posição de seu bebê de uma mamada para outra (experimente a posição de futebol americano em uma mamada, a de ninar na seguinte; ver página 128). Isto garantirá que todos os dutos lácteos sejam esvaziados e pode ajudar a reduzir a dor do ingurgitamento.

♦ Para dores fortes, você pode considerar tomar acetaminofen ou outro analgésico receitado por seu médico. Se você toma analgésicos, não se esqueça de tomá-los só depois de amamentar.

*"Acabo de ter meu segundo filho. Meus seios estão muito menos ingurgitados do que no primeiro. Isso significa que terei menos leite?"*

Não, significa que você terá menos dor e uma amamentação menos difícil — uma boa coisa. Embora algumas mães veteranas não tenham sorte o bastante para experimentar a mesma quantidade de ingurgitamento com seu segundo bebê do que com o primeiro, ou ocasionalmente mais, é muito mais comum que os seios ingurgitem menos com o segundo filho e com as gestações subsequentes. Talvez seja porque seus seios, tendo estado ali e feito tudo aquilo antes, tenham menos problemas para se adaptar ao influxo de leite. Ou talvez seja porque sua experiência resultou em uma amamentação mais eficiente (e drenagem dos seios) desde o começo. Afi-

nal, quanto mais cedo o bebê começa a mamar, menos ingurgitamento ocorre de modo geral.

Muito raramente, a falta de ingurgitamento e de uma sensação de leite descendo indica produção inadequada de leite, mas somente nas mães de primeira viagem. E até a maioria dessas mães que não experimentam ingurgitamento se transformam em copiosas fornecedoras de leite. Na verdade, não existe motivo para se preocupar que o suprimento de leite possa não ser normal, a não ser que o bebê não esteja se desenvolvendo (ver página 254).

## SUPERABUNDÂNCIA DE LEITE

*"Embora meus seios não estejam mais ingurgitados, tenho tanto leite que minha filha engasga toda vez que mama. Será que tenho leite demais?"*

Embora neste momento possa parecer que você tem leite suficiente para alimentar o bairro inteiro — ou, pelo menos, uma pequena creche —, fique tranquila, você em breve terá a quantidade certa para alimentar um bebê faminto, ou seja, o seu. Muitas mulheres descobrem que há um excesso de uma boa coisa nas primeiras semanas de amamentação, tanto que seus bebês passam por dificuldades para acompanhar o fluxo e acabam engasgando, cuspindo e sufocando quando tentam engolir todo o leite que sai. Você pode descobrir também que o fluxo excessivo causa vazamento e o leite espirra, o que pode ser desagradável e constrangedor (especialmente quando ocorre em público). Pode ser que você esteja produzindo mais leite do que o bebê precisa agora, ou pode ser que só o esteja liberando mais rapidamente do que sua filha pode tomar. De qualquer forma, seu suprimento e o sistema de fornecimento provavelmente normalizarão aos poucos, no próximo mês, mais ou menos, tornando-se mais sincronizados com a demanda de seu bebê, o que significa que o excesso de fluxo diminuirá. Até lá, mantenha uma toalha à mão para se secar e secar o bebê durante as mamadas, e experimente as seguintes técnicas para reduzir o fluxo:

♦ Se sua filha sufoca freneticamente e engasga logo depois de você ter o reflexo de descida, experimente tirá-la do seio por um momento enquanto o leite corre. Depois que o fluxo fica mais lento, atingindo um fluxo estável com que ela possa lidar, coloque o bebê novamente no seio.

♦ Amamente somente com um seio em cada mamada. Deste modo, seu seio será drenado mais completamente e sua filha será inundada com o aguaceiro de leite somente em uma mamada, em vez de em duas.

♦ Pressione suavemente a aréola enquanto amamenta para ajudar a deter o fluxo de leite durante a descida.

♦ Reposicione sua filha um pouco para que ela fique mais sentada. Alguns bebês deixarão que o fluxo escorra da boca para aliviar o problema.

♦ Experimente amamentar contra a gravidade, sentando-se com as costas apoia-

das ou até amamentando enquanto está deitada de costas com seu bebê por cima do peito (embora isso possa parecer difícil de fazer com frequência).

♦ Bombeie antes de cada mamada só até que o fluxo pesado do início tenha se reduzido. Depois você pode colocar o bebê no seio sabendo que ele não será inundado de leite.

♦ Não fique tentada a diminuir sua ingesta de líquidos. Aumentar ou diminuir sua ingesta de líquidos não tem nenhuma correlação com a produção de leite. Beber menos não levará você a produzir menos leite, mas pode acarretar problemas de saúde para você.

Algumas mulheres continuam a ser pródigas produtoras de leite em toda a lactação. Se este vier a ser o seu caso, não se preocupe. À medida que sua filha ficar maior, mais faminta e uma mamadora mais eficiente, é provável que por fim aprenda a acompanhar o fluxo.

## VAZAMENTO E BORRIFOS

*"Parece que estou vazando leite de meus seios o tempo todo. Isso é normal? Vai vazar sempre?"*

Não há concorrentes quando se trata de camisetas molhadas (e os suéteres molhados, e pijamas molhados, sutiãs ensopados e até travesseiros molhados): as mães que amamentam há pouco tempo vencem fácil. As primeiras semanas de amamentação são quase sempre um período úmido, com o leite vazando, pingando ou até borrifando com frequência. Os vazamentos começam a qualquer momento, em qualquer lugar e em geral sem muito aviso. De repente, você vai sentir aquele formigamento indicando a descida do leite, e antes que possa pegar um absorvente para seios novo ou uma toalha para deter o fluxo, ou um suéter para cobri-lo, olhará para baixo e verá outro círculo úmido em um ou nos dois seios.

Como a descida do leite é um processo físico que tem uma poderosa relação com a mente, você mais provavelmente vai vazar quando estiver pensando no seu filho, falando dele ou ouvindo seu bebê chorar. Um banho morno às vezes pode estimular o gotejamento também. Mas você também pode se ver soltando vazamentos espontâneos em momentos aparentemente aleatórios — quando o bebê é a última coisa que você tem em mente (como quando você está dormindo ou pagando contas), e ocasiões que não podem ser mais públicas nem mais inoportunas (quando você está esperando na fila dos correios, ou prestes a fazer a apresentação de um trabalho, ou no meio do sexo). O leite pode gotejar quando você está atrasada para a amamentação ou em expectativa para ela (em especial se o bebê se acostumou a um horário regular de amamentação), ou pode vazar de um seio enquanto você amamenta com o outro.

Viver com seios que vazam certamente não é divertido, e pode ser desconfortável, desagradável e interminavelmente constrangedor também. Mas este efeito colateral comum do aleitamento é completamente normal, em particular no iní-

cio. (Não vazar absolutamente ou vazar somente um pouco pode ser igualmente normal, e na verdade muitas mães no segundo filho podem perceber que seus seios vazam menos do que na primeira vez.) Com o tempo, à medida que a demanda de leite começa a acompanhar a oferta, e à medida que a amamentação torna-se mais bem regulada, os seios começam a vazar consideravelmente menos. Enquanto você espera por este dia mais seco, experimente as dicas a seguir:

◆ Tenha um estoque de absorventes para seios. Eles podem salvar a vida (ou pelo menos a blusa) de mulheres que vazam. Coloque um suprimento de absorventes para seios na bolsa de fraldas, em sua bolsa e perto de sua cama, e troque-os sempre que ficarem molhados, o que pode acontecer com tanta frequência quanto você amamenta, às vezes até com mais frequência. Não use absorventes que tenham revestimento plástico ou sejam à prova d'água. Eles retêm a umidade, em vez de absorvê-la e podem levar à irritação do mamilo. Procure descobrir a variedade que funciona para você; algumas mulheres preferem os descartáveis, enquanto outras preferem os absorventes de algodão laváveis.

◆ Não molhe a cama. Se você acha que vaza muito à noite, forre seu sutiã com absorventes extras antes de dormir, ou coloque uma toalha grande sob você enquanto dorme. A última coisa que você vai querer fazer agora e trocar os lençóis a cada dia — ou pior, comprar novos lençóis.

- Opte por estampas, especialmente as escuras. Você logo verá que estas roupas camuflam melhor as manchas de leite. E se você precisa de outro motivo para usar roupas que podem ser lavadas em casa quando tem um recém-nascido por perto, o vazamento deve funcionar.

- Não bombeie para prevenir o vazamento. Não só o bombeamento extra não retém o vazamento, como ele também o estimula. Afinal, quanto mais seus seios são estimulados, mais leite produzem.

- Aplique pressão. Quando a amamentação estiver bem estabelecida e a produção de leite equilibrada (mas não antes), você pode tentar deter o vazamento quando sentir que está começando, pressionando seus mamilos (provavelmente não é uma boa ideia fazer isso em público) ou dobrando os braços apertados contra os seios. Mas não faça isso com frequência nas primeiras semanas, porque pode inibir a descida de leite e pode levar a um duto lácteo obstruído.

## REFLEXO DE DESCIDA

*"Toda vez que coloco o bebê no peito, sinto uma estranha sensação nos seios, como se o leite começasse a sair. Isso é normal?"*

Esta sensação que você descreve é o que é conhecido na área de aleitamento como "descida". Não só é normal, como também é parte necessária do processo de amamentação — um sinal de que o leite está sendo liberado dos dutos que o produzem. A descida pode ser experimentada como uma sensação de formigamento, como de agulhas e alfinetes (às vezes desagradavelmente afiados), e com frequência com uma sensação de plenitude ou de calor. Em geral é mais intensa nos primeiros meses de aleitamento (e no começo de uma mamada, embora várias descidas possam acontecer toda vez que você amamente) e pode ser menos perceptível à medida que seu bebê fica mais velho. A descida também pode ocorrer em um seio quando seu bebê está mamando no outro, em expectativa da amamentação, e às vezes quando a mamada não está programada (ver pergunta anterior).

A descida pode levar apenas alguns minutos (do primeiro sugar à primeira gota que sai) nas primeiras semanas de aleitamento. Uma vez que seio e bebê pegam o jeito da amamentação, a descida em geral passa em alguns segundos. Mais tarde, quando a produção de leite diminui (quando você introduz sólidos ou fórmulas, por exemplo), a descida pode novamente levar mais tempo.

Estresse, ansiedade, fadiga, doença ou desidratação podem inibir o reflexo de descida, como também grandes quantidades de álcool. Assim, se você está achando que o reflexo de descida não é normal ou leva muito tempo para passar, experimente algumas técnicas de relaxamento antes de colocar o bebê no seio, escolhendo um local tranquilo para as sessões de mamada, e limite-se a apenas uma bebida alcoólica ocasional. Afagar suavemente seus seios antes de amamentar também pode estimular o fluxo. Mas não se preocupe com seu reflexo de descida. Os verdadeiros problemas de descida são extremamente raros.

Uma dor profunda e aguda nos seios logo depois da mamada é um sinal de que eles estão começando a se encher de leite novamente; em geral estas dores pós-mamada não continuam depois das primeiras semanas. A dor em picada ou ardência *durante* a amamentação pode estar relacionada com sapinho (infecção transmitida da boca do bebê para os mamilos da mãe; ver página 204). A dor nos mamilos durante a amamentação pode em geral estar relacionada com a pega incorreta (ver página 132).

## ALEITAMENTO CONTÍNUO

*"Meu bebê de duas semanas tem mamado com bastante regularidade — a cada duas ou três horas. Mas, de repente, ele passou a mamar a cada hora. Será que isso significa que ele não está recebendo o suficiente?"*

Parece que você tem um bebê faminto nas mãos — ou melhor, no seio. Ele pode estar passando por um surto de crescimento (mais comum na terceira semana e novamente na sexta), ou pode apenas precisar de mais leite para se satisfazer. De qualquer forma, o que ele está fazendo é garantir a obtenção do leite pelo chamado "aleitamento contínuo". Seus instintos lhe dizem que mamar por vinte minutos a cada hora é a forma mais eficiente de coagir

seus seios a produzirem o leite de que ele precisa do que mamar por 30 minutos a cada duas ou três horas. E assim ele trata você como uma lanchonete de salgadinhos em vez de um restaurante. Antes que termine satisfeito uma refeição, ele está zanzando por aí, procurando alguma coisa para comer. Coloque-o no seio novamente, e ele se alimentará de novo.

Esta maratona de mamadas é exaustiva — você pode começar a se sentir como se seu bebê estivesse permanentemente grudado em seu seio. Mas as boas novas são que o aleitamento contínuo em geral dura somente um dia ou dois, o tempo que leva para que seu suprimento de leite acompanhe a demanda de seu bebê em crescimento; ele depois provavelmente vai voltar a um padrão de mamadas mais coerente — e mais civilizado. Enquanto isso, amamente-o com a frequência que seu saquinho sem fundo parece querer.

## MAMILOS FERIDOS

*"Amamentar no peito é uma coisa que eu sempre quis fazer. Mas meus mamilos ficaram tão feridos que não tenho certeza se quero continuar amamentando minha filha."*

No começo você se pergunta se sua filha vai gostar de mamar; depois, antes que perceba, ela está sugando com tanta força, que seus mamilos se ferem, até dolorosamente. E estes mamilos sensíveis podem tornar a amamentação uma experiência terrível — e até frustrante.

Felizmente, a maioria das mulheres não sofre por muito tempo; os mamilos enrijecem rapidamente, e a amamentação deixa de ser dolorosa e começa a ser um prazer. Mas algumas mulheres, particularmente aquelas cujos bebês são incorretamente posicionados, e aquelas que têm um "bebê barracuda" (que tem uma mamada muito forte, ver página 134), continuam a ter problemas, com feridas e rachaduras tão dolorosas que elas podem ter medo de cada mamada. Há, contudo, meios de aliviar os mamilos feridos:

◆ Certifique-se de que sua filha esteja corretamente posicionada, de frente para seu seio com toda a aréola (não apenas o mamilo) na boca quando estiver mamando. Não só ela mamar apenas no mamilo deixa você machucada, mas também a deixa frustrada, uma vez que ela consegue muito menos leite. Se o ingurgitamento dificulta para ela pegar toda a aréola, tire um pouco de leite manualmente ou com uma bomba mamária antes de amamentar, para reduzir o ingurgitamento e facilitar para ela uma boa pegada.

◆ Exponha os mamilos feridos ou rachados ao ar por algum tempo depois de cada mamada. Proteja-os das roupas e de outras irritações e cerque-os com uma almofada de ar usando conchas mamárias (não escudos). Troque os absorventes para seios com frequência se o vazamento de leite os deixa úmidos. Além disso, certifique-se de que os absor-

ventes não tenham revestimento plástico, o que somente reterá a umidade e aumentará a irritação.

◆ Se você mora numa região de clima úmido, agite um secador de cabelo, na posição morno, pelo seio (cerca de 15 a 20 centímetros de distância) por dois ou três minutos (não mais do que isso). Em um clima seco, a umidade será mais útil — deixe que o leite fique no seio depois de uma mamada. Ou tire algumas gotas de leite no final da mamada e esfregue-os em seus mamilos, certificando-se de deixar os mamilos secarem antes de colocar novamente o sutiã.

◆ Os mamilos são naturalmente protegidos e lubrificados por glândulas sudoríparas e a gordura da pele. Mas usar um preparado de lanolina modificada pode prevenir e/ou curar rachaduras nos mamilos. Depois de amamentar, aplique lanolina médica ultrapurificada, como a Lansinoh, mas evite produtos derivados de petróleo e a própria vaselina, e outros produtos gordurosos. Lave os mamilos somente com água — estejam eles feridos ou não. Nunca use sabonete, álcool, tintura de benjoim ou lenços umedecidos. Seu bebê já está protegido de seus germes, e o próprio leite é limpo.

◆ Molhe saquinhos comuns de chá com água fria e coloque-os nos mamilos feridos. As propriedades do chá ajudarão a atenuar e curar o problema.

## LOMBADAS NA ESTRADA PARA O SUCESSO?

Embora você provavelmente tenha acesso a um especialista em lactação no hospital logo depois do parto, é provável (a não ser que tenha feito cesariana) que você saia do hospital dois dias depois do nascimento e antes que a amamentação esteja bem estabelecida (e até antes que seu leite surja). Infelizmente, a maioria dos problemas com o aleitamento não aparece quando a ajuda ainda está à distância do botão de chamada perto do leito hospitalar. Eles vêm à tona depois que você está em casa, em geral na primeira semana ou duas pós-parto. Se você acha que a estrada para o sucesso no aleitamento está cheia de lombadas que você não previu, não desista. Em vez disso, pegue o telefone e marque uma visita domiciliar de um consultor em lactação. Muitas mães recentes que têm dificuldades com a amamentação acham estas visitas imensamente benéficas, colocando-as de volta à estrada para o sucesso e deixando-as mais bem preparadas para lidar com as lombadas que surgirem pelo caminho. Não espere, imaginando que as coisas ficarão melhores sozinhas; quanto mais cedo os problemas com a amamentação forem tratados, menos provável será que degenerem para alguma coisa menos tratável (como produção de leite insuficiente ou o bebê não mamar o bastante), e menos provável será que você desista de dar o peito antes de ter de tomar esta decisão. Então, considere pedir ajuda antes de pensar em jogar a toalha. Você e seu filho merecem isso.

♦ Varie a posição de amamentação para que uma parte diferente do mamilo venha a ser comprimida em cada mamada; mas sempre mantenha o bebê de frente para os seios.

♦ Não dê preferência a um seio porque ele está menos ferido ou porque o mamilo não está rachado. Experimente usar os dois seios em cada mamada, mesmo que só por alguns minutos, mas amamente com o menos ferido primeiro, uma vez que o bebê vai sugar com mais força quando estiver com fome. Se os dois mamilos estão igualmente feridos (ou não estão feridos), comece a amamentar com o seio que você usou pela última vez e não o drene completamente.

♦ Relaxe por mais ou menos 15 minutos antes de amamentar. O relaxamento aumentará a descida do leite (o que significará que o bebê não terá de sugar com muita força), enquanto a tensão o impedirá. Se a dor é forte, pergunte a seu médico sobre o uso de analgésicos para aliviá-la.

♦ Se seus mamilos estão rachados, fique especialmente atenta a sinais de infecção nos seios, que podem ocorrer quando os germes entrarem em um duto lácteo através de uma rachadura no mamilo. Ver páginas 148 e 149 para informações sobre dutos obstruídos e mastite.

## TEMPO DE AMAMENTAÇÃO

*"Por que ninguém me disse que eu ia amamentar meu filho 24 horas por dia?"*

Talvez porque você não teria acreditado. Ou porque ninguém quis desestimulá-la. Independente do motivo, agora você já sabe. Para muitas mães, amamentar no peito é uma tarefa quase de 24 horas por dia nas primeiras semanas. Mas, coragem; com o passar do tempo, você ficará menos tempo como cativa da ânsia de mamar de seu bebê. À medida que o aleitamento se tornar solidamente estabelecido, o número de mamadas começará a diminuir. Quando seu bebê estiver dormindo a noite toda, provavelmente você reduzirá para cinco ou seis mamadas, somando um total de somente três ou quatro horas de seu dia.

Enquanto isso, tire da cabeça qualquer outra coisa que esteja clamando para ser feita; relaxe e saboreie estes momentos especiais que só você pode compartilhar com seu filho. Faça um uso duplo deles, mantendo um diário do bebê, lendo um livro ou programando seu dia no papel. É provável que depois que seu filho tiver desmamado, você pense no passado e veja quanta coisa perdeu naquelas muitas horas de amamentação.

## A MODA NO ALEITAMENTO MATERNO

*"Quando eu estava grávida, mal podia esperar para voltar a usar minhas roupas. Mas agora que estou amamentando meu filho, descubro que ainda há limites para o que posso vestir."*

É claro que isso não é justo. Agora que você finalmente conseguiu uma coisa mais parecida com a cintura que tinha (mais ou menos), o que você veste ainda é um problema. Felizmente, suas opções de roupas são muito menos limitadas quando você está amamentando do que quando estava grávida. Na verdade, seu guarda-roupa pode precisar de apenas alguns ajustes, especialmente da cintura para cima. Mas, com um olho no aspecto prático, é possível satisfazer o apetite de seu filho por leite e seu apetite por estilo com o mesmo guarda-roupa.

**O sutiã correto.** Não é de surpreender que o item mais importante em seu guarda-roupa de lactante seja o único que você, seu bebê e seu cônjuge verão: um bom sutiã de aleitamento, ou, mais provavelmente, vários deles. O ideal é que você compre pelo menos um sutiã de aleitamento antes de seu filho nascer para que possa usá-lo já no hospital. Mas algumas mães descobrem que o tamanho de seus seios aumenta tanto depois que surge o leite, que não vale a pena comprar um sutiã antes disso.

Há vários estilos diferentes de sutiãs disponíveis — com ou sem armação, sem enfeites e sem babados ou renda (embora provavelmente sem atrativos), com taças que desengancham no ombro ou no centro do sutiã, ou aqueles que basta puxar para o lado. Experimente uma variedade, tomando sua decisão tendo como prioridades o conforto e a conveniência — e tenha em mente que você estará soltando o sutiã com uma só mão enquanto segura um bebê chorando e faminto com a outra. Qualquer que seja o estilo que escolher, certifique-se de que o sutiã é feito de algodão resistente e respirável, e que tem espaço para aumentar enquanto seu peito cresce. Um sutiã apertado demais pode causar a obstrução dos dutos, para não falar do desconforto quando os seios estão ingurgitados e os mamilos feridos.

**Roupas de duas peças.** As roupas de duas peças são a declaração de moda a ser feita quando você está amamentando — em especial quando você pode puxar a parte de cima da roupa para dar de mamar (mas evite sutiãs apertados). As blusas ou vestidos com botões ou zíper na frente também podem funcionar (embora você vá expor mais do que gostaria em público se precisar abrir a parte de cima para que o bebê atinja o alvo; em geral, desabotoar a partir de baixo é muito melhor). Você também pode preferir roupas de aleitamento e tops que são desenhados com abas ocultas para facilitar a amamentação discreta e o acesso para a bomba. Estas roupas também são desenhadas para se ajustar ao tamanho de busto maior da mãe que amamenta, uma boa característica.

**Fique longe das cores sólidas.** As cores sólidas, o branco e qualquer transparência mostrarão vazamentos de leite com mais obviedade do que as padronagens escuras, que vão mascarar não só suas secreções úmidas, mas também o volume de seus absorventes de seios.

**Use roupas que possam ser lavadas em casa.** Entre vazar leite e a baba do neném, sua lavanderia local ficará tão feliz quanto você que haja um novo bebê na casa — a não ser que você use roupas que você mesma possa colocar na máquina de lavar e na secadora. E depois de alguns incidentes com suas boas blusas de seda, é mais provável que você só vá usar roupas que poderá lavar em casa.

**Não se esqueça de colocar absorvente em seu sutiã.** O acessório mais importante de uma mãe que amamenta no peito é o absorvente para seios. Independente do que estiver vestindo, sempre enfie um ou dois dentro de seu sutiã (ver página 140 para detalhes).

# AMAMENTANDO EM PÚBLICO

*"Estou planejando amamentar minha filha no peito por pelo menos seis meses e sei que não posso ficar na minha casa todo o tempo. Mas não tenho certeza sobre amamentar em público."*

Em muitas partes do mundo, uma mãe que amamenta seu bebê no peito não atrai nenhuma atenção a mais que uma mãe que dá mamadeira ao filho. Mas nos Estados Unidos a aceitação da amamentação em público tem sido mais lenta. Ironicamente, embora o seio seja celebrado nos filmes, nas revistas e nos palcos, ainda pode ser uma ideia difícil de vender quando há um bebê se alimentando dele.

Felizmente, amamentar em público está se tornando mais aceito — e mais fácil de se fazer em um número cada vez maior de lugares. Na verdade, muitos estados americanos têm legislação garantindo o direito de uma mãe de amamentar seu filho no peito em público, bem como áreas especiais obrigatórias para amamentar e bombear leite no local de trabalho. Assim, só porque você está amamentando, não quer dizer que tenha que ficar presa pelo tempo necessário. Com um pouco de prática, você aprenderá como amamentar no peito tão discretamente que só você e sua filha saberão que ela está almoçando. Para tornar a amamentação em público mais privada:

- Cubra a parte do corpo. Com a roupa correta (ver pergunta anterior), você pode amamentar seu bebê diante de uma multidão sem expor nem mesmo um centímetro de pele. Desabotoe sua blusa a partir de baixo, ou erga a blusa um pouco. A cabeça de sua filha cobrirá qualquer parte de seu seio que possa estar exposta.

- Pratique em frente de um espelho antes de se aventurar em público. Você verá que, com um posicionamento estratégico, você ficará completamente coberta. Ou arregimente

seu cônjuge (ou uma amiga) para observá-la enquanto você alimenta sua filha nas primeiras vezes em público; eles podem monitorar quaisquer acidentes.

- Jogue uma manta ou xale sobre seu ombro (ver ilustração) para formar uma tenda sobre sua filha. Mas tenha o cuidado de não cobrir completamente o bebê. Ela ainda precisará respirar, então certifique-se de que sua tenda esteja bem ventilada. Quando você e o bebê estiverem se alimentando juntas, você também pode usar um guardanapo grande.

- "Vista" seu bebê. Um *sling* torna a amamentação em público extremamente discreta; "vestindo" seu bebê desta forma, você pode comer, assistir a filmes, até andar enquanto amamenta. As pessoas só pensarão que seu bebê está dormindo.

- Crie sua própria área de privacidade. Encontre um banco sob uma árvore, escolha um canto com uma cadeira espaçosa numa livraria ou sente-se em um reservado em um restaurante. Afaste-se das pessoas enquanto seu bebê está pegando, e volte-se quando seu bebê estiver bem posicionado em seu seio.

- Procure acomodações especiais. Muitas lojas de departamento, *shoppings*, aeroportos e até parques de diversões têm salas separadas para mães que amamentam, completas, com cadeiras de balanço confortáveis e fraldários. Ou procure um banheiro com um espaço separado para o jantar de sua filha. Se nenhuma dessas opções estiver disponível no lugar aonde você estiver indo, e você prefere amamentar sem ninguém por perto, alimente o bebê em seu carro estacionado antes de entrar, desde que a temperatura o permita.

*Usando uma manta para amamentar em público*

- Alimente antes do frenesi. Não espere até que sua filha fique histérica para começar a amamentá-la. Um bebê aos gritos só atrai a atenção que você não quer quando vai amamentar em público. Em vez disso, observe os sinais de fome de sua filha, e sempre que possível previna o choro com uma refeição.

- Conheça seus direitos — e sinta-se à vontade para exercê-los. Em mais de vinte estados americanos, aprovou-se legislação declarando que as mulheres têm o direito de amamentar no peito em público — que expor os seios para amamentar não é indecente e não é crime. Em 1999, foi criada uma lei federal para garantir o direito das mulheres de amamentarem em qualquer lugar de propriedade federal. Mesmo que você more em um estado que não tem ainda esta legislação, ainda tem todo o direito de alimentar sua filha quando ela está com fome — o aleitamento materno não é ilegal *em lugar nenhum* (exceto em um carro em movimento, onde até um bebê com fome deve estar seguro num assento infantil).

- Faça o que vier naturalmente. Se alimentar sua filha em público parece certo, vá em frente e faça. Se não, mesmo depois de alguma prática, opte pela privacidade sempre que puder.

## Caroços nos seios

*"De repente descobri um caroço no meu seio. É macio e meio vermelho. Pode estar relacionado com a amamentação — ou é alguma coisa pior?"*

Descobrir um caroço em um seio desperta preocupação em qualquer mulher. Mas, felizmente, o que você descreve quase certamente está relacionado com a amamentação — um duto láctico provavelmente ficou obstruído, levando o leite a se acumular. A área obstruída em geral aparece como um caroço vermelho e macio. Embora não seja em si mesmo sério, um duto obstruído pode levar à infecção mamária, então não deve ser negligenciado. A base do tratamento é manter o leite fluindo:

- Drene o seio afetado completamente em cada mamada. Ofereça-o primeiro e estimule o bebê a tomar a maior quantidade de leite possível. Se ainda parece haver uma quantidade significativa de leite depois da mamada (se você puder extrair um fluxo, em vez de apenas algumas gotas), tire o leite restante com a mão ou com uma bomba mamária.

- Mantenha a pressão longe do duto obstruído. Certifique-se de que o sutiã não esteja apertado demais nem suas roupas muito restritivas. Alterne as posições de amamentação para impor pressão em dutos diferentes em cada mamada.

- Aproveite a mamada para uma massagem. Posicionar o queixo de seu bebê para que ele massageie o duto obstruído durante a mamada ajudará a limpá-lo.

- Coloque compressas quentes no duto obstruído antes de cada mamada. Massageie suavemente o duto antes e durante a amamentação.

- Verifique se o leite seco não está bloqueando o mamilo. Limpe sempre com água morna.

- Não deixe de amamentar. Agora não é hora de desmamar seu filho, nem de recuar na amamentação. Isto agravaria o problema.

- De vez em quando, apesar de seus maiores esforços, pode se desenvolver uma infecção. Se a área sensível torna-se cada vez mais dolorosa, dura

e vermelha, e/ou se você ficar com febre, procure um médico (ver próxima pergunta).

# MASTITE

*"Meu garotinho é um mamador entusiasmado, e embora meus mamilos estejam meio feridos e rachados, achei que estava tudo indo muito bem. Agora, de repente, um seio está muito sensível e duro — pior do que quando o leite veio pela primeira vez."*

Para a maioria das mulheres, o curso da amamentação, depois de um começo agitado, é relativamente tranquilo. Mas para algumas — e parece que você é uma delas — a mastite (uma inflamação na mama) aparece para complicar as coisas. Esta infecção pode ocorrer a qualquer momento durante a lactação, mas é mais comum entre a segunda e a sexta semana pós-parto.

Em geral a mastite é causada pela entrada de germes, com frequência da boca do bebê, no duto lácteo, através de uma rachadura na pele do mamilo. Uma vez que mamilos rachados são muito comuns entre mães que amamentam no peito pela primeira vez, cujos mamilos não estão acostumados aos rigores da sucção infantil, a mastite atinge estas mulheres com mais frequência. Os sintomas da mastite incluem ulceração grave, endurecimento, vermelhidão, calor e inchaço no duto afetado, com tremores generalizados e febre de cerca de 38,5 a 39º C — embora ocasionalmente os únicos sintomas sejam febre e fadiga. O tratamento médico imediato é importante; então relate qualquer um destes sintomas a seu médico o mais rápido possível. A terapia prescrita incluirá antibióticos e possivelmente repouso no leito, analgésicos e aplicações de calor.

Embora amamentar com o seio afetado seja doloroso, você não deve evitar isso. Na verdade, deve deixar que seu filho mame com frequência para manter o leite fluindo e evitar a obstrução. Esvazie o seio completamente com a mão ou com uma bomba depois de cada mamada se seu filho não faz a tarefa sozinho. Não se preocupe com a transmissão da infecção para o bebê; os germes que causam a infecção provavelmente vieram da boca de seu filho.

Adiar o tratamento da mastite pode levar ao desenvolvimento de abscesso mamário, cujos sintomas são uma dor excruciante e aguda; inchaço, sensibilidade e calor na área do abscesso; e temperaturas oscilando entre 37,7 e 39,5º C. O tratamento geralmente inclui antibióticos e com frequência drenagem cirúrgica sob anestesia local. Se você desenvolve um abscesso, deve suspender temporariamente a amamentação no seio afetado, embora você deva continuar a esvaziá-lo com uma bomba até que esteja completamente curado e possa reassumir o aleitamento. Nesse meio tempo, o bebê pode continuar mamando no seio que não foi atingido.

# AMAMENTAÇÃO DURANTE UMA DOENÇA

*"Acabo de contrair uma gripe. Posso continuar amamentando minha filha sem que ela adoeça?"*

A mamentar sua filha é a melhor maneira de fortalecer a resistência dela a seus germes (e a outros germes que a cercam) e preservar a saúde. Ela não pode contrair germes através de seu leite, embora possa se tornar infectada por outros contatos com você. Para minimizar a disseminação de infecção, sempre lave as mãos antes de lidar com sua filha ou com os pertences dela e também antes de dar de mamar; se ela acaba adoecendo apesar de suas precauções, veja as dicas de tratamento que começam na página 768.

Para acelerar sua própria recuperação, bem como para manter seu suprimento de leite e sua energia enquanto você tem uma gripe ou um resfriado, beba mais líquidos (um copo de água, suco, sopa ou chá descafeinado a cada hora enquanto estiver acordada), mas não esqueça de tomar seu suplemento vitamínico, e faça uma dieta o mais balanceada possível sob as circunstâncias. Verifique com seu médico se você precisa de medicação — mas não tome nada sem prescrição médica.

Se você contrair um "vírus de estômago", ou gastroenterite, deve novamente tomar precauções contra a infecção de seu bebê — embora os riscos sejam pequenos, uma vez que os bebês amamentados no peito parecem estar protegidos contra a maioria destas infecções. Lave as mãos, especialmente depois de ir ao banheiro, antes de tocar em seu bebê ou em qualquer coisa que ele possa colocar na boca. Tome muito líquido (como sucos de frutas diluídos ou chás descafeinados) para substituir aqueles perdidos pela diarreia ou pelo vômito.

## AMAMENTAR NO PEITO DURANTE A MENSTRUAÇÃO

*"Minha menstruação voltou cedo, apesar de eu estar amamentando no peito. Será que meu leite será afetado por ela? Ainda posso amamentar meu filho?"*

Embora seja verdade que muitas mulheres que amamentam exclusivamente no peito não comecem a menstruar antes do desmame (ou do desmame parcial), algumas mulheres, como você, veem as regras voltando cedo, de três a seis meses pós-parto.

A volta da menstruação não significa o final da amamentação. Você pode e deve continuar a amamentar seu filho no peito mesmo que tenha começado a menstruar, mesmo enquanto tem o fluxo menstrual. Contudo, pode ocorrer uma queda temporária em seu suprimento de leite, provavelmente por causa das mudanças hormonais que surgem durante a menstruação. Continuar a amamentar o seu bebê frequentemente, especialmente no início de seu ciclo, pode ajudar, mas esta redução temporária no suprimento pode acompanhar o curso da menstruação. Seu suprimento

voltará em alguns dias depois que seus níveis hormonais voltarem ao normal. O sabor de seu leite também pode sofrer uma certa alteração, pouco antes ou durante sua menstruação, novamente por causa das mudanças hormonais. Seu bebê pode não ser afetado por isso (alguns bebês são mais exigentes com a alimentação do que outros), ou ele pode mamar com menos frequência ou com menos entusiasmo, rejeitar um seio ou os dois, ou ficar mais agitado do que o normal. Outra forma de seu ciclo afetar a amamentação: você pode achar que seus mamilos estão mais sensíveis durante a ovulação, nos dias que antecedem o fluxo ou nas duas ocasiões.

## EXERCÍCIOS E AMAMENTAÇÃO

*"Agora que meu bebê tem 6 semanas, gostaria de retomar minha rotina de exercícios. Mas ouvi dizer que os exercícios podem deixar meu leite azedo."*

O que você ouviu sobre os exercícios e o leite materno (que os níveis maiores de ácido lático depois dos exercícios podem deixar o leite azedo) agora é coisa do passado. Felizmente, as pesquisas mais recentes mostram que exercícios — de moderados a intensos (como uma rotina de aeróbica quatro ou cinco vezes por semana) — não deixam o leite azedo nem levam os bebês a torcerem o nariz para a mãe depois que ela malha.

Assim, sem dúvida, vá para a esteira (ou para o *step*, ou a piscina). Tenha cuidado para não exagerar (exercitar-se ao ponto da exaustão na verdade pode aumentar os níveis de ácido lático o bastante para deixar seu leite azedo). Para garantir a segurança, experimente programar seus exercícios para imediatamente após uma mamada, para que na eventualidade muito improvável de que os níveis de ácido lático alcancem alturas de azedar o leite, eles não afetem a próxima refeição do bebê. Outra vantagem de se exercitar depois de amamentar: seus seios não estarão desagradavelmente cheios. Se por algum motivo você não se adaptar a amamentar antes de uma sessão de exercícios, experimente bombear e guardar seu leite antecipadamente, e depois amamentar com o leite pré-exercícios em uma mamadeira quando seu bebê estiver disposto a mamar. E uma vez que o leite salgado não tem um gosto melhor do que o leite ácido, tome um banho antes (ou, pelo menos, lave o suor salgado que ainda está em seus seios).

Tenha em mente que se você se exercitar *excessivamente* com regularidade, poderá ter problemas para manter o suprimento de leite. Isso pode ter mais a ver com o movimento persistente dos seios e o atrito excessivo das roupas nos mamilos do que com a prática dos exercícios. Assim, certifique-se de usar sutiãs esportivos firmes, feitos de algodão, toda vez que for malhar. Além disso, uma vez que os exercícios do braço podem levar à obstrução dos dutos lácteos em algumas mulheres, encare os pesos com cautela.

---

## ANTICONCEPCIONAIS E A MÃE QUE AMAMENTA

No passado, as mães que amamentavam no peito tinham de depender de um método de barreira para a contracepção, como o diafragma ou a camisinha. Mas hoje as mulheres que estão amamentando têm a opção de tomar a "minipílula" — uma versão da pílula que só contém progestina —, bem como outros métodos hormonais de uso seguro durante a lactação. Para mais detalhes sobre contracepção no pós-parto e enquanto amamenta, ver página 966.

---

Por fim, lembre-se de beber um copo de água (ou outro líquido) antes e depois de malhar para repor qualquer fluido perdido durante os exercícios, especialmente nos dias quentes.

## COMBINANDO O PEITO E A MAMADEIRA

*"Tenho consciência de todos os benefícios do aleitamento materno, mas não tenho certeza se quero amamentar minha filha exclusivamente no peito. Será possível combinar o peito e a alimentação com fórmulas?"*

Embora todos possam concordar que a amamentação exclusivamente no peito é de longe a melhor opção para o bebê, algumas mulheres acham que não

# A CONFUSÃO DE BICOS DEIXA VOCÊ CONFUSA?

Talvez você prefira combinar o peito e a mamadeira. Ou talvez só queira introduzir a mamadeira para ter a opção de recuar de vez em quando. Mas você soube que introduzir a mamadeira cedo demais ou da forma errada pode causar "confusão dos bicos", e agora não tem certeza de como proceder. Embora muitos consultores em lactação alertem as novas mães sobre os perigos da confusão dos bicos (e por um bom motivo, uma vez que iniciar a mamadeira antes que o bebê tenha dominado as habilidades básicas de mamar no peito pode sabotar a amamentação), é possível treinar um bebê para alternar sem esforço entre o peito e a mamadeira.

A chave é o *timing* (introduza a mamadeira cedo demais e o bebê poderá rejeitar o peito, porque de repente vai parecer dar trabalho demais; introduza-a tarde demais e o bebê pode já estar ligado demais ao mamilo da mãe para provar a variedade feita em fábrica). Mas a personalidade também tem importância (alguns bebês são mais abertos a novas experiências, alguns se prendem obstinadamente aos hábitos). Mais importante, contudo, é a perseverança (a sua e a do bebê). Embora seu bebê possa ficar confuso com a mamadeira no início, e possa até rejeitá-la nas primeiras tentativas, é provável que ele logo pegue o jeito de lidar com as duas coisas. Tenha em mente, porém, que existem alguns bebês que desenvolvem uma preferência inflexível por um método de amamentação em detrimento do outro e continuam a resistir a uma combinação dos dois. Para mais detalhes sobre a introdução da mamadeira, ver página 322.

---

é realista para seu estilo de vida (muitas viagens a negócios para longe de casa), difícil demais (elas experimentam feridas e rachaduras extremas nos mamilos, ou sofrem de infecções múltiplas nas mamas ou de uma escassez crônica de leite), consome tempo demais (entre o trabalho e outras obrigações), ou é simplesmente exaustivo. Para estas mulheres, combinar o aleitamento no peito com a mamadeira pode ser a melhor opção. Embora não seja uma opção que se coloque à mesa com frequência (as mulheres tendem a pressupor que amamentar no peito ou na mamadeira são mutuamente excludentes), é uma opção que pode proporcionar o melhor das duas formas de amamentação em algumas situações. Tenha em mente que *qualquer* leite materno é melhor do que nenhum.

Há, entretanto, coisas importantes a lembrar se você vai "atacar dos dois lados":

**Adie a mamadeira.** Tente retardar a mamadeira a seu bebê até que a amamentação esteja estabelecida — pelo menos duas ou três semanas. Desta forma, seu suprimento de leite será formado e seu filho estará acostumado com a amamentação (que consome mais esforço) antes que a mamadeira (que consome menos esforço) seja introduzida.

**Vá com calma.** Não troque abruptamente; em vez disso, faça a transição aos poucos. Introduza a primeira mamadeira com fórmula uma ou duas horas depois de uma sessão no peito (quando o bebê está com fome mas não está faminto demais). Aos poucos, aumente a frequência da mamadeira e diminua as sessões no peito, preferivelmente dando alguns dias entre cada acréscimo de mamadeira, até que você esteja oferecendo uma mamadeira em vez do peito a cada mamada alternada (ou com a frequência que você preferir). Usar a abordagem lenta para eliminar a amamentação evita a obstrução dos dutos e infecções mamárias.

**Fique de olho na oferta.** Quando você começa a alimentação suplementar, a diminuição na demanda por seu leite pode resultar rapidamente em uma redução da oferta. Você precisará se certificar de estar apta a amamentar no peito o bastante para que sua oferta de leite não caia muito. (Para a maioria das mulheres, seis mamadas no peito em um período de 24 horas é o bastante para manter uma produção adequada de leite para um recém-nascido). Você também pode precisar bombear ocasionalmente para manter a oferta de leite. Se seu filho não mama o bastante (ou se você não está bombeando para suprir as mamadas no peito perdidas), você pode não ter leite suficiente para continuar a amamentar no peito — e a combinação peito/mamadeira pode ir por água abaixo.

**Escolha o mamilo certo.** Você usou o mamilo certo para as mamadas no peito; agora escolha o bico que seja certo para a mamadeira também. Escolha um bico que se assemelhe àquele feito pela natureza, com uma base ampla e um fluxo lento. O formato desse bico permitirá que seu bebê forme um selo apertado em volta da base, em vez de apenas sugar a ponta. E o fluxo lento garante que seu filho tenha de se esforçar para conseguir leite, da mesma forma que acontece quando está mamando no peito.

# RELACTAÇÃO

*"Venho alimentando meu bebê de 10 dias com mamadeira e com o peito desde o nascimento, mas agora quero amamentá-lo exclusivamente no peito. Será possível?"*

Não será fácil — mesmo este curto período de suplementação deve ter reduzido a oferta —, mas definitivamente é possível. Com tempo, dedicação e paciência — e um bebê faminto que coopere — você logo será capaz de fazer a passagem da mamadeira para o peito. A chave para retirar a mamadeira de seu bebê será produzir leite o bastante para compensar a diferença. Aqui está como você pode aumentar sua oferta de leite e fazer uma transição bem-sucedida do aleitamento materno parcial para a amamentação exclusivamente no peito:

♦ Esvazie. Como a estimulação frequente e regular de seus seios é essencial para a produção de leite (quanto mais você os usa, mais usará), você vai precisar drenar seus seios (seja amamentando seu filho, seja bombeando) *pelo menos* a cada duas horas e meia durante o dia e a cada três a quatro horas à noite.

♦ Termine com a bomba. Termine cada mamada com cinco a dez minutos de bombeamento para garantir que seus seios estejam completamente drenados, estimulando uma produção ainda maior de leite. Congele o leite bombeado para uso posterior (ver página 249) ou alimente seu bebê com uma mistura entre o leite e a fórmula suplementar.

♦ Devagar com as fórmulas. Não deixe que seu bebê tenha uma crise de abstinência das fórmulas. Até que a plena produção de leite tenha sido estabelecida, seu filho precisará de alimentação suplementar, mas ofereça a mamadeira somente depois de uma sessão no peito. À medida que seu próprio suprimento de leite aumentar, diminua aos poucos a quantidade de fórmula em cada mamadeira. Se você diminuir a quantidade de fórmula que seu filho toma diariamente, deverá ver um decréscimo lento nessa quantidade à medida que sua oferta de leite aumentar.

♦ Considere usar suplementos. Usar um sistema de nutrição suplementar (SNS) pode fazer da transição do peito e da mamadeira para somente o peito muito mais tranquila. Este sistema permite que você alimente seu filho com fórmula enquanto ele mama no peito (ver página 256). Desta forma, seus seios recebem o estímulo de que precisam e seu filho recebe todo o alimento de que necessita.

♦ Contabilize as fraldas. Lembre-se de acompanhar as fraldas molhadas e os movimentos intestinais de seu bebê para ter certeza de que ele está se alimentando o suficiente (ver página 253). Além disso, mantenha contato com o pediatra de seu filho e pese o bebê com frequência para se certificar de que ele está comendo o suficiente durante a transição.

♦ Possivelmente, experimente medicação. Existem opções fitoterápicas (alguns consultores em lactação recomendam feno-grego em pequenas quantidades para estimular a produção de leite), e até um remédio tradicional (a metoclopromida), que às vezes é usado para estimular a produção de leite.[1] Mas, como com todas as ervas medicinais e os remédios alopáticos, não tome nada para estimular a produção de leite sem o conhecimento e a orientação de seu médico, o pediatra de seu filho e/ou um consultor certificado em lactação que esteja familiarizado com sua situação. E nem pense em tomar a medicação a não ser que você realmente esteja penando para produzir leite.

♦ Seja paciente. A relactação é um processo que consome tempo, e seu

---

[1]Embora a metoclopromida nos Estados Unidos não seja aprovada pela FDA para os propósitos de estimular a produção de leite, vários estudos mostraram que a droga é segura para os bebês e eficaz no aumento do suprimento de leite materno. O medicamento pode deixar a mãe sonolenta.

sucesso depende de um bom sistema de apoio. Arregimente a ajuda de seu cônjuge, sua família ou dos amigos, se possível. Consiga apoio e aconselhamento de um consultor em lactação. Você pode encontrar um no hospital, com seu médico, ou com a parteira, ou entrando em contato com a Sociedade Brasileira de Pediatria (www.sbp.com.br) ou no site www.aleitamento.com.br.

Relactar será um esforço contínuo de sua parte por pelo menos alguns dias, e pode durar algumas semanas. Embora às vezes possa se mostrar frustrante, é provável que por fim venha a ser recompensador. Mas de vez em quando, mesmo com os melhores esforços, a relactação não ocorre. Se este terminar sendo o seu caso, e você acabar tendo de amamentar com a mamadeira, seja parcial ou completamente, não se sinta culpada. Seus esforços para dar o peito devem deixá-la orgulhosa. E lembre-se, qualquer amamentação — mesmo por um curto tempo — beneficia enormemente seu bebê.

# O Que É Importante Saber:
# MANTENDO SEU LEITE SAUDÁVEL E SEGURO

Alimentar seu filho fora do útero não requer o grau de dedicação à dieta — ou o monitoramento — que foi necessário a alimentar seu bebê dentro do útero. Mas como você está amamentando no peito, precisará prestar certa atenção ao que consome para garantir que tudo que chegue a seu bebê seja saudável e seguro.

## O QUE COMER

Cansada de observar sua dieta como um falcão cheio de expectativa? Aqui está uma notícia que você ficará feliz em ouvir: comparada com a gravidez, a amamentação na verdade exige muito pouco de sua dieta. A composição básica de proteína, gordura e carboi-

drato do leite humano não depende diretamente do que a mãe come. Na verdade, em todo o mundo, as mulheres produzem um leite adequado e abundante com dietas inadequadas. Isso porque, se uma mãe não consome calorias e proteínas suficientes para produzir leite, seu corpo usa suas reservas de nutrientes para estimular a produção de leite — isto é, até que as reservas acabem.

Mas só porque você pode produzir leite com uma dieta inadequada não quer dizer que deva fazer isso. Evidentemente não importa quantos nutrientes seu corpo tenha armazenado; o objetivo, quando você está amamentando, nunca deve ser acabar com estas reservas — isto é arriscado demais, deixando-a vulnerável a uma variedade de doenças, podendo inclusive, mais tarde na vida,

# OS ALIMENTOS PODEM FAZER LEITE?

Toda mãe que amamenta no peito ouviu falar disso pelo menos uma vez: alimentos, bebidas e preparados vegetais com o suposto poder de aumentar a produção de leite. Eles cobrem uma ampla gama — de leite e cerveja, a chás feitos de funcho, cardo-mariano, erva-doce, urtiga e alfafa; de grão-de-bico e alcaçuz a batatas, azeitona e cenoura. Embora algumas mães confiem nessas tradições culturais e padrões da vovó, alguns especialistas dizem que os efeitos dessas "poções para fazer leite" são em grande parte psicológicos. Se uma mãe acredita que o que ela come ou bebe vai produzir leite, ela ficará relaxada. Se está relaxada, terá um bom reflexo de descida. Se seu reflexo de descida é bom, ela interpretará que tem mais leite, e que a poção mágica afinal funcionou. Lembre-se: a melhor maneira — e a única maneira comprovada — de aumentar a produção de leite é amamentar seu filho frequentemente.

---

desenvolver osteoporose. Assim, certifique-se de comer (não importa o quanto você esteja ansiosa para perder peso), e comer bem (ver Dieta Pós-parto na página 930). Mas fique tranquila com o fato de que as mães que amamentam no peito — ao contrário das gestantes — não precisam ter tanto cuidado com o que comem e o que não comem. (Ainda assim, existem restrições para o bem da segurança; leia sobre elas na página 160.)

Na verdade, comer uma ampla variedade de alimentos parece ser benéfico para seu bebê que mama, e não apenas de um ponto de vista da nutrição. Porque o que você come afeta o sabor e o cheiro do leite, seu filho é exposto a diferentes sabores muito antes que esteja pronto para se sentar à mesa de jantar, o que pode ajudar a formar seus futuros hábitos alimentares. A própria experiência com o sabor do leite que seu filho mama pode proporcionar os fundamentos para preferências culturais e étnicas na culinária. Um bebê de colo indiano, por exemplo, em geral não tem problemas para devorar uma comida temperada com *curry* — provavelmente porque ele foi exposto a ela quando ainda era um feto (através do líquido amniótico) e quando estava mamando. Pelo mesmo motivo, uma criança mexicana pode estar mais acostumada com o cheiro e o sabor de molhos picantes. Por outro lado, uma criança cuja mãe teve uma dieta leve enquanto estava grávida e amamentando pode ter uma probabilidade maior de rejeitar uma tigela de chili apimentado quando passar a comer sólidos.

De vez em quando, um bebê com um paladar particularmente discriminatório pode receber mal o leite de sua mãe depois que ela comeu alguma coisa com um sabor distinto, como alho (de novo, provavelmente porque o sabor não é conhecido). Outros, talvez porque se acostumaram com uma infusão de alho durante sua estada no útero, podem até gostar mais do leite da mãe quando ela comeu pesto e lagostim. E se você quer dar a seu filho uma preferência por vegetais, aqui está mais uma coisa para se cogitar: em um estudo, os bebês cujas mães beberam suco de cenoura quando estavam grávidas e amamentando no peito comiam gulosamente cereais misturados com suco de cenoura com mais ansiedade do que os bebês de mães que ficaram longe da cenoura — uma prova de que o que você come agora pode ter um efeito positivo nos futuros hábitos alimentares de seu filho, o que é outro bom motivo para comer vegetais. Outra vantagem: seu bebê que mama no peito pode levar a dianteira sobre seus contemporâneos alimentados com fórmulas quando chegar a hora de se sentar na cadeira alta. Os bebês amamentados no peito mostram uma fase de transição mais fácil para os alimentos sólidos, provavelmente porque já se aclimataram aos diferentes sabores bebendo o leite da mãe.

Mas é provável que nem tudo o que você come tenha um final feliz na barriga do bebê. Algumas mães, depois de comer alimentos como repolho, brócolis, cebola, couve-flor ou couve-de-bruxelas, descobrem que seus filhos ficam com gases (embora estudos científicos não tenham conseguido apoiar essa evidência anedótica). A cólica em alguns bebês tem sido ligada a laticínios, cafeína, cebola, repolho ou feijões na dieta da mãe. Uma dieta materna que seja farta em melão, pera e outras frutas pode causar diarreia em alguns bebês. A pimenta-vermelha pode causar assaduras em alguns bebês amamentados no peito.

Outros bebês são realmente alérgicos aos alimentos da dieta da mãe, e os agressores mais comuns são o leite de vaca, os ovos, frutas cítricas, nozes ou trigo (ver página 270 para mais detalhes sobre alergias nos bebês que mamam no peito). O que você come também muda a cor de seu leite, e até a cor da urina de seu filho. Por exemplo, uma mãe que beba refrigerante de laranja pode descobrir que seu leite tem uma cor laranja-rosada e a urina de seu bebê fica rosada brilhante (o que é totalmente inócuo, mas definitivamente cria ansiedade). Algas kelp, algas marinhas (na forma de tablete) e outras vitaminas naturais de fontes alimentares saudáveis têm sido associadas com o leite materno esverdeado (ótimo para o Halloween, mas provavelmente não é o que você quer ver regularmente).

Leva de duas a seis horas para que o alimento que você come afete o sabor e o cheiro de seu leite, assim, se você achar que seu filho está com gases, está cuspindo mais o leite, rejeitando-o ou fica agitado algumas horas depois de você ter comido um determinado alimento, experimente eliminar esse alimento de sua dieta por alguns dias e veja se desaparecem os sintomas de seu filho ou sua relutância em mamar.

# O QUE BEBER

O quanto você tem que beber para ter certeza de que seu bebê tem o bastante para mamar? Na verdade, não mais do que você tem que beber em qualquer outra época de sua vida adulta. As mães que amamentam no peito não precisam beber mais de oito copos por dia — de água, leite, ou outros líquidos — para garantir um bom suprimento de leite. Na verdade, líquido demais pode diminuir a quantidade de leite que você produz.

Aliás, a maioria dos adultos não bebe tudo de que precisa todo dia, e as mães que amamentam não são exceção. Uma forma de garantir que você esteja bebendo sua quota é manter uma garrafa ou copo de água perto de você quando estiver amamentando (o que acontecerá pelo menos oito vezes por dia no começo); quando seu filho beber, você fará o mesmo. Se você não estiver bebendo o suficiente, seu suprimento de leite não lhe dirá (ele só diminuirá se você ficar gravemente desidratada), mas sua urina, sim; ela ficará mais escura e com um odor mais forte. Como regra geral, esperar até ter sede para beber significa que você está indo longe demais sem líquidos. (Você pode ficar com mais sede do que o normal depois de dar à luz, por causa da perda de fluidos e da ingesta inadequada de líquidos durante o parto; repor esses fluidos é importante para sua saúde.)

Há algumas bebidas que você deve evitar, ou pelo menos limitar o consumo, quando estiver dando o peito. Ver página 160 para mais detalhes.

## QUE REMÉDIOS TOMAR

A maioria dos remédios — tanto os de grandes laboratórios quanto os de manipulação — não têm efeito na quantidade de leite produzido por uma mãe que amamenta, nem no bem-estar do bebê. Embora seja verdade que o que entra em seu corpo em geral faz seu caminho até o fornecimento de leite, a quantidade que por fim termina na refeição de seu filho em geral é uma fração mínima do que você ingere. Muitas drogas parecem não ter nenhum efeito sobre um bebê que mama no peito; outras, um efeito brando e transitório; e muito poucas podem ter um efeito deletério significativo. Mas, uma vez que não se sabe o bastante dos efeitos de longo prazo dos remédios no bebê amamentado, você precisará ter prudência quando tomar remédios de grandes laboratórios ou de farmácias de manipulação enquanto está amamentando.

Todos os medicamentos que representam um risco teórico para o bebê que mama no peito levam um alerta — no rótulo, na bula ou em ambos. Quando os benefícios superam os possíveis riscos, seu médico provavelmente dará carta branca ao uso ocasional de alguns remédios sem consulta médica (alguns medicamentos para a gripe e analgésicos brandos, por exemplo) e receitarão outros quando sua saúde o exigir. Como uma mãe grávida, uma mãe que amamenta não faz um favor nem a si mesma, nem ao bebê quando se recusa a tomar um remédio receitado pelo médico sob essas circunstâncias. Certifique-se, é claro, de que qualquer médico que lhe receite remédios saiba que você está amamentando no peito.

Para conhecer a maior parte das informações atualizadas sobre que remédios acreditam-se seguros durante a lactação e quais não são, consulte o pediatra de seu filho ou visite o site da Sociedade Brasileira de Pediatria (www.sbp.com.br) e o do Ministério da Saúde (www.saude.gov.br). As pesquisas mais recentes indicam que a maioria dos remédios (inclusive acetaminofen, ibuprofeno, a maioria dos sedativos, anti-histamínicos, descongestionantes, alguns antibióticos, anti-hipertensivos, drogas antitireoidianas e alguns antidepressivos) são compatíveis com o aleitamento materno. Mas alguns, inclusive drogas anticâncer, lítio e ergotinas (drogas usadas para enxaqueca) são claramente perigosas. Outras são suspeitas. Em alguns casos, um remédio pode ser interrompido com segurança durante a lactação; em outros, é possível encontrar um substituto mais seguro. Quando o remédio que não é compatível com a amamentação é necessário a curto prazo, pode-se interromper temporariamente o aleitamento (com os seios bombeados e o leite descartado). Ou a dosagem pode ser programada para apenas depois de amamentar ou antes que o bebê caia no período mais longo de sono. Como sempre, tome remédios — e isso inclui ervas medicinais e suplementos — somente com a aprovação de seu médico.

# O QUE VOCÊ DEVE EVITAR

Embora as mães que amamentam no peito tenham consideravelmente mais liberdade de movimento quando se trata de sua dieta e do estilo de vida do que as grávidas, ainda existem várias substâncias que é inteligente evitar —

ou, pelo menos, diminuir — enquanto está amamentando. Muitas são aquelas de que você provavelmente já se afastou na preparação para a gravidez ou durante a gestação.

**Nicotina.** Muitas das substâncias tóxicas do tabaco entram na corrente sanguínea e por fim no leite. As fumantes inveteradas (mais de um maço por dia) diminuem a produção de leite e seu hábito de fumar pode causar vômitos, diarreia, batimento cardíaco acelerado e intranquilidade nos bebês. Embora os efeitos de longo prazo destes venenos em seu bebê ainda não sejam conhecidos com certeza, pode-se especular com segurança que não são positivos. Acima de tudo, sabe-se que aspirar a fumaça de cigarro de um genitor pode causar uma variedade de problemas de saúde nos descendentes, inclusive cólicas, infecções respiratórias e um aumento no risco de síndrome da morte súbita infantil (ver página 384). Se você não consegue parar de fumar, ainda assim será melhor amamentar seu filho no peito do que na mamadeira; tente, contudo, reduzir o número de cigarros que você fuma a cada dia, e não fume logo antes de amamentar.

**Álcool.** O álcool passa para o leite materno, embora a quantidade que o bebê tome seja consideravelmente menor do que a que você bebe. Embora provavelmente não haja problema em beber alguns drinques por semana (mas não mais do que um por dia), você deve tentar limitar o consumo de bebidas alcoólicas em geral enquanto estiver amamentando.

As mães que bebem muito têm outras desvantagens. Em grandes doses, o álcool pode deixar o bebê sonolento, indolente, sem capacidade de resposta e incapaz de sugar bem. Em doses muito grandes, pode interferir na respiração. Bebida demais também pode prejudicar seu próprio funcionamento (esteja você amamentando ou não), tornando-a menos capaz de cuidar, proteger e nutrir seu filho, e pode deixá-la mais suscetível a depressão, fadiga e lapsos de consciência. Além disso, pode enfraquecer seu reflexo de descida. Se você escolher tomar um drinque ocasional, tome-o depois de amamentar, em vez de antes, para dar algumas horas para que o álcool seja metabolizado.

**Cafeína.** Uma ou duas xícaras de café, chá ou refrigerante de cola cafeinados por dia não afetarão seu bebê ou você — e durante aquelas primeiras semanas pós-parto de privação de sono, um pulinho na cafeteria de seu bairro pode ser tudo de que você precisa para seguir em frente. Uma quantidade maior de cafeína provavelmente não é uma boa ideia; tomar xícaras demais vai deixá-la nervosa, irritadiça ou insone, ou os dois ficarão assim (algo que você definitivamente não quer). A cafeína também está relacionada com o refluxo em alguns bebês. Tenha em mente que os bebês não podem eliminar a cafeína com a mesma eficiência dos adultos, então ela pode se firmar em seus sistemas. Assim, limite o consumo de cafeína enquanto estiver amamentando no peito, ou mude para bebidas sem cafeína, ou suplemente com elas.

**Ervas medicinais.** Embora as ervas medicinais sejam naturais, nem sempre são seguras, em especial para mães que amamentam no peito. Elas podem ser tão poderosas — e tão tóxicas — quanto alguns remédios. Assim como as drogas, os ingredientes químicos de ervas medicinais chegam ao leite materno. Mesmo ervas como o feno-grego (que tem sido usado há séculos para aumentar o suprimento de leite da mãe em lactação, e às vezes é recomendado por consultores em lactação, embora os estudos científicos sejam controversos) podem ter um efeito muito potente na pressão sanguínea e no batimento cardíaco quando ingeridas em grandes doses. Em geral, pouco se sabe como as ervas medicinais afetam um bebê que mama no peito, porque poucos estudos foram feitos. Seja cuidadosa e consulte seu médico antes de tomar qualquer remédio fitoterápico. Pense duas vezes antes de tomar um chá de ervas também, para os quais o Ministério da Saúde recomenda cautela até que sejam mais conhecidos. Por ora, prenda-se a marcas confiáveis de chás de ervas consideradas seguras durante a lactação (estas incluem laranja, hortelã, framboesa e *rose hip*), leia os rótulos cuidadosamente para se certificar de que outras ervas não foram adicionadas à bebida e tome-os somente com moderação.

**Substâncias químicas.** Ter uma dieta rica em substâncias adicionadas nunca é uma idéia muito boa; durante a amamentação, assim como durante a gravidez, pode ser particularmente ruim. Embora não seja necessário ficar

## NÃO COMER AMENDOIM ENQUANTO ALIMENTA SEU AMENDOINZINHO?

Se você tem histórico familiar de alergia a amendoim — ou outras nozes —, é provavelmente sensato evitar amendoins e alimentos que o contenham enquanto estiver amamentando. A pesquisa revelou que os alérgenos do amendoim podem ser transmitidos pelo leite materno para o bebê. Teorizou-se que esta exposição precoce aos alérgenos do amendoim leva o bebê a se tornar sensível a eles, resultando em alergias potencialmente graves na infância. Se você tem alergia, ou se tem um histórico familiar de alergia, fale com o médico de seu filho ou com o alergista para determinar que alimentos, se houver algum, você deve evitar enquanto estiver amamentando.

obcecada com a leitura de rótulos, é justificável ter um pouco de prudência. Lembre-se: muitas substâncias que são acrescentadas a seus alimentos serão acrescentadas, através de você, ao alimento de seu bebê. Como regra geral, procure evitar alimentos processados que contenham uma longa lista de aditivos, e procure seguir as dicas para comer com mais segurança:

♦ Adoce com segurança. O aspartame é provavelmente melhor do que a sacarina (só quantidades minúsculas de aspartame passam para o leite materno), mas, uma vez que as conse-

quências de longo prazo do uso de adoçantes, se houver alguma, ainda não são conhecidas, o excesso definitivamente não é o melhor. (Não use aspartame de jeito nenhum se você ou seu filho tem fenilcetonúria.) A sucralose (Splenda), contudo, é feita de açúcar e é considerada segura e um bom substituto do açúcar sem caloria nenhuma.

♦ Prefira os orgânicos. As frutas e vegetais orgânicos certificados agora estão amplamente disponíveis nos supermercados, como os laticínios e aves, carne de vaca e ovos orgânicos. Mas não pense que você tem que enlouquecer (ou enlouquecer toda a cidade) para proteger o leite de seu bebê dos pesticidas. Faça o que puder para evitar os pesticidas incidentais (e escolher orgânicos é a melhor maneira de fazê-lo), mas perceba que uma certa quantidade terminará em sua dieta, e portanto em seu leite, apesar de suas tentativas — e que estas quantidades não são prejudiciais. Quando os orgânicos não estão disponíveis, ou você não quer pagar seu preço mais alto, descasque ou escove bem a casca de frutas e vegetais (use produtos específicos de limpeza de vegetais para uma proteção extra).

♦ Mantenha baixo o consumo de gorduras. Como aconteceu durante a gravidez, é inteligente escolher laticínios sem gordura ou com baixo teor de gordura, bem como carnes magras e aves sem a pele, por dois motivos. Primeiro, uma dieta pobre em gorduras tornará mais fácil para você se livrar do peso ganho na gravidez. Segundo, os pesticidas e outras substâncias químicas ingeridas pelos animais são armazenados em sua gordura (e em seus órgãos, como no fígado, rins e cérebro, e é por isso que você só deve comer estes alimentos raramente enquanto estiver amamentando). Laticínios e derivados da carne orgânicos, é claro, não apresentam o mesmo risco em potencial — esse é um bom motivo para escolhê-los quando puder.

♦ Coma peixe seletivamente. As mesmas diretrizes sobre a segurança do peixe aplicadas às gestantes são válidas para a mãe que amamenta. Assim, minimize a sua exposição ao mercúrio (e a exposição de seu bebê) evitando comer tubarão, peixe-espada, cavalinha e peixe-batata, e limite seu consumo a 350 gramas (no total) por semana de salmão, perca-do-mar, linguado, hadoque, linguado-gigante, pescada-polaca, bacalhau, atum (enlatado é mais seguro que fresco) e truta criada em cativeiro.

♦ ♦ ♦

# CAPÍTULO 4

# Seu Recém-Nascido

A espera acabou. Seu filho — a pessoinha que você aguardou por nove meses — finalmente está aqui. Quando você pega sua trouxinha quente pela primeira vez, é inundada por mil e uma emoções, numa gama confusa que vai da empolgação e alegria à apreensão e dúvida pessoal. E, especialmente se você é mãe pela primeira vez, é provável que também esteja sobrecarregada de (pelo menos) mil e uma perguntas. Por que a cabeça dela tem um formato tão engraçado? Por que ele já tem acne? Por que não consigo mantê-la acordada por tempo suficiente para dar de mamar? Por que ele não para de chorar?

Enquanto você procura pelas instruções operacionais (os bebês não vêm com manual?), aqui está uma coisa que você precisa saber: sim, você tem muito o que aprender (afinal, ninguém nasce sabendo como cuidar de um cordão umbilical nem massagear um duto lacrimal obstruído), mas dê uma chance a si mesma e você se surpreenderá em descobrir o quanto de ser mãe surge naturalmente (inclusive a orientação operacional mais importante de todas: amar seu bebê). Assim, encontre as respostas para suas perguntas nos capítulos que se seguem mas, enquanto fizer isso, não se esqueça de se valer do recurso mais precioso que você tem: seus próprios instintos.

# O Que seu Bebê Pode Estar Fazendo

*Alguns dias depois do nascimento, seu filho provavelmente será capaz de:*

- Erguer a cabeça um pouco quando está de bruços (o que o bebê deve fazer somente sob supervisão).

- Mexer braços e pernas em ambos os lados do corpo igualmente bem.

- Focalizar os objetos que estão a 20 ou a 40 centímetros (especialmente seu rosto!).

# O Que Você Pode Esperar dos *Check-ups* do Hospital

O primeiro *check-up* de seu filho ocorrerá momentos depois de sua chegada, na sala de parto. Ali, ou mais tarde, no berçário, você pode esperar que o médico ou a enfermeira farão algumas ou todas as etapas que se seguem:

- Limpar as vias aéreas do bebê por sucção do nariz (o que pode ser feito assim que a cabeça aparece ou depois que surge o resto do bebê).

- Prender o cordão umbilical em dois lugares e cortar entre os dois grampos — embora o pai possa fazer as honras do corte (um unguento antibiótico ou um antisséptico pode ser aplicado no cordão umbilical, e o grampo em geral fica no local por pelo menos 24 horas).

- Determinar a classificação de Apgar do bebê (classificar as condições do bebê um minuto e cinco minutos depois do nascimento; ver página 169).

- Administrar unguento antibiótico nos olhos (ver página 190) para prevenir infecção por gonococos ou clamídia.

- Pesar o bebê (o peso médio é de 3,4 quilos; 95% dos bebês nascidos a termo pesam entre 2,5 e 4,5 quilos).

- Medir o bebê (o tamanho médio é de 50 centímetros; 95% por cento dos recém-nascidos têm entre 45 e 55 centímetros).

- Medir a circunferência da cabeça (a média é de 34,5 centímetros; a faixa normal vai de 32,3 a 36,7 centímetros).

- Contar os dedos das mãos e dos pés e verificar se as partes observáveis do corpo do bebê e suas características parecem normais.

## TESTANDO SEU BEBÊ

Algumas gotas de sangue podem ir muito longe. Atualmente estas gotas, tiradas rotineiramente dos calcanhares do bebê depois do nascimento, são usadas para o exame de fenilcetonúria e hipotireoidismo. Mas há um esforço nos Estados Unidos para pressionar os estados a examinarem o sangue dos calcanhares em busca de outros distúrbios metabólicos, inclusive hiperplasia adrenal congênita, deficiência de biotinidase, doença da urina em xarope de bordo, galactossemia, homocistinúria, deficiência de acil-CoA desidrogenase de cadeia média e anemia falciforme. Embora a maioria destes problemas seja rara, eles podem ameaçar a vida se não são detectados e tratados. Examinar em busca destes e de outros distúrbios metabólicos não é caro, e na eventualidade muito improvável de que os exames de seu bebê deem positivo para qualquer um deles, o pediatra pode verificar os resultados e começar o tratamento imediatamente — o que pode fazer uma enorme diferença no prognóstico.

Para informação geral sobre exames em recém-nascidos, visite o portal da saúde em portal.saude.gov.br.

---

♦ Avaliar a idade gestacional (o tempo passado no útero) de bebês nascidos antes do termo.

♦ Entregar o bebê a você para que seja amamentado e/ou embalado.

♦ Antes de o bebê sair da sala de parto, colocar fitas de identificação no bebê, na mãe e no pai. As impressões do pé do bebê e as digitais da mãe também podem ser obtidas para propósitos de identificação futura (a tinta é lavada dos pés de seu filho, e qualquer resíduo que você possa notar é temporário).

O médico do bebê, em geral de sua escolha, realizará um exame mais completo do recém-chegado em algum momento nas 24 horas seguintes. Se você conseguir que ele esteja presente, é uma boa hora para começar a fazer milhares de perguntas que você certamente tem. O médico verificará o seguinte:

♦ O peso (provavelmente cai depois do nascimento, e cairá um pouco mais nos próximos dias), a circunferência da cabeça (pode ser maior do que era no início, à medida que a cabeça começa a arredondar) e o tamanho (o que na verdade não muda, mas pode parecer mudar porque a medição do bebê — que não pode ficar de pé nem cooperar — é um procedimento muito impreciso).

♦ Ouvir sons e a respiração.

♦ Órgãos internos, como os rins, o fígado e o baço, por palpação (examinar pelo toque, externamente).

# EXAME DE AUDIÇÃO DO RECÉM-NASCIDO

Os bebês aprendem tudo sobre o ambiente com os sentidos — da visão do rosto do papai sorrindo à sensação da pele quente quando é embalado em braços amorosos, o cheiro de uma flor, o som da voz da mamãe quando ela fala com o filho. Mas para aproximadamente 1 em cada 700 a 2.500 bebês nascidos nos Estados Unidos, o sentido da audição — tão integrado ao desenvolvimento da fala e das habilidades de linguagem — é debilitado.

Até recentemente, a perda de audição em geral não era detectada nas crianças novas até que aquelas importantes habilidades fossem observadas, com frequência só muito mais tarde. Mas hoje em dia, tanto a Academia Americana de Pediatria como os Centros de Controle de Doenças endossam o exame universal de bebês para a perda de audição. E, na verdade, aproximadamente dois terços de todos os estados americanos exigem que os recém-nascidos sejam examinados no hospital em busca de problemas auditivos.

Os exames de audição atuais de recém-nascidos são muito eficazes. Um exame, chamado emissões otoacústicas (OAE — *otoacustic emissions*), mede a reação ao som pelo uso de uma pequena sonda inserida no canal auditivo do bebê. Nos bebês com audição normal, um microfone dentro da sonda registra os ruídos fracos que vêm do ouvido do bebê em resposta ao estímulo auditivo. Este exame pode ser feito enquanto o bebê está dormindo, é concluído em poucos minutos e não causa dor nem desconforto. Um segundo método de varredura, chamado resposta auditiva do tronco cerebral (ABR — *auditory brainstem response*), usa eletrodos colocados no couro cabeludo do bebê para detectar atividade na região auditiva do tronco cerebral em resposta a "cliques" soados no ouvido do bebê. O exame de ABR requer que o bebê esteja acordado e tranquilo, mas também é rápido e indolor. Se seu filho não é aprovado no exame inicial, o teste será repetido para evitar resultados falso-positivos.

Se o estado onde você mora não está entre os que exigem exames de audição em recém-nascidos, certifique-se de pedi-lo antes que seu bebê saia do hospital. Embora a perda de audição possa afetar qualquer um, os fatores de risco incluem a admissão na unidade de cuidados intensivos neonatais por dois dias ou mais; síndromes que sabidamente incluem perda de audição, como a síndrome de Usher ou a síndrome de Waardenburg; histórico familiar de perda auditiva na infância; bem como infecções congênitas, como toxoplasmose, sífilis, rubéola, citomegalovírus e herpes.

- Reflexos do recém-nascido.

- Quadris, para possível deslocamento.

- Mãos, pés, braços, pernas, genitais.

- O cordão umbilical.

Durante a estada de seu bebê no hospital, as enfermeiras e/ou médicos farão o seguinte:

- Registrarão a passagem ou a falta de passagem de urina e/ou fezes (para descartar qualquer problema na questão da eliminação).

- Administrarão uma injeção de vitamina K, para melhorar a capacidade de coagulação do sangue do bebê.

- Obterão sangue do calcanhar do bebê (com uma picada rápida), para ser examinado em busca de fenilcetonúria (PKU) e hipotireoidismo. O sangue também é examinado para certos distúrbios metabólicos; alguns estados americanos obrigam a realização de exames para somente alguns distúrbios, mas você pode arranjar um laboratório particular para fazer o exame para trinta distúrbios metabólicos (ver quadro na página 167).

- Possivelmente, com seu consentimento, administrarão a primeira dose de vacina contra hepatite B em algum momento antes da alta do hospital. Isto é rotina em alguns hospitais, e é necessário se os exames da mãe do bebê derem positivo para hepatite B. Se você não é portadora, a primeira dose pode ser dada a qualquer momento durante os primeiros dois meses, ou o pediatra pode sugerir dar a vacina tríplice DTP acelular-pólio-hepatite B começando aos 2 meses. Os bebês que recebem a dose ao nascimento também podem receber a vacina tríplice; a dose extra de vacina contra hepatite B não é um problema. Siga as recomendações de seu médico.

- Realizarão um exame de audição (ver quadro na página 168).

## O TESTE DE APGAR

O primeiro exame que fazem na maioria dos bebês — em que a maioria é aprovada com uma boa pontuação — é o Apgar, desenvolvido pela anestesiologista Virginia Apgar. A pontuação, registrada no primeiro minuto e novamente no quinto minuto depois do nascimento, reflete as condições gerais do recém-nascido e é baseada em observações feitas em cinco categorias de avaliação. Os bebês com uma pontuação entre 7 e 10 estão em condições que vão de boas a excelentes e em geral requerem somente os cuidados de rotina no pós-parto; aqueles que pontuam entre 4 e 6, em condições satisfatórias, podem exigir algumas medidas de ressuscitação; e aqueles que pontuam abaixo de 4, em más condições, exigirão esforços imediatos e máximos para salvar a vida. A pesquisa mostra que mesmo os bebês cuja pontuação continua baixa cinco minutos depois do parto em geral passam a ser completamente normais e saudáveis.

# TABELA DE APGAR

| SINAL | PONTOS | | |
|---|---|---|---|
| | 0 | 1 | 2 |
| Aparência (cor) | Pálido ou azulado | Corpo rosado, extremidades azuladas | Rosado |
| Pulsação (frequência cardíaca) | Não detectável | Abaixo de 100 | Acima de 100 |
| Caretas (reflexo de irritabilidade) | Nenhuma resposta a estímulos | Caretas | Choro forte |
| Atividade (tônus muscular) | Flácido (fraco ou sem atividade) | Algum movimento das extremidades | Muita atividade |
| Respiração | Nenhuma | Lenta, irregular | boa (chorando) |

## OS REFLEXOS DE SEU RECÉM-NASCIDO

A mãe natureza faz todo o possível quando se trata de bebês recém-nascidos, providenciando-lhes um conjunto de reflexos inatos que se destinam a proteger aquelas criaturas especialmente vulneráveis e garantir seus cuidados (mesmo que os instintos dos novos pais ainda não tenham contribuído plenamente para isso).

Alguns destes comportamentos primitivos são espontâneos, enquanto outros são reações a determinadas ações. Alguns parecem pretender proteger o bebê de danos (como acontece quando um bebê afasta alguma coisa que cubra seu rosto, um reflexo que tem por objetivo evitar o sufocamento). Outros parecem garantir que um bebê vá con-seguir se alimentar (como acontece quando um bebê procura um mamilo). E embora muitos dos reflexos tenham um valor óbvio como mecanismo de sobrevivência, as intenções da natureza são mais sutis em outros. Considere o reflexo de esgrima. Embora poucos recém-nascidos sejam desafiados a um duelo, alguns teorizam que eles assumem essa atitude desafiadora enquanto são indefesos para evitar que se afastem da mãe.

**O reflexo de sobressalto ou de Moro.** Quando sobressaltados por um barulho súbito ou alto, ou por uma sensação de queda, o reflexo de Moro levará o bebê a estender braços, pernas e dedos, arquear as costas, atirar a cabeça para trás e depois os braços, os punhos fechados, no peito.

*Duração:* De quatro a seis meses.

## PROCEDIMENTOS HOSPITALARES PARA BEBÊS NASCIDOS EM CASA

Ter seu filho em casa significa que terá mais controle sobre o nascimento — e nenhuma mala para arrumar —, mas também significa que você terá mais responsabilidades. Alguns procedimentos que são rotina em hospitais e maternidades podem ser burocráticos, e estes você e seu bebê podem desprezar; outros, contudo, são necessários para a saúde e o futuro bem-estar de seu filho; outros ainda são exigidos por lei. Dê à luz no hospital e os itens seguintes são providenciados automaticamente; se der à luz em casa, você precisará:

♦ Dedicar algum tempo à pomada ocular. Algumas parteiras permitem que os pais de um recém-nascido deem consentimento para não administrar uma pomada antibiótica ocular (que protege os bebês da infecção caso a mãe tenha uma doença venérea) depois do nascimento. Embora a pomada usada não seja mais irritante para os olhos do bebê, ela pode toldar a visão, tornando menos claro o primeiro contato visual com a mamãe e o papai. Discuta a opção com seu médico antes do parto.

♦ Planejar a rotina de injeções e exames. Muitos bebês nascidos em hospital recebem sua primeira dose de vacina contra hepatite B, e todos recebem uma dose de vitamina K (para melhorar a coagulação sanguínea) logo depois do parto. Eles também levam uma picada no calcanhar para o exame de PKU e hipotireoidismo, e em alguns hospitais ou a pedido dos pais, para uma variedade de outros problemas (ver quadro na página 167). Fale com o médico de seu filho sobre quando estes procedimentos podem ser realizados em seu recém-nascido. Também é uma boa ideia pedir ao pediatra para providenciar um exame de audição, em geral realizado nos recém-nascidos antes que saiam do hospital (ver página 168).

♦ Cuidar da papelada. O preenchimento do registro de nascimento em geral é feito pela equipe do hospital. Se está planejando dar à luz em casa, você (ou o pai da criança) deve ir até um cartório de registro civil.

♦ Certifique-se de entrar em contato com seu pediatra imediatamente depois do nascimento para marcar uma consulta para seu filho assim que for possível.

**Reflexo plantar ou de Babinski.** Quando a sola do pé do bebê recebe pancadinhas suaves do calcanhar aos dedos, os dedos do bebê se projetam para cima e o pé se vira para dentro.

*Duração:* Entre 6 meses e 2 anos, depois do que os dedos se curvam para dentro.

**Reflexo de rotação.** Um recém-nascido cuja bochecha recebe pancadinhas sua-

## RETRATO DE UM RECÉM-NASCIDO

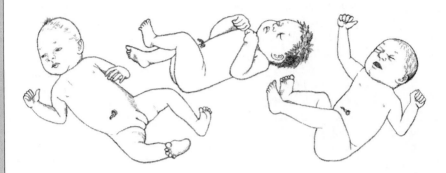

Apesar dos ooohs e aaahs que despertam em amigos e familiares animados, os bebês recém-nascidos não são exatamente a coisinha bonitinha cheia de covinhas pronta para a publicidade que a maioria dos pais de primeira viagem espera ver. Adorável, sim. Pronto para um *close-up*, em geral não.

Para os iniciantes, a cabeça do recém-chegado parece grande demais para o corpo (tem cerca de um quarto do tamanho total do corpo do bebê), e suas pernas em geral são mais esqueléticas, como as de uma galinha, do que roliças como de um bebê. Se a viagem pelo canal de parto foi particularmente apertada, a cabeça pode ter se moldado de alguma forma — às vezes a ponto de ter a forma de "cone". Um hematoma pode também ter surgido no couro cabeludo durante o parto.

O cabelo do recém-nascido praticamente não existe, limitado a um salpico de penugem, ou tão cheio que parece que ele já precisa de um corte; pode ser achatado ou eriçado. Quando o cabelo é fino, os vasos sanguíneos podem ser vistos como um mapa rodoviário

---

ves se virará na direção do estímulo, com a boca aberta e pronta para mamar. Este reflexo ajuda o bebê a localizar o peito ou a mamadeira e garantir uma refeição.

*Duração:* Cerca de três a quatro meses, embora possa persistir quando o bebê está dormindo.

**Reflexo de marcha.** Se estiver de pé em uma mesa ou em outra superfície plana, apoiado sob os braços, um recém-nascido pode erguer uma perna e depois a outra, dando o que parecem ser "passos". Este reflexo de "marcha" funciona melhor depois do quarto dia de vida.

azulado no couro cabeludo do bebê, e a pulsação pode ser visível na moleira, no alto da cabeça.

Muitos recém-nascidos (como as mães deles) parecem ter passado por alguns *rounds* no ringue depois de um parto vaginal. (Os bebês que chegam por cesariana, especialmente se não passaram pela compressão do trabalho de parto antes, com frequência têm uma vantagem significativa no quesito aparência). Seus olhos podem parecer estrábicos por causa das dobras em seus cantos internos, inchados do parto e, possivelmente, por causa da pomada ocular contra infecção que os cobre. Os olhos podem também estar injetados da pressão do trabalho de parto (o que acontece com frequência com a mãe também). O nariz pode estar achatado, e o queixo, assimétrico ou empurrado para dentro devido à pressão da pelve, aumentando a aparência de boxeador.

Como a pele de um recém-nascido é fina, em geral tem uma coloração rosa pálido (mesmo em bebês não caucasianos) dos vasos sanguíneos bem abaixo dela. Logo depois do parto, ela é mais frequentemente recoberta dos restos do vernix caseoso, uma cobertura cremosa que protege o feto durante o tempo que ele passa mergulhado no líquido amniótico (quanto mais cedo o bebê nasce, mais vernix fica em sua pele). Os bebês nascidos tarde podem ter a pele enrugada ou descamada (porque eles têm pouco ou nenhum vernix caseoso restante para protegê-la). Os bebês que nascem tarde também têm uma probabilidade menor que os bebês prematuros de ser cobertos de lanugem, um pelo felpudo pré-natal que pode aparecer nos ombros, nas costas, na testa e nas bochechas, e que desaparece nas primeiras semanas de vida.

Por fim, por causa de uma infusão de hormônios femininos da placenta logo antes do nascimento, muitos bebês, tanto meninos como meninas, têm mamas e/ou genitais inchados. Pode até haver uma descarga de leite das mamas e, nas meninas, uma descarga vaginal (às vezes sanguinolenta).

Certifique-se de capturar estas características do recém-nascido em filme rapidamente (como se você precisasse de sugestões para pegar a câmera!), porque todas são temporárias. A maioria passa em alguns dias, o resto, em algumas semanas, sem deixar nada exceto o bonitinho de covinhas em seu lugar.

---

*Duração:* Variável, mas em geral de cerca de dois meses. (Este reflexo não prevê o andar precoce.)

**Reflexo de sucção.** Um recém-nascido sugará por reflexo quando o céu da boca for tocado, como acontece quando um mamilo é colocado em sua boca.

*Duração:* Presente ao nascimento e dura até dois a quatro meses, quando aparece o sugar voluntário.

**Reflexo palmar de agarrar.** Toque a palma da mão de seu bebê e os dedos dele se curvarão e pegarão seu dedo (ou qualquer objeto). Um exemplo interessante de curiosidade sobre bebês: o agarrar de um recém-nascido pode ser poderoso o bastante para sustentar todo o peso corporal — mas não tente isso em casa (nem em outro lugar). Mais uma curiosidade: este reflexo curva os pés e os dedos dos pés do bebê também, quando são tocados.

*Duração:* De três a seis meses.

**Reflexo de esgrima, ou pescoço tônico.** Colocado de costas, um bebê novo assumirá uma "posição de esgrima", a cabeça para o lado, os braços e pernas desse lado estendidos e os membros opostos flexionados. *En garde!*

*Duração:* Varia muito. Pode estar presente ao nascimento ou pode não aparecer por pelo menos dois meses, e desaparecer por volta do quarto ou sexto mês — ou mais cedo, ou mais tarde.

Por diversão, ou por curiosidade, você pode verificar se seu bebê tem estes reflexos — mas tenha em mente que seus resultados podem ser menos confiáveis do que os obtidos por um médico ou examinador treinado. Os reflexos de um bebê também podem ser menos pronunciados se ele estiver com fome ou cansado. Assim, tente novamente outro dia e, se você ainda não consegue observar os reflexos, mencione este fato ao médico de seu filho, que provavelmente já examinou seu bebê com sucesso para todos os reflexos dos recém-nascidos e ficará feliz em repetir as demonstrações para você em sua próxima visita ao consultório.

# Como Alimentar seu Bebê:
# O INÍCIO DA ALIMENTAÇÃO COM FÓRMULA

O processo real de alimentar um bebê na mamadeira, embora pareça estranho, em geral surge mais naturalmente — ou pelo menos mais facilmente — do que a amamentação. Os bebês têm poucos problemas em aprender a mamar de um bico artificial, e os pais têm pouca dificuldade em dar de mamar. (E é por isso que as mães que escolhem usar as duas coisas devem suspender a mamadeira até que seus filhos estejam bem estabelecidos na rotina do aleitamento no peito.) Passar à mamadeira, contudo, pode requerer um pouco mais de esforço e um pouco mais de conhecimento. Afinal, enquanto o leite materno está pronto para servir, a fórmula deve ser escolhida, comprada, às vezes preparada e com frequência armazenada. Esteja você alimentando exclusivamente com fórmulas ou usando-as apenas como suplemento, precisará saber como começar. (Ver página 96 para obter dicas sobre escolher bicos e mamadeiras para seu bebê alimentado com fórmula.)

## Escolhendo uma fórmula

As fórmulas não podem reproduzir com exatidão a receita da natureza para o leite materno (por exemplo, elas não carregam anticorpos), mas estão mais próximas do que nunca do padrão ouro da alimentação do bebê. Na verdade, todas as fórmulas de hoje em dia são feitas com tipos e proporções de proteínas, gorduras, carboidratos, sódio, vitaminas, sais minerais, água e outros nutrientes similares ao leite materno, e devem atender aos padrões estabelecidos pela FDA (Food and Drug Administration). Assim, quase todas as fórmulas que contêm ferro que você escolher para seu filho serão nutricionalmente boas. Todavia, a vasta seleção de fórmulas no supermercado ou na drogaria pode ser estonteante — e mais que um pouco confusa. Antes de contemplar esse sortimento, considere as seguintes informações sobre as fórmulas:

♦ As fórmulas especiais são melhores para alguns bebês especiais. Existem fórmulas disponíveis para bebês prematuros, bebês que se mostram alérgicos a leite de vaca e de soja, bem como para aqueles com distúrbios metabólicos, como a fenilcetonúria. Existem também fórmulas sem lactose, bem como fórmulas hipoalergênicas projetadas para provocar menos alergias naqueles bebês propensos a elas. Para alguns bebês, estas fórmulas são mais fáceis de digerir do que as formulações padrão; não é de surpreender que elas sejam muito mais caras. Você não precisa usá-las, a não

ser que o médico de seu filho as tenha recomendado. Existem também algumas fórmulas orgânicas que são produzidas de derivados do leite intocado por hormônios de crescimento, antibióticos ou pesticidas.

♦ O médico de seu filho sabe alguma coisa sobre as fórmulas. Em sua busca pela fórmula perfeita para seu bebê, comece por um telefonema ao pediatra. Ele pode orientá-la para uma fórmula que seja mais próxima do leite materno na composição, bem como a que atenda melhor às necessidades de seu filho.

♦ As vacas fazem a melhor fórmula para a maioria dos bebês humanos. É por isso que a maioria das fórmulas são feitas de leite de vaca, modificado para atender às necessidades nutricionais dos bebês humanos. (Não alimente seu bebê com leite de vaca comum até que ele tenha feito seu primeiro aniversário; ele não é tão facilmente digerido nem absorvido quanto as fórmulas e não proporciona os elementos nutricionais apro-

---

### PRECISA DE AJUDA PARA AMAMENTAR NO PEITO?

Se você está amamentando no peito — seja exclusivamente ou em combinação com a mamadeira —, encontrará tudo o que precisa saber no Capítulo 3, que começa na página 121.

## DHA: OPÇÃO INTELIGENTE NAS FÓRMULAS PARA BEBÊS?

Quando os fabricantes de fórmulas pensam que chegaram o mais perto possível de simular a composição do leite materno, outra descoberta que pode aprimorar o leite materno os manda de volta ao laboratório. A mais recente é a importância dos ácidos graxos ômega-3 encontrados naturalmente no leite materno: o DHA (ácido docosa-hexanoico) e o ARA (ácido araquidônico). Os cientistas reconheceram que estes nutrientes aprimoram o desenvolvimento mental e visual dos bebês, tendo um papel fundamental na função cerebral.

Os cientistas também descobriram que os bebês acumulam DHA/ARA em seu cérebro e nas retinas mais rapidamente entre o terceiro trimestre de gestação (quando eles recebem um suprimento de ácido graxo da placenta) e a idade de 18 meses — e não é por coincidência que este é o período de maior crescimento do cérebro infantil. A pesquisa vai além, mostrando que os bebês beneficiam-se significativamente de uma ingesta adequada de DHA/ARA, embora uma ligação direta entre o estímulo do QI e outras vantagens para o desenvolvimento — apesar de amplamente especulativas — ainda não tenha sido claramente estabelecida.

Mesmo sem suplementação de DHA e ARA, os bebês nascidos no tempo normal já têm alguns destes ácidos graxos inestimáveis armazenados durante seu período limitado no útero. Eles também parecem ser capazes de produzir algum DHA e ARA a partir de outras gorduras presentes nas fórmulas (embora alguns estudos sugiram que a quantidade que eles são capazes de fazer sozinhos pode não ser suficiente para fomentar um desenvolvimento ótimo do cérebro e da visão). Os bebês prematuros, que perderam todo o terceiro trimestre ou parte dele, estão em uma desvantagem distinta no quesito ácidos graxos, uma vez que não têm reservas a que recorrer.

Para garantir que os bebês possam receber todo o DHA e ARA de que precisam, a FDA optou por permitir que os fabricantes de fórmulas enriqueçam seus produtos com estes ácidos graxos. Esta regra chegou um pouco tarde; a Organização Mundial de Saúde vinha recomendando a suplementação das fórmulas com DHA e ARA desde 1994, e os pais em mais de sessenta países da Europa e em todo o mundo têm podido alimentar seus bebês com fórmulas enriquecidas com ácidos graxos há anos. Agora os pais americanos podem ter esta opção também — uma opção que pode ser inteligente para seu filho.

---

priados de que precisa um bebê em desenvolvimento.) Nas fórmulas infantis, as proteínas do leite de vaca são tornadas mais digeríveis, acrescenta-se mais lactose (para que fique mais próxima da composição do lei-

te humano) e a gordura da manteiga é substituída por gordura vegetal.

♦ **As fórmulas baseadas em soja são melhores em algumas circunstâncias.** Nestas fórmulas, a soja é modificada

## QUANTO DE FÓRMULA É UM BANQUETE?

De quanta fórmula seu bebê precisa? Depende muito do peso e da idade de seu filho e, se há ingestão de sólidos, o quanto ele está comendo. Como regra geral, os bebês com menos de 6 meses (aqueles que não têm suplementação de sólidos) devem ingerir de 120 a 150 mililitros de fórmula por quilo de peso corporal em um período de 24 horas. Assim, se seu filho pesa 5 quilos, isso se traduziria em 600 a 750 mililitros de fórmula por dia; em um período de 24 horas, você estará alimentando seu filho com algo em torno de 85 a 110 mililitros a cada quatro horas.

Mas como estas são diretrizes rigorosas, e como cada bebê é diferente (e mesmo as necessidades de um mesmo bebê são diferentes em dois dias diferentes), você não deve esperar que seu filho siga esta fórmula (por assim dizer) com precisão matemática. O quanto seu bebê precisa pode variar de alguma maneira — de um dia para o outro e de uma mamada para outra — e pode se afastar significativamente das necessidades de outros bebês.

Tenha em mente também que o consumo de seu bebê dependerá não só do peso, mas também da idade. Um recém-nascido grande, por exemplo, provavelmente não será capaz de mamar tanto quanto um bebê de três meses pequeno — mesmo que o peso dos dois seja o mesmo. Assim, comece com seu recém-nascido lentamente, com 30 a 50 mililitros a cada mamada na primeira semana a cada três ou quatro horas (ou quando ele pedir). Aos poucos, aumente o volume, acrescentando mais à medida que a demanda se tornar maior, mas nunca force o bebê a tomar mais do que ele quer. Afinal, a barriga de seu bebê é do tamanho do punho dele (e não do seu). Encha demais a barriga e provavelmente vai transbordar — na forma de cuspes excessivos.

Acima de tudo, lembre-se de que os bebês alimentados com mamadeira, como qualquer bebê alimentado no peito, sabe quando tomou o bastante — e o bastante, para um recém-nascido, é como um banquete. Oriente-se pela fome do bebê, e certifique-se de encontrar a fórmula perfeita para alimentá-lo. Desde que seu bebê esteja ganhando peso suficiente, suas fraldas estejam molhadas e sujas o bastante, e ele esteja feliz e saudável (ver página 253), você pode ter certeza de que está no caminho certo. Para ficar mais tranquila, verifique com o pediatra de seu filho sobre a ingesta de fórmulas.

com vitaminas, sais minerais e nutrientes para se aproximar do leite materno. Uma vez que elas se afastam mais do leite humano do que as fórmulas de leite de vaca, e como a pesquisa mostra que os bebês alimentados com soja têm uma probabilidade maior de desenvolver alergia a amendoim numa fase posterior da vida, as fórmulas de soja não são recomendadas de modo geral, a não ser que existam considerações de saúde especiais para o bebê, como uma alergia a leite de vaca. Os vegans também podem optar pelo uso da soja desde o começo, sem qualquer indicação médica.

◆ As fórmulas de acompanhamento nem sempre são as melhores. Embora tenham uma composição com pouco ferro, elas não são consideradas uma opção saudável. A AAP e muitos pediatras recomendam que os bebês recebam fórmulas fortificadas com ferro do nascimento até a idade de 1 ano.

◆ Para ter melhores resultados, observe seu filho. Fórmulas diferentes funcionam bem para bebês diferentes em diferentes épocas. Junto com os conselhos de seu pediatra, a reação de seu filho à fórmula com que você o alimenta a ajudará a avaliar o que é melhor.

Depois que você estreitou suas opções a um tipo genérico, precisará escolher também entre as diferentes formulações:

**Pronta para usar.** A fórmula pré-misturada e pronta para usar vem em mamadeiras de 100 e 200 mililitros e está pronta para o bebê com o simples acréscimo de um bico de mamadeira. Nada pode ser mais fácil do que isso, mas também nada pode ser mais caro (ver opções a seguir) e mais ecologicamente incorreto (com esta opção, você estará jogando fora e reciclando um monte de mamadeiras no ano seguinte).

**Pronta para despejar.** Disponível em latas ou recipientes plásticos de vários tamanhos, esta fórmula líquida só precisa ser despejada na mamadeira de sua escolha para ser utilizada. É menos cara que as mamadeiras de uso único, mas a fórmula que resta no recipiente precisa ser guardada adequadamente. Você também pagará mais pela conveniência das fórmulas prontas para servir do que com as fórmulas que precisam ser misturadas.

**Líquido concentrado.** Mais barato do que a fórmula pronta para servir e levando mais tempo para ser preparada, este líquido concentrado é diluído em partes iguais de água para que se consiga a fórmula final.

**Pó.** A opção mais barata, mas a que mais consome tempo e pode gerar confusão, a fórmula em pó é reconstituída com uma quantidade específica de água. Está disponível em lata ou em embalagens para uma refeição. Além do baixo custo, outro motivo convincente para optar pelo pó (pelo menos quando você sai com o bebê) é que ele não precisa ser refrigerado até que seja misturado.

## ALIMENTAÇÃO COM MAMADEIRA SEGURA

Amamentar com fórmulas nunca foi mais seguro do que agora — desde que você tome algumas precauções:

◆ Verifique sempre a data de validade da fórmula; não compre nem use nenhuma fórmula cujo prazo de validade tenha expirado. Não compre nem use latas ou outros recipientes amassados, vazando nem com outro tipo de dano.

♦ Lave as mãos completamente antes de preparar a fórmula.

♦ Antes de abrir, lave a tampa da lata de fórmula com detergente e água quente; enxágue bem e seque. Agite, se o rótulo especificar isso.

♦ Use um abridor limpo para abrir as latas de fórmulas líquidas, fazendo duas aberturas — uma grande e outra pequena — em lados opostos da lata para facilitar a saída do líquido. Lave o abridor depois de cada uso. A maioria das latas de fórmula em pó vem com tampas com abertura especial, tornando desnecessário o uso de um abridor de latas. Se você está usando um frasco de dose única, certifique-se de ouvir a tampa "estalar" quando você a abre.

♦ Não é necessário esterilizar por fervura a água usada para misturar a fórmula. Se você não tem certeza sobre a segurança da água, ou se usa água que não foi purificada, teste sua água e, se necessário, purifique-a. Ou use água mineral (não destilada).

♦ Aqui está outro passo que você pode economizar: as mamadeiras e bicos não precisam ser esterilizados com equipamento especial. Os lava-louças (ou lavar na pia com detergente e água quente) os limpam o suficiente. Alguns médicos recomendam mer-

gulhar as mamadeiras e bicos em uma panela de água quente por alguns minutos antes do primeiro uso.

♦ Mas aqui está um passo que você nunca deve esquecer de dar: siga as orientações do fabricante quando misturar a fórmula. *Sempre* verifique as latas para ver as necessidades de diluição: pode ser perigoso diluir uma fórmula que não deve ser diluída, ou não diluir a que deve ser diluída. As fórmulas que são fracas podem tolher o crescimento. As fórmulas que são fortes demais podem levar à desidratação.

♦ A mamadeira aquecida é uma questão de gosto do bebê. Não há necessidade de aquecer a fórmula antes de amamentar, embora alguns bebês prefiram desta forma, especialmente se estão acostumados com isso. Na verdade, você pode considerar começar com a fórmula misturada com água na temperatura ambiente ou até com uma mamadeira retirada diretamente da geladeira; se ele está acostumado desta forma, você pode poupar tempo e o trabalho de aquecer as mamadeiras (algo que você apreciará especialmente no meio da noite ou quando seu filho está frenético de fome). Se você planeja servir a mamadeira aquecida, coloque-a em uma panela ou tigela de água quente ou passe água quente nela. Verifique a temperatura da fórmula com frequência, colocando algumas gotas na face interna de seu pulso; estará pronta para o bebê quando não parecer mais fria ao toque — ela não precisa ser muito quente, só na temperatura do corpo. Depois que é aquecida, use a fórmula imediatamente, uma vez que as bactérias se multiplicam rapidamente a temperaturas mornas. Nunca aqueça a fórmula no micro-ondas — o líquido pode esquentar desigualmente e o recipiente pode continuar frio quando a fórmula ficou quente o bastante para queimar a boca ou a garganta do bebê.

◆ Jogue fora a fórmula que restou na mamadeira depois de alimentar o bebê. É um terreno potencial para o desenvolvimento de bactérias, mesmo que você a refrigere, e nunca deve ser reutilizada, embora isso possa ser tentador.

◆ Enxágue as mamadeiras e bicos logo depois de usar, para uma limpeza mais fácil.

◆ Tape bem as latas ou frascos abertos de fórmula líquida e armazene-as na geladeira por *não mais que* o tempo especificado no rótulo, em geral de 48 horas. As latas abertas de fórmula seca devem ser cobertas e guardadas em local frio e seco para usar durante um mês.

◆ Armazene as latas ou frascos de líquidos que não foram abertos a uma temperatura entre 12 e 23º C. Não use o líquido que não foi aberto por longos períodos a temperaturas que estejam abaixo de 0ºC ou em calor direto acima de 35ºC. Além disso, não use fórmulas que tenham sido congeladas (os derivados da soja congelam mais rapidamente) ou que

mostrem manchas ou listras brancas mesmo depois de agitar.

◆ Mantenha preparadas mamadeiras de fórmula na geladeira até seu uso. Se você está longe de casa, guarde mamadeiras previamente preparadas em um recipiente térmico ou em um saco plástico com gelo (a fórmula ficará fresca enquanto a maior parte do gelo está congelado); ou embale as mamadeiras com uma pequena caixa ou lata de suco que você tenha congelado antes (não só a fórmula ficará fresca, como você também terá uma bebida gelada à mão). *Não* use fórmulas que não estejam mais frias ao toque (a não ser, é claro, que esteja pronta para servir e não tenha sido aberta, ou seja, fórmula em pó que acabou de ser misturada com água morna ou a temperatura ambiente). Você também pode levar consigo fórmulas prontas para usar, ou mamadeiras de água e embalagens de fórmula pronta para servir para misturá-las.

## A MAMADEIRA DADA COM AMOR

Quer você prefira alimentar seu filho exclusivamente com fórmula ou misturar com o peito, o ingrediente mais importante em qualquer sessão de mamada é o amor. Embora você sempre vá sentir que ama, é também essencial que transmita isto a seu filho. O tipo de contato pele na pele e olho no olho que é ligado a um ótimo desenvolvimento cerebral e a ligação em um recém-nascido é uma característica intrínseca ao aleitamento no peito. Com a mamadeira, esse contato requer um esforço consciente, e muitos pais bem-intencionados, mas apressados ao dar a mamadeira, pelo menos de vez em quando amamentam rapidamente, num meio-termo entre a intimidade e a conveniência. Para se certificar de que você mantém contato com seu filho enquanto está dando a mamadeira:

**Não sustente a mamadeira.** Para um bebê novo, que tem tanta fome de recompensa emocional no embalar como de recompensa oral no alimento, sustentar é muito insatisfatório. E, além das desvantagens emocionais, existem também as físicas. Por um lado, o risco de sufocamento está sempre presente quando você segura a mamadeira, mesmo que seu filho esteja em uma cadeira alta reclinada ou na cadeira infantil. Ampare com o bebê deitado, e ele pode também ficar mais suscetível a contrair infecções de ouvido. Depois que os dentes saem, deixar o bebê dormir com a mamadeira na boca (o que não aconteceria se você a estivesse administrando) pode levar a atraso nos dentes, uma vez que a fórmula se acumula na boca. Então evite a tentação de sustentar a mamadeira e deixar seu bebê durante a mamada, mesmo que isso signifique que você não fará as mil e uma coisas que tem de fazer.

**Coloque pele com pele, sempre que possível.** Existem pilhas de pesquisas que mostram os benefícios para o desenvolvimento do contato íntimo e regular com um recém-nascido. Mas nenhuma pesquisa é tão convincente quanto a satisfação que você e seu bebê terão compartilhando o calor e a intimidade do contato de pele. Assim, sempre que possível (não funciona em público, mas em particular), abra sua blusa e aninhe seu filho perto de você quando der a mamadeira. Os seios tampouco são necessários para que se atinja o efeito desejado; os pais podem ninar seus filhos bochecha no peito com a mesma eficácia durante uma mamada com a camisa aberta.

**Troque de braço.** O aleitamento no peito também tem esta característica (alternar os seios significa alternar os braços); com a mamadeira, você terá de se lembrar de trocar. Uma troca no meio da mamada serve a dois propósitos: primeiro, dá a seu filho a oportunidade de ver o mundo de diferentes perspectivas. Segundo, dá a você a oportunidade de aliviar as dores que podem se desenvolver de ficar em uma posição por tempo demais.

**Deixe que o bebê diga para parar.** Quando se trata da amamentação, o bebê é o chefe. Se você vir que somente 80 mililitros foram esvaziados quando numa refeição normal requer 110 mililitros, não fique tentada a forçar o resto. Um bebê saudável sabe quando parar. E é esse tipo de pressão que com frequência leva bebês que tomam mamadeira a se tornar roliços demais — com muito mais frequência do que os bebês amamentados no peito, que comem por fome.

**Reserve tempo.** Um bebê que mama pode ficar sugando o peito por muito tempo depois que ele foi drenado, para obter conforto e satisfação. Seu bebê que toma mamadeira não pode fazer o mesmo com a mamadeira vazia, mas existem formas de você suprir parte da mesma satisfação. Estenda o prazer da sessão de mamada socializando depois que a mamadeira estiver vazia — pressupondo-se que ele não caiu naquele sono induzido pelo leite. Se seu filho não parece satisfeito com a quantidade de mamada, experimente usar bicos com orifícios menores, o que garantirá que ele leve mais tempo para mamar a mesma refeição. Ou termine as mamadas oferecendo-lhe uma chupeta por pouco tempo. Se seu bebê parece ficar agitado querendo mais no final da refeição, considere se você está oferecendo o bastante da fórmula. Aumente-a em 30 ou 60 mililitros para ver se é realmente fome que está deixando seu bebê irritado.

**Relaxe com relação à mamadeira.** Se você estava ansiosa para dar o peito e por algum motivo não pôde — ou não pôde continuar —, não se sinta culpada nem frustrada. Esses sentimentos negativos podem ser transmitidos involuntariamente a seu filho durante as mamadas, e pode impedir que os dois desfrutem do que deve ser um ritual sagrado. Lembre-se: com a fórmula certa e dada da maneira certa, uma mamadeira pode ser usada para proporcionar uma boa nutrição e muito amor.

---

### DA MAMADEIRA, COM AMOR

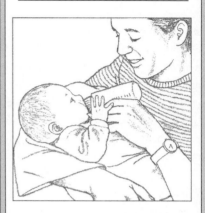

*A alimentação com mamadeira dá ao pai e a outros membros da família a oportunidade de ter um contato íntimo com o bebê. Use o tempo para ninar e interagir com ele; a nutrição não precisa vir do peito para vir com amor.*

---

## A MAMADEIRA DADA COM FACILIDADE

Se você tem alguma experiência em dar mamadeira a um bebê novinho — seja um irmão, como babá ou o filho de um amigo —, é provável que a técnica correta virá a você (é como andar de bicicleta) praticamente no momento em que segurar o bebê nos braços. Se é sua primeira vez — ou se você só quer aprender o básico sobre dar a mamadeira —, as dicas passo a passo a seguir deverão ajudar:

♦ Avise. Deixe que o bebê saiba que "a fórmula está a caminho" esfregando a bochecha dele com seu dedo ou com a ponta do bico da mamadeira. Isso estimulará o bebê a "procurar", virando-se na direção da carícia. Depois coloque o bico delicadamente entre os lábios do bebê e provavelmente ele vai começar a mamar. Se o bebê ainda não entendeu a situação, uma gota da fórmula nos lábios deve dar uma dica a ele.

◆ Encare o ar como inimigo. Incline a mamadeira para cima para que a fórmula sempre encha completamente o bico. Se não, e o ar encher parte dele, o bebê engolirá a fórmula junto com ar — uma receita para os gases, que farão a infelicidade dos dois. Mas não são necessárias precauções contra o ar se você está usando forros descartáveis para mamadeiras, que automaticamente desinflam (eliminando as bolsas de ar), ou se você está usando uma mamadeira em ângulo que mantém a fórmula acumulada perto do bico.

◆ Comece lentamente. Não fique preocupada se seu bebê não parece tomar muita fórmula no começo. A necessidade de nutrição do recémnascido é mínima por alguns dias depois do nascimento — um bebê amamentado, nas mãos da mãe natureza, recebe somente uma colher de chá de colostro em cada mamada neste período. Se você está no hospital, a enfermeira provavelmente providenciará para você mamadeiras de 100 mililitros, mas não espere que elas sejam esvaziadas. Um bebê que dorme depois de tomar apenas 15

mililitros mais ou menos provavelmente está dizendo: "Já estou satisfeito." Por outro lado, se o bebê não dorme, mas agita-se com a mamadeira depois de alguns minutos de mamada, é mais provavelmente um problema de gases do que de satisfação. Neste caso, não desista facilmente. Se depois de um bom arroto (ver página 217) o bico da mamadeira ainda é rejeitado, considere isso um sinal de que a refeição acabou. (Ver página 177 para mais detalhes sobre o quanto dar da fórmula.)

◆ Controle sua velocidade. Certifiquese de que a fórmula não está saindo da mamadeira rápido demais nem lentamente demais. Os bicos estão disponíveis em diferentes tamanhos para diferentes tamanhos e idades de bebês; o bico para um recém-nascido dispensa leite mais lentamente, o que em geral é perfeito para um bebê que está aprendendo a mamar (e cujo apetite ainda é pequeno). Você pode verificar a velocidade dos bicos que está usando dando uma sacudida na mamadeira de cabeça para baixo. Se o leite derrama ou sai, está fluindo com muita rapidez; se cai apenas uma ou duas gotas, é lento demais. Se você tem um pequeno jato, e depois algumas gotas, o fluxo é correto. Mas a melhor maneira de testar o fluxo é observando a boquinha mamando. Se houver muitas engolidas e ele babar muito, e o leite sempre está caindo pelos cantos da boca do bebê, o fluxo é rápido demais. Se o bebê parece se esforçar muito para mamar por alguns minutos e depois parece frustrado (possivelmente afastando-se do bico para se queixar), o fluxo é lento demais. Às vezes, um problema de fluxo tem menos a ver com o tamanho do bico do que com a forma como a tampa é apertada. Uma tampa muito apertada inibe o fluxo porque cria um vácuo parcial; afrouxá-la um pouco pode fazer com que a fórmula flua mais livremente.

♦ **Minimize as controvérsias da meia-noite.** Torne as mamadas noturnas menos problemáticas investindo em um suporte de mamadeira para a cama, que mantém a mamadeira do bebê seguramente resfriada até que esteja pronta para o uso e depois é aquecida à temperatura ambiente em minutos. Ou mantenha uma mamadeira no gelo, no estilo do champanhe, no quarto do bebê (ou na sua cama), pronta para ser servida fria ou a ser aquecida na torneira do banheiro quando o bebê começar a se agitar de fome.

# As Preocupações Comuns

## PESO AO NASCIMENTO

*"Todas as minhas amigas parecem ter bebês que pesam de 4 a 5 quilos ao nascimento. A minha pesava um pouco mais de 2,9 quilos e não era prematura. Ela é saudável, mas parece pequena demais."*

Assim como adultos saudáveis, os bebês saudáveis vêm em diferentes embalagens — compridos e magros, grandes e corpulentos, franzinos e pequenos. E com mais frequência do que o contrário, um bebê pode dever aos adultos de sua vida sua constituição ao nascimento; as leis da genética ditam que pais altos geralmente têm filhos grandes e pais baixos geralmente têm filhos pequenos (embora quando o pai é alto a mãe baixa, seja mais provável que a progênie siga os passos da mãe, pelo menos ao nascimento). O peso ao nas-cimento da própria mãe pode influenciar sua descendência. Outro fator é o sexo do bebê: meninas tendem a pesar menos e ser menores que os meninos. Embora haja uma lista enorme de outros fatores que podem afetar o tamanho do bebê ao nascimento — como o que a mãe comeu durante a gravidez e quanto peso ela ganhou —, o único fator que importa agora é que seu bebê é completamente saudável. Na verdade, uma *mignone* de 2,9 quilos pode ser tão vigorosa quanto um gorducho de 4 a 5 quilos.

Tenha em mente também que alguns bebês que começam pequenos rapidamente superam seus coleguinhas nos gráficos de crescimento à medida que começam a expressar seu potencial genético. (Para mais detalhes sobre isso, ver página 439). Nesse meio tempo, desfrute de sua filha saudável enquanto ela ainda é uma carga relativamente leve. Muito em breve as palavras "me leva!"

de sua pré-escolar robusta farão suas costas começarem a doer.

## VÍNCULO

*"Fiz uma cesariana de emergência e eles queriam levar meu bebê para a UTI antes que eu tivesse oportunidade de criar vínculo com ele. Isso pode afetar o relacionamento?"*

O vínculo ao nascimento é uma ideia cuja época já veio e já deve ter passado. Isso porque a teoria, sugerida pela primeira vez na década de 1970, de que o relacionamento mãe-bebê será melhor quando os dois passam 16 das primeiras 24 horas em íntimo contato amoroso, não se demonstrou nem na pesquisa nem na prática.

Sem dúvida, a teoria do vínculo gerou boas coisas. Graças a ela, os hospitais agora estimulam os novos pais a segurar seus filhos momentos depois do nascimento, e a acalentá-los e dar de mamar em qualquer lugar de 10 minutos a uma hora ou mais, em vez de despachar o recém-nascido para o berçário no momento em que o cordão é cortado. Este encontro dá à mãe, ao pai e ao bebê a chance de fazerem o primeiro contato, pele na pele, olho no olho — definitivamente uma mudança para melhor. Por outro lado, o conceito deixa muitos pais que não são capazes de segurar seus filhos imediatamente depois do nascimento (seja porque sofreram partos cirúrgicos de emergência ou tiveram um parto normal traumático, ou porque os bebês nascem precisando de cuidados especiais) sentindo-se como se tivessem perdido a oportunidade de sua vida de fomentar um relacionamento íntimo com sua descendência.

Mas não só muitos especialistas acreditam que o vínculo não tem de ser firmemente estabelecido no nascimento, como a maioria contesta que possa ser. Bebês recém-nascidos vêm munidos com todos os sentidos. Eles são capazes de fazer contato visual — e até de reconhecer a voz da mãe (embora não possam reconhecer seu rosto até por volta dos 3 meses). Eles também estão alerta na hora imediatamente depois do nascimento, o que torna esta fase uma boa oportunidade para a primeira reunião oficial com seus pais. Mas porque não são capazes de reter estas experiências — embora sejam maravilhosas —, aqueles primeiros minutos não podem fazer nem romper os relacionamentos futuros. Uma mãe recente certamente se lembrará desse primeiro contato especial, mas ela pode não sentir o vínculo imediato com seu filho por uma variedade de motivos: exaustão de um trabalho de parto e um parto difícil, moleza gerada pela medicação, dor das contrações ou de uma incisão, uma sensação de estar sendo sobrecarregada de uma enorme responsabilidade que acabou de ser entregue a ela, ou simplesmente uma falta de preparo para a experiência de segurar e cuidar de um recém-nascido.

Os primeiros minutos que os pais e o bebê passam juntos depois do nascimento são importantes — mas não mais importantes do que as horas, dias, semanas e anos que estão por vir. Eles marcam somente o início do longo e complexo processo de se conhecerem e se amarem. E este início pode ocorrer horas depois do parto em um leito hospitalar, ou através das portinholas de uma incubadora, ou até semanas mais tarde, em casa. Quando seus pais e avós nasceram, provavelmente eles viram pouco suas mães e ainda menos seus pais até que foram para casa (em geral dez dias depois do parto), e a grande maioria desta geração cresceu com laços familiares fortes e amorosos. As mães que tiveram a oportunidade de se unir ao nascimento com um filho e não com outro em geral não relatam diferenças em seus sentimentos em relação aos filhos. E os pais adotivos, que com frequência não conhecem seus bebês até que o hospital os liberem (ou até muito mais tarde), podem fomentar laços tão fortes quanto aqueles de pais que conheceram seus filhos minutos depois do parto.

O tipo de amor que dura uma vida toda não pode evoluir magicamente em algumas horas, nem menos em alguns dias. Na verdade, os especialistas acreditam que ele não se desenvolve completamente até algum momento na segunda metade do primeiro ano do bebê. Os primeiros minutos depois do nascimento podem se tornar uma lembrança acalentada para alguns, mas para outros podem ser apenas um borrão. De qualquer forma, estes momentos não marcam indelevelmente o caráter e a qualidade de seu futuro relacionamento.

O processo complicado de formação de vínculo pais-filhos na verdade começa pelos pais durante a gravidez, quando as atitudes e sentimentos em relação ao bebê começam a se desenvolver. O

relacionamento continua a evoluir e muda em toda a fase de bebê, a infância e a adolescência, e até na idade adulta. Assim, relaxe. Há muito tempo para amarrar os laços do vínculo.

*"Ouvi dizer que o vínculo ao nascimento aproxima mais mãe e filho. Segurei minha filha por quase uma hora depois do parto, mas ela parecia uma estranha para mim naquela hora, e ainda parece agora, três dias depois."*

O amor à primeira vista é um conceito que floresce nos romances e nos filmes, mas raramente se materializa na vida real. Esse tipo de amor que dura a vida toda em geral necessita de tempo, requer que seja alimentado e muita paciência para se desenvolver e se aprofundar. E isso é válido tanto para o amor dos pais como para o amor romântico.

A intimidade física entre pais e filhos imediatamente após o nascimento não garante a intimidade emocional. Os primeiros minutos pós-parto não são automaticamente banhados em um fulgor de amor materno (ou paterno). Na verdade, a primeira sensação que uma mãe experimenta depois do parto tem a mesma probabilidade de ser somente um alívio e amor — alívio que o bebê seja normal e, especialmente se o parto foi difícil, que a provação tenha acabado. Não é de todo incomum considerar esse bebê antissocial e chorão um estranho com muito pouca relação com o bebê fofinho e idealizado que você carregou por nove meses — e sentir mais que alguma neutralidade em relação a ele. Um estudo revelou que leva em média duas semanas (e às vezes até nove semanas) para que as mães comecem a ter sentimentos fortemente positivos em relação a seus recém-nascidos.

Da mesma forma, o modo como uma mulher reage a seu recém-nascido no primeiro contato pode depender de uma variedade de fatores: o tamanho e a intensidade do parto; se ela recebeu medicação durante o parto; sua experiência anterior com bebês (ou falta dela); seus sentimentos em relação a ter um filho; seu relacionamento com o cônjuge; problemas externos que podem preocupá-la; sua saúde geral; e provavelmente o mais importante de tudo: sua personalidade.

A *sua* reação é normal para *você*. E desde que você sinta um senso crescente de conforto e ligação à medida que os dias passam, você pode relaxar. Alguns dos melhores relacionamentos são criados a partir dos começos mais lentos. Dê a si mesma e a sua filha uma chance de se conhecerem e se gostarem, e deixe que o amor cresça sem pressa.

Mas se você não sente uma proximidade crescente depois de algumas semanas, ou se você sente raiva ou antipatia por seu bebê, converse com o médico. É possível que você esteja sofrendo de depressão pós-parto, especialmente se está experimentando outros sintomas do problema. Se este é o seu caso, o tratamento é importante não só para a sua saúde, mas também para o bem-estar de sua filha e seu relacionamento com ela. Ver página 939 para obter mais informações.

---

### SÓ PARA OS PAIS: TORNANDO-SE APEGADO

Embora o vínculo seja um processo que envolve os dois genitores, aparentemente os pais têm seu próprio jeito de se tornar íntimos de seus novos bebês — e os pesquisadores deram a isso um nome todo próprio: apego. O apego se aplica não só ao que um pai faz por seu filho (como segurar, confortar, embalar, massagear) e a forma única com que ele o faz (os pais têm um toque diferente do da mãe, uma diferença a que os bebês reagem), mas também o que o bebê faz por seu pai (como trazer à tona seu lado sensível e protetor). Para mais sobre ser pai, ver Capítulo 24.

---

## PERDA DE PESO

*"Eu esperava que minha filha perdesse algum peso no hospital, mas ela passou de 3,4 para 3,1 quilos. Não é demasiado?*

Os novos pais, ansiosos para começar a emitir relatórios sobre o progresso de seu bebê no departamento ganho de peso, com frequência ficam decepcionados quando os filhos saem do hospital pesando consideravelmente menos do que quando entraram lá. Mas quase todos os recém-nascidos se destinam a perder parte do peso ao nascimento (em geral entre 5 e 10%) nos primeiros 5 dias de vida — não como resultado de uma dieta excêntrica no berçário, mas por causa da perda de fluidos pósparto, uma vez que neste período os bebês precisam de pouco alimento e, portanto, consomem pouco. Os bebês amamentados no peito, que consomem somente algumas colheradas de cada vez do colostro do primeiro leite, geralmente perdem mais peso do que os bebês alimentados com mamadeira. A maioria dos recém-nascidos para de perder peso no quinto dia e recupera ou ultrapassa seu peso ao nascimento por volta de 10 a 14 dias de idade — quando você começa a emitir aqueles boletins.

## APARÊNCIA DO BEBÊ

*"As pessoas me perguntam se meu filho se parece comigo ou com meu marido. Nenhum de nós tem a cabeça pontuda, olhos esbugalhados, uma orelha dobrada para a frente e o nariz arrebitado. Quando é que ele terá uma aparência melhor?"*

Há um bom motivo para que os bebês de dois e três meses sejam usados para retratar recém-nascidos em filmes e comerciais da televisão: a maioria dos recém-nascidos não é lá muito fotogênica. E embora o amor dos pais seja o mais cego de todos, até os pais que são apaixonados não conseguem deixar de perceber as muitas imperfeições da aparência de seu recém-nascido. Felizmente, a maioria das características dos recémnascidos que impedem que seu bebê estrele filmes e venda fraldas na tevê é temporária.

Os traços que você está descrevendo não são herdados de algum parente distante de cabeça pontuda, olhos esbugalhados e orelha dobrada. Eles foram adquiridos durante a estada de seu filho no espaço apertado do útero, durante a tempestuosa passagem pela pélvis óssea da mãe na preparação para o parto e durante sua última viagem traumática pelos limites estreitos do canal durante o parto.

Se não fosse pelo miraculoso desenho da cabeça fetal — com os ossos do crânio que não estão plenamente fundidos, permitindo que eles sejam empurrados e moldados enquanto o bebê faz sua descida —, haveria muito mais partos cirúrgicos. Então, fique grata pela cabecinha pontuda que vem com seu parto normal e fique tranquila que o crânio voltará como que por milagre àquele redondo de querubim em alguns dias.

O inchaço em torno dos olhos de seu filho também se deve, pelo menos em parte, à surra que ele leva em sua fantástica viagem ao mundo. (Outro fator que pode contribuir para isso é a pomada antibiótica colocada nos olhos do bebê para prevenir uma infecção por gonococos ou por clamídia.) Alguns postularam que este inchaço serve como proteção natural para os recém-nascidos, cujos olhos estão sendo expostos pela primeira vez à luz. Não tem fundamento a preocupação de que o intumescimento possa interferir com a capacidade do bebê de ver a mamãe e o papai, impossibilitando o primeiro contato olho no olho. Embora não possa diferenciar um do outro, um recém-nascido pode distinguir faces borradas ao nascimento — embora através das pálpebras inchadas.

A orelha dobrada provavelmente é outro resultado do aperto que o bebê experimenta no útero. À medida que um feto cresce e fica mais confortavelmente acomodado no saco amniótico da mãe, uma orelha que por acaso tenha sido empurrada para a frente pode ficar nessa posição mesmo depois do nascimento. Prendê-la atrás com esparadrapo não ajuda, segundo os especialistas, e o esparadrapo pode causar irritação, mas você pode acelerar o retorno ao posicionamento normal da orelha contra a cabeça quando colocar o bebê (com supervisão) a seu lado para brincar. Algumas orelhas, é claro, são geneticamente destinadas a se virar para fora — mas se este for seu caso, as duas em geral são assim, desde o começo.

O nariz arrebitado é muito provavelmente o resultado de um aperto durante o trabalho de parto e o nascimento, e deve voltar ao normal naturalmente. Mas como o nariz do bebê é tão diferente da variedade dos adultos (a ponte é larga, ele quase não existe, a forma com frequência é indefinível), ele pode ficar assim por algum tempo antes que você possa dizer a quem puxou o nariz de seu filho.

## COR DOS OLHOS

*"Eu esperava que os olhos de minha filha fossem verdes como os do meu marido, mas os olhos dela parecem cinza-escuro. Existe alguma possibilidade de eles ficarem verdes depois?"*

O jogo de adivinhação favorito da gravidez — será menino ou menina? — é substituído por outro nos pri-

meiros meses da vida do bebê — de que cor ficarão os olhos dele?

Definitivamente, é cedo demais para isso. A maioria dos bebês caucasianos nasce com olhos azul-escuros ou cor de ardósia; a maioria dos bebês de pele escura, com olhos escuros, em geral castanhos. Embora os olhos escuros dos bebês de pele mais escura vão permanecer escuros, a cor dos olhos dos bebês caucasianos pode passar por várias mudanças (deixando as apostas mais animadas) antes de se estabelecer em algum momento por volta do terceiro e do sexto mês, ou até depois. E uma vez que a pigmentação da íris pode continuar aumentando durante todo o primeiro ano, a profundidade da cor pode não ser evidente até o primeiro aniversário do bebê.

## OLHOS INJETADOS

*"O branco dos olhos de meu recém-nascido parece avermelhado. É alguma infecção?"*

Não são as madrugadas que seu recém-nascido passa acordado que deixam os olhos dele avermelhados (não, isso explicaria por que os *seus* olhos ficam tão vermelhos nos primeiros meses). Em vez disso, é uma condição inócua que ocorre quando há trauma no globo ocular — com frequência na forma de vasos sanguíneos rompidos — durante o parto vaginal. (Na verdade, muitas novas mamães que fazem muito esforço durante o parto rompem vasos em seus olhos.) Como um hematoma na pele, esta descoloração desaparece em alguns dias e não indica que houve algum dano aos olhos de seu bebê.

## POMADA OCULAR

*"Por que meu recém-nascido tem pomada nos olhos, e por quanto tempo ela vai toldar a visão dele?"*

Existem muitos fatores que se colocam entre um recém-nascido e uma visão clara do ambiente: o fato de que os olhos dele estão inchados do parto; que eles ainda estejam se adaptando às luzes brilhantes do mundo exterior depois de passar nove meses em um útero escuro; que eles são naturalmente míopes; e por fim, como você deve ter percebido, que eles estão pegajosos de pomada. Mas a pomada serve a um importante propósito que faz com que valha a pena o pequeno aumento na visão embaçada: ela é administrada (de acordo com recomendação da AAP e obrigatória em muitos estados americanos) para prevenir uma infecção por gonococos ou por clamídia. No passado uma causa importante de cegueira, estas infecções foram praticamente erradicadas por este tratamento preventivo. A pomada antibiótica, em geral de eritromicina, é suave e não é potencialmente tão irritante para os olhos quanto o colírio de nitrato de prata que antigamente era o tratamento preferido (e ainda é utilizado em alguns hospitais). Os médicos descobriram que o colírio de nitrato de prata causava vermelhidão e inflamação, bem como uma

tendência de os bebês desenvolverem uma conjuntivite química, caracterizada por inchaço e uma secreção amarelada.

O leve intumescimento e a mancha lodosa nos olhos de seu recém-nascido durarão somente um dia ou dois. O lacrimejamento, o inchaço ou infecções que comecem depois desse período podem ser causados por um duto lacrimal obstruído (ver página 311).

## DIVIDINDO O QUARTO

*"Ter o bebê dormindo no meu quarto me parecia o paraíso antes de eu dar à luz. Agora mais parece o inferno. Não consigo fazer com que ele pare de chorar, mas que tipo de mãe eu seria se pedisse à enfermeira para levá-lo de volta ao berçário?"*

Você seria uma mãe muito humana (o que, aliás, pode estar acostumada a ser). Considerando o desafio pelo qual você acabou de passar (o parto), e o outro que está prestes a empreender (a criação do filho), não é de surpreender que você esteja mais disposta a dormir do que a suportar um bebê que chora. E não é anormal sentir-se culpada por isso (lembre-se, você é apenas humana).

Certamente, algumas mulheres lidam com facilidade com um bebê em seu quarto 24 horas por dia, desde a primeira noite. Elas podem ter tido partos que as deixaram animadas em vez de exaustas. Ou podem ter alguma experiência nos cuidados de recém-nascidos, dos seus próprios ou dos outros. Para estas

## JÁ OUVIU AQUELA DO...

Você não tem nem 48 horas como mãe e já recebeu tantos conselhos conflitantes (sobre todo tipo de coisa: dos cuidados com o cordão umbilical à amamentação) que sua cabeça está girando. A equipe do hospital lhe diz uma coisa, sua irmã (veterana de dois partos) tem uma opinião totalmente diferente e as duas se chocam com o que você parece se lembrar de o pediatra ter lhe dito.

O fato é que não é fácil classificar os dados sobre os cuidados com um bebê (pelo menos, os dados mais atualizados) — em especial quando todos (e sua mãe) lhe dizem coisas diferentes. O melhor a fazer quando todos os conselhos contraditórios a deixam em dúvida sobre qualquer questão de cuidados infantis (ou quanto você precisa de um voto de Minerva): apegue-se aos conselhos do médico.

É claro que, ao ouvir os outros, não se esqueça de que você tem outro recurso valioso à mão — seus próprios instintos. Com frequência os pais, até os mais inexperientes, sabem melhor — e em geral muito mais do que pensam que sabem.

---

mulheres, um bebê inconsolável às 3 da manhã pode não ser uma alegria, mas tampouco é um pesadelo. Para uma mulher que ficou sem dormir por 48 horas, contudo, cujo corpo ficou fraco de um parto enervante, e cuja aproximação máxima de um bebê tenha sido num anúncio de fraldas, estes acessos antes do amanhecer podem fazer com que ela se pergunte às lágrimas: por que eu decidi ser mãe?

Bancar a mártir pode suscitar ressentimentos maternos, sentimentos que o bebê provavelmente vai captar. Se, em vez disso, o bebê é levado de volta ao berçário entre as mamadas à noite, mãe e filho, os dois bem descansados, podem se conhecer com mais facilidade quando amanhecer. E a manhã é a melhor hora para tirar proveito de uma das maiores vantagens de dividir o quarto com o bebê de dia: a chance de aprender a cuidar de seu recém-nascido enquanto ainda existe ajuda disponível para você no final do corredor, caso você precise. Lembre-se, mesmo que tenha optado por ter o bebê com você durante o dia, não deve achar que não pode chamar a enfermeira para dar uma mãozinha. É para isso que servem as enfermeiras.

Quando a noite cair novamente, e se você se sente bastante descansada, tente manter o bebê e ver como as coisas se saem. Ele pode surpreendê-la dormindo mais do que chorando, e você pode se surpreender consigo mesma por se sentir mais à vontade com ele. Ou, se a segunda noite acabar sendo uma repetição da primeira, ou se você ainda não está pronta para trabalhar no turno da noite, sinta-se à vontade para tirar proveito da enfermeira novamente. Dividir o quarto com o bebê o tempo todo é uma opção maravilhosa em maternidades centradas na família — mas não é para todos. Você *não* é um fracasso como mãe se não desfruta a presença do bebê em seu quarto, ou se está cansada demais para isso. Não se sinta pressionada se acha que não quer; e depois que tiver se empenhado, não pense que não pode mudar de ideia e passar a ter o bebê no quarto somente em parte do tempo.

Seja flexível. Concentre-se na qualidade do tempo que você passa com seu bebê no hospital, em vez da quantidade. Ter o bebê no seu quarto o tempo todo logo será uma realidade em sua casa. Por ora, se você não exagerar, deve ficar emocional e fisicamente pronta para lidar com isso.

# Remédio para a dor

*"Ando tendo uma dor considerável em minha incisão da cesariana. Meu obstetra me receitou um analgésico, mas estou preocupada que o remédio passe para meu leite."*

Você não precisa sofrer para manter seu bebê seguro. Na verdade, não tomar medicação para a dor pode lhe fazer mais mal do que bem. A tensão e a exaustão que podem resultar de uma dor pós-cesária (ou de parto vaginal) só interferirá em sua capacidade de estabelecer um bom relacionamento com seu filho (você precisa estar relaxada) e uma boa oferta de leite (você precisa estar descansada). Além disso, o remédio só aparecerá em quantidades minúsculas no seu colostro; quando chegar o leite, provavelmente você não precisará mais de medicamentos narcóticos para aplacar a dor. E se seu bebê receber uma pequena dose do remédio, ele dormirá facilmente, sem nenhum efeito colateral.

Se sua dor não é extremamente grave — ou se ela começa a se abrandar —, você pode pensar em pedir à enfermeira paracetamol extraforte (Tylenol), o analgésico de escolha durante a lactação.

# Sonolência do bebê

*"Minha filha parecia muito alerta logo depois que nasceu, mas desde então ela tem dormido tanto, que eu mal a acordo para comer, e muito menos para socializar."*

Você esperou nove longos meses para conhecer sua filha — e agora que ela está aqui, só o que ela faz é dormir. Mas não se preocupe, que esta sonolência crônica não tem reflexos em sua amamentação ou nas habilidades de socialização — é só um sinal de que as coisas vêm naturalmente a sua filha. A insônia nas primeiras horas depois do parto, seguida de um longo período de sonolência pronunciada, com frequência de 24 horas, é o padrão normal do recém-nascido (embora ela possa não dormir por 24 horas seguidas). É um padrão que provavelmente tem por objetivo dar aos bebês uma chance de se recuperarem do trabalho exaustivo de nascer, e a suas mães a chance de se recuperarem do parto. (Mas você vai precisar se certificar de que sua filha ajusta as mamadas ao cronograma de sono; ver página 196 para algumas técnicas de despertar.)

Não espere que sua recém-nascida se torne uma companhia muito mais estimulante depois de passadas aquelas 24 horas de sono. Aqui está aproximadamente o que você pode esperar que aconteça: nas primeiras semanas de vida, os períodos de duas a quatro horas de sono terminarão abruptamente com o choro. Ela acordará e ficará num estado semidesperto para comer, provavelmente tirando várias sonecas enquanto está mamando (agitar o mamilo em volta de sua boca a fará sugar novamente quando ela dorme no meio da mamada). Depois que estiver satisfeita, ela finalmente ficará mais sonolenta, pronta para outra soneca.

No começo, sua pequena dorminhoca ficará verdadeiramente alerta por apenas três minutos a cada hora durante o dia, e menos (assim espera você) à noite, um cronograma que permitirá um total de cerca de uma hora por dia de socialização ativa. Embora isso possa ser frustrante para você (afinal, quanto tempo você esperou para experimentar suas habilidades com esconde-esconde?), é só o que a mãe natureza ordenou para sua filha. Ela não está madura o bastante para se beneficiar de períodos mais longos de vigília, e estes períodos de sono — particularmente de sono REM (ou estado de sonho) — aparentemente ajudam em seu desenvolvimento.

Aos poucos, os períodos de vigília de sua filha se tornarão maiores. Mas, no final do primeiro mês, a maioria dos bebês fica alerta por cerca de duas a três horas por dia, a maior parte em um período relativamente longo, em geral no final da tarde (nesse ponto, você pode começar a testar seu material de entretenimento de bebê com ela). E alguns desses "cochilos" à noitinha, em vez de durarem uma ou duas horas, podem durar de seis horas a seis horas e meia.

Nesse meio tempo, pode ser que você continue a ver frustradas suas tentativas de conhecer seu bebê. Mas em vez de ficar parada junto ao berço esperando que ela acorde para uma sessão de brincadeiras, experimente usar seu período de sono para tirar uma soneca você mesma. Você vai precisar dela pelos dias (e noites) à frente, quando ela provavelmente ficará mais acordada do que você gostaria.

## MAMAS VAZIAS

*"Já faz dois dias que eu dei à luz a minha menininha, e nada sai de meus seios quando eu os aperto, nem mesmo colostro. Estou preocupada que ela passe fome."*

Não só sua filha não está passando fome, como ela nem sequer tem fome ainda. Os bebês não nascem com apetite, nem com necessidades nutricionais imediatas. E quando sua filha começar a sentir fome por um peito cheio de leite, em geral por volta do terceiro ou quarto dia pós-parto, você quase certamente será capaz de servir-lhe.

Isso não quer dizer que seus seios estejam vazios agora. O colostro (que proporciona nutrição e anticorpos importantes para o bebê que o corpo dele

## O ESTADO DE ESPÍRITO DO RECÉM-NASCIDO

Ao observador casual — ou aos pais de primeira viagem — pode parecer que os bebês só têm três coisas em mente: comer, dormir e chorar (não necessariamente nesta ordem). Na verdade, porém, os pesquisadores mostraram que o comportamento dos bebês é pelo menos duas vezes mais complexo do que isso e pode ser organizado em seis estados de consciência. Aprenda a observar e entender estes estados e você será capaz de decifrar as mensagens que seu filho está mandando a você, e até deduzir o que ele quer.

**Alerta calmo.** Este estado é o modo de agente secreto. Quando os bebês estão em alerta calmo, sua atividade motora é suprimida, então eles raramente se mexem. Em vez disso, eles gastam toda a sua energia observando (com os olhos arregalados, em geral olhando diretamente para alguém) e ouvindo intensamente.

Este comportamento faz do alerta calmo um período perfeito para uma socialização direta. Os recém-nascidos no final do primeiro mês em geral passam duas horas e meia por dia neste estado.

**Alerta ativo.** O motor está em funcionamento quando os bebês estão em alerta ativo — com os braços se mexendo e as pernas chutando. Eles podem até produzir pequenos sons. Embora neste estado eles fiquem olhando muito ao redor, mais provavelmente focalizarão em objetos em vez de em pessoas — a pista que você tem de que o bebê está mais interessado em apreender o que há a sua volta do que em fazer alguma socialização séria. Os bebês ficam mais frequentemente neste estado de espírito de recém-nascido antes de comer ou quando estão prestes a ficar nervosos. Você pode evitar o nervosismo no final

---

não pode produzir, enquanto ajuda a eliminar o mecônio e muco em excesso do sistema digestivo) quase certamente está presente, embora em quantidades muito pequenas (as primeiras mamadas têm em média menos de meia colher de chá; no terceiro dia, menos de três colheres de sopa por mamada em dez mamadas). Mas o colostro não é tão fácil de tirar manualmente. Mesmo um bebê de um dia, sem nenhuma experiência anterior, está mais bem equipado do que você para extrair este primeiro leite.

# OBSTRUÇÕES E ENGASGOS

*"Quando me trouxeram meu bebê pela manhã, ele parecia estar entupido e sufocando, e depois cuspiu um líquido. Eu não o havia amamentado ainda, então não havia nada para cuspir. Qual foi o problema?"*

Seu bebê passou os últimos nove meses, mais ou menos, vivendo em um ambiente líquido. Ele não respirou ar, mas aspirou muito fluido. Embora uma enfermeira ou um médico possam

de um período de alerta ativo amamentando-o ou embalando-o suavemente.

**Choro.** Evidentemente, este é o estado que o recém-nascido melhor conhece. O choro ocorre quando os bebês estão com fome, desconfortáveis, entediados (quando não têm atenção suficiente), ou quando estão simplesmente infelizes. Enquanto choram, os bebês contorcem o rosto, mexem vigorosamente braços e pernas e fecham bem os olhos.

**Sonolência.** Os bebês ficam neste estado quando estão acordando ou cabeceando de sono, o que não é de surpreender. Os bebês sonolentos farão alguns movimentos (como se espreguiçar depois de acordar) e farão uma variedade de gestos faciais adoráveis mas aparentemente incongruentes (que podem ter uma gama que vai de carrancas a surpresa e entusiasmo), mas as pálpebras estarão caídas e os olhos parecerão apáticos, vidrados e sem foco.

**Sono tranqüilo.** Neste estado, o rosto do bebê é relaxado e as pálpebras estão bem fechadas e imóveis. O movimento corporal é raro, com alguns sobressaltos ou movimentos da boca, e a respiração é muito regular. O sono tranquilo alterna-se a cada 30 minutos com o sono ativo.

**Sono ativo.** Na metade do tempo em que os bebês dormem eles estão em sono ativo. Neste estado de sono inquieto (que na verdade é muito mais repousante para o bebê do que parece), podemos ver os olhos, embora fechados, mexendo-se sob as pálpebras — por isso o nome de REM, de movimento rápido dos olhos (*rapid eye movement*). A respiração não é regular; os bebês podem mexer a boca em um movimento de sugar ou mastigar, ou podem até sorrir; os braços e pernas também podem se mexer muito.

limpar as vias aéreas dele por sucção ao nascimento, pode haver muco e fluido adicionais nos pulmões, e este engasgo é a maneira de seu bebê se livrar do que ainda resta. É perfeitamente normal, e não há motivo para se preocupar.

## DORMIR NAS REFEIÇÕES

*"O médico diz que eu devo amamentar meu bebê a cada duas ou três horas, mas às vezes eu não o ouço por cinco ou seis horas. Será que devia acordá-lo para comer?"*

Alguns bebês ficam perfeitamente felizes em dormir durante as refeições, em particular nos primeiros dias de vida. Mas deixar um bebê adormecido deitado durante as mamadas significa que ele não terá se alimentado o suficiente e, se você está amamentando, que sua oferta de leite não terá o ponto de partida de que precisa. Se seu filho é um bebê dorminhoco, experimente as técnicas a seguir para acordá-lo no horário das refeições:

- Escolha o sono correto do qual acordá-lo. Os bebês podem ser acordados com muito mais facilidade durante o sono ativo, ou REM. Você saberá se seu filho está neste ciclo de sono leve (que representa cerca de 50% do período de sono) quando ele começar a mexer os braços e as pernas, mudar a expressão facial e tremelicar as pálpebras.

- Descubra-o. Às vezes, basta tirar o cobertor de um bebê para que ele acorde. Se isso não acontecer, tire as roupas dele, até as fraldas (se a temperatura ambiente permitir), e tente fazer um contato de pele.

- Faça uma troca de fraldas. Mesmo que a fralda dele não esteja úmida, uma troca pode representar um sobressalto suficiente para acordá-lo para a refeição.

- Reduza as luzes. Embora possa parecer que acender lâmpadas é a melhor maneira de arrancar o bebê do sono, isso pode ter o efeito oposto. Os olhos de um recém-nascido são sensíveis à luz; se o quarto é iluminado demais, seu filho pode ficar mais confortável mantendo-os bem fechados. Mas não desligue completamente a luz. Um quarto escuro demais só embalará seu filho de volta à terra dos sonhos.

- Experimente a técnica dos "olhos de boneca". Segurar um bebê ereto em geral levará seus olhos a se abrirem (como acontece com uma boneca). Erga gentilmente seu filho em uma posição ereta ou sentada e dê uns tapinhas leves nas costas dele. Tenha o cuidado de não dobrá-lo (curvando-o para a frente).

- Seja sociável. Cante uma música animada, fale com seu bebê e, depois que os olhos dele se abrirem, faça contato visual com ele. Um pequeno estímulo social pode induzi-lo a ficar acordado.

- Acaricie-o da forma correta. Esfregue as palmas das mãos e as solas dos pés de seu filho; massageie os braços, as costas e os ombros dele. Ou faça uma aeróbica de bebê: mova os braços dele e bombeie as pernas em um movimento de bicicleta.

- Se o dorminhoco ainda não acordou para a ocasião, coloque uma toalha de rosto fria (não quente) na testa dele ou passe suavemente a toalha no rosto dele.

É claro que acordar o bebê não significa que você será capaz de mantê-lo acordado — em especial depois de algumas sonecas induzidas pelo leite. Um bebê que ainda está sonolento pode pegar o mamilo, mamar um pouco e depois imediatamente cair de novo no sono, muito antes de conseguir fazer uma refeição. Quando isso acontecer, experimente o seguinte:

- Um arroto — quer o bebê precise ou não, o solavanco pode acordá-lo novamente.

- Uma troca de fraldas — desta vez na posição de amamentação. Quer esteja alimentando no peito ou com mamadeira, passe da posição de berço para a de futebol americano (em que é menos provável que o bebê durma).

# DECIFRANDO O CÓDIGO DO CHORO

Certamente, chorar é a única forma de comunicação do bebê — mas isso não quer dizer que você sempre saiba exatamente o que ele está tentando dizer. Não se preocupe. Estes truques podem ajudá-la a entender o que realmente significam aqueles choramingos, gemidos e guinchos:

**"Estou com fome"**. Um choro curto e em tom baixo, que aumenta e cai ritmadamente e tem uma qualidade de protesto (como em "Por favor, por favor, me alimente!") em geral significa que o bebê está querendo uma refeição. O choro de fome é com frequência precedido de algumas dicas, como os lábios estalando, contorções ou dedos sendo chupados. Pegue as dicas e você poderá conseguir evitar as lágrimas.

**"Estou com dor"**. Este choro começa de repente (em geral em resposta a um estímulo — por exemplo, a picada da agulha na hora da injeção) e é alto (como quando se fura a orelha), em pânico e longo (com cada gemido durando alguns segundos), deixando o bebê sem fôlego. É seguido por uma longa pausa (em que o bebê toma ar, poupando-o para outro choro) e depois se repete, em guinchos longos e agudos.

**"Estou com tédio"**. Este choro começa como arrulhos (como quando o bebê tenta ter uma boa interação), depois se transforma em estardalhaço (quando a atenção que ele quer não é dada), depois cresce em explosões de um choro indignado ("Por que você está me ignorando?"), alternando-se com gemidos ("Vamos lá, o que um bebê tem que fazer para ter um pouco de carinho?"). O choro de tédio para assim que se pega o bebê.

**"Estou exausto ou desconfortável"**. Um choro em relincho, nasal e contínuo, de intensidade crescente, em geral é um sinal de que o bebê já teve o bastante (como em "Soninho, por favor!", ou "Chega de trocar fralda!", ou "Dá para entender que eu estou enjoado desse assento infantil?").

**"Estou doente"**. Este choro em geral é fraco e nasal, com um tom mais baixo do que o choro de "dor" ou de "cansaço" — como se o bebê não tivesse energia suficiente para aumentar o volume. É com frequência acompanhado de outros sinais de doença e mudanças no comportamento do bebê (por exemplo, apatia, recusa em comer, febre e/ou diarreia). Não existe choro mais triste no repertório do bebê do que o choro de "doença", nem outro que toque mais profundamente o coração dos pais.

♦ Umas gotas — um pouco de leite do seio ou fórmula gotejado nos lábios dele podem estimular seu apetite para a segunda refeição.

♦ Um balanço — balançar o seio ou a mamadeira na boca de seu filho ou esfregar sua bochecha pode levar ao recomeço do ato de sugar.

- ◆ E repita — Alguns bebês novos alternam mamar e dormitar do início ao fim da refeição. Se é o que acontece com seu filho, você pode descobrir que terá de fazê-lo arrotar, terá de trocar as fraldas, gotejar e balançar várias vezes para que ele tenha uma refeição completa.

É bom deixar seu bebê dormir de vez em quando, se ele cai no sono depois de um aperitivo pequeno e fracassaram todos os esforços para tentá-lo fazer uma reentrada. Mas, por ora, não deixe que ele durma mais de três horas sem uma refeição completa, se ele está mamando no peito, ou quatro horas, se está tomando mamadeira. Também não é uma boa ideia deixar que ele cochile a intervalos de 15 a 20 minutos o dia todo. Se a tendência dele parece ser esta, seja incansável em suas tentativas de acordá-lo quando ele dormir durante uma refeição.

Se a sonolência crônica interfere tanto com a alimentação que seu filho não está se desenvolvendo (ver página 254 para os sinais), consulte o médico.

## MAMAR SEM PARAR

*"Tenho medo de que minha filha vá se transformar em um balãozinho. Quase imediatamente depois de eu a deitar, ela acorda, chorando para ser amamentada de novo."*

Sua filha pode estar destinada a ser um dirigível da Goodyear se você a amamentar de novo imediatamente depois de ela ter tido uma refeição completa. Os bebês choram por motivos diferentes da fome, e pode ser que você esteja interpretando mal os sinais que ela está mandando (ver quadro anterior). Algumas vezes, chorar é uma forma de o bebê relaxar por alguns minutos antes de cair no sono. Ao colocá-la de volta ao peito você pode não só estar exagerando na alimentação, mas também interrompendo os esforços dela de sossegar para dormir. Às vezes chorar depois de uma refeição pode ser um choro de companhia — um sinal de que sua filha está com humor para alguma socialização, e não outra refeição. Algumas vezes o choro significa que o bebê está tendo problemas para se acalmar, e neste caso pode ser que ela só precise que você a embale e cante algumas cantigas de ninar. E, de vez em quando, é só uma simples questão de gases (que mais amamentação só piora). Levantar o balãozinho pode dar a ela a satisfação a que ela anseia.

Se você já excluiu todos os cenários mencionados anteriormente — bem como fez uma verificação rápida de uma fralda suja ou desconfortavelmente úmida —, e sua filha ainda está chorando, considere que talvez ela realmente não tenha comido o bastante. É possível que um surto de crescimento possa ter colocado o apetite dela em marcha acelerada. Mas tenha em mente que oferecer alimento a sua filha toda vez que ela chora depois de comer não só a transformará em um balão, mas também poderá prendê-la a um hábito de come e dorme que será difícil de refrear mais tarde.

Tenha a certeza, contudo, de que sua filha está ganhando peso a uma taxa adequada. Se não estiver, ela pode estar chorando de fome crônica — o que pode ser um sinal de que você não está produzindo leite suficiente. (Ver páginas 254-257 se seu bebê não parece estar se desenvolvendo.)

## TREMOR NO QUEIXO

*"Às vezes, especialmente quando está chorando, o queixo do meu filho treme."*

Embora o tremor no queixo possa parecer outro dos truques engenhosos do recém-nascido para emocionar você, é na verdade um sinal de que o sistema nervoso dele, como o de outros recém-nascidos, não está plenamente desenvolvido. Dê-lhe a solidariedade a que ele parece ansiar e desfrute do tremor no queixo enquanto ele durar — porque não será por muito tempo.

## SOBRESSALTOS

*"Estou preocupada que haja alguma coisa errada com o sistema nervoso de minha filha. Mesmo quando está dormindo, de repente ela parece tomar um grande susto."*

Pressupondo-se que sua filha não tenha bebido café demais, os saltos que você observa se devem a seu reflexo de sobressalto, um dos muitos reflexos bem normais (embora aparentemente peculiares) com que nascem os bebês.

Também conhecido como reflexo de Moro, ocorre mais frequentemente em alguns bebês do que em outros, às vezes sem nenhum motivo aparente, mas com mais frequência em resposta a ruídos altos, solavancos ou uma sensação de queda — como acontece quando o bebê é retirado da cama ou colocado nela sem o apoio adequado. Como muitos outros reflexos, o de Moro é provavelmente um mecanismo de sobrevivência embutido que tem o propósito de proteger o recém-nascido vulnerável; neste caso, é provavelmente uma tentativa primitiva de recuperar a perda de equilíbrio percebida. Em um reflexo de Moro, o bebê em geral enrijece o corpo, lança os braços para trás e para o alto simetricamente, abre bem os punhos, que em geral ficam fechados, fecha-os novamente, volta-se para o próprio corpo num gesto de abraço — tudo em uma questão de segundos. Ele pode chorar.

Embora a visão de um bebê sobressaltado em geral cause sobressalto nos pais, um médico provavelmente ficará mais preocupado se um bebê não exibir este reflexo. O sobressalto é testado rotineiramente em recém-nascidos, e sua presença é na verdade um sinal tranquilizador de que o sistema neurológico está funcionando bem. Você descobrirá que sua filha aos poucos se sobressalta com menos frequência e menos dramaticamente, e que o reflexo desaparecerá totalmente em algum momento entre 4 e 6 meses. (Sua filha pode se sobressaltar de vez em quando, é claro, em qualquer idade — assim como os adultos —, mas não com o mesmo padrão de reações.)

## DICAS PARA SESSÕES DE AMAMENTAÇÃO BEM-SUCEDIDAS

Quer o peito ou a mamadeira seja a passagem de seu filho para uma barriguinha cheia, as diretrizes a seguir devem ajudar a tornar a viagem mais tranquila:

**Minimize o caos.** Enquanto os dois estão aprendendo do riscado, você e seu bebê terão de se concentrar na amamentação, e quanto menos distrações para o trabalho, melhor. Desligue a televisão (música suave é bom) e deixe a secretária eletrônica pegar os recados na hora das refeições do bebê. Retire-se para o quarto para alimentá-lo quando você tiver visitas ou quando a atmosfera geral na sala parecer a de um circo (o que, em muitas casas, acontece o tempo todo). Se você tem outros filhos, é provável que já seja proficiente na amamentação — o desafio será manter os mais velhos e

seu bebê felizes ao mesmo tempo. Experimente distrair a atenção deles com alguma atividade silenciosa, como colorir, que eles possam fazer sossegados a seu lado, ou aproveite essa oportunidade para ler uma história para eles.

**Faça uma troca de fraldas.** Se seu bebê é relativamente calmo, você pode ter tempo para uma troca de fraldas. Uma fralda limpa proporcionará uma refeição mais confortável e reduzirá a necessidade de uma troca logo depois — um ótimo adendo se seu bebê caiu no sono e você quer que ele fique assim por algum tempo. Mas não troque as fraldas antes das mamadas do meio da noite se o bebê está somente úmido (ensopado é outra história); esta interrupção faz com que ele volte a dormir com mais dificuldade, em especial para bebês que confundem dia com noite.

## MARCAS DE NASCENÇA

*"Acabo de perceber uma mancha vermelha e brilhante em relevo na barriga de minha filha. É uma marca de nascença? Vai sumir?"*

Muito tempo antes de sua filha pedir aos pais por seu primeiro biquíni, essa marca em forma de morango — como a maioria das marcas de nascença — será uma parte de seu passado, deixando a barriga pronta (mesmo que os pais não estejam) para ser expos-

ta na praia. É claro que quando você vê uma marca de nascença no recém-nascido — que pode ser bem grande e vibrante —, com frequência parece difícil acreditar. Às vezes a marca (que frequentemente aparece não ao nascimento, mas nas primeiras semanas de vida) cresce um pouco antes de desaparecer. E quando ela começa a encolher ou sumir, é difícil observar as mudanças dia após dia. Por este motivo, muitos médicos documentam as mudanças das marcas de nascença fotografando-as e medindo-as periodicamente. Se o médi-

**Lave as mãos.** Embora você não vá fazer a comida, são as suas mãos que devem ser lavadas com sabão e água antes das refeições do bebê.

**Fique confortável.** As dores e incômodos são um risco ocupacional para os pais de primeira viagem, que usam músculos com que não estão acostumados para levar os bebês em crescimento de um lado a outro. Alimentar um bebê em uma posição ruim só aumentará o problema. Assim, antes de colocar o bebê para mamar no peito ou na mamadeira, certifique-se de que você esteja confortável, com apoio adequado para suas costas e para o braço que segura o bebê.

**Liberte-o.** Se seu bebê está muito vestido, tire parte das roupas para que você possa afagá-lo enquanto amamenta.

**Acalme um bebê aceso.** Um bebê que está inquieto terá problemas para sossegar para a mamada e ainda mais problemas com a digestão. Experimente uma música suave ou embalar um pouco primeiro.

**Toque a alvorada.** Alguns bebês estão sonolentos na hora das refeições, especialmente nos primeiros dias, e é necessário um esforço concentrado para acordá-los para a tarefa de mamar no peito ou na mamadeira. Se o seu bebê é um dorminhoco do jantar, experimente as técnicas de despertar da página 196.

**Pare para um arroto.** No meio de cada mamada, faça do parar para arrotar uma rotina. Coloque-o para arrotar, também, a qualquer hora que o bebê parecer querer parar de mamar prematuramente ou começar a se agitar no mamilo — podem ser gases, e não a comida, que estão enchendo a barriga dele. Levante-o um pouco e você voltará ao trabalho.

**Faça contato.** Afague e cuide de seu bebê com as mãos, os olhos, a voz. Lembre-se, as refeições devem satisfazer as necessidades diárias de seu bebê não só de nutrientes, mas de amor dos pais também.

co de sua filha não fez isso, você mesma pode fazer, só para se tranquilizar.

As marcas de nascença têm uma variedade de formas, cores e texturas e em geral são classificadas da seguinte maneira:

**Hemangioma em morango.** Esta marca de nascença vermelho-morango, macia e em relevo, pequena como uma sarda ou grande como um descanso de copo, é composta de veias e capilares imaturos que se rompem do sistema circulatório durante o desenvolvimento

fetal. Raramente são visíveis ao nascimento, mas em geral aparecem de repente durante as primeiras semanas de vida, e são tão comuns que um em cada dez bebês provavelmente terá uma. As marcas de nascença em morango crescem por algum tempo, mas por fim começam a esmaecer, assumindo um tom cinza-pérola e quase sempre desaparecem completamente, às vezes entre os cinco e os dez meses de idade. Embora os pais possam ficar tentados a exigir tratamento para uma marca em morango visível demais, particularmente na face, em geral é melhor deixar as marcas sem tratamento, a não ser que continuem a crescer, sangrem repetidamente ou se tornem infectadas, ou interfiram em uma função, como a visão. Ao que parece, o tratamento pode levar a mais complicações do que uma abordagem mais conservadora, que deixe que ela desapareça sozinha.

Se o médico de sua filha determinar que o tratamento é aconselhável, há várias opções. A mais simples é compressão e massagem, que parecem acelerar sua retração. As formas mais agressivas de terapia para hemangiomas em morango incluem a administração de esteroides, cirurgia, terapia a *laser*, crioterapia (congelamento com gelo seco) e injeção de agentes de endurecimento (como aqueles usados no tratamento de veias varicosas). Muitos especialistas acreditam que algumas destas marcas precisam de tais terapias (embora, se for concluído que uma marca em morango precise de terapia para ser removida, será mais fácil tratar quando ela for pequena). Quando uma marca em morango, reduzida por qualquer tratamento ou período de tempo, deixa uma cicatriz ou algum tecido residual, a cirurgia plástica pode eliminá-la na maioria das vezes.

De vez em quando uma marca em morango pode sangrar, seja espontaneamente ou se ficar arranhada ou inchada. A aplicação de pressão deterá o fluxo de sangue.

Muito menos comuns são os hemangiomas cavernosos (ou venosos) — só um ou dois em cem bebês o têm. Com frequência combinadas com o tipo em morango, estas marcas de nascença tendem a ser mais profundas e maiores, e têm uma cor que vai do azul-claro ao escuro. Elas regridem com mais lentidão e menos completamente do que os hemangiomas em morango, e é mais provável que precisem de tratamento.

**Mancha salmão, ou *nevus simplex* ("bicadas de cegonha").** As manchas de cor salmão aparecem na testa, nas pálpebras superiores e em volta do nariz e da boca, mas são vistas com mais frequência na nuca (onde a lendária cegonha carrega o bebê, por isso o apelido de "bicada de cegonha"). Invariavelmente tornam-se mais claras durante os primeiros dois anos de vida, passando a ser perceptíveis somente quando a criança chora ou se exercita. Uma vez que mais de 95% das lesões na face desaparecem completamente, estas manchas causam menos preocupação cosmética do que as outras marcas de nascença.

**Mancha vinho do Porto, ou *nevus flammeus*.** Estas marcas de nascença de cor vermelho-arroxeada, que podem aparecer em qualquer lugar do corpo, são compostas de capilares maduros dilatados. Normalmente estão presentes ao nascimento como lesões rosadas ou roxo-avermelhadas achatadas ou um tanto elevadas. Embora possam mudar de cor um pouco, elas não esmaecem apreciavelmente com o tempo e podem ser consideradas permanentes, embora a aparência possa ser melhorada pelo tratamento com um *laser* em qualquer período que vá da infância à idade adulta.

**Manchas café com leite.** Estas manchas achatadas na pele, cuja cor pode ir de caramelo (café com muito leite) a marrom-claro (café com um pingo de leite), podem aparecer em qualquer lugar do corpo. São muito comuns, aparentes ao nascimento ou durante os primeiros anos de vida, e não desaparecem. Se seu filho tem um grande número de manchas café com leite (seis ou mais), fale com seu médico.

**Manchas mongóis.** De azuladas a cinza-ardósia, parecendo hematomas, as manchas mongóis podem aparecer nas nádegas ou nas costas e às vezes nas pernas e ombros, em nove em cada dez crianças descendentes de africanos, asiáticos ou indianos. Estas manchas mal definidas são também muito comuns em crianças com ancestrais mediterrâneos, mas são raras em bebês louros e de olhos azuis. Embora mais frequentes ao nascimento e desaparecendo no primeiro ano, ocasionalmente elas só aparecem mais tarde e/ou persistem até a idade adulta.

*Nevi* **pigmentado congênito.** A cor desses sinais varia de marrom-claro a preto, e podem conter pelos. Os pequenos são muito comuns; os grandes, "*nevi* pigmentados gigantes", são raros, mas têm uma probabilidade maior de se tornar malignos. Em geral se recomenda que os sinais grandes, e os menores de que se suspeite, sejam removidos se a remoção puder ser feita com facilidade, e que os sinais não removidos tenham o acompanhamento atento de um dermatologista.

# PROBLEMAS NA COR DA PELE

*"Meu bebê parece ter pequenas espinhas brancas em todo o rosto. Será que esfregar ajuda a eliminá-las?"*

Ainda não é necessário apelar ao Clearasil. Embora os pais possam ficar desanimados ao encontrar uma profusão de pontinhos brancos no rosto do recém-nascido (em particular em volta do nariz e no queixo, de vez em quando no tronco ou nas extremidades, ou até no pênis), estas marcas são temporárias e não são um sinal de problemas de pele futuros. O melhor tratamento para estes *milia*, que são causados por obstrução das glândulas de gordura imaturas do recém-nascido, é absolutamente nenhum tratamento. Embora seja tentador espremê-los, esfregá-los ou trata-los, não o faça. Eles desaparecerão espontaneamente, em geral em algumas semanas, deixando a pele de seu filho limpa e macia — pelo menos até a adolescência.

*"O rosto e o corpo de meu filho estão com bolhas que são brancas no meio. Existe algum motivo para me preocupar?"*

Raro é o bebê que sai do período de recém-nascido com a pele incólume. O problema de pele de recém-nascido que acometeu seu bebê também é um dos mais comuns: o eritema tóxico. Apesar de seu nome agourento e sua aparência alarmista — áreas avermelhadas, de formato irregular e bolhosas com centros claros —, o eritema tóxico é completamente inócuo e tem vida curta. Parece um conjunto de picadas de insetos e desaparecerão sem tratamento.

## Cistos ou manchas na boca

*"Quando minha filha estava gritando com a boca bem aberta, percebi alguns carocinhos brancos nas gengivas dela. Serão os dentes nascendo?"*

Não chame a imprensa (nem os avós) ainda. Embora muito ocasionalmente surjam alguns incisivos centrais inferiores mais ou menos seis meses antes do programado, os carocinhos brancos nas gengivas muito mais provavelmente são pápulas cheias de fluido, ou cistos. Estes cistos inócuos são comuns em recém-nascidos e logo desaparecerão, deixando as gengivas limpas bem a tempo para o primeiro sorriso desdentado.

Alguns bebês podem também ter manchas branco-amareladas no céu da boca ao nascimento. Como os cistos, elas não são incomuns, nem têm nenhuma importância médica nos recém-nascidos. Batizadas de "pérolas de Epstein", estas manchas desaparecerão sem tratamento.

## Dentição precoce

*"Fiquei chocada quando descobri que minha filha tinha nascido com dois dentes da frente. O médico disse que terá de extraí-los. Por quê?"*

Muito de vez em quando, um recém-nascido chega em cena com um dente ou dois. Embora essas perolazinhas brancas possam ser bonitinhas — e divertidas de se ver —, pode ser necessário extraí-las se elas não estiverem ancoradas nas gengivas, para impedir que sua filha sufoque ou as engula. Estes dentes muito precoces podem ser pré-dentes, ou dentes extras, que, depois de extraídos, serão substituídos pela dentição primária na época normal. Mas com mais frequência são dentes primários e, se devem ser extraídos, pode ser necessário o uso de próteses temporárias para substituí-los até que apareçam seus sucessores secundários.

## Sapinho

*"Minha filha parece ter um coágulo branco na boca. Achei que era leite que ele tinha ingurgitado, mas quando tentei limpar, sua boca começou a sangrar."*

Há um fungo no meio de vocês — ou, mais precisamente, entre vocês. Embora a infecção por fungo conhecida como sapinho esteja causando problemas na boca de seu bebê, provavelmente ela começou em seu canal de parto como uma infecção por monília — e foi lá que o bebê pegou. O organismo que a causa é a *Candida albicans*, um habitante normal da boca e da vagina. Quando controlada por outros micro-organismos, em geral não causa problemas. Mas se este arranjo é perturbado — por doença, uso de antibióticos ou alterações hormonais (como na gravidez) — as condições tornam-se favoráveis para o crescimento do fungo, o que leva aos sintomas de infecção.

O sapinho aparece em manchas brancas elevadas que parecem queijo *cottage* ou coágulos de leite na face interna das bochechas do bebê e às vezes na língua, no céu da boca e nas gengivas. Se as manchas são esfregadas, uma área vermelha e crua é exposta e pode haver sangramento. O sapinho é mais comum em recém-nascidos, mas ocasionalmente bebês mais velhos, em particular aqueles que tomam antibióticos, serão infectados. Ligue para o médico se você suspeitar de sapinho.

Uma mãe que amamenta no peito também pode desenvolver sapinho nos mamilos, caracterizado por mamilos rosados, coçando, escamosos, ásperos ou com ardência e, se o sapinho não é tratado com agentes antimicóticos, o bebê e a mãe podem continuar a reinfectar um ao outro. A amamentação não precisa ser interrompida se um de vocês, ou os dois, receberam o diagnóstico de sapinho (embora o problema, por ser doloroso, possa interferir na alimentação do bebê quando não é tratado). Os dois serão tratados ao mesmo tempo por uma a duas semanas até que os sintomas tenham desaparecido.

## NÃO SE ESQUEÇA DE COBRIR SEU BEBÊ

Com o plano de saúde, isto é. Um dos muitos telefonemas que você precisa fazer depois do nascimento de seu filho (embora os avós vão querer receber o deles primeiro) será para sua empresa de plano de saúde, para que o recém-chegado possa ser adicionado a sua apólice — algo que não acontece automaticamente. (Algumas seguradoras exigem ser notificadas em 30 dias a partir do nascimento do bebê.) Ter o bebê na apólice garantirá que aquelas visitas do médico sejam cobertas desde o início.

Assim, acrescente isto a sua lista de 101 coisas a fazer.

## ICTERÍCIA

*"O médico me disse que meu bebê está com icterícia e que não passou tempo no banho de luz antes de vir para casa. Ele disse que não é grave, mas qualquer coisa que mantenha meu bebê no hospital parece grave para mim."*

Vá a qualquer berçário de recém-nascidos e você verá que mais da metade dos bebês começaram a amarelar em seu segundo ou terceiro dia — não com a idade, mas com a icterícia do recém-nascido. O amarelamento, que começa na cabeça e vai descendo para os pés, tingindo até o branco dos olhos, advém de um excesso de bilirrubina no sangue. (O processo é o mesmo nos bebês de pele negra ou mulata, mas o amarelamento só pode ser visível nas palmas das mãos, nas solas dos pés e no branco dos olhos.)

A bilirrubina, uma substância formada durante a quebra normal dos glóbulos vermelhos do sangue, em geral é eliminada do sangue pelo fígado. Mas os recém-nascidos frequentemente produzem mais bilirrubina do que suportam seus fígados imaturos. Como resultado, a bilirrubina aumenta no sangue, causando a cor amarelada que é conhecida como icterícia normal ou fisiológica do recém-nascido.

Na icterícia fisiológica, o amarelamento em geral começa no segundo ou no terceiro dia de vida, atinge um pico no quinto dia e é substancialmente diminuído na época em que o bebê tem uma semana ou dez dias de idade. Aparece um pouco mais tarde (por volta do terceiro ou do quarto dia) e dura mais tempo (com frequência 14 dias ou mais) em bebês prematuros devido a seus fígados extremamente imaturos. A icterícia ocorre com mais probabilidade em bebês que perdem muito peso logo depois do parto, em bebês que têm mães diabéticas e em bebês que nasceram por parto induzido.

A icterícia fisiológica de branda a moderada não requer tratamento. Em geral o médico manterá no hospital um bebê com icterícia fisiológica alta por alguns dias a mais, para observação e tratamento por fototerapia sob luz fluorescente, com frequência chamada de banho de luz. As luzes alteram a bilirrubina, fazendo com que fique mais fácil para o fígado do bebê se livrar dela. Durante o tratamento, os bebês ficam nus, exceto pelas fraldas, e seus olhos são cobertos para protegê-los da luz. Eles também recebem mais fluidos para compensar o aumento da perda de água através da pele, e podem ficar restritos ao berçário, exceto para a amamentação. Unidades móveis ou lençóis de fibra ótica, que envolvem o corpo do bebê, proporcionam mais flexibilidade, com frequência permitindo que o bebê vá para casa com a mãe.

Em quase todos os casos, os níveis de bilirrubina (determinados por exames de sangue) gradualmente diminuirão em um bebê que foi tratado, e ele irá para casa com uma ficha de saúde limpa.

Raramente a bilirrubina aumenta mais ou com mais rapidez do que o esperado, sugerindo que a icterícia pode ser não fisiológica. Este tipo de icterícia em geral começa mais cedo ou mais tarde que a fisiológica, e os níveis de bilirrubina são mais altos. O tratamento para que se retorne aos níveis normais de bilirrubina é importante para prevenir o estabelecimento da substância no cérebro, um problema conhecido como kernicterus. Os sinais de kernicterus são o choro fraco, reflexos lentos e fraca sucção em um bebê com icterícia (um bebê que está sendo tratado sob luzes também pode ficar lento, mas isto advém do calor e da falta de estímulo — e não do kernicterus). O kernicterus não tratado pode levar a dano permanente do cérebro ou até a morte. Alguns hospitais tomam medidas para monitorar o nível de bilirrubina no sangue dos bebês através de exames de sangue e visitas de acompanhamento, para garantir que aqueles casos extremamente raros de kernicterus não se percam. As novas diretrizes de uma organização de avaliação de hospitais estão recomendando que todos os hospitais instituam procedimentos de varredura semelhantes. O pediatra também verificará a cor do bebê na primeira visita, à procura da icterícia não fisiológica.

O tratamento da icterícia não fisiológica dependerá da causa, mas pode incluir fototerapia, transfusões de sangue ou cirurgia. Também podem ser usadas novas terapias medicamentosas com uma substância que inibe a produção de bilirrubina.

## VOCÊ ACHA QUE NÃO PODE PAGAR O PLANO DE SAÚDE DO BEBÊ?

Seu plano de saúde da empresa não inclui seu novo bebê? Você acha que não poderá pagar? Aqui estão boas notícias: você pode conseguir ajuda apenas com um telefonema. Uma cobertura mais barata (ou gratuita) pode proporcionar assistência médica regular (inclusive *check-ups* e vacinação) para crianças do nascimento aos 9 anos. Muitas crianças são qualificadas para isso, até aqueles filhos de pais que trabalham. Para maiores informações e saber se sua família se qualifica para um plano de saúde de baixo custo ou gratuito, ligue 877-KIDS-NOW.

*"Soube que o aleitamento causa icterícia. Meu bebê tem icterícia — devo parar de amamentá-lo?"*

Os níveis de bilirrubina são, em média, mais altos nos bebês amamentados no peito do que com mamadeira, e eles podem ficar elevados por mais tempo (cerca de seis semanas). Não só esta icterícia fisiológica exacerbada não é motivo de preocupação, como também não é motivo para considerar o desmame. Na verdade, interromper o aleitamento e/ou dar de mamar água açucarada parece aumentar em vez de diminuir os níveis de bilirrubina, e também pode interferir no estabelecimento da lactação. Já se sugeriu que o aleitamento materno na primeira hora depois do nascimento pode reduzir os níveis de bilirrubina em bebês que mamam.

Suspeita-se de icterícia do leite materno quando os níveis de bilirrubina aumentam rapidamente no final da primeira semana de vida e a icterícia não fisiológica já foi descartada. Acredita-se que seja causada por uma substância no leite materno de algumas mulheres que interfere na quebra da bilirrubina, e estima-se sua ocorrência em cerca de 2% dos bebês amamentados no peito. Na maioria dos casos, ela desaparece sozinha em algumas semanas, sem nenhum tratamento e sem a interrupção da amamentação. Em casos muito graves, quando os níveis são extremamente altos, alguns médicos podem aconselhar a suplementação com fórmula (ou até interromper a amamentação no peito por um dia, enquanto a mãe bombeia para manter a oferta de leite) e/ou o uso de terapia pela luz.

# Cor das fezes

*"Quando troquei a fralda de meu bebê pela primeira vez, fiquei chocada ao ver que suas fezes eram verde-escuras."*

Esta é apenas a primeira das muitas descobertas chocantes que você fará em sua troca de fraldas durante o primeiro ano, mais ou menos. E na maioria das vezes, o que estará descobrindo, embora ocasionalmente perturbe sua suscetibilidade, será completamente normal. O que você viu desta vez foi mecônio, a substância verde-escura alcatroada que aos poucos encheu os intestinos de seu bebê durante a estada dele no útero. É um bom sinal de que este mecônio agora esteja nas fraldas dele e não nos intesti-

---

## SEGURANÇA DO RECÉM-NASCIDO

Para ter certeza de que você vai para casa com seu bebê e não com o filho de outra pessoa, o pessoal do hospital verificará seu bracelete de identificação e o do bebê (aqueles que são colocados imediatamente depois do parto) sempre que você retirar seu filho do berçário e passar pela porta do hospital. Alguns hospitais têm emblemas com códigos de cor dados somente a familiares que foram autorizados a visitar o bebê. E outros colocam detectores especiais no bebê, que soarão um alarme se o bebê for retirado do andar da maternidade sem permissão.

---

nos — agora você sabe que os intestinos estão desobstruídos.

Em algum momento depois das primeiras 24 horas, quando todo o mecônio foi eliminado, você verá as fezes de transição, que são amarelo-esverdeadas, escuras e frouxas, às vezes de textura "encaroçada" (em particular entre bebês que mamam no peito) e podem ocasionalmente conter muco. Pode haver traços de sangue nelas, provavelmente resultado da deglutição por parte do bebê de um pouco de sangue da mãe durante o parto (só para se certificar, reserve qualquer fralda que contenha sangue para mostrar à enfermeira ou ao médico).

Depois de três ou quatro dias de fezes de transição, o que seu bebê começará a eliminar vai depender do que você estará dando a ele. Se for leite materno, as fezes com frequência serão mostarda e terão a consistência às vezes frouxa, até aquosa, às vezes encaroçada, mole ou encrespada. Se for fórmula, as fezes serão macias, mas mais bem formadas do que as de um bebê que mama no peito, e em qualquer tom que vai do amarelo-claro ao marrom-amarelado, marrom-claro ou verde-amarronzado. O ferro na dieta do bebê (seja na fórmula ou em gotas de vitamina) também pode levar a uma tonalidade preta ou verde-escura nas fezes.

Faça o que quiser, mas não compare as fraldas de seu bebê com as do bebê do berço ao lado. Como as impressões digitais, não existem duas evacuações iguais. E, ao contrário das impressões digitais, elas são diferentes não só de um bebê para outro, mas também de um dia para outro (até de uma evacuação para outra) do mesmo bebê. As mudanças, como você

## AS NOVIDADES NA POPA DO RECÉM-NASCIDO

Então você acha que, se viu uma fralda suja, já viu todas? Nada disso. Embora o que entre em seu bebê a esta altura seja definitivamente uma entre duas coisas (leite materno ou fórmula), o que sai pode ser uma entre muitas. Na verdade, a cor e a textura das fezes de seu bebê podem mudar de um dia para outro — e de um movimento intestinal para outro —, causando preocupação até nos pais mais acostumados. Aqui estão as dicas sobre o que pode significar o conteúdo das fraldas de seu bebê:

*Viscoso, parecendo alcatrão; preto ou marrom-escuro. Mecônio* — as primeiras fezes do recém-nascido

*Granuloso; amarelo-esverdeado ou marrom. Fezes de transição* — que começam a aparecer no terceiro ou no quarto dia depois do nascimento

*Encaroçado, coalhado, cremoso ou encrespado; amarelo-claro a mostarda, ou verde-brilhante.* Fezes normais de leite materno

*Malformado; amarronzado-claro a amarelo brilhante a verde-escuro.* Fezes normais de fórmula

*Frequente, aquoso; mais verde que o habitual.* Diarreia

*Duro, como pelotas; mucoso ou raiado de sangue.* Constipação

*Preto.* Suplementação com ferro

*Raiado de vermelho.* Fissuras retais ou alergia a leite

*Mucoso; verde ou amarelo-claro.* Um vírus, como o da gripe ou infecção gástrica

---

verá quando o bebê evacuar sólidos, se tornarão mais pronunciadas à medida que a dieta dele ficar mais variada.

## USO DE CHUPETA

*"Sempre detestei ver crianças mais velhas de chupeta e tenho medo de que isso venha a acontecer com minha filha se ela usar uma chupeta no berçário."*

Ser acalmada por uma chupeta durante os poucos dias que sua filha passa no berçário do hospital não a deixará dependente — ela é nova demais para se tornar uma viciada em chupeta. Há, porém, algumas razões sólidas para que você prefira que as enfermeiras encontrem outra maneira de confortá-la, e que ela dispense a chupeta por enquanto:

- ◆ Se você está amamentando, o uso da chupeta pode causar confusão com o mamilo (chupar um mamilo artificial requer um movimento diferente de chupar o peito) e interferir no estabelecimento da amamentação.

- ◆ Quer você esteja alimentando no peito ou na mamadeira, sua filha pode

# A IDA PARA CASA

Na década de 1930, os recém-nascidos tinham alta do hospital depois de dez dias, na década de 1950, em quatro dias, nos anos 80, depois de dois dias. Então, na década de 1990, as seguradoras, num esforço para cortar custos, começaram a limitar a permanência no hospital a apenas horas. Para proteger contra estes chamados partos *drive-through*, o governo americano aprovou a Lei de Proteção à Saúde da Mãe e do Recém-nascido em 1996. A lei exige que as seguradoras paguem por uma estada hospitalar de 48 horas depois de um parto normal e de 96 horas depois de uma cesariana, embora alguns médicos e mães possam optar por uma estada mais curta se o bebê for saudável e a mãe estiver pronta para ir para casa mais cedo. Toma-se uma decisão melhor analisando-se caso a caso com a opinião de um médico. A alta antecipada é mais segura quando um bebê nasceu a termo; tem um peso adequado; começou a se alimentar bem; vai para casa com um dos pais (ou com os dois) que conhece o básico e sabe o suficiente dos cuidados que terá de ministrar; e seja visto por um profissional de saúde (um médico, enfermeira ou enfermeira visitante) dois dias depois do parto. Se por qualquer motivo você está preocupada com uma alta precoce, fale com o médico de seu filho.

Se você e o bebê tiverem alta cedo, deve-se marcar a visita de um médico para as 48 horas seguintes. Ele também procurará problemas do recém-nascido, como o amarelamento da pele* e do branco dos olhos (um sinal de icterícia); recusa a comer; desidratação (menos de seis fraldas úmidas em 24 horas, ou urina amarelo-escura); choro constante, ou murmúrios em vez de choro; febre; pontos vermelhos ou roxos em qualquer parte da pele.

---

*Para verificar a presença de icterícia em bebês de pele clara, pressione o braço do recém-nascido ou aperte-o com seu polegar. Se a área debaixo da pressão ficar amarelada em vez de branca, pode ser icterícia.

---

ter satisfação suficiente em chupar a chupeta e recusar-se a chupar na hora da mamada.

♦ Sua recém-nascida terá as necessidades mais bem atendidas — na forma de uma refeição, um afago, um embalar, uma fralda limpa — quando chora do que tendo uma chupeta grudada nela.

Se você decidir que a equipe do berçário não deve dar uma chupeta a sua filha, fale com eles. Se ela não está em seu quarto, peça para que a tragam para você amamentar quando ela chorar (ou, se ela acabou de mamar, para tentar outras medidas de conforto). Ou veja se pode passar a ter sua filha em seu quarto. Se o bebê parece precisar sugar mais entre as refeições depois que vocês estiverem em casa e você considerar o uso da chupeta, veja a página 296.

# O Que É Importante Saber:
# O MANUAL DOS CUIDADOS COM O BEBÊ

Colocou a fralda ao contrário? Levou cinco minutos para posicionar o bebê para um arroto produtivo? Esqueceu-se de lavar as axilas dele na hora do banho? Não se preocupe. Os bebês não só perdoam — em geral eles também nem percebem. Todavia, todos os pais de primeira viagem querem fazer tudo, ou pelo menos o máximo possível, corretamente. Este Manual dos Cuidados com o Bebê ajudará a orientá-la para esta meta. Mas lembre-se, são apenas sugestões para cuidar do bebê. Você pode pensar em suas próprias maneiras, que sejam melhores. Desde que seja seguro e com amor, faça o que funcionar melhor para você.

## O BANHO DO BEBÊ

Até que um bebê comece a se sujar andando de gatinhas, não é necessário dar um banho por dia. Desde que seja feita uma limpeza adequada durante a troca de fraldas e depois das mamadas, um banho duas ou três vezes por semana, nos meses antes de ele começar a engatinhar, manterão o bebê com um cheiro doce e apresentável. Assim, um cronograma de banhos leve pode ser particularmente bem-vindo nas primeiras semanas, quando o ritual é com frequên-cia assustador para quem dá o banho e para quem o recebe. Os bebês que desde cedo não demonstram gostar de banho (alguns no final chegam a adorá-lo) podem continuar a ser banhados duas ou três vezes por semana, mesmo quando a sujeira começa a se acumular. Pode-se passar esponja diariamente, em lugares críticos como a face, o pescoço, as mãos e as nádegas, entre os banhos na banheira (ver página 513 para dicas para reduzir o medo de banho). Mas, para os bebês que o acham um prazer, um banho diário torna-se um ritual muito apreciado.

Praticamente qualquer hora do dia pode ser a hora certa para o banho de um recém-nascido, embora dar banho antes de dormir ajude a induzir um estado mais relaxado para fazê-lo pegar no sono. (Depois que os bebês passam os dias se sujando, os banhos noturnos farão muito mais sentido em todas as frentes — e na traseira também.) Evite banhos imediatamente antes ou depois de uma refeição, uma vez que pode haver regurgitamento como resultado de tanta esfregação em uma barriga cheia, e o bebê pode não cooperar com a barriga vazia. Reserve um bom tempo ininterrupto para o banho, para que você não fique preocupada e não seja tentada a deixar o bebê sem assistência mesmo que por um segundo para cuidar de outra coisa.

Deixe que a secretária eletrônica pegue os recados durante o banho.

Se você estiver usando uma banheira portátil, qualquer cômodo da casa pode acomodar o procedimento, embora, com o espirrar e espadanar, a cozinha ou o banheiro proporcionem um lugar mais adequado. Sua superfície de trabalho deve estar a uma altura que facilite a manipulação e ser espaçosa o bastante para toda a parafernália exigida. Para o conforto do bebê, especialmente nos primeiros meses, desligue ventiladores e aparelhos de ar condicionado até que o banho tenha terminado, e certifique-se de que o cômodo que você escolheu esteja aquecido (entre 23º e 26,5º C, se possível) e sem corrente de ar. Se você tem dificuldades para atingir esta faixa de temperatura, experimente aquecer o banheiro antes com o vapor do chuveiro.

**O banho de esponja.** Até que o cordão umbilical e a circuncisão, se houver, tenham cicatrizado (umas duas semanas, mais ou menos) as banheirinhas estarão proibidas e uma toalha de rosto será a única maneira de seu filho ficar limpo. Para um banho de esponja completo, siga estes passos:

**1.** Escolha o local do banho. A mesa de trocas, uma bancada da cozinha, sua cama ou o berço do bebê (se o colchão é alto o bastante) são todos locais adequados para um banho de esponja; simplesmente cubra sua cama ou o berço com uma almofada à prova d'água, ou a bancada com uma toalha grossa ou almofada.

**2.** Tenha todos os itens seguintes preparados *antes* de despir o bebê:

♦ sabonete e xampu para o bebê, se você os usar

♦ duas toalhas de rosto (uma, se você usar a mão para ensaboar)

♦ bolas de algodão estéril para limpar os olhos

♦ toalha de banho, de preferência com capuz

♦ fralda e roupas limpas

♦ pomada ou creme para assaduras, se necessário

♦ álcool para esfregar e mechas de algodão ou almofadas de álcool para o cordão umbilical (se recomendado, ver página 235)

♦ água morna, se a pia não estiver ao seu alcance

**3.** Prepare o bebê. Se o quarto estiver aquecido, você pode tirar todas as roupas dele antes de começar, cobrindo-o ou deixando-o em uma toalha folgada enquanto você trabalha (a maioria dos bebês não gosta de ficar totalmente nua); se estiver frio, dispa cada parte do corpo à medida que for limpando. Independente da temperatura do quarto, não tire a fralda do bebê antes da hora de lavar as nádegas; um bebê sem fralda (em especial um menino) sempre deve ser considerado armado e perigoso.

**4.** Comece a lavar, partindo das áreas mais limpas do corpo para as mais sujas, para que a toalha e a água que você está usando permaneçam limpas. Ensaboe com as mãos ou com a toalha de rosto, mas use um pano limpo para enxaguar. Esta ordem de trabalho em geral funciona melhor:

♦ Cabeça. Uma ou duas vezes por semana, use sabonete ou xampu infantil, enxaguando-a completamente. Entre uma lavagem e outra, use apenas água. Uma sustentação cuidadosa (ver ilustração, página 217) na beira da pia pode ser a forma mais fácil e a mais confortável de enxaguar a cabeça do bebê. Passe a toalha suavemente nos cabelos do bebê (na maioria dos bebês, isto leva apenas alguns segundos) antes de continuar.

♦ Rosto. Primeiro, usando uma bola de algodão estéril umedecida em água morna, limpe os olhos do bebê, esfregando suavemente do nariz para fora. Use uma bola nova para cada olho. Não é necessário nenhum sabão para o rosto. Esfregue a parte externa das orelhas, mas não por dentro. Seque todas as partes do rosto.

♦ Pescoço e tronco. Não é necessário ensaboar, a não ser que o bebê esteja muito suado ou sujo. Certifique-se de atingir as abundantes dobras e vincos, onde a sujeira tende a se acumular. Seque.

♦ Braços. Estenda os braços dele para alcançar os vincos do cotovelo e pressione as palmas para abrir o punho. As mãos precisarão de um pouco de sabonete, mas certifique-se de enxaguá-las bem antes que elas voltem para a boca do bebê. Seque.

♦ Costas. Vire o bebê de bruços com a cabeça para um lado e lave as costas, tendo a certeza de não esquecer as dobras do pescoço. Uma vez que esta não é uma área suja, provavelmente não será necessário usar sabonete. Seque e vista a parte superior do corpo antes de continuar, se o quarto estiver frio.

♦ Pernas. Estenda as pernas dele para alcançar a parte de trás dos joelhos, embora o bebê provavelmente vá resistir a isso. Seque.

♦ Área das fraldas. Siga as orientações para cuidar do pênis circuncidado (ver página 233) ou o não circuncidado (ver página 233) e, se recomendado, o coto umbilical (ver página 235) até que esteja completamente

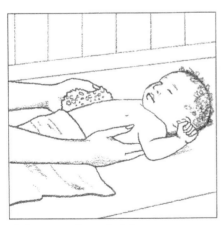

*Cobrir as nádegas do bebê enquanto você lava a parte superior do corpo mantém o bebê aquecido e confortável enquanto você trabalha; e isso protege você, particularmente se o bebê é um menino, de uma micção súbita.*

cicatrizado. Lave as meninas de frente para trás, abrindo os lábios e limpando com água e sabonete. Uma descarga vaginal branca é normal; não tente esfregá-la. Use uma parte limpa da toalha e água limpa vertida de uma xícara para enxaguar a vagina. Lave os meninos cuidadosamente, atingindo todas as dobras e cantos com sabonete e água, mas não tente retrair o prepúcio de um bebê não circuncidado. Seque bem a área das fraldas e aplique pomada ou creme, se necessário.

5. Coloque a fralda e vista o bebê.

**O banho na banheirinha.** Um bebê está pronto para tomar banho na banheirinha assim que o coto do cordão umbilical e a circuncisão, se houver, estiverem cicatrizados. Se o bebê não parece gostar de ficar na água, volte aos banhos de esponja por alguns dias antes de tentar novamente. Certifique-se de que a temperatura da água seja agradável e que o bebê esteja firmemente apoiado para combater qualquer medo reflexo de cair.

1. Escolha um lugar para a banheirinha portátil. A pia da cozinha ou do banheiro, ou a bancada, ou a banheira (embora a manipulação envolvida no banho em um bebê pequenino enquanto se inclina e se estica sobre uma banheira possa ser complicada) são todos bons candidatos. Certifique-se de que você esteja confortável e tenha muito espaço para a banheira e a parafernália de banho. Nas primeiras vezes que você usar a banheirinha, poderá querer não usar sabonete — bebês molhados sempre são escorregadios, mas ensaboados eles ficam escorregadios demais.

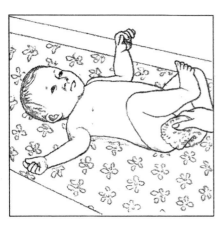

*A área das fraldas exigirá o esforço mais concentrado de limpeza e deve ser deixada por último para que nenhum germe da região se espalhe para outras partes do corpo.*

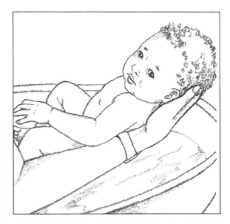

*A maioria dos bebês fica muito hesitante, até chora, nas primeiras vezes em que está em uma banheirinha. Assim, interrompa o que estiver fazendo para lhe dar apoio — com palavras tranquilizadoras e um aperto forte e firme.*

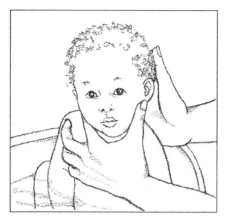

*Até que o pescoço do bebê adquira mais controle sobre a cabeça, você terá de segurá-la com firmeza com uma das mãos enquanto usa a outra para lavar as costas.*

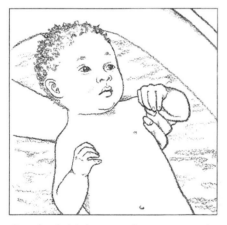

*Se a banheirinha não oferecer apoio adequado para o corpo escorregadio e a cabeça pendente do bebê, você precisará apoiá-los. Faça isso suavemente, mas com firmeza.*

2. Tenha todos os seguintes itens preparados *antes* de despir o bebê e encher a banheirinha:

♦ banheira, bacia ou pia esfregada e pronta para ser enchida

♦ sabonete e xampu do bebê, se você os utilizar

♦ duas toalhas de rosto (uma, se você usar a mão para ensaboar)

♦ bolas de algodão estéril para limpar os olhos

♦ toalha de banho, de preferência com capuz

♦ fralda e roupas limpas

♦ pomada ou creme para assaduras, se necessário

3. Deixe a água correr para a banheirinha (o bastante para que parte do corpo do bebê esteja na água, mas não muito); teste com seu cotovelo para ver se a temperatura está agradável. Nunca encha a banheirinha com o bebê dentro dela, porque pode ocorrer uma mudança súbita de temperatura. Não adicione sabonete ou espuma de banho na água, porque podem ressecar a pele do bebê.

4. Dispa completamente o bebê.

5. Deslize o bebê aos poucos para a banheira, falando num tom suave e tranquilizador para minimizar o medo, e segure-o firmemente para evitar o reflexo de sobressalto. Apoie o pescoço e a cabeça com uma das mãos, a não ser que a banheirinha tenha um apoio embutido, ou se seu bebê parece preferir seus braços para o apoio da banheira, até que se desenvolva um bom controle da cabeça. Segure o bebê com firmeza em uma posição semirreclinada — um escorregão repentino pode produzir um grande susto.

**6.** Com a mão livre, lave o bebê, trabalhando das áreas mais limpas para as mais sujas. Primeiro, usando uma bola de algodão estéril umedecida em água morna, limpe os olhos do bebê, esfregando suavemente do nariz para fora. Use uma bola nova para cada olho. Depois lave o rosto, as orelhas por fora e o pescoço. Embora em geral o sabonete não seja necessário em outras partes todo dia (a não ser que seu bebê tenda a ter "acidentes"), use-o nas mãos e na área das fraldas diariamente. Use o sabonete dia sim dia não nos braços, no pescoço, nas pernas e no abdome, desde que a pele do bebê não pareça ressecada — se estiver ressecada, use com menos frequência. Aplique o sabonete com a mão ou com uma toalha de rosto. Depois de cuidar da parte frontal do bebê, vire-o sobre seu braço para lavar as costas e as nádegas.

**7.** Enxágue completamente o bebê com uma toalha de rosto limpa.

**8.** Uma ou duas vezes por semana, lave a cabeça do bebê, usando um sabonete suave ou um xampu para bebês. Enxágue completamente e seque delicadamente com uma toalha.

**9.** Enrole o bebê numa toalha, seque com pancadinhas e vista-o.

## Passando xampu no bebê

Este é um processo razoavelmente doloroso para um bebê novo. Mas para ajudar a evitar futuras fobias de xampu, evite, desde o princípio, deixar cair nos olhos do bebê até o sabonete ou xampu que não provoca lágrimas. Use xampu somente uma ou duas vezes na semana, a não ser que a parte que tem contato com o berço ou um couro cabeludo particularmente oleoso exijam lavagens frequentes da cabeça.

**1.** Molhe o cabelo do bebê com um borrifo suave de uma mangueirinha na pia ou despejando um pouco de água de uma xícara. Acrescente apenas uma gota do xampu para bebê ou sabonete (uma quantidade maior pode dificultar o enxágue) e esfregue-a levemente para produzir espuma. Um produto de espuma pode ser mais fácil de controlar.

**2.** Segure a cabeça do bebê (bem apoiada) sobre a pia e enxágue completamente com um borrifo suave ou duas ou três xícaras de água limpa.

Depois que o bebê tenha se graduado para uma banheira de adultos, você pode tentar usar o xampu no final do banho — direto na banheira. Uma vez que a maioria dos bebês (e crianças menores) não gosta de colocar a cabeça para trás para receber o xampu — isso as deixa vulneráveis demais e com frequência leva às lágrimas e, mais tarde, a ataques de raiva — use um chuveirinho se sua banheira tiver um, e se seu filho não achar muito assustador. Um visor de xampu especialmente projetado (disponível em lojas de móveis para crianças e de brinquedos, e por reembolso postal ou em catálogos *on-line*) que proteja os olhos do fluxo de água e sabão, mas deixe o cabelo exposto para ser lavado, é o ideal se seu filho o usar — alguns bebês não usam. Se seu bebê resiste a chuveirinhos e visores, você pode continuar usando o xampu (ou pelo menos enxaguando, depois de fazer espuma na banheira) na pia até que ele seja mais cooperativo na banheirinha. Embora o processo não seja perfeito (e pode ficar mais desagradável à medida que a criança cresce), é rápido e consequentemente minimiza o período de sofrimento para vocês dois.

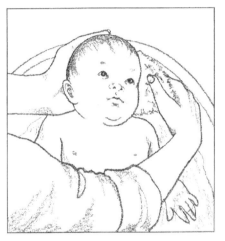

*Às vezes se enxágua o xampu com algumas esfregadelas suaves com uma toalha de rosto.*

## COLOCANDO O BEBÊ PARA ARROTAR

Não é só o leite que o bebê engole quando mama em um mamilo. Junto com o fluido nutritivo, vem um ar nada nutritivo, que pode fazer com que o bebê se sinta desconfortavelmente cheio antes que tenha terminado a refeição. É por isto que colocar o bebê para arrotar para expulsar o excesso de ar acumulado — depois de alguns gramas, quando dá a mamadeira, e entre os seios quando amamenta no peito (ou no meio de uma mamada, se o bebê só consegue mamar em um peito de cada vez) — é uma parte tão importante do processo de alimentação. Há três maneiras de se fazer isso comumente — em seu ombro, de rosto para baixo em seu colo, ou sentado — e é uma boa ideia experimentar as três para ver a que funciona com mais eficiência com você e com o bebê. Embora uns tapinhas suaves ou uma enfregadela possam levar muitos bebês a arrotar, alguns precisam de uma mão um pouco mais firme.

**Em seu ombro.** Segure o bebê firmemente contra seu ombro, segurando com firmeza as nádegas com uma das mãos e dando tapinhas ou esfregando as costas dele com a outra.

*Um arroto sobre o ombro produz resultados melhores para muitos bebês, mas não se esqueça de proteger suas roupas.*

## SENTADO EM SEGURANÇA

Os pais de primeira viagem que levam seus bebês para sair pela primeira vez sempre têm o cuidado de agasalhá-los (com frequência até demais) para protegê-los dos elementos, temerosos das consequências de um golpe de vento ou de uma chuva súbita. E no entanto muitos destes mesmos pais não conseguem proteger bem os filhos no que realmente importa — o carro. Embora um clima meio ruim dificilmente vá causar danos a um recém-nascido, andar no carro sem a proteção de um assento de segurança, ou com um assento que não é adequadamente seguro, pode causar danos. As batidas de carro ferem e matam mais crianças anualmente do que todas as principais doenças infantis combinadas.

Os assentos de segurança, como os cintos de segurança, são de lei. Assim, na primeira viagem do hospital para casa — e toda vez que sair de carro —, certifique-se de que um assento de segurança para bebês esteja *adequadamente* instalado no carro. Mesmo que seu destino esteja literalmente apenas a algumas quadras de distância (muitos acidentes ocorrem perto de casa, e não, como se acredita, nas estradas). Mesmo que você esteja usando um cinto de segurança e segure bem seu bebê (em uma colisão, o bebê pode ser esmagado por seu corpo ou escapar de seus braços, possivelmente voando pelo para-brisa). Mesmo que você esteja dirigindo com o maior cuidado (na verdade não é preciso uma batida para que se sofra várias lesões — elas podem ocorrer quando

um carro para de repente ou dá uma guinada para evitar um acidente). Toda vez que o carro estiver em movimento — seja para uma viagem pelo país ou de uma vaga a outra do mesmo estacionamento — seu bebê precisa estar afivelado com segurança.

Acostumar o bebê a usar o assento de segurança desde a primeira viagem de carro ajudará a tornar quase automática a aceitação futura. E as crianças que andam de carro regularmente com restrições de segurança não só ficam mais seguras como também se comportam melhor durante as viagens — algo que você apreciará quando estiver dirigindo com um bebê que engatinha.

Além de verificar se o assento atende aos padrões federais de segurança, certifique-se de que ele seja adequado para a idade e o peso de seu filho e que você o instale corretamente:

♦ Siga as orientações do fabricante para a instalação do assento e o afivelamento correto de seu bebê. Verifique antes de cada viagem se o assento está adequadamente preso e se os cintos do assento, ou o sistema LATCH (ver página 113) estejam confortavelmente afivelados. Use os grampos, disponíveis na maioria dos assentos, para segurar os cintos do ombro/colo que não ficam apertados (necessários principalmente em veículos fabricados antes de 1996). O assento do carro não deve balançar, girar, deslizar para o lado, tombar nem se mover mais de 2 centímetros quando você o empurra para trás ou lateralmente; em vez disso, quando adequadamente instalado, ele deve ficar firme. (Você saberá que o assento infantil voltado para trás está instalado firmemente se, ao segurar a beira superior do assento do carro e tentar empurrá-lo para baixo, as costas do assento ficam firmes no lugar, no mesmo ângulo.) Para ter certeza de que você instalou o assento corretamente, verifique nos bombeiros, delegacias, hospitais, revendedores de carros ou lojas de produtos para bebês.

♦ Os bebês devem andar de carro em um assento voltado para trás (reclinados em um ângulo de 45 graus) até que tenham 10 quilos *e* pelo menos 1 ano de idade. Mesmo os bebês que passam dos 10 quilos antes de seu primeiro aniversário (muitos passam) ou cresceram mais do que o assento do carro (eles têm 68 centímetros de altura e/ou o topo da cabeça na mesma altura do encosto do banco traseiro do carro) devem ficar em um assento infantil voltado para trás até que completem 1 ano de idade. Antes disso, a espinha e o pescoço do bebê não estão fortes o bastante para suportar um movimento para a frente e para trás (em uma batida de carro). Se o bebê cresceu demais, mas não está pronto para um assento voltado para a frente, use um assento conversível, que pode acomodar bebês maiores (pesados, como de 15 a 17 quilos, e maiores que 68 centímetros) na posição *voltada para trás*. Depois que o bebê completar 1 ano (e chegar a 10 quilos), você pode passar a usar o assento conversível na posição voltada para a frente ou investir em um assento para bebês maiores.

♦ Coloque o assento infantil, se for possível, no meio do banco traseiro — o lugar mais seguro do carro. *Nunca* coloque um assento infantil comum voltado para a frente no banco da frente de um carro equipado com *air-bag* lateral para o carona; se o *air-bag* é inflado (o que pode acontecer mesmo em baixas velocidades em um quebra-molas), o impacto pode ferir gravemente ou matar um bebê. Na verdade, o lugar mais seguro para todas as crianças com menos de 13 anos é o banco traseiro — crianças mais velhas devem andar na frente somente quando é absolutamente necessário e quando seguramente restritas e sentadas à maior distância possível do *air-bag* lateral. (Estão sendo vendidos novos assentos de carros compatíveis com *air-bags*, que podem ser usados com segurança no banco da frente quando não há banco traseiro disponível — como em uma picape ou num carro esporte de duas portas. Mesmo estes assentos, contudo, proporcionam uma segurança maior no banco traseiro.)

♦ Ajuste o arnês dos ombros de seu bebê. As aberturas do arnês em um assento de segurança voltado para a frente devem estar no mesmo nível ou abaixo dos ombros do bebê; o clipe peitoral do arnês deve estar no nível da axila. As tiras devem ficar esticadas e sem torções, e devem es tar apertadas o bastante para que você não consiga colocar mais que dois dedos entre o arnês e a clavícula de seu bebê. Verifique as instruções para ver como a alça de transporte deve estar posicionada durante a viagem, se aplicável.

- Vista seu bebê com roupas que permitam que as tiras fiquem entre as pernas dele. No clima frio, coloque lençóis por cima de seu bebê (depois de ajustar as tiras do arnês confortavelmente), em vez de vesti-lo com uma roupa mais quente. Uma roupa quente demais pode ficar entre seu bebê e um arnês apertado.

- A maioria dos assentos infantis tem acolchoamento especial para evitar que a cabeça de um bebê muito novo fique se virando. Se não tiver, acolchoe as laterais do assento e a área em torno da cabeça e do pescoço com um lençol enrolado.

- Certifique-se de que os objetos grandes ou pesados, como as malas, estejam firmemente seguros, para que não se tornem objetos voadores perigosos durante uma freada brusca ou uma colisão.

- Para bebês maiores, prenda brinquedos macios no assento com tiras plásticas ou cordões bem curtos. Os brinquedos frouxos tendem a voar pelo carro ou cair, irritando o bebê e perturbando o motorista. Ou use brinquedos projetados especificamente para uso em assentos infantis para carro.

- Muitos assentos infantis de segurança podem ser encaixados nos carri-

nhos de compras — uma coisa que certamente pode ser conveniente, mas também pode ser perigosa. O peso do bebê e do assento infantil deixam o carrinho pesado demais no alto e é mais provável que ele vire. Assim, seja mais vigilante quando colocar o assento infantil em um carrinho de supermercado; ou, como recomenda a AAP, para uma segurança ideal, use um *sling*, uma *kepina* ou um carrinho de bebê quando fizer compras.

- A Administração Federal de Aviação (FAA) recomenda que, quando viajarem de avião, as crianças fiquem seguramente afiveladas nos assentos de segurança infantis (presos no cinto de segurança do avião) até que tenham 4 anos de idade. A maioria dos assentos infantis conversíveis ou voltados para a frente são certificados para uso em aviões.

- Ver o Capítulo 2 para mais informações sobre a escolha de um assento de segurança infantil, tipos de arnês disponíveis e outras informações sobre segurança. Para informação específica sobre a instalação de seu assento para carro, para descobrir se houve um *recall* e para outras informações de segurança, consulte a Agência Nacional de Transportes Terrestres (www.antt.gov.br).

- A regra mais importante do assento de segurança para carros é: *Nunca abra uma exceção*. Sempre que o carro estiver em movimento, todos no carro devem estar afivelados com segurança e de forma adequada.

## SEGURO DE TODOS OS LADOS?

O lugar mais seguro em qualquer veículo é o meio do banco traseiro e é por isso, quando você tem opções, que é aí que seu bebê deve ficar. Mas se o assento não estiver sempre disponível (porque você tem mais de um bebê, por exemplo), ou se seu carro não tem um banco do meio atrás (porque em vez disso tem bancos separados), um assento de qualquer um dos lados da traseira (com um assento infantil de segurança corretamente instalado) é a coisa mais segura a se utilizar.

Mas, e se seu carro vier equipado com *air-bags* laterais, como acontece com um número cada vez maior de veículos? Embora ainda não haja dados disponíveis para mostrar que os *air-bags* laterais podem machucar crianças novas quando inflam, testes de colisão mostraram que isso pode acontecer. Para ter segurança — a única maneira de agir quando se tem um bebê a bordo — peça a seu revendedor para desativar os *air-bags* laterais. (Os *air-bags* do tipo cortina, contudo, parecem não representar um risco para crianças novas.)

**Virado para baixo em seu colo.** Vire o bebê de rosto para baixo em seu colo, a barriga sobre uma perna, a cabeça pousada na outra. Segure-o bem com uma das mãos e com a outra dê uns tapinhas ou esfregue.

**Sentado.** Sente o bebê em seu colo, a cabeça inclinada para a frente, o peito apoiado por seu braço enquanto você o segura sob o queixo. Dê uns tapinhas ou esfregue, certificando-se de não deixar a cabeça do bebê tombar para trás.

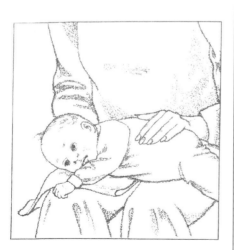

*A posição de bruços tem o benefício adicional de ser calmante para bebês com cólica.*

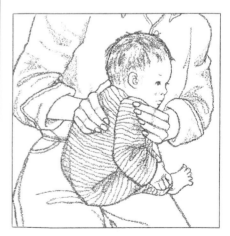

*Até um recém-nascido pode se sentar para arrotar — mas certifique-se de que a cabeça esteja adequadamente sustentada.*

# A TROCA DE FRALDAS

Especialmente nos primeiros meses, a hora de trocar as fraldas chega com demasiada frequência — às vezes de hora em hora durante o período de vigília do bebê. Mas embora possa ser uma tarefa tediosa para o bebê e para você, as trocas frequentes (ocorrendo antes ou depois de cada mamada e sempre que houver movimento intestinal) são a melhor maneira de evitar irritação e assaduras naquele bumbum sensível. É mais fácil saber quando é hora de trocar as fraldas se você estiver usando fraldas de pano, uma vez que elas parecem molhadas quando estão molhadas. Se você estiver usando fraldas descartáveis, contudo, provavelmente terá de olhar mais de perto (e cheirar) para avaliar a umidade; uma vez que são muito mais absorventes, elas tendem a não parecer molhadas até que estejam seriamente saturadas. Dificilmente é necessário acordar um bebê para trocar uma fralda e, a não ser que o bebê esteja muito molhado e desconfortável, ou que tenha evacuado, você não precisa trocar as fraldas nas mamadas noturnas; a atividade e a luz envolvidas podem interferir na volta ao sono do bebê.

Para garantir uma mudança para melhor sempre que trocar as fraldas de seu filho:

1. Antes de começar a trocar as fraldas, certifique-se de que tudo de que você precisa está à mão, seja na mesa de troca ou, se estiver longe de casa, em sua bolsa de fraldas. Caso contrário, você poderá terminar retirando uma fralda suja só para descobrir que não tem nada para limpar a sujeira. Você vai precisar de todos ou alguns dos seguintes itens:

♦ uma fralda limpa

♦ bolas de algodão e água morna para os bebês com menos de um mês (ou para os que têm assaduras) e uma toalha pequena ou toalha de rosto seca para secar; lenços umedecidos para outros bebês

♦ uma muda de roupas para o caso de a fralda vazar (isso acontece com a melhor delas); calças plásticas limpas se você estiver usando fraldas de pano

♦ pomada ou creme, se necessário, para assaduras; loções e talcos não são necessários. Tenha cuidado com os cremes para fraldas porque, se deixar cair no fecho da fralda descartável, eles podem interferir com o poder de adesão (isto, é claro, não é um problema se você estiver usando fraldas com fechos de Velcro).

2. Lave e seque as mãos antes de começar, se possível, ou dê uma molhada nelas com um lenço umedecido.

3. Tenha alguma diversão disponível para o bebê — viva ou não. Espetáculos ao vivo (arrulhos, caretas, músicas) podem ser proporcionados por quem troca as fraldas ou por irmãos, pais ou amigos que estejam presentes. A diversão pode também vir na forma de um móbile pendurado sobre a mesa de trocas, um brin-

 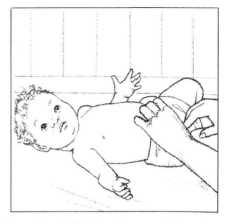

*As fraldas descartáveis tornam a troca de fraldas mais rápida. Depois que o bebê estiver no lugar correto, simplesmente traga a frente da fralda por entre as pernas do bebê e prenda, certificando-se de que as pontas estejam seguramente presas.*

quedo acolchoado ou dois ao alcance dos olhos do bebê (e, mais tarde, ao alcance das mãos), uma caixa de música, um brinquedo mecânico — qualquer coisa que prenda a atenção de seu bebê o bastante para você tirar uma fralda e colocar a outra. Mas não use objetos como os recipientes de talco ou de loção para distraí-lo, uma vez que um bebê mais velho pode agarrar e colocá-los na boca.

4. Abra uma fralda de pano para proteção ou uma roupa de troca se você estiver trocando as fraldas do bebê em qualquer lugar que não seja um trocador. Sempre que fizer a troca, tenha o cuidado de não deixar o bebê sem assistência, nem mesmo por um segundo. Mesmo preso à mesa de trocas, seu filho não deve ficar fora do alcance de seus braços.

5. Solte a fralda, mas não a retire ainda. Primeiro avalie a situação. Se houve evacuação, use a fralda para limpar a maior parte das fezes, mantendo a fralda sobre o pênis enquanto você trabalha, se o bebê for menino. Agora dobre a fralda debaixo do bebê com o lado limpo para cima, para agir como superfície de proteção, e limpe a frente do bebê completamente com água morna ou uma solução de limpeza, certificando-se de alcançar todos os cantos; depois erga as duas pernas dele, limpe as nádegas e deslize a fralda suja para fora, colocando uma limpa embaixo dele antes de soltar as pernas. (Mantenha uma fralda limpa sobre o pênis pelo máximo de tempo possível neste processo, para defesa própria. Os meninos com frequência têm ereções durante a troca de fraldas; isto é perfeitamente normal, e não é um sinal de que eles estão sendo estimulados demais.) Seque o bebê com pancadinhas se você usou água morna. Certifique-se de que as nádegas do bebê estão completamente secas antes de colocar a fral-

da ou qualquer pomada ou creme. Se perceber alguma irritação ou assadura, veja a página 396 para dicas de tratamento.

6. Se estiver usando fraldas de pano, provavelmente elas estarão dobradas e prontas para o uso. Mas você pode ter de dobrá-las posteriormente até que o bebê esteja um pouco maior. O tecido extra deve estar na frente para os meninos e atrás para as meninas. Para evitar furar o bebê quando usar os alfinetes (existem alfinetes feitos especialmente para minimizar esta possibilidade), mantenha seus dedos sob as camadas de fralda enquanto estiver inserindo o alfinete. Enfiar os alfinetes em um sabonete enquanto estiver fazendo a troca de fraldas fará com que eles deslizem com mais suavidade no tecido. Depois que os alfinetes ficarem sem fio, descarte-os. Melhor ainda, procure por fraldas e capas de fraldas com fechos de Velcro. Ver página 62 para outras opções.

Se você estiver usando fraldas descartáveis com fechos adesivos, tenha o cuidado de não permitir que a fita adesiva atinja a pele do bebê. Ou procure aquelas que usam fechos de Velcro, para que você possa abrir e fechar com facilidade.

As fraldas e calças de proteção devem ficar bem ajustadas para evitar vazamentos, mas não tão apertadas que arranhem ou irritem a delicada pele do bebê. Marcas reveladoras alertarão você de que a fralda está apertada demais.

Será menos provável ver a umidade em camisetas e roupas molhadas dos meninos se o pênis for colocado para baixo quando a fralda é colocada. Se o coto umbilical ainda está preso, dobre a fralda para baixo para expor a área ao ar e evitar que fique molhada.

7. Livre-se das fraldas sujas de uma forma higiênica. As fraldas descartáveis usadas podem ser dobradas, fechadas firmemente e jogadas em um balde de fraldas ou lixeira. As fraldas de pano usadas devem ser guardadas em baldes de fraldas bem tampados (o seu próprio, ou fornecido pelo serviço de fraldas) até que seja retirado ou lavado. Se você estiver fora de casa, elas podem ser guardadas em um saco plástico até que você chegue em casa.

8. Troque as roupas e/ou a roupa de cama do bebê, se for necessário.

9. Lave as mãos com água e sabão, quando possível, ou limpe-as completamente com um lenço umedecido.

## VESTINDO O BEBÊ

Com braços frouxos, pernas teimosamente enroscadas, uma cabeça que invariavelmente parece maior que as aberturas da maioria das roupas de bebê e um desgosto ativo por ficar nu, um bebê pode ser um desafio de se vestir e despir. Mas há maneiras de tornar estas tarefas diárias menos problemáticas para os dois:

1. Escolha as roupas tendo em mente a facilidade de colocar e tirar. Aberturas

amplas no pescoço ou colarinhos com fechos de pressão são melhores. Os fechos ou um zíper na entreperna torna mais fácil vestir e trocar as fraldas. As mangas devem ser bem largas e deve ser necessário um mínimo de fechos (em particular no alto das costas). Roupas feitas de tecidos *stretch* ou tricotados são com frequência mais fáceis de colocar do que roupas engomadas com menos elasticidade.

2. Troque as roupas somente quando necessário. Se você achar desagradável o cheiro das frequentes regurgitações, passe uma esponja de leve nas manchas com um lenço umedecido em vez de trocar as roupas toda vez que o bebê tiver um arroto produtivo. Ou experimente se proteger destes incidentes colocando um babador grande durante e depois das mamadas.

3. Vista o bebê em uma superfície plana, como uma mesa de trocas, na cama ou no colchão do berço. E tenha alguma distração disponível.

4. Considere a hora de trocar as roupas uma hora de socializar também. Uma conversa leve e animada (um comentário sobre o que você está fazendo, por exemplo) pode ajudar a distrair o bebê dos desconfortos e das indignações de ser vestido e pode tornar a cooperação mais provável. Fazer um jogo de aprendizagem ao colocar as roupas conjugará distração com estímulo. E pontuar seus comentários com beijos sonoros (uma beijoca para cada mão e pé adorável que aparecer das mangas ou das pernas das calças) pode acrescentar diversão para você e para ele.

5. Estique a gola com as mãos antes de tentar colocar uma roupa no bebê. Afrouxe a gola para fora, em vez de puxar, mantendo-a o mais aberta possível e tentando evitar bater nas orelhas e no nariz. Transforme a fração de segundo em que a cabeça do bebê está coberta, que pode ser assustadora e desagradável, em um jogo de adivinhação ("Cadê a mamãe? Achooou!", e depois, quando o bebê tiver idade suficiente para perceber

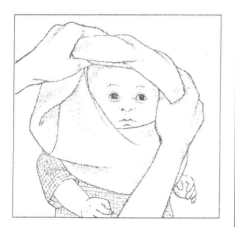

*Colocando as roupas pela cabeça do bebê*

*Colocando os braços do bebê nas mangas*

que está igualmente invisível para você, "Cadê a Daniela? Achooou!").

6. Tente estender as mangas e puxar as mãos do bebê através delas, em vez de tentar empurrar os bracinhos elásticos em cilindros moles de roupa. Aqui, um jogo ("Cadê a mão do Pedro? Achooou!") também ajudará a distrair e educar quando as mãos do bebê desaparecem temporariamente.

7. Quando puxar um zíper para cima ou para baixo, afaste a roupa do corpo do bebê para evitar beliscar sua pele delicada.

## Cuidados com as orelhas

O velho ditado "Nunca coloque nada menor que um cotovelo no ouvido" é defendido não só pelas avós como também pelas autoridades médicas atuais. Elas concordam que é perigoso colocar qualquer coisa no ouvido que caiba nele — seja uma moeda inserida por uma criança curiosa ou um cotonete inserido por uma mãe bem-intencionada. Limpe as orelhas de seu bebê com uma toalha de rosto ou com bolas de algodão, mas não tente se aventurar no canal auditivo com cotonetes, dedos ou qualquer outra coisa. A orelha é naturalmente autolimpante, e tentar remover a cera esquadrinhando com alguma coisa pode forçá-la mais para dentro da orelha. Se a cera parece se acumular, pergunte ao médico sobre isso na próxima consulta.

## Erguer e carregar bebê

Para os que nunca pegaram um bebê, a experiência pode ser muito enervante no começo. Mas ela pode ser

*Certifique-se de apoiar cuidadosamente o pescoço e as costas com seu braço quando erguer um bebê que está deitado de barriga para cima.*

*Passe uma das mãos sob o queixo e o pescoço e a outra sob as nádegas para erguer um bebê de bruços.*

igualmente enervante para o bebê. Depois de meses sendo movido delicadamente e com segurança no confortável casulo uterino, ser puxado para cima, flutuar pelo ar e ser puxado para baixo pode representar um belo choque. Em particular quando não se proporciona apoio adequado para a cabeça e o pescoço, pode acontecer de o bebê ter uma sensação assustadora de queda e, consequentemente, uma reação de sobressalto. Assim, uma boa técnica para carregar o bebê tem por objetivo carregá-lo não só de uma maneira segura, mas de uma forma que ele *sinta* ser segura.

Você por fim desenvolverá técnicas para carregar seu filho que sejam confortáveis para os dois, e carregar se tornará uma experiência completamente natural. Enquanto está separando a roupa lavada, usando o computador ou lendo os rótulos no supermercado, o bebê ficará casualmente pendurado apoiado em seu ombro ou sob seu braço, sentindo-se tão seguro quanto se estivesse no útero. Mas, nesse ínterim desconfortável, algumas dicas podem ajudar:

**Erguer o bebê.** Antes até de tocar em seu bebê, torne sua presença conhecida por contato visual ou vocal. Ser erguido sem perceber a um destino incerto por mãos que não são vistas pode ser perturbador.

Deixe que o bebê se adapte à troca de apoio do colchão (ou outra superfície) para os braços deslizando suas mãos sob ele (uma das mãos sob a cabeça e o pescoço, a outra sob as nádegas) e mantenha-as ali por alguns segundos antes de erguê-lo.

Passe a mão sob a cabeça do bebê, descendo às costas, para que seu braço aja como um apoio das costas e do pescoço, e sua mão enganche nas nádegas. Use a outra mão para apoiar as pernas e erga o bebê delicadamente para seu corpo, afagando-o enquanto isso. Ao inclinar-se para aproximar seu corpo, você limitará a distância que o bebê terá de percorrer no ar — e o desconforto que isso acarreta.

**Carregando o bebê confortavelmente.** Um bebê pequeno pode ser enganchado confortavelmente em um braço (com sua mão nas nádegas do bebê e seu antebraço apoiando as costas, o pescoço e a cabeça) se você se sentir segura desta forma.

Com um bebê maior, os dois podem ficar mais à vontade se você mantiver uma das mãos sob as pernas e as nádegas e a outra apoiando as costas, o pescoço e a cabeça (sua mão envolvendo o braço do bebê, seu punho sob a cabeça dele).

Alguns bebês preferem ser levados no ombro, o tempo todo ou algumas vezes. É fácil segurar o bebê ali suavemente com uma das mãos nas nádegas, a outra sob a cabeça e o pescoço. Até que a cabeça do bebê passe a se sustentar sozinha, você terá de proporcionar este apoio. Mas isto pode ser feito mesmo com uma das mãos, se você enganchar as nádegas do bebê na curva de seu cotovelo e passar o braço

*Carregados pela frente é a posição favorita dos bebês, uma vez que permite que eles vejam o mundo.*

*Quando o bebê fica mais velho e pode carregar bem seu próprio peso, levá-lo sobre os quadris liberta uma das mãos de quem o carrega.*

pelas costas, com a mão apoiando a cabeça e o pescoço.

Até bebês muito novos gostam de ser carregados de frente, uma posição em que eles podem observar o mundo passar, e muitos bebês maiores a preferem. Coloque o bebê de frente para você, mantendo uma das mãos no peito dele, pressione as costas dele contra você e com a outra mão sustente as nádegas do bebê.

Levar o bebê sobre os quadris lhe dá liberdade para usar uma das mãos para tarefas enquanto carrega um bebê mais velho apoiado em seus quadris. (Evite esta posição se você tiver problemas nas costas.) Segure o bebê confortavelmente contra seu corpo com um braço, apoiando as nádegas dele em seus quadris.

**Colocando o bebê de volta para baixo.** Segure o bebê perto de seu corpo enquanto você se inclina por sobre o berço ou o carrinho (novamente para limitar a distância da viagem no ar), com uma das mãos nas nádegas do bebê, a outra apoiando as costas, o pescoço e a cabeça. Mantenha as mãos no lugar por um momento até que o bebê sinta o conforto e a segurança do colchão, depois deslize-as para fora. Uns tapinhas de leve ou um beliscão suave (dependendo do que pareça agradar mais a seu filho), algumas palavras animadas se o bebê estiver desperto, e você está pronta para fazer um intervalo. (Para mais dicas sobre colocar um bebê adormecido no berço sem despertá-lo, ver página 281).

## AS UNHAS EM ORDEM

Embora cortar as minúsculas unhas do recém-nascido possa deixar a maioria dos pais inquieta, é uma tarefa que deve ser feita. As mãozinhas com pouco controle e unhas compridas podem causar muito estrago, em geral na forma de arranhões em sua própria face.

As unhas do bebê são com frequência compridas ao nascimento (é difícil cuidar delas no útero) e tão macias que cortá-las é quase tão fácil quanto cortar uma folha de papel. Conseguir que seu bebê fique quieto para o procedimento, contudo, não é tão fácil. Cortar as unhas de um bebê enquanto ele está dormindo pode funcionar se você tem um dorminhoco ou se não se importa em acordá-lo. Quando o bebê está desperto, é melhor cortar as unhas com a ajuda de alguém, que pode segurar cada mão enquanto você corta. Sempre use uma tesoura de unhas especial para bebês, ou cortador de unhas de bebês que tenha pontas arredondadas — se o bebê começar a se mexer rápido demais no momento errado, ninguém será apunhalado por uma ponta afiada. Para evitar beliscar a pele enquanto você corta a unha, empurre a almofada do dedo para baixo e para fora enquanto você corta. Mesmo com esta precaução, contudo, de vez em quando você poderá tirar sangue — a maioria dos pais faz isso uma vez ou outra. Se acontecer, aplique pressão com uma gaze estéril até que o sangramento cesse; provavelmente não será necessário usar um curativo.

## CUIDADOS COM O NARIZ

Da mesma forma que na parte interna das orelhas, o lado de dentro do nariz é autolimpante e não precisa de cuidados especiais. Se houver uma descarga, limpe por fora, mas não use cotonetes, tecidos torcidos ou suas unhas para remover material de dentro do nariz — você pode acabar empurrando o material ainda mais para dentro do nariz, ou pode arranhar as delicadas membranas. Se o bebê tem muito muco devido a um resfriado, use um aspirador nasal infantil (ver página 769).

## SAINDO COM O BEBÊ

Nunca mais você conseguirá sair de casa com as mãos vazias — pelo menos não quando o bebê estiver com você. Em geral, você precisará de um ou todos os itens a seguir quando sair de casa:

**Uma bolsa de fraldas.** Não saia de casa sem uma. Mantenha a bolsa cheia e preparada, refazendo o estoque regularmente; desta forma, é só pegar e sair. (Ver página 115 para dicas sobre escolher uma bolsa de fraldas.)

**Uma almofada de trocas.** Se sua bolsa de fraldas não tem uma, embale uma almofada à prova d'água. Você pode usar uma toalha ou fralda de pano em um aperto, mas elas não protegem adequadamente tapetes, camas ou móveis quando você está trocando as fraldas do bebê durante uma visita.

**Fraldas.** O número de fraldas vai depender de quanto tempo você vai ficar fora. Sempre leve pelo menos uma a mais do

## NEGÓCIOS DE BEBÊ

É difícil acreditar que um recém-nascido chegará a ter algum negócio de que deverá cuidar (além de comer, dormir, chorar e crescer). Mas há um documento importante de que seu bebê precisará periodicamente em toda a vida, e ele deve ser registrado desde já.

É a certidão de nascimento, que será necessária como prova de nascimento e de cidadania quando (e isso acontecerá mais cedo do que você pensa) matricular-se na escola e tirar carteira de identidade, carteira de habilitação, passaporte, certidão de casamento ou para os benefícios da previdência social. O registro do nascimento de uma criança é tarefa de seus pais. Você recebe um registro de maternidade que deve ser levado ao cartório de registro civil com a carteira de identidade original dos pais e a certidão de nascimento (caso sejam casados). Se você teve o parto em casa, deve levar duas testemunhas com carteira de identidade ao cartório de registro civil. O documento é emitido no mesmo dia. Quando você receber a certidão de nascimento, examine-a cuidadosamente para ter certeza de que está correta — às vezes erros são cometidos. Se houver algum erro, veja no cartório como corrigi-lo. Você não precisará pagar nenhuma taxa pela certidão de nascimento, mas a segunda via é paga. Depois que tiver a certidão de nascimento corrigida, tire algumas cópias e guarde-as em um local seguro.

Embora não exista no Brasil, nos Estados Unidos há um outro documento importante que é o cartão do Seguro Social. Provavelmente os bebês não começaram a trabalhar imediatamente, mas precisarão do número

---

que acha que vai precisar — provavelmente você vai precisar dela se não a levar.

**Lenços umedecidos.** Um pacotinho de conveniência é mais fácil de levar do que todo um recipiente cheio, mas ele deve ser reposto com frequência. Ou você pode usar um saquinho de sanduíche de plástico para transportar um minissuprimento. Os lenços umedecidos são convenientes, aliás, para limpar suas mãos antes de alimentar o bebê e antes e depois das trocas de fraldas, bem como para remover babas e manchas de comida de bebê de roupas ou móveis.

**Sacos plásticos com vedação.** Você precisará deles para dispor das fraldas descartáveis sujas, em particular quando não houver uma lata de lixo disponível, bem como para levar para casa as roupas molhadas e sujas do bebê.

**Fórmula.** Se você vai sair e na próxima mamada vai dar mamadeira ao bebê, se puder, terá de levar uma refeição com você. Não será necessária refrigeração

por outros motivos, como abrir uma conta bancária, investir os presentes em dinheiro, obter cobertura médica, até para comprar títulos do Tesouro americano. O principal motivo para ter um número do Seguro Social, contudo, é para os pais colocarem os filhos como dependente em sua declaração de imposto de renda. E, se resolvem fazer a poupança do bebê em seu próprio nome e número do Seguro Social e não no nome dele, os pais têm de pagar impostos sobre os juros com as suas taxas em lugar das taxas mais baixas do bebê.

A inscrição para o número do Seguro Social é feita durante o processo de registro da certidão de nascimento no hospital. Os pais simplesmente marcam um item do formulário de certidão de nascimento se quiserem um número de Seguro Social para seu filho. O hospital mandará esta informação para a Administração de Seguro Social, que depois atribui um número do seguro social e manda o cartão diretamente para os pais. A assinatura dos pais no formulário da certidão de nascimento e a autorização indicando que o pai quer um número do Seguro Social para o filho constituem uma inscrição válida.

Ou eles podem se inscrever para um número do Seguro Social para seu filho no escritório do Seguro Social de sua cidade pessoalmente ou pelo correio (é preciso mandar primeiro o formulário), submetendo uma cópia da certidão de nascimento (está vendo, eles também precisam dela), mais comprovante de identidade dos pais, como carteira de motorista ou passaporte, além dos números do Seguro Social dos pais. Mesmo que os pais decidam que seu filho não vai precisar de um número do Seguro Social por ora, a lei americana exige um aos cinco anos de idade.) Os números do Seguro Social estão disponíveis gratuitamente, portanto, não é preciso que os pais paguem a ninguém para lhes conseguir um cartão ou um número.

se levar uma mamadeira fechada de fórmula pronta para usar ou uma garrafa de água à qual você acrescentará a fórmula em pó. Se, entretanto, você levar fórmula que preparou em casa, terá de guardá-la em um recipiente térmico junto com um saquinho de gelo ou cubos de gelo.

**Fraldas para o ombro.** Seus amigos podem gostar de segurar o bebê — mas não de levar uma regurgitada dele. Uma fralda de pano à mão evitará momentos constrangedores e ombros fedorentos.

**Uma muda de roupas do bebê.** As roupas do bebê são perfeitas, e você está saindo para uma reunião especial da família. Você chega, tira seu príncipe bonitinho do assento do carro e encontra uma poça de fezes mostarda e moles dando um "toque de acabamento" às roupas. É só um motivo para você levar uma muda de roupas extra — e para saídas prolongadas, duas mudas. E montes de lenços umedecidos.

**Um lençol ou suéter extra.** Particularmente em estações de transição, quando as temperaturas podem variar imprevisivelmente, um cobertor adicional pode vir a calhar.

**Uma chupeta, se o bebê a usa.** Leve-a em um saco plástico limpo.

**Distração.** Algo que proporcione estímulo visual é adequado para bebês muito novos — em particular para o assento do carro ou o carrinho. Para bebês mais velhos, serão satisfatórios brinquedos leves em que eles possam bater, cutucar e colocar na boca.

**Protetor solar.** Se não houver uma sombra adequada disponível, use uma pequena quantidade de protetor solar seguro para bebês no rosto dele, nas mãos e no corpo (agora recomendados mesmo em bebês de menos de 6 meses) o ano todo (no inverno, a combinação de neve e sol podem causar queimaduras graves).

**Um lanche para a mamãe.** Se você estiver amamentando no peito e ficará fora por um longo período e houver a possibilidade de não conseguir encontrar um lanche nutritivo com facilidade, leve um desses alimentos: uma fruta; um pedaço de queijo; biscoito integral ou pão integral; um saco de frutas secas. Um recipiente ou lata de suco de frutas ou uma garrafa térmica com uma bebida quente ou fria é uma boa opção se sua saída for para um parque onde não houver nenhum líquido refrescante disponível.

**Um lanche (ou dois, ou três) para o bebê.** Depois da introdução dos sólidos, levar frascos de alimento infantil (não há necessidade de refrigeração antes de abertos e não é necessário nenhum aquecimento antes de servir) se você vai ficar fora na hora das refeições; uma colher guardada em um saco plástico (guarde o saco para levar a colher suja para casa); um babador; e muitas toalhas de papel. Mais tarde, uma seleção de alimentos que possam ser manuseados (não perecíveis, se você sair em um clima quente) como fruta fresca, biscoitos do tipo *cracker* ou biscoitos de aveia repelirão a fome entre as refeições, enquanto proporcionam ao bebê toda uma atividade durante a saída. Cuidado, contudo, ao usar lanches para repelir o tédio ou para evitar que o bebê chore — o padrão de comer pelos motivos errados na infância pode continuar como um hábito indesejável mais tarde.

**Objetos de toalete diversos e itens de primeiros socorros.** Dependendo das necessidades particulares de seu filho, bem como do local para onde estão indo, você também pode levar: pomada ou creme para assaduras; curativos e pomada antibiótica (em especial depois que o bebê começou a engatinhar ou a andar); qualquer medicamento que seu filho esteja tomando (se você estiver fora no horário da próxima dose; se for necessária refrigeração, coloque em um saco de gelo ou em uma caixa de isopor).

# Cuidados com o pênis

Ao nascimento, o prepúcio (a camada contínua de pele que recobre o pênis) é firmemente ligado à glande (a ponta arredondada do pênis). Com o tempo, em um pênis não circuncidado, o prepúcio e a glande começam a se separar, à medida que as células se soltam da superfície de cada camada. As células descartadas, que são substituídas por toda a vida, acumulam-se como "pérolas" leitosas que aos poucos saem pela ponta do prepúcio.

Em geral, no final do segundo ano para nove entre dez meninos não circuncidados, mas às vezes somente quando eles têm 5, 10 anos de idade ou mais, o prepúcio e a glande tornam-se plenamente separados. Neste ponto, a abertura é suficientemente grande para que o prepúcio possa ser puxado para trás, ou retraído, descobrindo a glande.

**Cuidados com o pênis não circuncidado.** Ao contrário do que se acreditava antigamente, não há necessidade de nenhum cuidado especial com o pênis dos bebês — água e sabão, aplicados externamente, assim como o resto do corpo é lavado, o manterão limpo. Não só é desnecessário tentar retrair à força o prepúcio, ou limpar sob ele com cotonete, irrigação ou antissépticos, assim como pode também ser prejudicial. Depois que o prepúcio se separou visivelmente, você pode retraí-lo de vez em quando e limpar debaixo dele. Na época da puberdade, a maioria dos prepúcios será retrátil, e nessa época um rapaz pode aprender a retraí-lo e limpá-lo sozinho.

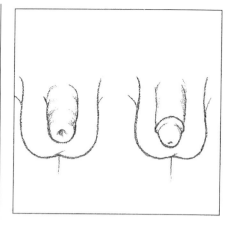

*Nem o pênis não circuncidado (esquerda) nem o circuncidado, do qual o prepúcio foi removido, requerem cuidados especiais em um bebê.*

**Cuidados com o pênis circuncidado.** O único cuidado que um pênis circuncidado precisará, depois de a incisão cicatrizar, é lavar normalmente com água e sabão. Para os cuidados durante o período de recuperação, ver página 299.

# Posição para dormir

A maneira mais segura de colocar seu bebê para dormir é de barriga para cima. Os bebês colocados para dormir de bruços correm um risco maior de ter a síndrome da morte súbita infantil (SIDS). A incidência de SIDS é mais alta nos seis primeiros meses, embora a recomendação de "dormir de costas" seja válida para todo o primeiro ano. (Depois que o bebê começa a rolar, porém, ele pode preferir dormir de bruços; entretanto, continue a colocar seu filho para dormir de costas e deixe que ele decida se vai se virar ou não.) Você também nunca deve colocar o bebê em uma cama macia (somente colchões firmes, sem travesseiro embutido), ou em um berço (ou na cama dos pais) com travesseiros, edredons ou lençóis felpudos, nem com animais estofados por causa do risco de sufocamento. Ver página 383 para mais informações sobre a SIDS.

## O CUEIRO NO BEBÊ

Para muitos recém-nascidos, colocar um cueiro é calmante e pode reduzir o choro, em especial durante períodos de cólica; outros não gostam nada da falta de liberdade imposta por ser amarrado tão apertado. O cueiro não aumenta o risco de SIDS desde que o bebê seja colocado para dormir de barriga para cima e não esteja superaquecido. Na verdade, algumas pesquisas chegam a mostrar que o cueiro pode reduzir o risco de SIDS, por manter os bebês seguros de costas quando dormem. (E como muitos bebês ficam mais confortáveis de costas quando estão com cueiro, outro resultado satisfatório pode ser menos choro nesta posição.) Eis como colocar o cueiro:

1. Abra o cueiro no berço, na cama ou na mesa de trocas, com uma ponta dobrada para baixo cerca de 15 centímetros. Coloque o bebê no cueiro diagonalmente, a cabeça acima do canto dobrado.

2. Pegue o canto perto do braço esquerdo do bebê, puxe-o por sobre o braço e cruze pelo corpo do bebê. Erga o braço direito e enfie o canto do cueiro sob as costas do bebê pelo lado direito. (Se você tem um cueiro com fecho de Velcro, não precisa enfiar a ponta.)

3. Erga o canto inferior e traga-o por sobre o corpo do bebê, enfiando-o na primeira faixa.

4. Erga o último canto, traga-o por sobre o braço direito do bebê e enfie-o sob as costas pelo lado esquerdo.

Se seu filho parece preferir mais mobilidade nas mãos, enfaixe por baixo dos braços dele, deixando as mãos livres. Como ser enfaixado pode interferir com o desenvolvimento quando o bebê fica mais velho, e como o lençol chutado por um bebê com cueiro pode representar um risco de segurança no berço, pare de usar o cueiro depois que o bebê se tornar mais ativo.

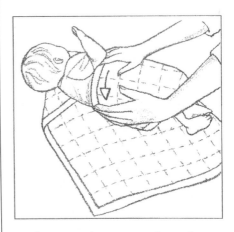

*Enfie o canto do cueiro por baixo das costas do bebê.*

 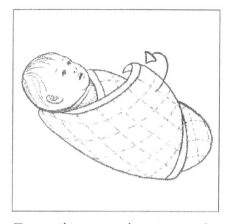

*Erga o canto inferior direito do cueiro por sobre o corpo do bebê.*

*Traga o último canto do cueiro por sobre o corpo do bebê.*

## CUIDADOS COM O COTO UMBILICAL

O último remanescente da ligação íntima do bebê com a mãe no útero é o coto do cordão umbilical. Ele fica preto em alguns dias depois do nascimento e pode-se esperar que caia a qualquer momento entre uma e quatro semanas depois. Você pode acelerar a cicatrização e prevenir infecções mantendo a área seca e exposta ao ar. As seguintes dicas a ajudarão a conseguir isso:

1. Quando colocar a fralda no bebê, dobre a frente dela abaixo do umbigo para manter a urina longe e deixar o ar entrar. Dobre a camiseta para cima.

2. Não use banheirinhas e evite molhar o umbigo quando der banho de esponja até que o coto caia.

3. Embora fosse tradicional esfregar o coto do bebê com álcool depois de ele ir para casa, estudos recentes mostram que a cicatrização é mais rápida sem o uso contínuo de álcool, e não há aumento no risco de infecção. Pergunte a seu médico o que ele recomenda. Se você aplicar álcool, o uso de um cotonete evitará a irritação da tenra pele circundante.

4. Se a área em torno do umbigo ficar vermelha, ou o local exsudar ou tiver um cheiro estranho, fale com o médico.

♦ ♦ ♦

# CAPÍTULO 5

# O Primeiro Mês

Você trouxe o bebê para casa e está fazendo tudo o que os pais podem fazer. E no entanto não consegue deixar de se perguntar: será que estou fazendo o suficiente? Afinal, seu cronograma (e a vida de que você se lembrava) está em suspenso; você segura seu bebê como se ele fosse feito de vidro; e não consegue se lembrar da última vez em que tomou um bom banho ou dormiu mais de duas horas seguidas.

À medida que seu bebê cresce, passando de um recém-nascido bonitinho mas com pouca capacidade de resposta para um bebê que engatinha, suas noites de sono e dias agitados provavelmente se encherão não só de pura alegria, mas também de exaustão — para não falar de novas perguntas e preocupações: será que meu bebê está comendo o suficiente? Por que ele regurgita tanto? Será que estes choros são de cólica? Um dia ela (e nós) vai dormir a noite toda? E quantas vezes por dia eu posso ligar para o pediatra? Não se preocupe. Acredite se quiser, no final do mês você terá estabelecido uma rotina confortável com o bebê, uma rotina que ainda é exaustiva mas muito mais administrável. Você também ficará acostumada com o jogo de cuidar do bebê (pelo menos se comparado com o que sente hoje) — alimentar, colocar para arrotar, dar banho e lidar com o bebê com relativa facilidade.

## O Que seu Bebê Pode Estar Fazendo

Todos os bebês atingem marcos em seu tempo de desenvolvimento. Se seu filho parece não ter atingido um ou mais destes marcos, fique tranquila, ele provavelmente os atingirá muito em breve. A taxa de desenvolvimento de seu bebê é normal para ele. Tenha em mente, também, que as habilidades que o bebê desenvolve na posição de bruços só podem ser dominadas se houver oportuni-

## O QUE SEU BEBÊ PODE ESTAR FAZENDO NESTE MÊS

Todos os pais querem saber se seus bebês estão se desenvolvendo bem. O problema é que quando eles comparam seus filhos com o bebê "médio" da mesma idade, descobrem que seu próprio filho em geral está à frente ou atrás dele — poucos estão exatamente na média.

Para ajudar a determinar se o desenvolvimento de seu filho está dentro da ampla gama do normal em vez de apenas na faixa limitada da "média", desenvolvemos uma faixa mensal de realizações em que recaem quase todos os bebês, baseada nos Testes de Desenvolvimento de Denver e na Escala de Marcos Clínicos Auditivos e Linguísticos (CLAMS). Em um mês, 90% de todos os bebês terão dominado as realizações na primeira categoria, "O que seu bebê deve ser capaz de fazer". Cerca de 75% adquirirão controle daquelas na segunda categoria, "O que seu bebê provavelmente estará fazendo". Aproximadamente a metade terá realizado as proezas da terceira categoria: "O que seu bebê pode ser capaz de fazer." E cerca de 25% terão realizado as façanhas da última categoria, "O que seu bebê até pode fazer".

A maioria dos pais descobrirá que os filhos atingem diferentes categorias ao mesmo tempo. Alguns descobrem que seu descendente permanece constantemente na mesma categoria. Alguns podem achar o desenvolvimento de seu bebê irregular — lento num mês, dando um grande salto no mês seguinte. Todos podem relaxar sabendo que seus bebês são perfeitamente normais.

Só quando um bebê não realiza o que uma criança da mesma idade "deve ser capaz de fazer" de uma forma *consistente* é que os pais precisam se preocupar e consultar o médico. Mesmo então, pode não haver nenhum problema — o bebê pode apenas estar marchando (ou rolando, ou avançando) a uma batida diferente.

Use as seções "O que seu Bebê Pode Estar Fazendo" deste livro para verificar o progresso mensalmente, se preferir. Mas não as use para avaliar as capacidades de seu bebê, atuais ou futuras. Não são previsíveis. Se comparar seu bebê com estas listas lhe dá ansiedade em vez de tranquilizá-la, ignore-as completamente. Seu bebê se desenvolverá igualmente bem, mesmo que você nunca as veja — e você poderá ser muito mais feliz.

---

dade de praticar. Assim, certifique-se de que o bebê passe um período brincando de bruços sob supervisão. Se você está preocupada com o desenvolvimento de seu filho, verifique com o médico. Bebês prematuros geralmente atingem os marcos mais tarde do que os outros da mesma idade, com frequência alcançando-os mais perto de sua idade ajustada (a idade que

eles teriam se tivessem nascido a termo), e às vezes posteriormente.

*No primeiro mês, seu bebê... deve ser capaz de:*

♦ erguer um pouco a cabeça quando está de bruços em uma superfície plana

- focalizar um rosto

*...provavelmente será capaz de:*

- reagir a uma campainha de alguma maneira, seja sobressaltando-se, chorando, aquietando-se

*...é possível que seja capaz de:*

- erguer a cabeça a 45 graus quando de bruços

*No final deste mês, um bebê deve ser capaz de focalizar um rosto.*

- vocalizar de outras maneiras além de chorar (por exemplo, arrulhando)
- sorrir em resposta a seu sorriso

*...até pode ser capaz de:*

- erguer a cabeça 90 graus quando de bruços
- manter a cabeça parada quando erguida
- juntar as mãos
- sorrir espontaneamente

# O QUE VOCÊ PODE ESPERAR NO *CHECK-UP* DESTE MÊS

Os *check-ups* do bebê serão eventos que você terá de procurar; não só como uma oportunidade de ver o quanto seu bebê cresceu, mas para fazer as dezenas de perguntas que surgiram desde a última visita ao médico, mas que não a levaram a dar um telefonema frenético imediato (haverá montes deles também). Certifique-se de manter uma lista das perguntas e de levá-las às consultas marcadas (será difícil se lembrar delas quando você estiver lidando com insônia e um bebê nu se contorcendo).

Todo médico terá sua própria abordagem aos *check-ups* do bebê. A organização geral do exame físico, bem como o número e o tipo de técnicas auxiliares usadas e procedimentos realizados também variarão com as necessidades individuais da criança. Mas, em geral, você pode esperar o seguinte em um *check-up* quando o bebê tem entre uma e quatro semanas de idade. (A primeira consulta pode ocorrer antes disso, ou pode haver mais de um *check-up* no primeiro mês, sob circunstâncias especiais, como quando um recém-nascido teve icterícia, foi prematuro ou quando há qualquer problema com o estabelecimento da amamentação.)

- Perguntas sobre como você, o bebê e o resto da família estão agindo em casa e sobre a alimentação, o sono, os movimentos intestinais e o progresso geral do bebê.

- Medição da altura, tamanho e circunferência da cabeça do bebê, e registro do progresso desde o nascimento num gráfico.

- Avaliação da visão e da audição.

- Um relatório dos resultados dos exames neonatais (para fenilcetonúria, hipotireoidismo e outros problemas inatos de metabolismo), se não foram feitos previamente. Se o médico não mencionar os exames, os resultados provavelmente foram normais, mas pergunte por eles para seus próprios registros. Se seu bebê teve alta do hospital antes da realização destes exames, ou se eles foram feitos antes que ele tivesse 72 horas de idade, provavelmente serão realizados ou repetidos agora.

- Um exame físico. O médico ou a enfermeira examinará e avaliará todos ou a maioria dos seguintes itens, embora algumas avaliações venham a ser realizadas pelo olho ou pela mão experiente, sem nenhum comentário:

  - ❖ ausculta do coração com o estetoscópio e verificação visual do batimento cardíaco através da parede peitoral

  - ❖ abdome, por palpação (sentindo pelo lado de fora), em busca de qualquer massa anormal

  - ❖ quadris, verificando seu deslocamento ao rotacionar as pernas

- ❖ mãos e braços, pés e pernas, em busca de desenvolvimento e movimento normais

- ❖ costas e coluna vertebral, em busca de alguma anormalidade

- ❖ olhos, com um oftalmoscópio e/ou uma caneta luminosa, em busca de reflexos e foco normais, e para verificar o funcionamento do duto lacrimal

- ❖ ouvidos, com um otoscópio, verificando a cor, o fluido e o movimento

- ❖ nariz, com otoscópio, verificando a cor e a condição das membranas mucosas

- ❖ boca e garganta, usando um depressor de língua em madeira, para verificar a cor, sapinho, feridas, inchaços

- ❖ pescoço, para o movimento normal, tamanho da tireoide e da glândula linfática (as glândulas linfáticas são sentidas com mais facilidade em bebês, e isto é normal)

- ❖ axilas, para verificar glândulas linfáticas inchadas

- ❖ as fontanelas (os pontos macios na cabeça), sentindo-as com as mãos

- ❖ a respiração e a função respiratória, por observação e às vezes com estetoscópio e/ou pancadinhas leves no peito e nas costas

- ❖ a genitália, em busca de alguma anormalidade, como hérnias ou testículos que não desceram; o ânus em busca de rachaduras ou fissuras; o pulso femoral na virilha, em busca de uma batida forte e estável

❖ a cicatrização do cordão umbilical e da circuncisão (se for o caso)

❖ a pele, verificando a cor, a tonalidade, assaduras e lesões, como marcas de nascença

❖ reflexos específicos da idade do bebê

❖ movimento e comportamento geral, capacidade de se relacionar com os outros

♦ Orientação sobre o que esperar no mês seguinte em relação a alimentação, sono, desenvolvimento e segurança do bebê.

♦ Possivelmente vacinação contra hepatite B, se o bebê não a recebeu ao nascimento e não tomou a vacina tríplice que começa aos 2 meses.

*Antes de terminar a consulta, certifique-se de:*

♦ Perguntar pelas diretrizes para os telefonemas quando o bebê estiver doente. (O que exigiria um telefonema no meio da noite? Como o médico pode ser encontrado fora do horário de atendimento no consultório?)

♦ Expressar qualquer preocupação que possa ter surgido no mês anterior — sobre a saúde, o comportamento, o sono, a alimentação do bebê e, assim por diante.

♦ Tomar nota das informações e instruções do médico para não esquecer.

Quando chegar em casa, registre todas as informações pertinentes (peso, tamanho e circunferência da cabeça, tipo sangüíneo, resultados de exames, marcas de nascença do bebê) em um arquivo permanente de saúde.

# Como Alimentar seu Bebê este Mês:
# TIRANDO O LEITE MATERNO[1]

Embora neste começo do jogo de criar um filho você e seu bebê provavelmente não se separem por mais de uma ou duas horas (se tanto),

chegará um momento na vida de toda mãe que amamenta em que ela precisa, ou quer, mais flexibilidade do que pode proporcionar o aleitamento 24 horas por dia. Quando ela não pode amamentar seu filho — porque está trabalhando, viajando ou apenas ao anoitecer —, mas ainda quer que o filho seja alimentado com leite materno, é onde entra o leite tirado do peito.

---

[1] Se você está amamentado no peito. As questões de alimentação com mamadeira são abordadas a partir da página 174.

# Por que as mães tiram leite

Não é tanto uma lei da física, mas uma lei da maternidade: nem sempre você pode contar que seu seio e seu bebê estarão no mesmo lugar ao mesmo tempo. Mas há uma maneira de alimentar seu filho com leite materno (e manter a oferta de leite alta), mesmo que você e o bebê estejam a quilômetros de distância um do outro: tirando leite.

Existem várias situações (de curto ou longo prazo, regularmente ou apenas de vez em quando) em que uma mãe pode precisar ou querer tirar leite, em geral por bombeamento. Os motivos mais comuns para as mulheres bombearem são:

♦ Aliviar o ingurgitamento quando o leite aparece

♦ Coletar leite para amamentar quando está trabalhando

♦ Providenciar mamadeiras extras quando está fora de casa

♦ Aumentar ou manter a oferta de leite

♦ Armazenar leite no *freezer* para emergências

♦ Prevenir o ingurgitamento e manter a oferta de leite quando se suspende temporariamente o aleitamento devido a doença (da mãe ou do bebê)

♦ Manter a oferta de leite se o aleitamento precisa ser interrompido tempo-rariamente porque a mãe está tomando medicação incompatível com a amamentação

♦ Proporcionar leite materno para um bebê hospitalizado ou prematuro

♦ Proporcionar leite para mamadeira ou alimentação em tubo quando um bebê (prematuro ou outra coisa) está fraco demais para mamar ou tem um problema oral que o impede de mamar no peito

♦ Estimular a relactação, se uma mãe muda de ideia sobre amamentar ou se um bebê mostra-se alérgico a leite de vaca depois do primeiro desmame

♦ Induzir a lactação em uma mãe adotiva, ou em uma mãe biológica cujo leite demora a vir

## Escolhendo uma bomba

Antigamente, a única maneira de tirar leite era manualmente, um processo longo e tedioso que com freqüência não conseguia produzir quantidades significativas de leite (e, francamente, doía — e muito). Hoje em dia, incitados pelo ressurgimento do aleitamento materno, os fabricantes estão vendendo uma variedade de bombas mamárias — que vão de modelos simples operados à mão que custam pouco aos caros modelos elétricos de nível hospitalar (que agora são mais acessíveis para uso doméstico) — para tornar o bombeamento mais fácil e mais conveniente. Embora uma mãe ou outra vá tirar o leite com a mão, pelo menos para aliviar o ingurgitamento, a maioria investirá ou em uma bomba manual, elétrica, ou operada à bateria.

Antes de decidir que tipo de bomba é melhor para você, você precisará fazer um pouco de dever de casa:

◆ Considere suas necessidades. Você irá bombear regularmente porque vai voltar ao trabalho ou porque estará fora de casa diariamente? Bombeará somente de vez em quando para ter uma mamadeira extra? Ou bombeará o tempo todo para providenciar nutrição para seu bebê prematuro ou doente, que pode ficar no hospital por semanas ou meses?

◆ Pese suas opções. Se você vai bombear várias vezes ao dia por um período prolongado de tempo (como quando trabalha ou alimenta um bebê pré-termo), uma bomba dupla elétrica provavelmente será a melhor opção. Se você precisa de uma bomba somente para saídas ocasionais, um modelo elétrico simples, à bateria ou manual preencherá suas necessidades (e a das poucas mamadeiras). Se está planejando tirar o leite somente quando estiver ingurgitando ou para uma rara mamadeira, provavelmente vai tirá-lo com a mão (embora uma bomba manual barata ainda possa fazer sentido; pode ser necessário muito aperto com a mão para encher uma simples mamadeira).

◆ Pesquise. Converse com as amigas que usam bomba para ver o que elas preferem. Nem todas as bombas são

## INFORMAÇÕES FASCINANTES

É normal que o leite humano tenha uma cor azulada ou amarelada. O leite tirado do peito se separará em leite e creme. Isto também é normal. Apenas agite suavemente para misturar antes de servir.

iguais — nem mesmo entre os modelos elétricos. Algumas bombas elétricas podem ser desconfortáveis e algumas bombas manuais dolorosamente lentas (e às vezes muito dolorosas) para tirar uma grande quantidade de leite. Além disso, discuta as opções com um consultor em lactação ou com seu médico. Pesquise os tipos de bombas disponíveis (ligue para os fabricantes, visite os seus *sites*) e considere sua carteira assim como as características dos modelos antes de se decidir.

## TUDO SOBRE AS BOMBAS

Todas as bombas usam uma concha ou escudo mamário que é colocado sobre seu seio, centrado sobre o mamilo e a aréola. Quer você esteja usando uma bomba elétrica ou manual, a sucção é criada quando a ação de bombeamento começa, imitando o sugar de um bebê. Dependendo da bomba que você usar (e da rapidez com que expressa o leite), pode levar de 10 a 45 minutos para bombear os dois seios. O bombeamento não deve doer; se doer, certifique-se de que está bombeando corretamente. Se estiver, e ainda assim doer, o erro pode estar na bomba; considere fazer uma troca.

**Bomba elétrica.** Poderosa, rápida e fácil de usar (em geral), uma bomba elétrica totalmente automática imita bem a ação de sucção ritmada de um bebê mamando. Muitas bombas elétricas permitem duplo bombeamento — uma ótima característica se você bombeia com frequência. Não só bombear os dois seios simultaneamente reduz à metade o tempo de bombeamento, como estimula um aumento na prolactina, o que significa que você na verdade produzirá mais leite com mais rapidez. As bombas elétricas hospitalares em geral são caras, custando de algumas centenas a pouco mais de mil dólares, mas se o tempo é um problema importante, o investimento pode valer a pena. (Além disso, quando você a compara com o custo da fórmula, pode empatar ou possivelmente sair mais barato.)

Muitas mulheres alugam bombas elétricas hospitalares de hospitais ou farmácias; algumas compram ou alugam com outras mulheres, ou compram, usam e depois as vendem (ou emprestam). As bombas elétricas também vêm em modelos portáteis que são indiscerníveis (as embalagens pretas são projetadas para parecer mochilas ou bolsas com alça) e também são menos caras, menores e tão eficientes quanto as hospitalares. Algumas também vêm com um adaptador para carro e/ou baterias para que você não tenha que ligá-las numa tomada.

**Bomba à bateria.** Menos poderosas que as bombas elétricas e mais caras que as manuais, as bombas operadas à bateria prometem portabilidade e operação eficiente, mas nem todos os modelos são assim. Em geral têm preços moderados, mas a velocidade de consumo da bateria de algumas delas torna-as mais caras de usar e de praticabilidade questionável.

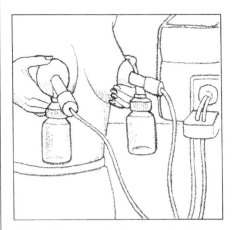

*O bombeamento duplo é rápido, eficiente e confortável.*

Levando a conveniência a outro nível estão as bombas à bateria que são "vestíveis". Elas têm conchas mamárias macias aproximadamente do tamanho de um donut, colocadas dentro de seu sutiã e enganchadas a um pequeno conjunto de sacos que ficam achatados contra seu corpo. Como o sistema é muito discreto, você pode vesti-lo no escritório e bombear enquanto trabalha sem que ninguém se dê conta. E uma vez que não precisa das mãos de maneira nenhuma, é o sonho multitarefa que virou realidade: você pode bombear enquanto digita num computador, fala ao telefone e até prepara o jantar.

**Bomba manual.** Estas bombas operadas à mão têm diversos estilos; alguns são melhores que outros:

- Uma *bomba em seringa* é composta de dois cilindros, um dentro do outro. O cilindro interno é colocado sobre o mamilo e o externo, quando empurrado e puxado, cria a sucção que traz o leite para dentro dele.

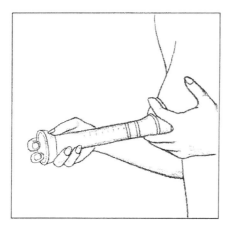

*Embora seja pesada para o braço que faz o bombeamento, a bomba em seringa é uma forma conveniente de tirar leite.*

- Uma *bomba operada por gatilho* cria sucção com cada aperto da mão. Um tipo popular inclui almofadas de massagem em pétala projetadas para estimular a compressão dos bebês na aréola, o que estimula a descida do leite.

- Uma *bomba em bulbo ou "buzina de bicicleta"*, que suga o leite dos seios com cada aperto do bulbo, não é recomendada porque é muito ineficiente, desconfortável e extremamente anti-higiênica (criando bactérias que podem contaminar o leite materno). Também pode levar a feridas nos mamilos e danificar o tecido dos seios.

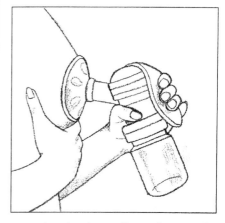

*Uma bomba de gatilho pode estimular com eficiência a descida do leite, facilitando a tarefa de tirar o leite.*

As bombas em seringa e de gatilho são populares porque são de uso muito simples, de preço moderado, fáceis de limpar, portáteis e podem se dobrar como mamadeiras.

## PREPARANDO-SE PARA BOMBEAR

Sempre que você bombear (e não importa que tipo de bomba estiver usan-

## A PRÁTICA DE BOMBEAR FAZ A PERFEIÇÃO

Independente do método de expressar que escolher, você pode achar difícil extrair muito leite nas primeiras vezes. Considere estas sessões iniciais de bombeamento uma prática — sua meta deve ser como usar a bomba, e não necessariamente conseguir grandes quantidades de leite. De qualquer forma, o leite provavelmente não vai fluir em quantidades copiosas durante as primeiras sessões por dois motivos: primeiro, você não está produzindo tanto leite assim ainda (se seu bebê ainda tiver menos de um mês ou dois); segundo, uma bomba (em especial manejada por uma noviça) é muito menos eficaz na extração do leite do que o bebê. Mas com perseverança (e prática, muita prática), você se tornará num instante uma especialista em bombear.

do), há algumas medidas básicas de preparação que você precisará tomar para garantir uma sessão de bombeamento segura e fácil:

♦ A hora certa. Escolha uma hora do dia em que seus seios estejam normalmente cheios. Se você estiver bombeando porque está sempre longe do bebê e perde as mamadas, experimente bombear nas mesmas horas em que costuma dar de mamar, cerca de uma vez a cada três horas. Se você está em casa e quer armazenar leite no *freezer* para emergências ou para mamadeiras extras, bombeie uma hora depois da primeira mamada da manhã do bebê, uma vez que a maioria das mulheres tem mais leite de manhã cedo. (O final da tarde ou início da noite, quando as mulheres em geral têm menos leite, devido à exaustão e ao estresse do final do dia, em geral são horas particularmente improdutivas

para se bombear.) Ou bombeie de um seio enquanto amamenta o bebê com o outro; a ação de descida natural que seu corpo produz para seu bebê que mama ajudará a estimular o fluxo de leite também no seio bombeado (mas não tente isto até que tenha habilidade para amamentar e tirar leite, uma vez que pode ser uma manobra perigosa para uma iniciante).

♦ Higiene. Lave as mãos e certifique-se de que todo o equipamento de bombeamento esteja limpo. Lavar sua bomba imediatamente depois de cada uso com água quente e sabão facilitará o trabalho de manter a bomba limpa. Se você usá-la fora de casa, leve junto uma escova de mamadeira, detergente e toalhas de papel para lavá-la.

♦ Tranquilidade. Escolha um ambiente tranquilo, confortável e aconchegante para bombear, onde você não

## O OUTRO LADO DA HISTÓRIA

Se você não usa uma bomba dupla, o seio que não está sendo bombeado começará a entrar em ação antes do tempo e vazará. Para evitar a sujeira, certifique-se de que o seio que está sendo ignorado seja bem embalado com almofadas mamárias (em especial se você vai voltar para sua mesa de trabalho depois de bombear), ou tire vantagem de cada gota de leite e colete tudo o que vazar em uma mamadeira, uma xícara limpa ou um copo de leite.

será interrompida por telefones ou campainhas e onde terá alguma privacidade. No trabalho, um escritório particular, uma sala de reuniões desocupada ou o toalete das mulheres podem servir como seu quartel-general para bombeamento. Se estiver em casa, espere até a soneca do bebê, ou deixe o bebê com outra pessoa para que você possa estar livre para se concentrar no bombeamento (a não ser que esteja bombeando enquanto amamenta).

♦ Conforto. Fique confortável, com os pés erguidos, se possível. Relaxe por vários minutos antes de começar. Use a meditação ou outra técnica de relaxamento, música, tevê ou o que quer que a ajude a desanuviar.

♦ Hidratação. Beba um pouco de água, suco, leite, chá ou café descafeinado, ou uma sopa logo antes de começar.

♦ Estímulo da descida do leite. Pense em seu filho, olhe para uma foto do bebê e/ou imagine-se amamentando para ajudar a estimular a descida. Se você estiver em casa, embalar um pouco o bebê antes de começar a bombear pode ser um bom truque. Se estiver usando uma bomba "vestível" ou uma bomba elétrica que deixa suas mãos livres (ao usar um "sutiã" especial que mantém as bombas no lugar), você pode até segurar o bebê — embora muitos bebês não gostem de ficar tão perto e ao mesmo tempo tão longe de sua fonte de alimento ("Ei... por que é que só a máquina se diverte aqui?"). Aplicar compressa quente em seus mamilos e seios por 5 ou 10 minutos, tomar um banho quente, fazer massagem nos seios ou se inclinar e sacudir os seios são outras formas de aumentar a descida.

## COMO TIRAR LEITE MATERNO

Embora o princípio básico de tirar leite seja o mesmo, independente da bomba que você usar (estímulo e compressão da aréola trazendo o leite dos dutos para os mamilos), existem diferenças sutis nas técnicas, dependendo do tipo de bomba (ou, no caso de tirar com a mão, de não bomba) que você está usando.

**Tirando leite com a mão.** Para começar, coloque a mão num dos seios, com o polegar o indicador opostos de cada lado na borda da aréola. Pressione a mão em direção ao peito, apertando suavemente o polegar e o indicador juntos enquanto puxa um pouco para a frente. (Não deixe que seus dedos escorreguem para o mamilo.) Repita ritmadamente para o leite começar a fluir, girando a posição da mão para atingir todos os dutos lácteos. Repita com o outro seio, massageando de acordo com o necessário. Repita com o primeiro seio, depois faça o mesmo com o segundo novamente.

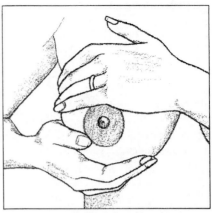

*Para massagear seu seio, coloque uma das mãos sob o seio, a outra acima dele. Deslize a palma de uma das mãos ou das duas suavemente do peito em direção ao mamilo e aplique uma pressão leve. Gire as mãos em volta do seio e repita para alcançar todos os dutos lácteos.*

Se você quiser coletar o leite, use uma xícara de boca larga limpa sob o seio em que está trabalhando. Você pode coletar todas as gotas do outro seio colocando uma concha mamária[2] por dentro do sutiã. O leite coletado deve ser vertido em mamadeiras ou sacos de armazenagem e refrigerados o mais rápido possível (ver página 249).

**Tirando leite com uma bomba manual.** Siga as instruções para a bomba que você está usando. Você pode desco-

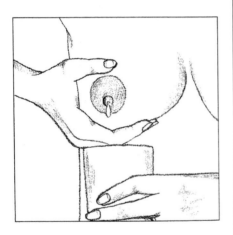

*Tirar leite materno com a mão é um processo lento. Esse método é melhor para tirar somente pequenas quantidades, como quando o seio está ingurgitado demais para o bebê ter uma pegada confortável.*

---

[2]As conchas mamárias (também chamadas de escudos lácteos) têm o objetivo de corrigir mamilos invertidos. Contudo, elas também podem ser usadas durante a amamentação para pegar e coletar leite que vaza de um dos seios enquanto o bebê mama no outro ou enquanto você bombeia. Coloque a concha dentro de seu sutiã no seio alternado.

brir que umedecer a borda externa da aba com água ou leite materno garantirá uma boa sucção, mas esta não é uma medida necessária. A aba deve cercar o mamilo e a aréola, com todo o mamilo e parte da aréola nela. Use pulsos rápidos e curtos no começo da sessão de bombeamento para imitar melhor a ação de sugar do bebê. Depois que ocorrer a descida do leite, você pode passar a golpes mais longos e estáveis. Se você quiser usar uma bomba manual em um seio enquanto amamenta o bebê no outro, apoie o bebê em seu seio com um travesseiro (certificando-se de que ele não possa cair de seu colo).

**Tirando leite com uma bomba elétrica.** Siga as instruções para a bomba que estiver usando. A bomba dupla é ideal porque poupa tempo e aumenta o volume de leite. Você pode querer umedecer a borda externa da aba com água ou leite materno para garantir uma boa sucção. Comece na sucção mínima e aumente à medida que o leite começar a fluir, se necessário. Se seus mamilos estão feridos, mantenha a bomba na velocidade mais baixa. Você pode descobrir que consegue mais leite de um seio do que do outro quando faz bombeamento duplo — isto é normal, porque cada seio funciona de forma independente.

# Guardando o leite materno

Mantenha o leite que você expressou fresco e seguro para o bebê tendo em mente estas orientações de armazenamento:

## PARA ONDE VAI O LEITE?

Muitas bombas vêm com recipientes que podem ser usados como frascos de armazenagem e mamadeiras; outras permitem que você use uma mamadeira padrão para recolher o leite. Sacos especiais para armazenamento de leite são convenientes para o leite congelado. (Os sacos descartáveis para mamadeira são feitos de um plástico mais fino do que os sacos para armazenar leite e podem se romper mais facilmente.) Algumas bombas permitem que você colete o leite expresso diretamente nos sacos de armazenagem, para que você não precise do passo a mais de transferir o leite do frasco para o saco antes de guardar. Mas certifique-se de lavar qualquer recipiente ou frasco usado para a coleta de leite com água quente e detergente ou no lava-louças depois de usar.

- Refrigere o leite o mais cedo possível; se não for possível, o leite ficará fresco à temperatura ambiente (mas longe de aquecedores, do sol ou de outras fontes de calor) por no máximo seis horas.

- Guarde o leite por até 48 horas na geladeira, ou resfrie por 30 minutos e depois congele.

- O leite materno ficará fresco no congelador de uma a duas semanas em um refrigerador de uma porta, a cerca de três meses em um modelo *frost-free* duplex que mantenha os alimen-

## DICA RÁPIDA

Encha recipientes ou sacos de armazenagem de leite para o *freezer* somente em três quartos de sua capacidade para permitir a expansão, e etiquete com a data (sempre use o leite mais antigo primeiro).

tos congelados sólidos, a seis meses em um *freezer* que mantenha uma temperatura de –18ºC.

♦ Congele o leite em pequenas quantidades, de 90 a 100 mililitros de

cada vez, para reduzir o desperdício e permitir um degelo mais fácil.

♦ Para descongelar o leite materno, agite o frasco ou o saco sob água da torneira; use 30 minutos depois. Ou degele na geladeira e use depois de 24 horas. Não descongele no micro-ondas, em cima do forno nem à temperatura ambiente; e não recongele.

Quando seu bebê terminar de tomar a mamadeira, descarte o leite restante. Também descarte qualquer leite que tenha sido armazenado por períodos maiores do que os recomendados anteriormente.

# As Preocupações Comuns

## "QUEBRAR" O BEBÊ

*"Tenho tanto medo de segurar o bebê — ele é tão pequenininho e parece tão frágil."*

Os recém-nascidos podem parecer frágeis como bonecas de porcelana, mas não são. Na verdade, eles são realmente bem fortes. Desde que a cabeça esteja bem sustentada, eles não podem ser machucados quando são segurados normalmente — mesmo de uma forma desajeitada, como acontece com frequência quando quem segura é uma mãe ou pai de primeira viagem. Você aos poucos aprenderá o que é agradável para seu bebê e para você, uma vez que os estilos de segurar variam muito

de uma pessoa para outra. Logo você estará carregando seu filho com a mesma casualidade com que leva uma sacola de compras — e com frequência *com* uma sacola de compras. Para instruções sobre segurar o bebê, ver páginas 226-228.

## AS FONTANELAS

*"Fico tão aflita quando seguro a cabeça de minha filha — aqueles pontos moles parecem vulneráveis.*
*Às vezes eles parecem pulsar, o que me deixa muito nervosa."*

As "moleiras" — na verdade são duas e são chamadas de fontanelas — são mais duras do que parecem. A membrana rígida que recobre as fontanelas é capaz de proteger o recém-nascido até dos dedos do irmão mais curioso (embora isso definitivamente não seja uma coisa que você vá estimular), e certamente da manipulação cotidiana.

Estas aberturas no crânio, onde os ossos ainda não se uniram, não estão ali para deixar os novos pais nervosos ao lidar com o bebê (apesar de este ser o desfecho frequente), mas por dois motivos importantes. Durante o nascimento, eles permitem que a cabeça do feto se molde para se ajustar à passagem do canal de parto, uma coisa que um crânio solidamente fundido não permitiria. Mais tarde, elas permitem o enorme crescimento do cérebro no primeiro ano.

A maior das duas aberturas, a fontanela anterior, está no topo da cabeça do recém-nascido; tem forma losangular e pode ter até 5 centímetros de largura. Começa a se fechar quando um bebê está com 6 meses e em geral se fecha totalmente aos 8 meses.

A fontanela normalmente parece achatada, embora possa se abaular um pouco quando o bebê chora e, se o cabelo do bebê é ralo, o pulso cerebral pode ser visível através dele (o que é completamente normal, não há nada com que se preocupar). Uma fontanela anterior que aparece *significativamente* afundada em geral é sinal de desidratação, um alerta de que o bebê precisa de fluidos rapidamente. (Ligue para o médico do bebê imediatamente para relatar este sintoma.) Uma fontanela que incha persistentemente (ao contrário da que incha quando o bebê chora) pode indicar um aumento da pressão dentro da cabeça e também requer atenção médica imediata.

A fontanela posterior, uma pequena abertura triangular atrás da cabeça que tem menos de 1,5 centímetro de diâmetro, é muito menos perceptível e pode ser difícil de ser localizada. Geralmente está completamente fechada no terceiro mês. As fontanelas que se fecham prematuramente (raras vezes isto acontece) podem resultar em uma cabeça malformada e requerem atenção médica.

## BEBÊ MAGRO

*"Com 3 semanas, meu bebê parece mais magro do que quando nasceu. O que pode estar errado?"*

Ocasionalmente, um bebê que teve muito inchaço facial ao nascer começa a parecer mais magro quando o inchaço passa. A maioria, contudo, começa a se encher lá pelas terceira semana, parecendo menos com galinhas esqueléticas e mais com bebês rechonchudos. Na maioria dos casos, você pode esperar que um bebê amamentado no peito reconquiste seu peso ao nascimento por volta da segunda semana e depois ganhe aproximadamente de 170 a 230 gramas por semana nos próximos meses. Mas seus olhos não são necessariamente um medidor confiável do ganho de peso do bebê (às vezes as pessoas que veem o bebê todo dia percebem menos seu crescimento do que as que o veem com menos frequência). Se você tem alguma dúvida sobre se seu bebê está fazendo esse tipo de progresso, ligue para o médico e pergunte se pode levá-lo para uma pesagem fora de época.

Se o bebê está inclinando corretamente os ponteiros da balança, é provável que esteja sendo bem alimentado. Se o peso dele não aumenta, é possível que ele não esteja comendo o suficiente (ver página 254).

## TER LEITE SUFICIENTE

*"Quando meu leite veio, meus seios chegavam a vazar. Agora que passou o ingurgitamento, eles não vazam mais, e estou preocupada que eu não tenha leite suficiente para meu filho."*

Uma vez que o seio humano não vem equipado com calibrador, é quase impossível discernir com os olhos o quanto o suprimento de leite é adequado. Em vez disso, você terá de usar seu bebê como guia. Se ele parece satisfeito, saudável e está ganhando peso bem, provavelmente você está produzindo leite suficiente. Você não tem que jorrar feito uma fonte nem vazar como uma bica para amamentar com tranquilidade; o único leite que interessa é o leite que vai para seu filho. Se a qualquer momento seu filho não parece estar prosperando, uma amamentação mais frequente, associada a outras dicas na dadas anteriormente, devem ajudar a produzir mais leite.

*"Minha filha estava mamando a cada três horas mais ou menos e parecia que tudo estava muito bem. Agora, de repente, ela parece querer mamar a cada hora. Será que aconteceu alguma coisa com meu suprimento de leite?"*

Ao contrário de um poço, é improvável que o suprimento de leite seque se for usado regularmente. Quanto mais o bebê mama, mais leite seus seios produzirão. Uma explicação mais plausível para as frequentes viagens de sua filha aos seios é um crescimento ou alta repentina do apetite. Isto ocorre mais comumente na terceira e na sexta semanas, e aos três meses, mas pode acontecer a qualquer momento durante o desenvolvimento do bebê. Às vezes, para consternação dos pais, até um bebê que dormia a noite toda começa a acordar para uma mamada no meio da noite durante um surto de crescimento. Neste caso, o apetite ativo de um bebê é apenas a forma de a natureza garantir que o corpo da mãe aumente a produção de leite para atender às necessidades de crescimento.

Relaxe e mantenha seus seios acessíveis até que passe a alta de crescimento. Não fique tentada a dar fórmula a sua filha (ou pior, sólidos) para aplacar o apetite, porque uma diminuição na frequência da amamentação reduziria sua oferta de leite, e isto é o contrário do que o bebê mandou. Um padrão desses — que tem início quando o bebê quer mamar mais, levando a mãe a ficar ansiosa sobre a adequação de seu suprimento de leite e a oferecer um suplemento, seguida de uma diminuição na produção do leite — é uma das principais causas de abandono precoce do aleitamento.

Às vezes um bebê começa a exigir mais mamadas de dia por algum tempo, quando começa a dormir a noite toda, mas isto também passará. Se, contudo, sua filha continuar a querer mamar de hora em hora (ou perto disso) por mais de uma semana, verifique seu ganho de peso (e veja a seguir). Pode significar que ela não está comendo o suficiente.

## BEBÊ QUE CONSOME LEITE O BASTANTE

*"Como posso ter certeza de que meu filho amamentado no peito está se alimentando bem?"*

Quando se trata de dar mamadeira, a prova de que o bebê está consumindo bastante leite é a mamadeira — vazia. Quando se trata do aleitamento materno, determinar se o bebê está bem alimentado requer um pouco mais de exploração. Felizmente, há vários sinais que você pode procurar para se tranquilizar de que seu bebê está recebendo sua quota justa de comida:

**Ele tem pelo menos cinco evacuações grandes, granulosas e de cor mostarda por dia.** Menos de cinco evacuações por dia nas primeiras semanas podem indicar ingesta inadequada de alimento. (Embora mais tarde, por volta das 6 semanas a 3 meses, a taxa possa se desacelerar para uma ao dia ou até uma a cada dois ou três dias.)

**A fralda dele está molhada quando troca as fraldas antes de cada mamada.** Um bebê que urina mais de oito a dez vezes ao dia está recebendo uma quantidade adequada de fluidos.

**Sua urina é incolor.** Um bebê que não recebe fluidos suficientes tem uma urina amarelada, possivelmente cheirando a peixe e/ou contendo cristais de urato (aquele pozinho que parece de tijolo, dando à fralda molhada uma cor vermelho-rosada e que é normal antes que surja o leite da mãe, mas não depois).

**Você ouve os goles e a deglutição quando o bebê mama.** Se não, ele pode não estar engolindo o suficiente. Não se preocupe, porém, com o relativo silêncio ao comer se o bebê está ganhando peso.

**Ele parece satisfeito e feliz depois das principais mamadas.** Muito choro e agitação ou chupar o dedo freneticamente depois de uma mamada completa podem significar que o bebê ainda está com fome. É claro que nem toda agitação está relacionada com a fome. Depois de comer, pode estar relacionada com gases, uma tentativa de expulsar as fezes ou de sossegar para um cochilo, ou um apelo por atenção. Ou o bebê pode estar agitado por causa de cólica (ver páginas 284).

**Você teve ingurgitamento dos seios quando seu leite chegou.** O ingurgitamento é um bom sinal de que você pode produzir leite. E os seios que estão mais cheios quando você se levanta pela manhã e depois de três a quatro horas sem dar de mamar do que depois de mamar indicam que estão se enchendo de leite regularmente — e também que seu bebê os está drenando. Se o bebê está ganhando peso bem, contudo, a falta de ingurgitamento perceptível não deve preocupá-la.

**Você tem a sensação da descida do leite e/ou experimenta vazamento de leite.** Diferentes mulheres experimentam a descida do leite de formas diferentes (ver página 141), mas esta sensação, quando você começa a amamentar, indica que o leite está descendo dos dutos de armazenamento para os mamilos, pronto para ser desfrutado por seu filho. Nem toda mulher percebe a descida do leite quando ela ocorre, mas sua ausência (em combinação com sinais de falta de desenvolvimento do bebê) deve erguer uma bandeira de alerta.

**Você não começa a menstruar durante os três primeiros meses pós-parto.** A menstruação em geral não volta em uma mulher que amamenta exclusivamente no peito, em particular nos primeiros três meses. Sua volta prematura pode se dever a uma mudança dos níveis hormonais, refletindo uma produção inadequada de leite.

*"Achei que meu bebê estava comendo o bastante, mas o médico disse que o bebê não está ganhando peso com a rapidez necessária. Qual pode ser o problema?"*

Há vários motivos possíveis para que o bebê possa não estar prosperando com o leite materno. Muitos podem ser remediados com facilidade, para que o bebê possa continuar a mamar e começar a ganhar peso mais rápido:

**Possível problema:** *Você não está amamentando o bebê com a frequência suficiente.*
**Solução:** Aumente as mamadas para pelo menos oito a dez vezes em 24 horas. Não passe mais de três horas por dia ou quatro à noite entre as mamadas (os programas diários de quatro horas foram elaborados para bebês que tomam mamadeira). Isto significa acordar um bebê sonolento para que ele não perca o jantar, ou amamentar um bebê faminto mesmo que ele tenha terminado uma refeição uma hora mais cedo. Se seu filho está "feliz em passar fome" (alguns bebês ficam) e nunca pede para mamar, você deve tomar a iniciativa e estabelecer um programa ocupado de mamadas para ele. As mamadas frequentes não só ajudarão a encher a barriga do bebê (e sua constituição), mas também estimularão sua produção de leite.

**Possível problema:** *Você não está drenando pelo menos um seio a cada mamada.*
**Solução:** Dar de mamar pelo menos por dez minutos no primeiro seio deve drená-lo o suficiente; se seu filho realiza esta

tarefa, deixe que ele mame pelo tempo que ele quiser (ou um pouco) no segundo seio. Lembre-se de alternar o seio de início em cada mamada.

**Possível problema**: *Você está limitando a quantidade de tempo que ele passa no seio.*
**Solução**: Observe seu filho — e não o relógio — para garantir que ele tenha não só o primeiro leite, mas também o segundo.

**Possível problema**: *Seu bebê é um mamador preguiçoso ou ineficaz.* Isto pode se dever ao fato de ter nascido prematuramente, ou por estar doente, ou por ter um desenvolvimento anormal da boca (como fenda palatina ou língua presa).
**Solução**: Quando menos eficaz o sugar, menos leite é produzido, levando o bebê a se desenvolver mal. Até que seja um sugador forte, ele precisará de ajuda para estimular seus seios a proporcionar o leite adequado. Isto pode ser feito com uma bomba mamária, que você pode usar para esvaziar os seios depois de cada mamada (guarde qualquer leite que coletar para uso futuro em mamadeiras). Até que a produção de leite seja adequada, seu médico muito provavelmente recomendará mamadeiras suplementares de fórmula (dadas depois das sessões no peito) ou o uso de um sistema suplementar, ou SNS (ver ilustração na página 256). O SNS tem a vantagem de não causar confusão de mamilo porque não introduz um mamilo artificial.

Se seu filho se cansa facilmente, você pode ser aconselhada a dar de mamar por apenas pouco tempo em cada seio (você pode bombear o resto depois para esvaziar o seio), depois seguir com um suplemento de leite tirado do peito, ou fórmula dada na mamadeira, ou o sistema de nutrição suplementar, e todos exigem menos esforço do bebê.

**Possível problema**: *Seu bebê ainda não aprendeu a coordenar os músculos dos maxilares para sugar.*
**Solução**: Um sugador ineficaz também precisará da ajuda de uma bomba mamária para estimular os seios da mãe a começarem a produzir uma quantidade maior de leite. Além disso, ele precisará de aulas para melhorar sua técnica de sugar; o médico pode recomendar que você peça a ajuda de um consultor em lactação e possivelmente até um patologista da fala/linguagem. Enquanto seu filho estiver aprendendo, vai precisar de mamadas suplementares (ver anteriormente). Para mais sugestões sobre melhorar a técnica de sugar, acesse o site www.aleitamento.org.br.

**Possível problema**: *Seus mamilos estão feridos ou você tem uma infecção mamária.* Não só a dor pode interferir em seu desejo de amamentar, reduzindo a frequência das mamadas e a produção de leite, como também pode inibir a descida do leite.
**Solução**: Tome providências para curar os mamilos ou a mastite (ver páginas 142 e 149). Mas não use um escudo de mamilo, porque isso pode interferir com a capacidade de seu bebê de pegar os mamilos, aumentando seus problemas.

***Sistema de nutrição suplementar:*** Este dispositivo pode fornecer mamadas suplementares ao bebê enquanto estimula a produção de leite da mãe. Uma mamadeira é pendurada no pescoço da mãe; tubos finos saindo da mamadeira são presos aos seios com esparadrapo, estendendo-se um pouco para os mamilos. A mamadeira é cheia com o leite da própria mãe, coletado com uma bomba mamária, com o leite materno de um banco de leite ou com a fórmula recomendada pelo médico do bebê. Enquanto o bebê mama no peito, ele toma o suplemento através do tubo. Este sistema evita a confusão de mamilo que surge quando mamadas suplementares são dadas em mamadeira (um bebê deve aprender a sugar de forma

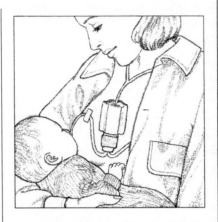

*diferente na mamadeira e no peito) e estimula a mãe a produzir mais leite, mesmo que esteja suplementando artificialmente.*

**Possível problema:** *Seus mamilos são achatados ou invertidos.* Às vezes é difícil para um bebê ter uma pegada firme nesses mamilos. Esta situação cria um ciclo negativo de não sugar o bastante, levando a um leite insuficiente, a um sugar ainda menor e a menos leite.
**Solução:** Ajude seu filho a ter uma pegada melhor durante a mamada pegando a parte externa da aréola entre seu polegar e o indicador e comprimindo toda a área para que ele sugue. Use conchas mamárias entre as mamadas para fazer com que os mamilos se alonguem mais facilmente, mas evite as conchas mamárias durante a amamentação, pois, embora possam trazer os mamilos para fora, podem impedir que o bebê pegue adequadamente o mamilo, criando um problema a longo prazo.

**Possível problema:** *Outro fator está interferindo na descida do leite.* A descida do leite é uma função física que pode ser inibida e estimulada por seu estado de espírito. Se você está constrangida ou ansiosa com a amamentação no peito em geral, ou está numa situação específica, não só a descida pode ser sufocada, como o volume e as calorias de seu leite podem ser afetados.
**Solução:** Experimente alimentar o bebê onde você se sente mais à vontade — em particular se amamentar com outras pessoas por perto a deixa tensa. Para ajudar a relaxar, sente-se em uma cadeira confortável, toque música suave, tome alguma bebida não alcoólica, experimente meditação ou técnicas de relaxamento. Massagear os seios ou aplicar compressas de calor também es-

timulam a descida do leite, da mesma forma que abrir sua blusa e aninhar o bebê em sua pele.

**Possível problema:** *Seu bebê fica satisfeito em sugar qualquer coisa.* Se seu filho tem mais satisfação com uma chupeta ou outra fonte não nutritiva, ele pode ter pouco interesse no seio.
**Solução:** Livre-se da chupeta e amamente o bebê quando ele parecer querer chupar. E não dê a ele mamadeiras suplementares de água, que não só são um sugar não nutritivo como também inibem o apetite e, em excesso, alteram os níveis de sódio no sangue.

**Possível problema:** *Você não coloca o bebê para arrotar entre as mamadas.* Um bebê que engole ar pode parar de comer antes que tenha conseguido o bastante porque se sente desconfortavelmente cheio.
**Solução:** A expulsão do ar dará mais espaço para mais leite. Certifique-se de colocar o bebê para arrotar entre as mamadas (ou até no meio de uma mamada se ele para de mamar por algum tempo), quer ele pareça precisar ou não, mais frequentemente se ele se agita muito enquanto mama.

**Possível problema:** *Seu filho está dormindo a noite toda.* Um sono ininterrupto à noite é ótimo para sua aparência, mas não necessariamente para sua oferta de leite. Se o bebê passa sete ou oito (ou até dez) horas por noite sem mamar, seu leite pode diminuir, e pode ser necessária uma suplementação.

**Solução:** Para se certificar de que isso não aconteça, você pode ter de acordar seu dorminhoco uma vez no meio da noite. Ele não deve passar mais de quatro horas por noite sem uma mamada durante o primeiro mês.

**Possível problema:** *Você voltou a trabalhar.* A volta ao trabalho — e passar oito a dez horas sem amamentar durante o dia — também pode diminuir a oferta de leite.
**Solução:** Uma forma de evitar isto é tirar leite no trabalho pelo menos uma vez a cada quatro horas, se você estiver longe do bebê (mesmo que você não esteja usando o leite para amamentar).

**Possível problema:** *Você está fazendo demais cedo demais.* Produzir leite materno requer muita energia. Se você está gastando a sua de outras maneiras e não tem um repouso adequado, sua oferta de leite pode diminuir.
**Solução:** Experimente ter um dia de repouso ao leito quase completo, seguido de três a quatro dias pegando mais leve, e veja se seu bebê não fica mais satisfeito.

**Possível problema:** *Você está dormindo de bruços.* Quando você dorme de bruços, uma coisa que muitas mulheres anseiam por fazer depois dos primeiros meses de gravidez, quando elas não podem, você também dorme sobre os seios. E a pressão em seus seios pode reduzir sua produção de leite.

**Solução:** Vire-se, pelo menos em parte, para tirar a pressão das glândulas mamárias.

**Possível problema:** *Você pode procurar por alguma ajuda.*
**Solução:** A amamentação no peito não vem facilmente para toda mãe e todo bebê — e é possível que uma orientação de uma fonte confiável, como um consultor em lactação, possa colocar você de volta ao rumo (ver página 125).

**Possível problema:** *Você está abrigando fragmentos de placenta no útero.* Seu corpo não aceita o fato de que você deu à luz até que todos os produtos da gravidez tenham sido expulsos, inclusive toda a placenta. Até que esteja plenamente convencido de que o bebê agora vive do lado de fora, seu corpo pode não produzir níveis adequados de prolactina, o hormônio que estimula a produção de leite.
**Solução:** Se você tem algum sangramento anormal ou outros sinais de fragmentos de placenta retidos, entre em contato com o médico logo. Uma dilatação e curetagem pode colocar você e seu filho na trilha certa para a amamentação bem-sucedida, ao mesmo tempo que evita o perigo representado para sua própria saúde pela retenção da placenta.

Mesmo com seus melhores esforços, sob as melhores condições, com amplo apoio de seu médico, um consultor em lactação, seu cônjuge e seus amigos, pode acontecer de você ainda ser incapaz de prover todo o leite de que seu bebê precisa. Uma pequena porcentagem de mulheres simplesmente é incapaz de amamentar no peito sem suplementação, e muito poucas não podem amamentar absolutamente. O motivo pode ser físico, como uma deficiência de prolactina, tecido mamário glandular insuficiente, seios acentuadamente assimétricos ou danos aos nervos do mamilo causados por cirurgia mamária. Ou pode se dever a estresse excessivo, que pode inibir a descida do leite. Ou, ocasionalmente, pode não ser insignificante. Uma pista inicial de que seus seios podem não ser capazes de produzir leite adequado é o fato de ele não aumentar durante a gravidez — embora não seja uma pista infalível e seja com frequência menos confiável numa segunda gestação, ou em gestações subsequentes, do que nas primeiras.

Se seu filho não está se desenvolvendo, e a não ser que o problema aparentemente possa ser resolvido em alguns dias, seu médico quase certamente receitará alimentação suplementar com fórmulas. Não se desespere. O mais importante é nutrir adequadamente seu bebê, e não se você dá o peito ou a mamadeira. Na maioria dos casos, quando suplementa, você pode ter os benefícios do contato direto com o bebê que mama deixando que o bebê chupe seu seio por prazer (dele e seu) depois que ele terminou a mamadeira, ou usando um sistema de nutrição suplementar.

Depois que o bebê que não está se saindo bem no peito começa a tomar a mamadeira, ele quase invariavelmente se desenvolve. Nos raros casos em que isto não acontece, uma viagem de volta ao médico é necessária para ver o que pode estar interferindo com o ganho de peso adequado.

## Calos de amamentação

*"Por que minha filha tem um calo em seu lábio superior? Ela está chupando com muita força?"*

Para um bebê com um apetite vigoroso, não existe o chupar demais — embora uma nova mamãe com mamilos frágeis possa discordar. E embora os "calos de amamentação", que se desenvolvem no meio dos lábios superiores de muitos recém-nascidos, tanto do peito como da mamadeira, sejam causados por um chupar vigoroso, eles não têm importância clínica, não causam desconforto para o bebê e desaparecerão sem tratamento em algumas semanas a meses. Às vezes, até parecem desaparecer entre as mamadas.

## Programa de amamentação

*"Parece que estou amamentando minha nova filha o tempo todo. O que aconteceu com os programas de quatro horas de que ouvi falar?"*

Aparentemente, sua filha (como todos os outros bebês que mamam que você verá beliscando os seios das mães quase continuamente nos primeiros meses de vida) não ouviu falar no programa de quatro horas. A fome chama e ela quer comer — com muito mais frequência do que a maioria dos "programas" permitiriam a ela.

Deixe-a mamar — pelo menos por enquanto. Programas de três e quatro horas são baseados nas necessidades de recém-nascidos que tomam mamadeira, que em geral se saem muito bem com estes regimes. Mas a maioria dos bebês que mamam no peito precisa comer com mais frequência do que isso. Isso porque o leite materno é digerido mais rapidamente do que a fórmula, deixando os bebês com fome novamente mais cedo, e porque a amamentação frequente ajuda a estabelecer uma boa oferta de leite — o fundamento de um relacionamento de amamentação bem-sucedido.

Amamente com a frequência com que o bebê quer mamar nas primeiras semanas. Mas se sua filha ainda está exigindo comida a cada hora com 3 semanas de idade mais ou menos, verifique com o médico para ver se o ganho de peso dela é normal. Se não for, procure aconselhamento com o médico, e veja Bebê que Consome Leite o Bastante, na página 253. Se ela parece estar se desenvolvendo, contudo, é hora de começar a olhar para você mesma. Mamar de hora em hora não só é um esforço demasiado para você, como é também um esforço físico, deixando-a exausta, e pode na verdade levar a uma diminuição da oferta de leite. Nem é o melhor para sua filha, uma vez que ela precisa de períodos mais longos de sono e períodos mais longos de vigília, quando deve estar procurando por uma coisa que não seja o seio. Tenha em mente, também,

# TRABALHO DOBRADO, DIVERSÃO DOBRADA

Hoje, a maioria dos pais que esperam gêmeos vê dobrado no monitor de ultrassonografia no início da gravidez, tornando raras as investidas pós-parto às lojas para um segundo jogo de tudo para o bebê. Mas mesmo com sete ou oito meses de antecedência, pode ser impossível preparar-se completamente para o dia em que os bebês comporão quatro pessoas (ou, se já existem irmãos em cena, mais). Saber como planejar e o que esperar pode dar um senso maior de controle sobre o que pode parecer (pelo menos inicialmente) uma situação fundamentalmente incontrolável.

**Esteja duplamente preparada.** Uma vez que as bênçãos em dobro frequentemente chegam cedo (a gestação completa para gêmeos pode ser de 37 semanas, em vez de 40), é uma boa ideia começar a se organizar para a chegada dos bebês com bastante antecedência. Tente ter cada item de cuidados infantis na casa e prontos para uso antes que você saia do hospital. Mas embora faça sentido dedicar muito tempo nos preparativos, não faz sentido se exaurir (particularmente se seu médico lhe deu ordens específicas para pegar leve). Descanse bastante antes da chegada dos bebês — você pode esperar que este seja um raro luxo depois.

**Dobre tudo.** Faça o que for possível para os bebês em série. Isto significa acordá-los ao mesmo tempo para que você possa alimentá-los juntos, colocá-los no banho (depois que eles puderem se sentar) juntos, passear com eles no carrinho juntos. Coloque-os para arrotar juntos em seu colo, ou com um no colo e o outro no ombro. Quando não puder dobrar, alterne. No início, os banhos diários não são necessários, assim, dê banho em um deles numa noite e no outro na noite seguinte. Ou dê banho neles a cada segunda ou terceira noite com esponja nos intervalos. Colocá-los pé com pé no mesmo berço durante as primeiras semanas pode ajudá-los a dormir melhor — mas pergunte a seu médico primeiro. Alguns especialistas alertam que dormir juntos pode aumentar o risco de SIDS, uma vez que os gêmeos são capazes de rolar o corpo.

**Divida.** O trabalho, isto é. Quando os dois pais estão presentes, divida as tarefas da casa (cozinhar, limpar, lavar roupa, fazer compras) e os bebês (você pega um bebê, seu cônjuge o outro). Certifique-se de alternar os bebês para que as duas crianças conheçam bem os dois pais, e vice-versa.

**Tente a abordagem de dois seios.** Alimentar gêmeos pode ser fisicamente desafiador, mas elimine a confusão de dezenas de mamadeiras e quilos intermináveis de fórmula. Amamentar simultaneamente poupará tempo e evitará uma maratona diária de aleitamento. Você pode segurar os bebês, apoiados em travesseiros, na posição de futebol americano com os pés deles atrás de você (ver página 129), ou, com um em cada seio, seus corpos atravessados na sua frente. Alterne o seio que cada bebê pega a cada mamada para evitar criar favoritos (e para evitar seios descasados, caso um bebê se mostre um sugador mais proficiente do que o outro, ou um deles consiga se alimentar menos se um seio se mostrar menos produtivo). Se você achar muito difícil amamentar os dois gêmeos exclusivamente, pode amamentar um enquanto dá mamadeira a outro — novamente alternando de uma mamada para outra. Para conservar a energia e sua oferta de leite, certifique-se de ter uma supernutrição (inclusive 400 a 500 calorias extras por bebê) e um repouso adequado.

**Planeje para ter uma ajuda à mão, se estiver dando mamadeira.** Gêmeos que tomam mamadeira requerem ou um par extra de mãos ou uma grande engenhosidade. Se você se vir com dois bebês e apenas duas mãos para dar de mamar de cada vez, pode se sentar num sofá entre os bebês com os pés deles apontando para o fundo e segurar uma mamadeira para cada um. Ou segure-os em seus braços com as mamadeiras em suportes erguidos a uma altura confortável em travesseiros. Você também pode ocasionalmente apoiar a mamadeira para um deles em um assento infantil (mas nunca deitado), enquanto alimenta o outro da forma tradicional. Alimentá-los um depois do outro é outra possibilidade, mas reduzirá significativamente o tempo já minúsculo que você tem para outras atividades. Este procedimento também colocará os bebês em programas de mamadas diferentes se eles dormirem depois de comer, o que pode ser bom se você gosta de ficar

sozinha com um de cada vez, ou ruim se você depende do tempo que eles dormem juntos para descansar ou fazer outras coisas na casa.

**Dobre a ajuda.** Todos os pais de primeira viagem precisam de ajuda — você precisa do dobro dela. Aceite todo o auxílio que puder conseguir, de qualquer pessoa que se disponha a ajudar.

**Dobre o equipamento.** Quando você não tiver outro par de mãos para ajudá-la, utilize conveniências como *kepinas* (você pode usar um *sling* largo para dois bebês, usar dois *slings*, ou carregar um bebê em uma *kepina* e o outro em seus braços), *baby swings* (alguns modelos só podem ser usados quando o bebê tem 6 semanas de idade) e assentos infantis. Um chiqueirinho é um espaço seguro para seus gêmeos quando eles ficarem mais velhos, e porque eles terão um ao outro como companhia, estarão mais dispostos a ser relegados com mais frequência e por períodos de tempo maiores do que acontece com um só bebê. Escolha um carrinho para gêmeos para atender a suas necessidades (se você vai passar por corredores estreitos no supermercado, por exemplo, um modelo em fila será mais prático do que um lado a lado); provavelmente você achará um desperdício de dinheiro comprar um bebê conforto. E não se esqueça de que precisará de dois assentos para carros. Coloque os dois no banco traseiro do carro.

**Mantenha o dobro dos registros.** Quem tomou o que em que mamada, quem tomou banho ontem, quem está programado para hoje? A não ser que mantenha um diário de bordo (em um bloco colocado na parede do quarto dos bebês, ou em um quadro de avisos), você certamente vai esquecer. E tome nota em um caderno permanente de registro das vacinas, doenças e assim por diante. Embora na maior parte do tempo os bebês farão tudo isso juntos, de vez em quando apenas um fará — e você pode não lembrar qual dos dois fez.

**Não pule as sonecas.** Dormir será necessariamente raro nos primeiros meses, mas será mais raro se você permitir que seus filhos acordem aleatoriamente durante a noite. Em vez disso, quando o primeiro chorar, acorde o segundo e alimente os dois. A qualquer momento que seus dois queridinhos estiverem dormindo durante o dia, tire um cochilo você também — ou pelo menos coloque os pés para cima.

**Atenção individual.** Embora não seja fácil (pelo menos no princípio), há maneiras de encontrar esse tempo para cada um deles durante o dia. Quando você estiver mais descansada, alterne a soneca — coloque uma das crianças para dormir 15 minutos antes da outra — para que você possa dar alguma atenção individualizada ao bebê que está acordado. Ou leve um dos bebês para passear e deixe o outro com uma babá ou seu cônjuge. Una-se a um grupo de lazer ou aula de pais e filhos e alterne que filho você levará a cada semana. Até as tarefas diárias dos bebês, como trocar as fraldas e vesti-los, podem se tornar um tempo especial de interação individual com cada filho.

**Dobre o apoio.** Outros pais de gêmeos serão sua melhor fonte de conselhos e apoio; certifique-se de ter contato com eles. Encontre um grupo de apoio de pais de gêmeos em seu bairro ou, se não houver um, crie o seu. Mas evite se tornar partidária demais, socializando somente com pais de gêmeos e fazendo com que os bebês participem apenas de grupos de gêmeos. Embora haja diferenças incontestáveis em ser um gêmeo, excluir seus filhos de relacionamentos com crianças que não são gêmeas desestimulará o desenvolvimento social normal com os colegas — a maioria deles não tem irmão gêmeo.

**Seja duplamente alerta, uma vez que seus gêmeos podem se mover.** Você descobrirá, à medida que seus filhos começarem a engatinhar e circular por aí, que o que um deles não gosta de explorar, o outro gosta. Assim, eles precisarão de uma supervisão duplamente cuidadosa.

**Espere que as coisas fiquem duas vezes melhores.** Os primeiros quatro meses com gêmeos são os mais desafiadores. Depois que começar trabalhar a enorme logística, você se verá caindo em um ritmo mais tranquilo. Tenha em mente também que os gêmeos com frequência são a melhor companhia um do outro — muitos têm uma forma de manter o outro ocupado que os atarefados pais de filhos não gêmeos acham invejável, e que libertarão você cada vez mais nos meses e anos que virão.

que o choro nem sempre é sinal de fome; os bebês também choram quando estão sonolentos, entediados ou só querendo atenção (para uma ajuda sobre como interpretar os choros de sua filha, ver página 197).

Pressupondo-se que sua oferta de leite esteja bem estabelecida, você pode começar a prolongar um pouco os períodos entre as mamadas (o que também pode ajudar sua filha a dormir melhor à noite). Quando o bebê acordar chorando uma hora depois de mamar, não corra para alimentá-la. Se ela ainda parece sonolenta, tente fazê-la dormir de novo sem dar de mamar. Antes de pegá-la, faça carinho ou afague-a ou ligue um brinquedo musical, e veja se ela dorme novamente. Se não, pegue-a, cante suavemente para ela, ande com ela, embale-a, novamente com o objetivo de fazê-la voltar a dormir. Se ela parece alerta, troque as fraldas, fale com ela, distraia-a de alguma maneira, até leve-a para um passeio no carrinho. Ela pode ficar tão interessada em você e no resto do mundo que se esquecerá de seus seios — pelo menos por alguns minutos.

Quando você finalmente amamentar, não aceite a abordagem do lanchinho que alguns bebês tentam impor; estimule-a a mamar pelo menos por 10 minutos de cada lado. Se ela dormir, tente acordá-la para continuar a refeição. Se você puder esticar um pouco mais a cada dia o tempo entre as mamadas, por fim você e sua filha terão um programa mais razoável: duas a três horas, e finalmente quatro horas. Mas deve ser um programa baseado na fome que ela sente, e não no relógio.

## MUDANDO DE IDEIA SOBRE A AMAMENTAÇÃO

*"Estou amamentando meu filho no peito há três semanas, e não gosto mais disso. Gostaria de passar para a mamadeira, mas me sinto tão culpada."*

O começo da amamentação pode ser uma série frustrante de tentativas e (muitos) erros. No que concerne ao prazer, ele pode ser enganoso tanto para a mãe quanto para o bebê neste período inicial de ajuste. É bem possível que sua insatisfação com o aleitamento seja apenas o resultado de um começo turbulento (que quase sempre se transforma em um passeio tranquilo no meio do segundo mês). Assim, poderia fazer sentido suspender sua decisão até que seu filho tenha 6 semanas de idade (ou até 2 meses), quando ele terá recebido muitos dos benefícios da amamentação no peito (embora haja muitos benefícios em estender a amamentação, ver página 394), e dar o peito geralmente se tornará muito mais fácil e mais satisfatório para os dois participantes. Só então, se você ainda não gostar de amamentar, sinta-se à vontade — e sem remorsos — para desmamar. Lembre-se, se não parece certo para você e seu bebê, provavelmente não é mesmo. Confie em seus sentimentos e em seus instintos.

## Fórmula demais

*"Meu filho adora a mamadeira. Se pudesse, tomaria o dia todo. Como posso saber quando dar a ele mais fórmula ou quando parar?"*

Como a ingesta de seu filho é regulada tanto pelo apetite como por um engenhoso sistema de oferta e demanda, os bebês que mamam no peito raramente obtêm muito — ou muito pouco — de uma coisa boa, ao contrário do que acontece com os bebês que tomam mamadeira, cuja ingesta é regulada pelos pais. Desde que seu bebê seja saudável, feliz e esteja ganhando peso adequadamente, você sabe que ele está tomando o suficiente da fórmula. Mas ele pode estar tomando mais do que precisa — em especial se sua mamadeira torna-se o equivalente líquido de um bufê de rodízio, reposto continuamente pelos bem-intencionados pais mesmo depois que seu apetite se satisfez.

Fórmula demais pode levar a um bebê gorducho demais (o que, segundo mostra a pesquisa, pode levar a uma criança gorducha demais e a um adulto gorducho demais). Mas também pode levar a outros problemas. Se seu filho parece regurgitar muito (mais do que o normal, ver página 268), se ele tem dor abdominal (ele traz as pernas para junto do abdome tenso logo depois de uma mamada) e/ou está ganhando peso excessivamente, ele pode estar tomando mamadeira demais. O pediatra de seu filho poderá lhe dizer qual deve ser a taxa de ganho de peso de seu filho e quanta fórmula (aproximadamente) ele deve tomar em cada mamada (ver página 177). Se ele parece estar tomando demais, experimente oferecer volumes menores e pare quando o bebê parecer satisfeito em vez de pressionar a tomar mais; coloque para arrotar com mais frequência para aliviar qualquer desconforto abdominal que ele possa ter; e pergunte ao médico se você pode dar a ele uma mamadeira ocasional de água (para matar sua sede sem enchê-lo demais). Tenha em mente também que pode ser o ato de sugar (e não a fórmula que vem com ele) a que ele anseia; alguns bebês precisam sugar mais que outros. Se este é o caso, considere usar uma chupeta nos próximos meses, enquanto esta necessidade de sugar é mais forte (ver página 292-293), ou ajude-o a descobrir seus dedos ou o punho para chupar.

## Água suplementar

*"Fico me perguntando se devo dar mamadeiras de água a minha filha em vez de dar de mamar com tanta frequência."*

Lamento, mas uma mamadeira de água não substitui — nem suplementa — seus seios agora. Um bebê que é exclusivamente amamentando no peito obtém todos os fluidos de que precisa do leite materno, e é exatamente dele que sua filha deve obtê-los. Não só ela não precisa de água suplementar sob circunstâncias normais, como não deve tomar nenhuma. Primeiro, as mamadei-

## O *TIMING* É TUDO

Como as contrações do parto, os intervalos entre as mamadas são cronometrados do início de uma mamada ao início da seguinte. Assim, um bebê que mama por 40 minutos, começando às 10 de manhã, depois dorme por uma hora e vinte minutos antes de comer novamente, está num programa de duas horas, e não num programa de uma hora e vinte minutos.

ras de água (particularmente no início da amamentação) podem satisfazer o apetite dela e sua necessidade de sugar, sabotando os esforços de amamentação. Segundo, água demais pode diluir perigosamente o sangue do bebê, causando desequilíbrios químicos. Este segundo problema em potencial também é válido para bebês que tomam mamadeira que são alimentados com muita água. Embora não haja problema em dar um pouco de água em um dia muito quente a um bebê que toma mamadeira, em geral isto não é necessário. Dar a uma criança mais velha (com mais de 4 meses) pequenos goles de água de uma xícara, contudo, é bom (elas não são capazes de tomar muito de uma xícara, somente da mamadeira). As crianças que comem sólidos podem suportar mais água, quer sejam alimentadas no peito ou na mamadeira.

Se você está se perguntando se seu bebê é amamentado com demasiada frequência, veja a página 252.

# SUPLEMENTOS VITAMÍNICOS

*"Todos com quem converso têm uma opinião diferente sobre vitaminas para bebês. Não conseguimos decidir se damos ou não vitaminas a nosso filhinho."*

A ciência da nutrição ainda está em sua relativa infância — e isso inclui o estudo das vitaminas (elas só receberam esse nome em 1912). Com muita coisa a aprender e com novas informações sendo descobertas a cada dia, não é de surpreender que as recomendações sobre dar vitaminas pareçam estar sempre mudando e sempre em conflito. E não é de surpreender que os consumidores — inclusive os novos pais — com frequência fiquem se perguntando como proceder.

O que está claro é que os bebês que são alimentados com fórmula não precisam de vitaminas suplementares de nenhum tipo, porque todos os nutrientes de que precisam já estão na fórmula (leia o rótulo e você verá). O quadro fica menos claro quando se trata dos bebês que são amamentados exclusivamente no peito. A pesquisa atual indica que bebês saudavelmente amamentados obtêm a maioria das vitaminas (se suas mães têm uma boa dieta e tomam suplementos para gravidez-lactação diariamente). As vitaminas que faltam no leite materno, mais notavelmente a vitamina D, podem ser obtidas com gotas suplementares (ver quadro nas páginas 266-267).

## O SENTIDO DOS SUPLEMENTOS

Aqui está um guia para os nutrientes suplementares mais comuns que o pediatra de seu filho pode receitar:

**Vitamina D.** Esta vitamina, necessária para o desenvolvimento adequado dos ossos e para a proteção contra doenças como o raquitismo, é sintetizada naturalmente pela pele quando esta é exposta à luz do sol. Mas como nem todos os bebês pegam sol suficiente para preencher sua quota de vitamina D (cerca de 15 minutos por semana para bebês de pele clara, mais para bebês de pele escura) devido a roupas, protetor solar e os longos meses de inverno, em alguns casos, e porque o leite materno contém somente uma pequena quantidade de vitamina D, a AAP recomenda suplementos de vitamina D para bebês que são amamentados no peito — com frequência na forma de pastilhas ACD (que contêm as vitaminas A, C e D) — a começar pelos dois primeiros meses de vida.

Uma vez que todas as vitaminas e sais minerais de que um bebê precisa (inclusive a D) são proporcionadas pela fórmula comercial para bebês, os bebês que tomam mamadeira e recebem mais de 0,5 litro de fórmula por dia não precisam de suplementação adicional. (Vitamina D demais pode ser tóxica.)

**Ferro.** Como a deficiência de ferro durante os primeiros 18 meses de vida pode causar graves problemas de desenvolvimento e de comportamento, é importante que os bebês recebam ferro suficiente. Seu recém-nascido, a não ser que seja prematuro ou de baixo peso ao nascimento, provavelmente chegou com uma reserva considerável de ferro, mas este será depletado em algum momento entre os 4 e os 6 meses de idade.

Se você está alimentando com fórmula, a fórmula fortificada com ferro (o único tipo recomendado pela AAP) atenderá às necessidades do bebê. O leite materno contém ferro suficiente durante os primeiros seis meses, e por isso, se você está amamentando no peito, não há necessidade de ferro suplementar até que o bebê chegue à marca de meio ano. Depois da introdução dos sólidos, você poderá garantir que seu bebê continue a ter atendida sua necessidade deste mineral essencial servindo-lhe alimentos que contenham ferro suplementar, como cereais enriquecidos, carnes e vegetais de folhas verdes. Uma ingestão adequada de vitamina C melhorará a absorção de fer-

---

Alguns bebês podem precisar ainda mais da forma de nutrientes suplementares — por exemplo, bebês que têm problemas de saúde que comprometam seu estado nutricional (aqueles que não são capazes de absorver bem alguns nutrientes de seu alimento e/ou estão em uma dieta restrita) e os bebês amamentados no peito por vegetarianas que não consomem nenhum derivado animal e não tomam suplementos. Estes últimos devem receber vitamina $B_{12}$, que pode estar totalmente ausente do leite da mãe, e provavelmente ácido fólico também;

ro e, depois que seu filho começar a consumir muitos sólidos, é uma boa ideia dar um alimento com vitamina C a cada refeição para que os benefícios de qualquer ferro ingerido sejam maximizados (ver página 462). As pastilhas de ferro suplementar não são a primeira opção para os bebês (embora possam ser recomendadas para prematuros) porque não são bem toleradas e podem causar manchas nos dentes. Além disso, o mineral pode ser tóxico em grandes doses, e por isso os pediatras usam as partilhas apenas quando necessário.

**Fluoreto.** De acordo com a AAP, os bebês não precisam de suplementação de fluoreto durante os primeiros seis meses de vida. Depois de seis meses, um suplemento de fluoreto deve ser dado se não houver fluoreto adequado em seu sistema água. Se você não tem certeza dos níveis de fluoreto em sua água potável, o médico de seu filho pode aconselhá-la. Ou você pode ligar para a empresa de água de sua cidade ou para a autoridade competente. Se a água de sua casa provém de poço ou outra fonte primária, você pode mandar testar o conteúdo de fluoreto em um laboratório (pergunte à secretaria de saúde como conseguir este teste). Depois verifique com o pediatra para ver se é necessário acrescentar fluoreto.

Como acontece com a maioria das coisas boas, fluoreto demais pode ser ruim. A ingestão excessiva enquanto os dentes estão se desenvolvendo nas gengivas, como pode acontecer quando um bebê toma água fluoretada (seja pura ou misturada com fórmula) *e* toma um suplemento, pode causar "fluorose", ou manchas (estrias brancas que aparecem nos dentes). A ingestão excessiva também pode acontecer se um bebê ou criança nova usa pasta de dentes fluoretada, que elas tendem a engolir. As formas mais brandas de fluorose não são perceptíveis, nem representam um problema estético. A fluorose mais grave, contudo, não só desfigura como sua corrosão pode predispor os dentes à deterioração, anulando o bem que o fluoreto deve fazer.

Os bebês e crianças novas, por causa de seu tamanho pequeno e porque seus dentes ainda estão se desenvolvendo, são particularmente suscetíveis à fluorose. Assim, cuidado com a superdosagem. Depois que a escovação dos dentes começar, não use pastas a não ser que seu filho insista (e então use uma quantidade minúscula, ou você pode escolher uma pasta de dentes sem fluoreto para bebês). Tampe a pasta sempre que não estiver em uso e coloque-a longe do alcance do bebê — alguns bebês e crianças que engatinham adoram comê-la.

mas um suplemento de vitaminas e sais minerais completo com ferro em geral é uma boa ideia.

Por outro lado, crianças mais velhas e saudáveis com dietas adequadas provavelmente não precisam de vitaminas rotineiramente — mesmo que um dia

o mingau de aveia vá parar no chão, a maior parte do iogurte pareça estar espalhada na bandeja da cadeira alta e o purê de frango da tardinha seja provado e depois cuspido. Alguns médicos, todavia, recomendam dar vitaminas diariamente, uma garantia para a saúde, e provavelmente recomendarão um suplemento que não forneça mais do que a dose diária recomendada de vitaminas e sais minerais para um bebê mais velho. Não dê a seu filho nenhuma vitamina, sais minerais ou suplementos vegetais a não ser que sejam recomendados por seu pediatra.

## REGURGITAÇÃO

*"Minha filha regurgita tanto, que fico preocupada que ela não esteja se nutrindo o suficiente."*

Embora possa parecer que tudo o que entra em sua filha está voltando, quase certamente não é o que está acontecendo. O que parece toda uma refeição de leite para você, provavelmente não passa de uma colher ou duas de sopa, misturadas com saliva e muco — sem dúvida não é o bastante para interferir na nutrição de sua filha. (Para ver quanto pode ser um pouco de líquido, derrame algumas colheres de sopa de leite na bancada de sua cozinha.) A regurgitação é extremamente comum na infância e, embora faça uma sujeira e tenha um cheiro desagradável, em geral não é motivo para preocupação. (Os médicos tendem a dizer que a regurgitação é um problema para a lavanderia, e não para a saúde.)

A maioria dos bebês regurgitam pelo menos ocasionalmente; alguns o fazem a cada refeição. O processo em recém-nascidos pode estar relacionado com um esfíncter imaturo entre o esôfago e o estômago e com o muco excessivo que precisa ser eliminado. Em bebês mais velhos, a regurgitação ocorre quando o leite misturado com ar volta em um arroto. Às vezes um bebê sensatamente regurgita porque comeu demais.

O material que sua filha regurgita será relativamente igual ao que entrou na boca, se atingiu apenas o esôfago antes de subir. Mas se ele viajou até o estômago antes de fazer o percurso de volta, parecerá coalhado e terá cheiro de leite azedo.

Não existe uma cura segura para a regurgitação. Mas você pode tentar minimizar o ar engolido nas refeições que podem contribuir para isso: não a alimente quando ela estiver chorando (faça alguma coisa para acalmá-la antes); mantenha-a o mais erguida possível enquanto amamentar e por algum tempo depois da amamentação; se estiver dando mamadeira, certifique-se de que os bicos não sejam nem grandes demais, nem pequenos demais e que as mamadeiras estejam inclinadas para que a fórmula (e não o ar) encha o bico (ou use uma mamadeira em ângulo ou uma com revestimento descartável). Também pode se útil evitar balançar sua filha enquanto ela está comendo ou depois disso (quando possível, prenda-a em um assento infantil ou no carrinho por algum tempo depois das refeições). E não se esqueça de colocá-la para arrotar durante uma refeição, em vez de esperar até que ela termine, quando uma grande bolha pode provocar regurgitação.

Aceite, porém, que, independente do que você fizer, se sua filha costuma regurgitar, ela vai regurgitar — e você terá

## DICA RÁPIDA

Tenha à mão uma garrafinha plástica de água misturada com um pouco de bicarbonato de sódio para limpar as manchas da regurgitação. Se você esfregar nas manchas um pano umedecido com a mistura, elas não se fixarão e você eliminará a maior parte do cheiro. Ou use um lenço umedecido.

de conviver com isso por pelo menos seis meses. (Mas a vida será um pouco melhor se você tiver uma fralda em seu ombro ou no colo, por precaução, sempre que estiver ocupada com o bebê.) A maioria dos bebês supera a regurgitação quando começa a se sentar ereta, embora alguns continuem a causar um caos malcheiroso até mesmo nos primeiros aniversários.

Embora a regurgitação comum seja normal e não seja motivo de preocupação, alguns tipos de regurgitação indicam possíveis problemas. Procure o médico se a regurgitação de sua filha estiver associada com um baixo ganho de peso ou com obstrução e tosses prolongadas, se parecer grave (refluxo gastresofágico) ou se o vômito for marrom ou verde ou alcançar 60 a 90 centímetros (vômito projétil). Estes casos podem indicar um problema médico, como uma obstrução intestinal ou estenose pilórica (que pode ser tratada com cirurgia). Para mais informações sobre estes problemas, ver páginas 782. Procure o médico também se a regurgitação parecer cau-

sar desconforto para o bebê. A maioria dos bebês são "felizes regurgitadores"; se sua filha sente dor quando regurgita, pode ser que a regurgitação esteja causando irritação em seu esôfago.

## SANGUE NA REGURGITAÇÃO

*"Hoje, quando minha filha de duas semanas regurgitou depois que eu a amamentei, havia algumas manchas vermelhas no leite coalhado. Fiquei muito preocupada com ela."*

Qualquer sangue que pareça vir de um bebê de duas semanas, particularmente quando é encontrado em sua regurgitação, é motivo de alarme. Mas antes que você entre em pânico, tente determinar que sangue realmente é. Se seus mamilos estão rachados, mesmo que apenas um pouco, provavelmente o sangue é seu, que sua filha pode sugar (e depois regurgitar) junto com o leite a cada vez que ela mama.

Se seus mamilos não são a causa óbvia (podem ser, mesmo que você não consiga ver as minúsculas rachaduras), ou se você não está amamentando no peito, ligue para seu pediatra para ajudar a deduzir a origem do sangue na regurgitação de sua filha.

## ALERGIA A LEITE

*"Meu bebê está chorando muito, e fico preocupada que ele possa ser alérgico*

*ao leite da fórmula. Como posso saber?"*

Embora você possa estar ansiosa para descobrir a causa (e uma cura fácil) para o choro de seu filho, o leite não é um suspeito provável. A alergia ao leite é a alergia alimentar mais comum em bebês, mas é menos comum do que as pessoas acreditam (somente cerca de um em cem bebês desenvolverão uma intolerância verdadeira ao leite). A maioria dos médicos acredita que é uma possibilidade improvável em um bebê cujos pais não têm alergias, e num bebê cujo único sintoma é o choro. Um bebê que tem uma reação alérgica grave ao leite em geral vomitará com frequência e terá fezes frouxas e aquosas, possivelmente tingidas de sangue. As reações menos graves podem incluir o vômito ocasional e fezes frouxas e mucosas. Alguns bebês que são alérgicos ao leite podem também ter eczema, urticária, dificuldade de respirar e/ou uma descarga ou enrijecimento nasal quando expostos à proteína do leite.

Infelizmente, não há uma maneira de testar a alergia ao leite, exceto por tentativa e erro. Se você suspeita de alergia ao leite, discuta a possibilidade com o médico de seu filho antes de tomar qualquer medida. Se não houver histórico de alergia em sua família e se não houver outros sintomas além do choro, é provável que o médico vá sugerir tratar o choro como uma cólica comum (ver páginas 284).

Se houver alergias na família ou outros sintomas além do choro, pode ser recomendada uma troca experimental da fórmula — para hidrolisada (em que a proteína é parcialmente quebrada ou pré-digerida) ou para a soja. Uma melhora rápida no comportamento de cólica e o desaparecimento de outros sintomas, se houver algum, sugeriria a possibilidade de uma alergia ao leite — ou pode ser apenas uma coincidência. Interromper a fórmula é uma maneira de verificar o diagnóstico; se os sintomas voltarem com o leite, é provável que seja alergia.

Em muitos casos, não ocorrem mudanças quando um bebê passa para uma fórmula de soja. Isto pode significar que ele é igualmente alérgico à soja, tem um problema médico que nada tem a ver com o leite e que precisa ser diagnosticado, ou simplesmente tem um sistema digestivo imaturo. Uma troca da soja para a fórmula hidrolisada deve ser útil se o bebê parecer sensível à soja e ao leite materno.

Muito raramente, o problema é uma deficiência enzimática — um bebê nasce incapaz de produzir lactase, a enzima necessária para digerir a lactose, o açúcar do leite. Um bebê desses tem diarreia persistente desde o começo e não consegue ganhar peso. Uma fórmula contendo pouca ou nenhuma lactose em geral resolverá o problema. Ao contrário da intolerância temporária à lactose que às vezes se desenvolve durante uma crise com um parasita intestinal, uma deficiência congênita de lactase em geral é permanente. É provável que o bebê nunca venha a tolerar derivados comuns do leite — embora possa ficar bem com aqueles que têm um teor reduzido de lactose.

Se o problema não é alergia a leite nem intolerância, provavelmente é melhor ficar com a fórmula de leite de vaca — ou trocar para ela —, uma vez que é o melhor substituto para o leite materno.

A alergia infantil a leite de vaca em geral é superada no final do primeiro ano, e quase sempre no final do segundo. Se seu filho parou de tomar a fórmula de leite de vaca, o médico pode sugerir tentar tomá-la novamente depois de seis meses com uma fórmula substituta, ou pode sugerir esperar até o primeiro aniversário.

## ALERGIA A LEITE EM BEBÊS AMAMENTADOS NO PEITO

*"Estou amamentando meu filho exclusivamente no peito, e quando troquei as fraldas dele hoje percebi algumas manchas de sangue em suas fezes. O que podem significar?"*

Os bebês praticamente nunca são alérgicos ao leite da mãe, mas, muito raramente, um bebê pode ser alérgico a alguma coisa na dieta da mãe que termina no leite — com frequência proteínas do leite de vaca. E parece que é isto que está acontecendo com seu bebê muito sensível.

Os sintomas desse tipo de alergia, conhecida como colite alérgica, incluem sangue nas fezes do bebê; alvoroço ou irritabilidade; falta de ganho de peso ou um ganho mínimo (ou não); vômito e/ou diarreia. Seu bebê pode ter um ou todos estes sintomas. Os pesquisadores suspeitam que alguns bebês podem se tornar sensibilizados a certos alimentos que a mãe consome enquanto ainda estão no útero, causando alergias como esta depois do nascimento.

Embora o leite de vaca e outros laticínios sejam os culpados comuns nestas reações, eles não são os únicos. Outras possibilidades incluem a soja, nozes, trigo e amendoim. Uma verificação rápida com o médico de seu filho provavelmente a levará a este curso de ação: determinar o que em sua dieta está causando alergia no bebê, tentar eliminar todos os alimentos potencialmente agressivos por uma semana (ou até que os sintomas do bebê desapareçam) e depois lentamente reintroduzi-los em sua dieta enquanto você monitora a reação do bebê.

Em geral, você verá rapidamente que alimentos consumidos por você estão causando problemas para seu filho. De vez em quando, não é possível encontrar nenhuma correlação entre alimentos e sintomas alérgicos. Neste caso, seu bebê pode apenas ter um vírus gastrintestinal que causou as manchas de sangue nas fezes. Ou podem ser pequenas rachaduras ou fissuras no ânus que causaram o sangramento. O acompanhamento médico deve resolver o problema.

## EVACUAÇÃO

*"Eu esperava uma ou talvez duas evacuações por dia de minha filha alimentada no peito. Mas ela parece ter*

*uma a cada troca de fraldas — às vezes dez por dia. E elas são muito moles. Pode ser diarreia?"*

Sua filha não é o primeiro bebê amamentado no peito que parece estar prestes a bater o recorde mundial de fraldas sujas. Não este padrão ativo de eliminação, isoladamente, não é mau sinal em um recém-nascido amamentado no peito; na verdade, é um bom sinal. Uma vez que a quantidade que está saindo relaciona-se com a quantidade que entra, qualquer mãe que amamenta, cujo recém-nascido tem cinco evacuações por dia ou mais, pode ter certeza de que o filho está sendo suficientemente nutrido. (Mães de recém-nascidos que têm menos movimentos intestinais e são amamentados no peito devem ver a página 253.) No mês seguinte, o número de evacuações diminui progressivamente e pode minguar a não mais que uma por dia, ou até uma a cada dois dias, embora alguns bebês continuem a ter várias evacuações por dia por todo o primeiro ano. Não é necessário continuar a contar — o número pode variar de um dia para outro, e isto também é perfeitamente normal.

Também são normais para bebês amamentados no peito as fezes muito macias, às vezes até aquosas. Mas a diarreia — fezes frequentes que são fluidas, malcheirosas e podem conter muco, com frequência acompanhadas de febre e/ou perda de peso — é menos comum em bebês que consomem somente o leite da mãe. Com isto eles têm menos febre, menos movimentos intestinais do que os bebês diarreicos alimentados com mamadeira e se recuperam mais rapidamente, provavelmente por causa das propriedades antibacterianas do leite materno.

## EVACUAÇÃO EXPLOSIVA

*"A evacuação de meu filho vem com tal força e com um som tão explosivo, que fico preocupada que ele tenha algum problema digestivo. Ou talvez haja alguma coisa errada com meu leite."*

Os recém-nascidos alimentados no peito raramente são discretos quando se trata da evacuação. Às vezes a artilharia violenta que toma o quarto quando eles enchem as fraldas pode ser ouvida no quarto ao lado e alarmar os pais de primeira viagem. Todavia estes movimentos, e a variedade surpreendente de sons que pontuam sua evacuação, são normais, resultando da expulsão forçosa dos gases de um sistema digestivo imaturo. As coisas devem se acalmar em um ou dois meses.

## ELIMINAÇÃO DE GASES

*"Minha filha solta gases o dia todo — e com muito barulho. Será que ela tem problemas de estômago?"*

As exclamações digestivas que frequentemente explodem do bumbunzinho de um recém-nascido, pelo menos tão enfaticamente quanto a variedade dos adultos, podem ser perturbadoras — e às vezes constrangedoras — para os pais. Mas, como a evacuação explosiva, elas são perfeitamente normais. Depois que o sistema digestivo de sua recém-nascida superar estas esquisitices, os gases sairão mais silenciosamente e com menos frequência. Até lá, você sempre pode culpar o cachorro (isto é, se tiver um por perto).

## CONSTIPAÇÃO

*"Estou preocupada que meu bebê esteja constipado. Ele tem em média apenas uma evacuação a cada dois ou três dias. Pode ser por causa da fórmula?"*

A constipação infantil tem sido levianamente definida como evacuações menos frequentes do que as dos pais. Mas este é um medidor em que não se pode confiar, uma vez que cada indivíduo tem um padrão pessoal de eliminação, e o ditado "tal pai, tal filho" não é necessariamente verdadeiro. Alguns bebês que tomam mamadeira passam três ou quatro dias entre as evacuações. Mas eles só são considerados constipados se as evacuações infrequentes são firmemente formadas ou saem em bolotas duras, ou se causam dor ou sangramento (de uma fissura ou rachadura no ânus, como resultado da pressão). Se a evacuação de seu filho é mole e não causa problemas, não se preocupe. Mas se você suspeitar de constipação, consulte seu

médico. Pode ser útil dar um pouco de água ao bebê (somente com a aprovação do médico). (Para bebês com mais de 4 meses, uma pequena quantidade de suco de ameixa pode aliviar a constipação; verifique com o médico antes de ministrá-lo.) Raras vezes, uma alergia ao leite pode causar constipação, e neste caso uma troca de fórmulas pode fazer o truque (novamente, só com a aprovação do médico). E não tome nenhuma outra medida, como dar laxantes (nem mesmo óleo mineral), enemas ou chás de ervas sem aconselhamento médico.

*"Pensei que os bebês alimentados no peito nunca ficassem constipados — mas minha filha grunhe, geme e faz força sempre que tem uma evacuação."*

É verdade que os bebês alimentados no peito raramente ficam constipados, porque o leite materno é companheiro certo para o trato digestivo do bebê. Mas também é verdade que alguns têm de pressionar e se esforçar para conseguir evacuar, embora a evacuação saia macia e pareça ter sido fácil de passar.[3] Por que isto é assim, não se tem certeza. Alguns teorizaram que é porque as fezes macias do bebê amamentado no peito não impõem uma pressão adequada so-

---

[3]Se seu bebê amamentado no peito tem evacuações muito infrequentes e não está ganhando peso, veja a página 253 e verifique com o médico. É possível que ela não esteja comendo o suficiente e portanto não tenha muito a eliminar.

bre o ânus. Outros especulam que os músculos do ânus do recém-nascido nem são fortes o bastante, nem coordenados o bastante para eliminar facilmente as fezes. Outros ainda assinalam o fato de que os bebês novos, que em geral evacuam deitados, não precisam da ajuda da gravidade.

Qualquer que seja o motivo, a dificuldade deve diminuir quando os sólidos forem acrescentados à dieta do bebê. Mas, enquanto isso, não se preocupe. E não use laxantes (nem óleo mineral), enemas ou qualquer outro remédio caseiro para o problema — porque realmente não é um problema. Quando um adulto está constipado, com frequência uma caminhada ajuda a aliviar o problema; você pode experimentar flexionar e estender as pernas de sua filha em um movimento de bicicleta enquanto ela está de costas, para ajudá-la quando ela parecer desconfortável.

## Posições para dormir

*"Meus pais dizem que eles sempre me colocavam para dormir de bruços. Mas o médico disse que nosso bebê deve dormir de costas. Estou confusa."*

Quando seus pais a colocavam para dormir, a posição preferida era mesmo a de bruços. Isso porque os especialistas costumavam acreditar que ficar de bruços evitava que os bebês sufocassem em sua regurgitação enquanto dormiam. Mas a pesquisa mais recente indica que a posição de costas é a mais

segura de todas. Os estudos mostraram que os bebês que dormem de costas têm menos febre, menos problemas com congestão nasal e menos infecções no ouvido do que os que dormem de barriga para baixo, e têm uma probabilidade menor de regurgitar durante a noite (ou sufocar em seu regurgitamento). Mas, de longe, o motivo mais importante para que seja mais seguro o bebê dormir de costas: isto reduz agudamente o risco de morte no berço (SIDS). Esta evidência convincente incitou a campanha Back to Sleep da Academia Americana de Pediatria, que recomenda que todos os bebês saudáveis sejam colocados para dormir de costas.[4]

Comece a colocar seu filho para dormir de costas agora mesmo, para que ele se acostume e se sinta à vontade nesta posição desde o início (a maioria dos bebês prefere naturalmente ficar de bruços). Alguns bebês se agitam um pouco de costas; porque seus braços e pernas soltos não têm o colchão para se aninhar, eles podem se sentir menos aconchegados e seguros. Por causa disso, você provavelmente achará que seu bebê se sobressalta com mais frequência durante o sono, o que pode levá-lo a acordar com um pouco mais de frequência. (Colocar o cueiro cedo pode deixá-lo mais confortável — e satisfeito — de costas; ver página 300.) Também é possível que ele vá desenvolver um ponto

---

[4]Algumas exceções isoladas podem ser feitas para bebês com refluxo gastresofágico grave ou aqueles com malformação nas vias respiratórias.

achatado ou careca por estar sempre olhando na mesma direção — em geral porque está focalizando no mesmo ponto (com frequência a janela) — enquanto se deita de costas. Para minimizar este problema, altere a posição dele (a cabeça numa extremidade do berço numa noite, na outra extremidade na noite seguinte). Se, apesar de seus esforços, a cabeça de seu bebê achatar ou desenvolver pontos de careca, não se preocupe. Estes problemas se corrigirão gradualmente à medida que ele ficar mais velho. Vários casos podem ser corrigidos com uma faixa especial para cabeça ou um capacete.

Colocar seu filho de bruços para brincar quando estiver desperto (e com supervisão) minimizará o achatamento ao mesmo tempo em que permitirá que ele desenvolva os músculos e pratique boa parte das habilidades motoras (ver página 316). Lembre-se: *De costas para dormir, de bruços para brincar.*

## PADRÕES DE SONO

*"Pensei que os recém-nascidos deviam dormir o tempo todo. Nossa filha de 3 semanas nem parece que dorme."*

Os recém-nascidos parecem não saber o que "deviam fazer". Eles mamam erraticamente quando "deviam" adotar um programa de três ou quatro horas, ou eles dormem 12 horas por dia (ou 22) quando "deviam" dormir 16 horas e meia. Isso porque eles sabem o que nós esquecemos frequentemente — que não há quase nada que um bebê

deva fazer em nenhum momento específico. Os bebês "médios", que fazem tudo pelo livro, existem — mas são a minoria. As 16 horas e meia que refletem a média de período de sono para os bebês no primeiro mês de vida levam em conta bebês que dormem 12 horas por dia e outros que dormem 23 horas, bem como todos os bebês que estão entre os dois extremos. O bebê que recai em qualquer extremidade do espectro não é menos normal do que o que recai perto da média. Alguns bebês, como alguns adultos, parecem precisar mais de sono do que outros, alguns menos.

Assim, pressupondo-se que sua filha seja saudável e pareça feliz de qualquer forma, não se preocupe com seu estado de alerta, mas acostume-se com ele. Bebês que dormem muito pouco tendem a se transformar em crianças que dormem muito pouco — com pais que, não por coincidência, também dormem muito pouco.

*"Minha filha acorda várias vezes por noite. Minha mãe diz que se eu não a colocar num padrão regular de sono agora, pode ser que ela nunca desenvolva bons hábitos de sono. Diz que eu devia deixá-la chorar em vez de alimentá-la a noite toda."*

Qualquer pai ou mãe experiente, em particular cuja experiência tenha incluído lidar com uma criança que não dorme a noite toda ou que teve problemas para dormir, sabe da importância de fomentar bons hábitos de sono em crianças desde a mais tenra idade. Mas o primeiro mês de vida é cedo demais. Sua filha está apenas começando a aprender sobre o mundo. A lição mais importante que ela precisa aprender agora é que, quando ela chama, você estará presente — mesmo às 3 da manhã, e mesmo quando ela acorda pela quarta vez em seis horas. Há muitos métodos que podem ser utilizados pelos pais que querem ajudar seu bebê a aprender a dormir sozinhos, mas ainda faltam vários meses para isso — apenas quando ela começar a se sentir mais segura e com mais controle de seu ambiente.

Se você está amamentando no peito, tentar instituir um regime de sono agora também poderá interferir no estabelecimento de uma boa oferta de leite — e no desenvolvimento de sua filha. Recém-nascidos que mamam no peito precisam comer com mais frequência do que os bebês que tomam mamadeira, muitas vezes a cada duas ou três horas, o que geralmente impede que eles durmam a noite toda até algum momento entre o terceiro e o sexto mês. Da mesma forma que no programa de amamentação de quatro horas consagrado pelo tempo, a crença de que os bebês devem dormir a noite toda por dois meses é baseada no comportamento do desenvolvimento de bebês alimentados com fórmula, e com frequência não é realista para os que mamam no peito.

Assim, embora não faça mal nenhum pensar antecipadamente em fomentar bons hábitos de sono em sua filha, é cedo demais para colocar estes planos em prática.

## SONO IRREQUIETO

*"Nosso bebê, que dorme no nosso quarto, debate-se e se vira a noite toda. Será que nossa proximidade o impede de dormir profundamente?"*

Embora a expressão "dormir como um bebê" com frequência seja equiparada com um repouso tranquilo invejável, particularmente pelos fabricantes de colchões e auxiliares do sono, o sono dos bebês não é nada tranquilo. Os recém-nascidos dormem muito, mas também acordam muito. Isso porque grande parte de seu sono é REM (de movimento rápido dos olhos, *rapid eyes movement*), um sono ativo com sonhos e muito movimento ocular. No final de cada período de sono REM, o bebê em geral desperta brevemente. Quando você ouve seu bebê se agitando ou gemendo à noite, provavelmente é porque ele está terminando o período REM, e não porque vocês dividem o quarto com ele.

À medida que ele ficar mais velho, seus padrões de sono amadurecerão. Ele terá menos sono REM e períodos mais longos do muito mais estável "sono tranquilo", do qual é mais difícil acordá-lo. Ele continuará a se agitar e choramingar periodicamente, mas com menos frequência.

Embora a presença de vocês no mesmo quarto do bebê provavelmente não perturbe o sono dele nesta fase, certamente é perturbadora para vocês. Não só vocês acordam a cada gemido, mas também ficam tentados a pegá-lo com mais frequência do que o necessário durante a noite. Procure ignorar os murmúrios de seu filho à noite; pegue-o somente quando ele começar a chorar de uma forma estável e séria. Todos dormirão melhor. Se você achar isso difícil, talvez deva considerar separar os quartos de dormir — se tiver espaço para isso e não preferir dividir o quarto por outros motivos.

Esteja atenta, contudo, para o despertar súbito e o choro incomumente intranquilo, ou outras mudanças no padrão de sono que não pareçam estar relacionadas com acontecimentos na vida do bebê (como dentição ou um dia demasiado estimulante). Observe-os e procure por sinais de doença como febre, perda de apetite ou diarreia (ver Capítulo 18). Chame o médico se os sintomas persistirem.

## TROCANDO O DIA PELA NOITE

*"Minha filha de 3 semanas dorme a maior parte do dia e quer ficar acordada a noite toda. Como posso conseguir que ela inverta este programa para que todos possamos descansar um pouco?"*

Os bebês que trabalham (ou brincam) no turno da noite e conseguem a maior parte de seu sono durante o dia podem transformar pais normalmente ativos e alertas em zumbis que mal conseguem ficar de pé. Felizmente, esta ignorância abençoada da diferença entre dia e noite não é um problema permanente. O recém-nascido que ficou no escuro por nove meses, antes de chegar ao mundo da luz do dia e da escuridão da noite, só precisa de um pouco de tempo para se adaptar.

É provável que sua filha vá parar de confundir o dia com a noite nas próximas semanas sozinha. Se você quer ajudar a acelerar o processo, experimente limitar suas sonecas durante o dia a não mais que três ou quatro horas cada uma. Embora acordar um bebê sonolento possa ser complicado, em geral é possível. Experimente segurá-la ereta, incitar um arroto, tirar as roupas, acariciar abaixo de seu queixo ou massagear-lhe os pés. Depois que ela estiver um pouco alerta, tente estimulá-la mais: fale com ela, cante canções animadas, agite um brinquedo dentro de seu campo de visão, que é de cerca de 20 a 35 centímetros. (Para outras dicas sobre manter um bebê acordado, ver página 196.) Mas não tente impedir que ela durma o dia todo, na esperança de que ela vá dormir à noite. Um bebê demasiado cansado, e talvez superestimulado, provavelmente não dormirá bem à noite.

Fazer uma distinção clara entre dia e noite pode ajudar. Se ela dorme em seu quarto, evite escurecê-lo ou tente manter o nível de ruído baixo. Quando ela acordar, ocupe-se com ela, estimulando atividades. À noite, faça o contrário. Quando colocar sua filha para dormir, procure escurecer o ambiente (use quebra-luz escuro), silêncio relativo e inatividade. Não importa o quanto possa ser tentador, não brinque com ela nem fale com ela quando ela acordar durante a noite; não acenda as luzes nem ligue a tevê enquanto a estiver alimentando; mantenha as comunicações a um sussurro ou cante cantigas de ninar suavemente; e certifique-se de que, quando ela estiver de costas no berço, que as condições para dormir sejam ideais (ver Um Sono Melhor para o Bebê, página 280).

Embora possa parecer uma alegria duvidosa, considere-se com sorte por sua filha dormir por longos períodos — mesmo que seja durante o dia. É um bom sinal de que ela dormirá bem à noite, depois que ela acertar o relógio interno.

## RUÍDOS QUANDO O BEBÊ ESTÁ DORMINDO

*"Tenho uma amiga que desliga o telefone quando o filho dela está dormindo, coloca um bilhete na porta pedindo às pessoas para baterem em vez de tocar a campainha e anda na ponta dos pés no apartamento na hora da soneca. É uma boa ideia?"*

Ao tentar eliminar todos os sons da vida do bebê, sua amiga o está programando para ser capaz de dormir somente sob condições controladas. O problema é que esta programação, apesar de bem-intencionada, provavelmente criará dificuldades para que o bebê consiga fechar os olhos à noite, mais tarde na vida, quando estiver dormindo no mundo real — um mundo em que telefones e campainhas tocam.

Além disso, os esforços dela provavelmente serão contraproducentes. Embora um barulho súbito possa acordar alguns bebês, outros podem dormir com

fogos de artifício, sirenes e cães latindo. Para a maioria, porém, um zunido estável de ruído de fundo — de uma tevê ou aparelho de som, um ventilador ou condicionador de ar, um brinquedo musical ou outro que imite sons uterinos, ou de um aparelho com estática — parecem conduzir mais a um sono repousante do que o perfeito silêncio, particularmente se o bebê tem dormido à batida destes sons.

Com quanto barulho e com que tipo de ruído um bebê pode dormir depende em parte dos sons com que estava acostumado antes do nascimento e em parte do temperamento individual (alguns bebês são muito mais sensíveis a estímulos do que outros). Deste modo, os pais devem pegar suas dicas com os bebês para determinar até que ponto devem ir para protegê-los de barulhos durante o sono e à noite. Se um bebê se mostra especialmente sensível a sons enquanto dorme, provavelmente é sensato reduzir o volume da campainha do telefone e tocar rádio e televisão mais suavemente. Estas táticas são desnecessárias, porém, se um bebê dorme com qualquer coisa.

## A RESPIRAÇÃO DO BEBÊ

*"Toda vez que vejo minha filha dormir, sua respiração parece irregular, o peito dela se move de uma forma estranha e francamente isso me assusta. Tem alguma coisa errada com minha filha?"*

Não, sua filha é perfeitamente normal — e você também, por ficar preocupada (e por ficar inclinada sobre o berço olhando-a respirar — uma coisa que muitos pais novatos fazem nas primeiras semanas de vida de seus filhos; ver a próxima pergunta).

A taxa de respiração normal de um recém-nascido é de cerca de quarenta vezes a cada minuto durante as horas de vigília; pode se reduzir a vinte vezes por minuto. Mas o que está alarmando você — e que com frequência alarma os pais de primeira viagem — é o grau de irregularidade assumido pelo padrão respiratório do bebê durante o sono. Sua filha pode respirar rápido, com um respirar repetido acelerado e superficial, durante 15 a 20 segundos, e depois parar (isto é, parar de respirar — e isto é que é realmente assustador), em geral por menos de 10 segundos (embora possa parecer uma eternidade para você) e em seguida, depois de uma curta suspensão respiratória, respirar novamente (e é geralmente aí que os pais podem começar a respirar novamente também). Este tipo de padrão respiratório, chamado de respiração periódica, é normal e se deve à imaturidade do centro de controle respiratório no cérebro de sua filha (mas, para a idade dela, é um desenvolvimento adequado).

Você também pode perceber o peito de sua filha se movendo para dentro e para fora enquanto ela está dormindo. Os bebês normalmente usam o diafragma (o músculo largo abaixo dos pulmões) para respirar. Desde que sua filha não mostre um azulamento em volta dos lábios e reassuma o respirar superficial normal sem nenhuma intervenção dos pais, você nada tem com que se preocupar.

Metade do sono de um recém-nascido é passado em sono REM (movimento rápido dos olhos), um período em que ele respira irregularmente, ronca, resfolega e estremece muito — você até pode ver seus olhos se mexendo por baixo das pálpebras. O resto da soneca é passado em um sono tranquilo, quando respira muito profunda e silenciosamente e parece muito quieto, exceto por movimentos ocasionais de sugar ou de sobressalto. À medida que ele ficar mais velho, experimentará menos sono REM, e o sono tranquilo se tornará mais como o sono não REM dos adultos.

Em outras palavras, o que você está descrevendo é a respiração normal do bebê. Se, no entanto, sua filha tem mais de sessenta respirações por minuto, estufa as narinas, grunhe, parece azulada ou chupa os músculos entre as costelas a cada respiração de forma que as costelas se projetam para fora, procure o médico imediatamente.

*"Todo mundo sempre faz piada dos pais que se esgueiram para o quarto do bebê para saber se ele está respirando. Bem, agora eu me vejo fazendo exatamente isto — até no meio da noite."*

Os pais novatos que verificam neuroticamente a respiração de um bebê parecem um bom material para o humor — até que você se transforma em pai ou mãe. E então não é mais motivo de riso. Você acorda suan-

# UM SONO MELHOR PARA O BEBÊ

Seja ele um bom dorminhoco ou não tão bom assim, seu filho pode ser ajudado a dormir com algumas ou todas as dicas seguintes para o sono. Muitas delas ajudam a recriar alguns dos confortos do lar no útero:

**Um espaço aconchegante para dormir.** Um berço é uma grande invenção moderna — mas, nas primeiras semanas, muitos recém-nascidos sentem de algum modo sua vastidão e a dificuldade quando é condenado à solidão, de repente, no meio do colchão, tão claramente afastado de suas distantes paredes. Se seu bebê parece desconfortável no berço, um berço junto à cama, um berço moisés ou um carrinho de bebê podem ser usados nos primeiros meses para uma adaptação mais confortável, que seja mais próxima dos nove meses de abraço no útero. Para maior segurança, coloque o cueiro em seu bebê (mas não depois de ele ficar mais ativo, ver página 234), ou use um saco de dormir para bebês.

**Temperatura controlada.** Calor demais ou frio demais podem perturbar o sono de um bebê. Para dicas sobre manter um bebê confortável no clima quente, ver página 718; para dicas sobre o clima frio, ver página 729.

**Movimento suave.** No útero, os bebês são mais ativos quando as mães estão repousando; quando as mães está de pé e em movimento, eles ficam mais lentos, ninados pelo movimento. Fora do útero, o movimento ainda tem um efeito calmante. Embalar, balançar e dar palmadinhas contribuirão para a satisfação — e o sono.

**Sons suaves.** Durante muitos meses, seu batimento cardíaco, o gorgolejar de sua barriga e sua voz entretiveram e confortaram seu bebê. Agora dormir pode ser mais difícil sem estes ruídos de fundo. Experimente o zumbido de um ventilador, os tons suaves de uma música do rádio ou do aparelho de som, o tilintar de uma caixa de música ou móbile musical ou um

---

do frio em completo silêncio depois de colocar o bebê na cama cinco horas antes. Será que alguma coisa está errada? Por que ele não acordou? Ou você passa pelo berço dele e ele parece tão silencioso e parado que você tem que cutucá-lo cautelosamente para ter certeza de que ele está bem. Ou ele está grunhindo e resfolegando tanto que você tem certeza de que está com problemas para respirar. Você... e milhões de outros pais novatos.

Não só suas preocupações são normais, como os padrões variados de respiração de seu filho quando ele dorme também o são. Você acabará ficando menos apavorada com a dúvida de se ele vai acordar pela manhã, e mais à vontade com você e ele dormindo oito horas seguidas.

Ainda assim, é possível que você nunca consiga abandonar totalmente o hábito de verificar a respiração de seu filho (pelo menos por algum tempo) até que

daqueles aparelhos para bebê que imitam os sons uterinos ou batimentos cardíacos.

**Um lugar tranquilo.** Os bebês dormem melhor quando estão em um quarto só deles, não porque sejam perturbados por sua presença, mas porque é mais provável que você o pegue no colo ao menor lamento — interrompendo o sono dele desnecessariamente. Assim, a não ser que você esteja planejando dividir o quarto com ele e/ou consiga evitar pegar seu filho no colo a qualquer agitação, mantenha o bebê em seu próprio quarto, se possível. Você deve, porém, estar perto o bastante para ouvir o choro de seu filho antes que se torne um pranto de estourar os tímpanos — ou use um intercomunicador entre o quarto do bebê e o seu.

**Rotina.** Uma vez que seu recém-nascido dormirá a maior parte do tempo enquanto estiver mamando no peito ou na mamadeira, uma rotina de hora de dormir pode parecer desnecessária. Mas nunca é cedo demais para começar uma rotina, e

certamente na idade de 6 meses ela deve estar pronta toda noite. O ritual de tomar banho, seguido de ser vestido em roupas de dormir, uma brincadeira tranquila em sua cama, uma história recitada monotonamente ou rimada de um livro infantil podem ser tranquilizadores e soporíferos até para os bebês mais novos. O peito ou a mamadeira podem ficar por último na agenda para os bebês que ainda dormem desta forma, mas podem vir mais cedo para os que já aprenderam a cochilar sozinhos.

**Período de descanso adequado de dia.** Alguns pais tentam resolver os problemas de sono noturno de seus filhos mantendo-os acordados durante o dia, mesmo nas horas em que o bebê quer dormir. Este é um grande erro (embora não haja problema em limitar um pouco a duração das sonecas diurnas para manter o contraste entre dia e noite), porque um bebê muito cansado tem um sono mais intermitente do que um bem descansado.

ele vá para a faculdade e durma em um alojamento — fora de sua vista, embora não de sua mente.

## MUDANDO UM BEBÊ ADORMECIDO PARA A CAMA

*"Fico uma pilha de nervos quando tento colocar minha filha adormecida*

*no berço dela. Eu sempre tenho medo de que ela vá acordar — e ela geralmente acorda."*

Finalmente ela está dormindo — depois do que pareceram horas de mamadas em seios feridos, embalos em braços doloridos, cantigas de ninar em uma voz cada vez mais rouca. Você a ergue muito lentamente do balanço e se aproxima cautelosamente do berço, prendendo a respiração e movendo apenas os músculos que são absolutamente necessários. Depois, com uma oração silenciosa mas fervorosa, você a ergue sobre a beira do berço e começa a descida perigosa para o colchão. Por fim, você a liberta, mas uma fração de segundo cedo demais. Ela está dormindo — e de repente acorda. Virando a cabeça de um lado para outro, fungando e choramingando baixinho, depois soluçando ruidosamente. Prestes a chorar você mesma, você a pega no colo e começa tudo de novo.

O cenário é o mesmo em quase toda casa com um bebê. Se você tem problemas para manter um bebê deitado, espere dez minutos até que ela durma profundamente, depois experimente o seguinte:

**Um colchão mais alto.** Se você fosse um gorila, poderia colocar seu bebê para deitar em um berço com um colchão baixo sem ter de reduzir a grade, ou poderia deixá-lo cair os últimos 15 centímetros. Como você é apenas humana, achará muito mais fácil colocar o colchão no nível mais alto possível (a pelo menos 10 centímetros do topo da grade); certifique-se apenas de reduzi-lo quando o bebê tiver idade suficiente para se sentar. Se o berço tem esta opção, reduza a grade lateral antes de colocar o bebê, para evitar ter de se reclinar sobre uma grade alta. Ou, nas primeiras semanas, use um substituto de berço, como um carrinho ou berço moisés, que podem facilitar o ato de erguer um bebê para dentro e para fora deles. Com frequência eles oferecem a vantagem adicional do balanço, e assim o movimento de embalo que começou em seus braços pode continuar depois que o bebê está deitado.

**Uma luz fraca.** Embora seja uma boa ideia colocar o bebê para dormir em um ambiente escuro, certifique-se de que haja luz suficiente (uma luz noturna resolverá) para você ver o caminho até o berço sem esbarrar em um armário ou tropeçar num brinquedo — o que certamente vai sacudir você e o bebê.

**Quartos próximos.** Quanto maior a distância entre o lugar em que sua filha dorme e o lugar onde você vai colocá-la deitada, mais oportunidade para ela acordar pelo caminho. Assim, alimente-a ou a nine o mais perto possível do berço.

**Um assento de que você possa sair.** Sempre alimente ou nine seu bebê em uma cadeira ou sofá de onde você possa se levantar com tranquilidade, sem perturbá-lo.

**O lado direito.** Ou esquerdo. Alimente ou nine sua filha no braço que lhe permitir colocá-la no berço mais facilmente. Se ela dormir prematuramente no braço errado, mude de lado delicadamente e a embale, ou a alimente um pouco mais antes de tentar colocá-la deitada.

**Contato constante.** Quando o bebê está confortável e seguro em seus braços, ser colocado de repente em um espaço aberto, até por 3 ou 5 centímetros, sobressalta — e desperta. Embale o bebê enquanto o coloca para deitar, as costas primeiro, liberando a mão por debaixo do bebê antes de chegar ao colchão. Mantenha uma das mãos a postos para o caso de ela começar a se agitar.

**Uma melodia calmante.** Hipnotize sua filha para dormir com a tradicional cantiga de ninar (ela não vai se importar com a sua desafinação) ou uma improvisada com uma batida monótona ("aaa-a aa-a ne-ném, aa-a aa-a ne-ném"). Continue enquanto a leva para o berço, enquanto a desce e por alguns minutos depois disso. Se ela começar a se agitar, cante um pouco mais, até que ela esteja totalmente sossegada.

# CHORO

*"Nós nos parabenizamos no hospital por termos um bebê bonzinho. Mas a menos de uma semana em casa e ela já começou a uivar."*

Se os bebês de um ou dois dias chorassem tanto no hospital quanto estavam destinados a chorar algumas semanas depois, os pais novatos sem dúvida pensariam duas vezes antes de sair do hospital com os recém-nascidos. Depois que estão abrigados com segurança em casa, os bebês não parecem hesitar em mostrar suas verdadeiras cores, com todo aquele choro, e muitos choram consideravelmente. Chorar é, afinal, a única maneira que os bebês têm de comunicar suas necessidades e sentimentos — a primeira conversa verdadeira do bebê. Sua filha não pode dizer a você que está solitária, com fome, molhada, cansada, desconfortável, quente demais, fria demais ou frustrada de alguma maneira. E embora possa parecer impossível agora, você logo poderá (pelo menos em parte do tempo) decodificar os diferentes choros de sua filha e saber o que ela está pedindo (ver página 197).

Certos choros de recém-nascido, porém, parecem não ter relação nenhuma com as necessidades básicas. Entre 80 e 90% de todos os bebês, na verdade, têm sessões diárias de 15 minutos a uma hora de choro que não são facilmente explicados. Estes choros periódicos, como aqueles associados com a cólica, assumem uma forma mais severa e persistente, com mais frequência ocorrendo à noitinha. Pode ser que esta seja a hora mais agitada do dia em casa, com o jantar sendo preparado, pais e irmãos chegando do trabalho e da escola, a família tentando comer, outras crianças, se houver, competindo por atenção; os atropelos podem ser demais para um bebê suportar. Ou pode ser que depois de um dia agitado, tendo de processar todas as visões, sons, cheiros e outros estímulos do ambiente, um bebê só precise desabafar com um bom choro.

Alguns bebês perfeitamente saudáveis parecem precisar chorar para dormir, possivelmente por causa de fadiga. Se sua filha chora por alguns minutos antes de cabecear de sono, não fique preocupada. Ela por fim superará isso.

O que pode ajudar é um ritual diário pré-cama e descanso suficiente durante o dia para que ela não esteja cansada demais à noite.

Enquanto isso, aguente firme. Embora você vá estar enxugando algumas lágrimas nos próximos 18 anos, este choro de uma recém-nascida provavelmente chorona pode ser coisa do passado na época em que sua filha tiver 3 meses. À medida que ela se tornar uma comunicadora mais eficaz e um indivíduo mais autoconfiante, e à medida que você se tornar mais proficiente em entendê-la, ela chorará com menos frequência e será mais fácil confortá-la quando isto acontecer.

Um surto repentino de choro, porém, em um bebê que não chorava muito antes, pode indicar doença ou dentição precoce. Procure por sinais de febre e outras indicações de doença no bebê, ou de dentição, e fale com o médico se notar qualquer coisa fora do normal.

# CÓLICA

*"Meu marido e eu não jantamos juntos desde que nosso bebê tinha 3 semanas. Temos de nos revezar para engolir a comida e cuidar dele enquanto ele chora horas seguidas toda noite."*

Para os pais de um bebê com cólica, até um belo filé se torna um lanche rápido, engolido com o acompanhamento de gritos indigestos. Que o médico prometa que o bebê vai superar a cólica oferece pouco consolo para a infelicidade dos pais.

E se a infelicidade gosta de companhia, os pais de bebês com cólica têm muito dela. Estima-se que um em cinco bebês tem crises de choro, em geral começando no final da tarde e às vezes durando até a hora de dormir, que são graves o bastante para ser rotuladas de cólica. A cólica difere do choro comum (ver pergunta anterior) porque o bebê parece inconsolável, alterna choro com gritos e a provação dura três horas, às vezes muito mais, de vez em quando quase 24 horas por dia. Com mais frequência, os períodos de cólica retornam diariamente, embora alguns bebês tirem uma noite ou outra de folga. Os médicos em geral diagnosticam a cólica com base na "regra de três": pelo menos três horas de choro, pelo menos três dias por semana, começando perto das 3 semanas de idade.

O bebê com um caso clínico de cólica puxa os joelhos para cima, aperta os punhos e geralmente aumenta sua atividade. Ele fecha os olhos apertados ou os arregala, franze as sobrancelhas, até prende a respiração por algum tempo. A atividade intestinal aumenta e ele solta gases. Os padrões de sono e alimentação são perturbados pelo choro — o bebê procura freneticamente pelo mamilo só para rejeitá-lo depois que começa a mamar, ou cochila por um momento e acorda gritando. Mas poucos bebês seguem exatamente a descrição dos livros didáticos. Não existem dois bebês que experimentem exatamente o mesmo padrão e a mesma intensidade de choro e comportamento associado, e não existem dois pais que reajam exatamente da mesma maneira.

A cólica em geral começa durante a segunda ou terceira semana de vida (mais tarde, em bebês prematuros), e geralmente se prolonga por enlouquecedoras seis semanas. Por algum tempo, a cólica parece que vai se esticar interminavelmente, mas pela décima segunda semana ela em geral começa a diminuir, e aos três meses (novamente, mais tarde em bebês prematuros) a maioria dos bebês que têm cólica parece miraculosamente curada — com apenas alguns continuando seu problema de choro pelo quarto e pelo quinto meses. A cólica pode diminuir subitamente ou aos poucos, com alguns dias bons e outros ruins, até que todos os dias tornam-se bons.

Embora estes períodos diários de choro, sejam eles uma maratona ou de uma duração mais suportável, sejam batizados de "cólica", não há uma definição clara do que é a cólica ou como exatamente ela difere, se difere, de outros tipos de problemas de choro. As definições e diferenças, porém, importam muito pouco para os pais que estão tentando desesperadamente acalmar seu bebê durante estas crises prolongadas de choro.

O que causa a cólica continua a ser um mistério. Mas as teorias são várias. Muitas das seguintes hipóteses foram total ou parcialmente rejeitadas: bebês com cólica choram para exercitar os pulmões (não existe evidência clínica disto); eles choram por causa de desconforto gástrico incitado por alergia ou sensibilidade a alguma coisa na dieta da mãe, se são alimentados no peito, ou em sua fórmula, se tomam mamadeira (só ocasionalmente isto é causa de cólica); eles choram por causa da inexperiência dos pais (a cólica não é menos comum num segundo filho ou em bebês subsequentes, embora os pais possam lidar com o choro com mais segurança); a cólica é hereditária (ela não parece correr pelas famílias); a cólica é mais comum em bebês cujas mães têm complicações na gravidez e no parto (as estatísticas não sustentam isto); a exposição ao ar fresco estimula a cólica (na prática, muitos pais descobrem que o ar fresco é a única maneira de conseguirem aquietar seus bebês chorões).

A pesquisa mais recente parece apontar para vários motivos em potencial para que a cólica ocorra em alguns bebês:

♦ Sobrecarga. Nas primeiras semanas de vida, os bebês são capazes de bloquear os estímulos externos no ambiente, provavelmente para se concentrar em comer e dormir. Depois que se tornam mais conscientes do mundo que os cerca, eles às vezes recebem mais estímulo do que podem suportar. Bombardeados o dia todo com sensações (novos sons, visões e cheiros), eles podem chegar ao começo da noite numa sobrecarga sensorial — superestimulados e sobrecarregados. O resultado em bebês que são particularmente sensíveis a estímulos (em alguns casos porque eles são mais alerta): montes de choro, e às vezes cólica. Felizmente, depois que os bebês adquirem a capacidade de se desligar do ambiente antes que a sobrecarga aconteça (em geral pelos 3 meses, ocasionalmente apenas aos 5), os surtos de cólica cessam. Nesse meio tempo, se você acha que esta pode ser a causa da cólica de seu filho, a abordagem tentar de tudo (embalar, balançar, empurrar o carrinho, cantar) pode realmente tornar as coisas piores. Em vez disso, observe como seu filho reage a certos estímulos e livre-se daqueles que o perturbam (se o bebê chora mais quando você o acaricia ou massageia, limite esse tipo de toque durante a cólica; experimente balançá-lo num movimento rítmico depois que ele tiver idade para isso; ver página 485).

♦ Digestão imatura. Outra teoria é de que o trato digestivo imaturo do bebê se contrai violentamente quando os gases são liberados, causando dor e, não é de surpreender, muito choro. Quando os gases parecem estar puxando o gatilho da cólica, há remédios que podem ajudar (ver página 288).

♦ Refluxo. A pesquisa recente revelou que uma causa comum da cólica é o refluxo. Esta forma de refluxo irrita o esôfago (como a azia nos adultos), causando desconforto e choro. Se o refluxo parece ser a causa da cólica de seu filho, algumas dicas de tratamento na página 784 podem ajudar.

♦ Ambiente. Um fator que parece contribuir para um aumento no comportamento de cólica, embora o motivo para isto não esteja claro, é a fumaça de tabaco em casa. E quanto mais fumantes em uma casa, maior a probabilidade de cólica e pior a cólica será.

♦ Problemas com a oferta de leite. O leite insuficiente ou outros problemas de amamentação são outra possível causa de cólica. A oferta de leite com frequência diminui no início da noite, bem na hora em que o bebê começa a chorar. Se esta é a causa da cólica de seu filho, uma técnica melhor de amamentação ou suplementação com leite bombeado em geral corrige o problema.

♦ Tensão dos pais. A teoria de que os bebês têm cólica porque os pais são tensos é a mais controversa. Embora muitos especialistas acreditem que é o bebê chorão que deixa os pais tensos, alguns insistem que um pai ou mãe que é muito ansioso pode transmitir inconscientemente esta ansiedade ao bebê, fazendo-o chorar. Pode ser que, embora a ansiedade dos pais não cause cólica, ela a torne pior.

O que é tranquilizador sobre a cólica é que os bebês que têm estas crises de choro não parecem se desgastar de maneira nenhuma (embora o mesmo não possa se dizer em relação a seus pais), nem emocional, nem fisicamente — eles se desenvolvem, em geral ganhando tanto peso, ou mais, quanto os bebês que choram menos, e não exibem mais problemas de comportamento do que outras crianças. As crianças que choram vigorosamente quando bebês parecem ter uma probabilidade maior de resolver problemas com mais vigor e atividade quando engatinham do que os bebês de choro fraco. E mais tranquilizador de tudo é a certeza de que o problema não vai durar para sempre. Nesse meio tempo, as dicas nas páginas a seguir devem ajudar você a lidar com o problema. (Ver página 1027 se você tem um filho mais velho que tem dificuldades em lidar com a cólica do bebê.)

## Sobrevivendo à cólica

*"Ela é nosso primeiro bebê e chora o tempo todo. O que estamos fazendo de errado?"*

Relaxe. A culpa não é sua. A teoria de que a cólica do bebê de alguma maneira é culpa dos pais não se sustentou. E, de fato, seu bebê provavelmente choraria da mesma maneira se você estivesse fazendo tudo certo (o que, é claro, nenhum pai humano faz, mesmo com o benefício da experiência). A cólica, de acordo com as pesquisas mais recentes, tem a ver com o desenvolvimento do bebê, e não com o seu.

A coisa "mais certa" que você pode fazer é tentar lidar com o choro do bebê com a maior calma e racionalidade possível, uma vez que sua tensão somente aumentará a de seu filho. Manter a frieza diante da cólica não é fácil, mas saber que a culpa não é sua pode ajudar. Assim, aproveite as dicas que você encontrará na próxima pergunta.

*"Às vezes, quando estou ninando o bebê em sua terceira hora de cólica e ele não para de gritar, tenho o impulso horrível de atirá-lo pela janela. É claro que não faço isso — mas que tipo de mãe eu sou para pensar uma coisa dessas?"*

Você é uma mãe perfeitamente normal. Até aquelas qualificadas para a beatificação não conseguem suportar a agonia e a frustração de viver com um bebê que não para de chorar sem experimentar alguns sentimentos de raiva — até de animosidade transitória — em relação a ele. E embora poucos admitiriam isto abertamente, muitos pais de chorões crônicos regularmente têm de lidar com o mesmo tipo de impulso terrível que você está sentindo. (Se você acha que estes sentimentos são mais do que momentâneos e/ou se teme que possa realmente machucar o bebê, procure ajuda imediatamente.)

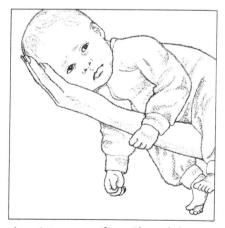

*A posição para cólica. Alguns bebês com cólica são tranquilizados pela pressão aplicada em seu abdome quando são carregados nesta posição.*

## RECEITA PARA A CÓLICA

Os pais desesperados de um bebê com cólica com frequência voltam-se para o médico em busca de uma poção mágica (ou, na falta desta, de uma receita) para parar o choro. Infelizmente, não existe remédio conhecido para curar completamente a cólica em todos os bebês e, como todos os remédios têm efeitos colaterais, a maioria dos médicos prefere não pegar o receituário quando trata destes chorões com cólica. Existe, porém, um remédio para bebês, usado amplamente para tratar a cólica na Europa, vendido para gases sem receita médica nos EUA e que pode reduzir ou aliviar os sintomas em alguns bebês que têm cólica. Seu ingrediente ativo é a simeticona, o mesmo ingrediente antigases encontrado em muitos preparados adultos.

Embora não haja consenso científico claro de que os gases causam cólica infantil, reconhece-se que muitos bebês com cólica parecem ter gases (se é causa do choro ou seu efeito, não está evidente), e os estudos mostram que reduzir os gases pode reduzir o desconforto (e o choro). Como o corpo não absorve o produto, ele é completamente seguro e não tem efeitos colaterais. Se seu bebê com cólica parece ter gases, pergunte ao médico sobre as pastilhas de simeticona.

Existem também fitoterápicos que foram alardeados como "curas" para a cólica, mas os pediatras dizem que não há como saber se os ingredientes ou ervas utilizados nestes preparados são seguros para os bebês. Não dê nenhum remédio a seu filho, fitoterápico ou não, sem conversar com o médico.

---

Não há dúvida de que os pais ficam com a pior parte da cólica. Embora possamos dizer com segurança que o choro não parece machucar o bebê, certamente deixa suas marcas na mãe e no pai. Ouvir um bebê chorar é irritante e provoca ansiedade. Estudos objetivos mostram que todos, até uma criança, reagem ao choro constante de um bebê novo com um aumento na pressão sanguínea, uma aceleração do batimento cardíaco e mudanças no fluxo de sangue para a pele. Se o bebê nasceu prematuramente, foi malnutrido no útero, ou se a mãe tem toxemia (pré-eclâmpsia/eclâmpsia), o nível deste choro pode ser incomumente alto e particularmente difícil de suportar.[5]

Para sobreviver a dois ou três meses de comportamento de cólica com alguma sanidade, experimente o que se segue:

**Tire uma folga.** Se é você quem fica segurando o bebê que chora sete noites por semana em uma época de cólica, o esforço vai cobrar seu tributo não só sobre sua capacidade de cuidar do bebê,

---

[5]Se o choro de um bebê é inexplicavelmente alto, verifique com o médico; esse tipo de choro pode indicar doença.

mas também de sua saúde e seu relacionamento com o cônjuge. Assim, se os dois pais estão em casa, certifique-se de que o dever da cólica seja dividido igualmente entre os dois (uma hora um, uma hora outro, uma noite um, uma noite outro; ou qualquer arranjo que vocês acharem que funcionará melhor). Um par renovado de braços (e um ritmo diferente de balanço) às vezes chega a induzir a calma em um bebê que chora, o que pode fazer da troca sua melhor aposta.

Depois, certifique-se de que os dois tirem uma folga juntos ocasionalmente — de preferência pelo menos uma vez por semana. Recorra a ajuda paga (mas tenha a certeza de contratar alguém que seja interminavelmente paciente e experiente com bebês chorões), ou importune parentes ou amigos (mas não parentes ou amigos que dão diretas ou indiretas de que o choro é culpa sua — não é). Saia para jantar (mesmo que esteja amamentando, você deve ser capaz de espremer as mamadas entre uma refeição repousante em um restaurante de seu bairro), visite os amigos, vá à academia, tome uma massagem, ou só dê uma longa caminhada tranquila.

Se você é o único pai ou mãe em casa (seja em todo o tempo ou apenas parte dele), vai precisar pedir ajuda com mais frequência; lidar com um bebê que chora por horas todo dia é demais para uma pessoa suportar sozinha. Novamente, procure por uma babá, se puder pagar uma, um parente ou amigo disposto (os avós às vezes têm um toque mágico com bebês agitados; os amigos que já passa-

ram por isso com os próprios filhos podem dar perspectivas e experiência). Até um adolescente que você não consideraria deixar sozinho com seu bebê com cólica pode segurá-lo e empurrar o carrinho enquanto você descansa por perto.

**Dar uma folga ao bebê.** Certamente é importante responder ao choro do bebê, já que é a única forma de comunicação dele. Mas depois que você atendeu a todas as necessidades de seu filho (alimentou, colocou para arrotar, trocou as fraldas, confortou e assim por diante) sem alterar perceptivelmente o nível de choro, você pode dar a ele uma folga de você mesma — colocando-o deitado no berço ou no moisés (de costas) por algum tempo. Não vai fazer mal ele chorar na cama em vez de em seus braços por 10 ou 15 minutos enquanto você faz alguma coisa relativamente relaxante, como se deitar; verificar o *e-mail*; fazer um pouco de ioga, visualização ou meditação; ver televisão; ou ler algumas páginas de um livro (ver o item "Desligue-se", a seguir). Na verdade, será bom para ele se você ficar um pouco menos irritada e um pouco mais renovada quando pegá-lo novamente onde você o deixou.

**Desligue-se.** Para reduzir o impacto do choro de seu filho, use protetores auriculares — eles não bloqueiam inteiramente o som, apenas os abafam para que fiquem mais toleráveis. Enfiados em suas orelhas, eles podem ajudá-la a relaxar durante uma folga do bebê, ou até enquanto você está andando com ele. Ou

# LIDANDO COM O CHORO

Nenhuma medicação, seja farmacêutica ou fitoterápica, nem nenhuma abordagem de tratamento é uma cura certa para o choro de um bebê, e algumas na verdade podem agravá-lo. Para complicar mais as coisas, o que pode ser tranquilizador para um bebê pode ser irritante para outro. Mas há várias estratégias que podem dar certo — pelo menos em parte do tempo. Quando experimentar vários métodos para acalmar o bebê, prenda-se a um de cada vez, certificando-se de dar a cada um deles uma oportunidade justa antes de passar para outro — caso contrário, você pode se ver tentando, tentando, e o bebê chorando, chorando. Aqui estão alguns truques que você pode tirar da cartola na próxima vez em que o bebê começar a chorar:

**Responda.** O choro é a única maneira de seu bebê exercer controle sobre um novo ambiente vasto e desnorteante, de se comunicar, de fazer as coisas acontecerem. "Quando eu chamo, alguém responde." Se você deixar de responder regularmente, o bebê não só poderá se sentir impotente, mas também sem valor ("Sou tão insignificante que ninguém aparece quando eu chamo"). Embora algumas vezes pareça que você está respondendo em vão porque independente do que você faça, nada ajuda, responder prontamente aos apelos de seu bebê acabará reduzindo o choro. E, de fato, estudos mostram que os bebês cujos pais respondem a eles regular e imediatamente choram menos quando estão na fase de engatinhar. Além disso, o choro

que é deixado de lado e se intensifica por mais que alguns minutos pode se tornar mais difícil de interpretar — o bebê se torna tão irritado que nem consegue se lembrar do que deu início a toda a agitação. E quanto mais o bebê chora, mais tempo ele leva para parar de chorar. É claro que você nem sempre tem de largar tudo para responder ao chamado do bebê se estiver no meio de um banho, escorrendo o espaguete ou atendendo à campainha. Deixar o bebê chorando por mais alguns minutos não será prejudicial depois — desde que o bebê não possa ter problemas enquanto espera por você. Uma pausa de 10 a 15 minutos de uma maratona de choro de cólica também não vai machucar o bebê — novamente, desde que ele esteja num lugar seguro. (Para casos particularmente difíceis de choro inconsolável, alguns especialistas sugerem criar uma rotina em que você deixa o bebê chorar por 10 ou 15 minutos em um lugar seguro, como o berço, pegá-lo no colo e tentar acalmá-lo por outros 15 minutos, depois deitá-lo de novo e repetir. Se você ficar à vontade com isto, aparentemente não causará nenhum problema.)

Não se preocupe em mimar seu bebê ao responder imediatamente. Você não pode estragar um bebê novinho. E mais atenção não levará a uma dependência maior. Na verdade, o que vale é o contrário: os bebês cujas necessidades são prontamente atendidas têm uma probabilidade maior de se transformarem em crianças mais seguras e menos exigentes.

**Avalie a situação.** Antes de decidir se seu bebê está chorando só por chorar, determine se existe uma causa simples e remediável. Se você acha que pode ser fome, experimente o peito ou a mamadeira, mas não cometa o erro de responder às lágrimas invariavelmente com comida. Se você suspeita de fadiga, tente ninar o bebê para dormir — em seus braços, num carrinho, no berço ou no bebê-conforto. Se é uma fralda molhada que está incitando o choro, troque-a. Se o bebê parece aquecido demais (a transpiração é uma pista), tire uma ou duas camadas de roupa, abra a janela ou ligue um ventilador ou ar-condicionado. Se o problema for o frio (o pescoço ou o corpo são frios ao toque), acrescente uma camada de roupa ou ligue o aquecedor. Se o bebê começar a chorar quando as roupas são tiradas para o banho (muitos recém-nascidos não gostam de ficar nus), cubra-o rapidamente com uma toalha ou manta. Se você acha que o bebê está na mesma posição por tempo demais e isto está causando desconforto, experimente uma nova posição. Se ele teve o mesmo campo de visão na última meia hora, procure mudá-lo. Se você está dentro de casa o dia todo, aventure-se do lado de fora (se o clima permitir).

**Fique perto.** Nas sociedades em que os bebês são carregados nos estilo índio, não se conhecem os longos períodos de choro ou agitação em bebês saudáveis. Esta sabedoria tradicional parece se traduzir bem em nossa cultura; a pesquisa tem mostrado que os bebês que são carregados nos braços ou em um bebê-conforto por pelo menos três horas por dia choram menos do que os bebês que não são carregados com tanta frequência. Não só carregar seu bebê dá a ele o prazer da proximidade física com você (e depois de nove meses de proximidade constante, pode ser exatamente por isto que o bebê está chorando), como também pode ajudar você a ter uma sintonia melhor com as necessidades do bebê.

**Cueiro.** Estar bem amarrado é muito confortador para alguns bebês novos, pelo menos durante os períodos de dor de cólica. Alguns, porém, têm uma profunda aversão pelo cueiro; a única maneira de você saber o que serve para seu filho é tentar colocar um cueiro na próxima vez que a cólica começar (ver página 234).

**Dê um abraço.** Como o cueiro, um abraço dá a muitos bebês um senso de segurança; segure o bebê apertado junto a seu peito, envolvendo-o confortavelmente nos braços. (E, como acontece com o cueiro, alguns bebês preferem mais liberdade de movimento e rejeitam ser segurados com força.)

**Experimente um pouco de conforto.** O conforto para o recém-nascido vem em diferentes formas. Além de segurar, vestir e ninar seu bebê, experimente alguma ou todas as dicas que se seguem:

◆ Um embalar ritmado, em seus braços, no carrinho, no berço, num assento infantil vibratório, no balanço automático de bebê (quando o bebê tem idade suficiente; ver página 214). Alguns bebês reagem melhor a um balançar rápido do que lento — mas não balance nem sacuda seu filho vigorosamente, uma vez que pode causar sérios danos no pescoço. Para alguns bebês, o balanço de lado tende a estimular, e o balanço para a frente e para trás a acalmar. Teste a reação de seu filho a diferentes tipos de balanço.

♦ Ande com o bebê em um bebê-conforto ou balanço, ou simplesmente em seus braços. Testada e válida, é uma dica cansativa, mas em geral funciona.

♦ Um banho morno. Mas somente se seu bebê gosta de banho; alguns só choram mais alto quando estão na água quente.

♦ Cantar. Veja se seu filho é acalmado por cantigas suaves, rimas alegres ou ritmos pop, e se uma voz leve, aguda ou uma forte e profunda são mais agradáveis. Se você chegar a um tom de que o bebê goste, não hesite em cantar repetidamente — a maioria dos bebês adora a repetição.

♦ Sons ritmados. Muitos bebês são acalmados, por exemplo, pelo zumbido de um ventilador, um aspirador de pó ou da secadora de roupas, uma gravação dos gorgolejos uterinos, um dos pais repetindo "shhh" ou uma gravação que toque sons calmantes da natureza, como ondas quebrando na praia ou o vento passando pelas árvores.

♦ Pôr mãos à obra. Para os bebês que gostam de ser esfregados, a massagem pode ser muito calmante (embora possa causar um aumento no choro naqueles que não gostam). Você pode achar relaxante para os dois administrar a massagem deitada de costas, o bebê de frente para o seu peito. (Ver página 442 para dicas sobre massagem em bebês.)

**Mais um pouco de pressão.** Na barriga do bebê, isto é. A "posição para cólica" (ver ilustração, página 287) ou qualquer posição que aplique uma pressão suave no abdome do bebê (como atravessado no colo de um adulto, com a barriga em um joelho e a cabeça no outro), pode aliviar o desconforto que pode estar contribuindo para o choro. Alguns bebês preferem ficar eretos no ombro, mas novamente com pressão no abdome enquanto as costas são massageadas ou acariciadas. Ou experimente este alívio para os gases: empurre delicadamente os joelhos do bebê para cima, para a barriga dele, e segure por 10 segundos, depois solte e os corrija suavemente; repita várias vezes.

**Recorra aos rituais.** Para bebês que prosperam na rotina, ter o programa mais regular possível (alimentação, banho, troca de fraldas, saídas e assim por diante, até o ritual de dormir) pode reduzir o choro. Se este parece ser o caso de seu filho (e você só vai saber se colocar a teoria em prática), seja coerente com o método que usar para acalmar o bebê ou reduzir o choro — não saia para andar um dia, passear de carro no outro e usar um balanço em um terceiro. Depois que você descobrir o que funciona, prenda-se a isso na maior parte do tempo.

**Satisfaça com o mamar.** Os bebês com freqüência precisam mamar pelo próprio ato de mamar, em vez de simplesmente para se nutrir. Alguns bebês gostam quando os dedos (particularmente os polegares) são colocados na boca deles para que desfrutem do sugar. Outros preferem o dedo mínimo. Outros ainda têm prazer com uma chupeta (desde que você só a dê para acalmar o bebê depois de ter atendido a outras necessidades e depois que a amamentação tenha se estabelecido).

**Renove.** Um pai ou mãe que luta por uma hora para acalmar um recém-nascido chorão quase sempre começará a mostrar sinais de estresse e fadiga, que o bebê certamente perceberá e a que reagirá com mais choro ainda. Passe o bebê para outro par de braços para dar uma renovada — aos braços do outro genitor, de um parente, de um amigo, de uma babá — e o choro poderá cessar.

**Procure ar fresco.** Uma mudança para um lugar ao ar livre com frequência mudará miraculosamente o estado de espírito do bebê. Experimente uma viagem no carro, no bebê-conforto ou no carrinho. Mesmo que esteja escuro, o bebê terá distração com as luzes da rua e dos carros. O movimento também quase certamente se mostrará calmante. (Se o choro não parar durante um passeio de carro, ele pode distrair o motorista — neste caso, vá para casa e experimente outro truque.)

**Controle o ar.** Grande parte do desconforto do recém-nascido é causado pelo ar engolido. Os bebês engolirão menos ar se você os mantiver o mais eretos possível durante a amamentação e quando os colocar para arrotar. Um bico da mamadeira no tamanho certo também reduzirá a ingestão de ar; certifique-se de não ser grande demais (que promova a deglutição de ar junto com a fórmula) nem pequeno demais (o esforço para conseguir a fórmula também promove deglutição de ar). Segure a mamadeira de forma que não entre nenhum ar no bico (ou use uma mamadeira em ângulo ou uma com revestimento descartável), e certifique-se de que a fórmula não está nem quente demais, nem fria demais (embora a maioria dos bebês gostem da fórmula não aquecida, alguns parecem se incomodar com ela). Tenha certeza de colocar o bebê para arrotar frequentemente durante as mamadas para expulsar o ar deglutido. Um padrão sugerido para arrotar: a cada 15 a 30 mililitros quando der mamadeira, entre as mamadas no peito (ou com mais frequência, se o bebê parece estar engolindo muito ou parece desconfortável no meio da mamada) e, em ambos os casos, depois de ele mamar.

**Distraia.** Nos primeiros meses, alguns bebês ficam satisfeitos em sentar e observar o mundo que passa, enquanto outros choram de frustração e tédio porque há muito pouca coisa que eles são capazes de fazer sozinhos. Carregá-lo pelo ambiente e explicar o que você está fazendo quando trabalha e fazer um esforço a mais para encontrar brinquedos e outros objetos no ambiente para ele olhar e mais tarde pegar e brincar, pode ajudar a mantê-lo ocupado. Por outro lado, um bebê superestimulado pode tender mais a chorar, então saiba quando parar de fazer palhaçadas e começar a lhe dar o conforto da tranquilidade.

**Elimine a excitação.** Ter um novo bebê para exibir pode ser divertido — todos querem ver o bebê, e você quer levá-lo a toda parte para que seja visto. Você também quer expor o bebê a novas experiências, a ambientes estimulantes. Isto é ótimo para alguns bebês e estimulante demais para outros (em particular os mais novos). Se seu bebê tem cólica, limite a excitação, as visitas e os estímulos, em especial no final da tarde e à noite.

**Verifique a dieta.** Certifique-se de que seu filho não está chorando por causa de fome. A falta de ganho de peso adequado ou sinais de falta de desenvolvimento (ver página 254) podem indicar isto a você. Um aumento na ingestão pode eliminar o choro. Se o bebê toma mamadeira, pergunte ao médico se o choro pode se dever a uma alergia à fórmula (embora não seja um cenário provável, a não ser que o choro seja acompanhado de outros sinais de alergia). Se você está amamentando no peito, pode considerar fazer uma verificação de sua própria dieta, uma vez que há uma possibilidade muito pequena de que o choro seja incitado pela sensibilidade do bebê a algo que *você* está comendo. Veja as páginas 270 e 271 se você suspeitar de alergia.

**Verifique com o médico.** Apesar de ser mais provável que as sessões diárias de choro do bebê se devam ao choro normal ou cólica, é uma boa ideia discutir o assunto com o médico para ter certeza de que não existe nenhum problema clínico subjacente. Descreva ao pediatra o choro, sua duração, intensidade, padrão e qualquer variação da norma — aspectos que podem dar dicas de uma doença.

**Procure alívio.** Esta é uma época em que não faz sentido dizer: "Eu me viro sozinha." Tire vantagem de toda e qualquer possibilidade de dividir seu fardo.

**Espere.** Às vezes só o que alivia a cólica é o passar do tempo. Conviver com ela pode ser uma luta, mas pode ser útil lembrar a si mesma (repetidamente): Isto também vai passar — em geral quando o bebê tiver 3 meses.

encubra o barulho ouvindo música em um CD *player* portátil.

**Faça atividades físicas.** Exercitar-se é uma ótima maneira de aliviar a tensão, uma coisa de que você está cheia. Exercite-se em casa com o bebê de manhã cedo (ver página 954), nade ou vá a uma academia (bata em um saco de pancadas se houver algum) que tenha serviços de creche, ou leve o bebê para uma caminhada ativa ao ar livre no carrinho quando ele estiver agitado (o que pode acalmá-los enquanto acalma você).

**Converse sobre isso.** Chore um pouco sozinha — ou no ombro de alguém: seu cônjuge, o médico do bebê, seu próprio médico, um membro da família, um amigo, até um estranho em uma sala de bate-papo virtual de pais. Falar no assunto não vai curar a cólica, mas você poderá se sentir um pouco melhor depois de dividir sua saga. Pode ser muito benéfico discutir sua situação com outros pais de bebês com cólica, particularmente aqueles que passaram pela tempestade com sucesso e agora navegam em águas tranquilas; você poderá encontrar alguns que estão — ou estiveram — no mesmo barco em salas de bate-papo. Só de saber que você não está sozinha no mundo dos bebês inconsoláveis pode fazer uma enorme diferença.

**Se você realmente se sente violenta, procure ajuda.** Quase todos ficam irritados com um bebê que chora constantemente. Mas, para algumas pessoas, este choro finalmente torna-se insuportável. O resultado às vezes são maus-tratos infantis. É mais provável ainda que você cruze a linha se estiver sofrendo de depressão pós-parto não tratada (e possivelmente não diagnosticada; ver página 939). Se seus pensamentos de machucar seu filho são mais do que superficiais, se você se sente prestes a ceder ao impulso de bater ou sacudir seu bebê ou machucá-lo de qualquer outra forma, procure ajuda *imediatamente*. Vá para a casa de um vizinho, se puder, e deixe o bebê lá até que possa se recompor. Depois ligue para alguém que possa ajudá-la — seu marido, um parente, um amigo íntimo, o médico do bebê ou o seu, ou um serviço de atendimento a maus-tratos infantis (o número deve estar em sua lista telefônica). Mesmo que seus poderosos sentimentos não a levem a maltratar seu filho, eles podem começar a erodir seu relacionamento com o bebê e sua confiança em si mesma como mãe, a não ser que você consiga aconselhamento rapidamente (e se estiver sofrendo de depressão pós-parto ou psicose, de um tratamento adequado).

## BEBÊ MIMADO

*"Sempre pegamos nossa filha no colo quando ela chora. Será que a estamos mimando?"*

Não economizar no conforto não é mimar o bebê. Na verdade, os estudos mostram que inundar de conforto agora — pegando-a no colo por alguns minutos sempre que ela chora e suprindo todas as necessidades — não só não a transformará num bebê mimado, como fará dela uma criança feliz, mais autoconfiante, que a longo prazo chorará menos e exigirá menos atenção. Ela também terá uma ligação mais estreita com você (ou com quem quer que esteja respondendo a ela) e confiará mais em você. Uma vantagem adicional: depois que ela vier calmamente ao peito ou à mamadeira, sem uma barriga cheia de ar engolido enquanto está chorando, ela terá sessões de amamentação melhores.

A verdade é que nem sempre você poderá pegar sua filha no colo no momento em que ela começar a chorar (haverá vezes em que você estará no banheiro, ao telefone, ou tirando o jantar do forno). E haverá ocasiões em que você precisará tirar uma folga durante o choro de cólica. Novamente, não há dano nenhum nisso — desde que você reaja prontamente na maior parte do tempo.

# Chupeta

*"Meu filho tem picos de choro à tardinha. Devo dar uma chupeta a ele, para confortá-lo?"*

É fácil, é rápido e para muitos bebês proporciona conforto e elimina as lágrimas de uma forma mais confiável do que uma dezena de "Nana Nenéns" cantados com a voz rouca. Mas será que a chupeta é a panaceia perfeita para bebês que choram e procuram por pais exaustos como você?

Provavelmente não. Embora possa ser uma mão na roda a curto prazo (e pode ser indispensável para bebês que têm uma forte necessidade de sugar mas ainda não sabem como colocar os dedos na boca), os benefícios da chupeta não são livres de desvantagens. Considere o seguinte antes de decidir se vai apelar ou não a uma chupeta e, se o fizer, quando começar e por quanto tempo usar:

◆ O uso precoce da chupeta pode interferir na amamentação. Por causa do potencial para a confusão de mamilo, não é uma boa ideia apresentar um bebê que mama no peito a uma chupeta antes que a lactação esteja estabelecida. Ela não deve ser usada de jeito nenhum por um bebê que não está ganhando peso em um ritmo adequado ou por um bebê que não mama bem, porque pode dar a ele tanta satisfação em chupar que ele perde o interesse em chupar o peito. Alguns estudos sugeriram que as chupetas podem reduzir a duração da amamentação, embora seja difícil determinar se a chupeta é na verdade a causa de desmame precoce ou se seu uso é um marcador das dificuldades de amamentação. Conclusão: se você vai dar uma chupeta a seu bebê que mama no peito, espere até que ele esteja mamando e ganhando bastante peso.

◆ A chupeta está sob controle dos pais. Esta pode ser uma boa coisa — como acontece quando você amamentou, embalou, cantou e empurrou o carrinho por horas, mas nada, exceto colocar a chupeta na boca de seu filho, consegue acalmá-lo. Ou pode se tornar uma coisa ruim — como acontece quando colocar a chupeta na boca de seu filho fica um pouco mais fácil, e quando o que começa como uma muleta para o bebê passa a ser muleta sua. Os pais bem-intencionados que oferecem a chupeta para ter certeza de que seu filho tem uma oportunidade adequada de sugar logo podem descobrir que é conveniente apelar à chupeta quando o bebê se torna agitado, em vez de tentar determinar o motivo da agitação ou se pode haver outra maneira de aplacá-lo. Uma mãe pode usar a chupeta para levar o bebê a dormir em vez de passar algum tempo ninando, para garantir o sossego enquanto está ao telefone em vez de pegá-lo no colo e consolá-lo, para conseguir silêncio enquanto faz compras no supermercado em vez de envolvê-lo na interação. O resultado pode ser um bebê que só consegue ficar feliz com alguma coisa na boca e que é incapaz de se consolar de outra maneira.

♦ A chupeta à noite pode significar menos sono para todos. Usada na hora de dormir, uma chupeta pode interferir na aprendizagem do bebê de dormir sozinho — o que por fim pode significar menos sono em toda a casa. Ela também pode interromper o sono dele quando ele a perde no meio da noite e não consegue dormir novamente sem ela — quem você acha que terá de se levantar para colocá-la de volta na boca do bebê?

♦ As chupetas podem ser um hábito difícil de eliminar. Usadas temporariamente, para satisfazer a necessidade de sugar quando ela é mais intensa, uma chupeta é inócua — e pode ajudar os pais e o bebê a passar por um período que sem ela seria muito difícil. Usada por mais tempo, pode se tornar viciante para ambos — e um hábito que pode ser cada vez mais espinhoso de eliminar à medida que um bebezinho maleável torna-se um bebê que engatinha e é furiosamente inflexível.

A longo prazo, provavelmente é melhor para o bebê aprender — pelo menos até certo ponto — a se consolar sozinho (ou a ser confortado pelos pais) do que depender com frequência de um auxílio artificial como uma chupeta. Um polegar (ou indicador) pode proporcionar um sugar extra para confortar tanto quanto uma chupeta, mas está sob o controle do bebê, e não dos pais (o que pode torná-lo num hábito mais difícil de eliminar). Ele está ali sempre que o bebê precisa; pode ser retirado quando ele quer sorrir, balbuciar, chorar ou se expressar de outras maneiras; e não causa confusão de mamilo.

Ainda assim, se você está desesperada por algum alívio do choro de seu filho e a chupeta parece conseguir o truque — não hesite em usá-la. Experimente também se seu filho tem uma necessidade tão forte de chupar que você descubra que seus mamilos se transformaram em chupetas humanas (ou o bebê está tomando fórmula demais porque não consegue largar o bico da mamadeira). Mas use-a com sensatez. *Nunca* prenda uma chupeta ao berço, carrinho ou cercadinho, nem a pendure no pescoço ou no pulso de seu bebê com um elástico, tira ou cordão de qualquer tipo — os bebês podem ser estrangulados dessa maneira. Use-a com moderação e somente quando seu filho realmente parecer precisar dela (a cada vez que você pensar em colocá-la, pode se perguntar primeiro se é você ou a chupeta o que o bebê quer). E para evitar o desenvolvimento de um hábito que seja difícil de quebrar, planeje começar a dar a chupeta quando ele tiver de 3 a 6 meses. Outro motivo para se livrar da chupeta mais cedo: o uso de chupeta a longo prazo em bebês em idade de engatinhar tem sido relacionado com infecções recorrentes no ouvido.

## Tratando do cordão umbilical

*"O cordão ainda não caiu do umbigo de meu bebê, e ele parece realmente horrível. Será que está infeccionado?"*

Os umbigos em processo de cura quase sempre têm uma aparência e um cheiro piores do que na verdade são. O que constitui o "perfeitamente normal" em termos médicos pode derrubar os mais fracos com a rapidez do clímax de um filme de terror.

A infecção no coto umbilical é improvável, especialmente se você toma cuidados para mantê-lo limpo e seco. (Alguns médicos ainda recomendam o uso de compressa de álcool para promover a cura e prevenir infecção, mas os estudos mostram que o cordão se cura igualmente bem, e em alguns casos até mais rápido, sem o álcool.) Se você observar vermelhidão na pele circundante (que pode se dever a irritação das aplicações de álcool, bem como a infecção) ou uma descarga do umbigo ou da base do cordão umbilical, particularmente de cheiro fétido, verifique com o médico de seu filho. Se existir infecção, provavelmente serão receitados antibióticos para curá-la.

O cordão, que é brilhante e úmido ao nascimento, em geral seca e cai em uma ou duas semanas, mas o grande evento pode acontecer mais cedo, ou até muito mais tarde — alguns bebês não parecem querer se livrar deles. Até que ele caia, mantenha o local seco (sem banhos na banheira), exposto ao ar (vire a fralda para baixo para que não esfregue nele) e limpo com álcool *se for recomendado* (mas tente proteger a pele circundante, talvez cobrindo com uma loção para bebês antes de passar ou aplicar álcool apenas na base do cordão — e não na pele — com um algodão). Quando ele cair, você poderá perceber uma pequena mancha áspera, ou ver uma pequena quantidade de fluido exsudando sangue. Isto é normal, e a não ser que ele não esteja completamente seco em alguns dias, não há necessidade de se preocupar. Se não estiver completamente fechado e seco duas semanas depois da queda, fale com o pediatra. Ocasionalmente, um granuloma umbilical (um pequeno pedaço de tecido cicatrizado que parece vermelho-brilhante e úmido) pode se desenvolver depois da queda do cordão. Em geral é tratado com nitrato de prata (para secar), preso com uma sutura e deixado para secar e cair. Se isto não acontecer, ele poderá ser removido (um procedimento muito pequeno).

## Hérnia umbilical

*"Toda vez que minha filha chora, o umbigo dela parece estufar. O que isso significa?"*

Provavelmente significa que sua filha tem hérnia umbilical — que (antes que você comece a se preocupar) não é absolutamente motivo de preocupação.

Antes do nascimento, todos os bebês têm uma abertura na parede abdominal através da qual os vasos sanguíneos se estendem para o cordão umbilical. Em alguns casos (no caso de bebês negros mais do que no de brancos), a abertura não se fecha completamente ao nascimento. Quando estes bebês choram, tossem ou se espreguiçam, um pequeno anel do intestino projeta-se através da abertura, erguendo o umbigo e com frequência a área em torno dele em um grumo cujo tamanho vai da ponta de um dedo ao tamanho de um limão. Embora o aparecimento deste grumo (especialmente quando é rotulado com o termo *hérnia*) possa ser alarmante, raramente é motivo de preocupação. O intestino quase nunca estrangula (resultando no corte do suprimento de sangue ao intestino) na abertura e, na maioria dos casos, a hérnia acaba se resolvendo sem intervenção. Pequenas aberturas em geral se fecham ou se tornam indistinguíveis em alguns meses; as grandes, aos 2 meses.

Em geral, o melhor tratamento para uma hérnia umbilical é nenhum tratamento. Os remédios caseiros que pressionam o grumo para baixo (como ataduras ou cintas) não são eficazes e em alguns casos são potencialmente perigosos. A cirurgia para corrigir hérnias umbilicais não é recomendada a não ser que a abertura no abdome seja muito grande, esteja aumentando, ou incomode o bebê. Com frequência o pediatra sugerirá esperar até que a criança tenha seis ou sete meses antes de considerar a cirurgia, porque a maioria das hérnias se fecha sozinha até esta época. Se, contudo, você está vendo sinais de estrangulamento — o grumo não diminui depois do choro, não pode ser empurrado para dentro, torna-se repentinamente maior,

é macio, o bebê está vomitando — vá para o pronto-socorro. Pode ser necessária uma cirurgia imediata.

## CUIDADOS NA CIRCUNCISÃO

*"Meu filho foi circuncidado ontem e hoje parece haver uma secreção em volta da área. Isto é normal?"*

Não só a pequena secreção é normal, como é um sinal de que os fluidos curativos do corpo estão cicatrizando o local para começar seu importante trabalho. O ferimento e, às vezes, uma pequena quantidade de sangue também são comuns depois de uma circuncisão, e não há motivo para se preocupar.

Usar fraldas duplas no primeiro dia ajudará a acolchoar o pênis e também a evitar que as coxas do bebê o pressionem; em geral, isto não é necessário depois. Geralmente um pênis será envolvido em gaze pelo médico ou *mohel* (um circuncidador ritual da fé judaica). Alguns médicos recomendam colocar uma compressa de gaze nova, embebida com vaselina ou outro unguento, no pênis a cada troca de fraldas; outros não acham que isto é necessário, desde que você mantenha a área limpa. Você também vai precisar evitar que o pênis se molhe no banho (provavelmente não mergulhará o bebê de qualquer maneira, porque o cordão umbilical não terá caído neste ponto) até que a cura esteja completa.

# Escroto inchado

*"O escroto de nosso filho parece imenso. Devemos nos preocupar com isso?"*

Provavelmente, não. Os testículos de um menino são encerrados em uma bolsa protetora chamada escroto, que contém um pouco de fluido para amortecê-las. Às vezes uma criança nasce com uma quantidade excessiva de fluido no saco escrotal, deixando sua aparência inchada. Chamada hidrocele, esta condição não é motivo de preocupação desde que se resolva gradualmente durante o primeiro ano, quase sempre sem nenhum tratamento.

Você deve, porém, assinalar o inchaço ao médico de seu filho para se certificar de que o que você está vendo não é uma hérnia inguinal (mais provável se também houver maciez, vermelhidão e descoloração; ver página 349), que também pode parecer uma hidrocele ou ocorrer junto com ela. Ao examinar seu filho, o médico poderá determinar se o inchaço escrotal se deve a excesso de fluido ou se há uma hérnia envolvida.

# Hipospadias

*"Acabamos de perceber que a saída do pênis de nosso filho está no meio e não na ponta. O que isto significa?"*

De vez em quando, algo sai meio errado durante o desenvolvimento pré-natal da uretra e do pênis. No caso de seu filho, a uretra (o canal que transporta urina e sêmen, mas não ao mesmo tempo) não fazem todo o caminho até a extremidade do pênis, mas se abrem em outro lugar. Esta condição é chamada hipospadia e estima-se que seja encontrada em três de cada cem meninos nascidos nos Estados Unidos. As hipospadias de primeiro grau, em que a abertura da uretra está no final do pênis mas não exatamente no lugar correto, é considerada um defeito menor e não requer tratamento. As hipospadias de segundo grau, em que a abertura fica junto do lado inferior da haste do pênis, e as hipospadias de terceiro grau, em que a abertura fica perto do escroto, podem ser corrigidas com cirurgia reconstrutiva.

Como o prepúcio pode ser usado para a reconstrução, a circuncisão, até a circuncisão ritual, não é realizada em um bebê com hipospadia.

Ocasionalmente uma menina nasce com hipospadia, com a abertura uretral na vagina. Isto em geral também pode ser corrigido cirurgicamente.

# Cueiro

*"Tentei colocar o cueiro em minha filha, como me mostraram no hospital. Mas ela fica chutando e ele se desfaz. Devo parar de tentar?"*

Os primeiros dias de vida do lado de fora podem ser meio desorientadores — e até um pouco perturbadores. Depois de passar nove meses confortavelmente envolvido no casulo uterino, um recém-nascido deve se adaptar aos súbitos espaços abertos de seu novo ambiente. Muitos especialistas em cuidados infantis acham que a transição pode ser mais confortável se a segurança e o calor do antigo lar do recém-nascido são estimulados pelo cueiro, ou enrolando-o em uma manta. O cueiro também evita que o bebê seja perturbado pelos novos movimentos convulsivos quando dorme, pode mantê-lo mais confortável e satisfeito de costas e conserva o calor nos primeiros dias, quando seu termostato ainda não tem a eficiência máxima. (Mas para evitar o superaquecimento, um bebê nunca deve ficar de cueiro num ambiente quente.)

Só porque todos os bebês são colocados em cueiro no hospital, porém, não quer dizer que todos os bebês precisem — ou gostem — de ficar num cueiro em casa. Muitos bebês continuarão a obter conforto com o cueiro (e portanto dormirão melhor) por algumas semanas, alguns por mais tempo. Ele também pode ajudar a acalmar alguns bebês com cólica. Por outro lado, alguns bebês parecem perfeitamente satisfeitos sem cueiro, e são perturbados por ele desde o princípio. Uma boa regra: se o cueiro parece fazer bem a seu recém-nascido, use-o; caso contrário, não use.

No fim, todos os bebês superam a necessidade de cueiro depois que se tornam um pouco mais ativos — e deixam isso claro tentando chutar o lençol. Neste ponto, colocar cueiro durante as sonecas torna-se potencialmente inseguro, uma vez que um lençol chutado representa um risco de sufocamento. Por este

motivo, e porque o cueiro pode interferir na capacidade do bebê de praticar as habilidades motoras, os bebês não devem ficar de cueiro depois que se tornam mais ativos — a não ser que realmente pareçam precisar da sensação de serem "amarrados" durante episódios de cólica, e neste caso o cueiro deve se limitar apenas àquelas horas.

## MANTENDO O BEBÊ NA TEMPERATURA CERTA

*"Parece quente demais para um casaquinho e um gorro, mas quando levo meu filho para fora de camiseta e fralda, todos que nos veem comentam que ele está com pouca roupa."*

Para estranhos bem-intencionados em ônibus, lojas e na rua, os novos pais (mesmo que estejam em seu segundo ou terceiro filho) não podem estar certos. Assim, acostume-se com as críticas. Mas, na maioria das vezes, não deixe que isto afete o modo como você cuida de seu filho. As avós e os tipos semelhantes se revirarão no túmulo afirmando o contrário, mas depois que o termostato natural do bebê é adequadamente estabelecido (nos primeiros dias de vida), você normalmente não precisará vesti-lo mais do que veste a si mesma. (E na verdade, antes de tudo, roupa demais, em especial no clima ameno, pode ser tão prejudicial para o mecanismo de regulação de calor do recém-nascido quanto roupa de menos.)

Assim, em geral, use sua satisfação com a temperatura para avaliar a do bebê (a não ser que você seja o tipo de pessoa que sempre tem calor quando todo mundo está com frio, ou sempre sinta frio quando todos estão com calor). Se você não tem certeza, não verifique as mãos para ter uma confirmação (como os "bem-intencionados" farão, com cacarejos desaprovadores de "Olha só! As mãos dele estão frias!"). As mãos e os pés do bebê em geral são mais frios do que o resto do corpo, porque o sistema circulatório deles ainda é imaturo. Não considere o fato de que seu filho espirra algumas vezes como sinal de que ele está com frio; ele pode espirrar em reação à luz do sol ou porque precisa limpar o nariz.

Mas embora você não deva ouvir os estranhos, ouça seu bebê. Os bebês em geral dizem que estão com frio (como lhe dizem a maior parte das coisas) agitando-se ou chorando. Quando receber esta mensagem (ou se não tiver certeza se você o vestiu adequadamente), verifique a nuca, os braços ou o tronco (que são mais fáceis de alcançar sob a roupa do bebê) com as costas da mão para ter uma leitura da temperatura. Se o bebê se sente confortavelmente aquecido, talvez o choro que você está ouvindo seja de fome ou de cansaço. (E se ele estiver suado, provavelmente está se queixando de estar vestido demais; tire uma camada de roupas). Se ele estiver frio, coloque mais roupas ou cubra-o, ou aumente o termostato. Se um bebê novo parece extremamente frio, leve-o a um lugar aquecido imediatamente, porque o corpo dele provavelmente não pode produzir calor suficiente para reaquecê-lo, mesmo que ele esteja muito coberto. Nesse meio tempo, coloque-o perto do calor de seu corpo, sob sua blusa, se necessário.

A única parte de um bebê que precisa de proteção extra em qualquer clima é a cabeça — em parte porque se perde muito calor de uma cabeça descoberta (em especial a cabeça de um bebê, que é desproporcionalmente grande em relação ao corpo), e em parte porque a maioria dos bebês têm muito pouca proteção na forma de cabelos. Até nos dias um pouco frios, um gorro é uma boa ideia para um bebê de menos de um ano. No calor, no clima ensolarado, um boné com aba protegerá a cabeça, a face e os olhos do bebê — mas mesmo com esta proteção (além do filtro solar), a exposição ao sol pleno deve ser curta.

Um bebê novo também precisa de proteção extra da perda de calor quando está dormindo. Em sono profundo, seu mecanismo de produção de calor se torna mais lento, e assim, no clima mais frio, coloque uma manta ou cobertor extra quando ele dormir no carrinho. Se ele dorme em um quarto frio à noite, um macacão de dormir sobre o pijama o ajudará a permanecer quente (edredons e acolchoados são cobertas inseguras para um bebê adormecido). Não vista, porém, um gorro em um bebê quando colocá-lo para dormir em ambientes fechados — isto pode levar a superaquecimento.

Quando for vestir o bebê no clima frio, as roupas sobrepostas não só estão da moda, como também são sensatas.

Várias camadas de roupas leves podem reter mais o calor do corpo com mais eficiência do que uma camada pesada, e as camadas externas podem ser tiradas quando necessário se você andar em uma loja muito aquecida ou em um ônibus lotado, ou quando o clima dá uma virada súbita para o calor.

Alguns bebês fogem da norma para o controle da temperatura corporal — assim como acontece com os adultos. Se seu filho parece mais frio do que você, ou mais quente, o tempo todo, então aceite esta realidade. Você pode se ver falando com os sogros que seu marido era do mesmo jeito que o bebê. Isto quer dizer que, para o bebê mais frio, mais cobertas e roupas mais quentes do que você em geral usaria. Para os bebês mais quentes (você provavelmente descobrirá isto por causa da brotoeja de calor até no inverno), menos cobertas e roupas mais leves.

## Saindo com o bebê

*"Já faz dez dias que eu trouxe meu bebê do hospital, e estou começando a enlouquecer de ficar presa em casa. Quando vou poder sair com ele?"*

A não ser que seu hospital e sua casa sejam ligados por um túnel subterrâneo, você já saiu com sua filha. E exceto em uma nevasca, uma tempestade ou temperaturas significativamente abaixo do congelamento, você pode continuar a sair todo dia. As velhas histórias de esposas (que continuam a ser perpetuadas por mães não tão velhas e sogras) de que manter os recém-nascidos e as novas mamães cativas em sua própria casa por duas semanas pós-parto, ou até mais, não são válidas. Um bebê saudável, nascido a termo, é resistente o bastante ao clima para um passeio de carrinho pelo parque, uma ida rápida ao supermercado, até uma excursão mais longa para visitar a avó (embora, na temporada da gripe, você possa querer limitar a exposição do bebê a multidões em espaços fechados, e os germes que elas carregam, nas primeiras seis ou oito semanas). Pressupondo-se que você esteja pronta para o exercício (provavelmente você precisa passar muito tempo de pés para cima pelo menos na primeira semana pós-parto), sinta-se à vontade para planejar essa primeira escapulida dos confins de sua casa.

Quando levar sua filha para sair, vista-a adequadamente, proteja-a dos extremos de temperatura e sempre leve uma coberta a mais se houver a possibilidade de mudança de tempo para o frio. Se estiver ventando ou chovendo, use um guarda-chuva no carrinho; se estiver muito frio ou extremamente quente e úmido, limite a quantidade de tempo que seu bebê passa ao ar livre — se você estiver congelando ou sufocando de calor, ela também estará. Evite mais do que uma breve exposição à luz solar direta, mesmo no clima ameno. E, mais importante, se você sair de carro, certifique-se de que sua filha está adequadamente presa no cinto de segurança do assento infantil.

## Exposição a estranhos

*"Todo mundo quer tocar nosso filho. O porteiro, o caixa do supermercado, as senhoras nas lojas, as visitas que vêm em nossa casa. Eu sempre me preocupo com os germes."*

Não há nada que clame mais por um apertão do que um bebê novo. As bochechas, o queixo, os dedos das mãos e dos pés do bebê — tudo é irresistível. E no entanto resistir é o que a maioria dos pais gostaria que os estranhos fizessem quando se trata de seus recém-nascidos.

Seu medo de que o bebê possa pegar germes desta maneira é legítimo. Um bebê muito novo é mais suscetível a infecções porque seu sistema imunológico ainda é relativamente imaturo e ele não tem oportunidade de formar imunidade. Assim, pelo menos por enquanto, peça educadamente aos estranhos que olhem, mas não toquem — em particular nas mãos do bebê, que em geral terminam na boca dele. Você sempre pode colocar a culpa no médico: "O pediatra disse para não deixar ninguém de fora da família tocar nele." Aos amigos e familiares, peça que lavem as mãos antes de pegar seu filho, pelo menos nos primeiros meses. E o contato pele com pele deve obviamente ser evitado com qualquer pessoa que tenha assaduras ou feridas abertas.

Não importa o que você faça ou diga, espere que de vez em quando seu filho venha a ter algum contato físico com estranhos. Assim, se um caixa de banco simpático testa a pegada de seu filho no dedo antes que você consiga parar a transação, saque um lenço umedecido e discretamente limpe as mãos do bebê. E certifique-se de lavar suas próprias mãos depois de sair e antes de lidar com o bebê. Os germes de estranhos (e de maçanetas ou carrinhos de supermercado) podem facilmente ser disseminados de suas mãos para o bebê.

À medida que seu filho ficar mais velho, porém, ele não vai precisar — e não deverá — ser criado em um ambiente francamente estéril. Ele precisa ser exposto a uma ampla variedade de "bichos" para que comece a formar imunidade àqueles que são comuns em sua comunidade. Assim, relaxe um pouco e deixe que os germes caiam onde eles puderem depois das primeiras seis a oito semanas.

## Acne infantil

*"Eu pensava que os bebês deviam ter uma pele bonita. Mas meu bebê de duas semanas parece ter sido acometido por um caso terrível de acne."*

Não é justo, e em geral é inoportuno (chegando bem a tempo para uma visita dos avós ou do primeiro retrato formal), mas muitos bebês passam por erupções de pele "adolescente" antes de um mês de idade, o que dirá no precipício da puberdade. A acne infantil, que afeta cerca de 40% de todos os recém-nascidos, em geral começa na segunda ou terceira semana e com frequência pode durar até que o bebê tenha 4 a 6 meses de idade. Ninguém sabe com certeza o que causa a acne nos bebês, mas acredita-se que estes problemas cutâneos tenham a mesma origem de muitos dos problemas cutâneos de adolescentes: os hormônios.

No caso de recém-nascidos, contudo, não são os hormônios deles que estão causando os problemas, mas os da mãe que ainda estão circulando no sistema. Estes hormônios maternos estimulam a preguiça das glândulas sudoríparas do bebê, levando as espinhas a eclodirem. Outro motivo para a acne infantil é que os poros dos recém-nascidos não estão completamente desenvolvidos, tornando-os alvos fáceis para a infiltração de sujeira e o resultante desenvolvimento de marcas.

Não esprema, não esfregue com sabonete nem passe loções, nem trate a acne de seu recém-nascido de qualquer outra maneira. Só lave com água duas a três vezes diariamente, seque com palmadinhas e ela passará em alguns meses, sem deixar marcas.

## MUDANÇAS NA COR DA PELE

*"Minha filha de repente ficou com duas cores — azul-avermelhada da cintura para baixo e clara da cintura para cima. O que há de errado com ela?"*

Ver seu bebê mudar de cor diante de seus olhos pode ser assustador. E no entanto quase nada existe a temer quando um recém-nascido de repente assume uma divisão de cores, seja lateralmente ou de cima a baixo. Como resultado de seu sistema circulatório imaturo, o sangue simplesmente se acumulou na metade do corpo de sua filha. Vire-a delicadamente de cabeça para baixo (ou, se a diferença de cor é lateral, vire-a de lado) por um momento, e a cor normal será restaurada.

Você também pode perceber que as mãos e os pés de sua filha parecem azulados, embora o resto do corpo seja rosado. Isto também se deve à circulação imatura e em geral desaparece no final da primeira semana.

*"Às vezes, quando estou trocando as fraldas de meu bebê, percebo que a pele dele parece toda matizada. Por quê?"*

As manchas arroxeadas (às vezes mais vermelhas, às vezes mais azuis) da pele de um bebê minúsculo quando ele está com frio ou chorando não são incomuns. Estas mudanças passageiras são outro sinal de sistema circulatório imaturo, visíveis através da pele ainda muito fina do bebê. Ele deve superar este fenômeno da cor em alguns meses. Enquanto isso, quando acontecer, verifique a nuca de seu filho ou o meio de seu corpo para ver se ele está frio demais. Se estiver, aumente suas roupas ou cobertas. Se não estiver, relaxe e espere que as manchas desapareçam, o que provavelmente acontecerá em alguns minutos.

# AUDIÇÃO

*"Minha filha parece não reagir muito aos ruídos. Na verdade, ela dorme mesmo com latidos de cães e os ataques de raiva de minha filha mais velha. Será que ela tem problemas de audição?"*

Provavelmente, não é verdade que sua filha não tenha ouvido o cão latindo nem a irmã gritando, mas que ela está acostumada com estes sons. Embora ela tenha visto o mundo pela primeira vez quando saiu de seu útero, não é a primeira vez que ela o ouve. Muitos sons — da música que você tocava no aparelho de som às buzinas e sirenes agudas na rua — penetraram pelas paredes de seu pacífico lar uterino, e ela se acostumou com eles.

A maioria dos bebês reagirá a ruídos altos — na primeira fase da infância se sobressaltando, aos 3 meses piscando, aos 4 meses virando-se para a origem do som. Mas é possível que aqueles sons que já se tornaram parte do ruído de fundo da existência do bebê não despertem nenhuma reação — ou uma reação tão sutil que o olho não treinado não percebe, como uma mudança de posição ou de atividade.

A maioria dos recém-nascidos é examinada em busca de problemas de audição (ver página 168). Assim, é provável que a sua filha tenha sido examinada e que tudo esteja bem. Você pode confirmar isto perguntando ao médico de seu bebê se o exame foi realizado e quais foram os resultados.

Se você ainda está preocupada com a audição de sua filha, experimente este pequeno teste: bata palmas atrás da cabeça dela e veja se ela se sobressalta. Se ela o fizer, você saberá que ela pode ouvir. Se não, tente novamente depois; as crianças (até os recém-nascidos) têm uma forma maravilhosa de ignorar ou bloquear o ambiente a seu bel-prazer, e ela pode ter feito exatamente isto. Um teste repetido pode lhe dar a resposta que você quer. Se não der, procure observar de que outras maneiras sua filha pode reagir ao som: ela se acalma ou não reage aos sons calmantes de sua voz, até quando não está olhando diretamente para você? Ela reage ao cantar ou à música de alguma maneira? Ela se sobressalta quando é exposta a um ruído *desconhecido*? Se você tem a impressão de que sua filha nunca reage ao som, discuta isto com o médico dela assim que for viável. Quanto mais cedo for diagnosticado e tratado o déficit de audição de uma criança, melhor o resultado a longo prazo.

Os testes são particularmente importantes em bebês de alto risco, inclusive aqueles que pesam menos de 2,5 quilos ou tiveram complicações durante o parto, os que foram expostos no útero a drogas ou infecções (como rubéola) que podem causar problemas de audição, aqueles com um histórico familiar de surdez e os que têm outras anormalidades graves.

# MÚSICA ALTA

*"Meu marido gosta de ouvir rock alto no aparelho de som. Tenho medo de que isso possa prejudicar os ouvidos de nossa filha."*

Todos os ouvidos, jovens e velhos, têm muito a perder quando são expostos por longos períodos de tempo a música alta (seja rock, clássica, ou de qualquer outro tipo), isto é, uma certa quantidade de sua capacidade de audição. Embora alguns ouvidos sejam mais naturalmente sensíveis e tendam a sofrer mais prejuízo que outros, em geral a audição dos bebês e crianças pequenas é mais suscetível aos efeitos danosos do som abertamente alto. Os danos aos ouvidos podem ser temporários ou permanentes, dependendo do nível de ruído e da duração e frequência da exposição.

Que volume é perigosamente alto? Embora o choro de um bebê possa indicar que a música (ou outro barulho) está alto demais para ela, não espere que ela proteste antes de abaixar o volume; os ouvidos de um bebê não têm de ser "incomodados" para que sejam prejudicados. De acordo com os padrões de trabalho estabelecidos pela Occupational Safety and Health Administration (OSHA), o nível máximo de ruído seguro para adultos é de 90 decibéis — um nível que pode facilmente ser excedido por um aparelho de som. Se você não tem equipamento para medir os decibéis de seu aparelho de som quando seu marido ouve música, você pode estabelecer um volume seguro mantendo um nível que possa facilmente ser superado pela voz — se você precisa gritar, então está alto.

# VISÃO

*"Coloquei um móbile sobre o berço de meu filho, esperando que as cores fossem estimulantes. Mas ele parece não perceber. Pode haver alguma coisa errada com a visão dele?"*

É mais provável que haja alguma coisa errada com o móbile — pelo menos com o lugar onde está pendurado. Um recém-nascido focaliza melhor objetos que estão entre 20 e 35 centímetros dos olhos dele, uma distância que parece ter sido selecionada pela natureza não aleatoriamente, mas de propósito — é a distância a que um bebê que mama vê o rosto da mãe. Os objetos mais próximos ou mais distantes do bebê deitado no berço nada mais serão além de um borrão para ele, embora ele vá fixar em alguma coisa distante que seja brilhante ou esteja em movimento se não houver nada que valha a pena olhar em seu campo de visão.

Além disso, ele passará a maior parte do tempo olhando para a direita ou para a esquerda, raramente focalizando diretamente à frente nos primeiros meses. Um móbile diretamente acima do berço não deve atrair sua simpatia, enquanto um móbile pendurado de um lado ou outro pode conseguir este efeito. Alguns bebês, contudo, só mostram interesse em móbiles quando têm 3 ou 4 semanas, e muitos até bem mais tarde. (Por motivos de segurança, lembre-se de retirar os móbiles e animações do berço quando o bebê conseguir se erguer sobre as mãos e os joelhos, em geral aos 4 a 6 meses.)

Assim, seu recém-nascido pode ver, mas não da maneira como verá aos 3 ou 4 meses. Se quiser avaliar a visão de seu filho, segure uma caneta penlight de

# MANTENDO O BEBÊ SEGURO

Apesar de sua aparência frágil, os bebês são muito resistentes. Eles não "quebram" quando você os pega no colo, a cabeça não se rompe quando você se esquece de apoiá-la e eles aguentam a maioria das quedas sem grandes problemas. Mas eles podem ser vulneráveis. Até os muito novinhos, que parecem tão pequeninos para ter problemas, o são — às vezes no exato momento em que se viram ou estendem o braço para alguma coisa. Para proteger seu filho de acidentes que não devem acontecer, certifique-se de seguir todas estas dicas de segurança o tempo todo:

♦ No carro, sempre prenda seu bebê no assento de segurança infantil — não importa a distância que vá percorrer ou a velocidade em que estará dirigindo. Use você mesma um cinto de segurança e certifique-se de que quem estiver dirigindo também o faça; ninguém está seguro se o motorista não estiver. E nunca beba e dirija (ou dirija quando você estiver muito cansada ou tomando remédios que a deixem sonolenta), nem deixe o bebê ir no carro de quem age desta maneira. (Ver página 218 para mais informações sobre segurança para bebês no carro.)

♦ Se você dá banho no bebê numa banheira grande, coloque uma toalhinha ou pano na base para evitar que ele escorregue. Sempre mantenha uma das mãos no bebê durante o banho.

♦ Nunca deixe seu filho sem assistência em uma mesa de trocas, na cama, em uma cadeira ou no sofá — nem por um segundo. Até um recém-nascido que não consegue rolar pode estender de repente o corpo e cair. Se você não tem tiras de segurança em sua mesa de trocas, procure sempre manter uma das mãos em seu filho.

♦ Nunca coloque o bebê em um assento infantil (ou de carro) nem no bebê-conforto sobre um mesa, bancada ou em qualquer superfície elevada; nunca deixe o bebê sem assistência em um assento sobre qualquer superfície, até no meio de uma cama macia (onde o sufocamento é um risco se o bebê tombar).

♦ Nunca deixe um bebê sozinho com um animal de estimação, mesmo que o bichinho que seja muito bem comportado.

♦ Nunca deixe o bebê sozinho em um cômodo com um irmão que tenha menos de cinco anos de idade. Um jogo de esconde-esconde feito com afeto por um pré-escolar pode resultar em sufocamento trágico para um bebê. Um abraço de urso amoroso mas francamente entusiasmado pode quebrar uma costela.

♦ Não deixe o bebê sozinho com uma babá que tenha menos de 14 anos, ou que você não conheça bem, ou cujas referências não tenham sido verificadas. Todas as babás devem ser treinadas em cuidados infantis e ressuscitação cardiopulmonar.

♦ Nunca balance nem sacuda seu bebê vigorosamente (nem de brincadeira), nem o atire no ar.

♦ Nunca deixe o bebê sozinho em casa, mesmo enquanto você pega a correspondência, manobra o carro ou verifica a roupa lavada na lavanderia do prédio; podem ser necessários apenas alguns segundos para que um acidente aconteça.

♦ Nunca deixe um bebê ou criança sozinho em um automóvel. No clima quente (ou ameno), mesmo manter as janelas abaixadas não evita que o bebê sucumba a um choque térmico. Qualquer que seja o clima, um ladrão sorrateiro pode fugir rapidamente com a preciosa carga do carro.

♦ Nunca tire os olhos de seu filho quando estiver fazendo compras, dando uma caminhada ou sentada no parque. Um carrinho é um alvo fácil para seqüestros.

♦ Evite usar qualquer tipo de corrente ou corda no bebê, ou em quaisquer brinquedos ou pertences do bebê — isto é, nada de colares, cordões em chupetas ou chocalhos, medalhas religiosas em correntinhas, elásticos que tenham mais de 15 centímetros no berço. Certifique-se de que a ponta dos cordões em capuzes, vestidos e calças sejam amarradas para que não possam escorregar, e nunca deixe cordas, fitas, cordões ou correntes de qualquer tipo onde o bebê possa alcançar. Certifique-se também de que o berço do bebê, o chiqueirinho e a mesa de trocas não estejam perto de fios elétricos (que representam um perigo duplo), cabos telefônicos ou cordas de venezianas ou cortinas. Todos estes itens podem causar estrangulamento acidental.

♦ Não coloque películas plásticas, como as usadas por secadoras de roupas, ou sacos plásticos no colchão nem em qualquer lugar que o bebê possa alcançar.

♦ Não deixe um bebê sem assistência (acordado ou dormindo) ao alcance de travesseiros, brinquedos estofados ou qualquer item de pelúcia, nem deixe o bebê dormir em pele de carneiro, colchão com revestimento de pelúcia, colchão de água ou uma cama encostada na parede. Sempre retire babadores e qualquer laço ou pregador de cabelo antes de colocar o bebê para dormir.

♦ Retire os móbiles depois que o bebê puder se levantar sobre as mãos e os joelhos (por volta dos 4 a 6 meses de idade). Considere retirar os protetores do berço quando o bebê puder puxar (para que ele não possa usá-los como escada).

♦ Não coloque um bebê em nenhuma superfície perto de uma janela desprotegida, nem por um segundo, nem durante o sono.

♦ Use detectores de fumaça e detectores de monóxido de carbono em sua casa e instale-os de acordo com as recomendações dos bombeiros. Faça sua manutenção.

um lado da linha de visão, a cerca de 30 a 35 centímetros do rosto dele. Durante o primeiro mês, um bebê geralmente focalizará a luz por um curto período, longo o bastante para você saber que ele está vendo. No final do primeiro mês, alguns bebês seguirão a luz quando você a mover lentamente para o centro de seu campo de visão. Em geral, é apenas aos 3 meses que um bebê começa a acompanhar um objeto em um arco de 180 graus, de um lado a outro.

Os olhos de seu filho continuarão a amadurecer durante o primeiro ano. Provavelmente ele será hipermétrope por vários meses e não conseguirá perceber bem a profundidade (e pode ser por isso que ele é um candidato perfeito à queda de trocadores e de camas) até os 9 meses. Mas embora sua visão não seja perfeita agora, ele gosta de olhar para as coisas — e este passatempo é uma das oportunidades mais importantes para o aprendizado. Assim, proporcione-lhe muito estímulo visual. Mas não sobrecarregue os circuitos dele — um ou dois estímulos de cada vez são quase tudo com que ele pode lidar. E como sua atenção é curta, mude a paisagem frequentemente.

A maioria dos bebês novos gostam de estudar rostos — até os desenhados de forma tosca, e até os deles próprios em um espelho no berço (embora, é claro, eles não os reconheçam como seus por muitos meses). Eles preferem olhar as coisas que têm um alto contraste, como preto e branco ou vermelho e amarelo; objetos complexos e simples. Eles adoram olhar a luz: um lustre, um abajur,

uma janela (em especial aquelas em que a luz seja filtrada por cortinas de tiras verticais ou horizontais), todos atrairão sua análise extasiada; e em geral eles serão mais felizes em ambientes bem iluminados do que em lugares escuros.

O exame de vista será parte dos *check-ups* regulares de seu filho. Mas se você acha que seu bebê não parece focalizar objetos ou rostos nem se vira para a luz, mencione isto a seu médico na próxima consulta.

## *FLASHES* DE FOTOGRAFIA

*"Percebi que nosso bebê pisca quando o flash de nossa câmera dispara. Poderia o flash doer em seus olhos?"*

Só as celebridades mais procuradas são tão caçadas pelo espocar de *flashes* de câmeras quanto um recém-nascido cujos pais *paparazzi* estão decididos a capturar em retratos cada detalhe dos primeiros dias de vida do filho. Mas, ao contrário das celebridades, os bebês não podem se esconder por trás de óculos escuros quando começam os *flashes*. Para proteger os olhos de seu filho da possibilidade de danos por um *flash* que estiver perto demais dele e da exposição intensa e próxima demais das luzes de uma câmera, é uma boa ideia tomar algumas precauções durante as sessões de fotografia. Experimente manter a câmera a pelo menos 1 metro do bebê e, se o equipamento fotográfico permitir, faça com que a luz reflita numa parede ou no teto em vez de na face do bebê.

Se você não tomou estas precauções durante as fotos anteriores, não se preocupe. O risco de danos é extremamente pequeno.

## ESTRABISMO

*"O inchaço está sumindo dos olhos de minha filha. Agora ela parece vesga."*

Os bebês são muito amáveis: eles sempre dão aos pais um novo motivo de preocupação. E a maioria dos pais se preocupa muito quando percebe que os olhos do filho parecem vesgos. Na verdade, na maior parte dos casos, são simplesmente dobras a mais de pele nos cantos internos dos olhos que fazem com que os bebês pareçam estrábicos. Quando as dobras se retraem, à medida que o bebê cresce, os olhos começam a parecer mais uniformemente combinados. Para se tranquilizar, mencione sua preocupação na próxima consulta com o médico.

Nos primeiros meses, você também pode perceber que os olhos de sua filha podem não se mover na mesma direção o tempo todo. Estes movimentos aleatórios dos olhos indicam que ela ainda está aprendendo a usar os músculos oculares; aos três meses, a coordenação deve estar muito melhor. Se não estiver, ou se os olhos de sua filha sempre parecem estar fora de sincronia, converse com o médico sobre o problema. Se houver a possibilidade de um estrabismo verdadeiro (em que o bebê usa apenas um olho para focalizar no que está olhando e o outro parece se voltar para outro lugar), recomenda-se uma consulta

com um oftalmologista pediatra. O tratamento precoce é importante, porque grande parte do que uma criança aprende é pelos olhos, e também porque ignorar o estrabismo pode levar a ambliopia (em que o olho que não está sendo usado se torna preguiçoso e consequentemente mais fraco, por falta de uso).

## OLHOS LACRIMOSOS

*"No começo, não havia lágrimas quando minha filha chorava. Agora os olhos dela parecem cheios de lágrimas mesmo quando ela não está chorando. E às vezes elas transbordam."*

As lágrimas minúsculas só começam a fluir dos minúsculos olhos do recém-nascido mais para perto do final do primeiro mês. É quando o fluido que banha o olho (chamado lágrima) é produzido em quantidade suficiente pelas glândulas sob os globos oculares. O fluido normalmente é drenado pelos pequenos dutos localizados no canto interno de cada olho, e no nariz (e é por isso que grande parte do choro faz o nariz dela escorrer). Os dutos são particularmente pequenos em bebês, e em cerca de 1% deles — inclusive a sua filha — um ou ambos os dutos estão bloqueados ao nascimento.

Como um duto bloqueado não drena adequadamente, as lágrimas enchem os olhos e com frequência transbordam, produzindo a aparência perpetuamente "lacrimosa" em bebês felizes. Mas os dutos obstruídos não são motivo de preocupação; a maioria se limpará sozinha no final do primeiro ano, sem tratamento, embora o médico de sua filha possa mostrar como massagear delicadamente os dutos para apressar a limpeza. (Sempre lave bem as mãos antes de fazer a massagem; se os olhos do bebê se tornarem inchados ou vermelhos, pare de massagear e informe ao médico.)

Às vezes, há um pequeno acúmulo de muco branco-amarelado no canto interno dos olhos com um bloqueio de duto, e as pálpebras podem ficar coladas quando o bebê acorda de manhã. O muco e a crosta podem ser lavados com água e bolas de algodão estéril. Uma descarga amarela mais escura e pesada e/ou uma vermelhidão no branco dos olhos, contudo, podem indicar infecção ou outro problema que exija atenção médica. O médico pode receitar pomada ou pastilhas antibióticas e, se o duto se tornar cronicamente infectado, pode recomendar sua filha a um oftalmologista. Fale imediatamente com o médico se um olho lacrimoso parece sensível à luz ou se um olho lacrimoso parece diferente em forma ou tamanho do outro.

## Espirros

*"Meu filho espirra o tempo todo. Ele não parece doente, mas tenho medo de que ele tenha contraído uma gripe."*

Suspenda a canja de galinha. O que seu filho pegou provavelmente não foi gripe, mas um pouco de líquido amniótico e muco em excesso nas vias respiratórias — uma ocorrência muito comum

em bebês novos. E, para limpar, a natureza deu a ele um reflexo de proteção: o espirro. O espirrar frequente (e tossir, outro reflexo de proteção) também ajuda o recém-nascido a expulsar partículas estranhas do ambiente que entram pelo nariz — como cheirar pimenta produz espirros em muitos adultos. Seu filho pode espirrar também quando exposto à luz, especialmente a do sol.

## Os primeiros sorrisos

*"Todo mundo diz que os sorrisos de meu bebê são 'só gases', mas ele parece tão feliz quando faz isso. Será que eles estão certos?"*

Eles leram isso em livros e revistas. Ouviram falar pela sogra, por amigos que têm filhos, pediatras, por perfeitos estranhos no parque. E, no entanto, nenhum pai ou mãe de primeira viagem quer acreditar que os primeiros sorrisos do bebê são obra da passagem de bolhas de gás, em vez de uma onda de amor que significa muito para a mamãe e o papai.

Mas as evidências científicas parecem confirmar isto: a maioria dos bebês não sorri no sentido social verdadeiro antes de 4 a 6 semanas de idade. Isto não quer dizer que um sorriso sempre seja "só gases". Pode também ser um sinal de conforto e satisfação — muitos bebês sorriem quando estão dormindo, quando urinam ou quando sua bochechas são afagadas.

Quando o bebê demonstrar seu primeiro sorriso real, você saberá, e vai se derreter com ele. Nesse meio tempo, desfrute desses vislumbres de sorrisos futuros — inegavelmente adoráveis, independente de sua causa.

# SOLUÇOS

*"Meu bebê tem soluços o tempo todo — e por nenhum motivo aparente. Eles incomodam tanto a ele quanto incomodam a mim?"*

Alguns bebês não só nascem soluçando, eles soluçam até antes de nascer. E é provável, se seu filho soluçou muito dentro de você, que ele vá soluçar muito nos primeiros meses do lado de fora também. Mas os soluços de um recém-nascido, ao contrário da variedade adulta, não têm uma causa conhecida, embora haja muitas teorias. Uma delas é de que eles são outro dos reflexos do bebê, embora frequentemente sejam incitados pelo riso mais tarde. Outra teoria é de que os bebês têm soluços quando tomam fórmula ou leite materno, enchendo a barriga de ar. Ao contrário dos soluços de adultos, eles não incomodam, pelo menos não ao bebê. Se estão incomodando a você, experimente deixar o bebê mamar ou (se ele tomar mamadeira) sugar uma madeira, o que pode mitigar a crise.

# O USO DE DETERGENTE NAS ROUPAS DO BEBÊ

*"Estou usando sabão em pó para bebês para lavar as roupas de minha filha. Mas nada parece ficar limpo, e eu também estou ficando cansada de lavar as roupas dela separadamente. Quando poderei começar a usar nosso detergente de sempre?"*

Embora os fabricantes de sabões especiais para lavagem de roupa de bebês não queiram que isto se espalhe, muitos bebês provavelmente não precisam que suas roupas sejam lavadas separadamente das roupas da família. Mesmo os detergentes de alta potência que realmente limpam as roupas, eliminando a maior parte das manchas e odores (o que os bebês são muito bons em gerar), não são irritantes para a maioria dos bebês quando são bem enxaguados. (O enxágue é mais completo, e o poder de tirar manchas é mais eficaz, com detergentes líquidos.)

Para testar a sensibilidade de sua filha a seu detergente favorito para roupas, acrescente uma roupa que ficará em contato com a pele do bebê (como uma camiseta) à próxima lavagem de roupas da família, tendo o cuidado de não usar detergente demais nem enxaguar de menos. Se a pele do bebê não mostrar brotoeja nem irritação, vá em frente e lave as roupas dela junto com as da família. Se aparecer brotoeja, experimente outro detergente, de preferência sem corantes e fragrâncias, antes de concluir que terá de se prender ao sabão em pó para bebês.

Um passo extra na lavagem das roupas que você pode considerar é tirar as manchas previamente para evitar aquelas reveladoras manchas de regurgitação amareladas. Melhor ainda, limpe as manchas de regurgitação enquanto ainda estão frescas.

# O Que É Importante Saber:
## OS BEBÊS SE DESENVOLVEM DE FORMAS DIFERENTES

Desde o dia em que o bebê nasce, começa a corrida — e é seguro apostar que a maioria dos pais, plantando os filhos na linha de largada, ficará decepcionada se sua entrada não for brilhante. Se o gráfico de desenvolvimento infantil mostra que alguns bebês começam a virar em dez semanas, por que seu bebê não chegou a esta marca nas 12 semanas? Se o bebê no carrinho ao lado no parque pegou um objeto aos 3 meses e meio, por que seu filho não fez o mesmo na mesma época? Se a vovó insiste que todos os filhos dela sentaram-se aos 5 meses, por que os seus ainda caem aos 6?

Mas, nesta corrida, a criança que chega em primeiro lugar no domínio das primeiras habilidades de desenvolvimento não terminam necessariamente com o prêmio, enquanto aquela que vai devagar no curso do desenvolvimento não termina necessariamente para trás. Embora o bebê muito alerta possa se transformar em uma criança brilhante e um adulto bem-sucedido, as tentativas de medir a inteligência dos bebês e correlacioná-la com a inteligência nos anos futuros não foram muito frutíferas. O bebê que aparentemente é meio lento pode também se transformar numa criança brilhante e bem-sucedida. Os estudos mostraram que uma em sete crianças ganha 40 pontos de QI do meio do terceiro ano aos 17 anos de idade. Isto significa que um bebê "médio" em idade de engatinhar pode se tornar um adolescente "dotado".

É claro que parte da dificuldade é que não sabemos como a inteligência se manifesta na infância, ou mesmo se ela se manifesta. E mesmo que soubéssemos disso, seria difícil testá-la, porque os bebês não falam. Não podemos fazer perguntas e esperar respostas, não podemos passar uma tarefa de leitura e depois testar sua compreensão, não podemos apresentar um problema e avaliar sua capacidade de raciocínio. Quase tudo o que podemos fazer é avaliar suas habilidades motoras e sociais — e estas não se equiparam com o que pensamos da inteligência. Mesmo quando avaliamos as habilidades precoces de desenvolvimento, nossos resultados com frequência são questionáveis; nunca sabemos se um bebê não está se saindo bem por causa de incapacidade, falta de oportunidade, fome, cansaço ou um lapso de interesse momentâneo.

Qualquer pessoa que tenha passado algum tempo perto demais de um bebê sabe que as crianças se desenvolvem em ritmos diferentes. Muitas destas diferenças se devem mais à natureza do que à criação. Cada indivíduo parece nascer programado para sorrir, erguer a cabeça, sentar-se e dar os primeiros passos em uma determinada idade. Os estudos mostram que há pouco que possamos fazer para acelerar a escala de desenvolvimento, embora possamos reduzir sua velocidade quando não proporcionamos um ambiente adequado para o desenvolvimento, por falta de estímulo ou oportunidade, por uma dieta pobre, por assistência ruim à saúde (alguns problemas médicos ou emocionais podem retardar o desenvolvimento), e simplesmente por não darmos amor e atenção suficientes.

Em geral, o desenvolvimento de um bebê é dividido em quatro áreas:

**Social.** A rapidez com que seu filho aprende a sorrir, balbuciar e responder a rostos e vozes humanas lhe diz algo sobre ele como ser social. Embora alguns bebês sejam naturalmente mais sérios que outros, e alguns são mais sociais, um grande atraso nesta área poderia indicar um problema de visão ou de audição, ou de desenvolvimento emocional ou intelectual.

**Linguagem.** A criança que tem um grande vocabulário numa idade precoce, ou que fala frases inteiras antes da época normal, provavelmente terá facilidade com as palavras. Mas a criança que faz pedidos com grunhidos e gestos no segundo ano pode se superar e se sair igualmente bem, ou até melhor, no futuro. Uma vez que o desenvolvimento da linguagem receptiva (com que facilidade um bebê entende o que é dito) é uma medida melhor do progresso do que o

desenvolvimento da linguagem expressiva (com que facilidade um bebê fala), a criança que "entende tudo" mas fala pouco provavelmente não experimentará um atraso no desenvolvimento. Novamente, o desenvolvimento muito lento nesta área pode indicar um problema de visão ou audição que deve ser avaliado.

**Desenvolvimento motor maior.** Alguns bebês são fisicamente ativos desde os primeiros chutes no útero; depois que nascem, eles mantêm a cabeça erguida cedo, sentam-se, empurram e andam cedo, e podem se tornar mais atléticos do que a maioria. Mas há os que começam lentamente e terminam se superando no campo de futebol ou na quadra de tênis. Os que começam muito lentamente, contudo, devem ser avaliados para que se tenha certeza de que não há nenhum impedimento físico ou de saúde ao desenvolvimento normal.

**Desenvolvimento motor menor.** A coordenação mão-olhos precoce, e estender o braço, agarrar e manipular objetos antes da média de idade pode prever uma pessoa que será boa com as mãos. Mas o bebê que leva mais tempo para se tornar habilidoso nesta área não necessariamente será "desajeitado" no futuro.

A maioria dos indicadores de desenvolvimento intelectual — criatividade, senso de humor e habilidades na solução de problemas, por exemplo — em geral não se torna aparente antes do final do primeiro ano. Mas, por fim, com

## OS BEBÊS MAIS LENTOS DE HOJE

Uma coisa que você deve ter em mente quando sua compulsão a comparar parece maior que você (e que sua vontade): os bebês de hoje se desenvolvem mais tarde em algumas importantes categorias motoras do que acontecia no passado. Não porque sejam naturalmente menos precoces, mas porque eles passam menos tempo de bruços. Colocar um bebê para dormir de costas reduz drasticamente o risco de SIDS, mas também retarda temporariamente o sistema motor. Com pouca oportunidade de desenvolver aquelas habilidades que os bebês costumavam praticar de bruços (como rolar e engatinhar), a maioria dos bebês só desenvolve essas habilidades mais tarde.

Muitos chegam a pular inteiramente o estágio de engatinhar. Embora esta lentidão não seja considerada significativa do ponto de vista do desenvolvimento (e pular a fase de engatinhar não é um problema a não ser que um bebê pule outros marcos de desenvolvimento também, como rolar, sentar-se e assim por diante), os pais podem ajudar os filhos certificando-se de que eles passem muito tempo supervisionado brincando sobre a barriga desde cedo. (Os pais que esperam demais para virar seus bebês na hora de brincar descobrirão que seus filhos ficam agitados numa posição em que não estão acostumados.) Então, lembre-se: de costas para dormir, de bruços para brincar.

---

muitas oportunidades, estímulo e reforço, as várias habilidades inatas de um bebê se combinarão para criar o adulto que é um pintor talentoso, um mecânico engenhoso, um administrador eficaz, um corretor de ações sensato, um professor sensível, um astro do esporte.

A taxa de desenvolvimento nas várias áreas em geral é irregular. Uma criança pode sorrir na sexta semana, mas só estender o braço para pegar um brinquedo aos 6 meses, enquanto outra pode andar aos 8 meses mas só falar com 1 ano e meio. O desenvolvimento regular de uma criança ou outra em todas as áreas pode dar uma pista mais clara do potencial futuro. Uma criança que faz tudo precocemente, por exemplo, tem uma probabilidade maior de ser mais

brilhante que a média; a criança que parece extremamente lenta em todas as áreas pode ter sérios problemas de desenvolvimento ou de saúde, e neste caso a avaliação e intervenção profissionais (que podem fazer uma diferença enorme) são necessárias.

Embora as crianças se desenvolvam em ritmos diferentes, o desenvolvimento de cada criança — pressupondo-se que não existam barreiras ambientais nem físicas — segue o mesmo padrão básico de três áreas. Primeiro, a criança se desenvolve de cima para baixo, da cabeça para os pés. Os bebês erguem a cabeça antes que consigam manter as costas retas para se sentar, e ficam de costas retas e se sentam antes que consigam se colocar de pé. Segundo, elas se desenvolvem do tronco para os membros. As crianças usam os braços antes de usar as mãos, e as mãos antes de usar os dedos. Os progressos de desenvolvimento não surpreendem; vão do simples ao complexo.

Outro aspecto do aprendizado infantil é a profunda concentração dirigida para aprender uma determinada habilidade. Uma criança pode não ter interesse em começar a balbuciar enquanto está tentando empurrar. Depois de dominar uma habilidade, outras passam ao palco central, e o bebê pode parecer se esquecer da antiga, pelo menos por algum tempo, de tão envolvido que fica com a nova. Por fim, seu filho será capaz de integrar todas as várias habilidades e usar cada uma delas espontânea e adequadamente. Mas, nesse meio-tempo, não se preocupe se ele der a impressão de que esqueceu o que aprendeu recentemente ou se olhar para você com os olhos vagos quando chamado a realizar a última habilidade que adquiriu.

Independente do ritmo de desenvolvimento de seu filho, o que é realizado no primeiro ano é extraordinário — nunca mais ele aprenderá tanto com tanta rapidez. Desfrute desta época, e deixe que seu filho saiba que você está gostando. Ao aceitar a escala de seu bebê, você estará fazendo com que seu filho

## EM QUE MÊS ESTAMOS, AFINAL?

Experimente pensar em que mês o bebê está — e que mês você está lendo agora? Aqui está como isso funciona: O capítulo do "Primeiro Mês" cobre o progresso de seu filho do nascimento ao final do primeiro mês; o capítulo "Segundo Mês" lhe dá os fatos circunstanciais sobre seu filho de um mês (até que ele complete dois meses), e assim por diante — com as expectativas do primeiro ano terminando enquanto o bebê sopra as velas do primeiro aniversário.

saiba que ele também é aceito. Evite comparar seu filho com outros bebês (seus ou de outra pessoa) ou com normas sobre gráficos de desenvolvimento. Os gráficos de desenvolvimento mensal deste livro não devem inspirar esta competição (nem a preocupação) em pais de bebês que não estão atingindo o nível mais alto. Em vez disso, eles têm o objetivo de dar aos pais uma ideia da ampla gama do normal, para que possam se certificar de que seus bebês não tenham nenhum atraso de desenvolvimento que requeira atenção.

◆ ◆ ◆

# CAPÍTULO 6

# O Segundo Mês

É muito provável que tenham acontecido muitas mudanças em sua casa no último mês (e não estamos falando só das fraldas). Mudanças em seu filho, enquanto ele progride de uma bolinha bonitinha mas sem capacidade de resposta a uma pessoinha cada vez mais ativa e alerta (que dorme um pouco menos e interage um pouco mais). E mudanças em você, à medida que você começa a se sentir menos uma iniciante atrapalhada e mais uma veterana (semi)acostumada. Afinal, você provavelmente já troca as fraldas com um pé nas costas, é proficiente em colocar para arrotar (o bebê) e pode colocar aquela boquinha em seu peito enquanto você dorme (e com frequência faz isso). É claro que isto ainda não quer dizer que você é um sucesso em tudo. Embora a vida com o bebê possa estar estabelecendo uma rotina um pouco mas previsível (e exaustiva), os choros e conteúdo das fraldas ainda podem deixá-la conjeturando (e ligando com frequência para o médico). Mas à medida que o seu bebê e o seu aprumo maternal se desenvolvem, você estará melhor capacitada para enfrentar aqueles desafios diários sem uma gota de suor. Pode também ser útil ter em mente que você está obtendo uma recompensa este mês por todas aquelas noites sem dormir: o primeiro sorriso social de seu filho!

## O Que seu Bebê Pode Estar Fazendo

Todos os bebês chegam a marcos em seu próprio tempo de desenvolvimento. Se seu filho parece não ter atingido um ou mais destes marcos, fique tranquila, ele provavelmente o fará muito em breve. O ritmo de desenvolvimento de seu filho é normal para ele. Tenha em mente também que as habilidades que os bebês desenvolvem na posição de bruços só podem ser dominadas se houver oportunidade de praticar. Assim, certifique-se de que seu filho passe bastante tempo supervisionado brincando de bruços. Se você está preocupada com o desenvolvimento de seu filho, converse com o médico. Os bebês prematuros geralmente atingem os marcos mais tarde do que os outros da mesma idade de nascimento, e com frequência os atingem mais perto de sua idade ajustada (a idade que eles teriam se tivessem nascido a termo), e às vezes mais tarde.

*Aos 2 meses, seu bebê... deve ser capaz de:*

♦ sorrir em resposta a seu sorriso

*No final deste mês, a maioria dos bebês é capaz de erguer a cabeça em um ângulo de 45 graus.*

♦ reagir de alguma forma a uma campainha, como sobressaltando-se, chorando, imobilizando-se

*... provavelmente, será capaz de:*

♦ vocalizar de outras maneiras além de chorar (por exemplo, balbuciando)

♦ de bruços, erguer a cabeça 45 graus

*... pode até ser capaz de:*

♦ manter a cabeça estável quando erguida

♦ de bruços, erguer o peito, apoiado pelos braços

♦ rolar (para um lado)

♦ pegar um chocalho quando de costas ou com a ponta dos dedos

♦ prestar atenção a um objeto pequeno (mas certifique-se de que estes objetos fiquem longe do alcance do bebê)

♦ estender o braço para um objeto

♦ dizer "aa-guuu" ou combinações semelhantes de consoante-vogal

*... é possível que seja capaz de:*

♦ sorrir espontaneamente

♦ juntar as mãos

♦ de bruços, erguer a cabeça 90 graus

♦ rir alto

♦ gritar de prazer

♦ acompanhar um objeto 15 centímetros acima do rosto e movimentado 180 graus (de um lado a outro), com o bebê observando todo o percurso

# O Que Você Pode Esperar do *Check-up* deste Mês

Cada médico terá uma abordagem pessoal aos *check-ups* do bebê saudável. A organização geral do exame físico, bem como o número e o tipo de técnicas de avaliação usadas e procedimentos realizados também vão variar com as necessidades individuais da criança. Mas, em geral, você pode esperar o seguinte de um *check-up* quando seu bebê tiver mais ou menos 2 meses de idade:

♦ Perguntas sobre como você, o bebê e o resto da família estão se saindo em casa, e sobre a alimentação, o sono e o progresso geral do bebê. Sobre creches, se você estiver planejando voltar ao trabalho.

♦ Medição do peso, tamanho e circunferência da cabeça do bebê, e registro do progresso em um gráfico desde o nascimento.

♦ Exame físico, inclusive uma nova verificação de qualquer problema anterior.

♦ Avaliação do desenvolvimento. O examinador pode realmente colocar o bebê em uma série de "testes" para avaliar o controle da cabeça, o uso da mão, a visão, a audição e a interação social ou pode simplesmente confiar na observação somada a seus relatos sobre o que o bebê está fazendo.

♦ Vacinas, se o bebê goza de boa saúde e não houver contraindicações. Ver recomendações, página 338.

♦ Orientação sobre o que esperar no mês seguinte em relação a tópicos como alimentação, sono e desenvolvimento, um conselho sobre segurança infantil.

Perguntas que você pode fazer, se o médico já não as respondeu:

♦ Que reações, se houver alguma, você pode esperar que o bebê tenha com a vacinação? Como você deve tratá-las? Que reações devem ser motivo de preocupação?

Levante também questões que tenham surgido no último mês sobre a saúde do bebê, questões de amamentação ou de adaptação da família. Anote as informações e instruções do médico. Registre toda informação pertinente (peso, tamanho, circunferência da cabeça, marcas de nascença, vacinas, doenças, medicamentos dados, resultados de exames e assim por diante) em um registro permanente de saúde.

## FAZENDO A MAIOR PARTE DOS *CHECK-UPS* MENSAIS

Até os bebês saudáveis passam muito tempo no consultório do médico. Os *check-ups* de bebês saudáveis, que são marcados a cada mês ou de dois em dois meses no primeiro ano, permitem que o médico acompanhe o crescimento e o desenvolvimento do bebê, garantindo que tudo corra bem. Mas eles também são a hora perfeita para você fazer a longa lista de perguntas que acumulou desde a última consulta, e para sair de lá com um mundo de conselhos sobre como manter seu filho saudável.

Para garantir que você aproveitará a maior parte da consulta:

♦ O horário correto. Quando marcar consultas, procure evitar os horários de dormir, de almoçar e qualquer hora que seu bebê em geral fique agitado. E procure por uma sala de espera vazia, evitando os horários de pico no consultório médico, se pos-

sível. As manhãs em geral são mais tranquilas porque as crianças mais velhas estão na escola — assim, via de regra, uma consulta antes do almoço será melhor que o movimento das quatro horas. E se você achar que precisa de mais tempo (você tem mais perguntas e mais preocupações do que o normal), peça para isto ser programado para a consulta. Deste modo, você terá de correr.

♦ Encha o tanque. Um paciente faminto é um paciente instável e não coopera. Assim, apareça para a consulta com um bebê bem alimentado (depois que tiver introduzido os alimentos sólidos, você também poderá levar um lanche para a sala de espera). Tenha em mente, contudo, que encher demais o tanque pouco antes da consulta pode significar um bebê pronto para regurgitar quando começar o exame.

# Amamentando seu Bebê:
## APRESENTANDO... A MAMADEIRA

Certamente, o ideal é dar o peito — a melhor maneira de alimentar um bebê. Mas embora seja fácil e prático (agora que você, assim se espera, pegou o jeito), o sistema tem suas limitações, sendo a mais significativa: você só pode amamentar seu filho se estiver com ele.

Em algumas culturas, as mães e os bebês nunca se separam mais do que a distância de um *sling*, fazendo com que a amamentação 24 horas por dia não só seja viável como também incrivelmente eficiente e tornando completamente desnecessária a introdução da mamadei-

- Vista para despir. Quando escolher as roupas do bebê para a consulta, pense nas que são fáceis de colocar e de tirar. Descarte roupas com muitos botõezinhos ou fechos que levam uma eternidade para abrir e fechar, ou roupas apertadas que são difíceis de colocar e tirar. E não tenha pressa em despi-lo; se seu filho detesta ficar nu, espere até que o exame comece para tirar as roupas dele.

- Escreva. Lembra daquelas duzentas perguntas que você queria fazer ao médico? Você não lembra, porque passou vinte minutos na sala de espera e outros vinte na sala de exames tentando manter o bebê (e a si mesma) calmo. Assim, em vez de confiar em sua memória, leve uma lista que você possa consultar. Leve uma caneta também, para que você possa escrever as respostas às perguntas, além de qualquer outro conselho e instruções que o médico dê. Você também pode usá-la para registrar a altura do bebê, o peso, as vacinas recebidas na consulta e assim por diante.

- Deixe o bebê à vontade. Poucos bebês gostam dos cutucões e espetadas do exame de um médico — mas a maioria gosta ainda menos quando acontecem em uma mesa de exames fria e desconfortável. Pergunte ao médico se ele pode realizar a maior parte dos exames enquanto o bebê está em seu colo.

- Confie em seus instintos. Seu médico vê seu filho somente uma vez por mês — você o vê todo dia. Isto significa que você pode perceber coisas sutis que o médico não percebe. Se você acha que há alguma coisa errada com o bebê — mesmo que não tenha certeza do que é — certifique-se de que o médico saiba. Lembre-se, você não precisa de um diploma em medicina para ser uma parceira valiosa na assistência à saúde de seu filho. Às vezes a ferramenta de diagnóstico mais afiada é a intuição de um dos pais.

ra. Mas, em nossa cultura, até os bebês novinhos com frequência são separados das mães por uma boa distância e por um bom tempo, exigindo uma ou mais mamadas suplementares (isto é, a substituição das sessões no peito por uma mamadeira, seja de leite tirado do peito ou de fórmula).

Embora muitas mães prefiram não introduzir mamadeira nenhuma, e consigam ficar perto do bebê por tempo suficiente para que eles nunca precisem de uma, a maioria introduzirá a mamadeira em algum momento (para que possam tirar uma tarde ou noite ocasional longe do bebê, porque estão voltando ao trabalho, ou porque o bebê não está ganhando peso suficiente só com o leite materno, por exemplo).

Mesmo que você não pretenda dar mamadeira regularmente, pode ser uma boa ideia tirar e congelar leite suficiente para encher seis mamadeiras — só por garantia. Isto lhe dará uma oferta de retaguarda se você adoecer, se esti-

## SEM MAMADEIRA

Não quer começar com a mamadeira? Tudo bem também; não existe regra que diga que um bebê deve ser apresentado à mamadeira. Há vários motivos para que algumas mães prefiram manter os bebês sem mamadeira:

♦ Elas têm um filho que rejeita a mamadeira. As mães que não têm motivos irresistíveis para suplementar podem preferir não pressionar pelo uso da mamadeira.

♦ Com relação à possibilidade de o bebê se tornar dependente de uma mamadeira, o desmame terá de ser feito duas vezes: primeiro do peito, depois da mamadeira. Estas mães em geral iniciam seus bebês em uma tigela assim que eles conseguem se sentar com apoio, e usam a tigela para mamadas suplementares de leite materno, e mais tarde para outras bebidas.

---

ver tomando temporariamente um remédio que possa passar para seu leite, ou se tiver de sair inesperadamente da cidade. Mesmo que seu filho nunca tenha tomado mamadeira, pode ser mais fácil para ele aceitar se estiver cheia do familiar leite materno em vez da desconhecida fórmula. Ver página 250 para os limites de tempo de congelamento do leite materno; à medida que os lotes de emergência expiram, você pode precisar substituí-los por outros novos.

## O QUE COLOCAR NA MAMADEIRA?

**Leite materno.** Encher uma mamadeira de leite materno expresso em geral não é complicado (depois que você dominar a arte de bombear) e permite à mãe alimentar o bebê com uma dieta somente de leite materno — mesmo quando ela e o bebê estão separados.

(Para evitar a confusão de mamilo, espere até que a amamentação no peito esteja bem estabelecida antes de apelar à mamadeira; ver página 153.)

**Fórmula.** Suplementar com fórmula, embora pareça tão fácil quanto abrir uma lata, pode ter desvantagens se começar cedo demais no relacionamento de amamentação. Quando a lactação está indo bem, uma mamadeira de fórmula pode interferir na oferta de leite materno e na verdade criar problemas onde não havia nenhum. Quando a lactação vai mal, uma mamadeira de fórmula pode deixar piorar ainda mais os problemas que já existiam. Depois que a amamentação no peito está bem estabelecida (em geral por volta da sexta à oitava semana), porém, muitas mulheres descobrem que podem ter sucesso combinando o aleitamento com a mamadeira (ver página 152).

Algumas mulheres preferem não suplementar com fórmula por outros mo-

# MITOS DA SUPLEMENTAÇÃO

**MITO: A suplementação com fórmula (ou acrescentando cereais à mamadeira) ajudará o bebê a dormir a noite toda.**
*Realidade:* Os bebês dormem a noite toda quando estão preparados para isso, do ponto de vista do desenvolvimento. Apelar a mamadeiras com fórmulas ou introduzir cereais prematuramente não apressará o nascer deste dia radiante (quando você acordará percebendo que dormiu uma noite inteira). Os pesquisadores descobriram que não existe nenhuma relação entre alimentação noturna e sono.

**MITO: O leite materno, sozinho, não é o bastante para meu filho.**
*Realidade:* amamentar exclusivamente no peito por seis meses proporciona a seu fi-lho todos os nutrientes de que ele precisa. Depois de 6 meses, uma combinação de leite materno e sólidos pode continuar nutrindo bem seu bebê em crescimento, sem o acréscimo da fórmula.

**MITO: Dar fórmula para meu filho não prejudica minha oferta de leite.**
*Realidade:* A qualquer momento que você dê alguma coisa que não seja leite materno ao seu filho (fórmula ou alimento sólido), sua oferta de leite diminuirá. Quanto menos leite materno seu bebê toma, menos leite seus seios produzirão. Mas esperar até que a amamentação esteja bem estabelecida poderá minimizar o efeito de mamadeiras suplementares de fórmula na lactação.

---

tivos, inclusive o desejo de amamentar no peito pelo primeiro ano recomendado ou mais (os estudos mostram uma relação significativa entre a suplementação com fórmula e o desmame precoce) e para evitar ou retardar a alergia à fórmula de leite de vaca, quando existe histórico familiar de alergias.

# MISTURE

Não tem leite o bastante para completar uma mamadeira? Não é necessário atirar todo aquele árduo trabalho pelo ralo. Em vez disso, misture fórmula com o leite tirado do peito para encher a mamadeira. Diminui o desperdício — e seu bebê estará recebendo as enzimas do leite materno que o ajudarão a digerir melhor a fórmula.

# FAZENDO A APRESENTAÇÃO

**Quando começar.** Alguns bebês não têm dificuldade em passar do peito para a mamadeira e de volta ao peito desde o princípio, mas a maioria se sai melhor com ambos quando a mamadeira só é introduzida pelo menos na terceira semana, de preferência na quinta semana. Antes disso, as mamadeiras podem in-

## ACOSTUMANDO O BEBÊ

Preparada para oferecer a primeira mamadeira? Se você tiver sorte, o bebê a tomará como uma velha amiga — agarrando ansiosamente e devorando seu conteúdo. Ou, talvez o que é mais realista, ele pode levar algum tempo para se acostumar com esta fonte desconhecida de alimento. Ter estas dicas em mente ajudará a acostumar o bebê:

◆ A época certa. Espere até que o bebê tenha fome (mas não frenética) e esteja de bom humor antes de tentar iniciar com a mamadeira.

◆ Ceda. É mais provável que as primeiras mamadeiras sejam aceitas se forem dadas por outra pessoa — de preferência quando você não estiver no mesmo cômodo, para que o bebê não reclame. Seu substituto deve embalar e falar com o bebê durante a mamada, como você faz quando está dando o peito.

◆ Cubra-se. Se você tiver de dar essa primeira mamadeira, pode ser útil manter seus seios bem camuflados (não tente dar a mamadeira sem que esteja de sutiã nem com uma blusa de decote baixo; prefira suéteres pesados) e distrair o bebê com música de fundo, um brinquedo, ou outra forma de entretenimento. Com distração demais, porém, seu bebê pode querer brincar em vez de mamar.

◆ Escolha o bico certo. Se seu filho experimenta o bico e depois cospe em aparente desaprovação, experimente um tipo diferente de bico da próxima vez. Para um bebê que usa chupeta, um bico que tenha formato semelhante pode funcionar.

◆ Dissimule. Se você está encontrando resistência à mamadeira, tente introduzi-la durante o sono. Faça com que a pessoa que der de mamar pegue o bebê adormecido e tente dar a mamadeira nesta hora. Em algumas semanas o bebê poderá aceitar a mamadeira quando estiver desperto.

terferir no estabelecimento bem-sucedido da amamentação, e os bebês podem viver uma confusão de mamilo porque as refeições no peito e na mamadeira pedem diferentes técnicas de sugar. Mais tarde do que isso, muitos bebês rejeitam os bicos de borracha em favor dos amados mamilos da mãe.

**Quanto leite materno ou fórmula usar.** Uma das belezas da amamentação no peito é que o bebê mama para satisfazer o apetite, e não uma determinada quantidade que você o pressiona a tomar. Depois que você começa a usar a mamadeira, é fácil sucumbir ao jogo dos números. Resista a ele. Diga a quem estiver dando de mamar a seu filho (ou a si mesma) para dar somente o quanto ele quiser, sem estimular a terminar qualquer quantidade determinada. Para a média de 4,5 quilos, isto pode significar 180 mililitros por mamada, ou menos de 60.

## A SUPLEMENTAÇÃO QUANDO O BEBÊ NÃO ESTÁ SE DESENVOLVENDO

Ocasionalmente, a suplementação com fórmula é recomendada porque o bebê não está se saindo bem só com o leite materno. Com frequência isto deixa a mãe com sentimentos conflitantes. Por um lado, ela ouve que dar mamadeira nesta situação pode acabar totalmente com suas chances de uma amamentação bem-sucedida no peito; por outro, ela ouviu do médico que se não começar a suplementar a dieta do bebê com fórmula, as consequências para a saúde podem ser graves. A melhor solução em grande parte destes casos é um sistema de nutrição suplementar, mostrado na página 256, que fornece a um bebê a fórmula de que ele precisa para começar a se desenvolver, enquanto estimula os seios da mãe a produzirem mais leite.

**Acostume o bebê com a mamadeira.** Se seus horários exigirão que você perca duas mamadas durante o dia, passe para a mamadeira dando-a apenas uma vez ao dia, começando pelo menos duas semanas antes da planejada volta ao trabalho. Dê a seu filho uma semana inteira para que ele se acostume a uma mamadeira antes de passar para duas. Isto ajudará não só o bebê, mas também seu corpo a se ajustar gradualmente, se você pretende suplementar com fórmula em vez de com leite materno. O maravilhoso mecanismo de oferta e demanda que controla a produção de leite será cortado quando você o fizer, deixando-a mais confortável quando finalmente tiver de voltar ao trabalho.

**Fique à vontade.** Se você planeja dar uma mamadeira somente de vez em quando, dar os dois peitos até esvaziar (ou tirando o leite) antes de passar à mamadeira reduzirá o problema da plenitude e dos vazamentos. Certifique-se de que seu filho não seja alimentado perto demais de sua volta (menos de duas horas provavelmente é perto demais) para que, se você estiver desconfortavelmente cheia, possa amamentar assim que chegar em casa.

Quer você escolha suplementar com leite materno ou com fórmula, você deve ter em mente que provavelmente será necessário expressar leite se você estiver longe de seu filho por mais de três ou quatro horas, para ajudar a prevenir a obstrução dos dutos lácteos, vazamento e uma diminuição na oferta de leite. O leite pode ser coletado e guardado para mamadas futuras, ou descartado.

## As Preocupações Comuns

### SORRISOS

*"Meu filho tem 5 semanas, e eu achei que ele estaria dando sorrisos sociais verdadeiros a esta altura, mas ele parece não estar."*

Anime-se. Nem alguns dos bebês mais felizes começam a dar sorrisos sociais verdadeiros antes de 6 ou 7 semanas de idade. E depois que eles começam a sorrir, alguns ficam naturalmente mais sorridentes do que outros. Você poderá distinguir o primeiro sorriso real daqueles de aprendiz pelo modo como o bebê usa todo o rosto — não só a boca. Embora os bebês não sorriam até que estejam prontos, eles ficam prontos mais rápido quando falamos com eles, brincamos com eles e damos muito carinho. Assim, sorria para seu bebê e fale com ele com frequência, e muito em breve ele estará lhe acompanhando nas risadas.

### ARRULHOS

*"Minha filha de 6 semanas emite muitos sons de vogais, mas nenhuma consoante ainda. Ela falará bem no futuro?"*

Com os bebês novos, os "ais" — e os *as*, *es*, *os* e *us* — vêm primeiro. São os sons vogais que eles fazem primei-

ro, às vezes entre as primeiras semanas e o final do segundo mês. No princípio, o arrulhar melodioso e exalado (e adorável) e os balbucios guturais parecem totalmente aleatórios, e depois você começa a perceber que eles são dirigidos a você quando você fala com o bebê, a um bicho de pelúcia com quem ele divide o cercadinho, com um móbile ao lado que atrai a atenção, com seu próprio reflexo no espelho do berço, ou até com um pato no protetor do berço. Estes exercícios vocais com frequência são praticados para o prazer dela mesma e para o seu; os bebês na verdade parecem adorar ouvir o som da própria voz. No processo, o bebê também faz experimentos verbais e descobre que combinações de movimento da garganta, da língua e da boca produzem que sons.

Para a mamãe e o papai, os arrulhos são um passo bem-vindo na escada da comunicação. E isto é só o começo. Em algumas semanas a alguns meses, o bebê começará a acrescentar a seu repertório o riso alto (em geral aos 3 meses e meio), guinchar (por volta dos 4 meses e meio) e algumas consoantes. A gama de vocalizações iniciais de consoantes é muito ampla — alguns fazem alguns sons semelhantes a consoantes no terceiro mês, outros apenas aos 5 ou 6 meses, embora a média seja de quatro meses.

Quando os bebês começam a experimentar com as consoantes, em geral eles descobrem uma ou duas de uma vez, e repetem a mesma combinação (*ra* ou *ga* ou *da*) interminavelmente. Na semana

## OLHA QUEM ESTÁ FALANDO

Você acha que aqueles adoráveis "ba-ba-ba" são apenas o bebê balbuciando? Na verdade são o começo de uma linguagem falada — as primeiras tentativas do bebê de aprender como fala a outra metade (a metade adulta, isto é). Mas aqui está um fato interessante que os pesquisadores (que passaram muito tempo estudando o que sai da boca dos bebês) descobriram: estas primeiras articulações da linguagem em geral saem do lado direito da boca do bebê (o lado controlado pela metade esquerda do cérebro, o hemisfério encarregado da linguagem). Quando os bebês balbuciam só por prazer (e não pela prática da linguagem), eles colocam toda a boca em movimento. Quando sorriem, eles aparentemente usam o lado esquerdo da boca (que está sob controle das emoções).

Mas antes que você experimente isto em casa com seu filho, há outra coisa que precisa saber: as diferenças nos movimentos da boca são tão sutis que você precisará de doutorado em linguística para distinguir um movimento esquerdo de um direito. Assim, deixe a análise para os caras do laboratório. Em vez disso, sente-se e desfrute de todos aqueles sons adoráveis — independente do lado da boca do bebê que os estão produzindo.

seguinte, eles podem passar a uma nova combinação, aparentemente esquecendo-se da primeira. Eles não esqueceram, mas como sua capacidade de concentração é limitada, em geral eles procuram dominar uma coisa de cada vez. Eles também adoram a repetição.

Em seguida aos sons de consoantes com duas sílabas (*a-ga*, *a-ba*, *a-da*), vêm as consoantes cantaroladas chamadas "balbucio" (*da-da-da-da-da-da*), aos 6 meses, em média. Aos 8 meses, muitos bebês conseguem produzir consoantes duplas semelhantes a palavras (*pa-pa*, *ma-ma*, *ra-ra*), em geral sem associar com nenhum significado até dois ou três meses depois. (Para deleite dos pais e consternação das mães, em geral *pa-pa* vem antes de *ma-ma*.) O domínio de *todas* as consoantes só acontece muito mais tarde, em geral apenas aos 4 ou 5 anos de idade — às vezes, mais tarde ainda.

*"Nosso bebê não parece fazer o mesmo tipo de arrulho que o irmão mais velho fazia quando tinha seis semanas. Devemos ficar preocupados?"*

Alguns bebês normais desenvolvem as habilidades de linguagem mais cedo do que a média, alguns mais tarde. Cerca de 10% dos bebês começam a arrulhar antes do final do primeiro mês e outros 10% só começam perto dos 3 meses, o resto em algum ponto entre os dois. Alguns começam com sequências de consoantes antes da marca dos 4 meses e meio; outros só formam sequências de consoantes depois dos oito meses. Os verbalizadores precoces po-

# COMO FALAR COM SEU BEBÊ?

As estradas para a comunicação com um bebê são intermináveis, e alguns pais viajam mais do que outros. Aqui estão alguns passos que você pode dar agora e nos meses a seguir:

**Faça uma descrição do que está acontecendo.** Não faça um movimento, pelo menos quando estiver com seu bebê, sem falar com ele. Narre o processo de colocar as roupas: "Agora vou colocar sua fralda... vamos botar a camisetinha... e abotoar o macacão." Na cozinha, descreva a lavagem dos pratos, ou o processo de temperar o molho do macarrão. Durante o banho, explique sobre ensaboar e enxaguar, e que um xampu deixa o cabelo dele limpo e brilhante. Não importa que seu filho não tenha a mais leve ideia do que você está falando. As descrições ajudam você a falar e o bebê a ouvir — iniciando-o portanto no caminho da compreensão.

**Pergunte muito.** Não espere até que seu filho tenha respostas para começar a fazer perguntas. Pense em si mesma como um repórter e em seu filho como um entrevistado intrigante. As perguntas podem variar com o passar do dia: "Quer usar calças vermelhas ou macacão verde?" "O céu não está de um azul lindo hoje?" "Devo comprar vagem ou brócolis para o jantar?" Faça uma pausa para a resposta (um dia seu filho a surpreenderá com uma), e depois dê a resposta você mesma, em voz alta ("Brócolis? Escolheu bem".)

**Dê uma oportunidade ao bebê.** Os estudos mostram que os bebês cujos pais falam *com* eles em vez de *para* eles, aprendem a falar mais cedo. Dê a seu bebê a oportunidade de arrulhar, balbuciar ou gorgolejar. Em suas descrições do que estiver fazendo, certifique-se de deixar algumas aberturas para os comentários do bebê.

**Simplifique — em parte do tempo.** Embora agora mesmo seu bebê provavelmente teria prazer em ouvir uma recitação dramática de um discurso presidencial ou uma avaliação animada da economia, à medida que ele ficar um pouco mais velho você vai querer facilitar a compreensão de cada palavra. Assim, pelo menos em parte do tempo, faça um esforço consciente para usar frases e expressões simples: "Olha a luz", "Tchau", "Os dedos do pé, os dedos da mão" e "Cachorrinho bonito".

**Deixe os pronomes de lado.** É difícil para um bebê apreender que "eu", "mim" ou "você" podem ser mamãe, papai ou a vovó, ou até o bebê — dependendo de quem está falando. Assim, na maior parte do tempo, refira-se a si mesma como "mamãe" ou "papai" (ou "vovó") e a seu bebê pelo nome: "Agora o papai vai trocar a fralda da Amanda."

**Use um tom agudo.** A maioria dos bebês prefere uma voz aguda, e pode ser por isso que as vozes femininas em geral são naturalmente mais agudas do que as masculinas, e porque a maioria das vozes da mãe (e do pai) caem uma oitava ou duas quando falam com os filhos. Experimente usar um tom mais agudo quando falar diretamente com seu bebê e observe a reação dele. (Alguns bebês preferem um tom mais grave; experimente para ver o que apela ao seu.)

**Entre na conversa do bebê... ou não.** Se a tolice ("Quem é meu tutuzinho?") vem naturalmente a você, balbucie na linguagem do bebê. Se não, sinta-se à vontade para pular esta parte (ver página a seguir). Se você é boa em conversa de criança, não se esqueça de se valer também de uma linguagem adulta e correta em suas conversas com seu filho, para que ele não cresça pensando que todas as palavras terminam em "inho" ou "inha".

**Prenda-se ao aqui e agora.** Embora você possa tagarelar sobre quase qualquer coisa com seu filho, não haverá nenhuma compreensão perceptível por enquanto. Quando a compreensão se desenvolver, você vai querer se prender mais ao que o bebê pode ver ou está experimentando no momento. Um bebê novo não tem lembrança do passado nem conceito do futuro.

**Imite.** Os bebês adoram a bajulação que vem com a imitação. Quando o bebê arrulha, arrulhe também; quando ele exprimir um "ahhh", exprima um também. A imitação se tornará rapidamente um jogo de que os dois desfrutarão, e que criará as bases para o bebê imitar sua linguagem — também ajudará a formar a autoestima ("O que eu digo é importante!").

**Comece com a música.** Não se preocupe se você não é afinada — poucos bebês são notoriamente preconceituosos quando se trata de música. Eles vão adorar que você cante para eles, seja uma música de sucesso, uma velha canção favorita dos tempos do colégio, ou apenas alguma coisa sem sentido que você tenha cantado num tom familiar. Se sua sensibilidade (ou a de seu vizinho) proíbe uma música, então recite. A maioria das rimas de canções infantis arrebata até os bebês mais novos (invista em uma edição de *Mamãe Ganso* se sua memória falhar.) E acompanhar com gestos da mão, se houver algum ou puder criar algum, duplica o prazer. Seu bebê rapidamente fará com que você saiba quais são as preferidas dele, que você deverá cantar interminavelmente — e mais algumas vezes.

**Leia em voz alta.** Embora no começo as palavras não tenham significado nenhum para o bebê, nunca é cedo demais para começar a ler alguma história rimada simples em voz alta. Quando não estiver com humor para conversar com o bebê e ansiar por algum estímulo adulto, compartilhe com seu filho seu amor pela literatura (ou receitas, ou fofocas, ou política), lendo em voz alta o que você gosta de ler.

**Siga as dicas do bebê.** A tagarelice e a música incessante podem ser cansativas para qualquer um, até para um bebê. Quando seu bebê parar de dar atenção a suas brincadeiras com as palavras, se fechar ou desviar os olhos, tornando-se agitado ou irritado, ou indicar de outra maneira que chegou o ponto de saturação verbal, dê uma folga.

dem terminar muito fortes em habilidades de linguagem (embora a evidência não esteja clara); aqueles que ficam um pouco para trás, nos 10% mais baixos, podem ter um problema físico ou de desenvolvimento, mas isto também não está claro. Certamente, é cedo demais para se preocupar que isto possa estar acontecendo com seu filho, uma vez que ele ainda está dentro da norma.

Se lhe parecer que nos próximos meses, apesar de seu estímulo, seu filho não consegue atingir os marcos mensais descritos em cada capítulo, converse com o médico sobre suas preocupações. Uma avaliação da audição ou outros exames podem ser solicitados. Pode ser que você esteja tão ocupada que não percebe realmente as realizações vocais de seu bebê (isto às vezes acontece com o segundo filho) — ou que outra pessoa na casa (inclusive o irmão mais velho) esteja fazendo tanto barulho que o bebê não consiga se fazer ouvir. No caso menos provável de que haja realmente um problema, a intervenção precoce com frequência é capaz de remediá-lo.

## FALA DE CRIANÇA

*"Outros pais parecem saber como falar com os bebês. Mas eu não sei o que dizer a meu filho de seis semanas e, quando tento, eu me acho uma idiota completa. Tenho medo de que minhas inibições possam retardar o desenvolvimento da linguagem nele."*

Eles são pequenininhos. São passivos. Não podem responder. E no entanto, para muitas mães e pais novatos, os recém-nascidos são o público mais intimidador que já conheceram. A fala de criança ridícula e aguda que parece vir naturalmente a outros pais frustram-nos, deixando-os com a língua paralisada — e sentindo-se culpados pelo silêncio constrangedor que envolve o quarto do bebê.

Embora seu filho vá aprender sua linguagem mesmo que você não aprenda a dele, a fala dele se desenvolverá mais rápido e melhor se você se esforçar para manter uma comunicação precoce. Os bebês que não se comunicam sofrem não só no desenvolvimento da linguagem, mas em todas as áreas de crescimento. Mas isto raramente acontece. Até os pais que ficam envergonhados com a fala de bebê se comunicam com seu filho o dia todo — enquanto os ninam, respondem ao choro dele, cantam uma cantiga de ninar para ele, dizem, "Está na hora de passear", ou resmungam, "Ah, o telefone de novo". Os pais ensinam a linguagem quando falam entre si e quando falam com o bebê; os bebês pegam quase todo o diálogo de segunda mão quando participam de uma conversa.

Assim, embora não seja provável que o bebê vá passar o próximo ano na companhia de uma mãe silenciosa, há maneiras de expandir a capacidade de seu filho com as palavras, mesmo que você seja o tipo de adulto para quem a fala de criança não venha naturalmente. O truque é começar a praticar privadamente, para que o constrangimento de balbuciar com seu filho diante de outros adultos não restrinja seu estilo de conversação. Se você não sabe por onde começar, use as dicas na página 334 como guia. À medida que você ficar mais à vontade com a fala de criança, provavelmente vai se ver caindo nela sem perceber, até na companhia de adultos ("Esse risoto não parece totozinho para essa barriguinha?").

## UMA SEGUNDA LÍNGUA

*"Minha mulher é francesa, e ela quer falar com nossa filha exclusivamente em francês; eu falo inglês. Acho que seria maravilhoso para nossa filha falar uma segunda língua, mas não seria meio confuso nesta idade?"*

Porque a fluência em outra língua não é necessária para se viver e ser bem-sucedido na maior parte dos EUA (e em outros países), os americanos estão perdendo terreno para o resto do mundo na capacidade de conversar em outra língua diferente de seu idioma nativo. Geralmente se concorda que ensinar uma segunda língua a uma criança dá a ela uma habilidade inestimável e pode ajudá-la a pensar de diferentes maneiras, possivelmente até melhorando seu desempenho acadêmico futuro em outras áreas. Se for uma língua que os antepassados falavam ou que alguns parentes falam, também dá a ela uma ligação significativa com suas raízes.

Mas há menos concórdia quando se trata da introdução de uma segunda língua. Muitos especialistas sugerem começar assim que o bebê nasce para que a segunda língua seja "adquirida" junto com a primeira, em vez de "aprendida", como acontece quando é introduzida mais tarde. Outros acreditam que isto coloca a criança em desvantagem nas duas línguas — embora provavelmente só por pouco tempo. Em geral eles recomendam esperar até que a criança tenha de 2 anos e meio a 3 anos antes de fazer um cursinho. Nesta época, em geral ela terá uma boa apreensão da primeira língua, mas ainda é capaz de pegar uma nova língua com facilidade e naturalidade.

Quer você comece agora ou daqui a alguns anos, há várias abordagens para estimular uma criança a aprender uma segunda língua. Um dos pais pode falar a língua materna e o outro a língua estrangeira (como sugere sua esposa), ou os dois pais podem falar a língua estrangeira (com a expectativa de que a criança vá aprender a língua materna na escola e em outros lugares), ou uma avó, babá ou empregada pode falar a língua estrangeira e os pais a língua materna (em geral o método menos bem-sucedido de todos). Nenhum dos métodos de ensinar uma segunda língua é particularmente bem-sucedido se o "professor" não é fluente na língua.

Os especialistas recomendam que você deixe de lado a ideia de "dar aulas" de uma segunda língua e em vez disso mergulhe seu filho nela — com brincadeiras (e, quando o bebê estiver crescido, jogos de computador), lendo livros na língua (muitos livros infantis populares foram traduzidos de outros idiomas), cantando músicas, ouvindo CDs e vendo DVDs naquela língua, visitando amigos que são fluentes nela, e, se possível, visitando lugares onde a língua

## ENTENDENDO SEU BEBÊ

Provavelmente vai se passar quase um ano até que seu filho fale a primeira palavra — dois anos ou mais para que as palavras sejam colocadas em expressões e frases, talvez um ano ou mais para que a maioria destas frases seja facilmente compreensível. Mas muito antes que seu filho esteja se comunicando verbalmente, ele estará se comunicando de várias outras maneiras. Na verdade, olhe e ouça bem agora e você verá que seu bebê já está tentando falar com você — não com tantas palavras, mas com muitos comportamentos e gestos.

Nenhum dicionário de comunicação do bebê pode lhe dizer o que ele está dizendo. A chave para entender esta comunicação não verbal é a observação — a observação paciente e cuidadosa. Observar seu filho dirá muito sobre a personalidade, as preferências e as necessidades dele, meses antes que ele possa falar. Por exemplo, seu bebê se sacode e se agita desconfortavelmente quando está nu no banho? Isso pode significar que ele não gosta do ar frio no corpo nu — ou que não gosta nada da sensação de ficar nu. Mantê-lo coberto o máximo possível antes de baixá-lo para a água poderá aliviar o desconforto.

Ou o seu bebê emite sons de tosse sempre que está pronto para tirar uma soneca? Tossir pode ser a maneira de seu filho lhe dizer que está ficando cansado — muito antes de a fadiga se misturar com a irritabilidade.

Ou seu bebê coloca a mão na boca freneticamente quando espera ser alimentado, antes de começar a chorar ruidosamente? Esta pode ser a dica de que ele está com fome — a primeira mensagem para você de que ele está pronto para comer (a segunda, o choro, tornará a alimentação muito mais difícil para ambos). Ao observar o comportamento e os gestos de seu bebê, você perceberá padrões que começarão a fazer sentido — o que lhe ajudará a encontrar sentido no que o bebê lhe diz.

E ouvir o que o bebê lhe diz não só torna seu trabalho mais fácil (você pode providenciar o que o bebê quer imediatamente, em vez de passar por tentativas, erros e lágrimas), mas também leva seu bebê a saber que o que ele quer dizer tem relevância, um primeiro passo importante na estrada para se tornar uma pessoa confiante, segura, bem-sucedida e emocionalmente madura.

---

é falada. Quem estiver falando a segunda língua deve falá-la exclusivamente com a criança, resistindo à tentação de recorrer à língua materna ou traduzir se a criança parece ter dificuldade de compreender. É natural que seu filho passe por um período de confusão com as línguas no começo, mas por fim ocorrerá uma separação das duas. Durante os anos escolares, a criança deve aprender a ler e a escrever na segunda língua para que apreenda o maior significado e a maior utilidade. Se a escola não ministrar estas aulas, pode ser uma boa ideia aprender com professores particulares ou com um programa de computador.

## COMPARAÇÃO DE BEBÊS

*"Eu me reúno regularmente com um grupo de pais e inevitavelmente todos começam a comparar o que seus bebês fizeram. Isso me deixa maluca — e preocupada se meu filho está se desenvolvendo com suficiente rapidez."*

Se existe uma coisa que provoca mais ansiedade do que uma sala cheia de grávidas comparando as barrigas, é uma sala cheia de mães e pais recentes comparando os bebês. Assim como não existem duas barrigas exatamente iguais, não existem dois bebês exatamente iguais. As normas de desenvolvimento (como aquelas encontradas em cada capítulo deste livro) são úteis para comparar seu bebê com uma ampla gama de bebês normais, a fim de avaliar o progresso e identificar qualquer atraso. Mas comparar seu bebê com o filho de outra pessoa, ou com um bebê mais velho, só pode resultar em muitos medos e frustrações desnecessários. Dois bebês perfeitamente "normais" podem se desenvolver em diferentes áreas em ritmos completamente diferentes — um pode tomar a dianteira na vocalização e na socialização, outro em proezas físicas, como virar o corpo. As diferenças entre os bebês tornam-se ainda mais acentuadas com o passar do primeiro ano — um bebê pode engatinhar muito cedo, mas só andar aos 15 meses, outro pode nunca aprender a engatinhar mas de repente começa a dar seus passos aos dez meses. Então, a avaliação que os pais fazem do progresso de seu filho é muito subjetiva — e nem sempre é completamente precisa. É possível que um sequer reconheça os arrulhos frequentes do bebê como o começo da linguagem, enquanto outro pode ouvir um arrulho e jurar, "Ele disse 'papa'!"

Dito isto, é mais fácil racionalizar e dizer que comparar bebês não é uma boa ideia, do que realmente parar de comparar ou evitar os que o fazem. Muitos comparadores compulsivos não conseguem se sentar a 3 metros de outra mãe com um bebê num ônibus, na sala de espera do consultório médico ou no parque sem lançar um ataque de perguntas aparentemente inocentes que levam às inevitáveis comparações ("Que bebezinho lindo! Ela já está se sentando? Quantos anos ela tem?"). O melhor conselho, se você não consegue mandar um cabal "cuide de seu próprio bebê", é lembrar como estas comparações são insignificantes. Seu filho, como sua barriga antes dele, é único.

## VACINAÇÃO

*"O pediatra de minha filha disse que a vacinação é perfeitamente segura. Mas ouvi algumas histórias de reações graves, e estou preocupada com as injeções que minha filha vai tomar."*

Vivemos numa sociedade que acha que boas notícias não são notícias. Uma história sobre os efeitos positivos da vacinação não consegue competir com outra dos casos extremamente raros de complicações graves associadas com ela. Assim, é provável que os pais de hoje tenham ouvido mais dos riscos

# APROVEITANDO AO MÁXIMO OS PRIMEIROS TRÊS ANOS

Seu bebê não vai se lembrar muito dos primeiros anos de vida, se é que vai se lembrar de alguma coisa. Mas, de acordo com os pesquisadores, aqueles três anos terão um enorme impacto na qualidade de vida de seu filho — de certa forma, mais do que os anos que virão depois.

O que faz destes primeiros três anos — anos cheios principalmente de comer, dormir, chorar e brincar, os anos antes que comece o aprendizado formal — tão essenciais para o sucesso de seu filho na escola, em uma carreira, nos relacionamentos? Como um período de tempo em que seu filho está tão claramente pré-formado pode ser tão crítico para a formação do ser humano que ele se tornará? A resposta é fascinante, complexa e ainda está evoluindo. Aqui está no que os cientistas acreditam até agora.

A pesquisa mostra que o cérebro de uma criança cresce a 90% de sua capacidade adulta nos primeiros três anos — certamente é muita capacidade cerebral para alguém que nem consegue amarrar os próprios sapatos. Durante estes anos fenomenais, ocorre a instalação da "rede" do cérebro. (É quando as conexões cruciais são feitas, ligando as células cerebrais.) No terceiro aniversário, cerca de 100 trilhões de conexões terão se formado.

Com toda esta atividade, porém, o cérebro de uma criança ainda está progredindo muito aos 3 anos. Mais conexões são feitas até a idade de 10 ou 11 anos, e neste ponto o cérebro começa a se especializar para uma melhor eficiência, eliminando conexões que raramente são usadas (este padrão continua por toda a vida, e é por este motivo que os adultos terminam com apenas metade das conexões cerebrais que tinham aos 3 anos). As mudanças continuam a acontecer passada a puberdade, com partes importantes do cérebro ainda mudando por toda a vida.

Embora o futuro de seu filho — como o cérebro dele — esteja muito longe de ser plenamente moldado aos 3 anos, parece que estes primeiros anos formam o molde que dará forma à pessoa que ele se tornará. E a maior influência durante estes anos de formação são vocês. A pesquisa mostra que o tipo de assistência que uma criança recebe durante este período determina o quanto as conexões cerebrais serão bem-feitas, o quanto esse pequeno cérebro se desenvolverá, o quanto será bem-sucedido, satisfeito, confiante e competente para lidar com os desafios da vida.

Sentindo-se desanimados e sobrecarregados pela tarefa diante de vocês? Não fiquem assim. A maior parte do que qualquer pai ou mãe amoroso faz intuitivamente (sem treinamento, sem a ajuda de lembretes ou programas especais de expansão da mente) é exatamente o que seu filho — e o cérebro dele — precisa para desenvolver seu maior potencial. Considere o seguinte:

♦ Toda vez que você toca, segura, nina, abraça ou responde a seu filho com um cuidado caloroso (todas as coisas que você faz), você está afetando positivamente a forma como o cérebro de seu filho forma conexões. Ao ler, falar, cantar, fazer contato visual ou arrulhar com seu bebê, você está ajudando o cérebro dele a alcançar todo o seu potencial. E, através de sua atenção positiva, você estará ensinando a seu filho as habilidades sociais e emocionais que na verdade incitarão o desenvolvimento intelectual dele quando ele ficar mais velho; quanto mais emocional e socialmente confiante uma criança, mais provável será que venha a ser motivada a aprender e a assumir novos desafios com entusiasmo e sem medo de errar.

♦ As crianças cujas necessidades básicas são atendidas quando bebês e nos primeiros anos da infância (ela é alimentada quando tem fome, as fraldas são trocadas quando estão molhadas, recebem colo quando estão com medo) desenvolvem um senso de confiança nos outros e um nível alto de autoconfiança. Os pesquisadores descobriram que as crianças criadas nestes ambientes de apoio têm menos problemas de comportamento na escola e são emocionalmente mais capazes de relacionamentos sociais positivos.

♦ Ao monitorar e ajudar a regular os impulsos e comportamentos de seu filho durante os primeiros anos (explicando que ele não pode morder, dizendo-lhe para não pegar um brinquedo), você por fim lhe ensinará autocontrole. Estabelecer limites que sejam justos e adequados para a idade e fazer com que sejam cumpridos permitirá que seu filho venha a ser menos ansioso, assustado, impulsivo ou a depender de meios violentos para resolver conflitos mais tarde na vida, segundo os pesquisadores. Ele também será mais capaz de aprendizado

intelectual por causa da sólida base emocional que você proporcionou.

♦ Da mesma forma, qualquer pessoa que cuide de uma criança e passe uma quantidade significativa de tempo com seu filho deve proporcionar o mesmo tipo de estímulo, a mesma capacidade de resposta, o mesmo tipo de disciplina positiva. A assistência de alta qualidade à infância ajudará a garantir que o cérebro de seu filho adquira o que precisa: muita nutrição.

♦ Os cuidados médicos de rotina também são importantes, garantindo que seu filho será examinado regularmente para quaisquer problemas médicos ou de desenvolvimento que possam retardar o crescimento intelectual, social ou emocional. Também permitirá a intervenção precoce para um problema que venha a ser descoberto, o que evitará que o problema retarde o desenvolvimento de seu filho.

E aqui está provavelmente a coisa mais importante a se ter em mente. Ajudar seu filho a atingir seu potencial é diferente de tentar mudar a pessoa que ele é; estimular o desenvolvimento intelectual é diferente de pressionar para que ele aconteça; proporcionar experiências estimulantes é diferente de programar o tipo de sobrecarga que leva à estafa. Você pode evitar cruzar esta linha entre a interação e o envolvimento dos pais e o exagero pegando suas dicas com o bebê — que, quando se trata de conseguir o que precisa, pode ser até mais sábio do que você. Observe e ouça cuidadosamente, e você quase sempre saberá o que é o melhor para seu filho.

da vacinação do que de seus benefícios. E no entanto, como seu pediatra sem dúvida disse a você, para a maioria dos bebês os benefícios continuam a superar de longe os riscos.

Há não muitos anos, nos Estados Unidos, as causas mais comuns de morte infantil eram as doenças infecciosas, como difteria, febre tifoide e varíola. Sarampo e coqueluche eram tão comuns que se esperava que todas as crianças os contraíssem, e milhares, especialmente bebês, morreram ou ficaram prematuramente deficientes por estas doenças. Os pais se apavoravam com a chegada do verão e a epidemia de paralisia infantil (poliomielite) que invariavelmente parecia chegar com ele, matando ou incapacitando milhares de bebês e crianças. Hoje em dia, a varíola foi praticamente erradicada, e a difteria e a febre tifoide são extremamente raras. Só uma pequena porcentagem de crianças são atingidas por sarampo e coqueluche a cada ano, e a paralisia infantil é uma doença que os pais não só não temem mais, como com frequência nem sabem do que se trata. Agora é muito mais provável que um bebê americano morra por não ter sido preso a um assento infantil num carro do que por uma doença transmissível. Sem dúvida, a vacinação tornou a infância mais segura para as crianças.

A imunização ou vacinação se baseia no fato de que a exposição a micro-organismos patogênicos atenuados ou mortos (na forma de vacinas) ou aos venenos (toxinas) que eles produzem, conseguidos por calor ou tratamento químico (depois chamadas toxoides), levarão um indivíduo a produzir os mesmos anticorpos que seriam desenvolvidos se a pessoa realmente tivesse contraído a doença. Armados com a memória especial que é única ao sistema imunológico, estes anticorpos "reconhecerão" os micro-organismos específicos, se eles atacarem no futuro, e os destruirão.

Até os antigos reconheciam que quando as pessoas sobreviviam a uma determinada doença, era provável que elas não a contraíssem novamente, e aqueles que se recuperavam de uma praga eram às vezes chamados para cuidar das novas vítimas. Embora algumas sociedades tentassem formas toscas de imunização, só quando Edward Jenner, um médico escocês, decidiu testar a velha crença de que uma pessoa que contraísse varíola bovina, uma doença menor, nunca teria a varíola humana, foi que nasceu a imunização moderna. Em 1796, Jenner besuntou pus das feridas de um ordenhador infectado com varíola bovina em dois pequenos cortes no braço de um menino saudável de oito anos. A criança desenvolveu uma febre baixa uma semana depois, depois algumas crostas pequenas no braço. Quando exposta à varíola humana depois, ela continuou saudável. Tinha se tornado imune.

O processo de imunização teve um longo caminho desde o primeiro experimento. O primeiro tipo de imunização amplamente administrado, a vacina contra a varíola, foi tão bem-sucedido que não é mais considerado necessário. Por ora, pelo menos, a doença parece ter sido erradicada em todo o planeta. Muito progresso foi feito com outros flagelos graves, e espera-se que a vacinação um dia elimine a maioria deles também.

Mas embora a vacinação claramente salve a vida de milhares de jovens todo ano, ela não é perfeita. Apesar de a maioria das crianças ter somente uma reação branda a algumas vacinas, algumas adoecem, muito poucas seriamente. Em raras ocasiões, suspeita-se de que alguns tipos de vacina causem danos permanentes, até a morte. Entretanto, os enormes benefícios da proteção contra doenças graves superam os riscos mínimos da vacinação para todas as crianças, exceto as do grupo de alto risco — tornando a vacinação claramente a melhor aposta para seu filho. E embora os riscos sejam mínimos, eles podem ser ainda mais reduzidos com algumas precauções para se ter certeza de que seu filho foi vacinado com segurança. Eis como:

♦ Certifique-se de que o médico faça um *check-up* completo em seu bebê antes de dar uma vacina para ter certeza de que não esteja se desenvolvendo nenhuma doença grave que ainda não seja aparente; as injeções devem ser adiadas quando o bebê está significativamente doente. (Uma doença branda, como a gripe, não é motivo para adiar a vacinação.)

♦ Leia as informações sobre vacinas dos Centros de Controle de Doenças que devem ser providenciadas pelo médico a cada vez que uma vacina de rotina for dada a seu filho. (As informações também estão disponíveis na Web em www.cdc.gov).

♦ Observe cuidadosamente seu filho por 72 horas depois da vacinação (especialmente durante as primeiras 48 horas), e relate quaisquer reações graves (ver página 346) ou comportamento muito incomum ao médico *imediatamente*. Relate também qualquer reação menos grave em sua próxima consulta.

♦ Peça ao médico para incluir o nome do fabricante da vacina e o número do lote nos registros do bebê, junto com qualquer reação que você relate. Certifique-se de pegar uma cópia da informação para seus próprios registros. As reações graves devem ser relatadas pelo médico ou por você às secretarias estaduais e municipais de saúde.

♦ Quando a próxima injeção estiver marcada, lembre o médico de seu filho de qualquer reação anterior à vacina.

♦ Se você tem temores com relação à segurança da vacina, discuta-os com o médico de seu bebê.

## O ABC DE DTAP... E MMR... E IPV...

É útil saber com o que estão carregadas as seringas que vão para o seu filho. Segue-se um guia para as vacinações que seu filho provavelmente receberá no primeiro ano e depois disso:

**Vacina contra difteria, tétano e pertussis acelular (DtaP ou tríplice).** A imunização contra difteria, tétano e coqueluche é essencial, uma vez que todas podem causar graves doenças e morte. A DtaP

# MITOS DA VACINAÇÃO

A maioria das preocupações com a vacinação — embora perfeitamente compreensíveis — são infundadas. Não deixe que os mitos seguintes impeçam a vacinação de seu filho:

**MITO: Dar tantas injeções juntas não é seguro.**
*Realidade:* Os estudos mostraram que as vacinações são igualmente seguras e eficazes quando ministradas juntas. Há muitas vacinas combinadas que têm sido usadas rotineiramente há anos (MMR, DtaP). Recentemente aprovada e já em uso por muitos médicos é a vacina Pediatrix, que combina DtaP, pólio e hepatite B em uma só injeção. Os pesquisadores continuam a desenvolver vacinas combinadas que possam se tornar aprovadas para uso em um futuro próximo. A melhor parte das combinações de vacinas: menos injeções no total para seu filho — algo que os dois, você e ele, provavelmente vão apreciar.

**MITO: As injeções são muito dolorosas para o bebê.**
*Realidade:* A dor de uma vacina é apenas momentânea e, comparada com a dor das doenças graves de que protege a imunização, é insignificante. E há maneiras de minimizar a dor que seu bebê sente. Os estudos mostram que os bebês que são segurados e distraídos pelos pais choram menos, e aqueles que são amamentados imediatamente antes ou durante a imunização experimentam menos dor. Você também pode perguntar ao médico do bebê sobre dar uma solução açucarada pouco antes de uma injeção ou usar um creme anestésico uma hora antes (que o médico terá de receitar).

**MITO: Se os filhos de todo mundo estão imunizados, os meus não podem pegar a doença.**
*Realidade*: Alguns pais acreditam que não precisam vacinar os filhos se os fi-

---

(que contém toxoides de difteria e tétano e uma vacina contra coqueluche) tem efeitos colaterais menores do que a velha DTP (que contém uma vacina contra pertussis celular) e agora é a vacina preferencial. Embora tenha havido raros relatos, que não foram plenamente substanciados, de uma ligação entre a antiga vacina e danos ao cérebro, não existem relatos deste tipo com a nova.

Seu filho precisa de cinco injeções de DtaP. A DtaP é recomendada aos 2,

4 e 6 meses, entre os 15 e os 18 meses, e entre os 4 e os 6 anos.

Mais de um terço das crianças que recebem DtaP têm reações locais muito brandas onde a injeção foi dada, como uma maciez, inchaço ou vermelhidão, em geral dois dias depois da injeção. Algumas crianças ficam agitadas ou perdem o apetite por algumas horas ou talvez um dia ou dois depois. A febre também é uma reação comum. Estas reações ocorrem mais provavelmente de-

lhos dos outros estão imunizados — uma vez que não vai haver doença nenhuma para pegar. Esta teoria não se sustenta. Primeiro, existe o risco de que outros pais estejam seguindo o mesmo mito, o que significa que os filhos deles não foram vacinados, criando o potencial para um surto de uma doença que pode ser prevenida. Segundo, crianças não vacinadas colocam as crianças vacinadas em risco de pegar a doença (as vacinas têm 90% de eficácia; a alta porcentagem de indivíduos imunizados limita a disseminação da doença) — não só você pode estar prejudicando seu filho como pode estar causando danos aos filhos dos amigos. Terceiro, as crianças não vacinadas podem pegar coqueluche (pertussis) não só de outras crianças não vacinadas, mas também dos adultos. Isto porque a vacina que protege contra a coqueluche se esgota depois de sete anos; a imunidade se gastou na idade adulta; e a doença, embora ainda altamente contagiosa, é tão branda nos adultos que em geral não é diagnosticada — o que significa que os adultos que não percebem que têm co-

queluche podem passar a doença inadvertidamente para os bebês, que são muito mais vulneráveis a seus efeitos.

**MITO: Uma só vacina de uma série dá a uma criança proteção suficiente.**
*Realidade*: Os pesquisadores descobriram que pular vacinas coloca seu filho em um risco maior de contrair as doenças, em especial sarampo e coqueluche. Assim, se as recomendações são de uma série de quatro injeções, certifique-se de que seu filho receba todas as injeções necessárias para que ele não fique desprotegido.

**MITO: As vacinas múltiplas para bebês novos os colocam em um risco maior de contrair outras doenças.**
*Realidade*: Não há evidências de que as imunizações múltiplas aumentem o risco de diabetes, doenças infecciosas ou outras enfermidades. Nem há qualquer evidência até esta data de que exista uma relação entre vacinas múltiplas e doenças alérgicas como a asma.

pois da quarta e da quinta doses do que depois das primeiras doses. Ocasionalmente, uma criança terá um efeito colateral mais sério, como febre de mais de 40°C. Raras vezes uma criança chorará continuamente (por três horas ou mais) depois de receber a DtaP. Mais raras ainda são as convulsões, que podem resultar não da própria vacina, mas de uma febre alta que a acompanha em algumas crianças (ver página 346). A pesquisa mostrou que qualquer ataque resultan-

te desta febre induzida pela vacina não leva a problemas permanentes; não tem nenhum fundamento a ligação sugerida entre estes ataques e o autismo. A pesquisa também mostra que não existe correlação entre a vacina e um risco maior de SIDS.

Em algumas circunstâncias, um médico pode decidir omitir a vacina contra coqueluche (e administrar somente a DT) se as reações anteriores do bebê à DtaP foram graves. E um médico pode adiar dar a DtaP (ou não dá-la de forma nenhuma) se uma criança tem uma reação alérgica severa à primeira dose, uma alta temperatura em seguida à vacina ou qualquer outra reação grave, inclusive convulsões.

A maioria dos médicos adia a injeção para um bebê que está significativamente doente. Apesar de alguns médicos também adiarem uma injeção de DtaP (ou outra vacina) por causa de uma gripe moderada, isto não é considerado necessário — e pode resultar em uma criança com imunização incompleta. Afinal, muitos bebês que frequentam creches ou que têm um irmão mais velho têm gripes frequentes — às vezes uma depois da outra durante a "temporada das gripes". É impossível descobrir oportunidades de vacinar estes bebês de acordo com o programa. Adiar as injeções por causa de febres baixas, infecção no ouvido e a maioria dos casos de distúrbio gastrintestinal também não é considerado necessário nem sensato.

**Vacina contra pólio (IPV).** A vacinação praticamente erradicou a poliomielite (paralisia infantil), no passado uma doença assustadora. A vacina oral (OPV), uma vacina de vírus vivo dada pela boca, não é mais ministrada rotineiramente porque apresenta um risco minúsculo de paralisia (cerca de 1 em 8,7 milhões) em crianças vacinadas. Em vez disso, ela foi substituída pela vacina de vírus atenuado (IPV), dada por injeção.

As crianças devem receber quatro doses de IPV — a primeira, aos 2 meses, a segunda aos 4 meses, a terceira dos 6 aos 18 meses; e a quarta dos 4 aos 6 anos —

exceto em circunstâncias especiais (como quando em viagem a países onde a pólio ainda é comum, e neste caso o programa pode ser adiantado).

A IPV não produz nenhum efeito colateral, exceto uma pequena ulceração ou vermelhidão no local da injeção e uma rara reação alérgica. O médico provavelmente adiará a administração de IPV se seu filho estiver muito doente. Uma criança que tem uma reação alérgica *grave* à primeira dose em geral não receberá as doses subsequentes.

**Sarampo, caxumba, rubéola (MMR).** As crianças tomam duas doses da MMR, a primeira entre o décimo segundo e o décimo quinto mês, e a segunda entre os 4 e os 6 anos (embora ela possa ser administrada a qualquer momento desde que se passem 28 dias após a primeira dose). O sarampo, embora não costume ser levado a sério, é na realidade uma doença grave com ocasionais complicações severas e potencialmente fatais. Por outro lado a rubéola, também conhecida como sarampo alemão, frequentemente é tão branda que seus sintomas passam despercebidos. Mas porque pode causar defeitos de nascimento no feto de uma gestante infectada, recomenda-se a vacinação no início da infância — tanto para proteger os futuros fetos de meninas como para reduzir o risco de que crianças infectadas exponham as gestantes, inclusive suas próprias mães. A caxumba raramente representa um problema sério na infância, mas como na idade adulta pode ter consequências graves (como esterilidade e surdez), recomenda-se a vacinação precoce.

As reações à vacina MMR em geral são muito brandas e não costumam ocorrer até uma semana ou duas depois das injeções. Cerca de uma em cinco crianças terão brotoejas ou uma leve febre que dura alguns dias, devido ao componente do sarampo. Cerca de 1 em 7 terão brotoejas ou algum inchaço das glândulas do pescoço, e 1 em 100, dor ou inchaço das articulações devido ao componente da rubéola, às vezes três semanas depois da injeção. Ocasionalmente, pode haver inchaço das glândulas salivares devido ao componente da caxumba. Muito menos comuns são prurido, entorpecimento ou dor nas mãos e nos pés, difíceis de discernir em bebês, e reações alérgicas. Estudos mais aprofundados não revelaram uma ligação entre a vacina MMR e o autismo.

Deve-se ter cautela na administração de MMR a crianças com qualquer doença (exceto uma gripe branda), a uma criança com o sistema imune comprometido (por medicamentos, câncer ou outro problema), que tenha sofrido uma transfusão de sangue recentemente, que tenha uma alergia grave a gelatina ou ao antibiótico neomicina, ou que tenha tido uma forte reação alérgica à primeira dose de MMR.

**Vacina contra varicela (Var).** A varicela ou catapora, até recentemente uma das doenças infantis mais comuns, é em geral uma doença branda sem efeitos colaterais graves. Pode ter complicações, contudo, como a síndrome de Reye e infecções bacterianas (inclusive estreptococos do grupo A); e a doença pode ser fatal para crianças de alto risco, como as que têm leucemia ou deficiências imunes, ou aquelas cujas mães foram infectadas com varicela pouco antes do parto.

Uma única dose da vacina contra varicela é recomendada entre os 12 e os 18 meses. Uma criança que já teve catapora não precisa tomar a vacina. Parece que a vacina previne a catapora em 70 a 90% dos que são vacinados. A pequena porcentagem das que têm catapora depois de receber a vacina em geral têm um episódio muito mais bando do que se não tivessem sido vacinadas.

A vacina contra varicela é muito segura. Raramente ocorre vermelhidão ou uma ulceração no local da injeção. Algumas crianças também têm uma brotoeja branda (cerca de cinco pontos) algumas semanas depois de serem vacinadas.

**Vacina contra *Hemophilus influenzae b* (Hib).** Esta vacina tem por objetivo impedir a ação da bactéria fatal *Hemophilus influenzae b* (Hib) (bactéria que não tem relação com a influenza, ou "gripe") que é a causa de uma ampla gama de infecções muito graves nos bebês e nas crianças pequenas. Antes da introdução da vacina, o Hib era responsável por cerca de 12 mil casos de meningite por ano em crianças nos Estados Unidos (5% deles fatais) e por praticamente todos os casos de epiglotite (uma infecção potencialmente fatal que obstrui as vias aéreas). Era também a principal causa de septicemia (infecção no sangue), celulite (infecção da pele e do tecido conectivo), osteomielite (infecção nos ossos) e pericardite (infecção na membrana cardíaca) em crianças novas.

A vacina Hib parece ter poucos efeitos colaterais, se houver algum. Uma porcentagem muito pequena pode ter febre, vermelhidão e/ou amolecimento no local da injeção. Seu filho deve tomar a vacina Hib aos 2, 4 e 6 meses, com uma quarta dose dos 12 aos 15 meses.

Como ocorre com outras vacinas, a vacina Hib não deve ser dada a crianças que estejam muito doentes (doença branda não é problema), ou que possam ser alérgicas a qualquer um dos componentes (verifique com o médico).

**Vacina contra hepatite.** A hepatite B é uma doença hepática crônica que pode causar falência do fígado e câncer do fígado nos anos futuros. Três doses são necessárias. É recomendado que a vacina para hepatite B seja dada ao nascimento (pode ser adiada em bebês prematuros), uma aos 4 meses e dos 6 aos 18 meses. (Se é administrada a combinação Pediatrix, as doses são dadas aos 2, 4 e 6 meses.) Os efeitos colaterais — uma leve ulceração e agitação — não são comuns e têm vida curta. A vacina contra hepatite A, doença que também afeta o fígado, é recomendada para crianças *com mais de 2 anos* que moram em estados e países de alto risco, principalmente no Oeste dos Estados Unidos (verifique com seu médico para saber se você mora em uma área de alto risco).

**Vacina conjugada contra pneumococos (PCV7).** A bactéria pneumococos é a principal causa de doença entre crianças, responsável por algumas infecções de ouvido, meningite, pneumonia, infecções do sangue e outras enfermidades. Embora a vacina PCV seja uma das mais novas, amplos estudos e ensaios clínicos mostraram que é extremamente eficaz na prevenção da ocorrência de alguns tipos de infecção no ouvido, meningite, pneumonia e outras infecções relacionadas que podem ser fatais. As crianças devem tomar a vacina aos 2, 4 e 6 meses, com uma dose de reforço dada dos 12 aos 14 meses. Os efeitos colaterais, como uma febre baixa ou vermelhidão e amolecimento no local da infecção, aparecem ocasionalmente e não são prejudiciais.

**Influenza.** A vacina contra influenza, ou "gripe", agora é recomendada para todos os bebês saudáveis entre os 6 e os 22 meses de idade. No passado, era recomendada somente para crianças novas com alto risco de complicações da gripe. Os estudos indicam que até as crianças saudáveis com menos de 2 meses têm um risco maior de hospitalização por complicações relacionadas com a gripe. A vacina é especialmente importante para aquelas de alto risco — crianças com doença cardíaca ou pulmonar graves, aquelas com o sistema imune deprimido, asma, HIV, diabetes e as que têm anemia falciforme ou doenças sanguíneas similares. A vacina contra gripe não deve ser dada a ninguém que tenha uma reação alérgica grave a ovos. As crianças de alto risco podem, em vez disso, tomar medicamentos antivirais para prevenir o desenvolvimento da influenza. (O Flu Mist, a vacina contra gripe

# PROGRAMA RECOMENDADO DE VACINAÇÃO

| IDADE | DtaP[1] | IPV | MMR | Hib | Hep B[5] | Var | PCV7[6] | Influenza |
|---|---|---|---|---|---|---|---|---|
| Nascimento | | | | | X | | | |
| 2 meses | X | X | | X | | | X | |
| 1 a 4 meses | | | | | X | | | |
| 4 meses | X | X | | X | | | X | |
| 6 meses | X | | | X[4] | | | X | |
| 6 a 18 meses | | X | | | X | | | |
| 12 a 15 meses | | | X | X | | | X | |
| 12 a 18 meses | | | | | | X | | |
| 15 a 18 meses | X | | | | | | | |
| 4 a 6 anos | X | X | X[3] | | | | | |
| 11 a 12 anos | Td[2] | | | | | | | |
| 6 meses a 18 anos | | | | | | | | X |

1. A quarta dose de DTaP deve ser dada pelo menos 6 meses depois da terceira dose. 2. A rotina subsequente de reforço de Td é recomendada a cada dez anos. 3. Pode ser administrada durante qualquer visita, desde que tenham se passado quatro semanas desde a primeira dose e que as duas doses sejam administradas a começar ou depois da idade de 12 meses. 4. Três vacinas conjugadas Hib são licenciadas para uso em bebês. Se a PRP-OMP é administrada aos 2 e 4 meses, não é necessária uma dose aos 6 meses. Os produtos da combinação DtaP/Hib não devem ser usados para imunização primária de bebês aos 2, 4 ou 6 meses, mas podem ser usados como reforço em seguida à vacina Hib. 5. Todos os bebês devem receber a primeira dose da vacina contra hepatite B logo depois do nascimento e antes da alta no hospital (a menos que o médico planeje administrar a vacina combinada Pediatrix aos 2 meses). A primeira dose também pode ser dada aos 2 meses se a mãe do bebê é negativa para hepatite B. Os bebês nascidos de mães hepatite B-positivas devem receber a vacina contra hepatite B e globulina imune hepatite B (HBIG) no prazo de 12 horas após o nascimento, em locais diferentes do corpo. A vacina contra hepatite A é recomendada para uso em estados e regiões de alto risco (todo o Ocidente), e em certos grupos de alto risco; consulte a autoridade de saúde pública de sua cidade. 6. Também é recomendada para certas crianças de alto risco na idade de 24-59 meses. 7. A vacina contra influenza é recomendada anualmente para crianças com mais de 6 meses de idade. Crianças com menos de 9 anos que estão recebendo a vacina pela primeira vez devem receber duas doses com um intervalo de pelo menos 4 semanas.

## QUANDO CONSULTAR O MÉDICO DEPOIS DE UMA VACINAÇÃO

Embora reações graves à vacinação sejam extremamente raras, você deve falar com o médico se seu bebê experimentar qualquer um dos seguintes sintomas dois dias depois da injeção:

♦ Febre alta (mais de 40°C)

♦ Choro que dura mais de três horas

♦ Ataques/convulsões (com safanões ou sobressaltos) — em geral por causa de febre; não grave

♦ Ataques ou grandes alterações na consciência sete dias depois da injeção

♦ Uma reação alérgica (inchaço da boca, face ou garganta; dificuldade de respirar; eritema imediato)

♦ Indiferença, incapacidade de resposta, sonolência excessiva

Se você observar qualquer um dos sintomas mencionados depois da injeção, fale com o médico. Não é apenas para a segurança de seu bebê, mas também para que o médico possa relatar a reação à autoridade de saúde pública. A coleta e avaliação desta informação pode ajudar a reduzir riscos futuros.

---

por *spray* nasal, não é recomendada para crianças com menos de cinco meses.)

Se por alguma razão foi adiada qualquer vacina de seu bebê, a imunização pode ser restabelecida onde parou; não é necessário recomeçar tudo. Veja com o médico para que seu filho a receba o mais cedo possível.

## CASPA DE BERÇO

*"Lavo os cabelos de minha filha diariamente, mas ainda não consigo me livrar dos flocos em seu couro cabeludo."*

Não se livre ainda daquelas roupas escuras. A caspa de berço, uma dermatite seborréica do couro cabeludo comum em bebezinhos, não condena sua filha a uma vida inteira de caspa. A caspa de berço branda, em que escamas superficiais oleosas aparecem no couro cabeludo, com frequência reage bem a uma massagem enérgica com óleo mineral ou vaselina para amolecer as escamas, seguida de um xampu para removê-las e ao óleo. Os casos mais renitentes, em que há muitos flocos e/ou estão presentes manchas avermelhadas e aspereza amarela, pode se beneficiar do uso diário de um xampu antisseborréico que contenha salicilatos de enxofre, como o Sebulex (certifique-se de mantê-lo longe dos olhos do bebê), depois do tratamento com óleo. (Alguns casos são agravados com o uso destes preparados. Se é o caso de sua filha, interrompa o uso e discuta a questão com o médico.) Uma vez que a caspa de berço piora quando o couro cabeludo transpira, mantê-lo frio e seco também pode ajudar — assim, não coloque um gorro no bebê a não ser que seja necessário (como ao sol ou quando está frio do lado de fora), e depois retire-o quando estiver dentro de casa ou em um carro com aquecimento.

Quando a caspa de berço é grave, o eritema seborreico pode se espalhar para o rosto, o pescoço ou as nádegas. Se isto ocorrer, o médico provavelmente receitará uma pomada de uso tópico.

De vez em quando, a caspa de berço persistirá por todo o primeiro ano — e, em alguns casos, muito depois de a criança ter saído do berço. Uma vez que problema não causa nenhum desconforto e é portanto considerado apenas um problema cosmético, a terapia agressiva (como com o uso de cortisona tópica, que pode conter a floculação por um certo período de tempo) não é recomendada de modo geral, mas certamente vale a pena discutir o assunto com o médico de sua filha como um último recurso.

## PÉS TORTOS

*"Os pés de nosso filho parecem se virar para dentro. Eles se recuperarão sozinhos?"*

Seu filho não é o único a passar por isso; muitos bebês parecem ter pernas tortas e pés de pombo. Isto acontece por dois motivos — um, devido à curvatura rotacional normal nas pernas de um recém-nascido e, dois, devido ao fato de que o espaço apertado no útero com frequência força um ou os dois pés para posições estranhas. Quando o bebê sai ao nascimento, depois de passar vários meses nesta posição, os pés ainda se curvam ou parecem se virar para dentro.

Nos meses a seguir, à medida que os pés de seu filho desfrutarão a liberdade fora do útero e ele aprenderá a se içar para cima, se arrastar e depois andar, os pés dele começarão a se endireitar. Eles quase sempre o fazem sem nenhum tratamento.

Assim, para se certificar de que não existe outra causa para a posição dos pés de seu filho, expresse suas preocupações na próxima consulta do bebê. O médico provavelmente já verificou os pés de seu filho em busca de alguma anormalidade, mas não vai doer fazer outro exame para tranquilizá-la. Também é rotina para o médico acompanhar o progresso dos pés do bebê para ter certeza de que eles se endireitam enquanto o bebê cresce — o que ele quase certamente fará no caso de seu filho.

Na eventualidade muito improvável de os pés de um bebê não parecerem se endireitar sozinhos, podem ser recomendados calçados especiais até mais tarde. O tratamento a ser considerado dependerá do tipo de problema e do ponto de vista do médico.

## TESTÍCULOS NÃO DESCIDOS

*"Meu filho nasceu com testículos não descidos. O médico disse que eles provavelmente desceriam do abdome quando ele tivesse um mês ou dois, mas eles ainda não desceram."*

O abdome pode parecer um lugar estranho para os testículos, mas não é. Os testículos dos homens e os ovários das mulheres desenvolvem-se no abdome fetal a partir do mesmo tecido embrionário. Os ovários, é claro, ficam onde estavam. Os testículos são programados para descer através dos canais inguinais na virilha, para o saco escrotal na base do pênis, por volta do oitavo mês de gestação. Mas em 3 a 4% dos meninos nascidos a termo e em cerca de um terço dos que foram prematuros, eles não fazem a viagem antes do nascimento. Resultado: testículos não descidos.

Devido aos hábitos migratórios dos testículos, nem sempre é fácil determinar que um não desceu. Normalmente, os testículos se afastam do corpo quando correm o risco de superaquecimento (protegendo o mecanismo produtor de esperma de temperaturas que sejam altas demais). Mas eles voltam ao corpo quando são resfriados (protegendo o mecanismo de produção de esperma de temperaturas que sejam baixas demais) ou quando são manipulados (novamente uma proteção, para evitar lesões). Em alguns meninos, os testículos são particularmente sensíveis e passam muito tempo abrigados no corpo. Na maioria dos casos, o testículo esquerdo fica mais baixo que o direito, possivelmente fazendo com que o direito pareça não ter descido (e deixando um monte de meninos preocupados). Portanto, o diagnóstico de testículos não descidos só é feito quando um ou os dois testículos nunca foram observados no escroto, nem mesmo quando o bebê está num banho quente.

Um testículo não descido não causa dor nem dificuldade de micção e, como o médico garantiu a você, em geral desce sozinho. Mas, com 1 ano de idade, somente três a quatro meninos em mil ainda têm testículos não descidos, e neste ponto a cirurgia (um procedimento pequeno) pode facilmente colocá-los no lugar adequado. A terapia hormonal pode ser tentada primeiro, mas de modo geral não é bem-sucedida.

## ADESÃO PENIANA

*"Meu filho foi circuncidado quando recém-nascido e meu médico disse que ele desenvolveu uma adesão peniana. O que isto significa?"*

Sempre que tecidos do corpo são cortados, as bordas se prenderão ao tecido circundante quando ele cicatriza. Depois que o prepúcio do pênis é removido durante uma circuncisão, a borda circular restante tende a se prender ao pênis à medida que se cura. Se uma quantidade significativa de prepúcio permanece depois da circuncisão, ela também pode se grudar ao pênis durante o processo de cicatrização, levando o prepúcio a se religar. Esta adesão peniana não é um problema desde que seja retraída periodicamente para evitar que se torne permanentemente ligada. Pergunte ao médico como você deve fazer isso e se é realmente necessário fazê-lo. Quando os meninos, até bebês, têm ereções normais, a superfície de pele aderida é puxada, ajudando a mantê-la separada, sem qualquer intervenção de adultos. Raras vezes, se uma ponte de pele se ligou permanentemente, um urologista pode precisar separar a pele e remover o pedaço restante de prepúcio para evitar que o problema tenha uma recorrência.

## HÉRNIA INGUINAL

*"O pediatra disse que meus gêmeos têm hérnias inguinais e que terão de passar por uma cirurgia. Isto é grave?"*

Pensa-se em geral que a hérnia é uma coisa que se desenvolve quando um homem ergue peso demais. Mas até bebês muito novos para levantar um dedo que seja — e que dirá um pacote pesado — não são jovens demais para ter uma hérnia. As hérnias não são incomuns em recém-nascidos, particularmente meninos e em especial naqueles que nasceram prematuramente (como acontece com frequência nos gêmeos).

Em uma hérnia inguinal, uma parte dos intestinos desliza por um dos canais inguinais (os mesmos canais através dos quais os testículos descem para o escroto) e torna-se protuberante na virilha. O defeito é com frequência observado pela primeira vez como um monte em um dos vincos onde as coxas se juntam ao abdome, particularmente quando um bebê está chorando ou muito ativo; ele em geral se retrai quando o bebê fica quieto. Quando a seção dos intestinos desliza toda para baixo no escroto, pode ser vista como um alargamento ou inchaço no escroto e pode ser chamada de hérnia escrotal.

Uma hérnia em geral não causa nenhum desconforto e, embora deva ser tratada, não é um problema grave e não é considerada uma emergência. Todavia, qualquer pai ou mãe que perceba uma protuberância ou inchaço na virilha ou no escroto de seu filho deve relatar a descoberta ao médico assim que for possível. Os médicos em geral aconselham reparar o problema logo que a hérnia é diagnosticada — pressupondo-se que o bebê esteja apto para uma cirurgia. Esta cirurgia em geral é simples e bem-sucedida, com muito pouca hospitalização (às vezes de um dia). Só muito raramente uma hérnia inguinal recorre em seguida à cirurgia, embora em algumas crianças outra hérnia apareça mais tarde no lado oposto ao da anterior.

Se a hérnia inguinal diagnosticada em um bebê não é tratada, ela pode fazer com que a seção herniada torne-se "estrangulada" — presa pelo revestimento muscular do canal inguinal, obstruindo o fluxo de sangue e a digestão nos intestinos. Vômito, dor forte, até choque podem surgir como consequência disso. Os pais que observam um bebê chorando de dor de repente, vomitando e sem evacuação devem falar com o médico imediatamente. Se o médico não puder ser encontrado, o bebê deve ser levado ao pronto-socorro mais próximo. Elevar o bumbum do bebê um pouco e aplicar um saco de gelo enquanto está a caminho do hospital pode ajudar o intestino a se retrair, mas não tente empurrá-lo de volta com as mãos.

## Mamilos invertidos

*"Um dos mamilos de minha filha afunda em vez de estar para fora. O que há de errado com ele?"*

Ele está invertido — não é de todo incomum nos mamilos dos bebês. Com frequência, um mamilo que está invertido ao nascimento se corrige espontaneamente mais tarde. Se isso não acontecer, só será um problema quando ela estiver pronta para amamentar seu próprio filho, e neste ponto (se necessário, e provavelmente não será), ela poderá tomar algumas medidas para puxar o mamilo para fora.

## Preferência por um seio

*"Minha menininha quase sempre quer mamar no seio esquerdo, e ele está ficando consideravelmente menor do que o direito."*

Alguns bebês têm favoritismos. Pode ser que sua filha se sinta mais à vontade aninhada em seu braço favorito, e provavelmente mais forte, e assim ela desenvolveu uma preferência por mamar de um lado. Ou que você com frequência a coloque no seio esquerdo, para que sua mão direita esteja livre para comer, segurar um livro ou o telefone, ou lidar com outras tarefas, deixando o seio direito aumentar em tamanho e produção (ou o contrário, se você é canhota). Talvez um seio seja melhor provedor porque você o favoreceu no início do relacio-

namento de amamentação, por quaisquer razões — da localização da dor da incisão de cesariana à localização do televisor em seu quarto.

Qualquer que seja o motivo, preferir um dos seios em detrimento do outro é uma realidade na amamentação de alguns bebês, e a assimetria é uma realidade da vida para as mães deles. Embora você possa tentar aumentar a produção no lado menos favorecido bombeando diariamente e/ou começando cada mamada por ele (se seu bebê cooperar), estes esforços podem não dar resultado. Em muitos casos, as mães passam por toda a experiência de amamentação com um seio maior do que o outro (embora você provavelmente seja a única pessoa a perceber a diferença). A assimetria diminuirá depois do desmame, embora possa perdurar uma diferença um pouco maior do que a normal.

*Muito raramente*, um bebê rejeita uma mama porque ela abriga uma malignidade em desenvolvimento. Assim, fale desta tendência de seu filho com o médico.

## Usando uma *kepina* ou *sling*

*"Em geral carregamos nosso filho em uma kepina. É uma boa ideia?"*

Tem sido uma boa ideia há milênios. As *kepinas* e os *slings* — sacos de tecido que prendem os bebês aos pais ou a quem estiver cuidando deles — de uma forma ou de outra, são úteis para transportar bebês em outras culturas desde a pré-história. Existem pelo menos três bons motivos. Primeiro, os bebês em geral ficam satisfeitos andando em uma *kepina*; eles gostam do movimento suave e estável e a proximidade com um corpo quente. Segundo, os bebês tendem a chorar menos quando são muito carregados — e é muito mais fácil carregar com uma *kepina*. E, terceiro, as *kepinas* proporcionam aos pais e a quem cuida de bebês a liberdade de realizar suas tarefas diárias — carregar pacotes, empurrar carrinhos de compras ou o aspirador de pó, dar telefonemas — enquanto carrega o bebê.

Diferentes tipos de *kepinas* têm diferentes benefícios; veja uma discussão sobre eles na página 112. Mas embora as *kepinas* sejam uma bênção para os pais de hoje, elas podem também ser uma maldição se usadas em demasia ou se mal utilizadas. Tenha em mente o seguinte quando carregar seu bebê:

**Superaquecimento.** Em um dia quente, até o bebê mais despido pode ferver em uma *kepina*— em particular uma que envolva as pernas, os pés e a cabeça do bebê ou seja feita de um tecido pesado, como o veludo cotelê. Este superaquecimento pode levar a irritação por calor e até a insolação. Se você usa uma *kepina* no clima quente, em salas muito aquecidas ou em um ônibus ou metrô quentes (as *kepinas* nunca devem ser usadas no lugar de um assento de segurança no carro), verifique seu bebê constantemente para ter certeza de que ele não está transpirando e que o corpo dele não parece mais quente do que o seu. Se ele

parece superaquecido, retire algumas roupas ou tire-o completamente da *kepina*.

**Pouco estímulo.** Um bebê que sempre está preso em uma *kepina* que limita sua perspectiva visual ao peito e, se ele olha para cima, à base do rosto, não tem a oportunidade que precisa de ver o mundo. Este não é um grande problema nas primeiras semanas de vida, quando o interesse de um bebê em geral se limita aos confortos mais básicos, mas pode ser agora, quando ele está pronto para expandir seus horizontes. Use uma *kepina* ou *sling* conversível em que o bebê possa ficar de rosto para cima durante uma soneca ou para ver o mundo, ou limite a permanência do bebê aos momentos em que ele esteja dormindo ou seja tranquilizado somente quando carregado e você precisa dos braços para outros propósitos. Em outras ocasiões, use um carrinho ou um assento infantil.

**Dormir demais.** Os bebês que são levados em *kepinas* tendem a dormir muito — com frequência mais do que precisam, com dois resultados nada desejáveis. Primeiro, eles se acostumam a tirar sonecas pelo caminho (15 minutos quando você vai ao armazém da esquina, vinte quando passeia com o cachorro) em vez de dormir por mais tempo no berço. Segundo, eles podem se tornar tão descansados durante o dia que não descansam muito à noite. Se seu filho dorme imediatamente quando é colocado em uma *kepina*, limite o uso para se certificar de que ele não durma o dia todo nela.

**Risco de lesões.** O pescoço de um bebê novo ainda não é forte o bastante para sustentar sua cabeça quando ele é muito balançado e sofre solavancos. Embora segurar seu filho em uma *kepina* enquanto você faz *jogging* possa parecer uma forma ideal de fazer seus exercícios e manter seu bebê feliz, o balanço pode ser arriscado. Em vez disso, prenda-o a um carrinho quando sair para caminhar. Também tenha o cuidado de enfaixar pelos joelhos, *e não pela cintura*, quando usar a *kepina* — ou seu bebê poderá escapulir.

Embora o uso judicioso de uma *kepina* possa tornar sua vida mais fácil e a de seu filho mais feliz, ele só estará pronto para uma *kepina* de costas quando puder se sentar sozinho.

## O BEBÊ REBELDE

*"Nossa garotinha é adorável, mas ela parece chorar pelas menores razões. Se está barulhento demais, claro demais, ou até se ela está um pouco molhada. Estamos enlouquecendo, tentando lidar com isso. Será que estamos fazendo alguma coisa errada?"*

Nenhum pai ou mãe espera ter um bebê rebelde. Os devaneios de grávida são colagens em rosa e azul de um bebê satisfeito que balbucia, sorri, dorme pacificamente, chora somente quando está com fome e se torna uma criança cooperativa e de bom temperamento. Os bebês gritões e inconsoláveis e os que engatinham e costumam chutar e gritar pertencem aos outros — a pais que fizeram tudo errado e estão pagando por isso.

E então, para alguns pais como você, algumas semanas depois de seu bebê perfeito nascer, a realidade derruba a fantasia. De repente, é o seu bebê que está chorando o tempo todo, que não quer dormir, ou que parece eternamente infeliz e insatisfeito, independente do que vocês façam. Por que você não se perguntaria: "O que há de errado?"

A resposta provavelmente é nada, exceto talvez por alguns genes, porque o temperamento de um bebê parece ter muito mais a ver com a hereditariedade do que com o ambiente. O modo como o ambiente da infância é estruturado, porém, pode fazer diferença em como o temperamento do recém-nascido afeta o desenvolvimento futuro. A criança que, com ajuda da mamãe e do papai, aprende a orientar e a desenvolver traços de personalidade inatos "rebeldes", transformando-os de desvantagens em vantagens, pode passar de uma infância-problema impossível para uma idade adulta muito bem-sucedida.

O papel dos pais nesta metamorfose — como em muitos aspectos do desenvolvimento de uma criança — é essencial. O primeiro passo é identificar qual dos diferentes tipos de personalidade estão ligados ao comportamento difícil que seu bebê exibe (alguns exibem uma combinação deles). Seu filho parece ser o que é conhecido como um bebê de alta sensibilidade. Uma fralda molhada, uma roupa engomada, uma gola alta, uma luz brilhante, um rádio com estática, um cobertor que arranha, um berço frio — qualquer ou todas estas coisas podem irritar indevidamente um bebê que parece ser muito sensível ao estímulo sensorial. Em algumas crianças, todos os cinco sentidos — audição, visão, paladar, tato e olfato — são sobrecarregados com muita facilidade; em outras, apenas um ou dois sentidos. Lidar com a criança de alta sensibilidade significa tentar manter baixo o nível geral de estimulação sensorial desnecessária, bem como evitar aquelas coisas específicas que você percebe que aborrecem o bebê, como por exemplo:

◆ Sensibilidade ao som. Desde que seja prático (lembre-se, você ainda tem de viver na casa também), reduza o nível de som em sua casa. Mantenha baixos rádio, televisão e aparelho de som, ajuste a campainha do telefone para o mínimo e instale carpetes e cortinas, onde for possível, para absorver o som. Fale ou cante para seu bebê suavemente e faça com que os outros ajam da mesma forma. Certifique-se de que qualquer brinquedo musical ou que produza outro som não esteja perturbando seu bebê. Se os barulhos externos parecem ser um problema, experimente um aparelho de ruído brando ou um purificador de ar no quarto do bebê para bloqueá-los.

◆ Sensibilidade visual ou à luz. Use cortinas que escureçam o quarto para que seu filho possa dormir até mais tarde pela manhã e cochile durante o dia, e evite luzes muito brilhantes nos cômodos que ele frequenta. Não o exponha a demasiado estímulo visual de uma só vez — pendure apenas um brinquedo no berço, ou coloque

alguns poucos no cercadinho a cada vez. Escolha brinquedos que sejam de cores e desenho suaves e sutis, em vez dos brilhantes e ativos.

◆ Sensibilidade ao gosto. Se seu bebê é amamentado e tem um dia ruim depois que você come alho ou cebola, considere que o sabor desconhecido de seu leite pode ser a causa; se ele toma mamadeira e parece muito irritado, experimente trocar para uma fórmula com um sabor diferente (peça recomendação ao médico). Quando introduzir sólidos, reconheça o fato de que seu bebê pode não gostar de todas as sensações de paladar e pode rejeitar completamente sabores fortes.

◆ Sensibilidade ao toque. Com esta síndrome do tipo "não me toques", alguns bebês perdem a compostura assim que molham as fraldas, tornam-se frenéticos quando estão com calor demais ou vestidos com tecidos ásperos, gritam quando estão molhados na banheira ou são colocados em um colchão frio demais ou, mais tarde, quando você amarra os sapatos sobre meias enrugadas. Assim mantenha as roupas confortáveis (são ideais o tricô de malha com costuras e botões macios, colchetes, etiquetas e colarinhos de tamanho, forma e localização que não irritem), mantenha a temperatura do banho e do quarto nos níveis que o deixem satisfeito e troque as fraldas frequentemente.

Uma pequena porcentagem de bebês são tão supersensíveis ao toque que resistem a ser segurados e nina-

# VOCÊ TEM UM BEBÊ REBELDE?

**O bebê ativo.** Os bebês sempre dão a primeira dica de que serão mais ativos do que a maioria já no útero; as suspeitas são confirmadas logo depois do nascimento, quando os lençóis são chutados, as sessões de troca de fraldas e de roupas tornam-se verdadeiras lutas e o bebê sempre termina no canto oposto do berço depois de uma soneca. Os bebês ativos são um desafio constante (eles dormem menos do que a maioria, tornam-se inquietos quando alimentados, podem ficar extremamente frustrados até que sejam capazes de se mover com independência e sempre correm o risco de se machucar), mas eles também podem ser uma alegria (em geral são muito alertas, interessados e interessantes, e se desenvolvem rápido). Embora você não queira reprimir a natureza entusiasmada e aventurosa de um bebê, vai querer tomar precauções especiais para proteção, bem como aprender maneiras de aquietá-lo para comer e dormir. As seguintes sugestões devem ajudar:

♦ Use um lençol no clima quente e cobertores leves no clima frio; limite ou evite o cueiro.

♦ Tenha o cuidado especial de nunca deixar um bebê ativo sozinho em uma cama, em uma mesa de trocas ou em qualquer outro local elevado mesmo que por um segundo — eles com frequência encontram uma maneira de se virar muito cedo, e às vezes exatamente quando você menos espera. Uma faixa de restrição na mesa de trocas é útil, mas não se deve depender dela se você estiver a mais de um passo de distância.

♦ Ajuste o colchão do berço para seu nível mais baixo assim que o bebê ativo começar a se sentar sozinho mesmo que por alguns segundos — o próximo passo pode ser debruçar-se sobre as laterais do berço. Mantenha fora do berço e do cercadinho todos os objetos que um bebê pode escalar.

♦ Não deixe um bebê ativo em um assento infantil, a não ser no chão — eles com frequência são capazes de sair do assento. E, é claro, o bebê sempre deve estar atado.

♦ Aprenda o que desacelera seu bebê ativo — massagem (ver página 442), música suave (seja você mesma cantando, ou de um CD), um banho morno, ou olhar para um livro de figuras (embora as crianças ativas possam não estar prontas para isso tão cedo como as crianças mais tranquilas). Coloque estas atividades calmantes no programa do bebê, antes da hora de alimentá-lo e colocá-lo para dormir.

**O bebê irregular.** Da sexta à décima segunda semana, justamente quando outros bebês parecem se acomodar a uma rotina e se tornam mais previsíveis, estes bebês parecem mais erráticos. Não só eles não se prendem às rotinas sozinhos, como não estão interessados em nenhuma outra que você possa oferecer.

Em vez de seguir a liderança de um bebê desses e o caos que toma conta de sua vida doméstica, ou tomar as rédeas você mesma e impor um programa muito rigoroso que contrarie a natureza do bebê, experimente encontrar um meio-termo. Para o seu bem, é necessário impor um mínimo de ordem em sua vida, mas experimente ao máximo montar um programa em torno de quaisquer tendências naturais que o bebê pareça exibir. Você pode ter de manter um diário para descobrir qualquer dica de um horário recorrente nos dias de seu filho, como fome por volta das 11 toda manhã ou agitação depois das 7 toda noite.

Tente lidar com qualquer imprevisibilidade com previsibilidade. Isto significa tentar, ao máximo, fazer as coisas nas mesmas horas e da mesma maneira todo dia. Amamente na mesma cadeira quando for possível, dê banho na mesma hora todo dia, sempre tranquilize com o mesmo método (embalar ou cantar, ou o que funcionar melhor). Experimente programar as mamadas aproximadamente nas mesmas horas todo dia, mesmo que seu filho não pareça ter fome, e tente se prender ao programa mesmo que ele tenha fome entre as refeições, oferecendo-lhe um lanchinho, se necessário. Facilite em vez de obrigar seu bebê a passar por mais um dia estruturado. E não espere uma verdadeira regularidade, apenas um pouco menos de caos.

As noites com um bebê irregular podem ser uma tortura, principalmente porque o bebê não costuma diferenciá-las dos dias. Você pode experimentar as dicas para lidar com os problemas de diferenciação entre noite e dia (ver página 277), mas é muito possível que elas não funcionem com seu bebê, que pode querer ficar acordado a noite toda, pelo menos inicialmente. Para sobreviver a isto, a mamãe e o papai podem ter de alternar os deveres noturnos ou dividirem os turnos até que as coisas fiquem melhores, o que por fim acontecerá, se vocês forem persistentes e permanecerem calmos.

**O bebê de baixa adaptabilidade ou de retraimento inicial.** Estes bebês consistentemente rejeitam o desconhecido — novos objetos, pessoas, alimentos. Alguns ficam aborrecidos com a mudança de qualquer coisa, até mudanças familiares, como ir da casa para o carro. Se este parece ser o seu filho, experimente estabelecer um programa diário com poucas surpresas. Mamadas, banhos e sonecas devem ocorrer nas mesmas horas e nos mesmos lugares, com o mínimo de fuga da rotina. Apresente novos brinquedos e novas pessoas (e alimentos, quando o bebê estiver pronto para eles) muito gradualmente. Por exemplo, pendure um novo móbile sobre o berço apenas por um minuto ou dois. Retire-o e o recoloque por mais algum tempo, deixando-o por alguns minutos a mais. Continue aumentando o tempo de exposição até que o bebê pareça estar pronto para aceitar e desfrutar do móbile. Apresente novos brinquedos e objetos da mesma maneira. Faça com que as novas pessoas passem muito tempo só ficando no mesmo quarto do bebê, depois falando à distância, depois se comunicando mais de perto, antes que tentem ter contato físico. Mais tarde, quando introduzir sólidos, acrescente novos alimentos muito gradualmente, começando por pequenas quantidades e aumentando a porção no prazo de uma semana ou duas. Não acrescente nenhum outro alimento até que o último tenha sido aceito. Experimente evitar mudanças desnecessárias quando fizer compras — uma nova mamadeira com um formato ou uma cor diferente, uma nova engenhoca para o carrinho, uma nova chupeta. Se um objeto estragar ou quebrar, procure substituí-lo por um idêntico ou por um modelo semelhante.

**O bebê de alta intensidade.** Você provavelmente percebeu isso desde o começo — seu bebê chorava mais alto do que qualquer outro no berçário do hospital. O choro e os gritos altos, do tipo que podem esfrangalhar até o mais estável dos nervos, continuaram quando você voltou para casa. Você não pode apertar um interruptor e diminuir o volume de seu bebê, é claro — mas reduzir o volume de ruído e atividade no ambiente pode ajudar seu filho a reduzir um pouco o dele. Além disso, você vai querer tomar algumas medidas pura-

mente práticas para evitar o barulho de familiares e vizinhos incômodos. Se possível, torne o quarto de seu filho à prova de som, isolando as paredes com painéis ou almofadas isolantes, coloque carpete, cortinas e qualquer outra coisa que possa absorver o som. Você pode tentar usar protetores auriculares, um aparelho de ruído brando, um ventilador ou um condicionador de ar para reduzir o desgaste de seus ouvidos e nervos sem bloquear totalmente os choros de seu filho. À medida que o choro diminuir nos meses seguintes, também diminuirá o problema, mas provavelmente seu filho sempre será mais ruidoso e mais intenso do que a maioria.

**O bebê negativo ou "infeliz".** Em vez de sorrir e balbuciar, alguns bebês parecem grunhir o tempo todo. Isto não é demérito para os pais (a não ser, é claro, que eles tenham sido negligentes), mas pode ter um profundo impacto sobre eles. Eles com frequência acham difícil amar seus bebês infelizes e às vezes chegam a rejeitá-los. Se nada parece satisfazer seu filho (e não se descobre nenhuma explicação médica), então faça o que puder para amar e cuidar dele, sabendo que um dia desses, quando seu bebê aprender outras formas de expressão, o choro e a infelicidade geral diminuirão, embora ele possa sempre ser do tipo "sério".

dos. Não manipule demais este bebê; dê a maior parte do carinho e faça a maior parte da interação com palavras e contato visual em vez de tocá-lo fisicamente. Quando segurar seu

bebê, aprenda que maneiras parecem menos irritantes (apertado ou frouxo, por exemplo). Observe estreitamente para ver o que faz bem a ele e o que não faz.

- Sensibilidade ao cheiro. Não é provável que odores incomuns perturbem um bebê muito novo, mas algumas crianças começam a mostrar uma reação negativa a certos cheiros antes do final do primeiro ano. O aroma de cebolas fritas, o cheiro de um remédio para assaduras, a fragrância do novo perfume da mamãe ou da nova loção pós-barba do papai podem deixar um bebê desses inquieto e infeliz. Se seu bebê parece sensível a cheiros, limite os fortes odores quando puder.

- Sensibilidade a estímulos. Estímulos demais, de qualquer tipo, parecem perturbar alguns bebês. É preciso lidar com estes bebês gentilmente e devagar. Falar alto, movimentos apressados, brincadeiras demais, pessoas demais por perto, atividade demais em um dia — tudo isto pode ser irritante. Para ajudar um bebê assim a dormir melhor, evite atividades pouco antes da hora de dormir, substituindo-as por uma historinha contada baixinho ou por cantigas de ninar. Uma música suave pode ajudar esse tipo de bebê a se acalmar também.

Não é fácil tomar medidas extras que satisfaçam um bebê exigente, mas quase sempre vale a pena o esforço. Tenha em mente, porém, que haverá ocasiões em que você não será capaz de colocar em primeiro lugar as necessidades especiais do bebê (os bebês não gostam de luzes brilhantes e barulhos, mas você tem de levá-lo a uma festa da família). Está tudo bem, também — embora você possa ter de lidar com as consequências do cho-

ro. Tenha em mente também que muitos sintomas de "rebeldia" tendem a amainar consideravelmente à medida que a criança fica mais velha.

Antes de concluir se seu bebê é um dos rebeldes, porém, você deve se certificar de que não há nenhuma causa física subjacente para seu comportamento perturbador. Descreva-o ao médico para que qualquer explicação clínica possível — doença ou alergia, por exemplo — possa ser aventada. Às vezes um bebê que parece ser especialmente exigente está simplesmente com cólica, problemas de dentição, doente ou é alérgico à fórmula. Para descrições de outros tipos de bebês rebeldes, ver o quadro na página 354.

# O BEBÊ QUE NÃO DORME DE COSTAS

*"Sei que devia colocar meu filho para dormir de costas para protegê-lo da SIDS. Mas ele dorme terrivelmente mal nesta posição. Uma vez, quando o coloquei de bruços para brincar, ele dormiu e tirou a soneca mais longa de sua vida. É seguro mudar?"*

Quase sempre os bebês sabem o que é melhor para eles (como quando param de comer quando não têm mais fome, ou se desligam abertamente de pais entusiasmados quando têm estímulos demais). Mas, infelizmente, não quando se trata de posições para dormir. A maioria dos bebês prefere naturalmente a posição de bruços para dormir; é mais confortável, é mais aconchegante e os deixa com uma probabilidade menor de se sobressaltarem. E, por todos estes motivos, também garante sonos mais longos e eles despertam menos vezes.

Mas claramente não é o melhor para o bebê. Dormir de bruços está ligado a uma incidência muito mais alta de SIDS — em particular em bebês que não estão acostumados com a posição (porque, como o seu, eles começaram de costas desde o nascimento). A maioria dos bebês se acostuma na posição de costas rapidamente, em especial se nunca conheceram outra posição para dormir; outros continuam a se agitar um pouco de costas; e alguns, como o seu, não parecem capazes de se acomodar para uma boa noite de sono quando estão de bruços. Quase todos os bebês dormiriam melhor de bruços se tivessem oportunidade, e este é um dos motivos para que os cientistas acreditem que o SIDS é mais provável em bebês que só dormem de bruços. Porque o sono do bebê é mais profundo quando ele está de bruços, suas reações de despertar são silenciadas, evitando, segundo teorizam os cientistas, que eles acordem durante episódios de apneia do sono e que reassumam o padrão normal de respiração.

A primeira coisa que você deve fazer é discutir o problema com seu pediatra. Ele pode querer ver por que seu bebê não gosta da posição de costas. Raramente um bebê tem um motivo físico ou anatômico para se incomodar com a posição de costas. É muito mais provável que seu bebê simplesmente não goste do modo como se sente. Se este for seu caso, experimente algumas das dicas para manter o bebê satisfeito de costas:

- Considere usar um cueiro antes da hora de dormir. A pesquisa mostra que os bebês que usam cueiro antes de serem colocados de costas dormem com mais satisfação — e choram menos. Eles também têm uma probabilidade menor de se sobressaltar e de ser acordados por aqueles movimentos normais e espasmódicos. Mas não coloque o cueiro se seu filho estiver ativo o bastante para chutar o lençol (afrouxar a roupa de cama no berço representa um risco de segurança). Alguns bebês podem conseguir isto desde o segundo mês. Também se certifique de que o quarto esteja frio o bastante quando estiver colocando o cueiro; o superaquecimento é outro fator de risco para SIDS.

- Apoie um pouco a parte de cima do colchão (com um travesseiro ou um cobertor enrolado *debaixo* do colchão) para que o bebê não fique reto de costas. Isto pode deixá-lo mais à vontade. Mas não apoie o bebê com nenhum travesseiro nem outra roupa de cama macia dentro do berço.

- Treine lentamente seu bebê a ficar mais confortável dormindo de costas. Se dormir nesta posição é difícil para ele, experimente colocá-lo em seu assento infantil para dormir, ou embalá-lo para dormir antes de transferi-lo para o berço (de costas) depois que ele adormecer.

- Prenda-se a isto. A coerência quase sempre tem suas recompensas quando se trata de bebês. Por fim, ele provavelmente se acostumará a dormir de costas.

- Verifique novamente com o médico se o bebê ainda ficar infeliz de costas. Se nada do que você faz parece deixar seu filho um satisfeito bebê que dorme de costas, o médico pode sugerir deixar o bebê dormir de lado, com um calço para evitar que ele role sobre a barriga (mas não de costas). Embora não seja uma posição recomendada para dormir, ainda é mais segura do que ficar de bruços, e pode permitir que vocês dois consigam dormir.

Depois que seu filho puder rolar sozinho, é provável que ele se vire para a posição preferida de dormir mesmo quando você o colocar deitado de costas (ver página 512).

# O Que É Importante Saber:
## ESTIMULANDO SEU BEBÊ NOS PRIMEIROS MESES

Em nossa sociedade orientada para a realização, muitos pais se preocupam em ter bebês que estejam no nível do bebê médio — e eles começam a se preocupar cedo. Eles se preocupam que, se ele não sorrir quando tiver quatro semanas, não poderá entrar no programa de pré-escola certo. Se ele não se virar aos 2 meses, pode não entrar para a equipe de tênis do secundário. Será que é exagero? Bem, de certa forma é. Na verdade, existem pais que se preocupam que, a não ser que façam tudo certo, eles não terão sucesso na transformação do montinho fofo basicamente sem capacidade de resposta que deram ao mundo em um candidato a um diploma nas melhores universidades.

Na verdade, eles têm poucos motivos para se preocupar. Os bebês — até aqueles destinados ao cobiçado diploma universitário — desenvolvem-se a diferentes ritmos, e aqueles que têm um começo um pouco mais lento costumam se superar mais tarde. E os pais — mesmo os que são cronicamente inseguros — fazem um trabalho muito competente quando estimulam sua descendência, em geral sem fazer um esforço consciente.

No entanto, embora possa ser reconfortante saber dessas coisas, nem sempre a preocupação cessa. Para muitos pais, há o medo ranheta de que agir naturalmente quando se trata de criar filhos pode não ser o suficiente. Assim, se você gosta de verificar o que já vem fazendo por instinto para ver se está no caminho certo, as dicas seguintes de criação do ambiente correto para o aprendizado e para fornecer estímulos sensoriais devem ser úteis para você. Veja também Fazendo o Melhor nos Três Primeiros Anos, página 335.

## A CRIAÇÃO DE UM BOM AMBIENTE

É muito mais fácil do que você pensa Aqui está tudo o que há para saber:

**Ame seu bebê.** Nada ajuda mais um bebê a crescer e prosperar do que ser amado. Um relacionamento estreito com um dos pais, ou os dois, ou com um pai substituto é essencial para o desenvolvimento normal. O amor também deve ser incondicional — e da variedade irrestrita. Deve ser transmitido com a mesma clareza (embora possa não parecer fácil) durante um episódio de cólica ou um acesso de raiva do bebê que engatinha (e, mais tarde, durante uma tempestade de adolescente), bem como em um momento de comportamento angelical.

**Relacione-se com seu bebê.** Aproveite cada oportunidade para falar, cantar, ou balbuciar com seu filho — enquanto está trocando as fraldas, dando um banho, fazendo compras ou dirigindo o carro. Estas trocas casuais e estimulantes produzirão uma criança mais brilhante do que obrigar a aprender programas de computador. E mesmo os brinquedos mais educativos são inúteis se o bebê não tem você (o melhor de todos os brinquedos) para brincar em parte do tempo. Seu objetivo a esta altura não é "ensinar" seu bebê, mas se envolver com ele.

**Conheça seu bebê.** Aprenda o que deixa seu bebê feliz ou infeliz, excitado ou entediado, tranquilizado ou estimulado — prestando mais atenção a este *feedback* do que aos conselhos de qualquer livro ou especialista. Crie tentativas de estimular seu bebê. Se os ruídos altos e/ou as brigas em casa irritam seu filho, distraia-o com sons suaves e brincadeiras gentis. Se excitação demais deixa seu bebê frenético, limite o tempo das brincadeiras e a intensidade da atividade.

**Elimine a pressão — e divirta-se.** Não se aprende nem se desenvolve mais rápido sob pressão, e a pressão pode representar um obstáculo. Para o bebê, a mensagem — independente de o quanto estiver camuflada — de que você não está satisfeita com o progresso dele na escada do desenvolvimento é prejudicial. Em vez de pensar no tempo que gasta estimulando seu filho com sessões educativas, relaxe e desfrute, para o bem dos dois.

**Dê espaço a seu bebê.** A atenção adequada é essencial; atenção demais pode ser sufocante. Embora as crianças precisem saber que a ajuda está disponível quando elas precisam, elas têm que aprender como procurar por ela também. Seus paparicos também privarão o bebê da oportunidade de procurar e encontrar diversão em outra parte — no ursinho de pelúcia de aparência amistosa com quem ele divide o cercadinho, no padrão da luz que passa pela veneziana, nos dedos das mãos e dos pés dele, no som de um avião no céu, na sirene dos bombeiros passando na rua, no cachorro latindo na casa ao lado. Isto também pode estorvar a capacidade de seu bebê de brincar, aprender e resolver problemas de forma independente mais tarde — todas habilidades importantes na vida. (Além disso, uma criança abertamente dependente tornará difícil para você voltar sua atenção a qualquer outra coisa.) Sem dúvida, passe um tempo de qualidade brincando com seu bebê. Mas às vezes deixe o bebê e os brinquedos juntos, e depois se afaste para observar enquanto eles se conhecem.

**Siga o líder.** E certifique-se de que seu filho, e não você, esteja na liderança. Se ele fica fascinado com o móbile, não mostre o quadro de atividades; em vez disso, concentrem-se juntos no móbile. Permitir que o bebê assuma o volante de vez em quando não só melhora o aprendizado ao tirar proveito do "momento ensinável", mas também reforça o florescente senso de autoestima do bebê ao comunicar-lhe que os interesses dele são dignos da atenção da mamãe ou do papai.

Deixe seu filho assumir a liderança também quando se tratar do fim de uma sessão de brincadeiras — mesmo que antes disso a balbúrdia a tenha exasperado. Seu filho lhe dirá, "Já chega", virando-se, agitando-se, chorando ou mostrando desinteresse ou desagrado de outra forma. Ignorar o recado e pressionar privará um bebê de um senso de controle, eliminará o interesse no objeto (pelo menos por algum tempo) e por fim fará com que a brincadeira seja muito menos divertida para os dois.

**A hora certa.** Um bebê sempre está em um dos seis estados de consciência: sono profundo, ou silencioso; sono leve, ou ativo; sonolência; vigília ativa com interesse em atividade física; agitação e choro; ou vigília tranquila. É durante a vigília ativa que você pode estimular com mais eficácia o desenvolvimento e é durante a vigília tranquila que você pode fomentar melhor outros tipos de aprendizado (ver páginas 194-195). Tenha em mente também que os bebês têm

muito pouca atenção. Um bebê que se afasta de você depois de olhar um livro por 2 minutos não está rejeitando que você leia para ele, mas simplesmente perdeu a concentração.

**Dê reforço positivo.** Quando seu bebê começa a fazer coisas (quando ele sorri, dá tapas com barulho, levanta os ombros e os braços do colchão, vira-se, ou pega um brinquedo com sucesso), estimule-o mais com reforço positivo. Faça-o com abraços, carinhos, aplausos — o que quer que for agradável para você e passe o recado para o bebê: "Acho que você é incrível."

## DICAS PRÁTICAS PARA O APRENDIZADO E AS BRINCADEIRAS

Alguns pais, sem sequer ler um livro ou fazer um curso sobre estimulação de bebês, parecem ter mais facilidade do que outros para iniciar as atividades de brincadeira e aprendizado com seus filhos. E alguns bebês, porque têm uma capacidade de resposta incomum, envolvem-se com mais facilidade nestas atividades. Mas qualquer equipe de pais e bebês pode ser bem-sucedida no aprender e brincar com um pouco de orientação. As áreas a serem nutridas e estimuladas são:

**O paladar.** Agora mesmo, você não precisa se desviar da rotina para estimular este sentido. As papilas gustativas de seu bebê são deleitadas a cada refeição no peito ou na mamadeira. Mas à medida que o bebê ficar mais velho, "saborear" se tornará uma forma de exploração, e tudo a seu alcance terminará em sua boca. Resista à tentação de desestimular isto — a não ser, é claro, quando o que vai para dentro da boca for tóxico, afiado ou pequeno o bastante para provocar sufocamento.

**O olfato.** Na maior parte dos ambientes, o aparelho olfativo consegue se exercitar. Tem o leite materno, a loção pós-barba do papai, um carro correndo pela vizinhança, as flores nos passeios que vocês fazem juntos, o frango assando no forno. A não ser que seu filho mostre sinais de ser abertamente sensível aos odores, pense nos vários aromas como oportunidades a mais para que o bebê aprenda sobre o ambiente.

**A visão.** Embora no passado se acreditasse que os bebês eram em grande parte cegos ao nascimento, agora se sabe que eles não só podem ver, mas podem começar a aprender a partir do que veem desde o início. Através de seu sentido da visão, eles aprendem muito rapidamente a diferenciar entre objetos e seres humanos (e entre um objeto e um ser humano e outro), interpretar a linguagem corporal e outras dicas não verbais, e entender um pouco mais do mundo que os cerca a cada dia.

Decore o quarto ou o canto do bebê com o objetivo de fornecer estímulo visual em toda parte, em vez de satisfazer a seu próprio gosto estético. Quando escolher papel de parede, lençóis, cortinas, brinquedos ou livros, tenha em mente que os bebês gostam de contrastes fortes e que os desenhos que são nítidos e brilhantes, em vez de suaves e delicados, têm mais apelo (preto e branco e outros padrões contrastantes são os preferidos para bebês de mais ou menos seis semanas, e os tons pastel e outras cores mais tarde).

Muitos objetos, entre eles os brinquedos, podem estimular visualmente o bebê (mas, para evitar confusão e superestimulação, mostre um ou dois de cada vez durante as sessões de brincadeira):

- Móbiles. As figuras em um móbile devem estar plenamente visíveis a partir de baixo (da perspectiva do bebê), em vez de lado (da perspectiva do adulto). Um móbile não deve estar a mais de 30 a 40 centímetros acima do rosto do bebê, e deve estar pendurado em um lado ou outro da linha de visão da criança, em vez de diretamente acima (a maioria dos bebês prefere olhar para a direita, mas observe o seu filho para descobrir a preferência dele).

- Outras coisas que se mexem. Você pode mover um chocalho ou outro brinquedo brilhante na linha de visão do bebê para estimular o acompanhamento de objetos em movimento. Faça uma incursão a uma *pet shop* e coloque o bebê na frente de um aquário ou gaiola para que ele veja a ação. Ou sopre bolhas para o bebê.

- Objetos parados. Os bebês passam muito tempo apenas olhando as coisas. Este tempo não é inútil, é um período de aprendizagem. Padrões geométricos ou faces simples em preto e branco, desenhados à mão ou comprados em lojas, são inicialmente os favoritos — mas o bebê provavelmente também ficará fascinado com os objetos cotidianos para os quais você não olharia duas vezes.

♦ Espelhos. Os espelhos dão aos bebês uma visão que sempre muda, e a maioria dos bebês os adora. (Eles gostam especialmente de olhar e socializar com o "bebê" no espelho, sem ter nenhuma ideia de quem é aquele neném.) Certifique-se de usar espelhos seguros para bebês; pendure-os no berço, no carrinho, ao lado da mesa de trocas.

♦ Pessoas. Os bebês adoram olhar rostos de perto, então você e seus familiares devem passar muito tempo bem próximos do bebê. Mais tarde, você também poderá mostrar fotos da família ao bebê, apontando quem é quem.

♦ Livros. Mostre ao bebê imagens simples de bebês, crianças, animais ou brinquedos e os identifique. Os desenhos devem ser claros e bem definidos, sem muitos detalhes (para um bebê). Os livros ilustrados em cores vivas são perfeitos para isso.

♦ O mundo. Muito cedo seu filho adquirirá um interesse em ver o que está além de seu narizinho. Proporcione muitas oportunidades de ver o mundo — de um carrinho, de um bebê-conforto ou na cadeirinha do carro, ou passeando com seu filho com o rosto dele voltado para a frente. Acres-

cente também comentários, aponte os carros, as árvores, as pessoas e assim por diante. Mas não tagarele sem parar em cada saída; você ficará entediada e o bebê começará a evitá-la.

**A audição.** É através da audição que os bebês aprendem a linguagem, o ritmo, o perigo, as emoções e sentimentos — e tudo o mais que esteja em torno deles. O estímulo auditivo pode vir de quase qualquer fonte.

♦ A voz humana. Este é obviamente o tipo de som mais significativo na vida de um bebezinho, então use a sua — fale, cante e balbucie com seu bebê. Experimente cantigas de ninar, rimas infantis, poeminhas absurdos que você mesma criar. Imite os sons dos animais, em especial daqueles que seu bebê ouve regularmente, como o latido de um cachorro ou o miado de um gato. Mais importante, imite para o bebê os sons que ele faz.

♦ Sons da casa. Muitos bebês novos são cativados por qualquer música suave ou animada de fundo, pelo zumbido do aspirador de pó ou do liquidificador, o apito da chaleira ou o barulho da água corrente, o barulho de um papel sendo amassado, ou o tinir de uma campainha ou o barulho do vento — embora eles possam se tornar temerosos de tantos sons mais tarde, no primeiro e no segundo anos.

♦ Chocalhos e outros brinquedos que produzem sons suaves. Você não tem de esperar até que seu bebê seja capaz de sacudir um chocalho sozinho.

Nos primeiros meses, ou sacuda você mesma, ou coloque o chocalho na mão do bebê e ajude-o a sacudi-lo, ou prenda-o ao pulso. A coordenação entre visão e audição se desenvolverá quando o bebê se voltar para o som.

♦ Caixas de música. Você se surpreenderá com a rapidez com que seu filho aprenderá a reconhecer uma nota musical; especialmente boas são as caixinhas de música que têm apelo visual, mas se uma delas for colocada ao alcance dele, certifique-se de não ter peças pequenas que possam ser quebradas e colocadas na boca por seu filho.

♦ Brinquedos musicais. Os brinquedos que tocam música e também proporcionam estímulo visual e prática de pequenas habilidades motoras (como um ursinho que se mexe e toca música quando o bebê puxa uma corda) são particularmente bons. Evite brinquedos que façam barulhos altos que possam prejudicar a audição, e não coloque nenhum brinquedo moderadamente ruidoso ao lado do ouvido do bebê. Certifique-se também de que os brinquedos sejam completamente seguros para o bebê.

♦ Fitas e CDs para bebês. Procure tocá-los para o bebê antes de comprar para ter certeza de que eles são bons ouvintes. A infância também é a época ideal para começar a mostrar música clássica a seu filho (toque-a suavemente durante a hora de brincar no berço, ou durante o jantar, ou na hora do banho), embora muitos bebês pareçam preferir os ritmos mais animados do rock, do pop ou da música country. Sempre observe seu filho para ver as reações dele à música; se ele parecer perturbado com o que está tocando, desligue. Além disso, proteja a audição de seu bebê mantendo o volume baixo.

**O tato.** O tato, embora com frequência subestimado, é na verdade um dos instrumentos mais valiosos de um bebê para explorar e aprender sobre o mundo. É através do tato que um bebê aprende a suavidade da mamãe e a dureza relativa do papai; que afagar um ursinho de pelúcia é maravilhoso, que esfregar uma escova dura não é tão bom e, mais importante de tudo, que aqueles que cuidam dele são amorosos — um recado que você manda toda vez que dá banho, troca as fraldas, alimenta, segura ou embala seu bebê.

Você pode proporcionar experiências mais variadas de toque para seu bebê com:

♦ Uma mão amorosa. Tente aprender como seu bebê gosta de ser manipulado — com firmeza ou de leve, rápida ou lentamente. A maioria dos bebês adora ser acariciada e beijada, ter as barriguinhas coçadas ou afagadas por seus lábios, ou ter você soprando delicadamente os dedos das mãos ou dos pés deles. Eles adoram a diferença entre o toque da mamãe e o do papai, uma forma divertida de um irmão abraçá-lo e a facilidade de especialista com que a vovó o embala.

## LOCAL, SEMPRE O LOCAL

Há uma coisa que você precisa saber antes de oferecer um chocalho ou outro brinquedo a seu filho: Onde você o oferece faz toda a diferença. Um bebê não alcançará um objeto colocado diante dele, somente de lado.

♦ Massagem. Os bebês prematuros que são massageados por pelo menos 20 minutos diariamente ganham peso mais rápido e têm um desenvolvimento geral melhor do que os que não recebem massagem (não está claro se é pela massagem ou pelo fato de eles serem mais manipulados); os bebês que não são tocados não crescem no ritmo normal. Descubra o tipo de afago que seu filho mais gosta e evite aqueles que parecem irritá-lo (ver página 442 para obter dicas).

♦ Texturas. Experimente esfregar a pele do bebê com diferentes texturas (cetim, fio de pelo, veludo, lã, pele, ou algodão absorvente) para que ele possa saber como sente cada um deles; mais tarde, estimule a exploração independente; deixe que o bebê fique deitado de bruços (somente com supervisão) em superfícies com diferentes texturas: o carpete da sala de estar, uma toalha felpuda, o casaco de peles falsas da vovó, o suéter de lã do papai, o casaco de veludo da mamãe, o centro de mesa bordado — as possibilidades são infinitas.

♦ Brinque com as texturas. Ofereça brinquedos que tenham texturas interessantes. Um ursinho de pelúcia e um cachorrinho de brinquedo de pelo grosseiro; blocos de madeira dura e outros macios; uma tigela de madeira e uma de metal; um travesseiro de seda e um nodoso.

**Desenvolvimento social.** Seu bebê torna-se um ser social observando você, interagindo com você e com o resto da família, e mais tarde com outras pessoas. Não é a hora de começar a ensinar a seu bebê como dar um jantar de sucesso nem como manter conversas interessantes durante os canapés, mas é hora de começar a ensinar, pelo exemplo, como as pessoas devem se comportar umas com as outras. Alguns anos depois, quando seu filho em crescimento conversar com os amigos, os professores, os vizinhos ou começar a "brincar de casinha", você ouvirá o eco de seu exemplo na vozinha dele; esperemos que você fique satisfeita (e não chocada ou decepcionada) com o que ouvir.

Os brinquedos que ajudam os bebês no desenvolvimento social são animais de pelúcia, móbiles de animais e bonecas. Embora muitos meses venham a passar até que ele seja capaz de abraçá-los e brincar com eles, mesmo nesta altura eles podem começar, e começarão, a socializar com eles — apenas observe um bebê conversar com os animais dando cambalhotas nas almofadas do berço ou revirando um móbile. Mais tarde, os livros e as oportunidades de brincar de faz de conta e se fantasiar também ajudarão as crianças a desenvolver habilidades sociais.

**Desenvolvimento motor fino.** Neste exato momento os movimentos da mão de seu filho são totalmente aleatórios, mas daqui a alguns meses aquelas mãozinhas se mexerão com mais propósito e controle. Você pode ajudar no desenvolvimento do movimento intencional dando muita liberdade às mãos de seu filho; não as mantenha presas ao cueiro nem enfiadas firmemente sob um cobertor (exceto ao ar livre, no tempo frio). Forneça uma variedade de objetos que sejam fáceis de pegar e manipular por mãos pequenas, que não exijam uma boa destreza. E uma vez que os bebês novos em geral não pegam objetos que estejam diretamente diante deles, ofereça estes objetos de lado.

Dê a seu filho amplas oportunidades da experiência "à mão" com o que se segue:

♦ Chocalhos que cabem confortavelmente em mãos pequenas. Aqueles com dois punhos ou superfícies que agarram que por fim permitirão que um bebê passe o chocalho de uma mão para outra, uma habilidade importante; aqueles que o bebê possa colocar na boca trarão alívio quando começar a dentição.

♦ Barras de atividades (elas se encaixam no carrinho, no cercadinho ou no berço) que tenham uma variedade de peças para o bebê pegar, girar, puxar e empurrar. Porém, atente para as que têm cordões com mais de 15 centímetros e retire qualquer barra de atividades depois que seu bebê conseguir se sentar sozinho.

♦ Quadros de atividades que exigem uma ampla gama de movimentos da mão para serem operados. Seu bebê pode não ser capaz de manipular intencionalmente o brinquedo por enquanto, mas mesmo um bebê novo às vezes pode colocá-lo em movimento acidentalmente. Além das habilidades de girar, discar, empurrar e apertar que estes brinquedos estimulam, eles também ensinam o conceito de causa e efeito.

**Desenvolvimento motor amplo.** Colocar seu filho para acompanhar um vídeo de exercícios para bebês não aumentará a força muscular nem acelerará o desenvolvimento motor. Boas habilidades motoras, corpos bem desenvolvidos e aptidão física para bebês dependem em vez disso do seguinte: uma boa nutrição; bons cuidados de saúde (para os bebês doentes e os saudáveis); e muitas oportunidades de atividade física automotivada. Os bebês confinados em um balanço, uma cadeirinha, ou uma mesa estacionária de brinquedos, atrelados a um carrinho ou bebê-conforto, ou com cueiro terão poucas oportunidades de aprender como funciona seu corpo. Aqueles que nunca foram colocados de bruços para brincar sob supervisão aprenderão mais lentamente a erguer a cabeça e os ombros, ou a se virar de costas, e é possível que jamais aprendam a se arrastar. Mude a posição de seu bebê com frequência durante o dia (faça-o sentar, coloque-o às vezes de bruços — sob supervisão — e outras vezes de costas) para maximizar as oportunidades de atividade física.

Estimule o desenvolvimento físico empurrando seu filho para uma posição sentada, deixando-o "voar" (permitindo o exercício de braços e pernas) e "montar" (deitando-o de rosto para baixo, sobre o queixo). Motive o girar de corpo colocando um objeto interessante ao lado do bebê, estando ele deitado de costas; se o bebê se virar um pouco, dê uma ajudazinha para ele percorrer todo o caminho. Estimule-o a rastejar deixando-o se impelir com as mãos quando estiver de barriga para baixo.

**Desenvolvimento intelectual.** Ao estimular o desenvolvimento de todos os sentidos, bem como o controle motor fino e amplo, você estará contribuindo para o crescimento intelectual de seu filho. Fale muito com ele, desde o começo. Dê nomes aos objetos, animais e pessoas que seu bebê vê, aponte para partes do corpo, explique o que você está fazendo. Leia histórias infantis ou histórias simples, mostrando ao bebê as ilustrações enquanto prosseguir. Mostre a seu filho uma variedade de ambientes (o supermercado, uma loja de departamentos, o museu, o parque). Viaje de ônibus, carro, táxi. Até em casa, varie o ponto de vista de seu filho: coloque a cadeirinha junto à janela (mas *somente* se a janela tiver grade e somente quando você estiver supervisionando de perto) ou diante de um espelho, deite o bebê no meio do tapete da sala para que ele examine a ação ou no meio da cama para que ele observe você dobrar a roupa lavada, ou estacione o carrinho na cozinha enquanto você prepara o jantar.

O que quer que você faça, lembre-se da regra mais importante para estimular seu bebê: o negócio é brincar. E a brincadeira deve ser divertida.

◆ ◆ ◆

# CAPÍTULO 7

# O Terceiro Mês

Neste mês, o bebê finalmente está começando a descobrir que a vida não é só comer, dormir e chorar. Não é que os bebês nesta idade não façam todas estas coisas muitas vezes (os bebês com cólica geralmente continuam passando por crises de choro no final da tarde e início da noite até o final do mês) — é só que eles expandiram seus horizontes para interesses que estão além disso. Como as próprias mãos — para bebês de 2 e 3 meses de idade elas são os brinquedos mais fascinantes que já foram inventados. Como ficar acordado por períodos mais longos de brincadeira durante o dia (e, espera-se, ficar dormindo por períodos mais longos à noite). Como divertir a mamãe e o papai com os adoráveis espetáculos de sorrisos, balbucios, guinchos e gorgolejos que fazem com que criar filhos valha o preço do ingresso.

## O Que seu Bebê Pode Estar Fazendo

Todos os bebês chegam a marcos de seu próprio tempo de desenvolvimento. Se seu filho parece não ter atingido um ou dois destes marcos, fique tranquila, ele provavelmente o fará muito em breve. O ritmo de desenvolvimento de seu bebê é o normal para ele. Tenha em mente também que as habilidades que os bebês realizam quando estão de bruços só podem ser dominadas se houver oportunidade de praticar. Assim, certifique-se de que seu filho passa um período de brincadeiras supervisionado de bruços. Se você tem preocupações em relação ao desenvolvimento de seu filho, verifique com o médico. Os bebês prematuros em geral chegam aos marcos mais tarde do que os outros da mesma idade, com frequência realizando-os mais perto de sua idade ajustada (a idade em que eles estariam se tivessem nascido a termo), e às vezes mais tarde.

*Aos 3 meses, seu bebê... deve ser capaz de:*

- de bruços, erguer a cabeça mais de 45 graus[1]

*... provavelmente, será capaz de:*

- rir alto
- de bruços, erguer a cabeça mais de 90 graus

Muitos, mas não todos os bebês de 3 meses, podem erguer a cabeça num ângulo de 90 graus.

- guinchar de prazer
- juntar as mãos
- sorrir espontaneamente

---

[1]Os bebês que passam pouco tempo de barriga para baixo durante as brincadeiras podem chegar a este marco mais tarde, e isso não é motivo para preocupação (ver página 316).

- seguir um objeto suspenso cerca de 15 centímetros acima do rosto e movido 180 graus — de um lado a outro, com o bebê observando todo o percurso

*... pode ser capaz de:*

- manter a cabeça estável quando ereto
- de bruços, erguer o peito, apoiado pelos braços
- rolar (para um lado)
- pegar um chocalho de costas ou com a ponta dos dedos
- prestar atenção a um objeto pequeno, como uma passa (mas certifique-se de que estes objetos fiquem longe do alcance do bebê)

*... pode até ser capaz de:*

- sustentar algum peso nas pernas quando segurado erguido
- estender a mão para um objeto
- manter a cabeça nivelada com o corpo quando puxado para se sentar
- virar-se na direção de uma voz, particularmente da mamãe
- dizer "ah-guu" ou uma combinação semelhante de vogal e consoante
- estalar a língua entre os lábios

# O Que Você Pode Esperar do *Check-up* deste Mês

Muitos médicos não marcam exames regulares para um bebê saudável neste mês.

Procure o médico se houver qualquer preocupação que você não possa esperar até a consulta do mês que vem.

# Alimentando o Bebê:
## ALEITAMENTO MATERNO E TRABALHO

É uma responsabilidade que não pode ser encontrada em nenhuma descrição de cargo, e no entanto um número cada vez maior de mães que trabalham fora estão preferindo assumi-la. Ela interrompe os intervalos para o café e o almoço, torna um dia agitado ainda mais agitado e requer muito planejamento e ainda mais dedicação. E no entanto a maioria das mulheres que bombeiam leite no trabalho, para que possam continuar amamentando quando voltam ao emprego, não tem alternativa. Para elas, os benefícios do aleitamento contínuo — do físico (uma saúde melhor para o bebê) ao emocional (um contato estreito com o bebê antes e depois do trabalho; uma forte ligação com o bebê enquanto está no trabalho) — são dignos de um esforço extra. Além disso, muitas mães acham que, depois que pegam o jeito, ser uma mãe que trabalha e amamenta afinal não é tão difícil.

## AMAMENTAÇÃO E TRABALHO — COMO FAZER PARA QUE DÊ CERTO PARA VOCÊ

Como acontece com quase tudo o que está relacionado com voltar ao trabalho quando você tem um bebê novinho, é preciso muito planejamento. Para que amamentar e trabalhar fora deem certo, tenha o seguinte em mente:

**Espere para dar a mamadeira...** Não comece a dar mamadeiras até que sua oferta de leite esteja bem estabelecida. Começar cedo demais pode levar à confusão de mamilo (ver página 153) e a um suprimento inadequado de leite. Espere para introduzir a mamadeira até que você tenha pego o truque de amamentar e se sinta confiante com sua oferta de leite. Para a maioria das mulheres, isto acontece por volta da sexta semana — embora algumas descubram que as coisas ficam mais tranquilas um pouco mais cedo ou um pouco mais tarde.

**...mas não espere demais.** Embora você não vá querer introduzir a mamadeira muito antes da quarta ou sexta semana, não espere muito mais tempo — mesmo que você não esteja voltando a trabalhar por enquanto. Em geral, quanto mais velho e mais esperto o bebê, menos aberto ele estará a tomar mamadeira. Depois que fizer a introdução, acostume o bebê a pelo menos uma mamadeira por dia — de preferência durante aquelas horas que em breve serão seu horário de trabalho.

**Tenha um começo fácil.** Seu primeiro dia de volta ao trabalho já será bastante estressante sem que se precise acrescentar a pressão de pensar como usar a bomba mamária. Assim, comece bombeando algumas semanas antes de voltar ao emprego. Desta forma, não só você ficará mais confiante nesta tarefa como também terá começado a formar um estoque de leite congelado na época em que começar a receber o cheque de pagamento.

**Ensaie um pouco.** Com os cuidados com o bebê já estabelecidos, ensaie seu plano para o dia de trabalho, fazendo tudo o que faria se realmente estivesse trabalhando (inclusive tirar leite fora de casa), mas deixe a casa por apenas algumas horas pela primeira vez, e por mais tempo na seguinte. Observar que problemas surgem agora dará a você tempo para pensar em como pode lidar com eles.

**Comece aos poucos.** Se você está voltando a um emprego de tempo integral, pode tentar retornar em uma quinta ou sexta-feira para dar a si mesma a oportunidade de começar, ver como as coisas se saem e avaliar a situação no fim de semana. Começar com uma semana mais curta também sobrecarregará menos do que começar com cinco dias a sua frente.

**Trabalho de meio período.** Se você conseguir um horário de meio expediente, pelo menos no início, conseguirá passar mais tempo fortalecendo os laços de amamentação. Trabalhar quatro ou cinco dias em meio expediente é mais prático do que dois ou três dias em expediente integral por vários motivos. Com o horário de meio expediente, você pode não perder nenhuma mamada — e certamente não mais de uma por dia. Você terá poucos problemas com os vazamentos (suas blusas de seda agradecerão), e provavelmente não terá de fazer nenhum bombeamento em seu trabalho (o que significa que você na verdade tomará café no seu intervalo para o café). O melhor de tudo, você passará a maior parte do dia com seu filho. Trabalhar à noite é uma alternativa que interfere muito pouco no aleitamento materno, em especial depois que o bebê estiver dormindo a noite toda, mas pode interferir seriamente em duas outras importantes comodidades: o descanso e o romance.

Depois que voltar a trabalhar, encontrar tempo e lugar para bombear pode ser um grande desafio para as mães que dão o peito. Felizmente, bombear está rapidamente se tornando uma parte da rotina; em alguns locais de trabalho é até estimulado (ver quadro na página 374). Muitas mulheres conseguem combinar a amamentação, o bombeamento e o trabalho. Ter estas dicas em mente também poderá ajudá-la a ter sucesso.

♦ Vista-se para bombear. Use roupas que sejam convenientes para bombear. Certifique-se de que sua blusa possa ser levantada ou aberta com facilidade pela frente para bombear no trabalho, e que ela não perca a forma nem enrugue muito ao ser puxada para cima. (Ver página 145.) O que quer que você vista, forre seu sutiã com almofadas para proteger suas roupas, e leve um suprimento extra de almofadas em sua bolsa como reserva para os que molharem.

♦ Procure privacidade. Bombear no local de trabalho será infinitamente mais fácil se você tiver acesso a uma área privativa, como seu próprio escritório com uma porta que possa ser fechada, uma sala que não seja utilizada ou uma sala de reuniões, ou um canto discreto (e limpo) no banheiro.

♦ Seja coerente. Se o horário permitir, procure bombear nas mesmas horas todo dia — o mais perto possível do horário em que estaria amamentando seu filho se você estivesse em casa. Desta maneira seus seios irão antecipar o bombeamento (como antecipariam a mamada) e se encherão de leite como um relógio.

♦ Planeje para armazenar. Armazene leite recém-bombeado na geladeira do escritório, etiquetada com seu nome (para que os colegas de trabalho não o confundam com o creme para o café). Ou leve um isopor de casa com sacos de gelo, ou use o *cooler* que acompanha muitas bombas portáteis. Veja a página 249 para mais dicas sobre armazenamento de leite materno.

♦ Use-o prontamente. Quando chegar em casa, refrigere o leite bombeado e faça com que a pessoa que cuida do bebê o utilize no dia seguinte. Desta forma você sempre terá um suprimento para o dia todo disponível na geladeira.

♦ Programe a amamentação no peito também. O aleitamento materno no horário ajudará a manter sua oferta de leite — e dará a você e a seu bebê aquele tempo especial juntos. Amamente antes de sair para o trabalho pela manhã e assim que chegar em casa à tardinha ou à noite. Peça a quem cuida do bebê para não alimentá-lo durante a última hora do dia de trabalho, ou para alimentar o bebê somente o bastante para atenuar a fome.

♦ Tire férias da mamadeira nos fins de semana. Para manter sua oferta de leite abundante, use os fins de semana e feriados como um período de amamentação exclusivamente no pei-

## PROGRAMAS DE LACTAÇÃO CORPORATIVOS

Acabaram-se os dias de contrabandear bombas mamárias pelo corredor para o banheiro das mulheres e esconder o estoque de leite onde não possa ser despejado por acidente no café de alguém — pelo menos em alguns locais de trabalho esclarecidos. À medida que as empresas começam a perceber que as políticas que deixam os pais mais felizes em geral os tornam mais produtivos no trabalho, mais e mais programas corporativos de lactação começaram a surgir em todos os Estados Unidos. As empresas com estes programas disponibilizam salas de lactação para suas funcionárias, com bombas, geladeiras e acesso a um consultor de lactação. Estes programas beneficiam não só a mãe (devido à diminuição do estresse) e o bebê (devido aos benefícios do leite materno para a saúde), mas também a empresa: se o bebê adoece com menos frequência, a mãe se ausenta do trabalho com menos freqüência — resultando em uma funcionária mais produtiva.

Mesmo que sua empresa não tenha um programa desses, sempre há maneiras de tornar seu local de trabalho um ambiente favorável à amamentação no peito. Reúna-se com outras mães que amamentam de seu trabalho (se possível) e pleiteiem um intervalo periódico, uma sala para ter privacidade e outras necessidades para o bombeamento no trabalho. Registre a quantidade de tempo que outros funcionários consomem nos intervalos (para o café, almoço ou para fumar) para que, se seu chefe disser que não há tempo no dia para gastar bombeando leite, você esteja armada com uma resposta. Alerte seu empregador para os muitos recursos para os programas de lactação corporativos. Assinale que a AAP recomenda não só que os bebês sejam amamentados pelo menos no primeiro ano, mas também que os empregadores proporcionem um local para as mães amamentarem e bombearem. Além disso, verifique as leis de sua cidade e de seu estado; foram aprovadas leis em algumas regiões que protegem o direito de uma mulher de bombear leite para seu bebê no trabalho.

to. Procure se livrar da mamadeira ao máximo nesses dias, ou em qualquer outro dia em que estiver em casa.

♦ **Programe-se com inteligência.** Organize seus horários para maximizar o número de mamadas. Dê de mamar antes de sair para trabalhar, se possível, e duas ou três (ou mais) vezes à noite. Se você trabalha perto de casa e pode voltar na hora do almoço para amamentar ou tem uma babá que encontre você em algum lugar para uma sessão de mamada com o bebê (mesmo em seu escritório, se você puder fazer isso), considere esta opção. Se seu bebê está em uma creche, amamente quando você chegar lá, ou em seu carro, antes de chegar, se isso funcionar melhor. Experimente também amamentar seu filho na hora em que for buscá-lo, em vez de esperar até que vocês cheguem em casa.

◆ Permaneça perto de casa. Se seu emprego envolve viagens, procure evitar aquelas que a afastem de casa por mais de um dia até que seu filho esteja desmamado; se você precisar viajar, procure expressar e congelar leite suficiente antecipadamente pela duração da viagem, ou acostume seu bebê com a fórmula antes de planejar partir. Para seu próprio conforto e para manter sua oferta de leite, leve com você uma bomba mamária (ou alugue uma onde estiver) e tire leite a cada três ou quatro horas. Quando chegar em casa, você poderá descobrir que sua oferta de leite diminuiu um pouco, mas mamadas mais frequentes do que o de costume, junto com uma atenção especial à dieta e ao repouso, deverão reabastecê-la.

◆ Trabalhe em casa quando puder. Procure levar para casa qualquer trabalho que possa ser feito fora do escritório (com o consentimento de seu empregador). Isto dará a você mais flexibilidade e lhe permitirá ficar mais em casa nas horas em que seu bebê estiver acordado. Embora você provavelmente tenha de relegar a maior parte dos cuidados com seu filho a uma babá quando estiver trabalhando em casa, você será capaz de amamentar quando necessário.

◆ Organize suas prioridades. Você não conseguirá fazer tudo, e nem conseguirá fazer tudo bem. Coloque em primeiro lugar seu relacionamento com o bebê e com seu marido (e com quaisquer outros filhos que tenha). Seu emprego — em especial se ele significar muito para você, seja financeira, emocional ou profissionalmente — provavelmente também terá de estar no topo de sua lista, mas seja inflexível em aparar as arestas em outros aspectos de sua vida.

◆ Permaneça flexível. Uma mãe (relativamente) calma e satisfeita tem mais valor para o bem-estar do bebê do que uma dieta composta exclusivamente de leite materno. Embora seja inteiramente possível que você vá conseguir continuar a fornecer todo o leite de seu bebê (como conseguem muitas mulheres), é também possível que você não consiga. Às vezes o estresse físico e emocional de ter um emprego e amamentar reduz a oferta de leite da mãe. Se seu filho não está se desenvolvendo só com o leite materno, experimente amamentar com mais frequência quando estiver em casa e, se for viável, vá almoçar em casa para amamentar e ajudar a refazer sua oferta de leite. Se isto não der certo e você descobrir que não pode trabalhar e bombear, pode ser melhor suplementar com a fórmula.

# As Preocupações Comuns

## O ESTABELECIMENTO DE UM HORÁRIO REGULAR

*"Minha mãe diz que preciso criar um horário regular para o bebê desde já. Minha irmã diz para jogar o relógio fora e simplesmente atender às necessidades dele. O que é correto fazer?"*

O certo — como em tantos aspectos da criação dos filhos — é o que é certo para você e seu bebê. Embora os defensores dos dois lados desta questão venham a afirmar o contrário, não há uma regra absoluta que responda definitivamente à questão de criar ou não um horário regular para bebês que não são mais recém-nascidos. Isso porque cada bebê, como cada pai ou mãe, é único. O que funciona para um pai e um bebê pode não dar certo para outro, e pode até não funcionar bem para dois bebês diferentes na mesma família. Há prós e contras nas duas filosofias de criação dos filhos e muitos pais, em vez de seguirem dogmaticamente um método ou outro, encontram um meio-termo que é confortável para eles.

Aos 3 meses, alguns bebês terão estabelecido um ritmo diário bastante regular, mesmo sem o estímulo dos pais. Em geral, acontece algo parecido com isso: ele acorda no mesmo horário a cada manhã, mama, talvez fique acordado por um curto período, tira uma soneca, acorda novamente para almoçar, tira outra soneca, mama, depois talvez tenha um período longo de vigília no final da tarde, completado com uma refeição e uma soneca no início da noite. Se a soneca tende a passar da hora de dormir dos pais, eles podem acordá-lo para uma mamada antes de ir para a cama, talvez às 11 da noite (ou mais tarde, se conseguirem manter os olhos abertos). Neste ponto, ele pode voltar a dormir até a manhã seguinte, uma vez que os bebês desta idade com frequência dormem seis horas seguidas, e às vezes mais.

Outros bebês têm um horário mais idiossincrático, embora ainda com uma certa coerência. Por exemplo, ele pode acordar às 6 da manhã, mamar e voltar a dormir por uma ou duas horas. Depois de acordado, ele pode se satisfazer em brincar um pouco antes de mamar, mas, quando começa a mamar, vai seguir direto pelas próximas três horas. Depois de um cochilo de 20 minutos, contudo, ele acorda pronto para brincar a tarde toda, com apenas um período de mamada e outra soneca de 5 minutos. Ele mama novamente lá pelas 6 horas e às 7 está em sono profundo, e fica assim até que a mamãe o acorde para um lanchinho, antes que ela mesma vá dormir. Este não é o cronograma tradicional de quatro horas, mas ainda é um padrão coerente de sono-vigília-alimentação para o dia do bebê.

Os pais destes bebês "regulares" criam facilmente uma rotina regular; mesmo a rotina não tradicional, mas coerente, ainda é uma rotina que permite que os pais planejem um dia inteiro, embora não possam se prender muito ao relógio. E como o horário do bebê quem determina é o bebê, e não é imposto, os pais destes bebês não precisam achar que estão sendo rigorosos demais ou que não estão sendo suficientemente responsáveis.

Mas muitos bebês não recaem tranquilamente em nenhum horário, mesmo depois dos três meses. Seu padrão de vigília, alimentação e sono é totalmente aleatório de um dia para o outro. Se seu filho é um destes bebês, você terá de decidir se quer tomar a iniciativa de tentar manter da forma mais organizada possível as partes de sua vida sobre as quais tem controle ou se quer tomar uma atitude *laissez-faire* em relação aos horários. Aqui está um resumo do que as duas abordagens podem oferecer:

**Criar um bebê de acordo com horários.** As rotinas regulares dão às crianças previsibilidade, estabilidade e segurança, de acordo com os defensores desta tese. As rotinas mantêm o dia confiável e calmo, proporcionando a ordem e a coerência que reconfortam naturalmente muitos bebês. Estabelecer um cronograma não significa que as necessidades de um bebê não serão atendidas — elas simplesmente são atendidas no contexto de uma rotina diária. E como os pais também têm direitos, um horário previsível teoricamente permite que você e seu cônjuge tenham tempo um para o outro, longe do bebê (em casa ou não), uma coisa que estimula os relacionamentos e que é com frequência inviável quando é preciso adivinhar quando o

bebê vai comer ou dormir. Com o passar do tempo, os horários tornam-se cada vez mais importantes para a estabilidade familiar e para o bem-estar da criança. Muitas crianças parecem se dar perfeitamente bem sem um horário regular no início da infância, quando são extremamente portáteis e podem dormir ou se alimentar em qualquer lugar. Mais tarde, elas sempre começam a reagir com choro e irritabilidade a horários irregulares de refeições e sono. E quando começa a escola, as crianças que não têm horários regulares de dormir em geral têm problemas para acordar a tempo ou dormir o suficiente para passar pelo dia de forma produtiva.

Criar um horário para o bebê, contudo, pode ser levado a extremos — e não deve ser assim. Muitos bebês novinhos (com menos de 2 a 3 meses) não devem seguir um horário rígido — devem comer e dormir de acordo com a vontade deles. Até mais tarde, nunca é uma boa ideia negar o peito ou a mamadeira a seu bebê faminto porque o relógio diz que ele não deve estar com fome (e, se o bebê mama no peito, isso pode levar a uma diminuição da oferta de leite e até a um desenvolvimento inadequado). Não pegar no colo um bebê que chora porque o horário diz que é "hora da mamãe e do papai" pode fazer com que a criança se sinta desamparada, abandonada, insegura e não amada. Em outras palavras, um horário estrito pode ser tão sufocante quanto pode ser desorientador um horário relaxado demais.

Se você decidir seguir um horário fixo, o nível de estrutura que deve formar dependerá dos padrões naturais de alimentação e sono de seu filho, sua personalidade inata (alguns bebês parecem precisar naturalmente de mais estrutura, outros de menos) e as necessidades do resto da família. Um horário não deve ser considerado um conjunto rígido de regras a serem seguidas e compromissos a cumprir, mas uma escala flexível em torno da qual girará seu dia e o dia do bebê.

**Criar o filho de acordo com as necessidades dele.** Embora grande parte de nossa sociedade seja regida por horários — de trem, de trabalho, de aulas — há aqueles que vivem perfeitamente bem sem eles. Se o bebê se desenvolve sem um programa rigoroso (parece perfeitamente satisfeito, ativo e interessado de dia e dorme bem à noite) e seus pais também (não se importam em colocar as necessidades do bebê em primeiro lugar, mesmo quando isso significa que outras áreas da vida ficarão para trás), então este sistema pode funcionar bem. Os defensores dessa tese dizem que reagir a cada necessidade de seu filho permite que você entenda melhor seu bebê e fomente confiança, o fundamento da boa comunicação pais-filhos. Que amamentar o bebê sempre que ele chora por comida (mesmo que tenha acabado de comer), colocá-lo para dormir sempre que ele quiser (e deixá-lo acordado quando ele quiser) e carregar o bebê o máximo possível durante o dia (ou quando ele quiser) permitem que ele se sinta seguro e valorizado como ser humano e também reduzem a agitação e o choro. E porque isso significa mais tempo juntos,

pode ajudar os pais a conhecerem seus bebês mais rapidamente. As famílias que preferem criar o bebê de acordo com as necessidades dele sentem que obrigar o bebê a horários pelo bem da conveniência é um ganho de curto prazo que é superado em muito pelas perdas a longo prazo.

Entretanto, podem haver certas armadilhas na criação dos filhos neste ambiente desestruturado. Alguns bebês suplicam por horários desde o começo. Tornam-se irritadiços quando as mamadas se atrasam ou exaustos quando as sonecas e cochilos são adiadas. Se seu bebê reage com insatisfação aos dias e noites sem programação, pode ser que ele precise de mais estrutura, mesmo que você não queira. E, para alguns bebês, a ausência de estrutura em sua vida pode interferir no desenvolvimento, e na autodisciplina mais tarde na vida. Chegar à escola no horário, fazer o dever de casa e cumprir compromissos podem ser coisas difíceis para crianças que nunca foram expostas a nenhum tipo de estrutura. É claro que algumas crianças continuam a se desenvolver em lares sem horários rígidos. E uma vez que cada criança é diferente, e algumas podem terminar sendo muito diferentes dos pais, há a possibilidade distinta de que um filho criado sem horários rigorosos se transforme num Tipo A, que consegue atender a suas necessidades sozinho (determinando sozinho a hora de dormir que os pais nunca determinaram), e o bebê criado de acordo com o relógio se transforme em uma criança que não consegue se ajustar a horário nenhum.

# FILOSOFIAS CONFLITANTES DE CRIAÇÃO DOS FILHOS

Ande por uma livraria, verifique qualquer banca de jornais ou navegue em qualquer *site* sobre bebês e você será confrontada com uma multiplicidade de livros, revistas, artigos e conselhos sobre como criar seu filho. Você será bombardeada com dezenas de filosofias de criação de bebês, cada uma delas com seu próprio conjunto de doutrinas — a maioria conflitantes — e cada uma delas afirmando oferecer a melhor abordagem à criação dos filhos. Quer a filosofia discorra sobre como alimentar seu bebê, como conseguir que o bebê durma à noite, onde o bebê deve dormir, como o bebê deve ser carregado, quando deve ser desmamado ou que tipo de horário seu filho deve seguir, todas se baseiam na mesma premissa: toda criança tem necessidades, e são os pais que têm de atender a estas necessidades.

O espectro de conselhos e filosofias é amplo, e muitos métodos lançam seus pontos de vista contra os outros. Mas a maioria dos pais segue conselhos que recaem em duas filosofias "dominantes". A "criação por ligação" promove a amamentação de acordo com a demanda, dividir a cama e cansar o bebê (atendendo às necessidades do bebê, permanecendo ao máximo em estreito contato físico com ele). A "criação orientada para os pais" promove a criação de um ambiente estruturado em que as necessidades do bebê são atendidas de acordo com a rotina familiar.

Alguns pais alternam as filosofias, dependendo da circunstância. Alguns utilizam um pouco de cada uma antes de escolher aquela com que acham que podem conviver. Alguns continuam a vacilar entre as filosofias, sem confiarem inteiramente em nenhuma delas. Muitos pegam um pouco de cada uma ou de várias para criar sua própria filosofia. Outros pais adotam uma filosofia com tudo o que ela oferece, chegando a depreciar aqueles que escolheram criar os filhos de outra forma.

Mas o que muitas filosofias — e seus defensores — não levam em conta é que há poucas verdades absolutas quando se trata do trabalho de criar os filhos. Com a exceção de questões de segurança e saúde (manter o bebê na cadeirinha do carro, certificar-se de que ele recebe cuidados médicos regulares), há muitas maneiras boas de ser um bom pai ou mãe. A maioria dos médicos concordará que, desde que os pais aquiesçam com uma abordagem e sejam coerentes com ela, qualquer estilo (ou uma combinação de alguns estilos) pode funcionar bem em uma família. Desde que seu bebê seja saudável, seguro e satisfeito, fazer o que parece melhor para sua família é sempre uma ideia melhor do que seguir dogmaticamente um dado sistema — ou se sentir culpado ao ouvir os que discordam de seu estilo de criar seu filho.

Se você preferir criar o filho de acordo com as necessidades dele, certifique-se também, ao acompanhar as necessidades de seu bebê, de não negligenciar as exigências de seu relacionamento com o cônjuge. Sem um horário regular de dormir para os bebês, os pais com frequência descobrem que nunca passam tempo nenhum sozinhos. Eles desfrutam mais do trio à noite, e às vezes se esquecem da diversão que podem — e devem — ter a dois.

Não só não existe uma resposta certa ou errada quando se trata de horários rigorosos, como o que é certo e errado para você e seu bebê pode mudar com o passar dos meses. Você pode começar com um horário e depois descobrir que é restritivo demais. Ou pode começar obedecendo à vontade do bebê e descobrir que seu bebê precisa de um cronograma. Ou, como tantos outros pais, pode descobrir que o meio-termo é mais agradável. Independente do que você escolher, lembre-se de que não é uma decisão a ser tomada por terceiros. Faça o que funciona para você e seu filho e não se preocupe com o que os outros dirão a respeito disso.

## Colocando o bebê para dormir

*"Meu filho sempre dorme durante as mamadas. É um hábito ruim que precisa ser rompido?"*

É uma ideia que, em teoria, parece boa: colocar um bebê para dormir quando ele está acordado e não já adormecido, para que mais tarde, depois que for desmamado, possa dormir sozinho — sem o seio ou uma mamadeira. Na prática, como sabe qualquer mãe que esteja cansada de evitar que seu bebê durma enquanto amamenta ou cansada de acordar um bebê que bate cabeça de sono enquanto mama, é uma ideia que não é necessariamente compatível com a realidade. Há muito pouco que você pode fazer para manter desperto um bebê que mama se ele quer dormir. E, se pudesse acordá-lo, será que realmente ia querer isso?

Será mais prático esperar até que o bebê esteja mais velho — entre os 6 e os 9 meses — para ensiná-lo a dormir sem assistência do peito (ou da mamadeira) e amamentá-lo com menos frequência. E, se o hábito persistir, certamente isto pode ser feito com mais rapidez depois que seu bebê foi desmamado.

Mas sempre que houver oportunidade, você pode querer colocar o bebê para tirar uma soneca ou na hora de dormir à noite enquanto ele ainda está acordado — não tão acordado que dormir seja ilusório, mas em um estado de prontidão sonolenta. Um embalar, amamentar ou uma cantiga de ninar podem levar o bebê a este estado (mas procure não prolongar o ato reconfortante ao ponto do sono profundo).

## Despertando para as mamadas noturnas

*"O filho de minha amiga dorme a noite toda desde que veio do hospital,*

*mas o meu ainda acorda e mama com a mesma frequência de quando nasceu."*

Em bebês novinhos, o hábito de mamar com frequência à noite é uma necessidade nutricional. Embora alguns bebês não precisem mais de mamadas noturnas no terceiro mês (e às vezes antes), a maioria dos bebês de 2 a 3 meses de idade, em particular os que mamam no peito, ainda precisam se alimentar uma ou duas vezes durante a noite.

Mas embora seu bebê ainda precise de alguma nutrição no meio da noite, ele certamente não precisa ser alimentado duas ou três vezes por noite. Reduzir aos poucos o número de mamadas noturnas do bebê não só ajudará você a descansar mais agora, como é um primeiro passo importante na preparação dele para dormir sem comer a noite toda mais tarde. Eis como fazer isso:

♦ Aumente a duração da mamada antes de dormir. Muitos bebês sonolentos cabeceiam de sono antes de encherem completamente o tanque à noite; recomece com o seu se for possível, com um arroto, um balanço ou outra manobra, e continue amamentando até que você ache que ele já consumiu o suficiente. Não caia na tentação de acrescentar sólidos à dieta do bebê (ou colocar cereais na mamadeira) antes que ele esteja pronto, do ponto de vista do desenvolvimento, como uma tentativa de obter mais algumas horas de sono. Não só isso não funcio-

na, como não é recomendado dar sólidos até os 4 a 6 meses.

♦ Acorde o bebê para uma mamada antes que você vá para a cama. Uma refeição tarde da noite pode satisfazê-lo o bastante para que ele durma por seis a oito horas. Mesmo que ele esteja sonolento demais para fazer uma refeição completa, ele pode tomar o suficiente para dormir uma ou duas horas a mais do que dormiria sem um lanchinho. Se seu bebê começar a acordar com mais frequência depois que você instituiu esse procedimento, interrompa-o. É possível que ser acordado por você o deixe com uma tendência maior a acordar sozinho.)

♦ Certifique-se de que o bebê comeu o bastante o dia todo. Se não, ele pode estar usando as mamadas noturnas para conseguir calorias. Se você acha que este pode ser o seu caso, pense em amamentar com mais frequência durante o dia para estimular a produção de leite (verifique também as dicas da página 254). Se seu bebê toma mamadeira, aumente a quantidade de fórmula dada em cada mamada. Esteja ciente, entretanto, de que, para alguns bebês, mamar em um intervalo de poucas horas durante o dia cria um padrão de comer a cada duas horas, um padrão que continua dia e noite. Se seu filho parece recair neste programa, você pode querer dar mamadas mais longas e menos frequentes.

♦ Espere um pouco mais entre as mamadas. Se ele está acordando e pedindo comida a cada duas horas (necessário para um recém-nascido, mas incomum num bebê bem desenvolvido de 2 a 3 meses), experimente esticar o tempo entre as mamadas, acrescentando meia hora a cada noite ou em noites alternadas. Em vez de pular da cama para alimentá-lo ao primeiro choro, dê a ele a chance de tentar dormir novamente sozinho — ele pode surpreender você. Se ele não dormir e a agitação se transformar em choro, experimente acalmá-lo sem amamentar — afague-o, cante uma cantiga de ninar suave e monótona, ou ligue um brinquedo musical. Se o choro não parar depois de um tempo razoável (o tempo em que você se sente confortável com a agitação dele), pegue-o no colo e tente acalmá-lo nos braços, embalando-o, balançando, ninando ou cantando. Se estiver dando o peito, as táticas de tranquilização têm uma probabilidade maior de sucesso quando o pai se encarrega disso; um bebê que mama no peito que vê, ouve e sente o cheiro de sua fonte de alimento não se distrai facilmente da comida. Mantenha o quarto escuro e evite muita conversa ou estímulos.

Se o bebê não volta a dormir e ainda exige comida, alimente-o — mas agora você provavelmente esticou o intervalo entre as mamadas em pelo menos meia hora. Espera-se que o bebê chegue a um novo patamar nas próximas noites e durma meia hora a mais entre as mamadas. Aos poucos, tente estender o tempo entre as refeições até que o bebê mame apenas uma vez à noite, o que pode continuar a ser uma necessidade dele por um a três meses.

♦ Reduza a quantidade nas mamadas noturnas que você quer eliminar. Reduza aos poucos o tempo que ele passa mamando ou a quantidade na mamadeira. Continue reduzindo um pouco a cada noite ou em noites alternadas.

♦ Aumente a quantidade oferecida na mamada noturna que provavelmente você continuará a dar (por ora). Se seu bebê acorda à meia-noite, às duas e às quatro da manhã, por exemplo, você pode querer cortar a primeira e a última mamadas. Isso será mais fácil se você aumentar a quantidade que seu bebê ingere na mamada do meio, seja do peito ou da mamadeira. Um pouquinho no peito ou um pouco mais de mamadeira provavelmente não o nocauteará por muito tempo. Veja na página 196 as dicas para manter um bebê sonolento acordado para mamar.

♦ Não troque as fraldas de seu bebê durante a noite a não ser que seja absolutamente necessário — uma cheirada rápida pode lhe dizer isso. (É claro que quanto menos lanches no meio da noite você conceder a ele, menos trocas de fraldas noturnas serão necessárias.) Se seu bebê está usando tamanhos intermediários de fraldas, usar o tamanho maior proporcionará mais área de superfície para absorção; ou use fraldas noturnas especiais.

◆ Pense em tomar alguma distância. Se você divide o quarto ou a cama com o bebê (e não quer continuar dormindo junto a longo prazo), agora pode ser uma boa hora para pensar em separar (ver página 388). Sua proximidade pode ser o motivo de ele acordar com tanta frequência e pode ser por isso que você o pega no colo tantas vezes.

Aos 4 meses, a maioria dos bebês não precisa realmente ser alimentada durante a noite. (De um ponto de vista estritamente metabólico, os bebês podem passar a noite toda sem uma mamada depois que atingem os 5,5 quilos; se vão passar ou não, é outra questão bem diferente.) Se o hábito de acordar à noite continua no quinto ou no sexto mês, você pode começar a suspeitar de que seu filho está acordando não porque *precisa* comer à noite, mas porque ele se *acostumou* a ser alimentado à noite; um estômago acostumado a ser preenchido a intervalos regulares reclamará do "vazio" mesmo quando estiver cheio o bastante para aguentar um pouco mais. Ver a página 505 para dicas sobre conseguir que um bebê mais velho durma a noite toda.

## SÍNDROME DA MORTE SÚBITA INFANTIL (SIDS)

*"Desde que o recém-nascido de meu vizinho morreu de SIDS, fico preocupada em acordar meu filho várias vezes à noite para ter certeza de que ele está bem. Será que é uma boa ideia perguntar ao médico sobre um aparelho de monitoramento?"*

O medo de que um bebê possa morrer de repente no meio da noite assola os pais provavelmente desde o início dos tempos — muito antes de as mortes receberem o nome clínico de síndrome da morte súbita infantil (SIDS). Textos antigos mencionam estas mortes; o bebê descrito no Livro dos Reis como sendo "coberto" pela mãe muito provavelmente foi vítima da morte no berço.

Mas a não ser que seu filho tenha experimentado um episódio real e ameaçador em que tenha parado de respirar e precisasse ser ressuscitado (neste caso, ver páginas 385-386), a probabilidade de seu bebê realmente sucumbir à SIDS é muito pequena. E a preocupação com o medo de que seu filho possa terminar entre aqueles poucos é muito mais prejudicial do que útil — para vocês dois.

A SIDS *não* é causada por vômitos, sufocamento ou doenças menores. Também *não* é causada por vacinações. Nem é contagiosa.

Existem muitos fatores ambientais que aumentam o risco de SIDS, inclusive dormir de bruços, dormir em cama macia ou frouxa ou com travesseiros ou brinquedos, exposição a fumaça de tabaco e estar superaquecido. A boa-nova é que todos eles podem ser evitados. Na verdade, houve uma diminuição de 40% no número de mortes por SIDS desde que a Academia Americana de Pediatria e outras organizações começaram a campanha "De Costas para Dormir" em 1994.

# O QUE É A SIDS?

A SIDS, ou síndrome da morte súbita infantil, é uma morte repentina e inesperada de um bebê aparentemente saudável que é inexplicada pelo histórico médico do bebê, por uma autópsia ou pelo exame da cena da morte. Embora a SIDS seja a principal causa de morte de bebês entre as idades de duas semanas e 12 meses, o risco de um bebê médio morrer de SIDS é muito pequeno — cerca de 1 em 1.500. E graças às medidas preventivas que os pais podem tomar (ver A Prevenção da SIDS, na página 385), o risco fica ainda menor.

A SIDS ocorre com mais frequência com bebês entre 2 e 4 meses, com a maioria das mortes acontecendo antes dos 6 meses. Embora antigamente se acreditasse que as vítimas eram bebês "perfeitamente saudáveis" atingidos sem nenhum motivo, os pesquisadores agora estão convencidos de que os bebês com SIDS só *parecem* saudáveis e na verdade têm alguma deficiência subjacente que os predispõe à morte súbita. Uma hipótese é de que o controle do cérebro que nos alerta quando as condições respiratórias são perigosas é subdesenvolvido nesses bebês. Outra teoria é de que a SIDS possa ser causada por um problema não detectado no coração.

Há um risco de SIDS mais alto em bebês de mulheres que tiveram poucos cuidados pré-natais, que fumaram durante a gravidez (as que fumam antes e depois do nascimento têm um risco três vezes maior), ou que tinham menos de vinte anos (pode ser por causa dos cuidados pré e pós-natais ruins ou por tabagismo ou por causa da idade). Os bebês prematuros ou de baixo peso ao nascimento também correm um risco mais alto.

---

Para a maioria dos pais, nenhuma tranquilização evitará totalmente a necessidade que eles sentem de verificar a respiração de seu filho de vez em quando à noite. Muitos, na verdade, não respiram eles mesmos até que seus bebês tenham passado da marca de um ano, a idade em que os bebês parecem superar o risco de SIDS. E não há problema nisso, desde que você não permita que sua preocupação permeie sua vida com o bebê.

Embora investir em um monitor — um aparelho que pode sinalizar se o bebê de repente para de respirar — possa parecer a maneira ideal (embora cara) de atenuar seus temores, monitorar um bebê normal pode causar mais problemas do que resolvê-los. Os falsos alarmes que são comuns nos monitores geram mais preocupação do que alívio.

O que pode fazer com que você se sinta mais segura — além de tomar todas as medidas preventivas relacionadas anteriormente — é aprender ressuscitação cardiopulmonar de bebês e certificar-se de que babás, empregadas e qualquer

## A PREVENÇÃO DA SIDS

Você pode reduzir significativamente o risco de SIDS em seu bebê com as seguintes medidas:

♦ Coloque o bebê para dormir de costas. Certifique-se de que quem quer que cuide do bebê, inclusive babás, diaristas e avós, seja instruído a fazer isso também.

♦ Use um colchão firme e lençóis bem ajustados no berço do bebê. Retire do berço qualquer roupa de cama frouxa, travesseiros e brinquedos macios. Se você usar cobertor, certifique-se de que seja fino e preso ao colchão, e de que ele só chegue ao nível do peito do bebê. Ou, melhor ainda, deixe de lado o cobertor e coloque o bebê em um macacão de dormir de uma peça. (Se o bebê dorme com você, você precisará se certificar de que sua cama seja segura; ver página 390).

♦ Nunca permita que seu bebê fique superaquecido. Não vista o bebê demais para dormir — evite gorros, roupas demais e cobertores — e não deixe o quarto dele muito quente. Seu bebê não deve estar quente ao toque. O superaquecimento aumenta o risco de apneia, que pode levar à SIDS em alguns bebês.

♦ Não permita que ninguém fume na sua casa, nem perto do bebê.

Estudos recentes relataram um risco reduzido de SIDS entre bebês amamentados no peito (com um risco ainda menor entre os bebês amamentados por mais de quatro meses) e sugeriram uma incidência menor de SIDS entre bebês que usam chupeta. É necessária mais pesquisa para confirmar estas descobertas.

Dispositivos projetados para manter a posição de dormir (como calços) ou para reduzir o risco de sufocamento não são recomendados, porque muitos não tiveram sua segurança suficientemente testada e nenhum deles mostrou-se eficaz como redutor do risco de SIDS.

---

pessoa que passe algum tempo sozinha com o bebê também conheça esta técnica. Desta forma, se seu bebê chegar a parar de respirar, por qualquer motivo, a ressuscitação pode ser tentada imediatamente (ver página 831). Se os medos continuam a assolar você, procure um pediatra para se tranquilizar. Se isso não a acalmar, converse com um terapeuta que esteja familiarizado com a SIDS e possa ajudar a afastar seus temores. (Às vezes, a depressão pós-parto pode gerar esse tipo de ansiedade assoberbante; ver página 939.)

*"Ontem à tarde fui dar uma olhada no meu bebê, que parecia estar tirando uma longa soneca. Estava deitado no berço absolutamente imóvel e azulado. Frenética, eu o peguei e ele começou a respirar novamente. Agora o médico*

## O RELATO DE EMERGÊNCIAS RESPIRATÓRIAS AO MÉDICO

Embora períodos muito curtos (de menos de 20 segundos) de lapso respiratório possam ser normais, períodos mais longos — ou períodos curtos em que o bebê fica pálido ou azulado, ou fraco e tenha um batimento cardíaco muito lento — requerem atenção médica. Se você tomou as medidas para ressuscitar o bebê, ligue para o médico ou a emergência imediatamente. Se não conseguiu ressuscitar seu filho com uma sacudida suave, experimente a ressuscitação cardiopulmonar (ver página 831), e chame ou peça a alguém para chamar uma ambulância. Procure observar o seguinte para relatar ao médico:

♦ O lapso respiratório ocorreu quando o bebê estava dormindo ou acordado?

♦ O bebê estava dormindo, mamando, chorando, regurgitando, engasgado ou tossindo quando o lapso ocorreu?

♦ O bebê passou por alguma mudança de cor; estava pálido, azulado ou vermelho no rosto?

♦ O bebê precisou de ressuscitação? Como você o ressuscitou, e quanto tempo levou?

♦ Houve alguma mudança no choro do bebê (um tom mais agudo, por exemplo) antes do lapso respiratório?

♦ O bebê parece fraco ou rígido, ou está se mexendo normalmente?

♦ Seu bebê tem uma respiração normalmente ruidosa; ele ronca?

---

*dele quer colocá-lo no hospital para exames e eu estou apavorada."*

Embora esta experiência possa ter sido muito assustadora, você na verdade teve sorte. Não só seu bebê passou bem por ela, com deu a você e ao médico um alerta do que pode vir a acontecer — e uma chance de se certificar de que não aconteça. E foi exatamente por isso que o médico sugeriu a hospitalização e os exames.

Seu filho sofreu um lapso respiratório, mas isso não quer dizer que a vida dele esteja em risco. Embora um episódio de apneia prolongada (quando a respiração para por mais de 20 segundos) coloque o bebê em um risco um pouco maior de SIDS, há 99% de probabilidade de que o risco nunca se torne realidade. Como precaução, e para tentar determinar o que provocou a apneia, seu bebê será avaliado no hospital através de um completo histórico de saúde e exame físico, exames diagnósticos e possivelmente monitoramento de futuros episódios de apneia prolongada. (Esse tipo de avaliação pode ser realizado em um bebê que não tem histórico de apneia, mas que tem dois irmãos ou mais que sucumbiram à SIDS, ou um que tenha morrido e outros que sofreram lapsos respiratórios.)

Se os exames no hospital local são inconclusivos, o médico pode recomendar a transferência a um centro especializado em SIDS. Para obter informações sobre o centro mais próximo de você ou para mais informações sobre a SIDS, converse com o seu pediatra ou visite o portal da saúde do governo federal (portal.saude.gov.br).

Às vezes a avaliação revela uma causa muito simples para um acontecimento desses — uma infecção, um distúrbio apoplético, ou uma obstrução nas vias respiratórias — que pode ser tratado, eliminando o risco de problemas futuros. Se a causa é indeterminada, ou se forem descobertos problemas no coração ou nos pulmões que representem um risco mais alto de morte súbita, o médico pode recomendar colocar seu bebê em um dispositivo que monitora a respiração e/ou o batimento cardíaco em casa. O monitor em geral é ligado ao bebê por eletrodos e embutido no berço, no cercadinho ou no colchão do carrinho. Você, e qualquer pessoa que cuide do bebê, será treinada para saber conectar o monitor, bem como para reagir a uma emergência com ressuscitação cardiopulmonar. O monitor não dá absoluta proteção ao bebê contra a SIDS, mas ajudará seu médico a saber mais sobre o problema dele e ajudará você a sentir que está fazendo alguma coisa, em vez de ficar paralisada e impotente. Tenha em mente, porém, que algumas pesquisas têm questionado a eficácia dos monitores; aparentemente, até bebês saudáveis costumam ter episódios de apneia ou de batimento cardíaco reduzido que não aumentam o risco de SIDS.

Os alarmes falsos também são muito comuns.

Não deixe que o episódio, a hospitalização ou qualquer monitoramento se transforme no foco de sua vida. Isso transformaria um bebê provavelmente normal em um "paciente", até interferindo em seu crescimento e desenvolvimento. Procure ajuda com o médico ou um consultor qualificado se um monitor aumentar a tensão na família em vez de reduzi-la.

Embora os critérios possam variar de um médico para outro e de uma comunidade para outra, os bebês que não têm episódios críticos desde o princípio em geral saem de um monitor quando se livram de eventos que exijam estimulação prolongada ou vigorosa, ou resgate por dois meses. Em geral se exige um tempo maior no monitor para os que têm um segundo episódio crítico. Embora os bebês raramente sejam retirados do monitor até que passem dos 6 meses, quando termina o período de pico da SIDS, um total de 90% sai do monitor quando chega a 1 ano.

*"Minha filha prematura teve períodos ocasionais de apneia nas primeiras semanas de vida, mas o médico dela diz que eu não devo me preocupar, que ela não precisa ser monitorada."*

Os lapsos respiratórios são muito comuns em bebês prematuros; na verdade, cerca de 50% dos que nascem antes da trigésima segunda semana de gestação os experimentam. Mas esta "apnéia da prematuridade", quando ocorre antes da data prevista de parto do bebê, não tem relação nenhuma com a SIDS; ela não aumenta o risco de SIDS ou de apneia posterior. Assim, a não ser que sua filha tenha episódios graves de apneia depois da idade prevista de nascimento, não há motivo para preocupação ou acompanhamento.

Mesmo em bebês nascidos a termo, os especialistas não acreditam que os breves lapsos respiratórios sem qualquer azulamento, fraqueza ou necessidade de ressuscitação prevejam risco de SIDS; poucos bebês com esta apneia sucumbem à SIDS, e a maioria dos bebês que morrem de SIDS não passou por episódios de apneia anteriormente.

*"Ouvi dizer que a vacinação pode causar SIDS, e estou muito preocupada em vacinar meu bebê."*

As pesquisas confirmaram que não existe relação entre a vacina DTP e a SIDS — e, no entanto, como muitas teorias que foram descartadas, esse mito continua a circular teimosamente. Mas não só a DTP nunca foi fator para a SIDS, como a vacina nem é dada mais. Seu bebê receberá a forma mais recente e mais segura da vacina, a DTaP (ver página 335), que nunca foi relacionada com a SIDS, nem em teoria. Assim, não há absolutamente nenhum motivo para preocupação.

Se você ainda estiver preocupada, converse com o médico de seu bebê, que sem dúvida a deixará mais à vontade para seguir em frente e vacinar seu filho.

Veja a página 338 para mais razões para vacinar o seu bebê.

# DIVIDINDO O QUARTO COM O BEBÊ

*"Nosso bebê de 10 semanas divide o quarto conosco desde o nascimento. Nós não queremos realmente continuar a dividir o quarto, então, quando devemos mudá-lo para seu próprio quarto?"*

Nos primeiros dois meses de vida, quando o bebê fica no peito ou na mamadeira tanto quanto na cama e as noites são borrões de mamadas, trocas de fraldas e sessões de ninar interrompidas só ocasionalmente por breves sonecas, faz sentido ter o bebê ao alcance dos braços. E alguns pais acham que dividir o quarto até depois disso — e já na infância — é conveniente e agradável para todos os envolvidos (ver pergunta seguinte). Mas se você não pretende continuar a dividir o quarto com seu bebê indefinidamente, provavelmente é uma boa ideia fazer a ruptura depois que ele superar a necessidade fisiológica de mamadas frequentes durante a noite (entre os 2 e os 4 meses). Depois disso, ter seu bebê como colega de quarto aumenta vários problemas em potencial:

**Menos sono para o bebê.** Ao ficar no mesmo quarto com o bebê a noite toda, você fica tentada a pegá-lo toda vez que ele choraminga, possivelmente interrompendo os ciclos de sono dele. Afinal, os bebês fazem muitos barulhos quando dormem, e na maior parte do tempo eles voltam a dormir sem ne-

# O TERCEIRO MÊS

nhum encorajamento. Se você pegar o bebê ao mais leve gemido, pode estar inadvertidamente acordando-o e interrompendo o sono dele. Além disso, durante as fases mais leves do sono, seu bebê provavelmente é acordado por sua atividade, mesmo que você ande na ponta dos pés em chinelos macios e suba silenciosamente na cama.

**Menos sono para os pais.** O fato de que você o pega com mais frequência à noite se ele está em seu quarto significa menos sono não só para ele, mas para vocês também. E mesmo que você resista a pegá-lo no colo, certamente você fica deitada acordada esperando que o próximo lamento se transforme em choro. Você também pode perder algumas boas noites de sono com a agitação dele; os bebês notoriamente têm um sono inquieto. Alguns pais, porém, não se incomodam com os movimentos noturnos dos bebês e acham que os benefícios de ficar em um quarto silencioso e sem bebê são superados pela desvantagem de andar pelo corredor escuro toda vez que têm de buscar um bebê choroso no berço.

**Menos sexo.** Certamente você sabe (ou pelo menos espera) que seu bebê está dormindo quando você começa a fazer amor. Mas até que ponto você pode ser desinibida quando tem companhia (respirando alto, atirando a cabeça de um lado para outro, murmurando suavemente no sono) tão perto de você? É claro que este problema pode ser evitado se você é criativa na escolha dos

locais para fazer sexo (no sofá, quem sabe?).

**Para algumas crianças, mais problemas de adaptação posteriormente.** Ter seu bebê no seu quarto por um amplo período de tempo pode dificultar as coisas quando você finalmente fizer a mudança para o quarto dele. (Nem todas as crianças têm problemas de adaptação mais tarde; algumas deixam o quarto dos pais quando estão prontas para dormir no próprio quarto e nunca voltam.)

É claro que "um quarto todo seu" não é possível em todos os lares. Se você mora em um quarto e sala ou em uma casa pequena com vários filhos, pode não ter alternativa a não ser dividir o quarto com o bebê. Se este é o seu caso, pense em uma divisória — um biombo, ou uma cortina pesada pendurada no teto (a cortina também é um bom isolante de som). Ou dê seu quarto ao bebê e invista em um sofá na sala para você. Ou divida um canto da sala de estar com o bebê e fique até tarde vendo tevê ou conversando no quarto.

Se seu filho terá de dividir o quarto com outra criança, o quanto o arranjo de sono vai funcionar dependerá de como os dois dormem. Se nenhum dos dois ou ambos têm sono leve com uma tendência a acordar durante a noite, vocês podem passar por um período difícil de adaptação até que cada um tenha aprendido a dormir com a vigília do outro. Novamente, um biombo ou cortina pode ajudar a abafar o som, enquanto proporciona alguma privacidade à criança mais velha.

# DIVIDINDO UMA CAMA

*"Ouvi falar muito dos benefícios dos filhos dividirem uma cama com os pais. E com nossa filha acordando toda noite, como tem acontecido, parece um arranjo que significaria mais sono para todos."*

Para algumas famílias, dormir juntos, ou dividir a "cama da família", é uma alegria inequívoca (e aconchegante). Para outras, é meramente conveniente. Para outras ainda, é um pesadelo. Os defensores da ideia de dormir juntos citam várias vantagens para a cama da família: cultiva os laços emocionais, facilita a amamentação ou o conforto de uma criança e combate a solidão. Os que apoiam também dizem que reduz os riscos de SIDS, embora não haja dados que mostrem se há uma probabilidade maior de SIDS quando o bebê dorme na sua cama ou quando dorme sozinho. Aqueles do outro lado da cerca acreditam que ensinar um bebê a dormir em sua própria cama estimula a independência; desestimula o desenvolvimento de distúrbios do sono; evita qualquer risco de sufocamento com travesseiros e cobertores macios encontrados com frequência na cama dos pais; e é mais confortável para os pais (não só porque eles dormem melhor, mas porque não existe o risco de rolar em uma poça de saliva ou no conteúdo de uma fralda que vaza).

Embora não faltem teorias e certamente não faltem opiniões sobre a questão, a decisão de ter seu bebê com vocês na cama ou dormindo sozinho no berço dele — como muitas decisões diferentes que vocês tomarão como pais — é muito pessoal. E é uma decisão melhor quando você está bem desperto (leia-se: não às duas da manhã), e com os olhos abertos para as seguintes considerações:

**A segurança do bebê.** Nos Estados Unidos, em que as acomodações para dormir em geral são muito aconchegantes, manter o bebê seguro na cama dos pais requer algumas precauções a mais. Um relatório da Comissão de Segurança de Produtos de Consumo relacionou a cama da família (e os riscos que com frequência estão nela) com vários casos de morte de bebês. Os defensores da partilha da cama, contudo, acham que os dados do estudo são falhos e assinalam que alguns bebês morrem enquanto dormem sozinhos no berço. E outros pesquisadores revelaram que há uma ligação inata entre uma mãe e um filho que dividem a cama, possivelmente devido a uma resposta hormonal quando a mãe está próxima ou amamentando seu filho. Estes pesquisadores teorizam que esta resposta pode tornar uma mãe que dorme com o filho mais consciente da respiração e da temperatura do bebê toda a noite, permitindo que ela reaja rapidamente a quaisquer mudanças significativas. Não é de surpreender que a resposta hormonal também seja responsável pelo sono mais leve que têm as mulheres que dividem a cama com o bebê.

Se você prefere dormir com o bebê, certifique-se de que sua cama e a roupa de cama atendam aos mesmos critérios de segurança para um berço. Um colchão firme (não um *pillow top* nem cama d'água) é obrigatório, como lençóis bem ajustados. Evite cobertores felpudos; mantenha os travesseiros longe do alcance do bebê; verifique se há risco de armadilhas (as ripas da cabeceira não devem ter uma distância menor que 3,5 centímetros uma da outra; não deve haver espaços entre o colchão e a estrutura da cama). Nunca coloque o bebê em uma cama que esteja perto de uma parede (ele pode escorregar entre a cama e a parede e ficar preso), nem o deixe em uma posição onde ele possa rolar para fora da cama (isto pode acontecer em um bebê muito novinho), nem permita que ele durma com um genitor que esteja bêbado, esteja tomando medicamentos que induzam ao sono, ou tenha um sono muito profundo. Nunca deixe uma criança que engatinha ou em idade pré-escolar diretamente ao lado de seu bebê. E nunca fume, nem permita que ninguém fume na cama da família, uma vez que isto pode aumentar o risco de SIDS (bem como incêndios). Uma ótima maneira de manter seu bebê perto e seguro é usar um berço acoplado à cama (ver página 101).

**Os sentimentos da família.** Um bebê deve ficar entre os pais somente se *ambos* concordarem que ele deve ficar ali. Assim, certifique-se de que os dois estejam à vontade na cama da família antes de levar o bebê para a cama dele — e considere os seus sentimentos e os do seu cônjuge. Tenha em mente também que, se vocês dormirem juntos, você vai precisar fazer outros arranjos para ter privacidade, ou os três rapidamente se tornarão uma multidão que compromete o casal.

**O sono — seu e do bebê.** Para alguns pais, não ter de sair da cama para mamadas no meio da noite ou para acalmar um bebê que chora é motivo suficiente para dormirem juntos. Para as mães que amamentam no peito, poder dar de mamar sem ter que estar totalmente acordada é uma vantagem real. A desvantagem: embora possam não precisar sair da cama à noite, os pais acordam mais vezes e, embora seja emocionalmente satisfatório, é menos satisfatório do ponto de vista psicológico (pais e filhos que dormem juntos tendem a dormir menos profundamente e dormir menos de modo geral). Além disso, os bebês que dormem com os pais acordam com mais frequência e podem ter problemas para aprender a dormir sozinhos, uma habilidade de que eles acabarão precisando. Outro possível efeito colateral do despertar frequente é um aumento na amamentação noturna — ótimo quando um bebê é novinho, mas não tão bom quando ele já tem dentes. As contínuas mamadas noturnas — no peito ou na mamadeira — podem levar à queda dos dentes.

**O futuro.** Ao tomar sua decisão sobre a cama da família, considere por quanto tempo (ideal) você gostaria que o arranjo continuasse. Alguns afirmam que dormir juntos causa dependência prolongada; outros argumentam o contrário — que dormir juntos promove independência por dar à criança sentimentos mais fortes de segurança. Com frequência, quanto mais tempo dura, mais difícil é a transição para dormir sozinho. Mudar um bebê de seis meses para o berço não deve consumir muito esforço; mudar um bebê que está chegando perto de seu primeiro aniversário pode ser um pouco mais trabalhoso; tirar um bebê em idade de engatinhar ou pré-escolar de sua cama pode ser ainda mais desafiador. Algumas crianças saem voluntariamente por volta dos 2 ou 3 anos, muitas já estão prontas para se mudar quando começam a frequentar a escola, mas algumas se arrastam ali por muito tempo — até o início da adolescência.

Quer você decida ou não compartilhar sua cama com um bebê à noite, você ainda vai gostar de trazê-lo para as mamadas de manhã cedo ou as sessões de ninar. À medida que seu filho ficar mais velho, você pode continuar a fazer da proximidade da família (se não da cama da família) um ritual favorito nas manhãs de fins de semana — com guerra de travesseiro e tudo.

## USANDO AINDA UMA CHUPETA

*"Eu estava planejando deixar minha filha usar a chupeta somente até que ela tivesse 3 meses de idade, mas ela parece tão dependente da chupeta, que não tenho certeza se posso tirá-la agora."*

O s bebês são criaturas do conforto. O conforto que eles anseiam pode vir de várias maneiras, inclusive do peito da mãe, do pai com uma mamadeira cheia de leite materno ou fórmula, de uma cantiga de ninar tranquila, ou de uma chupeta. E quando mais acostumados ficam com uma determinada fonte de conforto, mais difícil é ficar sem ela. Se você não quer entrar nos problemas que mais tarde podem estar associados com o uso da chupeta, agora é uma época ideal para romper o hábito. Por um lado, nesta idade a memória de seu bebê é curta, então ela esquecerá facilmente da chupeta quando esta desaparecer da vida dela. Por outro, ela está mais receptiva a mudanças do que um bebê mais velho — é mais provável que aceite uma rota alternativa ao uso da chupeta. Um bebê em idade de engatinhar não só não esquece da chupeta como provavelmente também exige que ela volte com uma tempestade de irritação e fúria. E é claro que é mais fácil romper um hábito de três meses do que um hábito que vem se formando há um ano ou mais.

Para confortar sua filha sem uma chupeta, experimente embalar, cantar, o nó dos dedos para chupar (ou ajude-a a encontrar os próprios dedos), ou algumas das técnicas relacionadas nas páginas 290-291. Todas elas consomem mais tempo e esforço de sua parte do que enfiar uma chupeta na boca, mas serão melhores para sua filha a longo prazo, em especial se forem gradualmente eliminadas em favor de deixar que o bebê aprenda a se confortar sozinho (como pode fazer com o próprio polegar, uma "chupeta" que está sob controle dela. Ver página 296 para os prós e contras do uso da chupeta).

Se sua filha não parece pronta para largar a chupeta, você pode limitar o uso só à hora de dormir ou à noite. Desta forma, ela não vai interferir com a socialização e a vocalização durante o dia. Mas tenha em mente que pode ser uma luta tirar sua filha da chupeta na hora de dormir mais tarde também.

# DESMAME PRECOCE

*"Vou voltar a trabalhar em tempo integral no final do mês e gostaria de parar de amamentar minha filha no peito. Será difícil para ela?"*

Em geral, um bebê de 3 meses é muito agradável e adaptável. Mesmo com uma personalidade própria em desenvolvimento, ele ainda está longe do bebê cheio de opiniões (e às vezes tirânico) em que vai se transformar. Assim, se você vai reservar um tempo para o desmame do peito que seja mais tranquilo para sua filha, esta pode ser uma boa hora. Embora ela possa desfrutar completamente da amamentação no peito, provavelmente não vai se prender a isto teimosamente como um bebê de 6 meses que nunca tomou mamadeira e de repente é submetido ao desmame. Você provavelmente vai descobrir que o desmame aos 3 meses é menos difícil para seu bebê do que para você. (Antes de tomar sua decisão, contudo, leia a seção sobre aleitamento materno e trabalho, página 371; você pode descobrir que combinar as duas ocupações por mais alguns meses — e possivelmente por todo o primeiro ano — pode não ser tão difícil como imagina.)

O ideal é que as mães que querem desmamar seus bebês cedo devam come-

çar a dar mamadeiras suplementares, usando ou o leite expresso ou fórmula, por volta das quatro a seis semanas para que os bebês se adaptem a sugar a mamadeira e o seio. Se você não o fez, o primeiro passo é aclimatar o bebê a um bico de mamadeira; é possível que você tenha de experimentar diferentes estilos para encontrar aquele que agrade a seu bebê. Neste ponto seria melhor usar a fórmula, para que seu suprimento atual de leite comece a diminuir. Seja persistente, mas não force o bico da mamadeira. Experimente dar a mamadeira antes do seio; se seu bebê rejeitar a mamadeira na primeira vez, tente novamente na mamada seguinte. As mamadeiras podem ser mais aceitáveis para o bebê se forem dadas por outra pessoa, e não pela mãe. (Ver página 322 para mais dicas sobre a introdução da mamadeira.)

Continue tentando até que ela tome pelo menos 30 a 60 mililitros da mamadeira. Depois que ela o fizer, substitua uma mamada por uma refeição de fórmula no meio do dia. Alguns dias depois, substitua outra mamada no peito pela fórmula. Fazer a troca aos poucos, uma mamada de cada vez, dará a seus seios a chance de se adaptarem sem uma ingurgitação desagradável. Elimine a última mamada da noite no peito, o que dará a você e a sua filha um período tranquilo e relaxante juntas quando você chegar em casa do trabalho. Se você quiser, pode — pressupondo-se que sua oferta de leite não tenha secado inteiramente, e pressupondo-se que seu bebê ainda esteja interessado — continuar esta mamada de 30 mililitros por dia por algum tempo (ou 60 ao dia, se você

## QUANTO MAIS TEMPO, MELHOR

Não é novidade que o aleitamento materno é melhor para os bebês — e que até um pouco de leite materno resolve quando se trata de dar ao bebê o começo de vida mais saudável. Seis semanas de amamentação, afinal, podem oferecer benefícios substanciais. Mas o que é novidade — e uma grande novidade — é que a pesquisa mostrou que quanto mais tempo, melhor, e que esses benefícios aumentam substancialmente quando um bebê é amamentado por mais de três meses. É por isso que a Academia Americana de Pediatria recomenda que o aleitamento materno continue, o ideal, por pelo menos o primeiro ano de vida. De acordo com os últimos relatos dos pesquisadores, estes muitos benefícios podem incluir:

♦ Uma batalha menor com o volume. Quanto mais tempo um bebê é amamentado no peito, menos provável será que ele se una às crescentes fileiras de crianças e adolescentes com excesso de peso.

♦ Muito menos problemas com a barriga. Todo mundo sabe que o leite materno é mais digerível do que a fórmula. Mas pesquisas têm revelado que os bebês que são alimentados somente com leite materno pelos primeiros seis meses têm um risco menor de desenvolver infecção gastrintestinal do que os bebês que recebem suplementação com fórmula a partir do terceiro ou do quarto mês. Outra vantagem digestiva para os bebês mais velhos alimentados no peito: os que mamam no peito quan-

---

preferir dar o peito pela manhã, também), adiando o desmame completo até mais tarde, ou até que seu leite tenha acabado.

## SUPLEMENTAÇÃO COM LEITE DE VACA

*"Estou dando o peito e gostaria de dar a meu bebê um suplemento, mas a fórmula é cara demais. Posso dar a ele leite de vaca?"*

O leite de vaca é uma ótima bebida para bezerros e seres humanos adultos, mas não tem a mistura correta de nutrientes para bebês humanos. Contém mais sais minerais (muito mais) e proteínas do que o leite materno ou a fórmula comercial, e estes excessos representam uma sobrecarga para os rins jovens. Também carece de ferro. A composição do leite de vaca varia da do leite materno (e da fórmula) também de diversas maneiras. Além disso, ele causa um sangramento intestinal brando em uma pequena porcentagem de bebês. Embora a perda de sangue nas fezes não costume ser visível a olho nu, o sangramento é significativo porque pode levar à anemia.

Assim, se você está planejando suplementar, use ou o leite expresso ou uma

do os sólidos são introduzidos (em geral aos 5 ou 6 meses) têm uma probabilidade menor de desenvolver doença celíaca, um distúrbio digestivo que interfere na absorção normal dos nutrientes da comida.

♦ Muito menos problemas de ouvido. Os estudos mostraram que os bebês que são amamentados exclusivamente no peito por mais de quatro meses sofrem de metade das infecções de ouvido de seus pares alimentados com fórmula.

♦ Menos espirros. Os bebês alimentados no peito por seis meses têm uma probabilidade muito menor de ter problemas com alergias de todos os tipos.

♦ QI mais alto para os bebês menores. Muitos estudos assinalaram uma relação entre a amamentação contínua no peito e um QI mais alto. Mas a pesquisa também sugeriu que alimentar exclusivamente no peito nos primeiros seis meses estimula o QI de bebês menores nascidos a termo (aqueles que têm menos de 3 quilos ao nascimento).

♦ Um risco menor de SIDS. Quanto mais tempo os bebês são amamentados no peito, menor é o risco de sucumbir à SIDS.

É claro que, embora os benefícios da amamentação contínua no peito sejam convincentes, nem toda mãe e nem todo bebê são capazes de continuar no peito pelo tempo que é recomendado. Assim, é importante ter em mente que, embora mais tempo seja melhor, alguma amamentação no peito definitivamente é melhor do que nenhuma.

fórmula recomendada pelo médico — até que seu bebê tenha um ano de idade.

## MENOS EVACUAÇÃO

*"Estou preocupada que meu bebê que mama no peito esteja constipado. Ele sempre teve de seis a oito evacuações por dia, e agora raramente tem mais de uma, e às vezes nenhuma em um dia."*

Não fique preocupada — fique grata. Esta redução na produção não só é normal, como mandará você à mesa de troca de fraldas com menos frequência. Definitivamente é uma mudança para melhor.

Para muitos bebês alimentados no peito, como o seu, é normal começar a evacuar menos em algum momento entre o primeiro e o terceiro mês de idade. Alguns até passarão vários dias entre as evacuações. Isto porque, à medida que os bebês crescem, eles precisam de mais comida, então o corpo digere mais do que entra — o que resulta em menos subprodutos. Outros continuarão seu prodigioso índice de produção enquanto estiverem mamando no peito. Isto também é normal.

A constipação raramente é um problema para bebês que mamam no peito, e a infrequência na evacuação não é sinal dela; fezes duras e de passagem difícil, sim (ver página 273).

## ASSADURAS

*"Troco as fraldas de minha filha constantemente, mas ela ainda tem assaduras — e eu tenho problemas para me livrar delas."*

Há um bom motivo para que sua filha (e mais de 35% de suas colegas de fraldas) não tenha um bumbum perfeitinho. A área das fraldas é exposta a umidade alta, pouco ar, uma variedade de irritantes químicos e organismos infecciosos na urina e nas fezes, e com o atrito frequente das fraldas e das roupas, é um alvo fácil para uma ampla variedade de problemas. As assaduras podem continuar a ser um problema desde que o bebê ainda esteja de fraldas, mas a incidência em geral atinge um pico entre o sétimo e o nono mês, quando uma dieta mais variada se reflete na natureza mais irritante das fezes, e depois começa a diminuir à medida que a pele do bebê se enrijece, tornando-se mais resistente aos ataques.

Infelizmente, as assaduras tendem a se repetir em alguns bebês — talvez por causa de uma suscetibilidade inata, tendência a alergias, um pH anormal das fezes (um desequilíbrio entre a acidez e a alcalinidade), excesso de amônia na urina, ou simplesmente porque, depois

que a pele fica irritada, ela é mais suscetível a irritação posterior.

O exato mecanismo responsável pelas assaduras ainda não é conhecido, mas acredita-se que provavelmente comece quando a pele delicada do bebê se irrita por umidade crônica. Quando a pele é ainda mais enfraquecida pelo atrito com a fralda ou a roupa, ou por substâncias irritantes nas fezes ou na urina, o caminho fica livre para o ataque de germes na pele ou na urina ou fezes. A limpeza agressiva e frequente da área das fraldas com detergentes ou sabonetes pode aumentar a suscetibilidade da pele de um bebê, assim como as fraldas muito apertadas também têm este efeito. A amônia na urina, embora no passado tenha sido a principal culpada pelas assaduras, não parece ser a causa primária, mas pode irritar a pele já danificada. E as assaduras tendem a começar onde a urina se concentra na fralda, em direção ao bumbum das meninas e à parte da frente nos meninos.

A expressão *assaduras de fraldas* já descreve vários problemas diferentes da pele na área das fraldas. O que distingue uma assadura de outra não é de ampla concordância entre os médicos (talvez o tema não tenha levantado interesse suficiente para estimular o estudo sério e definições mais claras), mas com frequência elas são descritas da seguinte maneira:

**Dermatite de contato.** Esta é a forma mais comum de assadura e é vista como vermelhidão onde o atrito é maior, mas não nas dobras de pele do bebê. Geralmente vem e vai, causando pouco desconforto se não é complicada por infecção secundária.

**Dermatite da marca.** Esta é uma irritação precipitada por atrito da beira da fralda se esfregando na pele.

**Dermatite perianal.** Vermelhidão em torno do ânus em geral causada por fezes alcalinas de um bebê alimentado com mamadeira e incomum entre bebês alimentados no peito, até que os sólidos tenham sido introduzidos.

**Dermatite por *Candida*.** Vermelho brilhante e macia, essa assadura desconfortável aparece nas pregas inguinais (os vincos entre o abdome e as coxas) e se espalha a partir daí. As assaduras que duram mais de 72 horas em geral tornam-se infeccionadas por *Candida albicans*, a mesma micose responsável pelos sapinhos. Esse tipo de assadura também pode se desenvolver em bebês que tomam antibióticos.

**Dermatite atópica.** Essa assadura é pruriginosa e pode aparecer primeiro em outras partes do corpo. Em geral começa a se espalhar para a área das fraldas entre 6 e 12 meses.

**Dermatite seborreica.** Esta assadura vermelha profunda, com frequência com tons de amarelo, em geral começa no couro cabeludo como caspa de berço, embora às vezes comece na região das fraldas e se espalhe para cima. Como a maioria das assaduras, em geral incomoda mais os pais do que o bebê.

**Impetigo.** Causado por bactérias (estreptococos ou estafilococos), o impetigo na área das fraldas ocorre em duas formas diferentes: bolhoso, com bolhas grandes e de revestimento fino que irrompem e deixam uma crosta amarelo-amarronzada, ou não bolhoso, com crostas grossas e amarelas e muita vermelhidão em volta. Pode cobrir as coxas, nádegas e a parte inferior do abdome, e se espalha para outras partes do corpo.

**Intertrigo.** Este tipo de assadura, que se manifesta como uma área avermelhada mal definida, ocorre como resultado do atrito da pele com a pele. Em bebês, em geral é encontrada nas pregas inguinais profundas entre as coxas e a parte inferior do abdome, e com frequência nas axilas. O intertrigo às vezes pode exsudar um material branco ou amarelado, e pode arder quando em contato com a urina, levando o bebê a chorar.

A melhor cura para a assadura é a prevenção — embora nem sempre seja possível. Manter a área das fraldas seca e limpa é um dos princípios mais importantes da prevenção. Ver página 222 para as práticas de troca de fraldas que podem ajudar você a fazer isso. Se as medidas preventivas não derem certo, as dicas seguintes podem ajudar a eliminar a assadura simples de seu bebê e serão úteis na prevenção das recorrências:

**Menos umidade.** Para reduzir a umidade na pele, troque as fraldas com frequência, até no meio da noite, se seu bebê estiver acordado e as fraldas muito cheias. Coloque em suspenso qualquer plano de conseguir dormir a noite toda até que a assadura tenha passado. Para assaduras persistentes, troque as fraldas do bebê assim que você souber que ele está molhado ou que tenha evacuado.

Depois que outros fluidos, além de leite materno ou fórmula, tenham sido introduzidos, certifique-se de que menos líquido supérfluo entre no bebê também (uma vez que o que entre deve sair). Tomar uma mamadeira de suco depois da outra leva a uma micção excessiva e a mais assaduras. Usar uma caneca para o suco pode evitar a superdosagem.

**Mais ar.** Mantenha o bumbum do bebê nu na maior parte do tempo, colocando-o sobre algumas fraldas dobradas, ou em lençol sobre um plástico, ou em uma almofada à prova d'água para proteger a superfície embaixo. Se a assadura é realmente persistente, você pode deixá-lo dormir do mesmo jeito, mas certifique-se de que o quarto esteja aquecido o bastante para que ele não fique com frio. Se o bebê usa fraldas de pano, use calças plásticas respiráveis, ou deixe as calças de fora e coloque-o numa almofada à prova d'água. Se ele usar fraldas descartáveis que tenham revestimento externo de plástico, faça alguns furos por fora. Isso permitirá a entrada de algum ar e também permitirá que parte da umidade saia — o que estimulará uma troca de fraldas mais frequente.

**Menos fatores de irritação.** Você não pode limitar os irritantes naturais como a urina e as fezes a não ser trocando as fraldas com frequência, mas pode limitar aqueles que aplica no bumbum do bebê. O sabonete pode ressecar a irritar a pele, então, use-o somente uma vez por dia. Os sabonetes para bebê Dove, Cetaphil e Johnson estão entre os geralmente recomendados para bebês (muitos dos chamados sabonetes "suaves" não são assim), ou peça uma sugestão ao médico. Para a troca de fraldas quando o bebê evacua, lave a pele completamente (por cerca de 30 segundos a 1 minuto) com água morna e bolas de algodão em vez de usar lenços umedecidos. Os lenços podem conter substâncias que irritam a pele de seu bebê (bebês diferentes são sensíveis a diferentes substâncias); aqueles que contêm álcool são particularmente ressecantes. Se o que você está usando parece causar o problema, troque — mas não use lenços de jeito nenhum quando seu bebê tem assadura. Uma evacuação realmente suja pode ser melhor limpa com um mergulho na banheira ou na pia; uma pegajosa pode ser suavemente removida com óleo para bebês. Tenha o cuidado de secar delicadamente o bebê completamente depois de lavar.

**Fraldas diferentes.** Se seu filho tem assaduras recorrentes de fraldas, considere trocar para outro tipo de fralda (de pano ou descartáveis ou vice-versa, de um tipo de descartável para outro) para ver se a troca faz alguma diferença. Se você lava as fraldas em casa, enxágue-as com meia xícara de vinagre branco ou um produto especial para fraldas e, se necessário, ferva-as em uma panela grande por 10 minutos.

**Táticas de bloqueio.** Espalhar uma grossa camada de proteção de pomada ou creme (A&D, Desitin, óxido de zinco, Balmex, ou qualquer uma que tenha sido recomendada pelo médico do bebê) no bumbum do neném depois de limpá-lo a cada troca de fraldas evitará que a urina o alcance. Certifique-se, porém, antes de espalhar a pomada ou o creme nas nádegas do bebê, de que a pele dele esteja completamente seca. Caso contrário, você só estará prendendo a umidade ali, levando a assaduras recorrentes. Se você comprar estes produtos em frascos grandes, economizará dinheiro e é mais provável que os use prodigamente — o que é o melhor a fazer. Mas não use a pomada quando estiver ventilando o bumbum do bebê.

Um pouquinho de maisena pode absorver a umidade, manter o bebê mais seco, mas não use um talco. E não use medicamentos que tenham sido receitados para outros membros da família; algumas pomadas (aquelas que contêm esteroides e antibióticos ou agentes antimicóticos) são uma causa importante de reações alérgicas da pele, e você pode sensibilizar sua filha usando-as. Além disso, elas podem ser fortes demais para a pele do bebê.

Se as assaduras de seu bebê não forem eliminadas nem melhoram em um ou dois dias, ou se aparecerem bolhas ou pústulas, procure o médico, que tentará descobrir sua causa e tratá-la. Para dermatite seborreica, pode ser necessário um creme esteroidal (mas não deve ser usado por muito tempo); para impetigo, os antibióticos administrados por via oral; para intertrigo, a limpeza cuidadosa somada a um creme de hidrocortisona e pomadas protetoras; e para cândida, a infecção mais comum de fraldas, uma boa pomada ou creme antimicótico de uso tópico. Pergunte quanto tempo deve levar para a assadura ceder, e depois relate ao médico se não melhorar passado esse tempo ou se o tratamento parece piorar o problema. Se a assadura persistir, o médico pode verificar a dieta ou outros fatores que podem estar contribuindo para ela. Em raros casos, pode ser necessária a perícia de um dermatologista pediátrico para revelar o mistério da assadura de um bebê.

## FERIDAS NO PÊNIS

*"Estou preocupada com uma área vermelha e áspera na ponta do pênis de meu filho."*

É provável que o que você está vendo pareça um pouco pior do que realmente é, e provavelmente não é nada mais do que uma assadura localizada. Este tipo de assadura é comum e às vezes pode causar inchaço — ocasionalmente, o bastante para impedir que o bebê urine. Porque a disseminação para a uretra pode causar cicatrizes, você deve fazer tudo o que puder para se livrar da assadura o mais rápido possível. Siga as dicas para tratar de assaduras de fraldas dadas anteriormente, acrescentando banhos mornos se seu bebê está tendo problemas para urinar. Se você usa fraldas lavadas em casa, troque para um serviço de lavagem ou para fraldas descartáveis até que o problema tenha sido resolvido. Se a assadura persistir depois de dois ou três dias de tratamento caseiro, e/ou se o bebê tiver problemas com a micção, procure o médico.

## MOVIMENTOS ESPÁSTICOS

*"Quando meu filho tenta pegar alguma coisa, ele sempre erra, e seus movimentos parecem tão espásticos, que fico me perguntando se tem alguma coisa errada com o sistema nervoso dele."*

E mbora tenha se passado muito tempo desde que você sentiu os safanões no útero, o sistema nervoso de seu bebê ainda é novo e inexperiente, e ele não funciona a todo vapor. Quando o braço de seu filho se estende na direção de um brinquedo mas não consegue pousar em nenhum lugar perto do alvo, a falta de coordenação é na verdade um estágio normal no desenvolvimento motor do bebê. Logo ele vai adquirir mais controle e o bater intencional e desajeitado será substituído por movimentos habilidosos. E depois que ele chegar à fase em que nada que estiver ao alcance dele estará seguro, você poderá se lembrar com nostalgia do tempo em que ele olhava mas era incapaz de pegar as coisas.

Se você precisa ser mais tranquilizada, converse com o médico de seu filho na próxima consulta.

## BRINCADEIRAS BRUTAS

*"Meu marido adora brincadeiras brutas com nossa filha de 12 semanas, e ela também adora isso. Mas eu soube que agitar um bebê demais, mesmo de brincadeira, pode causar danos."*

A o ver a alegria na cara de sua filha quando ela é atirada no ar e apanhada por um pai que adora, é difícil imaginar que essa diversão pode terminar em tragédia. E, no entanto, pode sim. Alguns tipos de movimentos brutos — sejam de brincadeira ou de raiva — podem ser extremamente perigosos para crianças com menos de 2 anos de idade.

Há vários tipos de lesões que podem resultar de atirar um bebê para o alto ou sacudir ou balançar vigorosamente um bebê (como quando se corre segurando-o de frente ou o leva no *sling* nas costas). Um é uma espécie de chicotada (como acontece quando uma pessoa é atirada para trás em um acidente de carro). Porque a cabeça do bebê é pesada em relação ao resto do corpo e os músculos de seu pescoço não estão plenamente desenvolvidos, o apoio da cabeça é fraco. Quando o bebê é agitado rudemente, a cabeça chicoteia para trás e para a frente, e isso pode fazer com que o cérebro quique dentro do crânio. Os hematomas no cérebro podem causar inchaço, sangramento, pressão e possivelmente danos neurológicos permanentes com incapacidade física ou mental. Outra possível lesão é o trauma dos delicados olhos do bebê. Se ocorrerem descolamento ou a cicatrização da retina ou danos ao nervo ótico, podem surgir problemas visuais duradouros e até cegueira. O risco de danos é maior se o bebê está chorando ou sendo seguro de cabeça para baixo quando é agitado, porque isso aumenta a pressão sanguínea na cabeça, aumentando a possibilidade de os frágeis vasos sanguíneos se romperem. Estas lesões são relativamente raras, mas os danos podem ser tão graves que o risco certamente não vale a pena.

Embora a grande maioria destas lesões ocorram quando o bebê está sendo sacudido de raiva, elas podem acontecer numa brincadeira. Então, evite comportamentos brutos que sacudam ou empurrem vigorosamente a cabeça de seu filho ou o pescoço sem um apoio. Também evite correr com ele no colo ou outras atividades que quiquem o bebê novo em um *sling* (faça sua corrida empurrando o bebê num carrinho, em vez disso). Isso não quer dizer que não vai haver diversão — é só uma forma mais delicada de brincar. Muitos bebês adoram "voar" quando são seguros firmemente pelo meio do tronco e são suspensos delicadamente no ar, adoram receber afagos e ser caçados quando têm idade para se arrastar. Há alguns bebês, porém, tanto meninos como meninas, que não gostam de nenhum tipo de brutalidade e eles têm direito a um tratamento mais delicado — mesmo de membros da família mais exuberantes.

Não perca seu tempo se preocupando com as sessões de brincadeiras brutas do passado. Se sua filha não mostrou nenhum sintoma de lesão, ela claramente não foi prejudicada. Se você tem alguma preocupação, consulte o médico de sua filha.

## NUNCA SACUDA UM BEBÊ

Alguns pais acham que sacudir um bebê é uma forma mais segura de disciplina — ou para aliviar a pressão quando eles estão frustrados ou irritados — do que uma surra. E este é um pressuposto extremamente perigoso. Primeiro, os bebês são novos demais para serem efetivamente disciplinados. Segundo, a disciplina física de qualquer tipo (inclusive a surra) nunca é adequada (ver página 639 para ver as formas adequadas e eficazes de disciplinar um bebê que engatinha). Mas, acima de tudo, sacudir um bebê (seja de raiva ou de brincadeira) pode causar lesões graves ou morte. *Nunca, jamais sacuda um bebê.*

## FICAR PRESA À AMAMENTAÇÃO NO PEITO

*"Fiquei feliz com minha decisão de dar mamadeiras suplementares a meu bebê até que percebi que era quase impossível ter uma longa noite sem ele."*

Nada é perfeito, nem mesmo a decisão de amamentar exclusivamente no peito. Apesar de todas as suas vantagens, de vez em quando pode ser inconveniente — como quando um jantar ou um filme dura mais do que o intervalo entre as duas mamadas, tornando os encontros com seu cônjuge e os amigos uma impossibilidade logística. E passar a perna nessa logística pode ser especialmente difícil agora, com o bebê ainda mamando com tanta frequência. Se você estiver disposta a sacrificar o sono por algumas horas, pode conseguir fazer uma noitada na cidade colocando seu bebê para dormir às 8 ou 9 da noite antes de sair (a não ser que o hábito dele seja acordar novamente antes da meia-noite). Ou prenda-se somente ao jantar *ou* a um filme por enquanto.

As coisas ficarão um pouco mais fáceis depois que os sólidos forem introduzidos (em geral por volta do sexto mês) e quando o bebê começar a tirar sonecas mais longas à noite sem mamar. E depois que você introduzir a caneca (lá pelo quinto ou sexo mês), seu bebê até será capaz de beber se estiver com sede sem recorrer a uma mamadeira.

Nesse meio tempo, se você tiver um evento especial que gostaria de ir que a tirará de casa por mais de algumas horas no início da noite, experimente estas dicas:

- Leve o bebê e a babá juntos, se houver um lugar adequado para eles enquanto estiverem esperando. Desta forma o bebê pode dormir em um carrinho enquanto você desfruta do evento, escapulindo para amamentar quando for necessário.

- Se o evento acontecer fora da cidade, leve a família junto. Leve sua própria babá ou contrate uma na cidade onde você ficar. Se o lugar onde você se hospedar ficar perto do local do evento, você pode escapulir para dar de mamar.

- Ajuste a hora de dormir do bebê, se possível. Se seu bebê não costuma ir para a cama até as nove da noite e você precisa sair às sete, experimente cortar a soneca da tarde dele e colocá-lo para dormir algumas horas mais cedo. Certifique-se de dar a ele uma mamada completa antes de sair, e planeje amamentá-lo novamente quando do voltar, se necessário.

- Deixe uma mamadeira com leite tirado do peito e espere pelo melhor. Se seu bebê acordar e estiver realmente com fome, ele pode tomar a mamadeira. Se ele não tomar, pode chorar por algum tempo, mas muito provavelmente acabará voltando a dormir — e você sempre pode amamentá-lo quando chegar em casa. Leve um *pager* ou celular para que a babá possa entrar em contato com você; se a babá achar que o bebê está tão irritado que você precisa voltar, você precisará estar pronta para fazer isso.

# DEIXANDO O NENÉM COM UMA BABÁ

*"Nós adoramos sair sozinhos à noite, mas temos medo de deixar nossa filha com uma babá porque ela é nova demais."*

Saia — e já. Pressupondo-se que vocês vão querer passar algum tempo juntos (ou você vai querer ficar sozinha) nos próximos 16 anos mais ou menos, acostumar sua filha a receber os cuidados ocasionais de uma pessoa que não é da família será uma parte importante do desenvolvimento dela. E, neste caso, quanto mais cedo ela começar a se adaptar, melhor. Os bebês de 2 ou 3 meses podem reconhecer os pais, mas fora de vista em geral significa fora da cabeça. E desde que as necessidades de seu bebê sejam atendidas, os bebês novos ficam felizes com qualquer pessoa atenciosa. Quando os bebês chegam aos 9 meses (muito mais cedo em alguns casos), a maioria começa a experimentar o que é chamado de ansiedade de separação ou de estranhos — não só eles ficam infelizes sendo separados da mãe ou do pai, como também ficam muito assustados com gente nova. Assim, agora é a hora perfeita para trazer uma babá para a vida do bebê — e um pouco de diversão só para adultos para vocês.

No começo você provavelmente vai querer dar saídas rápidas, especialmente se estiver amamentando e tiver de espremer o jantar entre duas mamadas. O que não deve ser curto, contudo, é o tempo que você passa escolhendo e preparando a babá, para garantir que seu filho seja bem tratado. Na primeira noite, esteja presente com a babá por pelo menos meia hora para que você possa aclimatá-la às excentricidades das necessidades de seu filho e seus hábitos e para que o bebê e a babá possam se conhecer. (Veja as informações sobre a escolha a assistência ao bebê que começam a seguir, inclusive a Lista de Verificação da Babá, na página 406.)

*"Quase sempre nós levamos o bebê conosco quando saímos; nós o deixamos com uma babá só quando ele está dormindo, e mesmo assim só por algumas horas. Os amigos dizem que isso vai deixá-lo dependente demais."*

Novamente, vocês vão precisar seguir seus instintos — não os de seus amigos. Embora haja algumas vantagens em fazer com que seu bebê se adapte a uma babá agora (antes que a ansiedade de estranhos levante sua cabeça inamistosa), e ter mais saídas sociais (na realidade, nem todo lugar aonde vocês queiram ir e nem todo evento a que queiram comparecer receberá bem os bebês), um bebê cuja mamãe ou papai está sempre presente não necessariamente se torna dependente. Em geral, na verdade, a criança que passa a maior parte do tempo da primeira infância com um ou os dois pais se transforma em uma criança segura e confiante. Afinal, ela provavelmente tem uma firme crença de que é amada, que qualquer babá que os pais arranjem para ela cuidará bem dela e que, quando os pais saem, eles voltam quando dizem que vão voltar. (É claro que uma criança que é deixada com uma boa babá também pode sentir a mesma coisa.)

Assim, faça o que for mais agradável para vocês, e não o que satisfaça os amigos. Mas à medida que sua filha ficar mais velha, você pode pensar em pelo menos de vez em quando deixá-lo com uma babá quando ela estiver acordada. Se você sempre sai enquanto ela dorme, e ela sempre acorda enquanto você está fora, ela poderá entrar em pânico ao se ver nas mãos de uma estranha.

# O Que É Importante Saber:
## A ASSISTÊNCIA CERTA AO BEBÊ

Deixar seu filho com uma babá pela primeira vez pode ser estressante o bastante mesmo que você não se preocupe se está deixando-o com a pessoa certa no lugar certo. E encontrar a assistência em que você possa confiar não é tão fácil — pelo menos, não para a maioria das pessoas — quanto pegar o telefone e convocar a vovó ou a vizinha. Com a família ampliada com frequência se estendendo para além da cidade e da divisa do estado, e muitas avós (e tipos parecidos) trabalhando, os pais que precisam de uma babá devem depender de uma estranha.

Quando a avó é a babá, a maior preocupação dos pais é se o filho será mimado com muitos biscoitos. Entregar seu bebê a um estranho (ou a um grupo de estranhos) levanta muito mais preocupações. Será que ela será responsável e confiável? Atenciosa e responsiva com as necessidades do bebê? Será capaz de proporcionar a seu bebê o tipo de estímulo ao brincar que ajudará a desenvolver a mente e o corpo em seu potencial máximo? Será que a filosofia de quem cuida do bebê combina com a sua, e ela aceitará suas ideias e respeitará sua vontade? Será ela calorosa e amorosa o bastante para agir como mãe substituta sem pressupor que está tomando o seu lugar?

Separar-se de seu filho — seja em um emprego de tempo integral ou num jantar ou outro programa de sábado à noite — nunca será fácil, em especial nas primeiras vezes. Mas para você (e as outras 50% de mães de bebês de menos de um ano que regularmente usam a assistência de uma babá), separar-se satisfeita por ter deixado o bebê nas melhores mãos possíveis ajudará a atenuar sua ansiedade e sua culpa.

## CUIDADOS EM CASA

A maioria dos especialistas concorda que, se os pais não podem ficar com o bebê todo o tempo (por causa de trabalho, escola ou outros compromissos), a melhor opção é uma mãe substituta (uma babá) que cuide da criança em sua casa.

As vantagens são muitas. O bebê no ambiente familiar, com o próprio berço, a cadeirinha e os brinquedos, não é exposto a muitos germes de outros bebês e não tem de ser transportado. Ele também tem a atenção total de quem lhe presta assistência (pressupondo-se que ela não tenha uma multiplicidade de outras tarefas), e há uma boa possibilidade de um forte relacionamento se desenvolver entre o neném e a babá.

Há algumas desvantagens, porém. Se a babá adoecer, se for incapaz de vir trabalhar por outros motivos, ou de repente se demitir, não há um sistema de substituição automática. Uma forte ligação entre a babá e um bebê mais velho pode levar a uma crise se a babá sai da casa de repente, ou se os pais desenvolvem mais do que um leve ciúme. Para alguns pais, a perda de privacidade se a babá mora na casa é uma complicação a mais. E a assistência em casa pode ser cara, provavelmente mais cara se você escolhe uma babá com formação profissional, provavelmente menos se você escolhe uma universitária, uma estudante em intercâmbio cultural ou alguém com pouca experiência.

## COMEÇANDO A PROCURAR

Encontrar a babá ideal pode consumir muito tempo, então reserve uns dois meses para a busca. Há várias trilhas que você pode seguir para encontrá-la:

**O médico do bebê.** Provavelmente ninguém mais que você conheça vê tanto seu filho — e a mãe e o pai — quanto o médico do bebê. Peça a ele recomendações de babás, dê uma olhada no quadro de avisos em busca de anúncios colocados por babás que procuram emprego (alguns pediatras exigem referências deixadas na recepção quando estes anúncios são colocados lá), ou coloque você um anúncio no consultório. Pergunte na sala de espera também.

**Outros pais.** Não passe por um deles — no *playground*, na sala de exercícios do bebê, nas festas e reuniões de negócios — sem perguntar se eles sabem de alguém, ou se contrataram uma boa babá.

**O centro comunitário, a biblioteca, a igreja, a pré-escola de seu bairro.** Aqui também o quadro de avisos pode ser um recurso inestimável. E também seu padre ou pastor, que pode conhecer alguém da congregação que possa estar interessado em cuidar de seu filho.

**Professores de crianças em idade de creche.** Os professores da pré-escola em geral conhecem, ou empregam em meio expediente em seus programas, profissionais experientes. Às vezes eles mesmos estão disponíveis para o final da tarde e a noite.

**Agências de babás.** Profissionais e babás treinadas e autorizadas (e em geral caras) estão disponíveis nestes serviços; escolher estas agências em geral elimina muita conjectura e bater de pernas. (Mas sempre verifique as referências e a formação você mesma, de qualquer forma.)

**Serviços de babá.** Babás de currículo analisado estão disponíveis nestes serviços, relacionados em sua lista telefônica, para trabalho em tempo integral, em meio expediente ou ocasional.

**Um hospital de seu bairro.** Alguns hospitais oferecem referências de babás. Em geral, todas as babás indicadas fizeram um curso de cuidados com bebês oferecido pelo hospital, que inclui ressuscitação cardiopulmonar e outros procedimentos de primeiros socorros. Em outros hospitais e escolas de enfermagem, as estudantes de enfermagem podem estar disponíveis para cuidar de bebês.

## LISTA DE VERIFICAÇÃO DA BABÁ

Até as babás mais treinadas e mais experientes precisam de orientação (afinal, cada bebê e cada família têm necessidades diferentes). Antes de deixar seu filho com alguém, certifique-se de que a babá esteja familiarizada com o que se segue:

♦ De que forma seu bebê é acalmado com mais facilidade (embalando, uma música especial, uma móbile favorito, um passeio de carrinho).

♦ Qual é o brinquedo preferido de seu filho.

♦ Que seu bebê deve dormir de rosto para cima sem travesseiros e sem edredom.

♦ Qual é a melhor maneira de colocar seu filho para arrotar (sobre o ombro, no colo, depois de mamar, durante a mamada).

♦ Como trocar as fraldas e limpar seu filho (você usa lenços umedecidos ou bolas de algodão? Uma pomada para assaduras?) e onde as fraldas e suprimentos são guardados.

♦ Onde a roupa fica guardada no caso de a roupa do bebê ficar suja.

♦ Como dar mamadeira, se o bebê a toma, ou como dar um suplemento de fórmula ou leite tirado do peito.

♦ O que seu filho pode ou não comer ou beber (deixando claro que nenhuma comida, bebida ou remédio deve ser dado a seu filho sem o seu consentimento, ou o do médico).

♦ A organização da cozinha, do quarto do bebê e assim por diante, e quaisquer outros fatos pertinentes sobre sua casa ou apartamento (como o alarme contra ladrões que pode ser desligado, e onde está a saída de incêndio).

♦ Quaisquer hábitos ou características de seu filho que a babá possa não esperar (regurgitar muito, evacuar muito, chorar quando molhado, dormir somente com uma luz acesa ou quando é embalado).

---

**Jornais locais.** Verifique os jornais e as publicações dirigidas aos pais regularmente em busca de anúncios colocados por babás que procuram emprego, e/ou anuncie você mesma.

**Escritórios de emprego de faculdades.** Uma ajuda em meio expediente, em tempo integral, no ano todo ou no verão pode ser encontrada nas universidades.

**Organizações de terceira idade.** Idosos cheios de energia podem dar babás incríveis — e substituir os avós ao mesmo tempo. (Mas certifique-se de que sejam treinados nas "novas" maneiras de se cuidar de um bebê, como colocar o bebê para dormir de costas.)

**Organizações de intercâmbio cultural ou de babás.** Estes serviços fornecem um

- Os hábitos de qualquer animal de estimação que você tenha e deva ser de conhecimento de sua babá, e as regras em relação a seu filho e animais de estimação.

- Onde está o kit de primeiros socorros (ou itens individuais).

- As regras de segurança para o bebê (ver página 208); você pode querer fazer uma fotocópia das regras e colocá-las em um lugar visível para a babá.

- Onde está a lanterna (ou as velas).

- Quem tem permissão de ir a sua casa quando você não está, e qual é sua política sobre as visitas à babá.

- O que fazer se o alarme de incêndio estiver desligado e houver sinais de fogo, ou se alguém que não é esperado tocar a campainha.

Você também deve deixar o seguinte para a babá:

- Números de telefone importantes (o médico do bebê, seu celular ou *pager* ou do lugar em que você estiver, um vizinho que estará em casa, seus pais, a emergência do hospital, o centro de controle de envenenamentos, o síndico do prédio, um bombeiro hidráulico ou faz-tudo) e um bloco e caneta para anotar recados.

- O endereço do hospital mais próximo e a melhor maneira de chegar lá.

- Dinheiro para o táxi no caso de uma emergência inesperada (como a necessidade de levar o bebê para o hospital ou o consultório do médico), e o número do telefone do táxi.

- Um documento assinado autorizando a assistência médica dentro de limites específicos, se você não puder ser localizada (isto deve ser preparado com o consentimento de seu médico).

É útil reunir todas as informações necessárias para cuidar de seu filho — por exemplo, números de telefone, dicas de segurança e de saúde — em uma folha de papel.

estudante em intercâmbio às famílias, em geral um jovem de outro país que quer visitar ou estudar em seu país por um ano mais ou menos, ou uma babá treinada.

## PENEIRANDO AS POSSIBILIDADES

Você não quer passar dias intermináveis entrevistando candidatas obviamente insatisfatórias, então peneire os currículos que chegaram pelo correio ou as conversas pelo telefone. Antes de começar a entrevistar as pessoas, desenvolva uma descrição detalhada de cargo para que você saiba exatamente o que está procurando. As responsabilidades podem incluir tarefas como fazer compras e lavar a roupa, mas tenha cuidado para não sobrecarregar a babá com atividades que distrairão a atenção dela do bebê. Decida também quantas horas por semana vai precisar que ela trabalhe, se o horário será flexível e se e como você pagará — o salário básico e as horas extras. Em uma entrevista preliminar por telefone, peça à candidata nome, endereço, número do telefone, idade, nível de instrução, experiência (esta pode ser menos importante do que outras qualidades, como o entusiasmo e a capacidade natural), as pretensões salariais e os benefícios (verifique antecipadamente para ver como é na sua região; se duas semanas de férias pagas por ano ou as férias padrão) e por que ela quer o emprego. Explique o que representará o emprego e veja se ela ainda está interessada. Marque uma entrevista pessoal com as candidatas que parecerem promissoras.

Durante as entrevistas, procure pistas nas perguntas e comentários da candidata ("O bebê chora muito?" pode refletir impaciência com o comportamento normal de um bebê), bem como em seu silêncio (a mulher que nunca diz nada sobre gostar de crianças e nunca comenta sobre os seus filhos pode estar dizendo alguma coisa) para saber do que ela gosta. Para saber mais, faça perguntas como as que se seguem, elaborando-as de forma que exijam mais do que um "sim" ou "não" como resposta (não significa muito quando você consegue um "sim" a "Você gosta de bebês?").

♦ Por que você quer este emprego?

♦ Qual foi seu último trabalho e por que você saiu?

---

## A BABÁ BEM INFORMADA

Quer ter certeza de que a babá que você contratou tenha todas as informações de que precisa para cuidar de seu filho? Dê a ela um guia com cuidados essenciais que se deve ter com um bebê desde a alimentação até os primeiros socorros. Faça também uma lista com as necessidades específicas do seu bebê, para que ela possa ser a melhor babá possível para seu filho.

---

♦ O que você acha que um bebê como o meu filho mais precisa?

♦ Como você se vê passando o dia com um bebê desta idade?

♦ Como você vê seu papel na vida de meu bebê?

♦ Como você se sente em relação ao aleitamento materno? (Isto só é importante, é claro, se você estiver dando o peito e pretenda continuar — o que exigirá o apoio dela.)

♦ Quando meu filho começar a ficar mais ativo e fizer travessuras, como você lidará com isso? Como você disciplina crianças novinhas?

♦ Como você chega ao trabalho diariamente? No mau tempo?

♦ Você tem carteira de motorista e um bom histórico como motorista? (Se for necessário dirigir para o emprego.) Você tem carro? (Se for necessário no seu caso.)

- Quanto tempo você pretende ficar neste emprego? (Uma longa estada pode não ser garantida, mas a babá que sai assim que o bebê se adapta a ela pode criar uma multiplicidade de problemas para toda a família.)

- Você tem filhos? As necessidades deles interferem em seu trabalho? Você conseguirá vir trabalhar, por exemplo, quando eles adoecerem ou estiverem de férias? Permitir que a babá traga seus próprios filhos pode ter alguns benefícios e algumas desvantagens. Por um lado, dá a seu filho a oportunidade de conhecer a companhia de outras crianças diariamente. Por outro, dá a seu filho várias oportunidades de ser exposto a todos aqueles germes a mais diariamente; e ter outras crianças para cuidar também pode afetar a qualidade e a quantidade de atenção que a babá pode dar a seu filho. Também pode resultar em um desgaste maior em sua casa.

- Você cozinha, faz compras ou limpa a casa? (Ter algumas destas tarefas sob responsabilidade de outra pessoa lhe dará mais tempo para ficar com seu filho quando você estiver em casa. Mas se a babá passar muito tempo nestas tarefas, seu filho pode não ter a atenção e o estímulo de que precisa.)

- Você tem saúde? Peça um atestado de saúde completo e um teste negativo para tuberculose, bem como pergunte sobre os hábitos de fumar (ela não deve ser fumante), álcool e drogas.

Esta última informação provavelmente não será dada por um viciado em álcool e drogas, mas fique atenta para os sinais, como inquietude, tagarelice, nervosismo, agitação, pupilas dilatadas, inapetência (estimulantes, como anfetaminas ou cocaína); fala arrastada, vacilação, desorientação, pouca concentração e outros sinais de embriaguez com ou sem o cheiro de álcool (álcool, barbitúricos e outros "depressores"); observe as pupilas e a ânsia por doces (vício inicial em heroína); euforia, desinibição, aumento de apetite, perda de memória, possivelmente pupilas dilatadas e olhos injetados (maconha). Uma babá que esteja tentando parar de usar drogas ou álcool no trabalho pode exibir sinais de abstinência da substância, como olhos lacrimejantes e escorrendo, bocejos, irritabilidade, ansiedade, tremores, calafrios e sudorese.

É claro que muitos destes sintomas podem ser sinais de doença (mental ou física) em vez de abuso de drogas. Em todo caso, se eles se revelarem em uma babá, você deve ficar preocupada. Você também vai querer evitar alguém com um problema médico que possa interferir no comparecimento regular ao trabalho.

- Você teve recentemente, ou está disposta a ter treinamento em primeiros socorros e ressuscitação cardiopulmonar para bebês?

Embora você vá fazer as perguntas, a candidata não deve ser a única a respon-

## ELES SÃO BONS PARA ESSE TRABALHO?

Se é verdade o que eles dizem (e é!), que não há nada que uma mãe faça que um pai não possa fazer igualmente bem, se não melhor (isto é, além de amamentar no peito), então é verdade também que não há nada que uma babá faça que um homem não faça igualmente bem ou melhor. E é por isso que um número cada vez maior de homens está se candidatando a *baby sitter* — e cada vez mais pais os estão contratando. Na verdade, essa nova linhagem de *baby sitters* teve um nome cunhado em sua homenagem: *manny*. Embora ainda sejam uma minoria no ramo, as fileiras de *mannies* estão crescendo rapidamente. Quem disse que é difícil encontrar um bom *manny*?

---

der. Faça a si mesma estas perguntas, com base no que você observou de cada candidata e responda-as com sinceridade:

♦ A candidata chegou para a entrevista bem arrumada ou estava malvestida? Embora você possa não exigir um uniforme recém-engomado para o trabalho, roupas manchadas, cabelos sujos e unhas sujas são sinais ruins.

♦ Ela parece ter senso de organização compatível com o seu? Se ela teve que vasculhar a bolsa por 10 minutos atrás das referências e você é viciada em organização, provavelmente vocês vão entrar em choque. Por outro lado, se ela parece compulsivamente arrumadinha e você é compulsivamente bagunceira, você provavelmente não vai se dar bem com ela.

♦ Ela parece confiável? Se ela se atrasou para a entrevista, observe. Ela pode chegar atrasada para o trabalho. Verifique isso com os empregadores anteriores.

♦ Ela é fisicamente capaz de lidar com o trabalho? Uma idosa frágil pode não conseguir carregar seu bebê o dia todo, ou ir atrás dele quando ele estiver engatinhando.

♦ Ela parece boa com as crianças? A entrevista só se completa se a candidata passa algum tempo com seu bebê, para que você possa observar a interação, ou a falta dela. Ela parece paciente, gentil, interessada, realmente atenciosa e sensível às necessidades de seu filho? Descubra mais sobre a aptidão dela para cuidar de crianças com os empregadores anteriores.

♦ Ela parece inteligente? Você vai querer alguém que possa ensinar e divertir seu filho da forma como você mesma faz, e que mostrará um bom discernimento em situações difíceis.

♦ Ela fala sua língua? E fala bem? Obviamente, você vai querer alguém que possa se comunicar com seu bebê e com você (especialmente se você só fala uma língua), mas há alguns benefícios de uma babá que tem uma compreensão pequena de sua língua mas não é fluente nela — ela pode ensinar a seu filho uma segunda língua numa época em que o bebê estiver maduro para aprender (ver página 333).

♦ Você fica à vontade com ela? Quase tão importante quanto a comunicação da candidata com seu filho é a comunicação que ela tem com você. Para o bem de seu bebê, precisa haver uma comunicação constante, aberta e confortável entre a babá e você; certifique-se de que isto não seja somente possível, como também fácil.

Se a primeira série de entrevistas não revelar nenhuma candidata que seja de seu agrado, não desanime — tente novamente. Se der certo, o próximo passo para estreitar sua seleção é verificar as referências. Não leve em conta a palavra de amigos e familiares da candidata sobre suas habilidades e confiabilidade; insista em saber os nomes dos empregadores anteriores, se houver, ou, se ela não teve muita experiência nesse trabalho, os dos professores, padres ou pastores, ou outros juízes mais objetivos do caráter. Você também pode considerar contratar uma empresa de análise de empregados para fazer uma verificação completa (algumas agências, mas não todas, fazem pré-seleções). É necessária a autorização do empregador em potencial para isso.

## CONHECENDO-SE

Provavelmente você não ficaria muito satisfeita em ser deixada sozinha para passar o dia com uma estranha. Você pode esperar que seu bebê, que viverá o estresse a mais de perder a mamãe e o papai (menos nos primeiros meses, mais na segunda metade do primeiro ano), fique infeliz em princípio também. Para minimizar o sofrimento, apresente o bebê e a babá antecipadamente. Se for uma babá só para passar a noite, faça com que ela chegue pelo menos meia hora antes na primeira vez (uma hora se seu filho tem mais de cinco meses), para que o bebê tenha algum tempo para se adaptar. Faça as apresentações gradualmente, começando com o bebê em seus braços, passando-o para a cadeirinha ou para o balanço para que a babá possa se aproximar de um território neutro e por fim, à medida que o bebê ficar mais à vontade com a recém-chegada, para os braços da babá. Depois, uma vez que a adaptação inicial tenha sido feita, afaste-se por uma hora ou duas. Da vez seguinte, faça com que a babá chegue meia hora antes do horário de sua saída novamente, e fique fora um pouco mais. Na terceira vez, um período de 15 minutos com você em casa ainda deve ser suficiente, e depois disso a babá e o neném devem se tornar bons camaradas. (Se isso não acontecer, considere se você escolheu a babá certa.)

A babá para o período do dia precisa de uma fase de apresentação maior. Ela deve passar pelo menos meio dia remunerado com você e o bebê, familiarizando-se não só com seu filho, mas também com sua casa, seu estilo de cuidar dos filhos e a rotina familiar. Isso dará a você a oportunidade de fazer sugestões, e a ela a oportunidade de fazer perguntas. Também dará a você a chance de ver a babá em ação — e uma oportunidade de mudar de ideia em relação a ela se você não gostar do que vir. (Não julgue a babá com base na reação do neném, mas com base em como a babá reage a ele. Não importa que a babá seja boa, as crianças — até as mais novinhas — em geral protestam por estarem com alguém quando os pais estão por perto.)

Seu filho provavelmente vai se adaptar a uma nova babá mais facilmente quando tiver menos de seis meses de idade, e levará muito mais tempo quando a ansiedade de estranhos aparecer em cena (em geral entre os 6 e os 9 meses; ver página 611).

## O PERÍODO DE EXPERIÊNCIA

Sempre contrate uma babá primeiro por uma fase de experiência para que você possa avaliar o desempenho dela antes de decidir se quer mantê-la por mais tempo. É mais justo para com ela e para com você se você deixar claro antecipadamente que as primeiras duas semanas ou o primeiro mês de emprego (ou qualquer período especificado) será um período de experiência. Durante este tempo, observe seu bebê. Ele parece satisfeito, limpo, alerta quando você chega em casa? Ou está mais cansado do que o habitual, e mais agitado? Parece que a troca de fraldas foi feita recentemente? É importante também o estado mental da babá ao final de um dia de trabalho. Ela está relaxada e à vontade? Ou tensa e irritadiça, obviamente feliz por estar livre da carga? Ela está ansiosa para falar com você sobre o dia com o bebê, relatando as últimas realizações dele, bem como quaisquer problemas que tenha observado, ou rotineiramente só diz a

você quanto tempo o bebê dormiu e quanto de mamadeira tomou — ou, pior, quanto tempo o bebê chorou? Ela tem consciência de que o bebê ainda é *seu* e aceita a ideia de que você toma as principais decisões em relação aos cuidados dele? Ou ela parece achar que a encarregada agora é ela?

Se você não está satisfeita com a nova babá (ou se ela claramente não está satisfeita com o emprego), recomece a busca. Se sua avaliação a deixa incerta, você pode experimentar chegar em casa mais cedo e sem anunciar para dar uma olhada no que realmente está acontecendo em sua ausência. Ou você pode pedir a amigos ou vizinhos que possam ver a babá no parque, no supermercado, ou andando pela rua para saber como ela está se comportando. Se um vizinho disser que seu bebê normalmente feliz está chorando muito enquanto você está fora, isso deve ser um alerta vermelho. Outra opção: pensar em um sistema de vigilância em vídeo com uma "câmera da babá" (ver quadro na página 415).

Se tudo e todos parecem estar bem, menos você (você fica ansiosa sempre que deixa seu filho, fica infeliz enquanto está fora, fica procurando defeitos na babá que está fazendo um bom trabalho), é possível que o arranjo, e não a babá, é que não esteja funcionando. Em vez de submeter seu filho a uma série de babás (se, de seu ponto de vista, a babá para expediente integral parece não ter nascido ainda), talvez você deva reconsiderar sua decisão de voltar a trabalhar.

# CRECHES

Uma boa creche pode oferecer algumas vantagens significativas. Na melhor delas, o pessoal treinado fornece um programa bem organizado, montado especificamente para o desenvolvimento e o crescimento do bebê, bem como oportunidades para brincar e aprender com outros bebês e crianças. Como estas instalações não dependem de uma só pessoa, como acontece com uma babá em casa, geralmente não há crise se uma professora adoece ou vai embora, embora o bebê possa ter de se adaptar a outra pessoa. E em comunidades em que os serviços de creche são autorizados pelo governo, há mais segurança, saúde e em alguns casos até monitoramento educacional do programa. Também é mais barato, em geral, do que contratar uma babá, o que faz da creche não só uma opção melhor, mas também a única opção para muitos pais.

As desvantagens para os bebês, contudo, podem ser significativas. Primeiro, nem todos os programas são igualmente bons. Até em uma boa creche, os cuidados são menos individualizados do que na própria casa do bebê, há mais crianças para cada responsável e a rotatividade de professores pode ser alta. Há menos flexibilidade nos horários do que em um ambiente mais informal e, se o centro segue o calendário de uma escola pública, pode ficar fechado nas férias, quando você pode estar trabalhando. O custo, embora em geral seja menor do que o de uma boa babá, ainda é bastante alto,

## A CONTRATAÇÃO DE UMA BABÁ

A escolha da babá deve obedecer a alguns cuidados básicos: a entrevista pessoal é muito importante. Depois, segue-se a etapa das referências de trabalhos anteriores. Após essa verificação é importante que os pais deixem claras as necessidades da família, já que cada família tem uma organização própria. O ideal é que a babá possua certificados de cursos na área, mas o essencial mesmo é que seja afetiva, criativa, responsável e bem-humorada. Informe-se também sobre as suas obrigações como empregador.

a não ser que seja subsidiado pelo governo ou por recursos privados (como nas creches de empresas). Possivelmente a maior desvantagem está no índice maior de infecção entre as crianças nas situações diárias. Uma vez que muitos pais empregados não têm alternativa quando seus filhos estão gripados ou têm outras doenças menores, eles com frequência mandam-nos para a creche de qualquer forma — e é por isso que os bebês que as frequentam terminam com mais infecções de ouvido e outras doenças.

Certamente, existem algumas creches com excelentes instalações; o truque pode estar em encontrar uma creche em seu bairro que você possa pagar e que tenha vaga para seu filho.

## DE OLHO NA BABÁ

Já se perguntou o que realmente acontece quando você não está em casa? Se a babá passa o dia todo dando amor a seu bebê, nutrindo-o ou falando ao telefone ou vendo novela na tevê? Se ela arrulha, afaga e é louca por seu filho, ou o deixa preso à cadeirinha ou chorando no berço? Ela segue suas instruções à risca, ou as atira pela janela no momento em que você sai pela porta? Ela é a Mary Poppins que você espera ter contratado, ou o pesadelo em forma de babá — ou mais provavelmente algo entre estas duas coisas?

Para se certificar de que a babá que você escolheu está perto de tudo o que se pensa que ela é, ou para determinar se ela está longe disso (especialmente se alguns alertas vermelhos se acenderam), um número cada vez maior de pais está se voltando para as chamadas "câmeras da babá" — um sistema de vídeo oculto para observar quem cuida de seus filhos. Se você estiver pensando em instalar um sistema desses, pense no seguinte primeiro:

- ◆ O equipamento. Você pode comprar ou alugar câmeras, ou contratar uma empresa que instalará um sistema elaborado em toda a sua casa. A opção mais barata — uma só câmera escondida em um cômodo em que seu filho e a babá passarão a maior parte do tempo — pode lhe dar um vislumbre do que acontece enquanto você está fora, mas não lhe dará um quadro completo (os maus-tratos ou negligência podem ocorrer em diferentes cômodos, por exemplo). Uma câmera sem fio oculta dentro de um bicho de pelúcia é mais cara, mas também é mais indistinguível e, uma vez que pode ser movida de um cômodo para outro, você poderá ver diferentes cômodos em dias diferentes. Um sistema que monitore toda a casa obviamente

### ONDE PROCURAR

Você pode conseguir os nomes das creches em seu bairro (que podem ou não ter fins lucrativos ou funcionar em regime de cooperativa) através da recomendação de amigos cujo estilo de criação dos filhos seja semelhante ao seu, procurando o órgão regulador do estado (a secretaria estadual de saúde ou de educação deve ter algumas indicações), ou perguntando na associação de moradores de seu bairro ou na sua igreja. Você também pode pedir ao médico do seu bebê uma sugestão ou verificar a lista telefônica ou uma publicação voltada para os pais em busca de referências de creches. Depois que você tiver algumas possibilidades, vai precisar começar a avaliá-las.

### O QUE PROCURAR

A qualidade das creches varia do topo de linha ao fundo do poço, com a maioria recaindo no meio. Se você só aceita o melhor para seu filho, terá de examinar cada aspecto de cada possibilidade. Procure:

oferecerá o quadro mais claro dos cuidados de seu bebê, mas é muito mais caro.

Tenha em mente também que uma boa supervisão dependerá de como você supervisiona. Você vai precisar gravar pelo menos vários dias na semana (diariamente seria o melhor) e ver as fitas regularmente, caso contrário você poderá pegar os maus-tratos ou negligência dias depois de terem acontecido.

◆ **Seus direitos — e os da babá.** As leis em relação a gravações em vídeo variam de um estado para outro na América, embora na maioria dos casos seja considerado legítimo gravar em vídeo uma babá trabalhando em sua própria casa sem o conhecimento dela. Seu fornecedor de equipamento deve ser capaz de informar a você sobre as considerações legais em seu estado. As questões éticas são outro problema — e muito abertas a debate. Alguns pais acham que as câmeras da babá são uma invasão de privacidade da babá; outros acham que é o melhor investimento que podem fazer para a segurança de seu filho.

◆ **Suas motivações.** Se você só está ansiosa para ter paz de espírito, uma câmera pode ser uma boa compra. Por outro lado, se você já está tão pouco à vontade com a babá que contratou para cuidar de seu filho que está compelida a espioná-la com uma câmera, talvez essa pessoa não deva estar em sua casa. Neste caso, pode ser mais sensato que você confie em seus instintos, economize seu dinheiro e encontre para seu filho uma babá que seja de sua confiança.

Se você decidir instalar um sistema de vigilância, não o use como uma forma de analisar candidatas a babás. Qualquer babá deve ser completamente analisada *antes* que você a deixe sozinha em casa com seu filho.

**Autorização do governo.** A maioria dos estados americanos licencia creches, verificando as condições sanitárias e de segurança mas *não* a qualidade dos serviços prestados. Alguns estados, contudo, nem chegam a ter regulamentações adequadas de incêndio e condições sanitárias. (Verifique com o Corpo de Bombeiros e a secretaria de Saúde se você tiver alguma dúvida.) Ainda assim, uma autorização governamental lhe dá algumas salvaguardas.

**Uma equipe treinada e experiente.** As professoras "chefes", pelo menos, devem ser diplomadas em pedagogia; toda a equipe deve ter experiência em assistência a bebês. Com muita frequência, por causa da baixa remuneração, quem trabalha em creches são pessoas que estão no emprego porque não são qualificadas para mais nada; neste caso, provavelmente não são qualificadas para cuidar de crianças também. A rotatividade da equipe deve ser baixa; se houver vários professores novos a cada ano, cuidado.

**Uma equipe saudável e segura.** Pergunte se todos os funcionários têm exames médicos completos, inclusive exame para tuberculose, e se o histórico é verificado.

**Uma boa proporção professora-bebê.** Deve haver pelo menos uma pessoa da equipe para três bebês. Se o número for menor, um bebê que chora pode ter de esperar até que alguém esteja livre para atender a suas necessidades.

**Porte médio.** Uma creche imensa pode ter menos supervisão do que uma menor — embora haja exceções à regra. Além disso, quanto mais crianças, maior a probabilidade de disseminação de doenças. Qualquer que seja o tamanho da creche, deve haver um espaço adequado para cada criança. Salas lotadas são um sinal de programa inadequado.

**Separação por faixa etária.** Os bebês de menos de 1 ano não devem ser misturados com os que engatinham e com crianças mais velhas, por questões de segurança, saúde, atenção e desenvolvimento.

**Um ambiente amoroso.** A equipe deve parecer gostar genuinamente de crianças e de cuidar delas. As crianças devem parecer felizes, atentas e limpas. Certifique-se de visitar a creche sem anunciar no meio ou no final do dia, quando você terá um quadro mais preciso de como é

a creche do que se for a primeira coisa que fizer de manhã. (Fique atenta para qualquer programa que não permita visitas não anunciadas de pais.)

**Um ambiente estimulante.** Até um bebê de dois meses pode se beneficiar de um ambiente estimulante, um ambiente em que haja muita interação — tanto verbal como física — com quem cuida dele, e onde estejam disponíveis brinquedos adequados para a idade. À medida que as crianças ficam mais velhas e progridem em seu desenvolvimento, deve haver muitos brinquedos adequados para elas, bem como exposição a livros, música e atividades ao ar livre. Os melhores programas incluem ocasionais "excursões": três a seis crianças com um ou dois professores saem para o supermercado, o *shopping*, ou outros lugares em que um bebê pode ir com um pai que fica em casa.

**Envolvimento dos pais.** Os pais são convidados a participar do programa de alguma forma? Há um conselho de pais que elabora as políticas?

**Uma filosofia compatível.** Você fica à vontade com a filosofia da creche — do ponto de vista educacional, religioso ou ideológico?

**Oportunidades adequadas para descanso.** A maioria dos bebês, na creche ou em casa, ainda tira muitas sonecas. Deve haver uma área silenciosa para as sonecas em berços individuais, e as crianças devem poder dormir de acordo com seus horários — e não com os horários da escola.

**Segurança.** As portas da creche devem ficar trancadas durante o horário de funcionamento, e deve haver outras medidas de segurança (uma lista de comparecimento de pais ou visitantes, alguém cuidando da porta, solicitação da identidade, se necessário). A creche também deve ter um sistema que proteja as crianças de quem vai buscá-la (só os que estão em listas pré-aprovadas por você devem poder pegar seu filho).

**Regras sanitárias e de saúde estritas.** Em sua própria casa, você não precisa se preocupar com tudo o que seu filho coloca na boca; em uma creche, com a convergência de crianças, cada uma delas com seus próprios germes, você deve se preocupar. As creches podem se tornar um foco para a disseminação de muitas doenças intestinais e respiratórias. Para minimizar a disseminação de germes e proteger a saúde das crianças, uma creche bem administrada terá um consultor médico e uma política por escrito que inclua:

- Os funcionários devem lavar as mãos (com sabonete líquido) completamente depois que trocam as fraldas, ou devem vestir luvas descartáveis a cada troca de fraldas. As mãos devem também ser lavadas depois de ajudar as crianças a usar o banheiro, quando limparem o nariz ou lidarem com crianças gripadas, e antes das refeições.

- As áreas de preparação de fraldas e de alimentação devem ser inteiramente separadas, e cada uma delas deve ser limpa depois de cada uso.

> ## SEU FILHO É O BARÔMETRO DA CRECHE
>
> Não importa que creche você escolher para seu filho, fique atenta aos sinais de insatisfação: mudanças súbitas na personalidade ou no humor, excesso de apego, irritação que não pode ser atribuída à dentição, a doença ou a qualquer outra causa evidente. Se seu filho parece infeliz, verifique a situação da creche; pode ser necessário mudar.

- As fraldas devem ser dispostas em um recipiente fechado, fora do alcance das crianças.

- Os brinquedos devem ser lavados com uma solução sanitária entre o uso por diferentes crianças, ou deve-se ter uma caixa de brinquedos separada para cada criança.

- Bichos de pelúcia não devem ser compartilhados e devem ser lavados na máquina com frequência.

- Anéis para dentes, chupetas, toalha de rosto, toalhas de banho, escovas e pentes não devem ser compartilhados.

- Os utensílios para mamar devem ser lavados em uma lavadora automática ou, melhor ainda, devem ser descartáveis (mamadeiras de bebês devem ser rotuladas com os nomes dos bebês para que não se misturem).

- A preparação da comida para bebês que comem sólidos deve ser realizada sob condições estritas de higiene.

- As vacinações devem estar atualizadas em todos os bebês.

- As crianças que estão moderada a gravemente doentes, em particular com diarreia, vômito, febre alta e alguns tipos de assaduras devem ficar em casa (isto nem sempre é necessário com a gripe, uma vez que é contagiosa antes que se manifeste) ou em uma enfermaria especial da creche.

- Deve haver uma política sobre administrar remédios a crianças que precisem tomá-los.

- Quando um bebê tem uma doença contagiosa, todos os pais de crianças na creche devem ser notificados; nos casos de *Hemophilus influenzae*, a vacinação ou o remédio deve ser dado para prevenir a disseminação da doença.[2]

---

[2] O citomegalovírus (CMV) é facilmente transmitido entre bebês de creche por causa do contato frequente dos funcionários com a urina e a saliva infectada com o vírus. Uma vez que há um risco muito remoto de infecção de um bebê que não nasceu ainda se a mãe está infectada, tome suas precauções. Se você sabe que não está imunizada contra o CMV (a maioria das mulheres é vacinada), e você está grávida novamente ou planeja engravidar em breve, seja particularmente cuidadosa e lave as mãos depois da troca de fraldas; não beije seu filho nos lábios, nem coma os restos dele. (Se você foi vacinada, não pode "pegar" o CMV e não precisa tomar precauções especiais. Também não existe risco para o feto — e não há necessidade de precauções — depois da vigésima quarta semana de gravidez.)

Verifique também com a secretaria de saúde de sua cidade para ter certeza de que não existem queixas contra a creche. Ou violações cometidas pelo estabelecimento.

**Regras de segurança estritas.** Os machucados, principalmente os menores, não são incomuns em uma creche. Mas quanto mais segura a creche, mais seguro seu bebê ficará. Os principais riscos são escadas, escorregas, brinquedos e blocos, outros equipamentos de *playground*, portas e superfícies no chão ao ar livre. Até um bebê que se arrasta pode ter problemas com estas coisas; todos os bebês podem ter problemas com objetos pequenos (que podem sufocar ou ser engolidos), objetos pontiagudos, materiais tóxicos e assim por diante. Uma creche deve atender às exigências de segurança que você mantém em sua própria casa:

- Os bebês devem ser colocados para dormir de costas.

- Os berços, os fraldários, as cadeirinhas, os cercadinhos e outros móveis devem atender aos critérios de segurança.

- Os colchões devem ser firmes; sem travesseiros, colchas fofas ou brinquedos no berço.

- As escadas devem ter portões de segurança; procure também por portas que possam se fechar em dedinhos ou se abrir em carinhas.

- As janelas acima do nível do chão não podem ser abertas por mais de 15 centímetros e/ou devem ter grades de segurança.

- Precauções especiais devem ser tomadas para proteger as crianças de radiadores e outros dispositivos de aquecimento, tomadas elétricas, material de limpeza e remédios (com frequência os professores têm de administrar estes a crianças que estão se recuperando de doenças ou às que têm problemas crônicos).

- O chão não deve ter brinquedos em que possa tropeçar um bebê de 12 meses que está engatinhando ou um funcionário carregando um bebê.

- O material usado por crianças mais velhas (tintas, argila, brinquedos com peças pequenas ou pontiagudas) deve ser mantido fora do alcance dos bebês.

- Detectores de fumaça, saídas de incêndio claramente sinalizadas, extintores de incêndio e outras precauções de segurança contra fogo devem ser visíveis.

- A equipe deve ser treinada em ressuscitação cardiopulmonar e primeiros socorros, e um kit totalmente equipado deve estar prontamente disponível.

**Atenção cuidadosa à nutrição.** Todas as refeições e lanches devem ser saudáveis, seguros e adequados para a idade da criança que está sendo atendida. As instruções dos pais em relação à fórmula (ou ao leite materno), a alimentos e horários de alimentação devem ser seguidas. As mamadeiras nunca devem ser apoiadas.

# CRECHE FAMILIAR

Muitos pais se sentem mais à vontade em deixar um bebê em uma situação familiar em uma casa com algumas outras crianças do que em uma creche mais impessoal; e para os que não conseguem arrumar uma babá em sua própria casa, a creche familiar é com frequência a melhor opção.

Há muitas vantagens nestas creches. A creche familiar pode proporcionar um ambiente caloroso e caseiro a um custo mais baixo do que outras formas de creche. Porque há menos crianças do que em uma creche, há menos exposição a infecção e mais potencial para a estimulação e o cuidado individualizado (embora este potencial nem sempre seja percebido). Um horário flexível — deixar de manhã cedo ou pegar tarde, quando necessário — em geral também é possível.

As desvantagens variam de uma situação para outra. Essas creches familiares com frequência não têm autorização governamental, dando pouca proteção na forma de saúde e segurança. A pessoa que cuida pode não ser treinada, carecendo de experiência profissional no cuidado de bebês, e pode ter uma filosofia de criação de filhos diferente da dos pais. Se a pessoa ou um dos filhos dela estiver doente, pode não haver substituto. E embora o risco possa ser menor do que em uma grande creche, sempre há a possibilidade de germes se disseminarem de uma criança para outra, em especial se o aspecto sanitário é deficitário. Veja a seção sobre creche que começa na página 413 para obter sugestões sobre o que procurar e verificar quando estiver em busca de uma creche familiar.

# Creche corporativa

Uma opção comum nos países europeus por muitos anos, as creches no local de trabalho dos pais, ou em prédios adjacentes, são muito menos comuns nos Estados Unidos, embora um número cada vez maior de empresas esteja começando a oferecer estes serviços. É uma opção que muitos pais escolheriam, se pudessem.

As vantagens são extremamente atraentes. Seu filho está perto de você no caso de uma emergência; você pode visitar ou até dar de mamar durante a hora de almoço ou no intervalo para o café; e uma vez que você vai e volta para casa com seu filho, você passa mais tempo com ele. Estas instalações em geral têm profissionais e são muito bem equipadas. Saber que seu filho está perto e bem cuidado pode permitir que você dedique plena atenção ao trabalho. O custo para esta creche, se houver algum, em geral é baixo.

Há algumas possíveis desvantagens. Se você tem dificuldade para se deslocar de casa para o trabalho, pode ser difícil submeter seu filho ao clima diariamente — e difícil para você, se houver muita luta para entrar e sair de ônibus ou metrôs com bolsas de fraldas e carrinhos. Às vezes ver você durante o dia, se for parte do programa, torna cada partida mais difícil para seu filho, especialmente em épocas de estresse (e, mais tarde, de ansiedade de separação). E visitar, em

---

## SEGURANÇA PARA DORMIR

Se você está deixando um bebê aos cuidados de outra pessoa — seja uma babá, uma avó, uma amiga ou em uma creche — certifique-se de que ela esteja ciente da política de "dormir de costas, brincar de bruços" da Academia Americana de Pediatria. Todos os bebês devem dormir de costas (a não ser que um problema médico determine outra posição) em uma superfície segura e deve passar uma parte do tempo de vigília de bruços (mas só sob supervisão constante).

---

alguns casos, pode desviar sua mente do trabalho.

É claro que a creche corporativa deve atender a todos os padrões educacionais, de saúde e segurança de qualquer creche. Se a creche criada por seu empregador não é assim, fale com os responsáveis pelas instalações sobre o que pode ser feito para tornar o programa melhor e mais seguro. Reunir outros pais em torno da causa também pode ajudar.

# Bebês no trabalho

Muito de vez em quando, uma mãe pode ter que levar seu filho para o trabalho, mesmo quando não existe uma creche. E, ocasionalmente, a situação funciona. Ela funciona melhor antes que o bebê tenha mobilidade e se não houver problemas com cólica — e, evidentemente, quando a mãe tem espaço para um berço portátil e outras parafernálias de bebê perto dela ou de sua área de trabalho, e quando tem o apoio do empregador e dos colegas. O ideal é que você tenha uma babá no local, pelo menos em parte do tempo, ou um horário muito flexível; caso contrário, o bebê pode realmente terminar tendo menos atenção e estímulo do que se estivesse em outro lugar. Manter o bebê no trabalho em geral funciona melhor também se o ambiente no local de trabalho é relaxado; um nível de estresse alto pode ter um impacto negativo sobre o bebê. Quando funciona, esse tipo de situação pode ser perfeita para a mãe que amamenta, ou para algum pai que quer ficar no emprego e ter o bebê por perto também.

## QUANDO SEU FILHO ESTIVER DOENTE

Nenhum pai ou mãe gosta de ver seu bebê doente, mas os pais que trabalham têm um pavor particular do primeiro sinal de febre ou problemas no estômago. Ele sabe que cuidar de um bebê doente pode representar muitos problemas, sendo os principais, quem tomará conta do bebê, e onde?

O ideal é que você ou seu cônjuge consiga tirar algum tempo do trabalho quando seu filho estiver doente, para que vocês possam administrar os cuidados. Afinal, como sabe qualquer pessoa que tenha tido um bebê doente, não há nada como a mamãe ou o papai por perto para segurar a mãozinha quente, enxugar a testa febril e dar doses especialmente prescritas de amor e atenção. Outra boa coisa é ter uma babá de confiança e conhecida ou outro membro da família que você possa procurar para ficar com seu bebê em casa. Algumas creches têm uma enfermaria para bebês doentes, onde uma criança fica em uma ambiente familiar com rostos familiares. Há também creches especiais para crianças doentes, tanto em casas como em centros maiores, desenvolvendo-se para atender a estas necessidades; mas nestes, é claro, a criança tem de se adaptar para receber os cuidados de estranhos em um ambiente estranho, quando ele pelo menos é capaz de lidar com a mudança. Algumas empresas, para manter os pais no trabalho, pagam pelos cuidados, como uma creche em um centro para crianças doentes ou uma enfermeira pediátrica para ficar com a criança em casa (o que também exigirá adaptação a uma pessoa que não é conhecida).

◆ ◆ ◆

# CAPÍTULO 8

# O Quarto Mês

Alguém é todo sorrisos este mês — e, como resultado disso, é provável que você também seja. Seu bebê está entrando no que pode ser considerada a era de ouro dos bebês — um período de vários meses encantados, quando reina o bom humor durante o dia, acontece mais sono à noite e a mobilidade independente ainda não foi alcançada (o que significa que seu filho continuará a ficar onde você o coloca, limitando as travessuras e as lesões; aproveite enquanto pode.) Sociáveis e interessados, ansiosos para começar uma conversa balbuciada, para observar o mundo passar e para encantar qualquer pessoa em um raio de 3 metros, os bebês desta idade são uma delícia inegável de se ter por perto.

## O Que seu Bebê Pode Estar Fazendo

Todos os bebês atingem marcos em seu tempo de desenvolvimento. Se seu filho parece não ter atingido um ou mais destes marcos, fique tranquila, ele provavelmente os atingirá muito em breve. A taxa de desenvolvimento de seu bebê é normal para ele. Tenha em mente, também, que as habilidades que o bebê realiza na posição de bruços só podem ser dominadas se houver oportunidade de praticar. Assim, certifique-se de que o bebê passe um período brincando de bruços sob supervisão. Se você estiver preocupada com o desenvolvi- mento de seu filho (porque percebeu que ele não atingiu um marco de desenvolvimento ou o que você acha que pode ser um atraso no desenvolvimento), não hesite em verificar com o médico na próxima consulta — mesmo que ele não traga isso à baila. Os pais com frequência percebem nuances no desenvolvimento do bebê que os médicos não veem. Os bebês prematuros geralmente chegam aos marcos mais tarde do que os outros da mesma idade de nascimento, em geral atingindo-os mais perto de sua idade ajustada (a idade que eles teriam se ti-

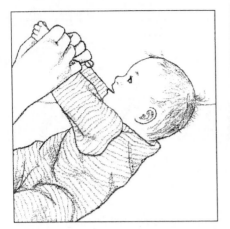 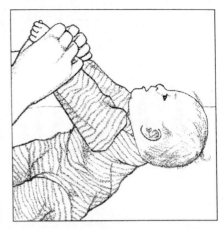

*No início do quarto mês, a maioria dos bebês ainda não consegue manter a cabeça nivelada com o corpo quando são puxados para a posição sentada (à esquerda). A cabeça em geral cai para trás (à direita).*

vessem nascido a termo), e às vezes mais tarde.

***Aos 4 meses, seu bebê... deve ser capaz de:***

- de bruços, erguer a cabeça 90 graus[1]
- rir alto
- acompanhar um objeto em arco cerca de 15 centímetros acima do rosto por 180 graus (de um lado a outro)

***... provavelmente será capaz de:***

- manter a cabeça estável quando ereto

---

[1] Os bebês que passam pouco tempo de bruços durante a hora de brincar podem chegar a esse marco mais tarde e isso não é motivo de preocupação (ver página 316).

- de bruços, erguer o peito, apoiado pelos braços
- pegar um chocalho suspenso atrás ou com a ponta dos dedos
- prestar atenção a um objeto pequeno como uma passa (mas mantenha estes objetos longe do alcance do bebê)
- estender a mão para um objeto
- guinchar de prazer

***... pode ser capaz de:***

- manter a cabeça nivelada com corpo quando colocado para sentar
- rolar o corpo (para um lado)
- virar-se na direção de uma voz, em particular a da mamãe

- dizer "ah-guu" ou combinações semelhantes de consoantes e vogais
- estalar a língua entre os lábios

*... pode até ser capaz de:*

- aguentar algum peso nas pernas quando colocado ereto
- sentar-se sem apoio
- objetar se você tenta afastar um brinquedo
- virar-se na direção de uma voz

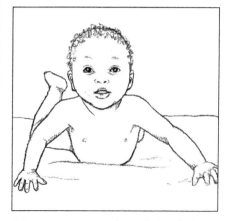

*Muitos, mas não todos os bebês de 4 meses, podem erguer-se sobre os braços.*

# O Que Você Pode Esperar do *Check-up* deste Mês

O bebê provavelmente não teve um *check-up* marcado no mês anterior, então você provavelmente guardou um monte de perguntas nesse meio tempo. Aqui está sua oportunidade de fazê-las. Uma vez que a vacinação também está programada para esta consulta, procure (se possível) ter as respostas para suas perguntas antes que as vacinas sejam administradas, para que o bebê ainda fique calmo, e preferivelmente vestido.

Cada médico terá uma abordagem pessoal aos *check-ups* do bebê. A organização geral do exame físico, bem como o número e o tipo de técnicas de avaliação usadas e procedimentos realizados, também vai variar com as necessidades individuais da criança. Mas, em geral, você pode esperar o que se segue de um *check-up* quando seu bebê tem 4 meses de idade:

- Perguntas sobre como você, o bebê e o resto da família estão se saindo em casa, e sobre os hábitos de alimentação e sono do bebê, e seu progresso geral, bem como os cuidados que ele recebe fora de casa.

- Medição do peso, tamanho e circunferência da cabeça do bebê, e registro do progresso desde o nascimento.

- Exame físico, inclusive uma nova verificação de qualquer problema anterior.

- Avaliação do desenvolvimento. O médico na verdade pode colocar o bebê em uma série de testes para avaliar o controle da cabeça, o uso da mão, a visão, a audição e a interação social, ou pode simplesmente depender da observação, somada a seus relatos sobre o que o bebê está fazendo.

♦ Uma segunda rodada de vacinação, se o bebê goza de boa saúde e não tem outras contraindicações. Veja o programa recomendado na página 345. Certifique-se de discutir quaisquer reações à primeira vacinação de antemão.

♦ Orientação sobre o que esperar do mês seguinte em relação a tópicos como alimentação, sono, desenvolvimento e segurança do bebê.

As perguntas que você pode querer fazer, se o médico já não as respondeu:

♦ Que reações você pode esperar que o bebê tenha à segunda rodada de vacinação? Como você deve tratá-las? Que reações devem ser reportadas?

♦ Qual é a melhor hora de começar com os sólidos?

Levante também questões que tenham surgido no último mês. Mencione quaisquer atrasos no desenvolvimento ou marcos que não foram atingidos que você possa ter percebido. Reúna informações e instruções do médico. Registre todas as informações pertinentes (peso, tamanho, circunferência da cabeça, marcas de nascença, vacinas, doenças, medicamentos dados, resultados de exames e assim por diante) em um registro permanente de saúde.

# A Alimentação de seu Bebê:
# PENSANDO NOS SÓLIDOS

As mensagens que os pais novatos recebem sobre quando começar a alimentar com sólidos são muitas, e com frequência confusas. A avó do bebê: "Eu comecei com você antes de seus 4 meses. O que você está esperando?" Para apoiar seu argumento, ela assinala o óbvio: "Você é saudável, não é?" Uma amiga bem-intencionada insiste que começar com os sólidos mais cedo ajudará qualquer bebê a dormir a noite toda. Sua prova positiva: um bebê que dorme a noite toda desde sua primeira colherada de cereais. O pediatra dá instruções para esperar até que o bebê tenha 6 meses, citando as recomendações e pesquisas mais recentes.

A quem você deve ouvir? Será que a mãe sabe mais? Ou os amigos? Ou o médico? Na verdade, seu bebê é quem sabe — ninguém melhor do que ele pode dizer a você quando começar a dar sólidos. Embora as diretrizes propostas pela comunidade médica certamente sejam válidas (provavelmente mais do que as propostas pela vovó e pelos amigos) e devam ser usadas como parâmetro, o desenvolvimento individual de um bebê deve ser pelo menos um dos fatores decisivos na promoção de uma dieta mais variada para o bebê.

Na maioria dos casos, não se acredita que a introdução muito precoce de sólidos seja fisicamente prejudicial, embora possa ocasionalmente provocar alergias. Mas isto não é sensato, por vários motivos. Primeiro, um sistema digestivo de um bebê novo — de uma língua que expulsa qualquer substância estranha colocada nela a intestinos que não têm muitas enzimas digestivas — não está pronto, do ponto de vista do desenvolvimento, para os sólidos. Segundo, os sólidos não são imprescindíveis agora — os bebês podem atender a todas as suas necessidades nutricionais pelos primeiros seis meses de vida com o leite materno ou a fórmula. Trazer os sólidos cedo demais também pode solapar os futuros hábitos alimentares (o bebê pode rejeitar os cereais inicialmente só porque ele não está pronto para eles, depois pode rejeitar mais tarde por causa da pressão anterior dos pais).

Por outro lado, esperar muito tempo — até a segunda metade do primeiro ano — também pode levar a possíveis armadilhas. Um bebê mais velho pode resistir a aprender os novos (e desafiadores) truques de mastigar e engolir sólidos, preferindo se prender aos métodos testados e conhecidos (e fáceis) de satisfação da barriguinha: mamar no peito ou na mamadeira. E, como qualquer hábito, pode ser mais difícil mudar os gostos àquela altura; ao contrário dos bebês mais maleáveis de 6 meses, os de dez meses podem não estar receptivos aos sólidos se estiverem acostumados com os líquidos.

Para decidir se seu filho está pronto para o grande passo no mundo dos alimentos sólidos (a maioria o fará entre os 4 e os 6 meses), veja as dicas seguintes, depois consulte o médico:

◆ Seu bebê pode sustentar a cabeça bem. Nem os alimentos infantis peneirados devem ser oferecidos até que um bebê consiga manter a cabeça ereta quando colocado para sentar; alimentos com pedaços maiores devem esperar até que o bebê possa se sentar sozinho, em geral somente aos 7 meses.

◆ O reflexo de empurrar a língua desapareceu. Este é um reflexo que leva os bebês novos a empurrar matéria estranha para fora da boca (um mecanismo inato que os protege de engasgar com corpos estranhos). Experimente este teste: coloque um pedacinho de cereal infantil de arroz misturado com o leite materno ou a fórmula na boca de seu filho com a ponta de uma colher, ou em seu dedo. Se o alimento volta direto para fora com a língua, e continua assim depois de várias tentativas, o reflexo ainda está presente e o bebê não está pronto para as colheradas de comida.

◆ O bebê demonstra interesse nos alimentos na mesa. O bebê que tira o garfo de sua mão ou apanha o pão de seu prato, que observa intensamente e exibe excitação com qualquer mordida que você dê, está lhe dizendo que está ansioso para experimentar essa viagem do crescimento.

- A capacidade de executar movimentos para a frente e para trás com a língua, bem como os para cima e para baixo, está presente. Você pode descobrir isso pela observação.

- O bebê consegue abrir a boca para que a comida seja tirada de uma colher.

Há casos, porém, em que um bebê que parece pronto para os sólidos, do ponto de vista do desenvolvimento, pode ter que esperar — na maioria das vezes porque há um forte histórico de alergia na família. Até que se saiba mais sobre o desenvolvimento das alergias, recomenda-se que as crianças nestas famílias sejam amamentadas no peito pela maior parte do primeiro ano, com os sólidos sendo acrescentados com muita cautela, a começar pelos seis meses. Para mais informações sobre a introdução dos sólidos, ver página 454.

# As Preocupações Comuns

## REJEIÇÃO DO SEIO

*"Meu bebê estava indo muito bem no peito — agora, de repente, ele se recusa a mamar há oito horas. Pode haver alguma coisa errada com meu leite?"*

*A*lguma coisa deve estar errada — mas não necessariamente com seu leite. A rejeição temporária do peito, também chamada de greve de mamar (até em bebês não sindicalizados), não é incomum e quase sempre tem uma causa específica, sendo as mais corriqueiras as seguintes:

**A dieta da mãe.** Você tem se empanturrado de massa *al pesto* ou outro prato aromatizado com alho? Exagerado na comida chinesa? Comido carne em conserva e repolho? Se é assim, seu bebê pode simplesmente estar protestando contra o sabor picante e/ou forte de sua dieta que se infiltrou em seu leite. Se você deduzir que isto está afastando seu filho, evite comer estes alimentos até que ele tenha sido desmamado. Muitos bebês, por outro lado, não se importam com temperos fortes no leite da mãe, em especial se foram acostumados com estes sabores no útero através do líquido amniótico altamente temperado; alguns especificamente gostam do sabor de leite materno temperado.

**Um resfriado.** Os bebês que não conseguem respirar pelo nariz congestionado não conseguem mamar e respirar ao mesmo tempo pela boca; é compreensível que eles optem pela respiração. Limpe delicadamente as narinas do bebê com um aspirador nasal infantil, ou pergunte ao médico sobre descongestionantes nasais.

**Dentição.** Embora a maioria dos bebês não comece a lutar com os dentes antes do quinto ou sexto mês, alguns começam a dentição muito mais cedo, e muito de vez em quando nasce um dente ou dois nos primeiros quatro meses. Mamar com frequência pressiona as gengivas inchadas, tornando o sugar doloroso. Quando os dentes que nascem são a causa da rejeição ao peito, em geral o bebê começa a mamar ansiosamente, afastando-se de dor logo em seguida.

**Uma dor de ouvido.** Porque a dor de ouvido pode irradiar-se para a mandíbula, os movimentos de sugar da mamada podem piorar o desconforto. Ver página 778 para obter dicas sobre infecção de ouvido.

**Sapinho.** Se seu filho tem na boca esta infecção por fungo, pode ser doloroso mamar. Certifique-se de que o problema seja tratado para que a infecção não passe para você através de mamilos rachados, ou se dissemine para outra parte do corpo do bebê (ver página 204).

**Descida lenta do leite.** Um bebê muito faminto pode ficar impaciente quando o leite não flui imediatamente (em algumas mulheres, a descida pode levar cerca de 5 minutos) e pode se afastar do mamilo em fúria antes que comece a descida do leite. Para evitar este problema, expresse o leite antes de colocá-lo para mamar, para que ele consiga alguma coisa com seus esforços no momento em que começar a sugar.

**Uma alteração hormonal em você.** Uma nova gravidez (improvável agora, se você está amamentando exclusivamente no peito, mas possível se você começou com

mamadeiras de fórmula suplementar) pode produzir hormônios que mudam o sabor de seu leite, levando o bebê a rejeitar o peito. O mesmo acontece com a volta da menstruação, que novamente não é um problema comum até que comece o desmame parcial.

**Mãe tensa.** Talvez você esteja estressada porque voltou recentemente a trabalhar. Talvez seja porque está na hora de pagar as contas, ou porque o lava-louças acaba de quebrar — de novo. Talvez seja só porque você teve um dia ruim. Seja qual for o motivo, se você está preocupada ou aborrecida, pode estar transmitindo esta tensão a seu filho, deixando-o agitado para mamar. Tente relaxar antes de dar o peito.

**Hora do desmame.** Pode não ser o caso dele ainda — embora, em um bebê que se aproxima de seu primeiro aniversário, a rejeição ao peito possa ser sua maneira de dizer: "Mamãe, já mamei bastante. Estou pronto para seguir em frente." Ironicamente, os bebês parecem fazer isso quando as mães não estão nem um pouco interessadas em desmamar, em vez de quando a mãe está pronta para largar a amamentação no peito.

De vez em quando, não parece haver uma explicação óbvia para um bebê rejeitar o peito. Como um adulto, um bebê pode estar "sem apetite" para uma refeição ou duas. Felizmente esse tipo de hiato em geral é temporário. Nesse meio tempo, estas sugestões podem ajudá-la a vencer a greve de mamar:

◆ Não experimente substitutos. Oferecer uma mamadeira de fórmula quando seu bebê foge do peito pode exacerbar o problema ao diminuir sua oferta de leite. A maioria das greves de peito, mesmo as de "longo prazo", duram apenas um ou dois dias.

- Experimente colocar um pouco de leite numa mamadeira. Tire leite e dê a seu filho em uma mamadeira se ele rejeitar continuamente o peito (embora isso não vá dar certo se for alguma coisa no leite que estiver incomodando seu filho). A greve provavelmente vai durar só um ou dois dias, e depois disso seu filho estará pronto para tomar o leite novamente de sua fonte.

- Tente, tente novamente. Mesmo que rejeite o peito por algumas mamadas, é provável que ele vá surpreendê-la e recomece de onde parou.

- Vá devagar com os sólidos. Se você começou a alimentar seu filho com sólidos, ele pode estar comendo demais, anulando seu apetite para o leite materno. Nesta idade, o leite materno é ainda mais importante do que qualquer sólido; assim, reduza a quantidade de sólidos que você está dando e sempre ofereça primeiro o peito.

Se a rejeição ao peito continuar, ou se ocorrer em relação a outros sinais de doença, fale com seu médico.

## AGITAÇÃO NA TROCA DE FRALDAS

*"Minha filha não fica quieta quando estou trocando as fraldas dela — ela sempre tenta se virar. Como posso conseguir que ela coopere?"*

Você pode esperar receber cada vez menos cooperação na troca de fraldas nos meses que virão. A indignidade de usar fraldas, somada com a frustração de ficar temporariamente imobilizada e virada de barriga para cima como uma tartaruga, pode representar uma batalha a cada troca de fraldas. O truque: seja rápida (tenha toda a parafernália pronta e esperando antes de colocar o bebê na mesa) e forneça distrações (um móbile sobre a mesa de trocas, uma caixa de música, de preferência que também tenha apelo visual, um chocalho ou outro brinquedo que ocupe as mãos e, espera-se, o interesse dela.) Envolver sua filha em uma música ou uma conversa balbuciada também pode distraí-la o bastante para que você faça seu trabalho.

## APOIANDO O BEBÊ

*"Eu apoio meu bebê sentado no carrinho, e fui censurada por duas mulheres mais velhas que insistiram que ela era nova demais para se sentar."*

Se seu bebê não tem idade para se sentar, ele dirá a você. Não com muitas palavras, é claro, mas baixando ou escorregando para um lado quando você tentar colocá-lo sentado. Embora você não deva tentar apoiar um bebê mais novo cujo pescoço e as costas precisam de mais sustentação do que conseguiria com um apoio, um bebê de 3 ou 4 meses que sustenta bem a cabeça erguida está pronto (e em geral ansioso) para esta posição. (Existem apoios de cabeça especialmente projetados para manter reta a cabeça do bebê quando apoiada.) Os bebês em geral indicarão quando já ficaram bastante tempo sentados, queixando-se ou começando a baixar.

*Apoiar o bebê em uma posição sentada em geral será uma mudança de perspectiva bem-vinda para ele, e também ajudará a formar os músculos e a experiência necessários para que ele se sente sem assistência.*

Além de ser uma mudança bem-vinda de posição, sentar-se permite que o bebê amplie a visão do mundo. Em vez de só o céu ou o interior de um carrinho, um bebê ereto pode ver quem passa (inclusive aqueles que certamente chamarão a sua atenção), lojas e casas, árvores, cães, outros bebês em carrinhos, crianças voltando para casa depois da escola, ônibus, carros — e todas as outras coisas maravilhosas que habitam este universo crescente. Provavelmente ele também vai ficar mais tempo satisfeito do que se ficar somente deitado, o que tornará as saídas mais agradáveis para vocês dois.

## BEBÊ DE PÉ

*"Minha filha gosta de 'ficar de pé' no meu colo. Ela chora se eu a faço se sentar. Mas eu soube que ficar de pé tão cedo pode deixar as pernas dela tortas."*

Em geral os bebês sabem o que estão prontos para fazer melhor do que qualquer outra pessoa. E muitos bebês da idade de sua filha estão prontos, e ansiosos, para "ficar de pé" com o apoio do colo. É divertido, é um bom exercício para a formação dos músculos, é uma mudança estimulante da posição deitada ou enfiada em uma cadeirinha — e certamente não causa pernas tortas.

Por outro lado, qualquer bebê que não pareça querer ficar de pé não deve ser pressionado a esta posição até que esteja pronto. Um bebê que pode estabelecer o ritmo de seu desenvolvimento será mais feliz e mais saudável do que aquele cujos pais tentam criar o ritmo para eles.

## AGITAÇÃO DO BEBÊ NA CADEIRINHA

*"Eu realmente preciso manter minha filha na cadeirinha de vez em quando*

*para que eu possa fazer as coisas. Mas ela se agita assim que eu a coloco lá."*

Alguns bebês ficam perfeitamente satisfeitos em se sentar na cadeirinha e ver o mundo (e seus pais) passar; outros — em geral os que nasceram com mais determinação do que são capazes de realizar ficam entediados e frustrados com as restrições da cadeirinha. Sua filha pode estar entre os que se ressentem e resistem a este confinamento — e, neste caso, mantê-la satisfeita em cadeirinhas (e cadeirinhas de carro, e outros lugares de confinamento forçado) pode ser um grande desafio. Para ter uma chance nesta luta:

♦ Limite o cativeiro. Reserve a cadeirinha para as horas em que for absolutamente necessário que sua filha esteja seguramente confinada e perto de você (como quando você está cozinhando).

♦ Experimente uma mudança no cenário. É menos provável que uma cadeirinha com vista provoque uma rejeição imediata. Coloque a cadeirinha no chão em frente de um espelho (o bebê pode gostar de interagir com seu reflexo), ou em um local seguro perto de você (não há nada mais fascinante do que um dos pais em ação).

♦ Acrescente alguma diversão. Uma barra de brinquedos pode transformar uma cadeirinha comum em um centro de diversão pessoal, particularmente se os brinquedos giram para manter o interesse alto e afas-

tar o tédio de ficar sentada. Se os brinquedos parecem deixar sua filha mais agitada, pode ser que ela esteja muito cansada ou superestimulada, e neste caso retirar a diversão pode acalmá-la.

♦ Faça um movimento. Ligar o balanço pode acalmar sua filha enquanto ela está na cadeirinha (embora alguns bebês na verdade fiquem irritados com o movimento; como sempre, pegue as dicas das reações dela).

♦ Deixe-a solta. Embora os bebês mais novos em geral se satisfaçam em ficar sentados, os mais velhos anseiam por alguma liberdade de movimento. Então, em vez de prendê-la na cadeirinha, experimente colocá-la em um cobertor — de barriga para baixo — no meio do chão. Isso pode não só acalmá-la como também dar a ela a oportunidade de praticar habilidades como rolar o corpo e se arrastar. A desvantagem desta opção, enquanto você está tentando fazer suas coisas: por segurança, você terá de ficar perto dela para supervisionar os esforços — o que limitará a tarefas que você poderá fazer.

♦ Considere uma abordagem diferente ao confinamento. É possível que sua filha tenha ficado maior do que a cadeirinha, tanto no aspecto físico como no do desenvolvimento. Se você precisa mantê-la em um lugar às vezes, experimente um cercadinho bem abastecido ou um uma mesa estacionária de brinquedos (mas limite o uso de ambos; ver páginas 482 e 569).

# BEBÊ INSATISFEITO NA CADEIRINHA DO CARRO

*"Meu filho chora toda vez que eu o prendo à cadeirinha do carro, fazendo com que dirigir seja um inferno para nós dois."*

Embora o ronco do motor do carro e o movimento sejam calmantes e soníferos para muitos bebês (alguns caem no sono no momento em que as chaves entram na ignição), nem todos os bebês (ou seus pais) concordam que ficar ali é muito divertido — especialmente quando ficar ali significa ser preso a uma cadeirinha de carro. Fique tranquila que seu filho não é o único bebê com fobia de confinamento no mundo encenando sua própria versão de *Motim na estrada*. Agitar-se na cadeirinha do carro é um comportamento comum, em particular depois que as crianças ficam mais velhas e mais ativas, e em especial enquanto ainda são obrigadas a encarar a traseira do carro. É claro que, uma vez que levá-lo de carro sem confinamento não só não é seguro como também é contra a lei, deixá-lo solto na estrada não é uma alternativa. Em vez disso, experimente estas sugestões para vencer a rebeldia da cadeirinha do carro:

♦ Crie alguma diversão. Se seu bebê tende a se queixar no momento em que vê a cadeirinha do carro, mantenha-o ocupado enquanto o está afivelando. Comece cantando uma música favorita dele ou mostre-lhe um brinquedo favorito enquanto você tenta realizar o procedimento pavoroso. Com sorte, ele não perceberá o que você está fazendo até que o trabalho sujo tenha terminado.

♦ Deixe-o confortável. As tiras do arnês devem estar apertadas o bastante para garantir a segurança (você não deve conseguir enfiar mais de dois dedos entre o bebê e o arnês), mas não tão apertadas que belisquem ou cavem a pele do bebê. As tiras que são frouxas demais, além de não serem seguras, podem permitir que seu filho escorregue, o que pode aumentar o desconforto dele. E se ele ainda não preenche totalmente a cadeirinha, use enchimentos especialmente projetados para bebês menores para deixá-lo mais confortável e menos propenso a cair de lado. Verifique também a temperatura na traseira para ter certeza de que não está quente ou frio demais (uma lufada de ar condicionado soprando na cara dele pode irritá-lo, por exemplo; se for assim, reposicione a saída do ar para conseguir o truque).

♦ Bloqueie o sol. Muitos bebês ficam irrequietos quando têm sol nos olhos; você pode ter de colocar o bebê na sombra. Assim, puxe a cobertura da cadeirinha, ou compre uma cortina para a janela do carro, disponível em lojas para bebês.

♦ Distraia-o. Coloque uma música tranquila ou um CD de músicas animadas para bebês para que você cante junto. Equipe a cadeirinha com brinquedos de uso seguro em carros, que não possam cair (e gire com frequência para que o bebê não fique entediado). Coloque um espelho especialmente projetado no banco traseiro do carro diante dele (a visão de uma cadeirinha virada para trás no carro levaria qualquer um a lágrimas de tédio); não só o reflexo o distrairá, como, se você posicionar o espelho da forma certa, conseguirá ver o rosto dele em seu retrovisor.

♦ Faça com que ele saiba onde você está. É solitário sentar-se no banco traseiro, em especial enquanto o bebê ainda está voltado para a traseira. Assim, fale e cante muito (sim, mesmo durante o choro); o som de sua voz pode acabar acalmando-o.

♦ Experimente um pouco de companhia. Quando dois adultos estão no carro, um pode se afivelar ao lado do bebê e oferecer alguma diversão e tranquilidade. Irmãos mais velhos podem fazer a mesma coisa (todas as crianças com menos de 13 anos devem viajar no banco traseiro, de qualquer forma).

♦ Leve a cadeirinha do carro para casa. Você pode dessensibilizar seu filho à cadeirinha do carro prendendo-o em casa por curtos períodos de tempo, enquanto o inunda de brinquedos e atenção (para garantir uma experiência positiva).

♦ Dê tempo, mas não ceda. Um dia seu filho passará a aceitar a cadeirinha do carro (embora ele possa jamais gostar realmente de viajar nela). Mas

ceder aos protestos dele — mesmo que seja uma vez, mesmo que por uma viagem curta — não só é incrivelmente perigoso (é preciso apenas um minuto para que ocorra uma batida e para que uma criança solta se machuque ou morra), como também é um erro estratégico, uma vez que abre a porta para futuras concessões.

## CHUPAR DEDO

*"Meu filho deu para chupar o dedo. No começo fiquei satisfeita porque isso o ajudava a dormir melhor, mas agora temo que vá se transformar num hábito que não serei capaz de eliminar mais tarde."*

Não é fácil ser um bebê. Toda vez que você se prende a alguma coisa que lhe dá o conforto e a satisfação que você procura, alguém quer tirá-la de você — e às vezes sem um bom motivo.

Quase todos os bebês chupam os dedos no primeiro ano de vida; muitos até começam o hábito no útero. Isso não é de surpreender. A boca de um bebê é um órgão importante, não só para comer, mas para explorar e ter prazer também (como você logo descobrirá, para sua consternação, quando tudo o que o bebê pegar vai parar na boca dele, seja um chocalho ou um inseto que tenha pousado no chão de um armário). Mas mesmo antes que o bebê possa pegar os objetos, ele descobre as próprias mãos —

e com que naturalidade ele coloca as recém-descobertas mãos naquela maravilhosa cavidade sensorial, a boca. Da primeira vez, as mãos podem parar na boca ao acaso, mas o bebê rapidamente aprende que um punhado de dedos dá uma sensação agradável. Logo ele está colocando os dedos na boca regularmente. Por fim, muitos bebês concluem que o polegar é o dedo mais eficiente e mais satisfatório para chupar (talvez seja o mais suculento) e deixam de colocar outros dedos na boca para chupá-lo. Alguns se prendem a um dedo ou dois, e até à mão inteira.

No começo você pode pensar que o hábito é bonitinho, ou até ficar grata que seu filho tenha encontrado uma forma de se acalmar sem a sua ajuda. Depois, com o passar das semanas e a intensificação do hábito, você começa a se preocupar, imaginando seu menininho indo para a escola com o polegar enfiado na boca, ridicularizado pelos colegas, levando bronca dos professores. Será que você terá de fazer viagens mensais ao ortodontista para o trabalho necessário de corrigir a mordedura deformada pelo chupar do dedo ou, pior do que isso, viagens semanais ao terapeuta para tentar descobrir os problemas emocionais subjacentes que o levam a chupar o polegar?

Bem, pare de se preocupar e comece a deixar que o bebê se satisfaça. Não existem provas de que chupar dedo seja em si um sinal de necessidade emocional. Nem — se o hábito cessar aos 5 anos — parece causar algum dano ao alinhamento da dentição permanente;

qualquer distorção da boca que ocorra antes dessa época volta ao normal quando o hábito termina. Uma vez que a maioria das crianças em geral deixa o hábito de lado entre os 4 e os 6 anos, muitos especialistas dizem que as tentativas de tirar o polegar da boca do bebê não precisam começar antes disso.

Alguns estudos mostram que quase a metade das crianças chupa o polegar ou outro dedo alguns meses depois de nascer. O comportamento atinge um pico em média entre o oitavo e o décimo segundo mês, embora alguns já tenham abandonado o hábito nesta época. Quase 80% desistem aos cinco anos, e 95% aos seis anos, em geral sozinhos. Aqueles que o usam para ajudar a dormir ou se confortar em épocas de estresse prendem-se ao hábito por mais tempo do que os que simplesmente fazem dele uma forma de recompensa oral.

Nesse meio-tempo, deixe seu bebê chupar o dedo. Mas certifique-se, porém, se ele estiver mamando no peito, de que o polegar não seja uma compensação para o sugar que ele não está conseguindo no peito; se ele parece querer mamar um pouco mais a cada refeição, deixe. E se o chupar o polegar parecer se transformar no foco de suas atividades diárias, impeça, fazendo com que ele use as mãos em outras explorações, retirando de vez em quando os dedos de sua boca por tempo suficiente para distraí-lo com brinquedos, com brincadeiras com os dedos ou a mão ("seu vizinho", "fura-bolo", "mata-piolho", por exemplo), ou segurando as mãos dele e mantendo-as paradas, se ele gostar.

# BEBÊ GORDUCHO

*"Todo mundo admira minha filha gorduchinha. Mas no fundo eu tenho medo de que ela fique gorda demais. Ela está tão roliça que mal consegue se mexer."*

Com covinhas nos joelhos e nos cotovelos, uma barriga que rivaliza com a de Buda, um queixo duplo para afagar e uma quantidade cativante de carne beliscável nas bochechas, ela é o retrato do bebê bonitinho da cabeça aos dedinhos gorduchos dos pés. E no entanto, será que o bebê cheinho também é o retrato da saúde? Ou ele está a ponto de se tornar uma criança gorda e um adulto obeso? Com a obesidade triplicando nas últimas três décadas em crianças americanas de 6 a 11 anos, esta pergunta tem gerado muito interesse entre os pais, médicos e pesquisadores.

Um estudo já revelou que bebês que ganham peso rapidamente nos primeiros quatro meses podem ter um risco maior de obesidade mais tarde na vida. Mas mesmo sem o benefício da pesquisa, há claras desvantagens em ser extremamente rechonchudo assim tão cedo. O bebê que é gorducho demais pode se tornar uma vítima de um ciclo vicioso de inatividade e excesso de peso. Quanto menos ele se mexe, mais gordo fica; quanto mais gordo fica, menos consegue se mexer. Sua incapacidade de se mexer o deixa frustrado e agitado, o que pode levar os pais a lhe dar mais comida para mantê-lo feliz. Se sua filha continuar gorda até os quatro anos, um problema que está se tornando cada vez mais comum entre as crianças americanas, é muito provável que venha a se tornar um adulto com excesso de peso.

Antes que você faça uma reserva no spa para sua filha, certifique-se de que ela está mesmo com excesso de peso e não apenas redondinha (lembre-se, uma vez que os bebês não desenvolveram muito ainda os músculos, até um bebê magro será acolchoado; todos os bebês precisam de uma certa quantidade de "gordura de bebê"). Alguns pais, temerosos de que a obesidade esteja se insinuando em sua descendência, tentam erroneamente manter magros seus bebês perfeitamente normais alimentando-os menos — o que pode ser ainda mais perigoso do que dar comida demais, levando a uma queda do desenvolvimento e possivelmente a futuros distúrbios alimentares. Antes que você tire conclusões ou tome qualquer medida, compare o crescimento dela com o gráfico de peso/altura na página 1088. Se o peso de sua filha parece consistentemente estar subindo mais rápido do que sua altura (se ambos estiverem aumentando rapidamente, você provavelmente tem um bebê maior do que a média), discuta o assunto com o médico.

Ao contrário da receita para um adulto gorducho, a receita para um bebê gorducho em geral não é a dieta. Em vez de tentar conseguir que um bebê gordo perca peso, o objetivo é reduzir o ritmo de ganho de peso. Assim, à medida que ela ficar mais alta, emagrecerá — algo que muitos bebês fazem sem sua intervenção à medida que se tornam mais ativos. Algumas das dicas seguintes po-

## SUSPENDA O SUCO

Não há nada mais saudável para um bebê do que uma mamadeira de suco, não é? Na verdade, não é. Estudos mostram que os bebês que tomam suco demais — em particular suco de maçã — podem se tornar mal nutridos. Isso porque o suco (que não é muito nutritivo, para começar) pode reduzir o apetite para o leite materno ou a fórmula, que deve representar o grosso da dieta do bebê no primeiro ano de vida. O consumo excessivo de suco também pode levar a diarreia e outros problemas crônicos de estômago, bem como a queda dos dentes (um problema que é especialmente comum em bebês que tomam mamadeiras ou golinhos de suco na cama ou mamam suco o dia todo).

A Academia Americana de Pediatria recomenda que não se dê suco de fruta a bebês com menos de 6 meses. Depois dos 6 meses, os pais devem evitar dar qualquer suco na hora de dormir, e somente pequenas quantidades durante o dia (não mais do que 120 a 180 mililitros no total diariamente para crianças com menos de seis anos). Misturar o suco com água pelo menos meio a meio ajudará a garantir que seu filho não tome suco demais, ao mesmo tempo em que minimizará os efeitos no estômago e nos dentes. (Acostume seu filho com uma mistura dessas desde o começo, e o sabor aguado não será um problema mais tarde.)

O suco que você escolher também tem importância. É menos provável que a uva branca, segundo os estudos, cause irritação no estômago do que maçã, em especial para bebês que sofreram de cólica. Mais tarde, procure por sucos que tenham algo a oferecer além de calorias — enriquecidos com cálcio e vitamina C, por exemplo.

---

derão ajudar não só se seu bebê já estiver acima do peso, como também se você tiver bons motivos para acreditar que ele está nesse caminho:

♦ Use a amamentação somente para saciar a fome dela, e não para atender a outras necessidades. Um bebê que come pelos motivos errados (quando está magoada ou infeliz, quando os pais estão ocupados demais para brincar com ela, quando está entediada num carrinho) continuará a exigir comida pelos motivos errados, e quando adulto poderá comer pelos mesmos motivos errados. Em vez de amamentá-la sempre que ela chorar, reconforte-a com um abraço ou uma música suave. Em vez de colocar uma mamadeira apoiada na mão dela, coloque-a diante de um móbile ou uma caixa de música quando você estiver ocupada demais para brincar com ela; coloque-a na *kepina* enquanto você cuida de sua rotina; ou deixe-a observar o que você estiver fazendo enquanto ela está na cadeirinha. Em vez de sempre distraí-la com biscoitos para acalmá-la enquanto você estiver no supermercado, prenda um brinquedo no carrinho dela para mantê-la ocupada enquanto você faz as compras. Apesar do que sua mãe possa ter acreditado, empurrar constantemente comida para o seu bebê não é uma forma positiva de expressar amor.

♦ Faça os ajustes na dieta, se necessário. Um motivo para que os bebês que mamam no peito tenham uma probabilidade menor de se tornar obesos é que o leite materno automaticamente ajusta-se às necessidades de um bebê. O primeiro leite, mais magro e com menos calorias, que vem no começo da mamada, estimula o bebê faminto a sugar. O segundo leite, mais rico em gorduras e em calorias, que vem no final da mamada, tende a amortecer o apetite, mandando o recado: "Você já está satisfeito." Se isso não for desencorajamento suficiente e o bebê continuar a mamar, o peito reduz aos poucos a quantidade de leite produzida perto do final da mamada. O sugar por sugar pode continuar sem um consumo excessivo de calorias. Embora as fórmulas para bebês não sejam customizadas da mesma forma, se seu filho está ganhando peso com rapidez demais e é extremamente gordo, seu médico pode recomendar trocar para uma fórmula de baixas calorias. Antes de fazer esta troca, porém, certifique-se de que você não está diluindo demais a fórmula pronta que usa atualmente — o que pode aumentar consideravelmente a quantidade de calorias por grama. Não decida diluir demais também sem o consentimento do médico. Ou troque para um leite magro e desnatado. Os bebês, mesmo os gorduchos, precisam do colesterol e da gordura do leite materno e da fórmula até que tenham um ano de idade, e o mesmo do leite de vaca integral entre seu primeiro aniversário e o segundo.

♦ Experimente água, a bebida definitiva sem calorias. A maioria de nós tende a beber muito pouca água. A dieta dos bebês (porque ela é inteiramente, ou quase inteiramente, líquida) não requer suplementação de água. Mas a água pode ser muito útil para o bebê mais velho com excesso de peso que quer continuar sugando depois que a fome foi saciada, ou que tem sede em vez de fome no clima quente. Em vez de leite materno ou fórmula, ofereça uma mamadeira ou caneca de água pura (sem açúcar nem outros adoçantes) quando seu bebê parecer procurar por um lanchinho entre as refeições — isto é, uma ou duas horas depois da mamada anterior. (Acostume sua filha com o sabor da água, ou com a falta dele, desde cedo para aumentar a probabilidade de ela ter o saudável hábito de beber água mais tarde.)

♦ Não dê sólidos prematuramente como forma de estimular o sono a noite toda — isso não dá certo e pode levar a excesso de peso. (Em vez disso, experimente as dicas para ajudar o bebê a dormir a noite toda na página 381.)

## COMO FAZER PARA SEU BEBÊ CRESCER?

Como fazer um bebê crescer? Contrariando os medos de pais nervosos que analisam gráficos de peso e altura em busca de sinais de que tudo está bem, em geral em um padrão que não é normal para o bebê.

O futuro peso e altura de um bebê é em grande parte pré-programado na concepção. E pressupondo-se que as condições pré-natais sejam adequadas, e não faltem nem amor nem nutrição depois do nascimento, a maioria dos bebês por fim atingirá seu potencial genético.

A programação para a altura é baseada principalmente na média entre a altura do pai e a da mãe. Estudos mostram que, em geral, os meninos parecem crescer um pouco mais do que a média, e as meninas um pouco menos.

O peso também parece ser pré-programado, de certa forma. Um bebê em geral nasce com os genes para ser magro, atarracado ou de estatura mediana. Mas os hábitos alimentares aprendidos quando bebê e fomentados na infância podem ajudar a cumprir esse destino ou derrotá-lo.

Os gráficos de crescimento, como um gráfico presente na seção Referências Prontas no final deste livro, não devem ser uma fonte de ansiedade para os pais — é muito fácil ler ou interpretar erroneamente estes gráficos. Mas eles são úteis para dizer aos pais e médicos quando o crescimento de um bebê está se afastando da norma e quando é necessária uma avaliação, considerada com base no tamanho dos pais, na situação nutricional e na saúde geral. Uma vez que o crescimento vem em surtos durante o primeiro ano, uma medida que parece mostrar muito pouco crescimento ou crescimento demais pode não ser significativa. Ela deve, contudo, ser vista como um alerta. Uma parada de 2 meses no ganho de peso pode indicar somente que o bebê está reduzindo o ritmo porque ele é geneticamente destinado a ser baixo (em particular se o crescimento no departamento de altura também é lento), mas também pode indicar que o bebê está subnutrido ou doente. Um ganho de peso que seja o dobro do normal durante os mesmos dois meses (se não for acompanhado de um salto semelhante na altura) pode ser a forma de o bebê acompanhar a média se o peso ao nascimento foi baixo ou o ganho de peso tem sido lento até agora, mas pode também indicar que o bebê está apenas comendo demais.

---

◆ **Avalie a dieta de seu bebê.** Se você já introduziu os sólidos na dieta do bebê (por conta própria, ou por recomendação médica) e ele está tomando mais do que algumas colheradas de cereais, veja se ela parece estar tomando a mesma quantidade de leite materno ou de fórmula que tomava antes. Se estiver, provavelmente este é o motivo para o ganho excessivo de peso. Reduza a ingestão de sólidos se você começou com eles prematuramente, ou corte-os inteiramente por um ou dois meses (a maioria dos especialistas recomenda só começar com os sólidos aos 6 meses, de qualquer forma). Mais tarde, à medida que você acrescentar mais sólidos, a quantidade de leite materno ou fórmula deverá ser reduzida aos poucos e a ênfase deverá ser dada em sólidos como vegetais, iogurte, frutas, cereais e pães. Se o bebê está tomando sucos (o que não deve fazer antes dos 6 meses e que pode levar a problemas de peso em qualquer idade; ver quadro na página 437), dilua-os meio a meio com água. E não coloque os cereais e outros sólidos em uma mamadeira — os bebês acabam consumindo demais desse jeito.

♦ Mantenha seu bebê em movimento. Se sua filha "mal consegue se mexer", estimule a atividade. Quando trocar as fraldas dela, leve o joelho direito para o cotovelo esquerdo diversas vezes, depois faça o contrário. Com ela agarrada a seus polegares e os outros dedos seus segurando os antebraços dela, deixe que ela "se puxe' para uma posição sentada. Deixe que ela "fique de pé" em seu colo — e balance, se ela gostar. (Ver página 444 para outras dicas sobre fazer com que o bebê se mexa.)

## Bebê magro

*"Todos os outros bebês que vejo são roliços; o meu é comprido e magro — no 75º percentil da altura e 25º do peso. O médico diz que ele está bem e que eu não devo me preocupar, mas eu me preocupo."*

A magreza continua na moda — em toda parte, menos no quarto do bebê. Embora o visual magro seja favorecido nos adultos, são as gordurinhas o que muitos procuram e adoram nos bebês. E, no entanto, embora eles possam não ganhar muitos papéis em comerciais de fraldas como seus colegas roliços, os bebês esbeltos em geral são igualmente saudáveis, às vezes até mais.

Em geral, se seu bebê é alerta, ativo e basicamente contente, está ganhando peso de forma estável e se seu peso, embora esteja abaixo da média, continua a manter o ritmo de crescimento, não há, como o médico assinalou, nenhum motivo para preocupação. Existem fatores que afetam o tamanho do bebê sobre os quais você pode fazer muito pouco. Fatores genéticos, por exemplo — se você e/ou seu cônjuge são magros e de estrutura fina, seu bebê provavelmente será assim também. E fatores de atividade — os bebês mais agitados em geral são mais magros do que os inativos.

Há, porém, alguns motivos para a magreza que precisam ser remediados. Um motivo importante é a subnutrição. Se a curva de peso de um bebê cai em alguns meses e a perda não é compensada por um salto no mês seguinte, o médico considerará a possibilidade de que a criança não esteja comendo o suficiente. Se você estiver dando o peito e isto está acontecendo, as dicas na página 254 devem ajudar a fazer com que o bebê ganhe peso novamente. Se você dá mamadeira, pode tentar, com a aprovação do médico, diluir um pouco menos a fórmula. De qualquer maneira, suplementar com sólidos depois que o médico der sinal verde pode ajudar a engordar o bebê.

Não subnutra intencionalmente. Alguns pais, ansiosos para fazer com que seus filhos comecem no caminho para um futuro de magreza e boa saúde, limitam a quantidade de calorias e gordura dos bebês. Esta é uma prática *muito* perigosa, uma vez que os bebês precisam ter um crescimento e um desenvolvimento normais. Você pode introduzi-los na estrada dos bons hábitos alimentares sem privá-los da nutrição de que eles precisam.

Certifique-se também de que seu filho não seja sonolento demais nem ativo demais a ponto de se esquecer de exigir suas refeições regularmente. Entre os 3 e os 4 meses de idade, um bebê deve se alimentar pelo menos de quatro em quatro horas durante o dia (em geral pelo menos cinco mamadas), embora ele possa dormir a noite toda sem acordar para comer. Alguns bebês que mamam no peito podem mamar mais, porém menos mamadas podem significar que seu filho não está comendo o bastante. Se seu bebê é do tipo que não se agita quando não é alimentado, tome a iniciativa você mesma e ofereça refeições a ele com mais frequência — mesmo que isso signifique interromper uma soneca diurna ou um encontro fascinante com os brinquedos.

Raramente o fraco ganho de peso de um bebê está relacionado com a incapacidade de absorver alguns nutrientes, com uma taxa metabólica que está fora de forma ou com uma doença infecciosa ou crônica (e neste caso você provavelmente perceberia outros sintomas). Estas doenças, é claro, exigem a pronta atenção médica.

## SOPRO CARDÍACO

*"O médico disse que meu filho tem um sopro cardíaco, mas que isso não quer dizer nada. Apesar disso, estou assustada."*

A qualquer momento em que a palavra *coração* entra em um diagnóstico, é assustador. Afinal, o coração é o órgão que mantém a vida; qualquer possibilidade de um defeito é apavorante, em particular para os pais de um bebê cuja vida está apenas começando. Mas no caso de um sopro cardíaco, não há, na grande maioria dos casos, nenhum motivo para se preocupar.

Quando o médico lhe diz que seu filho tem um sopro cardíaco, significa que, no exame, ele ouviu sons cardíacos anormais, causados pela turbulência do fluxo de sangue pelo coração. O médico só pode dizer que tipo de anormalidade é responsável pelo sopro pela altura dos sons (de muito pouco audível a alto o bastante para abafar os sons de batimentos normais), por sua localização e pelo tipo de som — em sopro ou surdo, musical ou vibratório —, por exemplo.

Na maior parte do tempo, como provavelmente é o caso de seu filho, o sopro é resultado de irregularidades na forma do coração enquanto ele cresce.

Esse tipo de sopro é chamado "inocente" ou "funcional", e em geral pode ser diagnosticado pelo médico do bebê por meio de um simples exame com o estetoscópio. Não há necessidade de nenhum exame posterior nem tratamentos ou limitações de atividade. Mais da metade de todas as crianças têm um sopro inocente em alguma época da vida, e é provável que ele apareça e desapareça por toda a infância. Mas a existência de um sopro será anotada no registro de seu bebê para que outros médicos que o examinarem no futuro saibam que ele sempre existiu. Com muita frequência, quando o coração está plenamente desenvolvido (ou antes, em alguns casos), o sopro desaparece.

Se, independente do que qualquer pessoa disser, você ainda estiver preocupada, pode pedir ao médico de seu filho para contar a você exatamente que tipo de sopro seu bebê tem e se você pode esperar por problemas, agora ou no futuro, e explicar por que você não tem motivo nenhum para se preocupar. Se as respostas não forem tranquilizadoras o suficiente, peça a indicação de um cardiologista pediátrico para uma consulta.

## FEZES PRETAS

*"A última fralda de minha filha estava cheia de fezes pretas. Será que ela tem um problema digestivo?"*

É mais provável que ela esteja tomando o suplemento de ferro. Em algumas crianças, a reação entre as bactérias normais do trato gastrintestinal e o sulfato de ferro em um suplemento faz com que as fezes fiquem marrom-escuras, esverdeadas ou pretas. Esta mudança não tem importância médica e não há necessidade de preocupação, uma vez que os estudos mostram que pequenas quantidades de ferro não aumentam o desconforto ou a agitação digestivos. Por outro lado, não é recomendado dar suplemento de ferro à maioria dos bebês (os bebês que mamam no peito obtêm ferro suficiente do leite materno; os que tomam mamadeira obtêm ferro da fórmula fortificada; cereais fortificados fornecem ferro mais tarde). Assim, a não ser que o médico de sua filha tenha receitado, você deve interromper a administração de ferro. Se sua filha tem fezes pretas e não toma suplementos, converse com o médico.

## MASSAGEM NO BEBÊ

*"Ouvi dizer que a massagem é boa para os bebês. Devo massagear meu filho?"*

A massagem não é mais só para adultos. Por alguns anos, soube-se que recém-nascidos prematuros se davam melhor com a massagem terapêutica — eles crescem mais rápido, dormem e respiram melhor e ficam mais alertas. Agora parece que a massagem também beneficia bebês saudáveis — e crianças saudáveis também.

Há vários motivos para você considerar colocar as mãos em seu bebê. Sabemos que ser segurado, abraçado e beijado por um pai ou mãe ajuda um bebê a se desenvolver e aumenta o vínculo pais-filho. Mas o toque terapêutico da massagem pode fazer isso e ainda mais, possivelmente fortalecendo o sistema imunológico; melhorando o desenvolvimento muscular; estimulando o crescimento; acalmando a cólica, a dor de dentição e os problemas gástricos; promovendo um padrão de sono melhor; estimulando os sistemas circulatório e respiratório; e diminuindo os hormônios do estresse (sim, os bebês também os têm). E um toque amoroso (seja na forma de massagem ou só um monte de abraços e carinhos) também tem revelado diminuir tendências agressivas em crianças. Além disso, o bebê não é o único a se beneficiar; massagear um bebê na verdade relaxa os pais também — e descobriu-se que alivia sintomas de depressão pós-parto.

Se você quiser aprender como massagear seu filho, consiga um livro ou um vídeo, ou faça um curso com um massoterapeuta familiarizado com massagem para bebês. Ou experimente as dicas a seguir:

**Reserve um período de tempo que seja relaxante para você.** A massagem não tem o efeito desejado se o telefone toca, o jantar queima no forno e você tem duas trouxas de roupa para lavar. Escolha uma hora em que você esteja despreocupada e não vá ser interrompida, e tire o fone do gancho ou desligue a campainha e deixe a secretária eletrônica pegar os recados (um telefone que toca — mesmo com a secretária ligada — é uma distração).

**Reserve um período de tempo que seja relaxante para o bebê.** Não massageie seu filho quando ele estiver com fome ou tenha acabado de comer. Logo depois de um banho é uma hora perfeita, quando o bebê já começou a relaxar (a não ser que ele odeie o banho e isso o deixe irritado). Antes de brincar é outra possibilidade, uma vez que os bebês ficam mais concentrados e atentos depois de uma massagem.

**Crie um ambiente relaxante.** O cômodo que você escolher para a massagem deve ser silencioso e aquecido, pelo menos com 23ºC (uma vez que o bebê ficará sem roupa, exceto pelas fraldas). Reduza as luzes para diminuir os estímulos e aumentar o relaxamento, e toque uma música suave se você preferir. Você pode se sentar no chão ou na cama e deitar o bebê no colo ou entre suas pernas abertas; use uma toalha, um cobertor ou um travesseiro coberto por uma toalha debaixo do bebê.

**Lubrifique, se quiser.** Você pode fazer uma massagem seca em seu filho, ou usar um pouco de óleo para bebês, óleo vegetal, ou loção para bebês (mas não na cabeça dele). Aqueça um pouco o óleo ou loção na palma das mãos antes de começar a massagear.

**Experimente as técnicas.** Em geral, os bebês preferem um toque suave — mas não tão leve que faça cócegas. Aqui estão algumas ideias para você começar:

♦ Coloque as duas mãos delicadamente nos dois lados da cabeça do bebê e segure por alguns segundos. Depois esfregue as laterais do rosto, continuando para baixo pelos lados de seu corpo e pelos dedos dos pés.

♦ Faça círculos pequenos na cabeça do bebê com seus dedos. Alise a testa do bebê pressionando delicadamente as duas mãos do centro para fora.

♦ Esfregue o peito do bebê do meio para fora.

♦ Esfregue a barriga do bebê de cima para baixo usando a borda externa de uma das mãos, depois a outra, em um movimento circular. Depois, passe seus dedos pela barriga do bebê.

♦ Gire delicadamente os braços e pernas do bebê entre suas mãos e use uma massagem mais firme e profunda para "ordenhar" os braços e pernas do bebê. Abra as mãozinhas fechadas e massageie os dedinhos.

♦ Esfregue as pernas do bebê de cima para baixo, alternando as mãos. Quando você descer aos pés, massageie-os, abrindo e esfregando os dedos dos pés.

♦ Vire o bebê de bruços e esfregue suas costas lateralmente, depois para cima e para baixo.

Enquanto você trabalha, fale ou cante uma música delicadamente. Sempre mantenha uma das mãos no bebê.

**Pegue dicas com o bebê.** Ele lhe dirá se você o estiver esfregando do jeito certo ou não. Ele também lhe dirá quando continuar massageando, e quando é hora de terminar a sessão.

# EXERCÍCIOS

*"Ouvi falar muito da importância de exercitar o bebê. Será que é realmente necessário levar minha garotinha em uma aula de ginástica?"*

Os americanos tendem a ser de extremos. Ou são totalmente sedentários, e todo exercício que fazem é ligar a tevê e pegar uma cerveja, ou embarcam em um programa de exercícios extremamente rigoroso que os manda para os consultórios de medicina esportiva com lesões uma semana depois. E ou eles confinam o bebê a uma vida estacionária com cadeirinhas, carrinhos e cercadinhos, ou se precipitam e os matriculam em aulas de ginástica no momento em que os bebês conseguem erguer a cabeça, na esperança de criar um atleta bebê apto para a vida.

Mas o extremismo na busca de uma boa saúde tende a ser ineficaz e em geral está condenado ao fracasso. A moderação é um objetivo muito melhor, em seu estilo de vida e no do bebê. Assim, em vez de ignorar o desenvolvimento físico de sua filha ou pressioná-la para ir além de suas capacidades, tome as seguintes medidas para introduzi-la na estrada da aptidão física:

**Estimule o corpo e a mente.** Muitos pais se esforçam para estimular intelectualmente os seus filhos desde o berço, pois imaginam que o aspecto físico cuidará de si mesmo. E, na maioria das vezes, isso acontecerá — mas dar uma atenção a mais lembrará a você e ao bebê da importância da parte física. Experimente passar parte do tempo de brincar com o bebê em uma atividade física. Nesta fase, pode não ser nada mais do que puxá-la para uma posição sentada (ou de pé, quando ela estiver pronta), levantando delicadamente as mãos dela sobre a cabeça, fazendo-a "pedalar" com as pernas curvando os joelhos dela para que encontrem os cotovelos de uma forma ritmada, ou segurando-a no ar com as mãos em torno do tronco, fazendo com que ela flexione braços e pernas.

**Torne o exercício divertido.** Você quer que ela se sinta bem com o corpo e com a atividade física, então se certifique de que ela goste destas pequenas sessões — e certamente não seja séria consigo mesma. Fale ou cante para ela e diga-lhe o que está fazendo. Ela passará a identificar as cantigas ritmadas (como "Exercício, exercício, como adoro um exercício") com a diversão da atividade física.

**Não a impeça.** Um bebê que sempre está seguramente preso a um carrinho ou a uma cadeirinha ou é levado em uma *kepina*, sem ter oportunidade de explorações físicas, pode se tornar uma criança sedentária — e fisicamente inapta. Mesmo um bebê que se arrasta muito pouco pode se beneficiar da liberdade de movimentos que podem ser proporcionados por um cobertor no chão ou no meio de uma cama grande (com supervisão constante, é claro). De costas, muitos bebês de três e quatro meses passarão muito tempo tentando se virar (ajude-os a praticar virando-os lenta e repetidamente). De bruços, muitos vão explorar com as mãos e a boca, colocar o bum-

bum no ar, erguer a cabeça e os ombros. Toda essa atividade exercita naturalmente os pequenos braços e pernas — e é impossível reproduzi-las em um espaço restrito.

**Conserve a informalidade.** As aulas de ginástica ou os programas gravados em vídeo para bebês não são necessariamente para o bom desenvolvimento físico e, se forem do tipo errado ou usados da forma errada, podem ser prejudiciais. Os bebês, tendo oportunidade, conseguem naturalmente todo o exercício de que precisam. Assim, estas atividades podem ser divertidas para os dois — uma oportunidade de brincar e interagir com outros pais e outros bebês, e para experimentar coisas que você pode não conseguir fazer em casa. Se você escolher levar sua filha a uma aula de ginástica, verifique primeiro o programa em busca do que se segue:

- ◆ Os professores têm boas credenciais? É seguro? Peça ao médico de sua filha uma avaliação antes de fazer a matrícula. Observe também. Qualquer programa que estimule exercícios que empurrem ou sacudam os bebês é perigoso (ver página 400). Esteja atenta, também, para as aulas que são de alta pressão, em vez de divertidas, estimulando a competição em vez de o crescimento individual.

- ◆ Os bebês parecem se divertir? Se um bebê não está sorrindo ou rindo enquanto se exercita, ele não está gostando. Atente especialmente se os bebês parecem confusos ou assustados, ou pressionados a fazer coisas que os deixam desconfortáveis.

♦ Há muito equipamento adequado para a idade de sua filha, para que ela brinque — por exemplo, nesta idade, esteiras de cores vivas, rampas para subir, bolas para rolar, brinquedos para sacudir?

♦ Os bebês têm oportunidades de brincar livremente — de fazer explorações sozinhos ou com você? A maior parte da aula deve ser dedicada a isto, em vez de a atividades estruturadas de grupo.

♦ A música faz parte do programa? Os bebês gostam de música e atividades ritmadas, como um balançar e cantar, e as duas coisas se dão bem em um programa de exercícios.

**Deixe o bebê determinar o próprio ritmo.** Pressionar um bebê a se exercitar, ou fazer qualquer outra coisa que ele não esteja pronto ou não tenha ânimo para fazer pode gerar atitudes negativas. Comece os exercícios com sua filha somente quando ela parecer receptiva, e pare quando ela lhe disser, por sua indiferença ou agitação, que está cansada.

**Mantenha-a energizada.** A boa nutrição é tão importante para o bom desenvolvimento físico de sua filha quanto o exercício. Depois que os sólidos forem introduzidos (com a permissão do médico, é claro), comece com a Dieta do Primeiro Ano (ver página 459) para que ela tenha a energia necessária para a diversão e os jogos, e obtenha os nutrientes para um desenvolvimento ideal.

**Não seja uma mãe fora de forma.** Ensine pelo exemplo; a família que se exercita unida fica em forma unida. Se sua filha crescer vendo você andar um quilômetro ao mercado em vez de ir de carro, fazendo aeróbica diariamente diante da tevê em vez de mastigar batatas fritas, nadando na piscina em vez de ficar ao sol ao lado dela, é mais provável que ela entre na idade adulta com boas sensações em relação aos exercícios, o que ela pode passar à própria descendência.

# O Que É Importante Saber:
# BRINQUEDOS DE BEBÊ

Andar por uma loja de brinquedos é como andar no auge de um carnaval. Com cada corredor competindo por atenção com sua seleção de produtos atraentes, bombardeando os sentidos e as sensibilidades com uma gama interminável de caixas e displays coloridos, é difícil saber por onde começar. E embora estas excursões possam fazer surgir a criança que há dentro de cada adulto, para os pais várias responsabilidades aparecem quando se trata de escolher os brinquedos.

Para ter certeza de não sucumbir às embalagens mais bonitas e aos truques mais sedutores que a indústria de brinquedos nos oferece e terminar com uma grande coleção dos brinquedos errados para seu bebê, considere estas perguntas quando pensar na compra — ou quando decidir se despreza, guarda ou devolve à loja os brinquedos que vieram como brindes:

**É adequado para a idade?** O motivo mais óbvio para se certificar de que um brinquedo que você compra é adequado para a idade é se seu bebê vai gostar e desfrutar dele agora. Um motivo menos aparente, porém, é mais importante. Mesmo um bebê avançado que pode estar interessado em um brinquedo classificado para crianças mais velhas, e que pode até conseguir brincar com ele em um nível primitivo, pode ser prejudicado por ele, uma vez que a adequabilidade à idade também leva em consideração a segurança. Há outra desvantagem em dar a seu filho brinquedos antes que ele esteja pronto para eles: é possível que, quando bebê estiver pronto, ele já tenha se cansado do brinquedo.

Como saber se o brinquedo é adequado para seu filho? Uma forma é a faixa etária impressa na embalagem, embora seu filho possa ser capaz de apreciar um determinado brinquedo um pouco mais cedo ou um pouco mais tarde do que a média. Outra é observar seu filho com o brinquedo — se você já tiver o brinquedo ou puder experimentar na casa de amigos ou na loja. Ele fica interessado nele? Ele brinca com ele da forma como deve brincar? O brinquedo certo ajudará seu bebê a aperfeiçoar as habilidades que já aprendeu ou promover o desenvolvimento de novas habilidades que ele está pronto para adquirir. O brinquedo não deve ser muito fácil (que estimule o tédio) nem muito difícil (que promova a frustração).

*Para um bebê, brincar é uma hora de aprender. Um jogo de esconde-esconde estimulará risos deliciados de um bebê de 3 a 4 meses e ajudará a ensinar a importante lição de permanência do objeto: quando a mamãe esconde o rosto por trás das mãos, ela ainda está lá.*

**É estimulante?** Nem todo brinquedo precisa colocar seu filho um passo mais perto da aceitação na universidade; a fase de bebê (como a infância) é uma época de muita diversão também. Mas seu filho terá mais diversão com um brinquedo se ele for estimulante para a visão (um espelho ou um móbile), a audição (uma caixa de música ou um palhaço com uma campainha na barriga), o tato (brinquedos que se prendem ao berço por elásticos ou quadro de atividades), ou paladar (um anel para os dentes, ou qualquer outra coisa que seja mastigável) do que se for apenas bonitinho. À me-

## ADEQUADO PARA ABRAÇAR

Quase todo bicho de pelúcia que seu bebê encontrar será adorável e abraçável. Aqui está como ter certeza de que os ursinhos, girafas, coelhinhos e cachorrinhos sejam ao mesmo tempo seguros e bonitinhos:

♦ Os olhos e o nariz dos bichos não devem ser feitos de botões ou de outros objetos pequenos que possam cair (ou ser arrancados ou mastigados) e representem um risco de sufocamento. Procure por botões em outros lugares também (como nos suspensórios de um ursinho de pelúcia).

♦ Não deve haver nenhum arame que mantenha as partes unidas (como as orelhas). Mesmo que o arame seja revestido de tecido, ele pode ser mastigado ou rasgado e apresentar o risco de furar o bebê.

♦ Não deve haver nenhum cordão no brinquedo — como laços em volta do pescoço de coelhinhos, uma coleira no cachorro e assim por diante — de mais de 15 centímetros.

♦ Procure pela construção firme; costuras e ligações que sejam apertadas. Verifique periodicamente as costuras para ver se o recheio pode sair (o que representa risco de sufocamento).

♦ Todos os bichos de pelúcia devem ser laváveis, e devem ser lavados periodicamente para que os germes não se acumulem neles.

♦ Nunca coloque bichos de pelúcia no berço do bebê; eles podem representar um risco de sufocamento.

---

dida que seu filho crescer, você vai querer brinquedos que ajudem uma criança a aprender a coordenação mão-olhos, controle motor grande e pequeno, o conceito de causa e efeito, identificação e combinação de cores e formas, discriminação auditiva, relações espaciais e aqueles que estimulem o desenvolvimento social e da linguagem, a imaginação e a criatividade.

**É seguro?** Talvez esta seja a pergunta mais importante de todas, uma vez que os brinquedos (sem incluir bicicletas, trenós, patins, patinetes e *skates*, que causam centenas de milhares de lesões sozinhos) são responsáveis por mais de 100 mil lesões por ano. Ao escolher brinquedos para seu filho, procure o que se segue:

♦ Resistência. Os brinquedos que se quebrarão ou que separem as peças com facilidade podem causar lesões em um bebê novo.

♦ Acabamento seguro. Certifique-se de que a pintura ou outros acabamentos não sejam tóxicos.

♦ Construção segura. Os brinquedos com arestas afiadas ou partes quebráveis não são seguros.

- Se pode ser lavado. Os brinquedos que não podem ser lavados podem se tornar um criadouro de bactérias — um problema para os bebês, que colocam tudo na boca.

- Tamanho seguro. Os brinquedos que são pequenos o bastante para passar por um testador de peças pequenas ou um tubo de toalha de papel, ou têm peças removíveis pequenas que podem ser separadas representam um sério risco de sufocamento. O mesmo é válido para brinquedos com peças que podem ser mastigadas depois que os dentes saírem.

- Peso seguro. Os brinquedos que podem machucar seu bebê se caem nele não são seguros.

- Sem cordas. Brinquedos (ou qualquer outra coisa) com cordas, cordões ou fitas maiores que 15 centímetros nunca devem ser deixados perto de um bebê porque há risco de estrangulamento. Os brinquedos podem ser amarrados a berços, cercadinhos e outros lugares com tiras plásticas que não só são seguras, mas brinquedos brilhantes e atraentes em si mesmas.

- Som seguro. Os sons altos — por exemplo, de armas de brinquedo, aviões ou veículos motorizados — podem prejudicar a audição do bebê, então procure brinquedos que tenham sons musicais ou suaves em vez de sons agudos, altos ou de guincho.

**Você aprova o brinquedo do ponto de vista filosófico?** Este é um problema menor nos brinquedos para bebês do que será mais tarde, mas não é cedo demais para pensar na mensagem subliminar que um brinquedo está mandando e considerar se essa mensagem está de acordo com seus valores. Não deixe que a sociedade — pelo menos a parte da sociedade que cria alguns dos brinquedos para crianças gerados pela tevê — decida o que você quer para seu filho.

◆ ◆ ◆

# CAPÍTULO 9

# O Quinto Mês

Logo quando você pensava que as coisas não poderiam ser melhores (e o bebê não poderia ser mais fofo e cativante do que já é), elas melhoram. Durante o quinto mês, seu bebê continua a ser uma companhia maravilhosa — aprendendo novas gracinhas quase todos os dias, sem jamais se mostrar cansado de interagir com seus companheiros prediletos (vocês!). E, com uma atenção (relativamente) maior, a interação é muito mais dinâmica do que era há duas semanas. Observar essa pequena personalidade desabrochar é fascinante, assim como a crescente atração do bebê pelo mundo ao seu redor. Agora ele está fazendo mais do que olhar o mundo — ele o está tocando também, explorando tudo que está ao alcance de suas mãozinhas e tudo que cabe (e muitas coisas que não cabem) em sua boquinha.

## O Que seu Bebê Pode Estar Fazendo

Todos os bebês atingem marcos em seu tempo de desenvolvimento. Se seu filho parece não ter atingido um ou mais destes marcos, fique tranquila, ele provavelmente os atingirá muito em breve. A taxa de desenvolvimento de seu bebê é normal para ele. Tenha em mente, também, que as habilidades que o bebê realiza na posição de bruços só podem ser dominadas se houver oportunidade de praticar. Assim, certifique-se de que o bebê passe um período brincando de bruços sob supervisão. Se você estiver preocupada com o desenvolvimento de seu filho (porque percebeu que ele não atingiu um marco de desenvolvimento ou o que você acha que pode ser um atraso no desenvolvimento), não hesite em verificar com o médico na próxima consulta — mesmo que ele não traga isso à baila. Os pais com frequência percebem nuances no desenvolvimento do bebê que os médicos não veem. Os bebês prematuros geralmente chegam aos marcos mais tarde do que os outros da mesma idade de nascimento, em geral atingindo-os mais perto de sua idade ajustada (a idade que eles teriam se tivessem nascido a termo), e às vezes mais tarde.

*No quinto mês, seu bebê... deve ser capaz de:*

♦ manter a cabeça parada quando erguida

♦ deitado sobre o abdome, levantar o peito, apoiando-se nos braços

Ao final deste mês, alguns bebês serão capazes se sentar sem ajuda, apoiando-se nas mãos, mas a maioria ainda vai tombar para a frente nesta posição.

♦ prestar atenção a um objeto do tamanho de uma passa (mas mantenha estes objetos fora de seu alcance)

♦ rir de prazer

♦ tentar alcançar um objeto

♦ sorrir espontaneamente

♦ sorrir em resposta ao seu sorriso

♦ segurar um chocalho encostado na parte externa ou na ponta dos dedos

♦ manter a cabeça alinhada com o corpo quando é puxado para ser colocado sentado

*... provavelmente, será capaz de:*

♦ rolar sobre o próprio corpo (para um lado)[1]

♦ sustentar certo peso nas pernas

♦ fazer "ah-gu" ou combinações semelhantes de vogais e consoantes

♦ fazer barulhos vibrando os lábios e a língua

♦ voltar-se na direção de uma voz

*... pode ser capaz de:*

♦ sentar-se sem apoio

*... até pode ser capaz de:*

♦ levantar-se, estando sentado

♦ ficar de pé segurando-se em alguém ou em algo

♦ objetar se você tentar levar um brinquedo embora

♦ esforçar-se para chegar a um brinquedo fora de alcance

---

[1]Bebês que brincam pouco tempo deitados de bruços podem atingir este marco mais tarde, o que não deve ser motivo de preocupação (ver página 316).

- passar um cubo ou outro objeto de uma mão para a outra

- procurar um objeto que deixou cair

- puxar com os dedos um pequeno objeto e pegá-lo fechando o punho

(mantenha todos os objetos perigosos fora do alcance do bebê)

- balbuciar, combinando vogais e consoantes, como, por exemplo, ga-ga-ga, ba-ba-ba, ma-ma-ma, da-da-da

# O Que Você Pode Esperar do *Check-up* deste Mês

A maioria dos pediatras não marca *check-ups* regulares do bebê para este mês. O lado positivo é que isso significa um mês sem vacinas; o lado negativo é que você não vai poder verificar no gráfico o quanto seu bebê cresceu. Guarde sua lista de perguntas para o mês que vem, mas não hesite em ligar para o médico entre as consultas se houver qualquer preocupação que não possa esperar.

# Como Alimentar seu Bebê este Mês:
# INTRODUZINDO ALIMENTOS SÓLIDOS

Este é o momento pelo qual você esperava. Enquanto papai fica por perto com a câmera de vídeo, pronto para capturar o solene acontecimento, o bebê está paramentado com um babador recém-lavado, sentado e preso com o cinto de segurança na cadeirinha que reluz de tão nova. Quando a câmera é ligada, o primeiro bocado de comida sólida do bebê — que enche a colher de inox da bisavó Alice — é levado do prato à boca. Esta se abre e, quando a comida produz sua estranha primeira impressão nas papilas gustativas inexperientes, ele se retorce numa careta de desagrado e cospe a oferta estranha no queixo, no babador e na bandeja da cadeirinha. Corta!

O desafio de fazer seu filho comer (ou pelo menos comer o que você gostaria que ele comesse), um desafio que provavelmente vai continuar enquanto vocês compartilharem a mesa de jantar, começou. Trata-se, porém, de muito mais do que uma simples questão de promover uma boa nutrição; é uma das atitudes saudáveis que vão sendo instiladas em relação à hora das refeições e lanches. Tão importante quanto certificar-se de que a comida que entra na boca do bebê é saudável é assegurar que a atmosfera em que a comida é dada seja agradável e pacífica.

Nos primeiros meses de alimentação sólida (que deve ter início quando o bebê estiver pronto, algo entre o quarto e o sexto mês), a real quantidade de alimento consumida não é de muita importância enquanto a amamentação, seja no peito ou na mamadeira, continuar. Comer é, a princípio, menos uma questão de ganhar substância do que de ganhar experiência — com técnicas para comer, com sabores diferentes e texturas variadas e com os aspectos sociais da alimentação.

## NOITE DE ESTREIA — E OUTRAS MAIS

Aprontar o equipamento de vídeo não é a única providência que você tem de tomar para garantir uma primeira refeição memorável. Você também deve dar atenção ao momento, ao am-

---

## BONS ALIMENTOS INICIAIS PARA DAR AO BEBÊ

Antes que o mundo gastronômico possa ser uma ostra para o bebê (ou um filé ou uma lasanha), a terra do básico deve ser conquistada. Isso significa que o bebê precisa dar pequenos passos à mesa — passos listados a seguir na ordem em que são normalmente sugeridos (embora o momento de introdução possa ser mais tardio quando o bebê ou a família têm um histórico de alergia). As papinhas, que podem ser preparadas em casa ou compradas prontas, devem, em primeiro lugar, ter uma textura bem lisa — peneiradas, batidas em purê ou espremidas, e afinadas com líquido, se necessário, para obter a consistência de um creme espesso. A textura deve continuar lisa até o sexto ou sétimo mês, tornando-se progressivamente mais espessa à medida que o bebê ganha mais experiência ao comer. Em geral, os bebês de início aceitam menos da metade de uma colher de chá, mas muitos chegam a duas ou três, e às vezes mais, num tempo surpreendentemente curto. A papinha pode ser servida fria ou à temperatura ambiente (o que a maioria dos bebês prefere) ou ligeiramente aquecida, embora o aquecimento agrade mais ao gosto do adulto do que ao do bebê — e é na maior parte das vezes um trabalho desnecessário.

| 4 a 6 meses | 6 meses | 7 a 8 meses | 9 meses |
|---|---|---|---|
| Cereal de arroz | Cereal de cevada | Carne de frango | Iogurte (integral) |
| | Cereal de aveia | Carne de peru | Queijo (como suíço |
| | Purê de maçã | Carne de cordeiro | e *cheddar*) |
| | Banana | Carne de vaca | Macarrão |
| | Pera | Abacate | Feijão |
| | Pêssego | Gema de ovo | Tofu |
| | Ervilha | | |
| | Cenoura | | |
| | Vagem | | |
| | Batata-doce | | |
| | Abóbora | | |

biente e recursos cenográficos para fazer dessa experiência a melhor possível — e das futuras também.

**Escolha o momento certo.** Se você está amamentando, o *show* deve continuar quando seu suprimento de leite estiver em seu nível mais baixo (na maioria das mulheres, no fim da tarde ou no início da noite). Se, por outro lado, seu bebê parece sentir mais fome pela manhã, você pode lhe dar alimentos sólidos nesse momento do dia. Não se preocupe se o cardápio é cereal e você o está servindo às 18 horas; dificilmente o bebê espera um bife.

**Bajule seu astro.** Você marcou uma apresentação às 17 horas e descobre que sua estrela está mal-humorada e cansada. Adie o *show*. Você não pode apresentar nada novo ao seu bebê, nem mesmo comida, quando ele se acha irritado. Programe as refeições para momentos em que ele costuma estar desperto e alegre.

**Não comece com a barriga cheia.** Abra o apetite do bebê antes de oferecer-lhe alimentos sólidos, mas não o empanturre. Comece com um aperitivo: uma pequena quantidade de fórmula ou leite materno. Assim, seu bebê não vai estar demasiado voraz para aceitar a nova experiência nem ficar tão saciado a ponto de se desinteressar pelo prato seguinte. Evidentemente, no caso de bebês com pouco apetite, pode ser melhor introduzir alimentos sólidos quando eles estão com fome; você vai ter de verificar o que é melhor para o seu filho.

**Prepare-se para uma longa produção.** Não tente programar as refeições do seu filho em segmentos de cinco minutos entre outras tarefas. Dar comida a um bebê é um processo demorado; portanto, reserve bastante tempo para a atividade.

**Monte o palco.** Segurar no colo um bebê que se contorce enquanto tenta colocar uma substância estranha numa boca nada receptiva é o roteiro perfeito para um desastre. Monte uma cadeirinha bem firme ou uma cadeirinha de refeição portátil (ver página 480) vários dias antes da primeira experiência e dê tempo para que o bebê se sinta à vontade nela. Se ele escorregar ou afundar na cadeira, forre-a com uma pequena manta, colcha ou toalhas; se o assento permitir, coloque-o numa posição semirreclinada. Prenda o cinto para garantir a segurança do bebê e a sua tranquilidade. Se o bebê não consegue absolutamente sentar-se na cadeirinha, provavelmente é uma boa ideia adiar um pouco mais a introdução dos sólidos.

Assegure-se também de ter o tipo certo de colher. Não precisa ser uma herança de família, mas deve ser pequena (talvez uma colher de café ou de chá) e, se possível, revestida de plástico, que é mais suave no contato com a gengiva do bebê. Dar ao bebê uma colher só dele para que ele a segure e tente manusear desencoraja uma disputa de cabo de guerra a cada colherada, além de dar ao seu individualista em flor uma sensação de independência. Um cabo longo é bom para você dar comida a ele, mas prefira uma colher curta de cabo curvo para o uso do bebê, a fim de evitar estocadas acidentais no olho. Se seu jovem *gourmet* insiste em "ajudá-la" com a colher que você está usando, deixe que a mãozinha dele segure a colher enquanto você a guia com firmeza até o alvo — você vai acertar na maioria das vezes.

Por fim, use um babador grande, confortável, fácil de lavar e de tirar. Dependendo da sua preferência, pode ser de plástico rígido ou maleável, que pode ser limpo com uma esponja ou com água, de tecido ou plástico que possa ser lavado na máquina ou de papel, descartável. Você pode não estar preocupada com as manchas de comida nos macacões que quase já não servem mais, mas se o hábito de usar o babador não for incutido cedo, muitas vezes fica difícil (quando não impossível) fazê-lo mais tarde. E não se esqueça de enrolar mangas compridas. Uma alternativa caseira ao babador (desde que a temperatura ambiente permita) é deixar que o bebê coma só de fralda, sem nada na parte de cima. Você ainda terá de fazer alguma limpeza (rosto, pescoço, barriga, braços e pernas do bebê), mas as manchas deixam de ser um problema.

**Desempenhe um papel coadjuvante.** Se der ao seu bebê a oportunidade de comandar o espetáculo, suas chances de ter êxito em alimentá-lo aumentam muito. Mesmo antes de tentar levar a colher à boca, pingue um pouco de comida na mesa ou na bandeja da cadeirinha para que o bebê possa examiná-la, espremê-la, amassá-la, esfregá-la e talvez até prová-la. Assim, quando você se aproximar com a colher, sua oferenda não será total-

mente desconhecida. Embora possa parecer uma boa maneira de dar ao bebê a chance de se alimentar sozinho, não é recomendável oferecer um alimento novo na mamadeira (com bico com furo grande). Primeiro, isso reforça o hábito da mamadeira e não ensina ao bebê a comer ao estilo dos adultos, o que, no fim das contas, é o objetivo das primeiras refeições. E, segundo, como os bebês tendem a comer demais dessa forma, isso pode resultar em ganho de peso excessivo.

**Comece pela próxima atração.** As diversas primeiras refeições não serão de verdade, mas simplesmente um prelúdio para as que virão. Comece com um quarto a uma colher de chá cheia do alimento escolhido. Coloque apenas uma porção mínima entre os lábios do bebê e aguarde a reação dele. Se o sabor agradar, a boca provavelmente vai se abrir mais para o próximo bocado, que você pode colocar mais fundo na boca (mas não fundo a ponto de o bebê engasgar) para que ele engula com mais facilidade. Mesmo que ele pareça receptivo, as primeiras tentativas podem voltar deslizando direto para fora da boca; na verdade, as primeiras refeições podem parecer fracassos retumbantes. Mas um bebê que está pronto para os sólidos vai começar rapidamente a engolir mais do que cospe. Se a comida continuar a escorregar para fora da boca, é sinal de que bebê provavelmente ainda não está desenvolvido o bastante para o grande momento. Você pode continuar a desperdiçar tempo, esforço, comida e lavagem de roupas nessa busca infrutífera — ou esperar uma ou duas semanas e então tentar novamente.

**Saiba a hora de encerrar o *show*.** Nunca continue uma refeição quando o bebê tiver perdido o interesse. Os sinais serão claros, ainda que possam variar de bebê para bebê e de refeição para refeição: irritação, cabeça virada para o lado, boca fechada com força, comida cuspida ou atirada longe.

Se seu bebê rejeita um alimento de que antes gostava, prove-o para certificar-se de que não está estragado. Claro, pode haver outro motivo para a rejeição. Talvez os gostos de seu bebê tenham se modificado (bebês e crianças pequenas são muito volúveis em relação a comida); talvez ele esteja mal-humorado ou apenas sem fome. Qualquer que seja o motivo, não force a barra nem insista com o alimento. Escolha outro e, se não tiver sucesso, deixe cair o pano.

## ALIMENTOS PARA A ESTREIA

Todos concordam em que o primeiro líquido perfeito para o bebê é o leite materno. Mas será que existe um primeiro sólido perfeito? Embora haja poucas evidências científicas substanciais que apontem para um único e melhor primeiro alimento sólido, e embora muitos bebês pareçam se dar bem seja com um ou outro (presumindo-se que seja uma alimentação adequada para um bebê), existe um claro favorito, e dois que vêm em segundo lugar, listados a seguir. Peça uma recomendação ao pediatra do bebê. Tenha em mente que você não será capaz de avaliar com precisão a reação da criança aos alimentos que ela prova pela primeira vez pela expressão dela — de início, a maioria torce a boca em choque, não importa o quanto estejam gostando do que lhe estão oferecendo, particularmente se o sabor for azedo. Em vez disso, guie-se vendo se o bebê abre a boca para um bis.

**Cereal de arroz.** Por ser facilmente afinado para ganhar uma textura não muito mais espessa que a do leite e facilmente digerido pela maioria dos bebês, por não ser propenso a desencadear reações alérgicas e por fornecer o ferro necessário, o cereal de arroz para bebês enriquecido com ferro é provavelmente o primeiro alimento recomendado com mais frequência e a opção número um como primeiro alimento da Academia Americana de Pediatria. Misture-o com fórmula, leite materno ou água. Resista à tentação de acrescentar banana amassada, purê de maçã ou suco de frutas, ou de comprar cereal pronto com frutas (mesmo mais tarde, quando você já tiver introduzido essas frutas), ou logo o bebê vai passar a aceitar apenas alimentos doces, rejeitando os demais.

**Frutas.** Muitos bebês são iniciados com banana bem amassada ou peneirada (afinada com um pouco de fórmula ou leite materno, se necessário), ou purê de maçã. É verdade, a maioria aceita esses alimentos avidamente, mas também tende a recusar alimentos menos doces, como verduras e legumes e cereais sem açúcar, quando lhe são oferecidos mais tarde. Portanto, embora algumas frutas sejam boas opções de primeiros alimentos, elas não são necessariamente as melhores.

**Verduras e legumes.** Em tese, verduras e legumes dão ótimos primeiros alimentos — são nutritivos e não são doces. Para muitos bebês, porém, seu sabor forte e peculiar os torna menos atraentes do que o cereal ou as frutas, de forma que eles podem não criar uma atitude positiva em relação à experiência gastronômica. No entanto, é válido introduzir as hortaliças antes das frutas, enquanto o palato do bebê está mais receptivo a sabores menos adocicados. Os "amarelos", como batata-doce e cenoura, são em geral mais palatáveis (assim como mais nutritivos) do que os "verdes", como a ervilha ou a vagem. Mais uma vez, são bons para serem introduzidos cedo, mas provavelmente não para serem os primeiros.

## AMPLIANDO O REPERTÓRIO DO BEBÊ

Mesmo que o bebê devore a primeira porção de cereal matinal de sua vida, não faça planos de apresentar-lhe iogurte e vagem no almoço e carne passada na peneira e batata-doce no jantar. Cada novo alimento que você apresenta ao bebê, desde o primeiro deles, deve ser oferecido sozinho (ou com alimentos que já tenham sido aprovados), pois, caso haja sensibilidade ou reação alérgica, você poderá detectá-la. Se co-

---

### ESTE ANO NÃO, BEBÊ

Os alimentos abaixo ficarão de fora do cardápio do bebê pelo menos durante o primeiro ano:

Nozes e amendoins (ver quadro, página 696)
Chocolate
Clara de ovo
Mel (ver quadro, página 462)
Leite de vaca

Alguns médicos liberam os alimentos a seguir durante os últimos meses do primeiro ano; outros recomendam esperar até o aniversário do bebê, especialmente se houver histórico familiar de alergia:

Trigo
Frutas e sucos cítricos
Tomate
Morango

---

meçar com o cereal, por exemplo, dê apenas isso, pelo menos nos três ou quatro dias seguintes (alguns médicos recomendam cinco dias). Se o bebê não apresentar reações adversas (excesso de inchaço ou gases; diarreia ou muco nas fezes; vômito; erupção cutânea na face, em especial em torno da boca, ou no ânus; nariz escorrendo e/ou olhos lacrimejantes ou chiado no peito que não parecem associados a resfriado; períodos incomuns de vigília à noite ou irritação durante o dia), você pode concluir que ele tolera bem o alimento.

Se perceber o que acredita ser uma reação, espere cerca de uma semana e experimente novamente o alimento. A mesma reação duas ou três vezes é uma boa indicação de que seu bebê tem sensibilidade ao alimento. Espere diversos meses antes de tentar outra vez e, nesse ínterim, repita o procedimento com um alimento diferente. Se o bebê parece apresentar reação a diversos alimentos ou se há um histórico de alergia na sua família, faça um intervalo de uma semana inteira entre os alimentos novos. Se cada alimento que você experimentar causar um problema, consulte o pediatra sobre a possibilidade de aguardar alguns meses antes de reintroduzir os sólidos.

Introduza cada novidade da mesma forma cautelosa, anotando o alimento, as quantidades aproximadas ingeridas e as reações (a memória pode falhar). Certifique-se de iniciar com alimentos únicos — apenas cenoura ou ervilha passada na peneira, por exemplo. Os fabricantes de alimentos infantis têm linhas especiais de alimentos únicos iniciais para esse propósito (que também vêm em potinhos para evitar desperdícios). Depois que o bebê tiver comido tanto a ervilha quanto a cenoura sem sustos, você poderá servi-las juntas. Mais tarde, quando o repertório do bebê estiver mais amplo, um novo alimento poderá ser introduzido num *potpourri* acompanhado de legumes já conhecidos.

Alguns alimentos, por serem mais alergênicos do que outros, devem ser introduzidos mais tarde. O trigo, por exemplo, é normalmente acrescentado à alimentação do bebê depois que o arroz, a aveia e a cevada foram bem aceitos. Ocasionalmente, isso acontece por volta dos 8 meses, embora em geral o sinal verde seja dado mais cedo para bebês que não demonstram sinais nem histórico familiar de alergia alimentar. Frutas cítricas e seus sucos são introduzidos após outras frutas e outros sucos, assim como os frutos do mar vêm depois de carnes vermelhas e aves. Em geral, a gema do ovo (mexida ou então cozida e amassada) não é oferecida até pelo menos os 8 meses de idade; a clara, mais propensa a causar reações alérgicas, muitas vezes só é introduzida por volta do fim do primeiro ano. Chocolate, nozes e amendoins têm alto potencial alergênico e também não devem ser dados no primeiro ano (e, em alguns casos, só muito mais tarde; para saber a verdade nua e crua sobre nozes e amendoins, ver página 696).

## A DIETA DO PRIMEIRO ANO PARA INICIANTES

Agora seu bebê está apenas engatinhando nos sólidos; a maioria das necessidades nutricionais ainda é preenchida pelo leite materno ou pela fórmula. A partir do sexto mês, porém, somente o leite materno ou a fórmula não vão bastar para satisfazer todas as necessidades do bebê e, no fim do ano, a maior parte da nutrição dele virá de outras fontes. Portanto, não é cedo demais para começar a pensar em termos de boa nutrição ao planejar agora as refeições do bebê, usando a Dieta Ideal do Bebê simplificada (ver a página

## QUEM ESTÁ CONTANDO?

Você deve ter percebido que, na Dieta Ideal do Bebê, não existem tamanhos de porções — nem quantidade recomendada de porções diárias. Isso porque a Dieta Ideal do Bebê é oferecida apenas como uma orientação geral para o tipo de alimento que seu novo comensal deve provar, e não como uma bíblia alimentar à qual os pais devem se ater estritamente. Na verdade, tentar manter um controle permanente — ou empurrar um certo número de porções de cada grupo alimentar para o bebê todos os dias — é um modo certeiro de enlouquecer (sem falar no palco montado para conflitos por causa de comida na cadeirinha e, mais tarde, à mesa). Bebês estão em todos os pontos do mapa do apetite nesta altura do jogo, quando comer ainda se dá mais pela prática e pelo prazer do que pela satisfação das necessidades nutricionais. Alguns bebês comem muito o tempo todo, alguns comem muito pouco a maior parte do tempo, outros comem como um camundongo num dia e como um cavalo no outro. Alguns gostam de variar e de se aventurar, outros são particularmente exigentes. No entanto, apresentados a alimentos saudáveis e livres para comer de acordo com seu apetite, quase todos os bebês sadios comem o bastante para crescer e se desenvolver. Não é necessário pressionar, medir nem contar.

Quer dizer então que seu bebê comeu uma caixa inteira de Grãos Integrais hoje, mas esnobou totalmente a Proteína? Encheu a barriguinha de Cálcio, mas refugou diante das Frutas Verdes e Amarelas, e também dos Legumes? Não faz mal. Continue a lhe oferecer uma ampla variedade de alimentos todos os dias (à medida que forem sendo introduzidos) e deixe que seu apetite determine o quanto de cada um é de fato ingerido.

---

seguinte) quando seu bebê começar a comer alimentos variados — em geral em torno dos oito ou nove meses de idade. Não se preocupe ainda com tamanho ou quantidade de porções (ver quadro a seguir). Em vez disso, concentre-se em tornar as refeições algo divertido e nutritivo — a melhor maneira de assegurar uma alimentação saudável agora e hábitos alimentares saudáveis depois. (Você vai encontrar receitas para seu comensal iniciante a partir da página 1041.)

## A DIETA IDEAL DO BEBÊ

**Calorias.** Não é preciso contar as calorias que seu bebê consome para saber se ele está comendo o bastante — ou demais. Ele está desagradavelmente roliço? Calorias demais são o motivo mais provável. Muito magro ou crescendo muito devagar? Então é provável que a ingestão calórica esteja insuficiente. Neste momento, a maior parte das calorias que sustentam o desenvolvimento do bebê vem do leite materno ou da fórmula;

uma quantidade cada vez maior virá gradativamente dos alimentos sólidos.

**Proteínas.** O bebê ainda recebe a maior parte da proteína de que precisa do leite materno ou da fórmula. No entanto, como esta situação vai mudar assim que ele soprar a velinha do primeiro aniversário, agora é um bom momento para o bebê começar a experimentar outros alimentos proteicos. Depois de introduzidos, eles podem incluir gema de ovo, carne vermelha, frango e tofu. Alimentos ricos em cálcio (veja a seguir) podem valer também como excelentes fontes de proteína.

**Alimentos ricos em cálcio.** Novamente, o bebê está tirando seu quinhão de cálcio do peito ou da mamadeira (cerca de duas xícaras satisfazem a suas necessidades até o primeiro aniversário, mas muitos tomam muito mais que isso — e tudo bem). Entretanto, alimentos ricos em cálcio agradáveis ao bebê, como queijos de massa dura (suíço, *cheddar* e edam são boas opções), e iogurte natural integral são contribuições gostosas e nutritivas depois de introduzidos.

**Grãos integrais e outros carboidratos complexos concentrados.** Esses favoritos da cadeirinha vão adicionar vitaminas e sais minerais essenciais, bem como alguma proteína, à ingestão diária do bebê. Boas opções, depois de introduzidos, são cereais infantis, pão integral, cereais integrais (particularmente aqueles que o bebê pode comer sozinho, como Cheerios), cereais integrais cozidos, macarrão (as massas pequenas são

sempre um sucesso), purê de lentilha, feijão, ervilha ou soja cozidos.

**Vegetais verdes folhosos e frutas e legumes amarelos.** Existem dezenas de frutas, verduras e legumes deliciosos e ricos em vitamina A sob o arco-íris verde e amarelo — experimente (quando o médico liberar) para ver de quais seu bebê gosta. Escolha entre abóbora, batata-doce, cenoura, pêssego, damasco, melão-cantalupo, manga, brócolis e couve (todos em forma de purê primeiro, em pedacinhos depois). À medida que o bebê progride, frutas maduras podem ser servidas cortadas em cubos.

**Alimentos ricos em vitamina C.** A maioria dos médicos não libera as frutas cítricas, a fonte-padrão da vitamina C, antes do oitavo mês, pelo menos; em alguns casos, o suco de laranja pode ter de esperar pelo primeiro aniversário. Nesse meio-tempo, o bebê pode tirar sua vitamina C da manga ou do melão-cantalupo, do brócolis, da couve-flor e da batata-doce. Tenha em mente, ainda, que muitos alimentos e sucos infantis são enriquecidos com essa vitamina.

**Outras frutas e legumes.** Ainda há espaço naquela barriguinha linda? Encha-a com qualquer uma das seguintes sugestões: suco de maçã sem açúcar, banana amassada, purê de ervilha, vagem ou batata.

**Alimentos ricos em gordura.** Os bebês que ingerem a maioria das calorias no leite materno ou na fórmula recebem toda a gordura e todo o colesterol de que

## NADA DE MEL PARA O SEU DOCINHO

O mel não só fornece pouco mais do que calorias vazias como também traz riscos à saúde no primeiro ano. Ele pode conter esporos de *Clostridium botulinum*, que, nessa forma, é inofensivo para os adultos mas pode causar botulismo (com constipação, sucção fraca, falta de apetite e letargia) em bebês. Esta doença grave, ainda que raramente fatal, pode levar a pneumonia e desidratação. Alguns médicos liberam o mel aos 8 meses de idade; a maioria recomenda esperar até que o bebê complete 1 ano.

necessitam. Quando, porém, sua alimentação torna-se mais variada e o bebê passa menos tempo mamando, é importante garantir que a ingestão de gordura e de colesterol não diminua demais. É por esse motivo que a maior parte dos laticínios (queijo *cottage*, iogurte, queijos de massa dura) que você dá ao bebê deve ter teor de gordura normal e ser feito com leite integral. Entretanto, as gorduras prejudiciais à saúde (aquelas encontradas em frituras e em muitos alimentos industrializados) são outra história. Sobrecarregar o bebê com muita gordura desse tipo pode levar a uma alimentação desequilibrada, quilos desnecessários e problemas de estômago (porque são de difícil digestão). Também pode criar hábitos alimentares poucos saudáveis, difíceis de transformar mais tarde.

**Alimentos ricos em ferro.** Os bebês alimentados na mamadeira recebem sua cota integral de ferro de fórmulas enriquecidas; após os 6 meses, os bebês amamentados no peito precisam de outra fonte. O cereal para bebês enriquecido pode facilmente preencher essa necessidade; o ferro adicional pode vir de alimentos ricos nesse mineral, tais como carne vermelha, gema de ovo, germe de trigo, pães e cereais integrais, ervilhas e outros legumes cozidos, à medida que forem sendo introduzidos na dieta. Servir alimentos ricos em ferro acompanhados de outro rico em vitamina C (por exemplo, melão-cantalupo com cereal de arroz) aumenta a absorção desse importante mineral.

**Alimentos salgados.** Esqueça o saleiro quando preparar a comida do bebê. Como seus rins não conseguem metabolizar grandes quantidades de sódio (e por que adquirir o gosto por alimentos salgados na cadeirinha pode levar a hábitos alimentares pouco saudáveis mais tarde), não se deve adicionar sal à comida dos bebês. Como a maioria dos alimentos contém teores naturais de sódio (principalmente laticínios e muitos vegetais), não há como o bebê ficar sem ele.

**Líquidos.** Durante os primeiros cinco a seis meses de vida, praticamente todo o líquido de que o bebê necessita vem da mamadeira ou do peito. Agora, pequenas quantidades vão começar a vir de outras fontes, como sucos, frutas, legumes e verduras. À medida que a quantidade de fórmula ou leite materno ingerido começa a diminuir, é importante garantir que o mesmo não ocorra com a ingestão total de líquido. No clima quente, ela deve aumentar: ofereça água e sucos de fruta diluídos em água quando a temperatura subir.

**Suplementos vitamínicos.** Em geral, os suplementos de vitaminas/sais minerais não são necessários para crianças saudáveis (embora haja exceções; bebês amamentados no peito, por exemplo, precisam de suplemento de vitamina D). Entretanto, se o pediatra recomendar ou se você se sentir melhor dando o suplemento (como se fosse um pequeno seguro de vitaminas/sais minerais extras), dê apenas vitaminas/sais minerais em gotas, especialmente formuladas para crianças. Essas gotas devem conter não mais do que a quantidade diária recomendada de vitaminas e sais minerais para bebês. Não dê nenhum outro suplemento sem a

aprovação do pediatra. Para mais informações, ver página 265.

---

### POTES COM DUPLA JORNADA

Use potes de papinha vazios, muito bem lavados na lavalouça ou à mão, com detergente e água muito quente, para aquecer e/ou servir ao bebê pequenas porções de comida. Aqueça em banho-maria, colocando o pote destampado numa pequena quantidade de água quente, e não no micro-ondas (ele pode esquentar os alimentos irregularmente). Mesmo que você esteja com pressa (e quando não vai estar?), sempre teste a comida para ter certeza de que não está quente demais para a boca delicada do bebê.

---

# As Preocupações Comuns

## DENTIÇÃO

*"Como posso saber se os dentinhos do meu bebê estão para nascer? Ele morde muito as mãos, mas não vejo nada nas gengivas."*

Quando a fada dos dentes chega, não há como dizer quanto tempo a visita vai durar nem o desconforto que vai causar. Para uma criança, pode ser uma fase longa, demorada e dolorosa. Para outra, pode parecer passar com um

único movimento da varinha de condão no meio de uma noite tranquila. Às vezes um caroço ou uma saliência parece visível na gengiva durante semanas ou meses; outras, parece não haver nenhum sinal até que o próprio dente apareça.

Em média, o primeiro dente surge aos 7 meses de idade, embora possa erguer sua cabecinha branca perolada aos 3 meses, mais tarde aos 12, ou, raramente, ainda mais cedo ou mais tarde. O nascimento dos dentes muitas vezes segue padrões hereditários, ou seja, se os dentes de um dos pais nasceram cedo ou tarde, o mesmo pode se dar com o filho. Os sintomas da erupção dental, entretanto, muitas vezes antecedem o dente em dois ou três meses. Esses sintomas variam de criança para criança, e as opiniões sobre exatamente quais são eles e quão dolorosa a erupção dental realmente é variam de médico para médico. Um bebê em dentição pode apresentar alguns dos seguintes sintomas, ou todos eles:

**Salivação.** Para muitos bebês, começando por volta da décima semana até 3 ou 4 meses de idade, a torneira se abre. A dentição estimula a salivação, em alguns bebês mais do que em outros.

**Irritação na pele do queixo ou do rosto.** Não é raro que um bebê com salivação abundante desenvolva eczema ou rachaduras por ressecamento da pele no queixo e em volta da boca, por causa da irritação decorrente do contato constante com a saliva. Para ajudar a evitar isso, enxugue a saliva periódica e cuidadosamente ao longo do dia. Se a pele apresentar pontos de ressecamento, mantenha-a bem lubrificada com um creme suave (peça uma indicação ao pediatra).

**Um pouco de tosse.** O excesso de saliva pode fazer com que o bebê engasgue ou tussa de vez em quando. Não é caso para preocupação, conquanto que ele não aparente estar resfriado, gripado ou com sintomas alérgicos. É comum os bebês continuarem a tossir como uma forma de chamar a atenção ou porque acham a tosse uma interessante aquisição para seu repertório de vocalizações.

**Mordidas.** Neste caso, dar uma mordida não é um sinal de hostilidade. Um bebê em dentição vai fechar as gengivas sobre tudo em que conseguir colocar a boca — da própria mãozinha ao seio que o alimenta e ao polegar distraído de um estranho. A contrapressão vai ajudar a aliviar a pressão sob as gengivas.

**Dor.** A inflamação é a resposta de proteção do tecido frágil da gengiva ao dente que está para nascer, que ela considera um intruso a ser afastado. A inflamação provoca uma dor aparentemente insuportável em alguns bebês e quase nenhuma em outros. O desconforto costuma ser pior com os primeiros dentes (aparentemente a maioria das crianças se acostuma às sensações da dentição e aprende a conviver com elas) e com os molares (que, por seu maior tamanho, parecem ser mais dolorosos, mas nos quais, felizmente, você não terá de pensar até perto do primeiro aniversário do bebê).

**Irritabilidade.** À medida que a inflamação aumenta e um dentinho afiado se eleva mais próximo da superfície, ameaçando irromper, a dor na gengiva do bebê pode se tornar mais constante. Como qualquer pessoa com uma dor crônica, o bebê pode ficar mal-humorado, irritado, "diferente". Aqui também, alguns bebês (e seus pais) vão sofrer mais que outros, com a irritação durante semanas em vez de dias ou horas.

**Recusa de alimento.** Um bebê em dentição pode se mostrar inconstante no que diz respeito à amamentação. Apesar de desejar o conforto de ter algo na boca — e de parecer querer mamar o tempo todo —, tão logo ele começa a sugar e a sucção criada aumenta o desconforto, o bebê pode rejeitar o peito ou a mamadeira que tanto desejava momentos antes. A cada repetição dessa sequência (e alguns bebês a repetem ao longo de todo o dia quando em dentição), ele (e a mãe) fica mais frustrado e mais infeliz. Um bebê que começou a comer alimentos sólidos pode perder o interesse por eles por algum tempo; isso não deve ser motivo para preocupações, já que ele ainda obtém quase toda a nutrição e os fluidos de que precisa do leite materno ou da fórmula e vai retomar o apetite do ponto onde parou assim que o dente nascer. Evidentemente, se seu bebê recusar comida mais de duas vezes ou parecer se alimentar muito pouco por diversos dias, vale dar um telefonema para o pediatra.

**Diarreia.** Se este sintoma realmente está relacionado à dentição ou não depende de quem responde à pergunta. Alguns pais insistem em afirmar que seus bebês, toda vez que se encontram em dentição, ficam com o intestino solto. Alguns pediatras acreditam que parece haver uma ligação — talvez porque o excesso de saliva engolido amoleça as fezes. Outros médicos se recusam a reconhecer a conexão, ao menos oficialmente — provavelmente não porque tenham certeza absoluta de que ela não existe, mas por temerem que legitimar a teoria leve os pais a desconsiderar sintomas gastrintestinais possivelmente significativos, atribuindo-os à dentição. Portanto, embora

seu bebê possa apresentar o intestino solto com a dentição, você deve consultar o pediatra se uma real diarreia durar mais de duas evacuações.

**Febre baixa.** A febre, assim como a diarreia, é um sintoma que os pediatras hesitam em associar à dentição. Os especialistas dizem que é uma coincidência que a febre às vezes acompanhe a erupção dental. Afinal, os primeiros dentes normalmente nascem por volta dos 6 meses de idade, a mesma época em que os bebês perdem a imunidade garantida pela mãe, tornando-os mais vulneráveis a febres e infecções. Apesar disso, alguns reconhecem que uma febre baixa (abaixo de 38,3°C temperatura retal) podem ocasionalmente acompanhar a dentição como consequência da inflamação das gengivas. Por via das dúvidas, trate a febre que ocorre na dentição como qualquer outra febre baixa, ligando para o pediatra caso ela persista por três dias (para mais informações sobre febres, ver página 790).

**Insônia.** A dentição dos bebês não ocorre apenas durante as horas do dia. O desconforto que o deixa irritado durante o dia pode mantê-lo acordado à noite. Mesmo o bebê que vinha dormindo bem pode de súbito passar a acordar à noite. Para evitar que ele retorne a velhos hábitos (que vão continuar muito tempo depois de passada a dor da dentição), não saia correndo ao primeiro guincho do bebê. Em vez disso, veja se ele se acomoda sozinho rapidamente. Se não, tente confortá-lo de alguma forma que não inclua alimentá-lo (canções de ninar e afagos podem resolver). Acordar à noite, como muitos outros problemas decorrentes da dentição, é mais comum com os primeiros dentes e com os molares.

**Hematoma de erupção.** Ocasionalmente, a dentição desencadeia sangramento sob as gengivas, o que pode aparecer como um cisto azulado. Esses hematomas não são preocupantes, e a maioria dos pediatras recomenda deixar que se dissolvam espontaneamente sem intervenção médica. Compressas geladas podem aliviar o desconforto e acelerar a absorção dos hematomas de erupção.

**O bebê puxa a orelha; esfrega a bochecha.** A dor na gengiva pode se estender até os ouvidos e as bochechas, ao longo dos trajetos nervosos que compartilham, particularmente quando os molares começam a abrir caminho. É por isso que alguns bebês, quando estão em dentição, puxam a orelha ou esfregam a bochecha ou o queixo. Tenha em mente, porém, que as crianças também puxam as orelhas quando têm otite. Se você desconfiar de uma infecção no ouvido (ver página 778), com ou sem dentição, verifique com o pediatra.

Provavelmente existem tantos tratamentos caseiros para o desconforto da dentição quanto existem avós. Algumas soluções dão certo, outras, não. Entre o melhor que crenças antigas e novos medicamentos têm a oferecer estão:

**Algo para morder.** Isto não tem o propósito de oferecer benefícios nutritivos, mas o alívio que vem da contrapressão nas gengivas — enfatizada quando o objeto mordido é gelado e anestesiante. Um pãozinho congelado (depois que o trigo foi introduzido), uma banana congelada (que vai fazer estragos nas mãos de um bebê), uma toalhinha limpa com um cubo de gelo firmemente enrolado e preso dentro (mas cuidado para que o gelo não se solte), uma cenoura gelada com a ponta fina cortada (mas não use cenouras depois que os dentes tiverem nascido e puderem cortar lascas que podem fazer o bebê engasgar), uma argola de borracha dura ou qualquer outro brinquedo especial para bebês em dentição, até mesmo a grade plástica do berço ou do cercado, todos vão oferecer uma boa mordida. Se você usar algum alimento para aliviar o desconforto de seu bebê, faça-o com ele sentado e sob a supervisão de um adulto.

**Algo para esfregar.** Muitos bebês apreciam que lhe friccionem firmemente a gengiva com o dedo. A princípio alguns vão protestar contra a intrusão, pois a fricção parece doer inicialmente, mas depois vão se acalmar quando a contrapressão começar a trazer alívio.

**Algo gelado para beber.** Dê ao bebê uma mamadeira de água gelada. Se ele não aceitar ou se a sucção o incomodar, ofereça o líquido numa xícara ou caneca — mas antes retire as pedras de gelo, se houver. Isso também vai aumentar a ingestão de fluidos do bebê em dentição, importante se ele estiver perdendo líquido devido à salivação e/ou ao intestino solto.

## O MAPA DA DENTIÇÃO

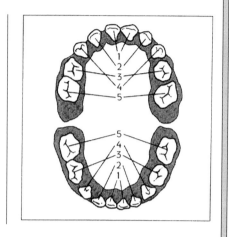

*A figura ao lado ilustra o padrão mais comum da erupção dental. Embora na maioria dos bebês o nascimento dos dentinhos obedeçam à regra, alguns parecem seguir um ritmo diferente — estreando com os dentes superiores em vez dos inferiores, por exemplo. Muito raramente, um dente (ou um par deles) nunca aparece — e nesse caso o pediatra provavelmente vai encaminhar seu filho a um odontopediatra ou um dentista que trate muitas crianças. Se a dentição de seu bebê estiver adiantada ou atrasada agora, é provável que o mesmo aconteça com o segundo conjunto de dentes.*

**Algo gelado para comer.** Depois de terem sido introduzidos, suco de maçã, purê de pêssego ou iogurte, resfriados no congelador, podem ser mais atraentes para um bebê em dentição do que alimentos quentes ou à temperatura ambiente.

**Algo para aliviar a dor.** Quando nada mais traz alívio, o acetaminofeno (paracetamol) pediátrico deve resolver. Verifique a dose correta com o pediatra ou veja na página 1054, se não conseguir contatá-lo. Você também pode tentar um agente anestésico tópico ou analgésico recomendado pelo pediatra. Evite dar qualquer remédio pela boca ou friccionar qualquer coisa na gengiva do bebê a menos que recomendado pelo médico. Esse alerta inclui conhaque ou qualquer outra bebida alcoólica. O álcool, mesmo em gotas, pode ser extremamente prejudicial a uma criança.

## TOSSE CRÔNICA

*"Nas últimas três semanas, meu bebê está com um pouco de tosse. Ele não parece doente e não tosse durante o sono — parece até que está tossindo de propósito. Isso é possível?"*

Mesmo bem cedo, aos 5 meses, muitos bebês já começaram a perceber que o mundo é um palco e que nada é melhor do que um público de admiradores. Portanto, quando um bebê descobre que uma tossezinha — provocada pelo excesso de saliva ou por um tropeço no curso comum de uma experimentação vocal — atrai um bocado de atenção, ele com frequência continua com esse artifício puramente por seus efeitos. Enquanto ele estiver saudável e parecer controlar a tosse, e não vice-versa, ignore-a. E, embora seu pequeno ator possa não perder o talento para o drama, provavelmente vai desistir desse expediente assim que ele (ou o público) se cansar.

## Puxões nas orelhas

*"Minha filha puxa muito a orelha. Ela não parece sentir dor, mas estou preocupada que esteja com alguma infecção no ouvido."*

Os bebês têm um amplo território a conquistar — alguns deles no próprio corpo. Os dedos e as mãos, os pés e seus dedinhos, o pênis ou a vagina e outro apêndice curioso, a orelha, todos serão objeto de exploração num momento ou em outro. A menos que o gesto de puxar a orelha seja acompanhado de choro ou óbvio desconforto, febre e/ou outros sinais de doença (ver página 778 se for esse o caso), é muito provável que seja apenas uma manifestação de curiosidade e não um sintoma de infecção no ouvido. Alguns bebês podem também mexer na orelha quando os dentes estão nascendo ou quando estão cansados. Vermelhidão na área externa da orelha não é sinal de infecção, apenas o resultado da manipulação constante. Se você desconfiar de algum problema, consulte o pediatra.

Gestos peculiares, como puxar a orelha, são comuns e desaparecem depres-

sa; cada um deles é substituído por um novo e mais excitante, quando o bebê cresce um pouco mais ou se cansa dele.

## Sonecas

*"Meu filho fica mais tempo acordado durante o dia agora e não tenho certeza — e acho que nem ele tem — de quantas sonecas ele precisa tirar."*

Isso é inevitável. Nas duas primeiras semanas em casa, de volta da maternidade, papai e mamãe, orgulhosos, ansiosos para dar início às suas atividades de pais, postam-se em expectativa ao lado do berço, esperando que o bebê acorde do que aparenta ser um sono infinito. Depois, quando ele permanece acordado por mais tempo, eles começam a se perguntar: "Por que essa criança nunca dorme?"

Embora normalmente um bebê de 5 meses tire três ou quatro sonecas regulares de cerca de uma hora cada uma durante o dia, alguns bebês se satisfazem com cinco ou seis sonecas de uns 20 minutos cada uma, e outros com sonecas mais longas de uma hora e meia ou duas. O número e a duração das sonecas que seu bebê tira, porém, são menos importantes do que a quantidade total de sono que ele tem (cerca de 14 horas e meia por dia em média durante o quinto mês, com amplas variações). Sonecas mais longas são mais práticas para você — e ninguém precisa lhe dizer isso — porque lhe permitem períodos de tempo maiores durante os quais você pode fazer muitas coisas. Além disso, o bebê que cochila durante o dia pode seguir o mesmo padrão durante a noite, acordando com frequência.

Você pode encorajar sonecas mais longas colocando em prática as seguintes sugestões:

♦ Ofereça um local confortável para o bebê dormir. Deixá-lo dormir no seu ombro vai resultar não só num ombro dolorido para você, como também numa soneca mais curta para ele. O berço ou o carrinho vão mantê-lo adormecido por mais tempo.

♦ Conserve a temperatura do cômodo agradável, nem quente demais nem fria demais, e o vista de forma adequada.

♦ Escolha a hora certa. Não deixe o bebê pegar no sono logo antes da refeição (quando é provável que o estômago vazio o desperte prematuramente), quando a fralda precisa ser trocada (ele não vai dormir muito com o bumbum encharcado), quando você está esperando companhia (e barulho) ou qualquer outra hora quando souber que a soneca está fadada a não durar.

♦ Evite perturbações previsíveis. Você vai aprender depressa o que atrapalha o sono do seu bebê. Pode ser levar o carrinho para o supermercado. Ou transferir o bebê da cadeirinha do carro para o berço. Ou o latido estridente do cachorro. Ou o telefone no corredor perto do quarto dele. Tentando controlar as circunstâncias nas quais seu filho dorme, você pode conseguir minimizar as perturbações

— embora, é claro, você não possa (nem deva tentar) eliminar todo o barulho.

♦ Mantenha o bebê acordado por intervalos mais longos entre as sonecas. Agora, seu bebê deve ser capaz de ficar acordado por períodos de cerca de duas horas e meia a três horas. Se assim for, é provável que ele tire uma soneca mais longa. Experimente qualquer uma das ideias para estimular o bebê, nas páginas 358 e 527, para aumentar o tempo em que ele fica acordado.

Embora muitos bebês regulem muito bem por conta própria sua cota de sono, nem todos dormem tanto quanto necessitam. Se seu filho parece irritado com frequência, pode ser que ele não esteja tirando sonecas suficientes ou talvez o total de sono não esteja sendo bastante. Se você acha que seu bebê precisa dormir mais, vai ter de intervir para aumentar as horas de sono dele. Mas se o bebê dorme muito pouco e parece perfeitamente feliz, você terá de aceitar o fato de que ele é uma daquelas crianças que não precisam de muitas sonecas.

# ECZEMA

*"Minha filha começou a apresentar uma erupção avermelhada nas bochechas. Deve provocar prurido, pois ela fica tentando coçar o local."*

Isto soa como um clássico caso de eczema infantil, também conhecido como dermatite atópica. O eczema é uma doença de pele considerada um tipo de reação alérgica. Embora esteja presente no nascimento em alguns bebês, ele normalmente surge entre 2 e 6 meses de idade. Seu aparecimento é muitas vezes desencadeado quando o bebê começa a ingerir alimentos sólidos ou passa do leite materno para a fórmula ou da fórmula para o leite de vaca (com 1 ano). É menos comum em bebês alimentados exclusivamente com leite materno e mais comum naqueles com histórico familiar de eczema, asma ou febre do feno. Em bebês alimentados com fórmula, a erupção normalmente surge por volta dos 3 meses de idade.

Em geral, uma erupção vermelho-vivo e escamosa tem início nas bochechas e é comum avançar para outros pontos, mais frequentemente para a área atrás das orelhas e para o pescoço, braços e pernas. (A erupção não costuma se espalhar para a área da fralda até entre 6 e 8 meses.) Pequenas bolhas ou pústulas desenvolvem-se e se enchem de líquido, depois estouram e formam uma crosta. A forte comichão faz com que as crianças cocem o local, o que pode levar à infecção. Exceto em casos muito leves e autolimitantes, o eczema exige tratamento médico a fim de evitar complicações. Em cerca de metade dos casos ele desaparece em torno dos 18 meses e, nos outros, normalmente se torna menos grave por volta dos 3 anos. Entretanto, aproximadamente uma em cada três crianças com eczema desenvolve asma ou outras alergias mais tarde ou continua a combater o eczema na vida adulta.

Os seguintes itens são da maior importância ao se lidar com o eczema:

**Unhas curtas.** Mantenha as unhas do bebê o mais curtas possível para diminuir o dano causado quando ele coça a erupção. Você pode impedi-lo de coçar enquanto dorme cobrindo suas mãozinhas com meias ou luvas.

**Banhos rápidos.** Como o contato prolongado com a água e o sabonete aumenta a secura da pele, limite a duração dos banhos a não mais que 10 ou 15 minutos, usando sabonete extrassuave (Dove ou Cetaphil, por exemplo). Não deixe que o bebê fique imerso na água com sabonete e, assim que tirá-lo da água, aplique um hidratante. A água clorada e salgada pode piorar o eczema; se for o caso do seu bebê, pode ser necessário restringir mergulhos na piscina ou na praia.

**Lubrificação abundante.** Espalhe quantidades generosas de creme hidratante hipoalergênico (recomendado pelo pediatra) depois do banho, enquanto a pele ainda está úmida. No entanto, não use óleo nem vaselina.

**Controle o ambiente.** Como o ar excessivamente quente, frio ou seco pode piorar o eczema, procure evitar expor seu bebê aos climas extremos; mantenha a temperatura da casa nem muito quente nem muito fria e use um umidificador para controlar a umidade do ar.

**Prefira algodão.** A transpiração pode agravar o eczema. Portanto, evite tecidos sintéticos, lã e excesso de vestimentas em geral. Evite também tecidos que provoquem coceira e roupas com costuras ou ornamentos ásperos, que podem exacerbar o problema. Roupas de algodão macio, folgadas e sobrepostas no corpo, são mais confortáveis e menos irritantes para a pele. Quando o bebê brincar sobre carpete ou tapete, o que pode irritar a pele, forre o chão com um lençol de algodão.

**Controle a alimentação.** Sob supervisão médica, elimine qualquer alimento que pareça provocar o surgimento ou o agravamento da erupção.

**Procure tratamento médico.** O eczema que aparece e desaparece na infância costuma não deixar efeitos duradouros. No entanto, se o problema persistir, a pele afetada pode se tornar espessa, despigmentada e rachada. Portanto, o tratamento é essencial — e em geral vai incluir um creme esteroide (ou pomada de tacrolimus ou creme de pimecrolimus, mais modernos, sem esteroides) para aplicação nas áreas afetadas, anti-histamínicos para reduzir a coceira e antibióticos, caso uma infecção secundária se desenvolva.

# USANDO UMA *KEPINA* DE COSTAS

*"Nosso bebê está ficando grande demais para ser levado na kepina de peito. O canguru de costas é seguro?"*

Uma vez que seja capaz de sentar-se sozinho, ainda que por pouco tempo, seu bebê está pronto para passar para a *kepina* de costas — presumindo-se que ela sirva a vocês dois. Alguns pais acham esse meio de transporte um modo confortável e conveniente de carregar seus bebês; outros o consideram um incômodo e um esforço para os músculos. Certos bebês adoram a altura e a visão privilegiada que a *kepina* de costas lhes propicia, outros ficam assustados com o poleiro precário. Para descobrir se a *kepina* de costas é boa para você e seu bebê, leve-o para um passeio de teste na *kepina* de costas de uma amiga ou numa loja, antes de comprar uma.

Se você resolver usar a *kepina* de costas, assegure-se sempre de que o bebê está preso nela com segurança. Esteja ciente também de que a posição permite que o bebê faça muito mais às suas costas do que apreciar a vista — inclusive puxar latas de prateleiras no supermercado, derrubar um vaso na loja de presentes, arrancar (e depois mastigar) folhas de arbustos e árvores no parque. Tenha em mente, ainda, que, ao adquirir esse artigo, você terá de calcular as distâncias de modo diferente — quando anda para trás num elevador cheio ou passa por um portal baixo, por exemplo.

# CONSELHOS GRATUITOS

*"Toda vez que saio com meu filho tenho de escutar pelo menos uma dúzia de estranhos me dizendo que ele não está vestido com roupas quentes, o que devo fazer no nascimento dos*

*dentes ou como posso fazê-lo parar de chorar. Como lidar com todos esses conselhos que não pedi?"*

Quando se trata de criar um filho, todos pensam saber mais — ou, pelo menos, mais que a mãe ou o pai do bebê. E isso inclui as vozes da experiência que fazem coro em torno do carrinho sempre que você sai de casa.

Embora você possa, se for realmente capaz de separar o joio do trigo, recolher uma porção ocasional de *know-how* genuíno desses sabichões bem-intencionados, a maior parte do que você vai ouvir deve ser desprezado. Claro, desprezar com graça é a parte difícil. Você pode sair-se com uma resposta sarcástica ("Você não acha que ele me diria se estivesse sentindo frio?") ou passar dez minutos tentando justificar sua posição com fatos ("Na verdade, as pesquisas mostram que os bebês não precisam de mais roupas quentes do que os adultos"). No entanto, a saída mais inteligente na maioria dessas situações é pregar um sorriso no rosto, assentir com a cabeça em sinal de gratidão, emitir um agradecimento superficial e seguir em frente o mais depressa que conseguir. Assim, os conselheiros de plantão poderão cuidar da própria vida pensando que ajudaram você ("Mais um bebê salvo de dedos frios!"); você vai ter a satisfação de saber de outra forma. Deixar que esses estranhos deem palpites, sem acolher em sua mente o que eles têm a dizer, vai fazer com que todos tenham um dia melhor.

Se o conselho dado lhe parecer de algum valor, mas você não tiver certeza, confirme com o pediatra ou com outra fonte confiável.

## COMEÇANDO COM O COPO

*"Não dou mamadeira ao meu bebê, mas o médico disse que posso lhe dar sucos agora. É muito cedo para começar a usar o copo?"*

Não importa se o bebê é iniciado no uso do copo aos 5 meses, aos 10 ou 18 meses, o certo é que ele mais cedo ou mais tarde vai usá-lo para obter todo o fluido de que necessita. Entretanto, ensiná-lo cedo a beber no copo traz algumas vantagens importantes. Uma delas, por exemplo, é que ele aprende que existe uma rota alternativa ao peito ou à mamadeira para o líquido refrescante, uma opção que vai tornar mais fácil desmamá-lo de um, de outro ou de ambos. Outra é que isso fornece um meio adicional para dar líquidos (água, suco e, depois de um ano, leite) quando mamãe não está por perto ou quando não há mamadeira disponível.

Outra vantagem de começar a treinar cedo o bebê a beber no copo: uma criança de 5 meses de idade é maleável, aberta a novas experiências. Mas espere até que seu bebê faça 1 ano para apresentá-lo ao copo e é provável que você encontre uma resistência considerável. Não só ele teimará em manter seus hábitos como também estará apto a sentir que aceitar o copo vai significar largar a mamadeira ou o peito. E, mesmo que ele aceite o copo, pode demorar um pouco antes que ele ganhe destreza para manuseá-lo, o que significa que pode levar semanas ou meses para que ele consiga beber quantidades significativas nele —

e, consequentemente, semanas ou meses para que você possa desmamá-lo.

Para induzir seu bebê a usar o copo cedo e com sucesso:

**Espere que ele consiga sentar-se apoiado.** Bebês de 2 meses podem começar a usar o copo, mas os engasgos serão um problema a menos depois que o bebê conseguir ficar sentado com apoio.

**Escolha um copo seguro.** Mesmo que você segure o copo, o bebê pode derrubá-lo ou atirá-lo longe impacientemente quando não quer mais, portanto use copos inquebráveis. Um copo mais pesado no fundo não vai virar facilmente, uma vantagem indiscutível. Um copo de papel ou de plástico mole, porém, embora inquebrável, não vai funcionar para o treinamento porque — para a alegria do bebê — pode ser amassado ou rasgado.

**Escolha um copo compatível.** Uma vez que o tipo de copo preferido difere de criança para criança, é possível que você tenha de experimentar diversos até encontrar um de que seu bebê realmente goste. Algumas crianças preferem um copo com uma ou duas alças que eles possam segurar; outras preferem um copo sem alças. (Se um copo assim tende a escorregar das mãozinhas úmidas do bebê, passe duas tiras de fita adesiva em torno dele, trocando-as sempre que ficarem sujas.) Um copo com canudinho teoricamente oferece uma boa transição de sugar para beber (provavelmente mais para bebês que usaram a mamadeira do que para aqueles habituados a um ma-

milo humano), mas algumas crianças simplesmente não gostam dele — talvez porque achem mais difícil chegar ao líquido, talvez porque queiram beber em um copo igual ao da mamãe e do papai. E embora haja menos episódios de grandes quantidades de líquidos derramadas no início com um copo com bico (e provavelmente nenhum com as muitas variedades antivazamento), com o tempo o bebê vai ter de enfrentar o desafio de aprender a usá-lo sem essa proteção — o que pode resultar em mais vazamentos mais tarde. (Além disso, existem outras questões a considerar; veja quadro nas páginas 474 e 475.)

**Proteja a grande área.** Ensinar o bebê a beber em um copo não vai ser uma tarefa das mais limpas; por um bom tempo você pode esperar que mais escorra pelo queixo dele do que para dentro da barriguinha. Portanto, até que ele se torne proficiente, mantenha-o coberto com um babador grande e absorvente ou impermeável durante as aulas. Se o alimentar em seu colo, proteja-se com um guardanapo ou avental impermeável.

**Dê conforto ao bebê.** Sente-o de forma que ele se sinta seguro — em seu colo, num bebê-conforto ou numa cadeirinha.

**Encha o copo com a coisa certa.** Começar com água é mais fácil e faz menos sujeira. Depois que essa etapa estiver vencida (mais ou menos), você pode passar para leite materno ou fórmula (mas não leite de vaca comum antes de 1 ano de idade), ou (depois de introduzido) suco diluído. Respeite os gostos do

## A SEGURANÇA DOS COPOS COM CANUDINHO

Para os pais que se tornaram dependentes deles (ou cujos filhos se tornaram dependentes deles), são a maior invenção desde o velcro. Sua aparência é inofensiva — os copos com bico. A lista de vantagens é atraente: como são praticamente à prova de vazamentos e inquebráveis, acabou a choradeira sobre o suco — ou o leite — derramado, há menos limpeza a fazer e menos roupas para lavar; ao contrário de outros copos e canecas, podem ser usados no carro, durante a brincadeira, no carrinho e — eis o melhor para pais ocupados — sem supervisão.

As pesquisas, porém, apontaram também alguns riscos em potencial no uso do copo com bico. Como estão mais próximos de uma mamadeira do que de um copo, na forma pela qual o líquido é extraído deles (é um processo lento, que permite que o líquido passe mais tempo acumulado na boca e entre os dentes), seu uso frequente e prolongado pode levar ao aparecimento de cáries. Isso se aplica principalmente se o copo com bico é usado (como muitas

vezes acontece) entre as refeições e entre as escovações, e o risco aumenta se ele é levado de um lado para o outro durante todo o dia como um algo permanente para morder (como uma mamadeira pode ser). Outro problema de serem carregados o tempo todo é que eles se tornam um criadouro de bactérias (particularmente quando a criança tem um copo "favorito" que não é lavado totalmente a toda hora porque está sempre em uso ou quando o copo é deixado sobre uma pilha de brinquedos num dia e recuperado e usado para beber novamente no dia seguinte). Outro problema: assim como a criança que passa o dia todo com a mamadeira de suco na boca, aquela que passa o dia bebendo suco em um copo com bico pode afogar seu apetite por comida e/ ou ingerir calorias supérfluas em demasia, e/ou sofrer de diarréia crônica. Um quarto problema sugerido é que as crianças que usam apenas copos com bico são mais lentas no desenvolvimento da fala ou mais propensas a ter dificuldades

bebê; algumas crianças vão aceitar inicialmente apenas suco no copo e não leite; outras, apenas leite.

**Use a técnica gole a gole:** coloque apenas uma pequena quantidade de líquido no copo. Segure-o nos lábios do bebê e, devagar, derrame algumas gotas em sua boca. Depois afaste o copo, para dar a ele a chance de engolir sem engasgar.

Encerre cada sessão quando o bebê indicar que está satisfeito, virando a cabeça, afastando o copo ou começando a reclamar.

Mesmo com esta técnica, você ainda pode esperar que saia quase tanto líquido da boca do bebê quanto vai entrar. Com tempo, prática, paciência e perseverança, uma quantidade maior vai atingir o alvo.

de fala temporárias. Segundo a teoria, o método de beber no copo com bico — ao contrário de beber em um copo normal ou com um canudo — não trabalha os músculos da boca como seria necessário. Mais estudos devem ser efetuados para que essa teoria ganhe crédito universal; nesse ínterim, é algo para se pensar.

Ainda assim, os copos com bico propiciam uma excelente transição do peito ou da mamadeira para o copo tradicional, diminuem a sujeira e são de inegável conveniência nos deslocamentos. Para eliminar os possíveis riscos que acompanham esses benefícios:

♦ Não comece com um copo com bico. Assegure-se de que seu bebê tenha ao menos começado a aprender a arte de beber em um copo comum — uma habilidade importante de dominar — antes de dar-lhe um com bico. Depois use ambos, em vez de dar o copo com bico o tempo inteiro.

♦ Limite o uso do copo com bico às horas das refeições principais e lanches. Não deixe que seu filho carregue o copo pela casa e para o parquinho; não o use sempre para apaziguar o bebê no carro ou no carrinho. Os limites ajudam a proteger os dentes e a fala, evitar a ingestão demasiada de sucos e a impedir que o uso do copo com bico transforme-se em abuso.

♦ Compre múltiplos. Muitas crianças elegem favoritos — e vão exigir o mesmo copo com bico em todas as ocasiões. Para garantir que você tenha sempre um à mão enquanto os outros se encontram no lava-louça, compre diversos, do estilo que a criança prefere.

♦ Encha-o com água. Se o copo com bico tornar-se um objeto de conforto (assim como pode acontecer com a mamadeira), não o negue ao bebê, mas encha-o com água, e não com suco. Isso vai evitar muitos problemas associados ao seu uso.

♦ Saiba o momento de parar. Depois que seu filho for capaz de beber em um copo normal, xícara ou caneca, com facilidade e eficiência, esqueça o copo com bico.

**Incentive a participação.** Seu bebê pode tentar tirar o copo de você, com uma atitude do tipo "posso fazer sozinho". Deixe-o tentar. Pouquíssimos bebês conseguem manusear um copo nessa idade. Não se irrite se ele entornar tudo — é parte do processo de aprendizagem. Ele também pode aprender dividindo o trabalho, segurando o copo junto com você.

**Aceite o não como resposta.** Se seu bebê resistir ao copo, mesmo após algumas tentativas, e mesmo depois de você experimentar várias bebidas diferentes e vários tipos de copo diferentes, não o pressione. Em vez disso, arquive o projeto por umas duas semanas. Quando tentar novamente, use um copo novo e um pouco de teatro ("Veja só o que a mamãe tem para você!") para tentar ge-

# ALIMENTANDO SEU BEBÊ COM SEGURANÇA

A intoxicação alimentar é uma das doenças mais comuns nos Estados Unidos. E, ao mesmo tempo, uma das mais fáceis de prevenir. Outros riscos que se originam à mesa (cacos de vidro, transmissão de germes do resfriado) também podem ser evitados. Para garantir que você está fazendo tudo que pode para tornar a alimentação segura para o seu bebê, tome as seguintes precauções toda vez que for preparar a comida:

♦ Sempre lave as mãos com água e sabão antes de dar comida ao bebê; se tocar em carnes vermelhas, aves, peixes ou ovos crus (todos abrigam bactérias) enquanto o estiver alimentando, lave-as de novo. Lave as mãos, também, se assoar o nariz ou levar a mão à boca. Se tiver um corte aberto na mão, cubra-o com *band-aid* antes de dar comida ao bebê.

♦ Guarde cereais infantis secos e potes de alimento infantil fechados em local fresco e seco, longe de temperaturas extremas, quentes (acima do fogão, por exemplo) ou frias (como numa adega sem aquecimento).

♦ Limpe a tampa dos potinhos de comida com um pano limpo ou coloque-a sob a torneira para remover a poeira antes de abri-los.

♦ Certifique-se de que o botão está abaixado nas tampas de segurança antes de abrir o pote pela primeira vez; quando abrir, fique atenta ao "pop" para ter certeza de que o selo estava intacto. Jogue fora ou devolva à loja qualquer pote cujo botão esteja saliente ou que não estale. Se você usa alimentos enlatados comuns para uma criança mais velha (ou para qualquer outra pessoa), descarte as latas estufadas ou vazando. Não utilize alimentos em que um líquido que devia ser transparente tornou-se opaco ou leitoso.

♦ Se o pote estiver difícil de abrir, direcione o jato d'água da torneira quente para o gargalo ou levante a borda da tampa com um abridor de latas até ouvir o "pop"; não bata na tampa, pois isto pode jogar lascas de vidro no conteúdo.

♦ Sempre que usar o abridor de latas, certifique-se de que esteja limpo (lave-o no lava-louças) e jogue-o fora quando começar a enferrujar ou quando você não conseguir mais limpá-lo.

♦ Não dê comida ao bebê diretamente do pote, a menos que seja a última porção, nem guarde o prato com comida que o bebê deixou para a próxima refeição, pois enzimas e bactérias da saliva do bebê vão começar a "digerir" a comida, deixando-a aguada e fazendo-a estragar mais depressa.

♦ Retire uma porção de cada vez do pote de alimento infantil com uma colher limpa. Se o bebê quiser mais, use uma nova colher para servi-lo.

- Depois de retirar uma porção de um pote, tampe o restante e leve à geladeira até precisar dele de novo; se não for usado dentro de três dias para sucos e frutas, e de dois dias para todo o resto, jogue fora.

- Não é necessário aquecer a comida do bebê (os adultos podem preferir carnes e legumes quentes, mas os bebês não desenvolveram tais preferências de gosto), mas, se o fizer, esquente apenas o suficiente para uma refeição e jogue fora qualquer porção aquecida não usada. Não aqueça a comida do bebê no micro-ondas; embora o recipiente possa permanecer frio, o interior continua a cozinhar por alguns minutos depois de retirado do forno e pode ficar quente o bastante para queimar a boca do bebê. Em vez disso, esquente a comida num prato elétrico ou numa tigela de vidro resistente ao calor sobre água fervente (pratos que usam água quente não aquecem a comida, apenas a mantêm quente). Quando testar a temperatura, misture a comida e depois coloque um pouco na parte interna do seu pulso em vez de prová-la da colher do bebê; se provar, dê outra colher para ele.

- Quando preparar alimentos frescos para o bebê, certifique-se de que utensílios e superfícies de trabalho estejam limpos. Conserve frios os alimentos frios e quentes os alimentos quentes; como a comida se estraga mais rapidamente entre 16ºC e 49ºC, não mantenha a comida do bebê a essas temperaturas por mais que uma hora. (Para adultos, o período de segurança fica próximo de duas ou três horas.)

- Quando o pediatra liberar o consumo de ovos para o bebê, cozinhe-os bem antes de servi-los. Ovos crus ou mal cozidos podem abrigar salmonela. (Para uma segurança extra, use ovos pasteurizados.)

- Não dê ao bebê suco, leite ou queijo não pasteurizados, nem qualquer outro laticínio "cru".

- Descasque frutas e legumes, quando possível, a menos que sejam garantidamente orgânicos, e lave bem todas as frutas, legumes e verduras. Os melões devem ser escovados antes de serem fatiados.

- Quando provar a comida durante seu preparo, use uma nova colher a cada vez que provar, ou lave a colher entre as provas.

- *Quando tiver dúvidas* a respeito do estado de um alimento, *jogue-o fora*.

- Quando sair com o bebê, leve potes fechados ou alimentos infantis secos (aos quais você pode adicionar água). Leve potes abertos ou recipientes contendo qualquer alimento que necessite de refrigeração em uma bolsa térmica cheia de gelo ou de bolsas de gelo, se você for demorar mais de uma hora para servi-los. Se o alimento perder o gelo, não o dê ao bebê.

rar entusiasmo. Ou experimente deixar seu objetor consciente segurar um copo vazio como um brinquedo por algum tempo.

# ALERGIAS ALIMENTARES

*"Tanto eu como meu marido temos muitas alergias. Estou preocupada que nosso filho possa ter o mesmo problema."*

Infelizmente, não são apenas as melhores características — cabelos sedosos, pernas longas, talento musical, aptidão mecânica — que são hereditárias. As menos desejáveis também o são, e ter os dois pais com alergias torna um bebê muito mais propenso a desenvolvê-las do que se ele tivesse pais não alérgicos. Isso, porém, não significa que seu bebê esteja fadado a passar a vida entre urticárias e espirros. Significa, sim, que você deve conversar a respeito de suas preocupações com o pediatra e, se necessário, com um especialista em alergias infantis.

Um bebê se torna alérgico a uma substância quando seu sistema imunológico torna-se sensível a ela, produzindo anticorpos. A sensibilização pode ocorrer na primeira ou na centésima vez que o organismo dele encontra essa substância. Mas, uma vez que isso acontece, os anticorpos entram em ação sempre que a substância é encontrada, causando qualquer uma de um amplo leque de reações físicas, entre as quais coriza, olhos lacrimejantes, dor de cabeça, chia-

do no peito, eczema, urticária, diarreia, dor ou desconforto abdominal, vômitos violentos e, em casos graves, choque anafilático. Existem até algumas evidências de que a alergia também pode se manifestar por meio de sintomas comportamentais, como irritação.

Entre os vilões alimentares mais comuns estão o leite, o ovo, amendoins, castanhas em geral, trigo, milho, peixe, crustáceos, frutas silvestres, ervilhas e feijões, chocolate e alguns condimentos. Em certos casos, mesmo uma quantidade pequena do alimento provoca uma reação forte; em outros, pequenas quantidades não parecem causar problemas. Com frequência, as crianças se livram de algumas alergias alimentares quando crescem, mas desenvolvem mais tarde hipersensibilidade a outras substâncias do ambiente, tais como poeira doméstica, pólen e caspa de animais.

No entanto, nem toda reação adversa a um alimento ou outra substância é uma alergia. Na verdade, em alguns estudos com crianças, os especialistas só conseguiram confirmar a presença de alergia em menos da metade dos sujeitos do estudo — todos os quais haviam anteriormente recebido o diagnóstico de "alérgicos". O que parece ser uma alergia pode às vezes ser uma deficiência enzimática. Crianças com níveis insuficientes da enzima lactase, por exemplo, não conseguem digerir a lactose, que é o açúcar do leite, e por isso apresentam reação ao leite e seus derivados. E aquelas com doença celíaca não digerem o glúten, substância encontrada em muitos grãos, e portanto parecem ser alérgicas a eles. O funcionamento de um sistema digestivo imaturo ou problemas infantis tão comuns como cólicas também podem ser erroneamente diagnosticados como alergias.

Para crianças de famílias com um histórico de alergia, os pediatras costumam recomendar as seguintes precauções:

**Prossiga com a amamentação.** Bebês alimentados com mamadeira são mais propensos a desenvolver alergias do que bebês amamentados no peito — provavelmente porque o leite de vaca é uma causa relativamente comum de reações alérgicas.[2] Se você amamenta seu bebê, continue, se possível, por todo o primeiro ano. Quanto mais tarde o leite de vaca se tornar uma parte importante da alimentação dele, melhor. No caso de famílias alérgicas, muitas vezes é sugerido o uso de uma fórmula à base de soja quando um suplemento se faz necessário. No entanto, alguns bebês mostram-se alérgicos à soja também. Para estes, deve ser prescrita uma fórmula com proteína hidrolisada.

**Adie os sólidos.** Hoje se acredita que quanto mais tarde um bebê é exposto a um alérgeno em potencial, menos provável é que essa sensibilização ocorra. Por isso, a maioria dos médicos recomenda adiar a introdução de sólidos em bebês de famílias alérgicas — normalmente até pelo menos 6 meses de idade e às vezes mais tarde.

**Introduza novos alimentos gradativamente.** É sempre prudente introduzir

novos alimentos um de cada vez na dieta do bebê, mas isso é especialmente importante em famílias alérgicas. Pode ser recomendável que você dê cada novo alimento todos os dias por uma semana inteira antes de introduzir outro. Se houver qualquer tipo de reação adversa — intestino solto, gases, erupções cutâneas (inclusive assadura das fraldas), vômitos, chiado no peito ou nariz escorrendo — em geral é aconselhável que o alimento seja suspenso imediatamente e não seja repetido por diversas semanas pelo menos, quando é possível que seja aceito sem problemas.

**Introduza primeiro alimentos menos alergênicos.** O cereal de arroz para bebês, o menos propenso a provocar alergias, costuma ser recomendado como um dos primeiros alimentos. A cevada e a aveia são menos alergênicos que o trigo e o milho, e costumam ser dados antes deles. A maioria das frutas e dos legumes não causa problemas, embora os pais muitas vezes sejam alertados para adiar a introdução de frutas silvestres e tomate. Crustáceos, ervilhas e feijões também podem esperar. A maioria dos outros alimentos altamente alergênicos (castanhas em geral, amendoim, alguns condimentos e chocolate) pode ser introduzida em geral após os 3 anos de idade.

Dietas de eliminação e dietas líquidas especiais podem ser usadas para diagnosticar alergias, mas são complicadas e demandam tempo. Testes cutâneos para alergias alimentares não são de extrema precisão; uma pessoa pode ter um resultado positivo num teste cutâneo para determinado alimento e no entanto não apresentar nenhuma reação ao ingeri-lo.

---

[2]Ocasionalmente, bebês amamentados no peito podem ter reação alérgica a castanhas em geral, ao ovo ou à proteína do leite de vaca presentes na alimentação da mãe, passada através do leite (ver páginas 162 e 270).

## DICAS DE SEGURANÇA PARA AS CADEIRAS DE REFEIÇÕES

Dar comida ao seu bebê com segurança não significa apenas introduzir os novos alimentos gradativamente. Na verdade, uma alimentação segura para o bebê começa antes de encher a primeira colher — quando o bebê é sentado numa cadeira para refeições. Para ajudar a garantir que cada refeição se dê num ambiente seguro, siga estas regras:

### TODOS OS TIPOS DE CADEIRA

♦ Nunca deixe um bebê pequeno sozinho numa cadeira para refeições; tenha à mão comida, babador, toalhas de papel, utensílios e tudo o mais necessário à tarefa, para que você não tenha de deixá-lo para apanhar algo.

♦ Sempre ajuste bem o cinto de segurança, mesmo que seu bebê pareça jovem demais para sair da cadeira. Certifique-se de fechar o cinto que prende pela virilha, para impedi-lo de escorregar pelo fundo. (Muitos assentos mais novos contam com anteparos na virilha para que a criança não escorregue — no entanto, use o cinto também para evitar que o bebê escale a cadeira.)

♦ Mantenha limpas todas as superfícies da cadeira e da bandeja (limpe com detergente ou água com sabão e enxágue completamente); os bebês não se constrangem em apanhar um pedaço estragado remanescente de uma refeição anterior e mastigá-lo.

### CADEIRINHA, BEBÊ-CONFORTO E MESINHAS BAIXAS

♦ Certifique-se de que as bandejas retráteis estejam travadas com segurança; uma bandeja livre pode permitir que um bebê solto se movimente para a frente e mergulhe de cabeça.

---

Testes de "sensibilidade ao alimento" que afirmam diagnosticar alergias a partir de amostras de sangue, são ainda menos acurados, extremamente caros e não foram aprovados nem pelo FDA nem pela Academia Americana de Pediatria.

Felizmente, muitas alergias da infância desaparecem com o crescimento (embora em geral isso não ocorra com algumas alergias alimentares, como a amendoim, castanhas em geral, crustáceos e peixes). Portanto, mesmo que seu bebê se revele hipersensível a leite, trigo ou outros alimentos, ele pode deixar de sê-lo dentro de alguns anos — ou até menos.

# CADEIRINHAS

*"Venho dando comida ao meu bebê no colo, mas a bagunça é grande. Quando posso colocá-lo na cadeirinha?"*

Não existe um jeito perfeitamente limpo de dar comida a um bebê

- No caso de uma cadeira dobrável, confira se está travada com segurança na posição aberta e se não vai se fechar de repente com o bebê dentro.

- Coloque a cadeira afastada de mesas, bancadas, paredes ou outras superfícies que o bebê possa chutar, fazendo virar a cadeira.

- Para proteger os dedos do bebê, verifique onde eles estão antes de encaixar e remover a bandeja.

### CADEIRINHAS SUSPENSAS DE MESA

- Acople a cadeirinha somente em uma mesa estável de madeira ou metal; não use em mesas com tampo de vidro ou solto, mesas com pé central (o peso do bebê pode virá-la), mesinhas laterais nem mesas dobráveis de alumínio, ou numa mesa de tampo dobrável.

- Se o bebê numa cadeirinha suspensa for capaz de balançar a mesa, esta não é estável o suficiente; não prenda o assento nela.

- Evite forrar a mesa com jogos americanos ou toalhas, pois podem interferir na segurança dos suportes presos na mesa.

- Certifique-se de que todas as travas, presilhas ou encaixes estejam presos com segurança antes de colocar seu bebê na cadeira; sempre tire a criança do assento antes de soltá-lo ou desatarraxá-lo. Assegure-se de que as garras de ajuste estejam limpas e funcionando adequadamente.

- Não coloque uma cadeira nem qualquer outro objeto sob a cadeirinha como proteção para o caso de o bebê cair, nem a posicione em frente a um pé ou suporte da mesa; o bebê pode se apoiar nessas superfícies, deslocando a cadeirinha. E não deixe que cães grandes ou crianças mais velhas fiquem sob a cadeirinha quando o bebê estiver nela, porque eles também podem deslocá-la por baixo.

(vocês serão uma família escrava dos rolos de papel-toalha tamanho jumbo pois muitos meses a fio). Mas a manobra mais difícil em termos de logística e a que faz mais sujeira é exatamente a do bebê no colo; uma cadeira para refeições de qualquer tipo vai tornar a tarefa muito mais eficiente. Enquanto o bebê ainda precisa de algum apoio para sentar-se, um bebê-conforto (com o bebê preso no cinto e sob sua *constante* supervisão) pode fazer as vezes de uma cadeira para refeições. Depois que ele for capaz de ficar sentado sozinho, é hora de passar para a cadeirinha. Veja na página 455 como evitar que o bebê escorregue, deslize e caia de seu novo assento e, na página 480, algumas dicas de segurança em relação às cadeiras para refeições.

# ANDADORES

*"Minha filha parece estar muito frustrada por ainda não conseguir*

*andar. Ela não fica contente deitada no berço nem sentada no bebê-conforto, mas não posso carregá-la no colo o dia inteiro. Posso colocá-la num andador?"*

A vida pode ser frustrante quando você está acelerado mas não tem aonde ir (ou, pelo menos, sem ter como chegar lá sem a ajuda de alguém maior). Essas frustrações muitas vezes chegam ao extremo a partir da época em que o bebê começa a sentar-se bem até poder se locomover sozinho (arrastando-se, engatinhando, andando segurando-se nos móveis, ou seja, qual for o método que ele for capaz de usar primeiro). Antigamente, a solução óbvia era um andador — um assento instalado dentro de uma estrutura semelhante a uma mesa, sobre quatro pernas dotadas de rodízios, que permitia que os bebês zunissem pela casa muito antes de adquirirem mobilidade independente. Entretanto, como todos os anos os andadores são a causa de milhares de ferimentos na cabeça que exigem tratamento médico, e de milhares mais que são tratados em casa com "mamãe dá um beijinho que passa", eles não são mais aconselháveis e, na verdade, a Associação Americana de Pediatria recomendou a proibição da fabricação e venda de todos os andadores móveis. (Se ainda assim você decidir usar um, veja o quadro na página 484.)

Uma escolha um pouco mais segura é o andador estacionário (como o Exer-Saucer), que permite ao bebê alguns movimentos com um potencial de risco menor do que o andador móvel. O estacionário, porém, apresenta diversas desvantagens também. Primeiro, bebês cujas frustrações residem em não conseguir se deslocar de A para B sem pegar uma carona com mamãe ou papai não vão ficar menos frustrados num andador que não se move. Podem se sentir ainda mais frustrados; como o ExerSaucer se movimenta somente em círculos, isso pode alimentar sua fúria ("Estou me mexendo mas não estou indo a lugar algum!"). Além disso, estudos mostraram que ambos os andadores e o ExerSaucer podem causar atrasos transitórios no desenvolvimento se seu uso for demasiado; bebês que passam muito tempo neles, de acordo com a pesquisa, sentam-se, engatinham e andam mais tarde do que os outros. Isso não surpreende se você considerar que um bebê preso num andador (ou num bebê-conforto ou balanço) não tem a oportunidade de flexionar os músculos necessários para praticar e dominar essas habilidades. Na verdade, num andador, os bebês usam um conjunto de músculos para se manterem de pé diferente daquele que usam para ficar de pé para andar. As pesquisas demonstram ainda que, como não podem ver os pés no andador ou na mesa estacionária de brinquedos, os bebês são privados das dicas visuais que os ajudariam a descobrir como seu corpo atravessa o espaço (uma parte essencial de aprender a andar). E mais, não aprendem a se equilibrar, nem a cair e a se levantar quando o equilíbrio falha — passos igualmente vitais para se andar sozinho.

Se você de fato decidir usar um andador estacionário, veja as dicas a seguir para manter seu bebê feliz e seguro enquanto estiver nele:

**Leve o bebê para um teste de direção.** A melhor forma de avaliar se seu bebê está pronto para o andador estacionário é deixá-lo experimentar. Se nenhuma de suas amigas tiver um, vá a uma loja e deixe que o bebê experimente o modelo do mostruário. Se ele parecer feliz e não afundar deploravelmente no andador, está pronto para um andador estacionário.

**Não se afaste enquanto ele estiver andando.** Um andador estacionário não substitui a supervisão. Deixe seu bebê na mesa estacionária de brinquedos apenas quando ele puder ser vigiado.

**Não permita que ele ande o dia inteiro.** Limite o tempo que o bebê passa na mesa estacionária de brinquedos a não mais do que trinta minutos por sessão. Todo bebê precisa passar algum tempo no chão, exercitando habilidades que vão ajudá-lo mais tarde a engatinhar, como, por exemplo, levantar a barriga do chão enquanto está de gatinhas. Ele precisa ter a oportunidade de se apoiar na mesa de centro e nas cadeiras da cozinha preparando-se para levantar-se e, mais tarde, andar. Precisa de mais oportunidades para explorar e manusear objetos seguros em seu ambiente do que um andador de qualquer tipo pode proporcionar. Além de tudo, precisa da interação com você e outras pessoas que a brincadeira livre requer e permite; o andador estacionário (assim como o bebê-conforto e chiqueirinhos) não deve se transformar em babá.

**Não espere que ele ande para tirar o andador.** Assim que seu bebê for capaz de se deslocar de alguma outra maneira — engatinhando ou andando apoiando-se nos móveis, por exemplo, aposente o andador estacionário. Seu propósito, lembre-se, era aliviar a frustração do bebê por encontrar-se imóvel. Mantê-lo no andador não só não vai ajudá-lo a andar mais cedo como ainda por cima seu uso constante pode causar "confusão no andar" (assim como dar uma mamadeira ao bebê antes que ele aprenda a sugar o seio pode causar "confusão de bicos"), porque ficar de pé e locomover-se num andador (mesmo estacionário), e andar sozinho requerem movimentos de corpo diferentes.

# APARELHO PARA PULAR

*"Nosso bebê ganhou de presente um aparelho estacionário para pular, que fica pendurado no vão da porta. Ele parece gostar, mas não estamos certos de que é seguro."*

A maioria dos bebês está pronta e ansiosa para fazer um bom exercício muito antes que possa se deslocar independentemente — razão pela qual muitos adoram as acrobacias que podem realizar em aparelhos estacionários para pular. Mas a alegria de pular não é isenta de possíveis problemas. Por exemplo, alguns especialistas em ortopedia pediátrica avisam que o uso exagerado desses brinquedos pode causar certos tipos de lesões nos ossos e nas juntas.

# REDUZINDO OS RISCOS DO ANDADOR

Andadores móveis apresentam muitos riscos à segurança do bebê (assim como riscos ao desenvolvimento; ver página anterior). Se você decidir usar um andador que se movimenta, tenha em mente que ele não dá liberdade de movimentos a *você* — é preciso que você esteja perto e supervisione atentamente *cada momento que o bebê passa dentro dele*. Para aumentar a segurança, você deve:

**Usar somente modelos que observam as normas de segurança.** Os andadores fabricados depois de 30 de junho de 1997 são mais largos do que um portal de 90 centímetros ou são dotados de um freio que para o andador se qualquer uma das rodas descer abaixo da superfície onde ele se encontra (por exemplo, no início de uma escada). Não tome emprestado um modelo que não possua essas características.

**Uma casa à prova de crianças.** A maior parte das encrencas em que um bebê que engatinhe ou ande pode se meter também é possível para um bebê num andador. Um empurrão na parede e duas passadas rápidas e ele pode acabar do outro lado do quarto — e do lado de fora da porta ou escada abaixo. Portanto, mesmo que não possa circular sem a ajuda do andador, seu filho deve ser considerado tão perigoso para a própria saúde quanto um bebê que se move. Leia Tornando a Casa Segura para o Bebê (página 575) e faça todos os ajustes necessários antes de deixar o bebê solto no andador.

**Mantenha os perigos fora do caminho do andador.** O lugar mais perigoso para um bebê em um andador é o alto de uma escadaria; não o deixe perambular livremente no andador próximo a escadas, mesmo que exista a proteção de um portão de segurança fechado. Embora a maioria das lesões causadas pelo binômio andador/escada ocorra em escadas sem portão ou quando este é deixado aberto, algumas se dão quando o portão não está devidamente aparafusado à parede. Portanto, quando o bebê está no andador, é melhor bloquear completamente o acesso a áreas que levem a escadas — fechando uma porta ou utilizando obstáculos pesados. Entre outros riscos para o bebê no andador, que devem ser removidos ou bloqueados antes de deixá-lo livre, estão soleiras de portas, mudanças de nível (como do carpete para o linóleo ou do asfalto para a grama), brinquedos esquecidos no chão, tapetes soltos e outras obstruções baixas que podem fazer o andador virar.

Outros perigos que podem ser encontrados por uma criança num andador: fios pendentes que podem derrubar eletrodomésticos no chão, toalhas de mesa que podem ser rebocadas (levando com elas tudo o que há sobre a mesa, inclusive travessas quentes sobre o bebê).

Outro exemplo é que a excitação do bebê com a liberdade de movimento que o aparelho estacionário para pular proporciona pode rapidamente se transformar em frustração quando ele descobrir que, não importa o quanto mexa os braços e as pernas, está destinado a ficar preso ao vão da porta.

Se você optar por usar o aparelho para pular, certifique-se de que seus portais são bastante largos. Assim como com qualquer outro dispositivo para a distração do bebê (um andador, um balanço, uma chupeta, por exemplo), tenha certeza de que você lança mão dele para atender às necessidades do bebê, e não às suas; se ele não ficar contente, tire-o imediatamente. E jamais deixe seu bebê sozinho no aparelho estacionário para pular — nem mesmo por um momento.

## BALANÇO DO BEBÊ

*"Meu bebê adora ficar em seu balanço — é capaz de passar horas nele. Quanto tempo posso deixá-lo no balanço?"*

Você provavelmente adora deixar seu bebê no balanço quase tanto tempo quanto ele adora ficar lá. Afinal, isso o mantém ocupado quando você está ocupada, segura-o quando seus braços estão fazendo outra coisa e o acalma quando nada mais funciona.

No entanto, embora ficar no balanço distraia e acalme o bebê — e seja conveniente para você — existe uma desvantagem. O uso demasiado do balanço pode impedir seu bebê de praticar importantes aptidões motoras, como escalar, engatinhar, erguer-se e andar apoiando-se nos móveis. Pode também diminuir o contato entre você e o bebê — tanto físico (o tipo que ele recebe quando você o abraça) quanto emocional (o tipo que ele recebe quando você brinca com ele).

Portanto, mantenha o balanço, mas com restrições. Primeiro, limite as sessões a não mais do que trinta minutos cada uma, duas vezes por dia. Segundo, coloque o balanço no cômodo em que você vai estar e interaja com o bebê enquanto ele se balança — brinque de esconder atrás do pano de prato, cante enquanto verifica a correspondência, aproxime-se para um carinho ocasional enquanto fala ao telefone. Se ele tende a adormecer no balanço (quem pode culpá-lo?), transfira-o para o berço antes que ele pegue no sono — não só para que sua cabeça não fique pendente mas também para que ele aprenda a adormecer sem o movimento. E, terceiro, tenha as seguintes dicas de segurança em mente sempre que colocá-lo no balanço:

♦ Sempre prenda o bebê com o cinto de segurança para evitar quedas.

♦ Nunca deixe o bebê sozinho no balanço.

♦ Mantenha o balanço à distância de pelo menos um braço de objetos aos quais seu filho possa agarrar-se — como cortinas, abajures de pé, puxadores de cortina — e longe de itens perigosos que um bebê pode alcançar — como tomadas, o forno ou o fogão, ou utensílios de cozinha afiados. Também mantenha o balanço longe de paredes, armários ou qualquer superfície que o bebê possa usar para empurrar com os pés.

♦ Quando seu bebê atingir o limite de peso máximo recomendado pelo fabricante, normalmente de sete ou nove quilos, guarde o balanço.

# O Que É Importante Saber:
## OS RISCOS AMBIENTAIS E SEU BEBÊ

É um impulso natural — que você compartilha com a maioria dos membros do reino animal: manter sua cria segura e sadia. As aves fazem isso revestindo seu ninho com penas no alto das árvores, longe dos predadores que podem se banquetear com sua prole ainda por nascer. Mamães jacarés e crocodilos cobrem seus ninhos cheios de ovos enterrados com um tipo de vegetação que irradia calor à medida que apodrece, mantendo a temperatura do ninho dentro de limites toleráveis. Mamães e papais pinguins aconchegam seus ovos entre os pés para mantê-los acima do solo congelado. Mamães urso, lobo e raposa constroem tocas para abrigar seus vulneráveis filhotes dos elementos naturais. Como humano, você faz isso tornando sua casa segura para o bebê, usando assentos de segurança no carro, escolhendo uma mobília infantil segura — e protegendo-o de riscos ambientais.

Assim, você lê o jornal, aumenta o volume quando uma reportagem sobre esses riscos aparece na TV, passa os olhos por livros sobre cuidados infantis e, se for como a maioria dos pais, você se preocupa um bocado. (E, se for como alguns pais, se preocupa muito.) Mas, é o mundo ao redor do seu bebê realmente tão perigoso quanto você ouviu falar? Por outro lado, pode ser tão seguro quanto você gostaria que fosse? Embora certamente seja mais fácil para você buscar abrigo para suas crias do que para seus amigos peludos e emplumados, você ainda tem um trabalho muito difícil pela frente. Pode não haver uma selva do lado de fora de sua casa, mas proteger seu bebê dos riscos potenciais existentes no ambiente dele também não é nenhum passeio no parque.

Felizmente, existem muito mais fatores que influenciam o bem-estar a longo prazo de uma criança que estão sob nosso controle do que fatores que não controlamos. Por exemplo, assegurar cuidados adequados ao bebê, doente ou saudável, desde o nascimento. Proporcionar ao bebê o melhor começo nutricional possível. Não deixar que fumem perto dele. Incentivar hábitos e estilos de vida saudáveis, tais como exercícios e boa alimentação, e desencorajar os prejudiciais, como fumar e beber demais, por exemplo. Cuide disso e você já vai estar fazendo um excelente trabalho na proteção de seus pimpolhos.

Mas existem alguns perigos em nosso ambiente que não estão completamente sob nosso controle e que, apesar dos esforços, podem ser controlados apenas em parte ou indiretamente. E, embora a maioria desses riscos seja menor em comparação aos fatores controláveis, eles apresentam perigo. Em geral, os riscos são maiores para bebês e crianças pequenas, por algumas razões. Uma delas é o tamanho menor de seu corpo — a mesma dose de uma substância perigosa numa criança é mais forte do que seria num adulto. E como, quilo por quilo de seu peso, eles bebem mais água, comem mais comida e respiram mais ar, na verdade ingerem também mais toxinas. Outra razão é o fato de que seus órgãos ainda estão se desenvolvendo e amadurecendo, estando portanto mais vulneráveis a agressões do ambiente. Sua propensão a levar as mãos à boca também aumenta o risco para eles (pois tocam quase tudo e mais coisas que tocam vão acabar na boca e, portanto, em seu organismo), assim como o fato de estarem próximo ao chão e muitas vezes brincarem nele (estão mais perto das toxinas presentes na poeira, na terra, no carpete e na grama). Mais um motivo é que a criança de hoje tem uma expectativa de vida maior do que as gerações anteriores e, como os danos muitas vezes levam anos para se desenvolver, existem mais anos disponíveis para tal.

Mesmo assim, os riscos relativos são pequenos e em muitos casos — particularmente quando olhados em determinada perspectiva — não vale a pena perder o sono por causa deles. É importante ter em mente, também, que, por mais que os pais se esforcem, é simplesmente impossível criar um ambiente totalmente isento de riscos para sua prole. Entretanto, vale a pena seguir seu instinto natural de proteção, tomando todas as providências possíveis para minimizar os riscos na vida do seu filho. Isso também vai ajudar você a dormir melhor à noite. Eis como.

## CONTROLE DE PRAGAS DOMÉSTICAS

Pragas domésticas são esteticamente desagradáveis e irritantes, e em alguns casos podem até mesmo transmitir doenças ou infligir picadas dolorosas e perigosas. Entretanto, na maioria, os pesticidas usados em casa para eliminá-las são venenos perigosos, especialmente nas mãos (ou na boca) de crianças. Você pode reduzir o risco e ao mesmo tempo obter os benefícios de manter a casa e a família livres de infestações lançando mão do seguinte:

**Táticas de bloqueio.** Use telas nas janelas e feche pontos de entrada de insetos e animais.

**Armadilhas com cola ou ratoeiras.** Dispensando substâncias químicas venenosas, estas armadilhas capturam insetos rasteiros em caixas fechadas (armadilhas para baratas) ou recipientes (armadilhas para formigas), moscas no antigo papel pega-mosca, camundongos em armadilhas de cola. Como a pele humana pode grudar-se nessas superfícies (e soltá-la pode ser uma operação dolorosa), essas armadilhas, quando abertas, precisam ser mantidas fora do alcance das crianças ou instaladas depois que elas estão na cama à noite e retiradas antes que elas se levantem e comecem a circular na casa pela manhã. As armadilhas para roedores têm a desvantagem de prolongar a morte.

**Armadilhas tipo caixa.** Pessoas de coração compassivo podem capturar roedores em armadilhas com caixas e em seguida soltar as vítimas nos campos ou bosques distantes de áreas residenciais, embora isso nem sempre seja fácil. Como esses roedores podem morder, as armadilhas devem ser mantidas fora do alcance de crianças ou armadas quando elas não estiverem por perto.

**Uso seguro de pesticidas químicos.** Praticamente todos, inclusive o famoso ácido bórico, são altamente tóxicos, não só para as pragas mas também para os humanos. Se você optar por usá-los, não os espalhe (nem os guarde) onde bebês ou crianças possam ter contato com eles ou sobre superfícies onde se preparam alimentos. Sempre use a substância menos tóxica possível (verifique com a Agência de Proteção Ambiental de seu estado ou secretaria de saúde). Se usar um *spray*, mantenha as crianças fora de casa enquanto estiver utilizando o produto e durante o resto do dia, pelo menos. Melhor ainda, providencie para que a aplicação seja feita quando você estiver viajando de férias, visitando a vovó ou de alguma forma longe de casa. Quando voltar, abra todas as janelas para arejar o ambiente e esfregue todas as superfícies que o bebê possa tocar ou que entrem em contato com alimentos.

# Chumbo

Há anos se sabe que grandes doses de chumbo podem causar graves lesões cerebrais em crianças. Agora, admite-se também que mesmo em doses relativamente pequenas o chumbo pode reduzir o QI, alterar a função de enzimas, retardar o crescimento, danificar os rins e ainda causar problemas de aprendizado e comportamento, além de deficiências de audição e de atenção. Pode até mesmo ter efeitos negativos sobre o sistema imunológico.

Portanto, é importante que os pais saibam quais fontes de chumbo existem no ambiente do bebê e o que pode ser feito para diminuir a exposição.

**Tintas com chumbo.** Embora a legislação proíba seu uso, a tinta contendo chumbo continua a ser a causa mais comum de exposição de crianças a esse metal. Em muitos imóveis antigos ainda existem superfícies pintadas com tinta com chumbo, muitas vezes contendo concentrações muito altas entre as camadas de novas aplicações. À medida que a pintura racha ou escama, partículas microscópicas contendo chumbo são espalhadas. Estas terminam na mão, nos brinquedos, nas roupas do bebê — e mais cedo ou mais tarde em sua boca. Se existe a possibilidade de haver chumbo na pintura de sua casa, procure a Agência de Proteção Ambiental local

## INADEQUADA PARA CAVAR?

A maior parte da areia vendida para caixas de areia é perfeitamente segura e vem pronta para o prazer de cavar do seu filho. No entanto, um ou outro lote pode estar contaminado com um tipo de asbesto chamado tremolita. As fibras de tremolita flutuam no ar e podem causar doenças graves se inaladas. O problema é mais sério dentro de casa, onde a areia tende a ficar seca e poeirenta, do que do lado de fora, onde com frequência fica úmida. Embora seja praticamente impossível saber se a areia que seu bebê está cavando (em casa, na creche ou no parquinho) está contaminada, você pode verificar se está poeirenta e possivelmente perigosa de ser respirada. Devolva ou jogue fora a areia (ou, se for de um parquinho, frequente uma área mais segura) se uma nuvem de pó se formar ao se deixar cair um baldinho ou se, ao misturar uma colher de sopa da areia num copo d'água, a água permanece turva depois que a areia se deposita no fundo. Encontre outra origem, de preferência areia de praia comum (muitas areias para brincadeira são compostas de pedra ou mármore triturados).

para obter orientação sobre como retirá-la, se necessário. E certifique-se de que qualquer objeto pintado — brinquedo, berço ou qualquer coisa com que seu bebê tenha contato — seja isento de chumbo. Tenha especial cuidado com antiguidades, bem como com artigos importados ou comprados fora dos Estados Unidos.

**Água potável.** A Agência de Proteção Ambiental estima que a água em dezenas de milhões de lares americanos provavelmente esteja contaminada com chumbo. O chumbo normalmente contamina a água de prédios em que existem canos de chumbo ou canos são soldados com esse metal, especialmente onde a água é particularmente corrosiva. Como a maior parte da contaminação ocorre depois que a água entrou em construções individuais e não no fornecimento público de água, a maioria das comunidades não tem se esforçado para corrigir o problema. Se você está preocupado com a possibilidade de sua água potável estar contaminada por chumbo (ou por outra substância perigosa), providencie para que ela seja analisada pela companhia de água local, pela secretaria de saúde ou pela Agência de Proteção Ambiental, se eles realizarem tais análises, ou por uma firma particular de análise de água autorizada pelo estado. Se for encontrado chumbo, você pode instalar um filtro de osmose reversa (que remove o chumbo) na sua pia da cozinha, ou usar água engarrafada para beber e preparar fórmula. Deixar a água da torneira correr por pelo menos três minutos também a torna segura para beber ou cozinhar, embora seja reconhecidamente desperdício. Evite usar água da torneira quente para cozinhar, pois ela carrega mais chumbo;

não ferva a água mais do que cinco minutos, pois isso concentra o chumbo.

**Terra.** A tinta com chumbo que descasca das casas, resíduos industriais, pó da demolição de casas pintadas com tinta com chumbo — tudo isso pode acabar contaminando o solo. Embora você não precise se tornar fanático, tente evitar que seu bebê coma punhados de terra.

Além de manter seu filho longe de fontes conhecidas de chumbo, você também deve tentar aumentar a resistência dele ao envenenamento por esse metal com uma boa nutrição, sobretudo com níveis adequados de ferro e cálcio. E pergunte ao pediatra sobre exames que detectem a presença de chumbo (alguns médicos os solicitam rotineiramente).

## ÁGUA CONTAMINADA POR OUTRAS SUBSTÂNCIAS

Nos Estados Unidos, a maior parte da água de torneira é potável, mas uma pequena porcentagem (cerca de 2%) do fornecimento público contém substâncias que oferecem significativos riscos à saúde. Acredita-se que sistemas de água filtrados com carvão ativado no lugar do cloro forneçam água mais segura, mas apenas alguns distritos atualmente usam esse tipo de filtragem. Também a água de poço frequentemente se encontra contaminada. Se você suspeita que sua água não é segura, verifique com a Agência de Proteção Ambiental local sobre como analisá-la. Caso esteja contaminada, um

---

### PROTEGENDO AS CRIANÇAS

A Organização Mundial de Saúde (OMS) tem um escritório regional para a América, a Organização Pan-Americana de Saúde (Opas), que desenvolve palestras e participa de congressos lembrando a importância dos riscos ambientais para a saúde infantil. Você pode obter informações sobre poluentes e outras questões relativas à saúde infantil entrando em contato com a Secretaria de Vigilância em Saúde, no site do Ministério da Saúde (www.saude.gov.br).

---

filtro de água pode muitas vezes torná-la segura para beber. O melhor tipo de filtro para a sua casa vai depender dos contaminantes presentes em sua água e do quanto você pode gastar.

## AR INTERIOR POLUÍDO

Como a maioria dos bebês passa grande parte do tempo dentro de casa, a qualidade do ar que eles respiram ali é extremamente importante. Para manter o ar do bebê puro e seguro, fique atento aos seguintes riscos para o ar do interior de sua casa:

**Monóxido de carbono.** Esse gás incolor, inodoro e insípido mas traiçoeiro (pode causar doenças pulmonares, prejudicar

# A SALVO NO MUNDO RURAL

Seja ainda mais cuidadoso se seu bebê gosta de um contato mais íntimo e pessoal com cabras e ovelhas em zoológicos e fazendas. Embora sejam fofos e amáveis, esses animais também podem carregar as perigosas bactérias *E. coli*, transmissíveis às crianças. A infecção por *E. coli* causa diarreia forte e cólicas abdominais e, em alguns casos, pode ser fatal. Portanto, certifique-se de lavar as mãos do bebê com água e sabão (a maioria dos zoológicos e fazendas dispõe de uma pia logo na saída com essa finalidade), ou com lenços ou gel bactericida, logo após o passeio. Se você não tomou essas precauções em visitas anteriores mas seu bebê não apresentou nenhum sintoma subsequente, não é preciso se preocupar. Tome as precauções da próxima vez.

a visão e o funcionamento do cérebro, além de ser fatal em altas doses) que resulta da queima de combustível pode infiltrar-se em sua casa a partir de muitas fontes: fogões a lenha ou aquecedores a querosene insuficientemente ventilados (chame os bombeiros para vistoriar a ventilação); fogões a gás ou outros equipamentos mal-ajustados ou mal ventilados (verifique a instalação periodicamente — a chama deve ser azul — e instale um exaustor para conduzir os vapores para fora); fogões a gás a cada vez que são ligados (uma ignição elétri-ca reduz a quantidade de gases em combustão liberados); lareiras dotadas de chaminés com bloqueadores de resíduos (o fogo nunca deve ser deixado queimando sem chamas e as chaminés devem ser limpas regularmente); uma garagem anexa (nunca deixe o carro ligado em marcha lenta, mesmo que por pouco tempo, numa garagem que compartilhe uma parede ou teto com sua casa, pois os vapores podem atravessá-los). Como medida de segurança, instale um detector de monóxido de carbono em cada andar da casa, não muito próximo a equipamentos grandes (como você faria com os detectores de fumaça).

**Benzopirenos.** Uma longa lista de doenças respiratórias (de irritação dos olhos, do nariz e da garganta a asma e bronquite a enfisema e câncer) pode estar vinculada a partículas orgânicas semelhantes ao alcatrão resultantes da combustão incompleta de tabaco ou madeira. Para impedir a exposição de seu bebê, não permita que fumem em sua casa, assegure-se de que o cano que expele a fumaça da lareira não tenha vazamentos, ventile equipamentos de combustão (como secadoras de roupas) para o lado de fora, troque os filtros de ar de diversos equipamentos regularmente e aumente a ventilação de sua casa.

**Matérias particuladas.** Uma ampla variedade de partículas, invisíveis a olho nu, podem encher o ar da nossa casa. Elas provêm de fontes como poeira doméstica (que pode desencadear alergias em crianças suscetíveis), fumaça de cigarro, fumaça de madeira, aparelhos a gás sem exaustão adequada, aquecedores a querosene e materiais contaminados com asbesto. As mesmas precauções (proibição do fumo, exaustão adequada, troca de filtros) mencionadas na página anterior podem minimizar esta ameaça. Normalmente, os filtros de ar podem remover muitas dessas partículas e são especialmente úteis se alguém na família é alérgico. Se encontrar asbestos em sua casa que devam ser removidos, procure ajuda profissional para lidar com o assunto antes que as partículas comecem a voar.

**Vapores diversos.** Vapores provenientes de produtos de limpeza, de alguns aerossóis (se eles contêm fluorocarbonos, podem também ser perigosos para o meio ambiente) e da turpentina e de outros materiais relacionados à pintura podem ser altamente tóxicos. Se você utiliza essas substâncias, sempre prefira o produto menos tóxico (tintas à base de água, ceras para piso à base de cera de abelha, solventes de tinta à base de óleos vegetais), use-as em uma área bem ventilada (ainda melhor, do lado de fora de casa) e nunca as manipule quando houver crianças por perto. Guarde-as, como todos os outros produtos para uso doméstico, em lugar seguro, fora do alcance de mãozinhas curiosas. O melhor é guardá-las em área de armazenamento externas onde, se começarem a evaporar, os vapores não invadam as áreas internas.

**Formaldeído.** Com tantos produtos no nosso mundo moderno contendo formaldeído (das resinas de móveis fabricados com aglomerado de madeira à

goma de tecidos para decoração e cola de carpete), não é surpreendente que o gás, que causa câncer nasal em animais e problemas respiratórios, erupções cutâneas, náuseas e outros sintomas, esteja em toda parte. Para minimizar os riscos potenciais, procure produtos isentos de formaldeído ao construir ou mobiliar sua casa. Para reduzir os efeitos do formaldeído já presente, sele materiais como aglomerado de madeira com epóxi — ou, ainda mais simples e mais bonito, invista em um pequeno jardim interno. Quinze ou vinte plantas aparentemente podem absorver o gás formaldeído numa casa de tamanho médio. Entretanto, certifique-se de que não sejam plantas venenosas se ingeridas, só para o caso de o bebê resolver mastigá-las.

**Mofo.** Fungos, que proliferam em locais úmidos, como porões, são famosos por causar problemas respiratórios, crupe, bronquite e outras doenças nas crianças. Procure áreas molhadas e mofo em sua casa e tome providências para eliminá-los. Considere, ainda, medir os níveis de fungos domésticos se seu bebê vem experimentando problemas respiratórios.

**Radônio.** Esse gás incolor, inodoro e radioativo, produto natural da decomposição do urânio em rochas e no solo, é a segunda maior causa de câncer do pulmão nos Estados Unidos. Respirado inadvertidamente por residentes em casas nas quais ele se acumulou, ele expõe os pulmões a radiação, o que, ao longo dos anos, pode levar ao câncer.

A acumulação de radônio ocorre quando o gás se infiltra numa casa, proveniente da decomposição de pedras e solo sob ela, e é retido por causa de má ventilação na estrutura.

Para ajudar a evitar as sérias consequências da exposição ao radônio, tome as seguintes precauções:

- Antes de comprar uma casa, especialmente numa área de altas concentrações de radônio, providencie testes de contaminação. A agência de proteção ambiental local ou estadual pode fornecer informações sobre os níveis de radônio em sua área e onde solicitar os testes.

- Se você vive numa área de altas concentrações de radônio ou suspeita que sua casa pode estar contaminada, providencie os devidos testes. Idealmente, os testes devem ocorrer durante um período de diversos meses para obter uma média. Os níveis são normalmente mais altos nas estações do ano em que as janelas são mantidas fechadas.

- Se acontecer de sua casa apresentar altos níveis de radônio, peça auxílio a agências de proteção ambiental para encontrar uma empresa de redução de radônio em sua comunidade e solicite qualquer material escrito de que eles disponham sobre o assunto. O primeiro passo será provavelmente vedar rachaduras e outras aberturas nas paredes e pisos da fundação. Mais importante será aumentar a ventilação abrindo as janelas; instalando aberturas no espaço existente sob a casa, em sótãos e outros espaços fechados; e eliminando vedações e permutadores de calor. Em alguns casos, um sistema de ventilação para a casa inteira pode ser necessário.

## RISCOS ALIMENTARES EM PERSPECTIVA

Embora seja importante restringir quando possível as substâncias químicas na alimentação de sua família, o medo de aditivos e produtos químicos podem de tal forma limitar a variedade de alimentos que sua família come que isso pode acabar interferindo com uma boa nutrição. É importante lembrar que uma alimentação nutritiva e bem balanceada, rica em grãos integrais, frutas, verduras e legumes (especialmente crucíferas, como brócolis, couve-flor e couve-de-bruxelas, e alimentos ricos em vitamina A, como vegetais folhosos verdes e legumes amarelos) não só vai fornecer os nutrientes necessários para o crescimento e a boa saúde, mas também vai ajudar a contra-atacar os efeitos de possíveis carcinógenos presentes no meio ambiente. Portanto, restrinja a ingestão de substâncias químicas quando for prático, mas não enlouqueça a si mesmo nem à sua família nesse processo.

## CONTAMINANTES NA COMIDA

Neste mundo de produção em massa, os fabricantes aprenderam a usar substâncias químicas de várias espécies para fazer os alimentos que produzem ficarem mais bonitos, mais cheirosos, mais saborosos (ou, no caso de alimentos industrializados, pelo menos mais

# FORA DA BOCA DOS BEBÊS

Não são apenas os punhados de terra do parquinho ou as flores secas em exposição na loja de departamentos que você precisa manter fora da boca do seu filho. Há muitos alimentos (além dos que estão relacionados na página 458), bem como bebidas e outros comestíveis que não têm lugar na alimentação de um bebê, entre os quais:

♦ Laticínios e sucos não pasteurizados ("crus"). Podem conter bactérias perigosas, que podem causar doenças com risco de morte em bebês e crianças pequenas.

♦ Carnes defumadas ou curadas, como salsicha, mortadela e *bacon*. Normalmente ricos em gordura e colesterol, bem como em nitratos e outras substâncias químicas, esses produtos devem ser dados ao bebê apenas raramente, se tanto. (Os frios devem ser sempre aquecidos até soltarem vapor, para proteger contra infecção pela bactéria listéria.)

♦ Peixes defumados, como salmão, truta ou bonito. São dois os motivos pelos quais esses peixes não devem ser postos na bandeja da cadeirinha: primeiro, porque são normalmente curados com nitritos para conservar seu frescor; segundo, porque podem estar contaminados por listéria.

♦ Todo peixe que possa estar contaminado com altos níveis de mercúrio, inclusive cação, peixe-espada, cavala e peixe-batata, bem como qualquer peixe de águas contaminadas. Como o atum também pode conter uma boa quantidade de mercúrio (o enlatado contém um pouco menos do que o fresco), a quantidade desse peixe que um bebê ou criança pequena come provavelmente também deve ser limitada (ainda que não haja ainda uma decisão formal do FDA ou da Agência de Proteção Ambiental). Recomenda-se ainda que a ingestão por uma criança de peixe de água doce pescado recreativamente (em oposição a comercialmente) seja limitada a 57 gramas (peso depois de cozido) por semana. Sua secretaria de saúde local deve poder fornecer mais informações sobre quais peixes são seguros e quais não são num determinado momento em sua comunidade, os que jamais devem ser dados a uma criança e os que devem ser

parecidos com o alimento real) e mais duráveis. No entanto, mesmo alimentos que não passaram por uma fábrica são com frequência contaminados — por pesticidas ou outros produtos químicos usados na cultura ou no armazenamento, ou retirados acidentalmente da água ou do solo. Em muitos casos, os riscos de tais produtos químicos para os seres humanos são ou desconhecidos ou considerados pequenos. É prudente, porém, proteger seu filho (que é, repetindo, mais vulnerável a essas substâncias do que os adultos) seguindo estas regras

dados apenas ocasionalmente. Para as informações mais recentes sobre a segurança no consumo de peixes, você também pode entrar em contato com a Secretaria de Vigilância Ambiental em Saúde do Ministério da Saúde (www.saude.gov.br).

♦ Peixe cru, como em sushis. Crianças pequenas não mastigam bem o bastante para destruir os parasitas que podem existir neles, capazes de causar doenças graves; o risco da doença propriamente dita também é muito maior para elas.

♦ Alimentos ou bebidas como café, chá e chocolate que contêm cafeína ou componentes relacionados. A cafeína pode deixar o bebê inquieto; pior, pode interferir na absorção de cálcio e substituir itens valiosos da alimentação.

♦ "Alimentos de imitação", como cremes não lácteos (ricos em gordura, açúcar e substâncias químicas) e bebidas de frutas (que contêm pouco suco real, açúcar desnecessário e, com frequência, muitos produtos químicos).

♦ Chás de ervas. Costumam conter substâncias questionáveis (o chá de confrei, por exemplo, contém um

carcinógeno) e com frequência produzem efeitos indesejáveis, e até perigosos, no organismo. Use apenas aqueles recomendados pelo pediatra.

♦ Bebidas alcoólicas. Ninguém as incluiria na alimentação regular de um bebê, mas algumas pessoas acham engraçado dar um golinho ao filho — um jogo perigoso, porque o álcool pode ser venenoso para o bebê. O mesmo se aplica a pingar uma gota na gengiva do bebê durante o nascimento dos dentes.

♦ Água da torneira contaminada com chumbo, bifenil policlorinado (PCB) ou com qualquer outro material perigoso. Verifique com a Agência de Proteção Ambiental local ou com o departamento de águas, ou providencie para que sua água seja analisada por uma empresa privada se você suspeitar de contaminação.

♦ Suplementos vitamínicos que não são próprios para crianças (e ministrados como prescrito pelo pediatra). O excesso de vitaminas pode ser particularmente prejudicial aos bebês, cujo organismo não as metaboliza tão rapidamente quanto o dos adultos.

básicas ao selecionar e preparar os alimentos:

♦ Mantenha distância de alimentos industrializados contendo um monte de aditivos químicos, pelo menos nos produtos para o bebê. Não só tais

alimentos são menos nutritivos do que os frescos, mas a segurança das substâncias químicas que eles contêm pode ser questionável. Embora muitos aditivos alimentares sejam considerados seguros, outros podem não ser. Tenha especial cuidado com

## ALIMENTOS ORGÂNICOS — CADA VEZ MAIS DISPONÍVEIS

Alimentos organicamente cultivados aparecem com regularidade em lojas de produtos naturais e na maioria dos supermercados. Desde que o Departamento de Agricultura dos Estados Unidos definiu novas normas federais regulamentando-os e estabelecendo critérios claros para os rótulos, está mais fácil vê-los nas prateleiras. Mas, para muitos consumidores, ainda não é possível encher o carrinho apenas com os alimentos orgânicos mais puros. A produção ainda não é suficiente e o que está disponível costuma ser caro.

À medida que a demanda cresce, o fornecimento cresce também. E, à medida que cresce o fornecimento, os preços vão continuar a cair. Felizmente para as crianças pequenas e seus pais, cada vez mais potinhos de alimentos infantis orgânicos se tornam disponíveis. Tudo que um comensal principiante pode desejar pode ser encontrado em versão orgânica, de cereais para bebês e papinhas de frutas, legumes e carnes, a refeições combinadas. Até mesmo fórmulas orgânicas podem ser encontradas agora.

Comprar produtos orgânicos, quando você pode encontrar o que precisa e pagar os preços muitas vezes mais altos, serve a dois propósitos. O primeiro, evidentemente, é proteger sua família de substâncias químicas indesejáveis. O segundo é encorajar os mercados a fazer estoque de produtos orgânicos — de laticínios a carnes, produtos de confeitaria a hortifrutigranjeiros. Se não existem produtos orgânicos à venda no seu bairro, solicite-os ao seu supermercado ou hortifrúti; o interesse do consumidor vai ajudar a aumentar o suprimento e a reduzir os preços. E, nunca é demais repetir, não se preocupe se não conseguir encontrar produtos orgânicos ou não puder pagar por eles — lave muito bem e descasque quando possível.

---

alimentos contendo qualquer um dos seguintes itens: óleos vegetais contendo bromo, butil hidroxianisol (BHA), butil hidroxitolueno (BHT), cafeína, glutamato monossódico (MSG), propil galato, quinino, sacarina, nitrato de sódio e nitrito de sódio, sulfitos, e cores e sabores artificiais. Considerados questionáveis são carragena, heptil parabeno, ácido fosfórico e outros compostos de fósforo.

◆ Não dê adoçantes artificiais ao seu bebê. Muitas dúvidas a respeito da segurança de alguns adoçantes ainda estão sem resposta. Embora alguns aparentemente sejam seguros (especialmente a sucralose, um adoçante de baixa caloria feito a partir do açúcar), uma vez que são concebidos para a restrição calórica (e bebês nunca devem se submeter a uma dieta de restrição calórica), eles não têm lugar na alimentação de um bebê.

◆ Compre alimentos orgânicos sempre que possível. (Mas não se preocupe quando não puder, pois os riscos de resíduos químicos são em geral considerados pequenos.) Produtos cultivados em sua área, na estação, tendem a ser os mais seguros, pois não são necessárias grandes quantidades de substâncias químicas para preservá-los durante o transporte ou a armazenagem. Também mais seguros são os alimentos com cascas ou folhas protetoras grossas (como abacate, melão e banana), que mantêm os pesticidas longe. Produtos que não têm a aparência perfeita (que apresentam imperfeições) podem também ser mais seguros, pois normalmente é a proteção química que conserva a beleza dos alimentos. Na maioria dos casos, os produtos brasileiros tendem a ser pouco contaminados, mas fique atenta na hora de escolher.

♦ Descasque frutas e legumes não orgânicos antes de consumir (particularmente aqueles encerados) ou lave-os muito bem com água e, se possível, com um higienizador natural de alimentos (mas enxágue abundantemente), escovando-os com uma escova dura quando viável. Não use escova em alfaces nem em morangos; use-a em maçãs e abobrinhas.

♦ Mantenha a alimentação do seu filho tão variada quanto possível, depois que uma ampla variedade de alimentos tiver sido introduzida. A variedade proporciona mais do que tempero à vida — adiciona uma medida de segurança (sem mencionar uma melhor nutrição ao fornecer

uma ampla gama de vitaminas e sais minerais de fontes diversas). Em vez de oferecer sempre suco de maçã, varie os sucos dia após dia (maçã num dia, uva no outro, damasco no terceiro e pera no quarto). Varie as proteínas, os cereais e os pães, bem como as frutas, as verduras e os legumes. Apesar de nem sempre ser fácil — muitas crianças pequenas caem numa rotina alimentar e não querem sair dela — é importante tentar.

♦ Restrinja a ingestão de gordura animal (a não ser a presente em laticínios ou na fórmula), pois é na gordura que são armazenadas as substâncias químicas (antibióticos, pesticidas etc.). Corte a gordura das carnes; tire a gordura e a pele de aves. E mantenha pequenas as porções de carne de vaca, de porco e de galinha. Quando possível, prefira laticínios orgânicos; escolha carnes e aves criados sem substâncias químicas ou antibióticos.

♦ Siga as diretrizes no quadro da página quanto à segurança dos peixes.

♦ Depois de introduzidos na alimentação do bebê, dê-lhe alimentos considerados capazes de surtir efeitos protetores contra toxinas ambientais. Entre eles se encontram as crucíferas (brócolis, couve-de-bruxelas, couve-flor, repolho), feijões e ervilhas secas cozidos, alimentos ricos em betacaroteno (cenoura, abóbora, batata-doce, brócolis, melão-cantalupo) e também os ricos em fibras (grãos integrais, e frutas, legumes e verduras frescos).

Tome suas precauções, mas não se esqueça de manter os riscos em perspectiva. Mesmo pelas estimativas mais sombrias, apenas um pequeno percentual de cânceres é causado pela contaminação química dos alimentos. Os riscos à saúde de seu filho representados por tabaco, álcool, alimentação insuficiente, falta de vacinação ou ignorância de precauções de segurança no carro são consideravelmente maiores.

Está vendo? Manter seu bebê a salvo não é tão difícil, afinal.

◆ ◆ ◆

## CAPÍTULO 10

# O Sexto Mês

O bebê é todo personalidade nesta fase — e uma personalidade toda própria. Socializar com a mamãe, o papai e com qualquer pessoa que passe pelo carrinho ainda é uma das atividades favoritas dele, e você acha rá as longas frases de balbucio, pontuadas por risadas e arrulhos, cada vez mais cintilantes. Jogos de esconde-esconde os deliciam, assim como sacudir um chocalho (ou qualquer outra coisa que faça barulho). A paixão pela exploração continua e se estende a seu rosto, que o bebê vai puxar como se fosse seu brinquedo preferido (seus óculos, brincos e cabelos não estão mais seguros). A certa altura este mês, será hora de apelar para o babador e a cadeirinha (se você já não o fez) para um primeiro encontro com os sólidos. *Bon appétit!*

## O Que seu Bebê Pode Estar Fazendo

Todos os bebês atingem marcos em seu tempo de desenvolvimento. Se seu filho parece não ter atingido um ou mais destes marcos, fique tranquila, ele provavelmente os atingirá muito em breve. A taxa de desenvolvimento de seu bebê é normal para ele. Tenha em mente, também, que as habilidades que o bebê desenvolve na posição de bruços só podem ser dominadas se houver oportunidade de praticar. Assim, certifique-se de que o bebê passe um período brincando de bruços sob supervisão. Se você estiver preocupada com o desenvolvimento de seu filho (porque percebeu que ele não atingiu um marco de desenvolvimento ou o que você acha que pode ser um atraso no desenvolvimento), não hesite em verificar com o médico na próxima consulta — mesmo que ele não traga isso à baila. Os pais com frequência percebem nuances no desenvolvimento do bebê que os médicos não veem. Os bebês prematuros geralmente chegam aos marcos mais tarde do que os outros da mesma idade de nascimento, em geral atingindo-os mais perto de sua idade ajustada (a idade que eles teriam se tivessem nascido a termo), e às vezes mais tarde.

***Aos seis meses, seu bebê... deve ser capaz de:***

- manter a cabeça nivelada com o corpo quando colocado para sentar
- dizer "ah-guu" ou combinações semelhantes de vogais e consoantes

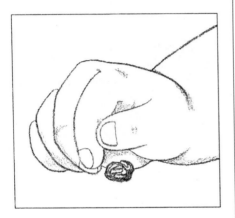

*Alguns bebês podem pegar objetos pequenos e possivelmente perigosos com as mãos — então, cuidado para não deixar estas coisas ao alcance dele.*

*... provavelmente, será capaz de:*

- sustentar algum peso nas pernas quando colocado de pé
- sentar-se sem apoio
- virar-se na direção de uma voz
- guinchar de prazer

*... pode ser capaz de:*

- ficar segurando alguma coisa ou alguém

- objetar se você tentar tirar um brinquedo
- tentar pegar um brinquedo que está fora de alcance
- passar um cubo ou outro objeto de uma mão para a outra
- procurar um objeto caído
- reunir com os dedos um objeto minúsculo e pegá-lo com a mão (mantenha todos os objetos perigosos fora do alcance do bebê)
- balbuciar, combinando vogais e consoantes como em ga-ga-ga, ba-ba-ba, ma-ma-ma-, da-da-da
- comer sozinho um biscoito ou outros alimentos sólidos pequenos

*...pode até ser capaz de:*

- engatinhar[1]
- erguer-se para ficar de pé quando sentado
- sentar-se a partir da posição de bruços
- pegar um objeto minúsculo com qualquer parte do polegar e do anular (mantenha todos os objetos perigosos fora do alcance do bebê)
- dizer "mamá" ou "papá" indiscriminadamente

---

[1] Os bebês que passam pouco tempo de bruços durante as brincadeiras podem chegar a este marco mais tarde, e isso não é motivo de preocupação (ver página 316).

# O Que Você Pode Esperar do *Check-up* deste Mês

Cada médico terá uma abordagem pessoal aos *check-ups* do bebê. A organização geral do exame físico, bem como o número e o tipo de técnicas de avaliação utilizadas e procedimentos realizados também vão variar de acordo com as necessidades individuais da criança. Mas, em geral, você pode esperar o seguinte do *check-up* quando seu bebê tem seis meses de idade.

◆ Perguntas sobre como você, seu filho e o resto da família estão se saindo em casa, sobre os hábitos de alimentação e sono e o progresso geral do bebê e sobre quem cuida dele, se você estiver trabalhando.

◆ Medição do peso, altura e circunferência da cabeça do bebê e registro do progresso desde o nascimento.

◆ Exame físico, inclusive uma nova verificação de problemas anteriores. A boca provavelmente será examinada agora e em futuras consultas em busca da chegada, ou chegada iminente, dos dentes.

◆ Avaliação do desenvolvimento. O médico pode depender da observação, além de seus relatos sobre o que o bebê está fazendo, ou pode colocar o bebê em uma série de "testes" de avaliação, como controle da cabeça quando colocado sentado; visão; audição; capacidade de alcançar e pegar objetos, girar o corpo e sustentar algum peso nas pernas; e interação social e vocalização.

◆ Terceira rodada de vacinas, se o bebê goza de boa saúde e não há outras contraindicações. Ver página 345 para um programa recomendado, que pode variar, dependendo da situação. Certifique-se de discutir de antemão quaisquer reações a vacinas anteriores.

◆ Possivelmente um exame de hemoglobina ou hematócrito para verificar a presença de anemia (em geral por meio de um furo no dedo), particularmente em bebês de baixo peso ao nascimento.

◆ Orientação sobre o que esperar no próximo mês em tópicos como alimentação, sono, desenvolvimento e segurança.

Perguntas que você pode querer fazer, se o médico já não as respondeu:

◆ Que reações você pode esperar que o bebê tenha à terceira rodada de vacinas? Como você deve tratá-las? Que reações você deve reportar ao médico?

◆ Que alimentos podem ser introduzidos agora?

Levante também preocupações que possam ter surgido no último mês. Reúna informações e instruções do médico. Registre todas as informações pertinentes (peso, tamanho, circunferência da cabeça, vacinas, doenças, medicamentos dados, alimentos que podem ser introduzidos agora e assim por diante) em um registro permanente de saúde.

# Como Alimentar seu Bebê:
# ALIMENTOS INFANTIS INDUSTRIALIZADOS OU PREPARADOS EM CASA

Antes de os alimentos infantis industrializados entrarem nos supermercados, não havia outra opção: alimentar o bebê significava fazer seu próprio alimento infantil. Hoje em dia, os pais podem optar por fazer eles mesmos (algo que os processadores de alimentos e *mixers* tornaram tão fácil quanto apertar um botão), ou escolher da ampla variedade de alimentos prontos para o consumo.

A colher que você vai pilotar para a boca do bebê estará cheia de comida de pote ou de comida feita em casa? A escolha é sua.

## ALIMENTOS INFANTIS INDUSTRIALIZADOS

A conveniência pode trazer com problemas nutricionais em outras partes do supermercado (em que produtos prontos para o consumo em geral são processados demais, têm açúcar demais e sal demais), mas não nas prateleiras para o bebê. A conveniência, que sempre foi uma vantagem, ainda o é; os alimentos vêm em potes com porções individuais prontas para servir e podem ser fechados depois de abertos para que o resto seja guardado na geladeira. Mas os alimentos infantis de hoje têm também outras vantagens. Uma variedade maior não contém sal; raramente colocam açúcar ou outros aditivos aos alimentos de um só ingrediente. Uma vez que as frutas e vegetais são cozidos e embalados logo depois de colhidos, eles retêm uma proporção alta e confiável de seus nutrientes. Os alimentos têm textura consistente e sabor, e como são preparados sob estritas condições sanitárias (condições que seriam difíceis de reproduzir em sua casa), você pode confiar em sua segurança. Também são relativamente econômicos, em particular se o tempo que você economiza usando-os é valioso para você, e quando considera que provavelmente desperdiçará menos comida do que quando você prepara grandes quantidades para o bebê.

As vantagens do uso de alimentos infantis industrializados são maiores nos primeiros meses de alimentação com sólidos. As variedades peneiradas têm a consistência perfeita para os iniciantes,

## ALIMENTO PARA O PENSAMENTO

Será que a comida que enche a barriga de seu filho também pode ser usada para formar o cérebro? Esta é a idéia por trás dos alimentos infantis industrializados que são enriquecidos com DHA ou ARA, os ácidos graxos que estimulam o cérebro e são naturalmente encontrados no leite materno e acrescentados às fórmulas. Os ácidos graxos vêm dos ovos (só as gemas são usadas, para evitar o risco de reações alérgicas) postos por galinhas alimentadas com uma dieta de linhaça e grãos de soja, ricos em DHA e ARA. A pesquisa ainda não concluiu com que eficácia estes alimentos estão aumentando a capacidade intelectual de uma criança, mas uma vez que estes ácidos graxos também parecem ser bons para o coração, certamente não são prejudiciais — e pode haver muitos benefícios — escolhê-los para seu filho. A única desvantagem: estes alimentos, como as fórmulas especialmente fortificadas, vêm com uma etiqueta de preço mais alto. Tenha em mente também que você terá de esperar até que as gemas de ovo tenham sido introduzidas antes de servir estes alimentos ao bebê.

e é fácil monitorar as alergias quando se usa um alimento de um só ingrediente. Embora os principais fabricantes ofereçam texturas graduadas para uso à medida que os bebês ficam prontos para consumi-las, muita gente prescinde de alimentos industrializados assim que seus descendentes são capazes de lidar com alimentos cozidos, amassados, fatiados finos, ou em flocos do cardápio da família. Isso porque oferecer a comida que vai à mesa desde cedo — em vez de se prender aos alimentos infantis — produzirá mais provavelmente um comensal mais receptivo (em outras palavras, alguém que coma o que os demais membros da família estão comendo). Ainda assim, os alimentos prontos para o consumo para bebês mais velhos e os que engatinham podem continuar a ser convenientes quando a família está viajando, visitando amigos, ou comendo fora, ou quando o cardápio da família não é adequado para um bebê ou não é do agrado dele.

Embora a maioria dos alimentos infantis preparados para consumidores iniciantes seja totalmente saudável, é sempre sensato verificar o rótulo para ter certeza (especialmente quando o bebê entra na fase dos alimentos para bebês em "idade de engatinhar", que podem não ser saudáveis). Procure no rótulo ingredientes de que seu bebê não precise, como açúcar ou xarope de milho, sal e amido modificado ou outros espessantes. Procure também por ingredientes que seu bebê não conhece ainda, como ovos (que podem aparecer nos lugares mais improváveis). Tenha em mente também que os bebês — cujo paladar ainda não foi estragado — ficam completamente satisfeitos com cereais, frutas e outras sobremesas sem açúcar;

o açúcar que com frequência é acrescentado a estes produtos não só é desnecessário, como também pode estragar o paladar do bebê para o sabor mais delicado dos adoçantes naturais. O mesmo é válido para alimentos que recebem sal. Os adultos que estão acostumados com alimentos muito temperados podem achar os alimentos infantis sem açúcar e sem sal; os bebês, por outro lado, os acharão perfeitos.

Os alimentos infantis orgânicos, que no passado eram muito caros e difíceis de encontrar, agora se multiplicam nos supermercados. Escolha-os quando puder, mas certifique-se de que os produtos industrializados — até os que não têm certificado de orgânicos — não contenham aditivos e resíduos de pesticidas.

## ALIMENTOS INFANTIS PREPARADOS EM CASA

Tem tempo suficiente? Sentindo-se motivada? Gosta da ideia de preparar você mesma? Embora os alimentos infantis industrializados estejam melhores do que nunca, preparar as refeições para seu filho a partir do zero — algumas vezes ou o tempo todo — é uma opção maravilhosa. Apenas certifique-se de seguir estas orientações:

♦ Quando introduzir um novo alimento, prepare-o e sirva-o sem nenhum outro ingrediente, inclusive açúcar, sal ou outros temperos. Se estiver cozinhando para toda a família, retire a porção do bebê antes de temperar.

♦ Cozinhe e sirva os alimentos do bebê sem acrescentar gordura.

♦ Cozinhe os vegetais no vapor, na panela de pressão ou sem água, expondo-os a um mínimo de luz, ar, calor e água.

♦ Para preservar as vitaminas, ferva, cozinhe no micro-ondas ou asse as batatas com a pele, descascando-as depois de cozidas.

♦ Não cozinhe em panelas de cobre, que podem destruir a vitamina C.

♦ Não cozinhe alimentos ácidos (como tomates, depois que forem introduzidos) em alumínio, porque podem fazer com que pequenas quantidades de alumínio se dissolvam e sejam absorvidas pela comida.

♦ Não acrescente bicarbonato de sódio; ele pode preservar a cor, mas destrói vitaminas e sais minerais.

♦ Deixe as leguminosas (feijões ou ervilhas) de molho da noite para o dia; ou use um método mais rápido, fervendo-os por dois minutos, depois os deixando descansar por uma hora, cozinhando na água do molho.

♦ Siga os princípios da preparação segura de alimentos de Como Alimentar Seu Bebê com Segurança da página 476.

Nas primeiras semanas de alimentação com sólidos, ou pelo menos até que o bebê tenha 7 meses de idade, o alimento que você serve deve ser finamente reduzido a purê e peneirado (embora você possa amassar banana e afinar com líquido). Para sua conveniência, você pode preparar uma porção de cenoura, ervilha ou outros vegetais, depois congelar em bandejas de gelo. Depois de congelados, guarde os cubos individualmente em sacos a vácuo. Antes de usar, descongele na geladeira, em banho-maria ou no micro-ondas (em "descongelar" e não em "cozinhar") ou sob água fria (ainda no saco plástico) — e não à temperatura ambiente.

---

## ATENÇÃO AO FAÇA VOCÊ MESMO

Quer colocar seu processador de alimentos para trabalhar? Preparar alimentos infantis em casa é mais fácil do que nunca. Vá à página 1041 para obter sugestões de receitas.

---

# As Preocupações Comuns

## AINDA NÃO DORME A NOITE TODA

*"Minha filha ainda acorda duas vezes por noite, e ela não volta a dormir sem mamar. Será que um dia vamos dormir?"*

Seu bebê continuará a acordar várias vezes por noite pelo resto da vida, como todos nós. Mas até que ela aprenda a voltar a dormir sozinha, nem você nem ela conseguirão ter uma boa noite de sono.

Ajudá-la a voltar a dormir — com o peito, a mamadeira, a chupeta, embalando, dando tapinhas, afagando, cantando, tocando fitas calmantes — só adiará seu aprendizado de como fazer isso sozinha. Chegará o dia em que não será mais viável nem possível para você ser o João Pestana dela. Se você quer que isso aconteça agora, não só você dormirá mais, como sua filha também.

Antes de começar, você vai precisar observar de perto os hábitos de sono de sua filha, inclusive se ela está cochilando demais durante o dia. Outro primeiro passo importante será desmamar o bebê das mamadas de meio da noite (ver página 381). Se o bebê está dormindo no peito ou na mamadeira, experimente criar uma rotina de hora de dormir que coloque a mamada antes do banho e de outros rituais. Desta forma, você será capaz de colocá-la no berço acordada, o que ajudará sua filha a começar o processo de aprender a dormir sozinha.

Depois você vai precisar decidir que abordagem vai querer usar para colocar sua filha no caminho do sono independente. Tenha em mente, como sempre, que a mesma rota não funciona para todos os pais e todos os bebês. Leia sobre o assunto antes de decidir o que mais provavelmente levará a uma noite de sono melhor para sua família. Depois seja sempre flexível; se o método que você escolheu não terminar funcionando para você e sua filha (depois que você der uma boa chance), você vai precisar passar para o plano B.

**Crise de abstinência.** Para os pais desesperados e decididos a conseguir uma boa noite de sono mais cedo, quase sempre funciona deixar um bebê chorar. Embora alguns recomendem utilizar este método desde os três meses, é melhor esperar até que o bebê esteja mais perto dos seis meses de idade. A esta altura, a maioria dos bebês não exige mais interrupções noturnas para mamar — a não ser que tenha nascido prematuramente e ainda esteja tentando acompanhar o passo dos bebês nascidos a termo. E embora um bebê mais novo chore para comunicar suas necessidades básicas, os mais velhos estão se tornando mais sofisticados em suas motivações. Se chorar resulta em ser pegado no colo, embalado e alimentado, ele continuará chorando. Quando eles descobrem que isso não funciona mais, a maioria desiste de chorar no meio da noite, em geral em três ou quatro noites. (Veja a seguir as formas de lidar melhor com o choro.)

Se você se opõe filosoficamente a esta abordagem, não experimente. A criação que contraria o estilo dos pais raramente é bem-sucedida. Em vez disso, providencie uma muleta de sono para sua filha, como uma música calmante, uma chupeta, uma mamada — ou qualquer coisa que você preferir — pelo tempo que for necessário, ou passe para o plano seguinte.

**Retirada gradual.** Se você não fica à vontade com as táticas de abstinência, existem outros métodos de "condicionamento" que funcionam da mesma maneira, mas permitem que você e sua filha caminhem mais lentamente. Aqui está uma amostra das diferentes abordagens:

♦ A "ferberização", que recebeu o nome do Dr. Richard Ferber, autor de *Solving Your Child's Sleep Problems*, funciona da seguinte maneira: na primeira noite, coloque o bebê para deitar ainda acordado, afagando-o e sussurrando: "Boa-noite. Eu te amo", e depois saia do quarto. Não fique com ela por tempo suficiente para ela dormir e não a pegue no colo. Se ela começar a chorar, como certamente fará, deixe-a chorar por 5 minutos, depois volte e afague-a, tranquilizando-a novamente. (Se a mamãe for associada com as mamadas, pode ser melhor que o papai faça isso.) Repita sempre que ela chorar, esticando os períodos de ausência em 5 minutos ou a cada vez, até que ela durma. Aumente os períodos que ela passa sozinha em alguns minutos a cada noite.

Será mais fácil suportar o choro se você o bloquear. Experimente protetores auriculares, o ruído brando de um ventilador, música de fundo, tevê ou rádio em volume baixo, ou qualquer outra coisa que possa abafar o choro sem bloqueá-lo inteiramente. Se você tem uma babá eletrônica no quarto do bebê, reduza o volume para que você não ouça demais o choro. Se a qualquer hora o choro de sua filha mudar, contudo, verifique para ter certeza de que ela não se debruçou e não ficou em dificuldades, incapaz de se deitar ou outro tipo de problema. Se ela não tem um problema, deixe-a confortável novamente, dê a ela um afago carinhoso e algumas palavras gentis, e saia do quarto.

Em geral, o período de choro diminui a cada noite em três noites. E em algum ponto entre a quarta e a sétima noite — se você tiver sorte, e a maioria dos pais a tem — você pode ouvir só uma pequena agitação ou alguns minutos de choro (que não continua) e depois o abençoado silêncio.

Outra variação do mesmo conceito, que funciona melhor para alguns bebês mais velhos e é mais confortável para alguns pais, é tranquilizar sua filha de uma cadeira perto do berço até que ela durma a cada noite (novamente, sem pegá-la no colo). Afaste a cadeira um pouco mais a cada noite, até que esteja na soleira da porta. Por fim, saia pela porta — a esta altura, o bebê deve ser capaz de dormir sem a sua presença. Tenha em mente, porém, que, para alguns bebês, os pais não estão fora da cabeça a não ser que estejam fora de vista; neste caso, esta abordagem definitivamente não dará certo.

♦ Um programa chamado "despertar sistemático" pode funcionar tão bem quanto a "ferberização", embora talvez seja um pouco mais lento, e permite que você pule os surtos potencialmente longos de choro. Mantenha um diário do despertar de sua filha à noite por uma semana para que você tenha ideia dos períodos habituais.

## É TUDO UMA QUESTÃO DE TEMPO

É perfeitamente possível haver uma mudança importante ou estresse na vida de seu bebê em uma determinada época. Se seu filho já lida com esta perturbação — se os dentes estão saindo, a mãe voltou ao trabalho, chegou uma nova babá ou ele tem uma infecção de ouvido — espere que ele esteja assentado novamente antes de se dedicar a campanhas para que ele durma a noite toda. Faz sentido esperar, também, se você estiver planejando uma viagem da família em um futuro próximo (as viagens quase certamente derrubarão seus esforços). Tenha em mente que mesmo os bebês que dominaram a arte de dormir a noite toda podem começar a acordar em épocas de mudança ou de estresse (seria inteligente oferecer conforto novamente só pelo tempo que durar o problema, caso contrário o bebê continuará a acordar muito depois de tudo ter terminado!). O despertar à noite também pode recomeçar quando um bebê acabou de passar por um marco de desenvolvimento — como aprender a engatinhar ou andar —, uma vez que a compulsão do bebê para praticar a nova habilidade pode interferir temporariamente com o sono.

Depois, coloque o despertador para cerca de meia hora antes do momento esperado do primeiro choro. Ao tocar o despertador, levante-se, acorde o bebê e faça o que você em geral

# O QUE SERÁ QUE OS VIZINHOS PENSAM?

É bastante difícil para você ouvir seu filho chorar no meio da noite — mas e os vizinhos? Se você mora em apartamento ou está ao alcance do ouvido do vizinho do lado, deixar que seu filho chore por qualquer período de tempo durante a noite pode não ser nada bom para os vizinhos. Aqui está como lidar com o despertar de seu filho sem fazer inimigos no bairro:

◆ Avise-os. Faça com que seus vizinhos saibam antecipadamente o que vai acontecer (em vez de às 3 da manhã, quando eles ligam para reclamar). Diga a eles o que você planeja (ensinar o bebê a dormir a noite toda deixando-o chorar por curtos períodos a cada noite), e quanto tempo você acha que levará (espera-se que não mais de uma semana).

◆ Desculpe-se antecipadamente (e se isso não der certo, compre o perdão deles). É possível que eles não se emocionem com a perspectiva de ter o sono interrompido (afinal, o sono interrompido é problema de vocês, como novos pais — e não deles). Os vizinhos que têm seus próprios filhos (e tiveram sua parcela de andar pelo chão com bebês aos prantos) podem ser simpáticos — e podem até oferecer algumas sugestões. Os vizinhos sem filhos podem ser menos compreensivos. As desculpas podem ser aceitas mais graciosamente se forem acompanhadas de um pequeno presente por perturbar a paz (uma garrafa de vinho, uma cesta de frutas e queijo, uma caixa de chocolates importados — ou, nos casos mais difíceis, os três juntos). Se seus vizinhos têm senso de humor (o que se espera que tenham), você pode oferecer-lhes protetores auriculares.

◆ Feche as janelas. Certifique-se de que o choro do bebê não viaje por uma janela aberta e saia pela rua.

◆ Tome algumas medidas para abafar o som. Pendure cobertores nas paredes do quarto do bebê, ou em qualquer janela adjacente à do vizinho. Se possível, coloque o berço do bebê em um quarto acarpetado (que pode proporcionar mais isolamento acústico do que um quarto com o chão nu).

◆ Não se sinta tão mal. Morar em apartamento significa algum barulho — é possível que você esteja suportando sua parcela de cães que latem, portas que batem, passos no meio da noite, música alta e aspiradores de pó de manhã cedo. Um bom vizinho (espera-se que o seu seja desse tipo) será igualmente tolerante com o choro de seu bebê.

## COMPARTILHANDO O SONO

Não está sentindo a necessidade de impor um programa de sono independente desde a mais tenra idade? Não gosta da ideia de deixar seu bebê chorar ou de tentar manipular seus padrões naturais de sono? Prefere estar presente para seu bebê se ele acordar, em vez de se arrastar para a cama para dar conforto? Acredita que a felicidade (no meio da noite) é um bebê quentinho? Então dormir com ele pode ser melhor para você.

Dividir uma cama com seu filho não quer dizer que você esteja desistindo da ideia do sono independente (todas as crianças um dia aprendem a dormir sozinhas, e algumas o fazem voluntariamente por volta do terceiro mês), só que você está adiando até que o bebê se sinta pronto para lidar com isso. Os fãs da divisão da cama dizem que os bebês que dormem com os pais têm sentimentos positivos em relação ao sono (embora aqueles que não dividem a cama possam ter também estes sentimentos). A presença dos pais — seu toque, o cheiro e o som — passa aos bebês a mensagem tranquilizadora de que é seguro dormir ou voltar a dormir depois de acordar de um sono leve. Quando chega a hora de passarem para sua própria cama, eles não terão medo de dormir, nem do escuro (embora alguns possam ter dificuldade de se desligar da companhia).

Dormir juntos, parte da filosofia de criação de filhos por ligação, também estimula a amamentação noturna no momento em que for solicitada pelo bebê, o que pode avançar pelo tempo em que ele já está engatinhando ou até a pré-escola. (Tenha em mente, porém, que as frequentes mamadas noturnas, depois que aparecem os dentes, podem contribuir para a deterioração dos dentes). Também é importante — pelo bem da harmonia familiar — que os dois pais estejam presentes; caso contrário, um bebê pode literalmente ficar entre os dois. Para mais informações sobre dividir a cama, ver página 390.

---

faz quando o despertar é espontâneo (troca de fraldas, mamada, embalar, ou o que for). Antecipe cada despertar habitual da mesma maneira. Aos poucos, aumente o tempo entre um despertar sistemático e outro e depois comece a eliminá-los. Em algumas semanas, de acordo com os proponentes deste programa, você conseguirá eliminá-los completamente.

♦ O método de reforçar os ritmos de sono envolve nunca deixar que o bebê fique cansado demais. Ficar exausto é a raiz de todos os problemas de sono, de acordo com esta visão. Se você se antecipar à insônia natural de sua filha (na hora do cochilo ou à noite) e a colocar para deitar (no berço — não no carrinho), sua filha dormirá facilmente (porque ela estará cansada, mas não cansada demais) e dormirá bem. Sono chama sono, e desde que você nunca acorde um bebê adormecido (com mais de 4 meses), mesmo durante a soneca do dia, sua filha dormirá bem a noite toda. Se ela despertar à noite, responda brevemente proporcionando-lhe tranquilização, mas deixe que ela durma sozinha.

♦ Tire os auxiliares do sono da neném na hora de dormir, para que o despertar no meio da noite não seja tão desafiador para ela. Esta abordagem (que é chamada de "ferberização mais suave") pode ajudar o bebê a se livrar de hábitos assistidos pelos pais (a mamadeira, o peito, o embalar de 20 minutos) que a ajudaram a dormir até agora. Embora alguns bebês possam se deixar levar para a mamadeira, ou o peito, ou para os braços do papai ou da mamãe na hora da soneca ou na hora de dormir à noite e ainda consigam voltar a dormir sem estes auxiliares no meio da noite, outros não conseguem. Se sua filha é assim, você terá de mudar os padrões na hora de ir para a cama. Dê de mamar bem antes da soneca ou da hora de dormir à noite e depois, mais tarde, quando ela parecer sonolenta, coloque-a no berço ainda acordada — depois de uma rotina relaxante de hora de dormir. A maioria dos bebês terá problemas para dormir desta forma no começo, mas quase todos conseguirão depois de algumas tentativas de aprender as técnicas de autotranquilização. Depois que sua filha estiver caindo no sono sozinha, não há problemas em responder a ela durante um despertar à noite, mas não a pegue no colo nem a alimente. Sua voz e sua presença, além de um afago, devem fazer com que ela se acalme, mas sem dormir. Deixe-a para que ela possa dormir sozinha, uma habilidade que será de grande ajuda nas primeiras hora da manhã.

Qualquer que seja o método para conseguir que o bebê durma a noite toda, lembre-se de que todos compartilham regras importantes: seja coerente com o método e dê uma chance para que ele funcione. Se você não se prender a ele por tempo suficiente para ver uma diferença, nunca saberá quais são os problemas do método ou de seu procedimento. Use cada técnica rigorosamente por duas semanas antes de desistir dela. Passe de um método a outro, ou reforce o método de sua escolha só esporadicamente, e a confusão de sua filha aumentará os problemas de sono.

Outra questão a se ter em mente com as abordagens: mesmo que você se oponha a deixar que sua filha chore sozinha para dormir, você não deve tornar um hábito pular para o lado dela ao primeiro lamento. Isso na verdade pode acordá-la. Os bebês em geral choram durante o sono leve e às vezes voltam a dormir profundamente sem nenhuma ajuda. Alguns bebês choram por uns minutos antes de dormir (como um meio de se confortar) e também quando acordam à noite. A não ser que sua filha esteja aos prantos, espere alguns minutos para ver se o choro passa antes de oferecer-lhe conforto.

## ACORDAR CEDO

*"No começo ficamos gratos que nosso filho dormisse a noite toda. Mas com ele acordando como um despertador*

*às cinco da manhã, quase preferimos que, em vez disso, ele acorde no meio da noite.”*

Com um bebê que acorda à noite, pelo menos há a promessa de mais algumas horas de sono depois que ele volta a dormir. Mas com um bebê que recebe seus pais alerta e cheio de energia, pronto e ansioso para começar cada dia quando até os galos ainda estão roncando, não há esperança de descanso posterior até que anoiteça novamente. E no entanto este despertar inclemente é encarado diariamente por inúmeros pais.

Provavelmente não é realista esperar que seu filho, que acorda cedo, durma depois das seis ou sete horas (pelo menos até que seja adolescente, quando você provavelmente terá de arrastá-lo para fora da cama toda manhã para que ele não se atrase para a escola). Mas pode ser possível zerar seu despertadorzinho pelo menos um pouco mais tarde:

**Bloqueie a luz do amanhecer.** Alguns bebês (como alguns adultos) são particularmente sensíveis à luz quando estão dormindo. Manter o quarto do bebê escuro pode trazer um sono a mais para todos, em especial quando os dias são mais longos. Invista em cortinas para as janelas, para evitar que a luz da aurora acorde seu filho.

**Evite o barulho do trânsito.** Se a janela do quarto de seu filho dá para uma rua que tem muito trânsito no início da manhã, o barulho pode estar acordando-o prematuramente. Procure manter a janela fechada, pendurando um cober-

tor pesado ou cortinas para ajudar a abafar o som, ou mudando-o, se possível, para um quarto afastado da rua. Ou use um ventilador ou um aparelho de ruído brando para abafar o barulho da rua.

**Mantenha o bebê acordado até mais tarde à noite.** Ir cedo para a cama com frequência significa acordar cedo. Assim, experimente colocar seu filho para dormir 10 minutos depois a cada noite, até que aos poucos você tenha adiado a hora de dormir em uma hora ou mais. Para que isto funcione, provavelmente será útil atrasar suas sonecas e refeições simultaneamente e no mesmo ritmo.

**Mantenha o bebê acordado durante o dia.** Alguns bebês que acordam cedo estão prontos para voltar a dormir uma ou duas horas depois. As sonecas cedo levam a uma hora de dormir cedo, o que inevitavelmente dá continuidade ao ciclo de acordar cedo. Para interromper o ciclo, adie a volta do bebê ao berço em 10 minutos a cada manhã até que ele esteja cochilando uma hora ou mais depois, o que pode por fim ajudá-lo a ampliar seu sono à noite.

**Reduza o período de sonecas de dia.** Um bebê só precisa de muito sono total — uma média de 14 horas e meia nesta idade, com amplas variações de um bebê para outro. Talvez o seu esteja dormindo demais durante o dia e assim precise dormir menos à noite. Limite as sonecas diurnas, cortando uma ou reduzindo todas. Mas não corte tanto as sonecas diurnas a ponto de seu filho ficar exausto (e seja menos provável que ele durma bem) na hora de dormir.

**Deixe que ele espere.** Não corra para atendê-lo ao primeiro chamado do berço. Espere primeiro por 5 minutos. Se tiver sorte, ele poderá se aninhar e voltar a dormir, ou pelo menos se divertir sozinho enquanto você tira mais alguns minutos de descanso.

**Mantenha a distração de prontidão.** Se manter o quarto escuro não ajuda, experimente deixar uma luz fraca acesa a noite toda para que ele possa brincar enquanto espera por você. Um centro de atividade ou um espelho no berço pode mantê-lo ocupado por alguns minutos. Se você deixar qualquer brinquedo no berço, certifique-se de que seja seguro para ficar com ele sozinho (nada de pelúcia, nem arestas afiadas, nem partes pequenas).

**Deixe que ele espere pelo café da manhã.** Se ele está acostumado a comer às cinco e meia, a fome regularmente virá a chamar a esta hora. Mesmo que você já esteja com ele a essa hora, não o alimente de imediato. Adie aos poucos o café da manhã, para que ele possa acordar mais tarde para isso.

Infelizmente, todos estes esforços podem ser inúteis. Alguns bebês simplesmente precisam de menos sono total; alguns gostam de madrugar. Se o seu por acaso for um destes, você pode não ter opção a não ser acordar e aparecer mais cedo até que ele tenha idade suficiente para se levantar e fazer o próprio café da manhã. Até então, acorde cedo e divida

o fardo de antes do amanhecer, revezando-se para ficar com o bebê (isto só vai funcionar se a presença da mamãe não for necessária para dar de mamar). Esta pode ser sua melhor técnica de sobrevivência.

## VIRANDO-SE DURANTE A NOITE

*"Sempre coloco minha filha de costas para dormir. Mas agora que ela sabe como se virar, ela gira o corpo e dorme de bruços. Estou preocupada com o risco de SIDS."*

Depois que os bebês aprendem a se virar, não há com mantê-los de costas se eles preferem ficar de bruços. E não só não tem sentido tentar evitar que sua filha fique de bruços, como não tem sentido se preocupar por não conseguir. Os especialistas concordam que um bebê que é capaz de mudar de posição facilmente tem um risco significativamente menor de SIDS. Isto por dois motivos: primeiro, porque o período de alto risco para a SIDS geralmente já passou na época em que um bebê pode se virar; segundo, porque um bebê que pode girar o corpo está mais preparado para se proteger do que quer que aumente o risco de SIDS quando se dorme de bruços.

Você pode — e de acordo com os especialistas, deve — continuar a colocar sua filha na cama de costas até que ela complete o primeiro ano. Mas não perca o sono com a posição dela se ela muda durante a noite. Certifique-se, porém, de que o berço seja seguro; continue a seguir as dicas para evitar SIDS da página 385, como usar somente um colchão firme e evitar travesseiros, cobertores, edredons e brinquedos de pelúcia.

## USANDO A BANHEIRA GRANDE

*"Agora nosso bebê está grande demais para a banheirinha. Mas estou com medo de dar banho nele em nossa banheira — e ele parece estar também. Na única vez em que tentei, ele chorou muito e eu tive de tirá-lo. Como vou dar banho nele?"*

Dar um mergulho na banheira da família pode ser uma perspectiva assustadora para o bebê e para você; afinal, ele ainda é um peixinho pequeno demais — e escorregadio — para um lago tão grande. Mas se você tomar as precauções para evitar acidentes (ver quadro na página 514) e aliviar os temores do bebê, a banheira pode se tornar um paraíso aquático para os bebês de 5 a 6 meses e o banho pode se transformar no ritual preferido da família (embora um ritual molhado). Para garantir um bebê feliz na água, siga as dicas básicas sobre o banho na banheira no Manual dos Cuidados com o Bebê, página 213, e experimente o seguinte:

**Deixe seu filho testar a água em um barco familiar.** Por algumas noites, antes de ele estar formado para isso, dê banho nele na banheirinha colocada em uma banheira vazia. Deste modo a nova banheira não parecerá tão formidável quando estiver cheia de água — e com ele dentro.

**Dê um mergulho no seco.** Se ele estiver disposto, coloque-o na banheira (com uma grande toalha de banho por baixo para evitar que escorregue) sem água e com um monte de brinquedos. Desta forma ele pode se acostumar com o cenário enquanto está seco — e espera-se que descubra como pode ser divertido o banho na banheira. Se o ambiente estiver quente e agradável e ele for um bebê que se sente à vontade nu, deixe-o brincar sem roupa. Caso contrário, deixe-o de roupas. Como em qualquer situação na banheira, não o deixe sozinho nem por um segundo.

**Use um dublê.** Enquanto outra pessoa segura o bebê, dê um banho de demonstração em uma boneca lavável ou bicho de pelúcia na banheira, com um comentário reconfortante a cada passo. Faça com que pareça que todos os envolvidos estão se divertindo muito.

**Evite o frio.** Os bebês não gostam de sentir frio e, se associarem sentir frio com o banho, podem se rebelar contra ele. Assim, certifique-se de que o banheiro está confortavelmente aquecido. Se seu banheiro não tem aquecimento adequado, você pode esquentá-lo deixando correr água quente. Não retire as roupas do bebê até que a banheira esteja cheia e você esteja pronta para colocá-lo nela. Tenha uma grande toalha macia, de preferência com capuz, pronta para embrulhá-lo as-

# BANHO SEGURO NA BANHEIRA

Para ter certeza de que o banho na banheira seja não só divertido mas também seguro, siga estas dicas importantes:

**Espere até que o bebê consiga se sentar sozinho.** Os dois ficarão mais confortáveis com o banho na banheira se seu filho for capaz de se sentar sozinho, ou com um mínimo de apoio.

**Use um assento de segurança.** Um bebê molhado é um bebê escorregadio, e mesmo um bebê que se senta com firmeza pode escorregar em uma banheira. E embora um deslize momentâneo para debaixo da água não seja fisicamente prejudicial, ele pode gerar um medo de banho no futuro. (É claro que, se ele escorrega e você não está presente, as consequências podem ser muito mais graves.) Uma cadeirinha de banho pode proporcionar uma alternativa à velha ma-nobra mão-no-bebê-o-tempo-todo, mas muitos especialistas acham que elas não mantêm o bebê seguro o suficiente e recomendam esperar até que a Comissão de Segurança de Bens de Consumo determine novos padrões de segurança para cadeirinhas de banho (em andamento). Se você escolher usar uma cadeirinha de banho encontrada no mercado atualmente, certifique-se de usar uma que tenha ventosas de borracha que se prendam seguramente ao fundo da banheira e nunca use a cadeirinha como substituta para sua supervisão completa e constante. Alguns assentos têm almofadas de espuma para o bebê, de forma que ele não escorregue durante o banho. Se a sua não tem, coloque uma toalha de rosto ou de banho limpa sob o bebê para ter o mesmo efeito. Enxágue, torça e pendure a toalha para secar, ou use uma nova a cada banho para evitar a multiplicação de germes no material. Se a cadeirinha tem almofada

---

sim que você o tirar da água. Seque completamente o bebê, certificando-se de atingir todas as dobras, antes de tirá-lo da toalha e vesti-lo.

**Tenha alguma diversão à mão.** Torne a banheira um *playground* flutuante para seu filho para que ele se divirta enquanto você dá banho nele. Brinquedos especialmente projetados para a banheira (em particular aqueles que flutuam na água) e livros plásticos são ótimos, mas recipientes de plástico de todas as formas e ta-manhos também são bons. Para evitar que os brinquedos mofem, enxugue-os depois do uso e guarde-os em um recipiente seco ou em um saco de rede. Limpe pelo menos uma vez por semana os brinquedos que retêm água com uma mistura de uma parte de água sanitária para 15 partes de água (certifique-se de enxaguar bem) para reduzir qualquer crescimento de bactéria que possa causar infecções.

**Deixe que o bebê espadane um pouco.** Mas não faça isso você mesma. Para

de espuma, seque-a na secadora entre os usos, pelo mesmo motivo. Se você não está usando uma cadeirinha de banho, certifique-se de que o fundo da banheira seja revestido com um tapete de borracha ou antiderrapante para evitar escorregões.

**Prepare-se.** A toalha de rosto, toalha de banho, sabonete, xampu, brinquedos e qualquer outra coisa que vá precisar para o banho do bebê devem estar à mão *antes* de colocar o bebê na banheira. Se você se esquecer de alguma coisa e tiver de pegar você mesma, *enrole o bebê numa toalha e o leve com você.* Prepare-se também retirando tudo da banheira que possa ser perigoso nas mãos de um bebê curioso, como sabonete, lâminas de barbear e xampus.

**Esteja presente.** Seu filho precisa de supervisão adulta em cada momento do banho — e continuará a precisar nos primeiros cinco anos de vida. *Nunca deixe o bebê sozinho na banheira sem*

*assistência*, mesmo na cadeirinha do bebê (ele pode escorregar ou sair dela), nem por um segundo. Tenha esta atordoante estatística em mente quando tocar o telefone ou a campainha, uma panela ferver no fogão ou qualquer outra coisa ameaçar desviar sua atenção de seu filho: 55% dos acidentes com bebês acontecem na banheira.

**Faça o teste do cotovelo.** Suas mãos são muito mais tolerantes com o calor do que a pele sensível do bebê. Teste a água com o cotovelo ou o pulso, ou com um termômetro de banho, antes de colocar o bebê. Embora o banho deva ser confortavelmente morno, ele não deve ser quente. Abra primeiro a água quente, para que qualquer gota que caia da torneira seja fria e não queime o bebê. Regule a água quente a no máximo 48° C para prevenir queimaduras. Uma capa de segurança na torneira da banheira também protegerá o bebê de queimaduras e pancadas.

a maioria dos bebês, espadanar é grande parte da diversão do banho, e quanto mais água um bebê joga em você, mais feliz ele fica. Mas embora ele quase certamente vá gostar de espadanar, ele pode não gostar de ser o alvo da água. Muitos bebês perdem o encanto pela banheira com um só espirro de água neles.

**Use o sistema da camaradagem.** Alguns bebês ficam mais receptivos a um banho se tiverem companhia. Experimente to-

mar banho com seu filho, mas numa temperatura que seja confortável para ele. Depois que ele se adaptar a estes banhos em dupla, você pode tentar dar banho nele sozinho.

**Nada de nadar depois de comer.** É discutível se a cantilena de verão de sua mãe era clinicamente válida. Mas pode fazer sentido não dar banho em seu filho imediatamente depois das refeições, porque o aumento na manipulação e na atividade pode causar regurgitação.

Não retire o tampão antes de tirar o bebê da banheira. Não só pode ser uma experiência fisicamente assustadora em uma banheira que se esvazia, como pode ser psicologicamente apavorante também. O som do dreno pode assustar até um bebê novo, e um bebê mais velho que vê a água desaparecendo pelo ralo pode temer que vá segui-la.

Seja paciente. No final, seu bebê tomará banho na banheira. Mas ele o fará mais rápido se puder fazer isso em seu próprio ritmo, e sem pressão dos pais.

## REJEIÇÃO À MAMADEIRA EM BEBÊ QUE MAMA NO PEITO

*"Gosto de dar a minha filha uma mamadeira ocasional de leite expresso para me liberar um pouco, mas ela se recusa a tomar. O que posso fazer?"*

Sua filha não nasceu ontem. E ao contrário de um parente recém-chegado, ela desenvolveu um forte senso do que ela quer, do que não quer e de como pode conseguir as coisas que ela quer. O que ela quer é o seguinte: seus seios amáveis, macios e quentes. O que ela não quer: um bico fabricado em borracha ou plástico. Como pode conseguir o que ela quer: chorando para pedir o primeiro e rejeitando o segundo.

Toda a espera para introduzir a mamadeira na vida de sua filha cobrou seu tributo. A introdução é melhor feita no máximo na sexta semana (ver página 326). Mas ainda é possível que você consiga vencê-la seguindo estas dicas:

Alimente-a quando ela estiver de barriga vazia. Muitos bebês serão mais receptivos à mamadeira como fonte de nutrição quando estiverem procurando o que comer. Assim, experimente dar a mamadeira quando sua filha estiver realmente com fome.

Ou a alimente quando ela estiver de barriga cheia. Com alguns bebês, dar uma mamadeira quando eles estão procurando pelo peito os deixa hostis em relação ao impostor e talvez se sintam meio traídos por quem dá a mamadeira. Se é o que está acontecendo com sua filha (e você só descobrirá por tentativa e rejeição), não dê a mamadeira quando ela estiver com fome; em vez disso, ofereça-a casualmente entre as mamadas. Ela pode estar mais no humor para experimentar e pode estar pronta para fazer um lanchinho.

Finja indiferença. Em vez de agir como se houvesse muita coisa em jogo (mesmo que haja), proceda como se a questão da mamadeira não fosse grande coisa, independentemente da reação de sua filha.

Deixe-a brincar antes de comer. Antes de tentar dar a mamadeira, coloque as mãos de sua filha nela. Se ela tiver oportunidade de explorar a mamadeira sozinha, pode ser que deixe que a mamadeira entre em sua vida e, espera-se, em sua boca. Ela pode até colocar a mamadeira na boca sozinha — como faz com todas as outras coisas.

Proíba o peito. E o resto de você, quando lançar mão da mamadeira. Um bebê que mama no peito tem uma probabilidade maior de aceitar uma mamadeira dada pelo pai, pela avó ou por outra pessoa que cuide dela quando a mãe está fora da distância de cheiro. Pelo menos até que a mamadeira esteja estabelecida, mesmo o som de sua voz pode estragar o apetite de um bebê para ela.

**Experimente um líquido preferido.** É possível que a objeção do bebê não seja à mamadeira, mas ao líquido dentro dela. Alguns bebês tomarão melhor uma mamadeira se estiver cheia do familiar leite materno, mas outros, lembrando da fonte original do leite, ficam mais à vontade com outra bebida. Experimente a fórmula, suco de maçã ou de uva branca diluídos.

**Dê a mamadeira sorrateiramente durante o sono.** Faça com que quem dá a mamadeira pegue sua filha no colo enquanto ela estiver dormindo e tente dar a mamadeira nessa hora. Em algumas semanas a mamadeira poderá ser aceita por sua filha quando estiver acordada.

**Saiba quando se render — temporariamente.** Não permita que a mamadeira se torne o objeto de uma batalha, ou seu lado não terá chance de vencer. Assim que sua filha levantar objeções à mamadeira, afaste-a e tente novamente outro dia. A perseverança — enquanto se mantém uma atitude indiferente — pode ser tudo de que você precisa. Experimente a mamadeira uma vez a cada poucos dias por pelo menos duas semanas antes de admitir sua derrota.

Mas se a derrota se tornar uma realidade, não perca a esperança. Há outra alternativa a seus seios: a caneca. A maioria dos bebês pode lidar com uma caneca, mesmo aos 5 ou 6 meses, e ter refeições suplementares com ela (ver página 472); muitos se tornam hábeis no uso da caneca no final do primeiro ano (às vezes mais cedo, aos 8 ou 9 meses) e podem ser desmamados diretamente do seio para a caneca — o que poupa os pais do passo extra de desmamar da mamadeira.

## MUDANÇAS NA EVACUAÇÃO

*"Depois que comecei a alimentar meu filho com sólidos na semana passada, as fezes dele ficaram mais sólidas — o que eu esperava — mas também mais escuras e com mais cheiro. Isso é normal?"*

Infelizmente, já passou a época em que tudo o que entrava em seu bebê saía doce e inocente. Para os pais de um bebê que mama no peito, a mudança de fezes moles, de cor mostarda e inofensivas para fezes grossas, escuras e malcheirosas pode ser um choque. Mas, embora a mudança possa não ser esteticamente agradável, ela é normal. Espere que as fezes de seu filho se tornem cada vez mais como a dos adultos na mesma proporção da dieta dele — embora as fezes de um bebê que mama no peito possam continuar mais moles do que as de um bebê que toma mamadeira até o desmame.

*"Acabo de dar cenoura a meu bebê pela primeira vez, e as fezes seguintes ficaram laranja brilhante."*

Tudo o que entra, sai. E nos bebês, com seu sistema digestório imaturo, às vezes o que entra não muda muito no processo. Depois que eles começam com os sólidos, as fezes parecem variar de uma evacuação para outra, com frequência refletindo, na cor ou na textura, a refeição mais recente. Mais tarde, os alimentos que não foram completamente mastigados — em especial aqueles que são mais difíceis de digerir — podem sair inteiros ou quase isso. Desde que as fezes também não contenham muco e não sejam anormalmente soltas, o que pode indicar irritação gastrintestinal (e a necessidade de retirar o alimento por algumas semanas), você pode continuar com a nova dieta variada sem preocupações.

## ESCOVAR OS DENTES DO BEBÊ

*"Minha filha acaba de ter seu primeiro dente. O médico disse que eu devo começar a escovar agora, mas isso parece uma tolice."*

Aquelas perolazinhas que trazem tanta dor antes da chegada e tanta excitação quando irrompem através das gengivas estão destinadas à extinção. Elas podem cair no início ou no meio do período escolar, sendo substituídas por dentes permanentes. Então, por que cuidar deles agora?

Por vários motivos: primeiro, uma vez que eles guardam o lugar dos dentes permanentes, a deterioração e a perda destes dentes de leite pode deformar a boca para sempre. Segundo, seu filho precisará destes dentes de leite para morder e mastigar por muitos anos; dentes cariados podem interferir na boa nutrição. E dentes saudáveis também são importantes para o desenvolvimento da fala e da aparência normais — duas coisas relevantes para a autoconfiança de uma criança. A criança que não consegue falar com clareza por causa de um dente que falta, ou que mantém a boca fechada para esconder dentes cariados ou perdidos, não se sente bem consigo mesma. Por fim, se você começar a escovar os dentes de seu filho desde cedo, os bons hábitos dentários provavelmente serão uma segunda natureza quando chegarem os dentes permanentes.

Os dentes de leite podem ser lavados com uma gaze limpa, toalha de rosto ou uma escova de dedo descartável projetada para este propósito, ou escovados com uma escova de dentes muito macia e pequenininha para bebês (com no máximo três filas de cerdas) umedecida com água. Um dentista (você vai precisar de um para seu bebê em breve, de qualquer forma) ou um farmacêutico pode recomendar uma escova e ajudar você a encontrar as escovas de dedo. A limpeza provavelmente dará mais trabalho quando os molares aparecerem, mas escovar dará à neném um importante hábito que ela vai precisar para uma boa higiene dental toda a vida, então provavelmente é melhor uma combinação das duas coisas. Mas seja delicada — os dentes do

## A PRIMEIRA ESCOVA DE DENTES DO BEBÊ

Quando se trata de escolher uma escova de dentes para seu filho, olhar não é o bastante — embora as características e cores brilhantes favoritas sempre sejam atraentes. Mas a qualidade também conta. As cerdas devem ser macias, para que não machuquem as gengivas sensíveis; depois que elas ficam ásperas nas bordas (o que acontecerá bem rápido se o bebê gostar de mastigá-las), é hora de trocar. Mesmo uma escova que ainda pareça nova deve ser trocada em intervalos de dois a três meses; isso porque, com o tempo, as bactérias da boca se acumulam na escova.

bebê são macios. Escove ou esfregue levemente a língua também, uma vez que ela abriga germes (mas escove somente a parte da frente da língua; ir longe demais pode provocar náusea).

Não é necessário nenhum creme dental para os dentes do bebê, embora você possa dar algum sabor à escova com um pouquinho de pasta de dentes (use uma que seja formulada para bebês e que não contenha fluoreto) se isso tornar a escovação mais interessante. Se estiver usando creme dental fluoretado, coloque na escova somente uma porção do tamanho de uma ervilha. Muitos bebês adoram o sabor da pasta de dentes e, uma vez que eles engolem em vez de cuspir depois de terminada a escovação, eles podem terminar tomando fluoreto demais.

Os bebês mais velhos e os que têm idade para engatinhar ficam ansiosos para "fazer sozinhos". Depois que ela tiver destreza, o que só acontecerá daqui a muitos meses, você pode deixar que ela escove os dentes sozinha depois das refeições, aumentando um pouco mais a limpeza com uma gaze ou escova de dedo você mesma como parte do ritual da hora de dormir. Também deixe que ela observe como você cuida dos próprios dentes. Se a mamãe e o papai derem um bom exemplo de cuidados com os dentes, é mais provável que ela seja uma usuária de escova mais consciente e, mais tarde, de fio dental também.

Embora escovar os dentes e passar fio dental sejam hábitos que vão continuar a ser importantes em toda a vida do bebê, a nutrição adequada terá um impacto semelhante na saúde dentária, a começar de agora (na verdade, começando antes de ela ter nascido). Garantir a ingestão adequada de cálcio, fósforo, fluoreto e outros sais minerais e vitaminas (em particular a vitamina C, que ajuda a manter a saúde das gengivas) e limitar os alimentos com alto teor de açúcar refinado (inclusive biscoitos comerciais para os dentes) ou prender-se ao açúcar natural (como frutas secas, até passas) podem ajudar a prevenir o sofrimento que acompanha uma boca cheia de cáries e gengivas que sangram. O ideal é que você limite os doces (mesmo os saudáveis) a uma ou duas vezes por dia, uma vez que, quanto maior a ingestão de açúcar espalhada durante o dia, maior o risco para os dentes. Sirva-os com as refeições, quando eles causam menos danos aos dentes, em vez de entre as refeições. Ou escove os dentes do bebê logo depois do consumo dos doces.

Quando sua filha estiver comendo doces ou lanches ricos em carboidratos entre as refeições e não puder escovar os dentes, faça com que ela coma em seguida uma fatia de queijo (como suíço ou *cheddar*, depois que forem introduzidos), o que parece ser capaz de bloquear a ação dos ácidos produzidos pelas bactérias em placas. Para uma garantia a mais para os dentes, acostume sua filha a beber suco somente de uma caneca desde já (sirva-o diluído em água e somente com refeições e lanches, não entre eles) e nunca deixe que ela durma com a mamadeira. Limite o uso de copo com canudinho também (ver página 474).

Além dos cuidados adequados em casa e da boa nutrição, sua filha precisará de bons cuidados odontológicos profissionais para garantir dentes saudáveis em gengivas saudáveis. Agora, antes que surja uma emergência, peça ao médico de sua filha para indicar um dentista pediatra confiável ou um dentista geral que trate de muitas crianças e seja bom com elas. Se você tiver alguma pergunta sobre os dentes de sua filha, telefone ou marque uma consulta assim que puder.

De acordo com a Academia Americana de Pediatria, este primeiro *check-up* de rotina deve ocorrer entre o primeiro e o segundo aniversários (entre os 6 meses e 1 ano para bebês com alto risco de deterioração dos dentes — como os bebês que habitualmente dormem com a mamadeira de suco ou fórmula, que mordiscam muito quando dormem ou que passam grande parte do dia com uma mamadeira na boca). Quanto mais cedo a consulta com o dentista, maior a probabilidade de prevenir problemas nos dentes (e as fobias a consultórios odontológicos comuns em bebês mais velhos que visitam o dentista pela primeira vez). Dentes muito espaçados, que em geral se aproximam, raramente são motivo de intervenção precoce.

## CÁRIE DE MAMADEIRA

*"Tenho uma amiga cujo filho perdeu os dentes da frente por causa da cárie de mamadeira. Como posso evitar que isso aconteça com meu menininho?"*

Não há nada mais bonitinho do que um aluno da primeira série cujo sorriso revela um encantador espaço onde os dois dentes da frente deveriam estar. Mas perder dentes para a cárie de mamadeira — muito antes da época de eles caírem — não é nada bonitinho.

Felizmente, a cárie de mamadeira pode ser evitada. Ela ocorre mais frequentemente nos primeiros 2 anos de vida, quando os dentes estão mais vulneráveis, e com mais frequência como resultado de um bebê que dorme regularmente com a mamadeira (ou o peito) na boca. Os açúcares na bebida que ele ingere (leite materno, fórmula, suco de fruta, leite de vaca, ou bebidas com açúcar) se combinam com as bactérias na boca e provocam a deterioração dos dentes. O trabalho sujo é feito durante o sono, quando a produção de saliva, que em geral dilui a comida e a bebida e promove o reflexo de deglutição, é drasticamente reduzida. Como ocorre pouca deglutição, os últimos goles que o bebê toma formam uma poça em sua boca e ficam em contato com os dentes por horas.

Para evitar a cárie de mamadeira:

◆ Nunca dê água glicosada (com açúcar), nem antes do aparecimento dos dentes, para que ele não se acostume com o sabor doce. O mesmo é válido para bebidas açucaradas como suco de uva, ponches de frutas, bebidas de frutas ou suco de fruta. Dilua os sucos de fruta em até 100% com água. Se possível, sirva o suco somente em uma caneca; desta forma, o bebê não vai adquirir o hábito de beber suco em mamadeira.

◆ Depois que os dentes de seu filho surgirem, não o coloque para dormir à noite ou tirar uma soneca de dia com uma mamadeira de fórmula, leite materno ou suco. Um lapso ocasional não causa problemas, mas os lapsos repetidos, sim. Se você tiver de dar a ele uma mamadeira para tomar na cama, dê uma de água pura, que não prejudicará os dentes (e, se for fluoretada, ajudará a fortalecê-los).

◆ Não permita que seu filho use uma mamadeira de leite ou suco como chupeta, para ficar com ela por aí e chupar quanto tiver vontade. O mordiscar o dia todo pode ser tão prejudicial para os dentes como o sugar noturno. As mamadeiras devem ser consideradas parte de uma refeição ou lanche e, como estes, devem ser rotineiramente dadas em um ambiente adequado (nos seus braços, na cadeirinha, ou em outra cadeira de refeição) e em horários adequados. As mesmas regras devem ser aplicadas aos copos com canudinho (ver página 474).

◆ Não permita que um bebê que dorme em sua cama continue em seu peito a noite toda, mamando ocasionalmente por toda a noite. O leite materno pode causar deterioração se ficar acumulado na boca do bebê, como acontece durante as constantes mamadas noturnas.

◆ Elimine a mamadeira aos 12 meses, como geralmente recomendam alguns pediatras.

## DESMAME PARA O LEITE DE VACA

*"Estou dando o peito e quero desmamar meu bebê. Não quero começar com a fórmula — posso dar a ele leite de vaca?"*

O leite de vaca só deve ser servido depois do primeiro aniversário. A Academia Americana de Pediatria recomenda que, quando possível, o aleitamento materno deva continuar pelo menos no primeiro ano (e depois disso, desde que seja mutuamente desejável). Quando não for possível, uma fórmula para bebês enriquecida com ferro deve ser a bebida preferencial para um bebê. (Ver página 175 para os muitos motivos.) Embora existam fórmulas no mercado especificamente projetadas para bebês mais velhos, muitos médicos não acham que sejam necessárias. Verifique com o pediatra antes de decidir que fórmula usar no desmame.

Quando ele tiver 1 ano de idade e você trocar para o leite de vaca, certifique-se de usar leite integral, em vez de desnatado (sem gordura) ou semidesnatado. O leite integral em geral é recomendado até os 2 anos de idade, embora alguns médicos aprovem o uso de leite com 2% de gordura depois dos 18 meses.

## INGESTÃO DE SAL

*"Tenho muito cuidado com a quantidade de sal que eu e meu marido consumimos. Mas que cuidados devo ter com o sal na dieta de minha filha?"*

Os bebês, como todos nós, precisam de um pouco de sal. Mas, também como o resto de nós, eles não precisam de muito sal. Na verdade, os rins deles não conseguem lidar com grandes quantidades de sódio, e é provavelmente por isso que a mãe natureza fez o leite materno com muito pouco sódio (somente 5 miligramas de sódio por xícara, comparados a 120 miligramas por xícara de leite de vaca). E há alguma evidência de que sal demais, cedo demais, em especial quando há histórico familiar de hipertensão, pode montar o palco para uma pressão sanguínea alta na idade adulta. Uma dieta rica em sódio cedo na vida pode também nutrir um paladar de toda a vida por coisas salgadas.

Porque sódio demais não é bom para os bebês, os principais fabricantes eliminaram o sal de suas receitas de alimentos infantis. Os pais que preparam a comida do bebê devem fazer o mesmo. Não presuma que o feijão ou a batata amassada não têm apelo a sua filha a não ser que sejam salpicadas de sal só porque você gosta desta maneira. Dê às papilas gustativas dela a oportunidade de aprender o sabor da comida sem sal, e ela desenvolverá uma preferência saudável que durará a vida toda.

Para se certificar de que sua filha não adquira o hábito de consumir sal e para ajudar o resto da família a reduzir a ingestão de sal, leia os rótulos sempre. Você encontrará grandes quantidades de sódio em muitos produtos insuspeitos, inclusive pães e cereais matinais, bolos e biscoitos. Uma vez que um bebê entre os 6 meses e o primeiro ano de idade não requer mais de 250 a 750 miligramas de sódio por dia, os alimentos que contenham 300 miligramas ou mais por porção rapidamente colocarão a ingestão acima deste nível. Quando comprar para o bebê, opte na maior parte do tempo por alimentos com menos de 50 miligramas de sódio por porção.

## REJEIÇÃO AOS CEREAIS

*"Começamos a dar cereais de arroz a nosso bebê, como devemos fazer, mas ele parece não gostar. Então passamos*

*aos vegetais e frutas — o que ele adora. Ele precisa mesmo comer cereais?"*

Não é dos cereais que os bebês precisam, mas do ferro com que são enriquecidos. Para os bebês alimentados com fórmula, a rejeição aos cereais não é um problema, uma vez que estes bebês preenchem suas necessidades deste mineral essencial toda vez que tomam mamadeira. Os bebês que mamam no peito, contudo, precisam de outra fonte de ferro depois que chegam à marca dos 6 meses. Felizmente, embora os cereais enriquecidos para bebês sejam uma fonte alternativa muito popular de ferro (pelo menos, entre a maioria dos comedores iniciantes e seus pais), eles não são a única fonte. Os bebês que rejeitam os cereais podem atender facilmente a suas necessidades com um suplemento de ferro. Peça recomendações ao médico.

E antes que você feche a porta para todos os cereais, você pode tentar dar outra variedade ao bebê — cevada, talvez, ou aveia. É possível que suas papilas gustativas mais aventurosas prefiram naturalmente um sabor um pouco mais forte (o arroz definitivamente é o mais delicado do bando). Ou considere misturar uma pequena quantidade de cereais com uma das frutas de que ele gosta (embora isso não seja recomendado para bebês que já gostam de seus cereais "direto", não há problemas em tentar uma mistura com um bebê que adota a fruta e rejeita o cereal).

# DIETA VEGETARIANA

*"Somos vegetarianos estritos e planejamos criar nossa filha da mesma forma. Será que nossa dieta é nutrição suficiente para ela?"*

O que é bom para a mamãe e o papai ganso pode ser bom para os gansinhos também. Milhões de pais que evitam produtos animais criam uma descendência perfeitamente saudável sem leite, carne ou queijo na mesa da família. E, a longo prazo, um estilo de vida vegetariano pode ter efeitos positivos para a saúde — reduzindo o risco de doença cardíaca, câncer e de outras doenças ligadas a uma dieta rica em gorduras, pobre em fibras e cheia de carne. No entanto, há possíveis armadilhas em se dar uma dieta vegetariana a uma criança; para evitá-las, tome as seguintes precauções:

— Amamente sua filha no peito. Continuar a amamentação por um ano, se possível, garantirá que sua filha obtenha todos os nutrientes de que ela precisa pelos primeiros 6 meses e a maior parte do que ela precisa no primeiro ano — pressupondo-se que você obtenha todos os nutrientes de que precisa (inclusive ácido fólico e vitamina $B_{12}$, em um suplemento) para produzir um leite de alta qualidade.

Se você não pode dar o peito, certifique-se de que a fórmula de soja que você escolher seja recomendada pelo médico de sua filha.

♦ Suplemente, se necessário. Discuta com o pediatra de sua filha se ela, que mama no peito, deve receber um suplemento de vitaminas e sais minerais para bebês que contenha ferro, vitamina D, ácido fólico e vitamina $B_{12}$ (encontrada somente em produtos animais). (Ver página 265 para mais informações sobre suplementos vitamínicos.) Um suplemento definitivamente será necessário quando sua filha for desmamada da fórmula ou do peito.

◆ Seja seletiva. Sirva somente cereais e pães integrais depois que sua filha puder consumir cereais para bebês. Eles fornecerão mais vitaminas, sais minerais e proteína comumente obtidos de produtos animais do que lhes proporcionaram suas contrapartes de farinha refinada.

◆ Volte-se para o tofu. Use tofu e outros derivados da soja para fornecer uma proteína a mais quando sua filha passar para os sólidos. Perto do final do primeiro ano, arroz integral cozido bem macio, grão-de-bico amassado ou outras leguminosas (feijão e ervilha), e massas de grãos integrais e ricas em proteínas podem ser acrescentados à dieta como fonte de proteína. E não se esqueça de apelar ao edamame, mamãe (e papai). Cozido até que fique muito macio e descascado, servido como purê primeiro, depois amassado, estes grãos de soja são saborosos e cheios de proteína.

◆ Concentre-se nas calorias. Bebês em crescimento precisam de muitas calorias para crescer, e conseguir bas-

---

## SEM CARNE? SEM PROBLEMAS

Sua dieta vegetariana contém leite, laticínios e ovos? Então garantir uma boa nutrição para sua filha deve ser moleza. O cálcio certamente não é um problema; os laticínios o contêm (enquanto também fornecem muita vitamina A, $B_{12}$ e D). As proteínas não são um problema; os laticínios fazem esse truque também. (Os piscovegetarianos, os que comem peixe mas não carne vermelha, terão mais facilidade na batalha das proteínas.) As gemas de ovo, depois que podem ser consumidas, oferecem proteção adicional, bem como ferro; ovos ricos em DHA proporcionarão ácidos graxos essenciais ômega 3, junto com seus muitos benefícios.

---

tante combustível é mais difícil com uma dieta que se restringe a vegetais. Fique de olho no ganho de peso do bebê para se certificar de que ele esteja ingerindo calorias suficientes; se parecer que está afrouxando, aumente a ingestão de leite materno e concentre-se nos vegetais ricos em calorias, como o abacate.

◆ Mantenha a ingestão de cálcio. Depois que desmamar sua filha, certificar-se de que ela obtenha o cálcio de que precisa para ter ossos e dentes fortes e saudáveis será um pouco mais problemático do que é para os pais que servem laticínios aos filhos. Boas fontes vegetais deste sal mineral essencial incluem suco enriquecido com cálcio, tofu preparado com cálcio (mas cuidado com as muitas bebidas de soja e sobremesas congeladas que contêm pouco ou nenhum cálcio), bem como brócolis e outros vegetais de folhas verdes. Uma vez que estes e muitos outros alimentos com cálcio, que não são laticínios, não são os favoritos dos bebês, é possível que você tenha que acrescentar um suplemento de cálcio à dieta de sua filha se preferir não dar leite a ela. Converse com o médico.

♦ Não se esqueça da gordura —, isto é, a gordura boa. Alimentos como o salmão e outros peixes, bem como ovos ricos em DHA, fornecerão os essenciais ácidos graxos ômega 3. Os vegetarianos que não comem produtos animais têm de procurar estas gorduras boas em outra parte. Como os vegetais não fornecem DHA pré-formado, converse com o médico sobre suplementos de DHA (como os que são acrescentados às fórmulas infantis.)

## EXAME PARA ANEMIA

*"Não entendo por que o médico quer ver se meu filho tem anemia na próxima consulta. Ele nasceu prematuro, mas agora é muito saudável e ativo."*

Graças à fórmula e aos cereais para bebês enriquecidos com ferro, hoje em dia a anemia é rara em bebês bem alimentados (só 2 a 3 em 100 bebês de classe média tornam-se anêmicos). Consequentemente, um exame de rotina para anemia (um baixo conteúdo de proteína nos glóbulos vermelhos) não é mais considerado absolutamente necessário. Mas como os bebês com anemia branda em geral não manifestam os sintomas comuns do problema (palidez, fraqueza e/ou irritabilidade) — e, na verdade, a maioria aparentemente é saudável e ativa — a única maneira de diagnosticar a doença é com um exame de sangue. É por isso que muitos médicos continuam a fazer o exame (entre os 6 e os 9 meses para bebês com baixo peso ao nascimento e entre os 9 e os 12 meses para os outros), só por segurança.

A causa mais comum de anemia em bebês é a deficiência de ferro — em geral ocorrendo em bebês nascidos com pouca reserva de ferro, como prematuros que não tiveram tempo, antes do nascimento, de reservar o suficiente e aqueles cujas mães não consumiram ferro suficiente durante a gravidez. Os bebês nascidos a termo em geral nascem com reservas de ferro formadas durante os últimos meses de gestação, reservas que eles levam nos primeiros meses de vida. Depois disso, à medida que os bebês continuam a precisar do mineral em grandes quantidades para ajudar a expandir seu volume de sangue a fim de atender às exigências do rápido crescimento, eles precisam de uma fonte de ferro na dieta, como fórmula enriquecida com ferro (para os que tomam mamadeira) ou cereais enriquecidos com ferro para bebês. E embora amamentar exclusivamente no peito nos primeiros 4 a 6 meses seja considerada a melhor maneira de nutrir seu bebê, e o ferro no leite materno ser muito bem absorvido, só o aleitamento materno não garante uma ingestão adequada depois dos 6 meses.

Em geral, o bebê nascido a termo que desenvolve uma anemia por deficiência de ferro é um bebê que depende principalmente do leite materno (depois dos 6 meses), leite de vaca ou fórmula com baixo teor de ferro para sua nutrição, e consome muito pouco sólido. Porque a anemia tende a diminuir o apetite para os sólidos, sua única fonte de ferro, é criado um ciclo de menos ferro/menos comida/menos ferro/menos comida, piorando a situação. Gotas de ferro receitadas em geral corrigem rapidamente o problema.

Para ajudar a prevenir a anemia por deficiência de ferro no bebê, experimente o seguinte:

♦ Certifique-se, se seu filho toma mamadeira, de que ele esteja tomando a fórmula enriquecida com ferro.

♦ Certifique-se, se seu filho mama no peito, de que ele esteja obtendo ferro de uma forma suplementar (como cereais enriquecidos com ferro ou vitaminas que contenham ferro, se recomendado pelo pediatra) depois dos 6 meses. E dê um alimento com vitamina C ao mesmo tempo, se possível, para melhorar a absorção do ferro.

♦ À medida que seu filho aumentar a ingestão de sólidos, certifique-se de incluir alimentos ricos em ferro (ver página 462).

♦ Evite dar farelos demais a seu filho (em bolinhos de farelo de trigo ou cereais de farelo, por exemplo), uma vez que podem interferir na absorção do ferro.

## CALÇADOS PARA O BEBÊ

*"Minha filha ainda não está andando, é claro, mas não acho que ela fique completamente vestida sem sapatos."*

Embora meias e botinhas ou, se o clima permitir, os pés nus sejam melhores para sua filha nesta fase do desenvolvimento, não há nada de errado em vestir pezinhos com calçados elegantes em ocasiões especiais — desde que sejam do tipo certo. Uma vez que os pés de sua filha não foram feitos para andar (ainda não, pelo menos), os sapatos que você comprar também não devem se prestar a isto. Calçados para bebês devem ser leves, feitos de material respirável (couro ou tecido, mas não plástico), com solados tão flexíveis que você possa sentir os pés do bebê através deles (solados duros são absolutamente proibidos). Sapatos com apoio firme nos calcanhares (cano alto) não só são desnecessários e não são saudáveis para os pés agora como também não serão quando sua filha começar a andar. E considerando a rapidez com que os primeiros sapatos ficam pequenos, faz sentido que eles também sejam baratos.

Para dicas sobre a escolha dos calçados depois que o bebê estiver andando, ver página 634.

# O Que É Importante Saber:
## ESTIMULANDO SEU BEBÊ MAIS VELHO

Se estimular um bebê nos primeiros meses de vida requer engenhosidade, estimular um bebê que se aproxima da marca de meio ano exige sofisticação. O bebê não é mais uma massa de modelar física, emocional e intelectual em suas mãos. Agora ele está pronto e é capaz de ter um papel ativo no processo de aprendizagem e para coordenar os sentidos — vendo o que está sendo tocado, procurando pelo que ouve, tocando o que é saboreado.

As mesmas diretrizes básicas discutidas em Estimulando Seu Bebê nos Primeiros Meses (ver página 359) continuarão a valer à medida que você se aproxima da segunda metade do primeiro ano de seu filho, mas os tipos de atividades que você pode proporcionar se ampliam muito. Basicamente, elas serão dirigidas para estas áreas de desenvolvimento:

**Habilidades motoras amplas.** A melhor maneira de ajudar o bebê a desenvolver a capacidade motora e a coordenação necessária para se sentar, engatinhar, andar, atirar uma bola e pedalar um triciclo é dar muitas oportunidades. Mude com frequência a posição de seu filho — de costas para de barriga, sentado com apoio para de bruços, do berço para o chão — para dar-lhe a chance de exercitar suas habilidades físicas. À medida que seu filho parecer pronto (o que não vai acontecer se você não tentar), dê a oportunidade de fazer o seguinte:

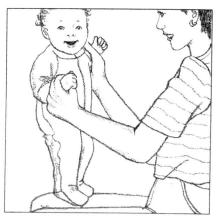

*Os bebês adoram um colo para ficar de pé. Puxar o bebê para esta posição não só o diverte como também ajuda a desenvolver os músculos das pernas que o bebê precisará para se içar, e mais tarde se colocar de pé, sem ajuda.*

♦ Ficar de pé em seu colo e balançar

♦ Sentar-se

♦ Sentar-se em posição de "sapo" (como um tripé)

♦ Sentar-se ereto, apoiado em travesseiros, se necessário

♦ Tentar ficar de pé, segurando em seus dedos

## COMO FALAR COM SEU BEBÊ AGORA?

Agora que seu filho está prestes a aprender sua língua, o que você diz a ele assume um novo significado. Você pode ajudar as habilidades de linguagem de seu filho da seguinte maneira:

**Reduza o ritmo.** Quando o bebê está começando a tentar decodificar seu jargão, falar rápido deixará os esforços dele mais lentos. Para dar a seu filho a oportunidade de começar a apreender as palavras, você deve falar mais lentamente, com mais clareza e com mais simplicidade.

**Concentre-se em palavras.** Continue com seus comentários, mas comece a destacar uma palavra ou outra e frases simples comumente usadas na vida diária do bebê. Na hora de comer, quando você disser, "Estou colocando suco na caneca", erga o suco e acrescente, "suco, este é o suco", e a caneca, e diga, "caneca". Sempre dê uma pausa para que o bebê tenha tempo de decifrar suas palavras antes que você diga mais alguma coisa.

**Continue a eliminar os pronomes.** Os pronomes ainda confundem seu filho, então prenda-se a "Este é o livro da mamãe", e "Esta é a boneca da Mariana".

**Destaque a imitação.** Agora que está aumentando o número de sons que seu bebê faz, também aumenta a diversão que vocês podem ter imitando um ao outro. Toda uma conversa pode ser formada a partir de algumas consoantes e vogais. O bebê diz, "Ba-ba-ba-bá", e você responde com um animado "Ba-ba-ba-bá". O bebê responde, "Da-da-da-dá" e você diz, "Da-da-da-dá". Se o bebê estiver receptivo, você pode propor novas sílabas ("Ga-ga-ga-gá", por exemplo), estimulando a imitação. Mas se o papel contrário desestimular seu filho, volte ao ponto de partida. Em poucos meses, você descobrirá que seu filho começará a imitar suas palavras — sem nenhuma sugestão sua.

**Fale.** Fale com seu filho sobre tudo — e qualquer coisa — que vocês estejam

---

- ◆ Tentar ficar de pé no berço ou no cercadinho, ou em outro móvel

- ◆ Colocar-se de quatro

**Habilidades motoras finas.** Desenvolver a destreza dos dedinhos e das mãozinhas do bebê por fim levará ao domínio de muitas habilidades essenciais, como comer sozinho, desenhar, escrever, escovar os dentes, amarrar os sapatos, abotoar uma blusa, virar uma chave e muito mais. A proficiência se desenvolve mais rapidamente se os bebês têm muitas oportunidades de usar suas mãos, para manipular objetos de todos os tipos, tocar, explorar e experimentar. O que se segue ajudará você a aguçar as habilidades motoras finas:

- ◆ Quadros de atividades — uma variedade de atividades dá ao bebê muita

fazendo juntos. Seja natural em sua conversa, mas com uma inflexão que seja favorável ao bebê (não confundir com a "fala de bebê"). Ver quadro nas páginas 330-331 para mais informações sobre conversar com o bebê.

**Forme um repertório de músicas e rimas.** Você pode achar tedioso repetir os mesmos versos e musiquinhas umas dez vezes ao dia. Seu filho, contudo, não só adora a repetição como aprende com ela. Não importa que você esteja recorrendo a historinhas conhecidas ou a sua própria criatividade; o que conta é a coerência.

**Use livros.** O bebê ainda não está pronto para ouvir histórias, mas frases simples em livros com figuras em cores vivas com frequência atraem a atenção de um bebê novo. Aponte muito para objetos simples, animais ou pessoas. Comece dizendo, "Cadê o cachorro?", e por fim o bebê surpreenderá você colocando o dedinho gorducho no lugar certo.

**Espere por uma resposta.** Embora o bebê não possa estar falando ainda, ele está começando a processar a informação, e em geral terá uma resposta ao que você disser — mesmo que seja só um guincho excitado (quando você propõe um passeio de carrinho) ou um gemido rabugento (quando você anuncia que é hora de sair do balanço).

**Seja imperativa.** Com o tempo, seu filho aprenderá a seguir comandos simples como "Beije a vovó", ou "Dê tchau", ou "Dê a boneca para a mamãe" (e "por favor", se quiser que a palavra venha naturalmente ao bebê no futuro). Mas tenha em mente que o bebê não seguirá suas solicitações nos meses que virão, e até quando ele começar a fazer isso, a resposta não será coerente nem imediata (o bebê pode até acenar um tchau, mas cinco minutos depois que seu amigo saiu do prédio). Não mostre decepção quando o bebê não conseguir. Em vez disso, ajude seu filho a atender a seu pedido (dando tchau você mesma) e por fim ele vai aprender. Depois que acontecer, tente não tratar seu filho como uma foca amestrada, pedindo *performances* do último "truque" sempre que houver plateia (embora seja tentador exibir o bebê).

prática com as habilidades motoras finas, embora meses venham a se passar antes que a maioria dos bebês consiga conquistar todas elas.

- ◆ Blocos — cubos simples de madeira, plástico ou tecido, grandes ou pequenos, são adequados para esta idade.

- ◆ Bonecas macias e bichos de pelúcia — lidar com eles forma destreza.

- ◆ Objetos reais da casa ou de brinquedo — os bebês em geral adoram telefones reais ou de brinquedo (com os cabos retirados), colheres, canecas, coadores, potes e panelas, copos de papel, caixas vazias.

- ◆ Bolas — de variados tamanhos e texturas, para segurar, para apertar; são especialmente divertidas depois que o bebê é capaz de se sentar e rolar as bolas ou engatinhar atrás delas.

♦ Jogos com os dedos — no começo você será a única a bater palmas, brincar de mata-bolinho, aranha e jogos semelhantes, mas, quando você menos esperar, o bebê estará brincando junto. Depois que você der uma ou duas demonstrações, ajude o bebê com a brincadeira enquanto você canta.

**Habilidades sociais.** O meio do primeiro ano é uma época muito sociável para a maioria dos bebês. Eles sorriem, riem, guincham e se comunicam de uma variedade de outras maneiras e estão dispostos a compartilhar sua amizade com todos os que chegam — a maioria ainda não desenvolveu a "ansiedade de estranhos". Assim, esta é uma época perfeita para estimular a socialização, para expor seu filho a várias pessoas de diferentes idades — de outros bebês aos idosos. Você pode fazer isso enquanto faz compras, quando recebe os amigos ou os visita, unindo-se a um grupo de bebês, até fazendo com que seu filho confraternize com a imagem dele no espelho. Ensine pelo exemplo uma saudação simples, como "oi", e algumas das outras gentilezas sociais básicas, como acenar um adeus, mandar um beijo e agradecer.

**Habilidades intelectuais e de linguagem.** A compreensão está começando a nascer. Nomes (da mamãe, do papai, dos irmãos) são reconhecidos primeiro, seguidos de palavras básicas ("não", "mamar", "tchau", por exemplo), e logo depois, frases simples e ouvidas com frequência (Quer mamar?", ou "Cachorro bonzinho"). Esta linguagem receptiva (entendendo o que eles ouvem) se transformará em linguagem falada. Outros tipos de desenvolvimento intelectual também estão no horizonte. Embora não dê esta impressão, seu filho está dando os primeiros passos para adquirir as habilidades de solução rudimentar de problemas, observação e memorização. Você pode ajudar fazendo o seguinte:

♦ Brinque com jogos que estimulem o intelecto (ver página 614), que ajudem o bebê a observar causa e efeito (encha uma caneca com água na banheira e deixe o bebê esvaziar — "Está vendo, a água caiu"), que explique a permanência do objeto (cubra um brinquedo favorito com uma roupa e depois deixe o bebe procurar — "Cadê o ursinho?" — ou brinque de esconde-esconde por trás de suas mãos, de um livro, de um cardápio).

♦ Continue aguçando a percepção auditiva do bebê. Quando um avião voar acima de sua casa ou um carro dos bombeiros passar correndo pela rua com a sirene ligada, aponte para o bebê: "É um avião?", ou "Está ouvindo o carro dos bombeiros?" ajudará a sintonizar seu filho para o mundo dos sons. Destacar e repetir as palavras-chave ("avião", "bombeiro") também ajudará com o reconhecimento das palavras. Faça a mesma coisa quando ligar o aspirador de pó ou a água na banheira, quando a chaleira apitar ou a campainha ou o telefone tocar. E não despreze aqueles barulhos divertidos preferidos — soprar a barriga ou o braço do bebê, estalos com a língua e assovios são também educativos, estimulando a imitação, o que por sua vez estimula o desenvolvimento da linguagem.

◆ Introduza conceitos. Assinale: este ursinho é macio, este café é quente, o carro anda rápido, você levanta cedo, a bola está debaixo da mesa. Enquanto usar objetos, descreva para que eles servem: esta vassoura é para varrer, esta água é para lavar e beber, a toalha é para secar, o sabonete é para lavar. No começo suas palavras não terão significado para o bebê, mas um dia, com muita repetição, os conceitos começarão a se cristalizar.

◆ Estimule a curiosidade e a criatividade. Se seu filho quiser usar um brinquedo de uma forma incomum, não o desestimule nem tente redirecioná-lo. Dê a seu filho a oportunidade de experimentar e explorar — quer isto signifique arrancar tufos de grama do jardim ou espremer uma esponja molhada na banheira. Um bebê aprenderá muito mais pela experiência do que pela instrução, e esse tipo de brincadeira e exploração é absolutamente livre.

◆ Estimule o amor pela aprendizagem. Embora seja importante ensinar fatos e conceitos específicos a seu filho, é igualmente importante ensinar a aprender e conferir o amor pela aprendizagem. Lembre-se de que aprender é sempre mais eficaz quando há interação e diversão.

◆ ◆ ◆

# CAPÍTULO 11

# O Sétimo Mês

O bebê ainda é um animal social, mas agora aquelas interações individuais às vezes são secundárias em relação à exploração — uma paixão estimulada não só por uma curiosidade crescente, mas por um senso de independência que vai florescendo (algo que você vai ver muito nos próximos meses). Junto com este desejo de ser ele mesmo, virá o desejo de se movimentar com independência. Os dias de conseguir colocar o bebê no meio do chão e saber que ele estará no mesmo lugar 5 minutos depois estão quase acabando — se já não acabaram. Antes que você perceba, o bebê estará se contorcendo, rolando, arrastando-se e provavelmente engatinhando de uma ponta da sala à outra — e para além dela (embora alguns bebês pulem a fase de engatinhar, particularmente se eles não passaram muito tempo de bruços). Com a iminente mobilidade independente, é hora de tornar sua casa completamente à prova de crianças, se você já não fez isso.

## O Que seu Bebê Pode Estar Fazendo

Todos os bebês atingem marcos em seu tempo de desenvolvimento. Se seu filho parece não ter atingido um ou mais destes marcos, fique tranquila, ele provavelmente os atingirá muito em breve. A taxa de desenvolvimento de seu bebê é normal para ele. Tenha em mente, também, que as habilidades que o bebê desenvolve na posição de bruços só podem ser dominadas se houver oportunidade de praticar. Assim, certifique-se de que o bebê passe um período brincando de bruços sob supervisão. Se você estiver preocupada com o desenvolvimento de seu filho (porque percebeu que ele não atingiu um marco de desenvolvimento ou o que você acha que pode ser um atraso no desenvolvimento), não hesite em verificar com o médico na próxima consulta — mesmo que ele não traga isso à baila. Os pais com frequência percebem nuances no desenvolvimento do bebê que os médicos não veem. Os bebês prematuros geralmente chegam aos marcos mais tarde do que os outros da mesma idade de nascimento, em geral atingindo-os mais perto de sua idade ajustada (a idade que eles teriam se tivessem nascido a termo), e às vezes mais tarde.

***Aos sete meses, seu bebê... deve ser capaz de:***

♦ comer um biscoito sozinho

♦ guinchar de prazer

♦ balbuciar ou arrulhar quando feliz

♦ sorrir com frequência quando interage com você

***... provavelmente, será capaz de:***

♦ sentar-se sem apoio

♦ sustentar algum peso nas pernas quando colocado de pé

♦ objetar se você tenta tirar um brinquedo

♦ esforçar-se para pegar um brinquedo que está fora de alcance

♦ procurar por objetos caídos

♦ esquadrinhar com os dedos um objeto e pegá-lo com a mão (mantenha todos os objetos perigosos fora do alcance do bebê)

♦ virar-se na direção de uma voz

♦ balbuciar, combinando vogais e consoantes como ga-ga-gá, ba-ba-bá, ma-ma-má, pa-pa-pá

♦ brincar de esconde-esconde

***... pode ser capaz de:***

♦ engatinhar[1]

♦ passar um cubo ou outro objeto de uma mão para a outra

♦ ficar de pé apoiado em alguém ou em alguma coisa

***... pode até ser capaz de:***

♦ içar-se para ficar de pé a partir da posição sentada

♦ sentar-se a partir da posição de bruços

♦ brincar de bater palmas ou acenar um tchau

♦ pegar objetos pequenos com qualquer parte do polegar e dos dedos (mantenha todos os objetos perigosos fora do alcance do bebê)

♦ andar segurando-se na mobília (sem um destino definido)

♦ dizer "mamá" ou "papá" indiscriminadamente

---

[1]Os bebês que passam pouco tempo de bruços na hora de brincar podem chegar a este marco mais tarde, e isso não é motivo de preocupação (ver página 316).

# O Que Você Pode Esperar do *Check-up* deste Mês

A maioria dos médicos não vai marcar uma consulta de *check-up* regular para o bebê este mês.

Procure o médico se houver alguma preocupação que não possa esperar pela consulta do mês que vem.

## Como Alimentar seu Bebê:
# SAINDO DOS ALIMENTOS PENEIRADOS

Quer a passagem do bebê para os sólidos tenha sido tranquila ou turbulenta até agora, outro canal espera para ser atravessado: aquele entre os alimentos peneirados e os alimentos com texturas mais grosseiras. E quer o bebê tenha se mostrado um *gourmand* ansioso e aventuroso ou um comedor difícil de agradar e agitado, quer ele coma sólidos como um veterano ou como um calouro na cadeirinha, é melhor fazer a travessia o quanto antes. Como observamos anteriormente, depois que o bebê vai entrando pelos meses, é mais provável que as experiências novas sejam rejeitadas em vez de adotadas.

Não estamos dizendo com isso que chegou a hora de a família fazer uma excursão a sua churrascaria favorita. Mesmo quando os primeiros dentes estão no lugar, os bebês continuam a mastigar com as gengivas — o que não combina com um pedaço de carne. Por ora, purê granulado ou alimentos amassados, que

têm um pouco mais de textura do que os alimentos peneirados, farão parte da alimentação do bebê.

Você pode usar os alimentos comerciais "júnior" ou da "fase 3", ou amassar as refeições do bebê a partir do que serve a sua família, desde que tenham sido preparadas sem sal nem açúcar. Pode experimentar o mingau de aveia caseiro diluído com fórmula ou com leite materno (mas, lembre-se, ao contrário do mingau de aveia para bebês, em geral no primeiro não há adição de ferro); queijo *cottage* amassado (de preferência sem sal); maçã ou pera raspada (raspe pedacinhos minúsculos de fruta em um prato com uma faca); frutas cozidas em purê ou granuladas (como maçã, damasco, pêssego, ameixa); e vegetais (como cenoura, batata-inglesa ou batata-doce, couve-flor, abóbora). Aos 7 meses, você em geral pode acrescentar carne e frango sem pele (em purê, moídos ou cortados muito fininhos) e pequenas lascas de peixe macio. Quando o pediatra autorizar a introdução de gema de ovo (provavelmente será sugerido que você evite as claras, que podem ser muito alergênicas), sirva-a bem cozida e amassada, mexida ou em torrada ou panqueca. Procure por filamentos em frutas (como banana e manga), vegetais (como brócolis, vagem e couve) e carnes. E certifique-se de verificar o peixe cuidadosamente em busca de espinhas que possam ficar depois de amassar. (Ver página 453 para mais informações sobre quando introduzir alimentos específicos.)

Alguns bebês também podem lidar com pães e biscoitos aos 7 meses (pressupondo-se que não haja problemas de alergias, o trigo pode ser acrescentado à dieta agora), mas escolha cuidadosamente. Eles devem ser de trigo integral, preparados sem sal ou açúcar, e fáceis de mastigar. O ideal é começar com *bagels* de trigo integral que foram congelados (eles são duros, mas, se o bebê conseguir raspar, vão ficar moles) e bolos de arroz sem sal (eles esfarelam facilmente mas se dissolvem na língua, e a maioria dos bebês adora). Depois que estiver lidando bem com estes, o bebê estará pronto para os pães integrais. Para diminuir o risco de sufocamento, retire as crostas e sirva pão de fôrma em cubos, rolinhos ou em nacos; evite os pães brancos industrializados, que tendem a se tornar pastosos quando molhados e podem levar a engasgos e sufocamento. Dê pão e biscoitos — e todos os alimentos cortados — só quando seu bebê estiver sentado ereto e somente sob sua supervisão. E certifique-se de que você saiba lidar com um incidente de engasgo (ver página 827).

# As Preocupações Comuns

## PEGANDO O BEBÊ NO COLO

*"Eu pego meu filho no colo no minuto em que ele chora, e acabo carregando-o comigo na maior parte do dia. Será que eu o estou estragando?"*

Embora seja difícil estragar um bebê nesta idade, há muitos bons motivos para você querer pegar menos seu filho no colo. Bancar o "táxi do bebê" — pegá-lo no colo no momento em que você é saudada com um aceno dos bracinhos dele ou um gemido de tédio — pode consumir tempo (como se você já não estivesse "de serviço" em todo o tempo que o bebê passa acordado). Mas carregar o bebê o dia todo não só impede que você faça as coisas, impede a ele também. Em seus braços, o bebê não tem a oportunidade de praticar habilidades, como engatinhar, que um dia permitirão que ele ande sem carona. Também não dá a ele a oportunidade de flexionar os músculos da independência de outras formas importantes, como aprender a se divertir sozinho por curtos períodos de tempo e a desfrutar de sua própria companhia (habilidades essenciais para a formação da autoestima).

Por fim, isso evita que ele aprenda outra lição importante que será inestimável em seu desenvolvimento como ser humano afetuoso: a de que as outras pessoas, até os pais, têm direitos. Como os bebês e as crianças pequenas são normal e necessariamente egocêntricos, este conceito será difícil de ser apreendido no começo. Introduzi-lo agora, porém, ajudará a garantir que você estará criando um filho que nem sempre coloca as próprias necessidades na frente das dos outros — em outras palavras, uma criança que não é mimada.

Às vezes os bebês choram para conseguir colo não só porque estão querendo uma carona, mas porque anseiam por conforto e atenção — e as duas coisas ainda são necessárias em doses generosas. Assim, a primeira coisa que você deve fazer é determinar se seu filho está recebendo o bastante destas preciosas mercadorias. Pense no seguinte: você tem se sentado para brincar com seu filho várias vezes ao dia, ou sua interação consiste principalmente em largá-lo no cercadinho com um brinquedo, deixando-o no ExerSaucer enquanto você prepara o jantar, ou prendendo-o na cadeirinha do carro para uma ida ao supermercado? Se é assim, ele pode ter chegado à conclusão de que é preferível ser carregado em seus braços, embora não seja totalmente estimulante, a não ter atenção nenhuma.

Em seguida, veja se seu filho tem necessidades físicas. As fraldas dele estão sujas? Está na hora do almoço? Ele está com sede? Cansado? Se for assim, satisfaça as necessidades dele, depois vá para o passo seguinte.

Mude-o para outro lugar: o cercadinho, se ele estiver no berço; o andador, se ele estiver no cercadinho; o chão, se ele estiver no andador. Isto pode satisfazer o desejo dele de viajar.

Depois, certifique-se de que ele tenha brinquedos e objetos para se divertir — potes e panelas, um animal de pelúcia, ou um quadro de atividades — você sabe do que ele gosta. Uma vez que a concentração dele é curta, mantenha dois ou três brinquedos à mão; brinquedos demais à disposição dele, porém, vão sobrecarregá-lo e frustrá-lo. Providencie uma seleção nova quando ele der sinal de inquietação.

Se ele continuar a chorar pedindo um táxi, tente distraí-lo. Abaixe-se no nível dele por alguns minutos e envolva-o em uma atividade sem pegá-lo no colo. Mostre a ele como empilhar alguns blocos, aponte "olhos-nariz-boca" no bicho de pelúcia, gire o cilindro e o botão da caixa de atividades para que ele comece e desafie-o a fazer o mesmo.

Se ele se distrair momentaneamente, e mesmo que ele ainda esteja verbalizando um pouco as objeções, diga a ele que você tem o que fazer e afaste-se casualmente e sem hesitação. Fique no campo de visão dele, batendo papo ou cantando para ele, se isso ajudar; mas saia do alcance visual dele (mas não dos ouvidos e só se ele estiver num cercadinho seguro, no berço ou em um cômodo à prova de bebês) se sua presença aumentar a insatisfação dele. Antes disso, enfie a cabeça em um canto, brincando de esconde-esconde, para mostrar a ele que, quando desaparece, você volta.

Deixe-o sozinho um pouco mais a cada ocasião, deixando-o objetar um pouco mais se for necessário. Mas sempre volte para o lado dele quando ele ficar muito agitado — para tranquilizá-lo, brincar com ele por alguns minutos e recomeçar o processo. Aos poucos, estique o tempo entre as aparições, mas não espere até que ele esteja gritando para conseguir colo — a ideia é estimulá-lo a brincar sozinho, e não dar a ele a sensação de que está sendo ignorado ou que chorar é a única maneira de atrair sua atenção.

Seja realista em suas expectativas; a maioria dos bebês não brinca por mais de alguns minutos sozinho, e até os bebês muitos independentes precisam de mudanças frequentes de cenário e de brinquedos. Lembre-se também de que muitos bebês que não conseguem engatinhar ainda podem ficar frustrados com o fato de que ainda não conseguem sair do lugar sozinhos; até que ele possa fazer isso, pegar uma carona com a mamãe ou o papai é a única maneira de conseguir mobilidade.

Não se sinta culpada em tentar fazer com que seu filho passe um tempinho sozinho; se você se sentir assim, estará passando o recado de que brincar sozinho é um castigo (não é), em vez de uma coisa que é divertida por algum tempo (deve ser). Mas também não se esqueça de que seu filho ainda é um bebê — que precisa de muitos abraços, carinhos e cuidados.

## AVÓS MIMANDO O BEBÊ

*"Meus pais moram aqui perto e veem minha filha várias vezes por dia. Quando é assim, eles a enchem de doces e atendem a todos os caprichos dela. Eu os amo, mas não gosto do modo como eles a mimam."*

Os avós têm o melhor de todos os mundos: eles podem ter o prazer de satisfazer a vontade de um bebê sem a infelicidade de viver com as consequências. Eles podem ver com prazer como o neto saboreia os biscoitos doces que oferecem a ele, mas não têm de lutar com um bebê agitado — e sem fome — na hora das refeições. Eles podem impedir que a neném durma na hora da soneca, para que eles tenham mais tempo para brincar, mas não têm de lidar com o mau humor dela depois disso.

Será que mimar os netos é um direito inalienável dos avós? De certa forma, é. Eles fizeram a parte deles durante a sua infância, tirando-a de sua amada mamadeira, adulando-a para que comesse o espinafre que você rejeitava, lutando com você na hora do toque de recolher. Agora que é sua vez de bancar a durona, eles ganharam a tarefa agradável de mimar. Embora seja menos preocupante mimar no primeiro ano do que nos anos futuros, é uma boa ideia estabelecer algumas diretrizes sensatas (que tenham a concordância de todos, espera-se) agora:

◆ Pode-se dar uma latitude maior aos avós cuja longitude está distante de você. Os avós que raras vezes aparecem — vendo sua filha somente duas ou três vezes por ano, nos feriados ou em ocasiões especiais — não podem mimá-la, mas devem ter todas as oportunidades de tentar. Se o bebê perde uma soneca ou passa da hora de dormir quando seus pais estão na sua casa por dois dias, numa visita de aniversário, ou se ela é carregada no colo muito mais do que você gostaria enquanto os visita nos feriados, não se preocupe. Deixe que sua filha (e eles) desfrute do tratamento especial, e fique tranquila que sua filha rapidamente voltará à rotina normal quando a visita terminar.

♦ Os avós que moram perto de Roma devem agir como os romanos — na maior parte do tempo. É possível que os avós que moram na mesma cidade, e em especial aqueles que moram na mesma casa, exagerem na indulgência, tornando a vida um caos não só para os pais do bebê, como também para o bebê. Sinais confusos — mãe e pai que não pegam no colo ao menor gemido, avó e avô que o fazem — criam um bebê confuso e infeliz. Por outro lado, uma criança prontamente aprenderá que as regras podem variar de acordo com o território: ela pode espalhar a comida em toda a mesa da vovó, mas não em casa. Assim, até os avós próximos precisam de alguma liberdade de movimento — em áreas de consequências menores.

♦ Algumas regras dos pais devem ser invioláveis. Uma vez que são os pais que vivem com a criança 24 horas por dia, são eles que devem estabelecer as leis nas questões mais importantes. São os avós, perto ou longe, que devem se submeter a estas regras, mesmo que não concordem necessariamente com elas. Em uma família, pode haver alguma discórdia com relação à hora de dormir; em outra, o açúcar e os alimentos não nutritivos na dieta; em outra ainda, o quanto de tevê as crianças podem ver (ainda não é um problema com um bebê de 6 meses, mas entrará no quadro em breve). É claro que, se os pais querem ficar firmes em todas as questões, então os avós devem poder negociar ocasionalmente.

♦ Alguns direitos dos avós devem ser invioláveis. O direito de dar presentes, por exemplo, que os pais podem não preferir — seja porque são muito caros, ou frívolos, ou, na opinião dos pais, de mau gosto. E de dá-los com mais frequência do que podem o papai e a mamãe. (Embora os presentes que não são seguros sejam um tabu, e aqueles que violam os valores dos pais devam ser negociados antes da compra.) Em geral, o direito de satisfazer os caprichos (sim, mimar) os netos com um pouco a mais de tudo — amor, tempo, coisas materiais. Mas não ao ponto em que estes mimos regulares violem as regras dos pais.

Se os avós ultrapassam as fronteiras do que é justo para avós; se eles ignoram ou rompem abertamente as regras que vocês estabeleceram tão conscienciosamente e tentam seguir, é hora de abrir um diálogo franco. Mantenham a conversa em um nível amoroso e leve. Expliquem (mesmo que tenham explicado antes) o quanto vocês querem que eles fiquem com o bebê, mas como a quebra das regras que vocês estabeleceram está confundindo sua filha e perturbando o programa e o equilíbrio da família. Digam a eles que vocês estão dispostos a ser flexíveis em algumas questões, mas que em outras terão de ser firmes. Lembrem a eles que quando eles eram pais, tinham as próprias regras; é a vez de vocês fazerem isto. Se não funcionar, deixe este livro, aberto na seção Avós Mimando o Bebê, em um lugar que eles não possam deixar de ver.

Se alguma de suas diferenças estiver centrada em questões de vida e morte (seu pai se recusa a reconhecer a importância de usar a cadeirinha do carro para sair na rua, sua sogra fuma enquanto segura o bebê nos braços), destaque a seriedade do problema, explicando os possíveis riscos e consequências dos atos deles para a saúde, usando este livro e outros recursos para tornar seu argumento mais convincente e objetivo. Se eles ainda não virem as coisas de sua forma, faça com que as regras sejam cumpridas (sem viagens no carro com eles, a não ser que usem a cadeirinha, nada de cigarro perto do bebê e ponto final).

## BEBÊ QUE FAZ TRAVESSURAS COM VOCÊ

*"A babá me contou que meu bebê é maravilhoso com ela, mas ele quase sempre começa a fazer diabruras no minuto em que chego do trabalho. Eu devo ser uma mãe terrível."*

Não desanime — fique encantada. O fato de que muitos bebês, até crianças mais velhas, aprontam mais com os pais do que com outras pessoas que cuidam deles é um sinal de que eles ficam mais à vontade e se sentem mais seguros com os pais. Pense desta maneira: você está fazendo um trabalho tão bom como mãe que seu filho confia que seu amor é incondicional. Ele pode se mostrar genuinamente sem se arriscar a perder seu amor.

O senso de oportunidade também pode ter algo a ver com as explosões noturnas. Sua chegada provavelmente coincide com o que é tipicamente a hora mais agitada do dia do bebê — o início da noite —, quando a fadiga, a superestimulação e a fome podem vencer até o mais encantador dos querubins. Depois de um dia difícil no trabalho e possivelmente uma viagem difícil para casa, você pode estar em frangalhos quando volta — algo que o radar de humor do bebê certamente vai captar. Seu alto nível de estresse intensifica o dele, o dele reforça o seu — e logo os dois passam a um estado mental desagradável. Se você em geral está muito distraída quando passa pela porta (tem que trocar de roupa, a correspondência tem que ser separada, precisa começar o jantar), as "travessuras" de seu filho também podem ser um apelo pela atenção que ele anseia, atenção que com frequência é curta nesta hora do dia. Para os bebês que têm problemas com a mudança (e mais, à medida que se aproximam de seu primeiro aniversário), esta mudança de guardiões pode ser em si mesma perturbadora, provocando uma tempestade de cólera.

Para facilitar a transição quando você volta para casa a cada noite, experimente as seguintes dicas:

- Não chegue em casa para um bebê faminto e exausto. Faça com que a babá dê uma refeição de sólidos para seu filho uma hora antes de seu retorno. (Se você quiser dar o peito assim que chegar, porém, certifique-se de que o bebê não tenha tomado mamadeira.) Um cochilo no final da tarde também pode ajudar a afastar a irritação; mas certifique-se de que o bebê não durma tão tarde que não seja capaz de ir para a cama em um horário razoável. Sugira que a babá reserve o tempo entre sua volta para atividades tranquilas, para que ele não esteja estimulado demais quando do você chegar.

- Relaxe antes de voltar. Se você ficar presa no trânsito por uma hora, fique sentada no carro e faça alguns exercícios de relaxamento antes de entrar em casa. Em vez de passar o tempo da volta no ônibus ou no metrô pensando no trabalho que ficou por fazer em sua mesa, use este tempo para esvaziar a mente de preocupações e enchê-la de pensamentos que a acalmem.

- Relaxe quando voltar. Não corra para começar o jantar, ou verificar o *e-mail*, ou dobrar a roupa lavada no momento em que largar sua bolsa. Em vez disso, tire 15 minutos para desanuviar com o bebê, dando a ele sua total e exclusiva atenção, se possível. Se seu filho parecer o tipo de criança que odeia transições, não se apresse em dispensar a babá. Reinsira-se na vida do bebê gradualmente, para que ele possa se acostumar com a ideia de que uma mudança está prestes a acontecer; quando ele se sentir mais à vontade, a babá poderá sair.

- Inclua o bebê em suas tarefas. Depois que os dois se sentirem mais relaxados, passe para suas tarefas domésticas, mas inclua o bebê nos procedimentos. Coloque-o no meio de sua cama (sob supervisão) ou no chão enquanto você troca de roupa. Segure-o no colo enquanto você verifica o *e-mail*. Sente-o na cadeirinha com alguns brinquedos enquanto você começa o jantar. Converse com ele enquanto corta os vegetais.

- Não leve para o lado pessoal. Quase todos os pais que trabalham vivem a confusão de chegar em casa. Os que têm filhos em creches podem viver o problema na hora em que os pegam, no caminho para casa, ou quando chegam em casa.

## MEU BEBÊ TEM ALGUM DOM?

*"Não quero ser uma mãe que pressiona muito. Mas não quero negligenciar os talentos que minha filha tem. Como se distingue um bebê comum e inteligente de um bebê que tem dons?"*

Acima de tudo, é preciso ter em mente que toda criança tem algum dom. Talvez um ouvido para a música. Um jeito para artes. Habilidade social. Capacidade atlética. Engenhosidade mecânica. Talvez uma combinação de vários dons. Até entre crianças cujo dom é uma capacidade intelectual excepcional, existem diferenças. Algumas são boas com os números, outras têm jeito com as palavras. Algumas são criativas; outras superam-se na organização.

Quaisquer que sejam os talentos que surjam em sua filha, eles se desenvolverão mais plenamente se você nutrir e estimular desde o começo — o que parece que você está ansiosa para fazer. Mas nutrir e estimular, como você observou sensatamente, é muito diferente de pressionar e exigir. Apreciar sua filha pela pessoa especial que ela é, em vez de tentar moldá-la na pessoa que gostaria que ela fosse, é a melhor maneira de ajudá-la a usar os dons com que foi abençoada.

Embora os testes de QI possam medir a capacidade intelectual mais tarde na infância, determinar se um bebê é intelectualmente dotado é difícil e, no final das contas, desnecessário. Afinal, todos os bebês — independente do que lhes reserva o futuro acadêmico — devem receber o estímulo de que precisam para crescer e desenvolver seu potencial. E este estímulo não precisar vir (e raramente deve vir) na forma de aulas especiais e programas de computador educativos (ver páginas 633 e 706). Falar com sua filha (e ouvir quando ela tentar "responder"), ler para ela, brincar com ela, ouvir música juntas, dar a ela uma variedade de experiências interessantes e fazer com que ela saiba que é amada (independente das realizações dela) dará a ela os fundamentos

necessários para prosperar agora e ser bem-sucedida mais tarde.

Entretanto, há pistas para a inteligência no primeiro ano que você pode procurar em sua filha:

**Desenvolvimento avançado uniforme.** Um bebê que faz tudo "cedo" — sorri, senta-se, anda, fala, pega objetos como um torquês e assim por diante — provavelmente vai continuar a se desenvolver num ritmo rápido, e pode se tornar excepcionalmente bem-dotado. Embora a capacidade de linguagem precoce, particularmente o uso de palavras incomuns antes do final do primeiro ano, seja a característica observada mais frequentemente pelos pais em suas crianças dotadas, e provavelmente indique uma alta inteligência, algumas crianças dotadas só são verbais muito mais tarde.

**Boa memória e capacidade de observação.** Crianças com dons frequentemente surpreendem os pais com as coisas de que se lembram, muito antes que a maioria dos bebês tenha exibido muita memória. E quando as coisas diferem do que eles se lembram (a mamãe está com o cabelo curto, o papai usa um casaco novo, o vovô está com um curativo no olho depois de uma cirurgia), elas percebem imediatamente.

**Criatividade e originalidade.** Embora a maioria dos bebês de menos de 1 ano não seja competente na solução de problemas, as crianças dotadas podem surpreender os pais sendo capazes de imaginar uma maneira de conseguir um brinquedo que ficou preso atrás de uma cadeira, alcançar uma prateleira alta na estante (empilhando livros nas prateleiras mais baixas para subir, talvez), ou usar a linguagem de sinais para uma palavra que está além de sua capacidade linguística (como apontar para o nariz para indicar que o animal no livro é um elefante, ou para as orelhas se for um coelho). O bebê que está prestes a se tornar uma criança dotada também pode ser criativo nas brincadeiras, usando brinquedos de formas incomuns, usando criativamente objetos que não são brinquedos em brincadeiras, gostando de brincar de "faz de conta".

**Senso de humor.** Mesmo no primeiro ano, uma criança brilhante perceberá e vai rir das incongruências da vida; a vovó usando os óculos em cima da cabeça ou o papai tropeçando no cachorro e derrubando o copo de suco, por exemplo.

**Curiosidade e concentração.** Embora todos os bebês sejam intensamente curiosos, os muito dotados não só são curiosos como têm a persistência e a concentração para explorar o que lhes desperta a cu-riosidade.

**Capacidade de fazer associações.** As crianças dotadas, com mais intensidade e mais cedo do que as outras crianças, verão associações entre as coisas e serão capazes de aplicar o que já sabem a novas situações. Um bebê de 9 ou 10 meses pode ver na loja um livro que o papai estava lendo em casa e dizer, "papá". Ou, acostumado a apertar o botão do elevador em seu prédio, ele vê um elevador em uma loja e procura pelo botão.

**Imaginação fértil.** Antes de um ano, a criança dotada pode ser capaz de fingir (beber uma xícara de café ou embalar um bebê) e logo depois se envolver muito em compor histórias, jogos, amigos imaginários e assim por diante.

**Dificuldade para dormir.** As crianças dotadas podem ficar tão envolvidas com a observação e o aprendizado que têm problemas para se desligar do mundo, e assim não dormem muito — uma característica que pode exasperar os pais.

**Percepção e sensibilidade.** Muito cedo, a criança dotada pode perceber quando a mamãe está triste ou com raiva, pode notar que o papai tem um machucado (porque está usando um curativo no dedo), pode tentar distrair um irmão que chora.

Mesmo que sua filha exiba muitas ou todas estas características, é cedo demais para rotulá-la de "superdotada". Também é cedo demais para decidir se uma criança não é tradicionalmente "dotada" (novamente, todas as crianças têm algum dom). Algumas crianças muito inteligentes têm um começo mais lento do que as colegas quando se trata de uma área de desenvolvimento ou mais, e no entanto conseguem superá-las mais tarde.

Para trazer à tona o melhor de sua filha, ame-a, não a rotule. Proporcione a ela um ambiente que permita que seus dons se desenvolvam, mas não se esqueça de amá-la (e fazer com que ela saiba que você gosta dela) incondicionalmente pelo que ela é — e não só pelo que ela é capaz de fazer.

## NÃO SE SENTA AINDA

*"Minha filha ainda não começou a se sentar, e estou preocupada que ela seja lerda para a idade."*

Porque os bebês normais realizam diferentes proezas do desenvolvimento em diferentes idades, há uma ampla gama de "normais" em cada marco. Embora a média se sente sem apoio por volta dos 6 meses e meio, alguns bebês normais sentam-se desde os 4 meses, outros só aos 9. E uma vez que sua filha tem um longo caminho pela frente antes de chegar aos limites desse espectro, você certamente não tem de se preocupar com o atraso dela.

Uma criança é programada por fatores genéticos para se sentar, e para realizar outras habilidades importantes do desenvolvimento, em uma determinada idade. Embora não haja muito que os pais possam fazer (ou devam fazer) para acelerar o relógio, há maneiras de evitar que se desacelere. Um bebê que iça o próprio corpo com frequência em uma idade precoce, em uma cadeirinha ou num carrinho, adquire muita prática em uma posição sentada antes de ser capaz de se apoiar, e pode se sentar mais cedo. Por outro lado, um bebê que passa a maior parte do tempo deitado de costas ou em uma *kepina*, e raramente toma impulso para sentar, pode se sentar muito tarde. Na verdade, os bebês de outras culturas que são constantemente levados em *kepinas* com frequência ficam de pé antes de se sentarem, de tão acostumados que são com a posição ereta. Outro fator que pode tornar o sentar mais lento (e outras habilidades motoras) é o excesso de peso. Um bebê gorducho tem uma probabilidade maior do que um magro de rolar o corpo quando tenta se sentar.

Desde que você esteja dando a sua filha muitas oportunidades de praticar, é provável que ela vá se sentar em algum momento nos próximos dois meses. Se ela não o fizer, e/ou se você achar que ela está se desenvolvendo lentamente de várias outras maneiras, consulte o médico.

## MORDER MAMILOS

*"Minha filha agora tem dois dentes e parece pensar que é divertido usá-los para morder meus mamilos durante as mamadas. Como posso tirar esse hábito doloroso dela?"*

Não há necessidade de deixar que sua filha se divirta à sua custa. Uma vez que um bebê não pode morder enquanto está mamando ativamente (a língua fica entre os dentes e o seio), em geral morder indica que ela já tomou leite o bastante e agora só está brincado com você. É possível que a diversão tenha começado quando ela acidentalmente mordeu seu mamilo, você soltou um grito, ela riu, você não conseguiu deixar de rir e ela continuou o jogo — mordendo você, vendo sua reação, rindo com seu "Não" meio de brincadeira e vendo suas tentativas inúteis de manter a cara séria.

Assim, em vez de estimular as brincadeiras dela com o riso (ou com uma reação exagerada, que também pode ser um convite a uma repetição), faça com que ela saiba que morder não é aceitável com um "Não!" firme e peremptório. Retire-a prontamente do seio, explicando que "morder machuca a mamãe — ai!" Se ela tentar pegar seu mamilo, use o dedo para impedir. Depois de alguns episódios, ela vai entender e desistir.

É importante frear este hábito de morder agora para evitar problemas de mordidas mais sérios posteriormente. Não é cedo demais para ela aprender que, embora os dentes tenham sido feitos para morder, há coisas que são adequadas para isso (um anel para os dentes, um pedaço de pão, ou uma banana) e coisas que não são (o peito da mamãe, o dedo do irmão, o ombro do papai).

# LANCHES

*"Meu filho parece querer comer o tempo todo. Quanto lanche é bom para ele?"*

Com os pronunciamentos de sua própria mãe sobre os lanches ("Antes do jantar não, querida, vai estragar seu apetite!") ainda soando em seus ouvidos, os pais às vezes relutam em regatear as alegrias entre as refeições para seus filhos quando eles pedem, mesmo que eles mesmos prefiram evitar os lanchinhos durante o dia. E no entanto os lanches, com moderação, na verdade têm um importante papel de apoio naqueles três blocos diários, em especial quando se trata de bebês.

**Os lanches são uma experiência de aprendizado.** Na hora das refeições, o bebê geralmente é alimentado com uma colher de uma tigela; na hora do lanche, ele tem a oportunidade de pegar um pedaço de pão ou de biscoito com os dedos e colocá-lo na boca sozinho — o que não é uma realização pequena, considerando como sua boca é minúscula e como sua coordenação é primitiva.

**Os lanches preenchem um vazio.** Os bebês têm estômagos pequenos que se enchem rapidamente e se esvaziam com a mesma rapidez, e raramente podem aguentar de uma refeição a outra, como os adultos, sem um lanche entre elas. E à medida que os sólidos se tornam a parte mais significativa da dieta de seu bebê, os lanches precisarão preencher as necessidades nutricionais. Você achará quase impossível dar os nutrientes diários a seu bebê com apenas três refeições ao dia.

**Os lanches dão uma pausa ao bebê.** Como a maioria de nós, os bebês precisam de uma pausa do tédio do trabalho ou da brincadeira (a brincadeira *é* trabalho para eles), e um lanche proporciona este intervalo para respirar.

**Os lanches proporcionam recompensa oral.** Os bebês são muito orientados para a boca — tudo o que pegam vai direto para ela. Os lanches dão a eles uma opor-

# JANTAR E UM BEBÊ

Tem reservas sobre comer fora com seu bebê? Na verdade, o restaurante pode ter também — isto é, se você não estiver preparada. Antes de garantir uma mesa para dois "e uma cadeirinha de bebê", verifique estas dicas de sobrevivência em restaurantes:

♦ Ligue com antecedência. Não só para fazer as reservas (ou para saber que o caminho está livre; você não vai querer ir a um restaurante com fila de espera), mas para descobrir quais são os suprimentos e acomodações para bebês que estão disponíveis. Por exemplo, eles têm cadeirinhas de bebês? Os assentos de transição provavelmente só funcionarão quando seu bebê estiver mais perto do primeiro aniversário. A cozinha é flexível com os pedidos? Por exemplo, eles servem pequenas porções de carne e vegetais inalterados para bebês (batata amassada sem sal e pimenta, peito de frango sem molho), sem aumentar muito o preço? Os menus para crianças são uma vantagem se oferecerem mais do que cachorro-quente, batata frita e frango frito. Ouça cuidadosamente quando telefonar. Não só as respostas a suas perguntas, mas a atitude que apresentam — que pode dizer muito sobre como você e seu bebê serão recebidos.

♦ Comece cedo. Planeje o jantar de acordo com o horário do bebê, e não com o seu, mesmo que isto signifique ser os primeiros a chegar no restaurante. (Outra vantagem de comer cedo: os funcionários ainda não estão de mau humor, a cozinha ainda não está agitada, há poucos comensais para se irritar com o bebê batendo a caneca.)

♦ Peça uma "mesa tranquila num canto". Não para namorar, obviamente (o que definitivamente não está no programa), mas para que seu grupo não perturbe os demais clientes nem fique no caminho de garçons apressados. Você também vai gostar da privacidade se passar grande parte da refeição amamentando.

♦ Seja rápida. Vamos encarar os fatos, até um jantar quatro estrelas pode se transformar em *fast-food* quando há um bebê à mesa. Assim, faz sentido preferir lugares com o serviço rápido, onde se pode passar mais tempo comendo do que esperando. Peça toda a refeição prontamente (espera-se que você tenha visto o cardápio antes de se sentar), e peça para que a comida do bebê seja trazida o mais rápido possível.

♦ Vá preparada. Já se foi o tempo em que você podia ir a um restaurante só com o cartão de crédito. Você também vai precisar levar:

❖ Um babador para manter o bebê limpo, bem como alguns lenços.

Se o restaurante é acarpetado, um quadrado de plástico para colocar debaixo da cadeirinha do bebê será apreciado por aqueles que terão de limpar a bagunça depois que vocês partirem.

❖ Brinquedos, livros e outras diversões para manter o bebê ocupado entre os pratos (e quando o peixe em lascas perder seu apelo). Não leve, porém, se não for necessário (o bebê provavelmente ficará feliz em brincar com uma colher, flertar com os garçons e apontar os artefatos nos primeiros minutos), e pegue um de cada vez. Não tem mais truques em sua bolsa? Experimente um jogo de esconde-esconde com o cardápio ou com o guardanapo.

❖ Alimentos em potes, se o bebê não come alimentos variados ainda, ou se você teme que não haja nenhum prato para o bebê no cardápio, ou só para suplementar o que for oferecido.

❖ Lanches, em especial sólidos cortados que manterão os dedos dele (e a atenção) ocupados. Os nacos também salvarão sua vida quando a refeição levar mais tempo do que o esperado, ou quando o bebê se entediar com a comida. Mas guarde-os até que sejam necessários.

◆ Mesmo que você não veja, peça. Só porque não está no menu, não sig-

nifica que não tenha na cozinha. As boas opções, dependendo do que foi introduzido até agora, incluem: queijo *cottage*, pão de trigo integral, queijo, hambúrguer (cozido completamente e esfarelado), frango em cubos (grelhado, assado ou cozido), peixe macio (completamente cozido, em lascas e cuidadosamente vasculhado em busca de espinhas), batata amassada ou cozida na água ou batata-doce, ervilha (amasse-as), cenoura e vagem bem cozidas, macarrão, melão.

◆ Mantenha o bebê sentado. Nunca deixe uma criança engatinhar ou andar por um restaurante, mesmo que esteja relativamente vazio. Estas explorações podem resultar em lesões, danos ou as duas coisas se um garçom que estiver trazendo uma bandeja pesada de comida ou bebida tropeçar no bebê. Se o bebê ficar inquieto enquanto espera pela comida, é hora de um adulto sair com ele. Se o bebê terminou e você não, os pais podem ter que se revezar (pressupondo-se que os dois estejam presentes) para comer enquanto o outro "passeia com o bebê".

◆ Seja sensível aos que estão a sua volta. Talvez a mesa ao lado da sua não se emocione muito com o adorável sorriso de seu filho. Ou talvez esteja ocupada por um casal que acaba de gastar muito dinheiro com uma babá para sair sem o bebê por uma noite. Seja o que for, saia rapidamente para um passeio de carrinho se o bebê chorar alto, der aqueles gritinhos de romper os tímpanos ou perturbar a paz de alguma forma no restaurante.

♦ Saiba quando pedir a conta (isto é, quando o bebê já se encheu de batata-doce e começou a atirar o que sobrou na mesa ao lado); demorar-se com a sobremesa e o café é um prazer do passado para a maioria dos pais de crianças pequenas.

♦ Gorjetas, por favor. A gorjeta mais importante de todas será a que você deixar para o garçom (que ficará lá para limpar as ervilhas amassadas da mesa e as cenouras do chão). Em especial se você espera ser bem recebida novamente no mesmo restaurante (mas, para ser justa com os garçons de toda parte, mesmo que você não volte), dê gorjetas generosas.

tunidade bem-vinda de colocar coisas na boca sem que sejam repreendidos.

**Os lanches suavizam o caminho para o desmame.** Se você não oferecer um lanche a seu bebê na forma de sólidos, é bem provável que ele vá insistir em um lanche na forma do peito ou da mamadeira. Os lanches diminuirão a necessidade de mamar frequentemente, e por fim — quando chegar a hora — ajudarão a tornar o desmame uma realidade.

Apesar de todas as suas virtudes, os lanches podem ter algumas desvantagens. Para colher os benefícios dos lanches sem tropeçar nas armadilhas, lembre-se do seguinte:

**Lanches, só no horário.** A mamãe estava certa: os lanches que são dados perto demais das refeições podem interferir no apetite do bebê para a comida. Tente programar os lanches para horários entre as refeições, para evitar este problema. Lanchar sem parar acostuma o bebê

a ter alguma coisa na boca o tempo todo, um hábito que pode ser perigoso para a barriga se for perpetuado até a infância e a idade adulta. E ter a boca continuamente cheia de comida também pode levar à deterioração dos dentes — até um saudável amido como o do pão integral transforma-se em açúcar quando exposto à saliva na boca. Um lanche pela manhã, um à tarde e, se houver um longo espaço entre o jantar e a hora de dormir, um à noite devem ser suficientes. Abra uma exceção, é claro, se uma refeição atrasar mais do que o normal e o bebê estiver claramente com fome.

**Dê lanche pelos motivos certos.** Há bons motivos para lanchar (como discutimos anteriormente) e motivos não tão bons assim. Evite dar lanches se o bebê estiver entediado (distraia-o com um brinquedo), machucado (acalme-o com um abraço e uma música), ou se fez alguma coisa que deve ser recompensada (experimente o elogio e aplausos entusiasmados).

**Lugar de lanchar.** Os lanches devem ser tratados com a mesma seriedade da hora das refeições. Por motivos de segurança (um bebê comendo deitado de costas, engatinhando pela casa ou andando pode engasgar facilmente), etiqueta (boas maneiras à mesa são mais bem aprendidas à mesa) e consideração por quem limpa a casa (você, ou quem faz a limpeza apreciará não encontrar farelos no sofá e comida regurgitada no carpete), os lanches devem ser dados enquanto o bebê estiver sentado, de preferência em sua cadeirinha. É claro que, se você estiver fora de casa e o bebê estiver no carrinho ou na cadeirinha do carro na hora do lanche, você pode servir ali mesmo. Mas não dê a ele a ideia de que o lanche é sua compensação por passar o tempo nestes espaços confinados; ficar preso a um carrinho ou à cadeirinha do carro não deve ser um sinal de que virão os biscoitos e o copo com canudinho.

# COMER O DIA TODO

*"Ouvi dizer que comer o dia todo é a forma mais saudável de alguém se alimentar, em particular uma criança nova. Devo alimentar meu filho desta maneira?"*

Se ficasse por conta própria, a maioria das crianças novas escolheria o estilo favorito da vaca — ruminar, ou comer o dia todo — em detrimento do hábito humano moderno de comer às refeições. Elas ficariam mais felizes lanchando o dia todo, mordiscando biscoitos e bebericando suco enquanto estivessem brincando, sem sequer se sentar. Mas embora alguns sugiram que mascar coisas leves o dia todo é uma forma mais saudável de preencher as necessidades nutricionais do que o velho padrão de três refeições ao dia além dos lanches, outros discordam. Considere o que se segue:

**Comer o dia todo interfere na nutrição adequada.** Um bezerro que pasta nos campos de trevo obtém a maior parte da nutrição de que precisa desta forma. Mas embora seja possível que um bebê que não faz nada a não ser mastigar o dia todo suas comidas preferidas consiga seus nutrientes diários, isto não é provável. As necessidades nutricionais são atendidas com muito mais eficácia quando refeições são feitas, junto com dois ou três lanches nutritivos.

**Comer o dia todo interfere nas brincadeiras.** Sempre ter um biscoito na mão (como sempre ter uma mamadeira) limita a quantidade e o tipo de brincadeira e exploração que um bebê pode fazer. E à medida que ele se tornar móvel, engatinhando pela casa com a comida, vai ficar perigoso por causa do risco de sufocamento.

**Comer o dia todo interfere na sociabilidade.** Um bebê cuja boca sempre está cheia de comida não pode praticar as habilidades de linguagem. Se ele nunca se senta para as refeições, perde o aspecto social do jantar.

**Comer o dia todo interfere no desenvolvimento de boas maneiras à mesa.**

As crianças não aprendem boas maneiras à mesa mascando um biscoito no sofá, bebericando fórmula na cama, nem mastigando queijo no tapete.

**Comer o dia todo contribui para a deterioração dos dentes.** Até lanches saudáveis podem se tornar um verdadeiro banquete para as bactérias que causam cáries quando ficam na boca o dia todo. Mamar o dia todo de uma mamadeira ou de um copo com canudinho — o preferido para os lanches dos bebês — cheio de suco também pode levar à perda dos dentes (ver página 474).

# DENTES QUE NASCEM TORTOS

*"Os dentes de meu bebê estão saindo tortos. Isso significa que ele um dia vai precisar de aparelho?"*

Não marque uma consulta com o ortodontista ainda. O jeito como saem os primeiros dentes do bebê não é um sinal dos sorrisos futuros. Na verdade, os dentes do bebê com frequência aparecem tortos, em particular os inferiores da frente, que formam um V quando são empurrados. Os superiores da frente também podem parecer enormes em comparação com os inferiores. E, em alguns bebês, os dentes superiores saem antes dos inferiores, mas isso também não é motivo para preocupação.

Quando seu filho tiver 2 anos e meio, provavelmente será um orgulhoso dono

de todo um conjunto de dentes de leite — vinte, no total. E embora provavelmente eles se equiparem na formação e proporção nessa época, não se preocupe se isto não acontecer. Dentes de leite tortos não preveem dentes adultos tortos.

# MANCHAS NOS DENTES

*"Os dois dentes de minha filha parecem ter uma mancha acinzentada. Será que já vão cair?"*

É provável que o que está deixando os dentes de pérola de sua filha com um toque de cinza não seja a deterioração, mas o ferro. Algumas crianças que tomam um suplemento líquido de vitaminas e sais minerais que contém ferro desenvolvem manchas nos dentes. Isso não prejudica os dentes de nenhuma maneira e desaparecerá quando sua filha parar de tomar o suplemento líquido e começar a tomar vitaminas mastigáveis. Nesse meio tempo, escovar os dentes de sua filha ou limpá-los com gaze (ver página 519) logo depois de dar o suplemento ajudará a diminuir a mancha.

Se sua filha não tem tomado suplemento líquido, e especialmente se ela tem mamado muito em mamadeira de fórmula ou suco na hora de dormir, a descoloração pode sugerir deterioração. Pode também ser resultado de trauma, ou de um defeito congênito no esmalte dos dentes. Discuta o assunto com o médico ou o dentista.

# O Que É Importante Saber:
## O SUPERBEBÊ

Então você ouviu falar de uma nova linha de brinquedos educativos que garante estimular o desenvolvimento mental do bebê e mandar aquelas delicadas habilidades motoras para o topo do gráfico? Os CDs e DVDs que farão seu bebê de 6 meses canalizar Einstein ou Mozart (para não falar de ler em um nível de quarta série em seu segundo aniversário)? As aulas (de arte, música, linguagem — você escolhe) praticamente garantidas para transformá-lo em um miniprodígio? Talvez você esteja se perguntando como os pais podem comprar estes produtos e programas para superbebês — como eles podem pressionar os bebês com tanta intensidade. E, ao mesmo tempo, talvez você também esteja se perguntando se devia fazer a mesma coisa com seu filho.

Antes de correr para matricular o bebê em uma turma de bebês gênios, continue lendo. Embora seja possível — e vamos encarar os fatos, até um pouco satisfatório — ensinar ao bebê uma ampla variedade de habilidades muito antes da época em que são comumente aprendidas (inclusive como reconhecer palavras), a maioria dos especialistas concorda que não existem provas de que um aprendizado intenso e precoce realmente seja uma vantagem a longo prazo em comparação com os padrões de aprendizagem mais tradicionais.

Em outras palavras, seu bebê deve passar o primeiro ano sendo um bebê. E ser um bebê já tem sua própria carga — não só intelectual, como também emocional, física e social. Durante estes 12 meses, os bebês têm de aprender a formar ligações com os outros (a mamãe, o papai, os irmãos, as irmãs e assim por diante), a confiar ("Quando estou com problemas, posso depender da mamãe ou do papai para me ajudar"), a apreender o conceito de permanência de objeto ("Quando papai se esconde por trás da cadeira, ele ainda está ali, mesmo que eu não o veja"). Eles precisam aprender a usar o corpo (para se sentar, ficar de pé, andar), as mãos (para pegar e largar, bem como para manipular) e a mente (resolver problemas do tipo como conseguir chegar à prateleira que eu não alcanço). Eles vão precisar aprender os significados de centenas de palavras e, por fim, como reproduzi-las usando a caixa vocal, os lábios e a língua. E eles vão precisar aprender alguma coisa sobre quem eles são ("Que tipo de pessoa eu sou? O que eu gosto, e o que não gosto, que me deixa feliz ou triste?"). Com tantas lições à frente, é provável que os acréscimos acadêmicos sobrecarreguem os circuitos do bebê, talvez até levando algumas destas importantes áreas de aprendizagem (inclusive aquelas emocionais e sociais que são essenciais) a serem negligenciadas.

Sua melhor aposta é tentar produzir não um superbebê, mas uma criança incrível — que atinja seu máximo potencial a um ritmo que seja pessoalmente adequado. Não necessariamente matriculando-o em cursos ou levando montes de brinquedos educativos, mas permanecendo presente para oferecer muito estímulo enquanto o bebê ataca as tarefas comuns (e extraordinárias!) de sua idade; alimentando a curiosidade natural do bebê sobre o mundo que o cerca (seja uma bola de poeira no chão ou uma nuvem no céu), expondo-o a uma variedade estimulante de ambientes (lojas, zoológicos, museus, postos de gasolina, parques e assim por diante); falando sobre as pessoas que você vê ("Esta senhora é muito velha", "Este homem tem que andar em cadeira de rodas porque tem um machucado na perna", "Aquelas crianças estão indo para a escola"); e descrevendo como as coisas funcionam ("Está vendo, eu abro a torneira e a água sai"), o que é da rotina deles ("Isto é uma cadeira. Você está sentado na cadeira") e como os animais diferem ("O cavalo tem um rabo comprido e o porco tem um rabo curto"). Proporcionar a seu filho um ambiente rico em linguagem (passando muito tempo falando, cantando e lendo livros) estimulará imensuravelmente as habilidades de linguagem — mas tenha em mente que é mais importante para seu bebê saber que um cachorro late, come, pode morder, tem quatro patas e pelo em todo o corpo do que ser capaz de reconhecer que as letras *c-ã-o* formam a palavra cão.

Se seu filho mostra interesse em palavras, letras ou números, nutra como puder este interesse. Mas não desista de repente da ida ao *playground* para que você e seu filho possam passar todo o tempo com uma pilha de cartões de lembrete. Aprender — seja como reconhecer uma letra ou como atirar uma bola — deve ser divertido. Mas existe pouca diversão para os dois em um ambiente de pressão em que vocês enfrentam uma lista interminável de metas que devem ser atingidas (haverá muito tempo para isso mais tarde, quando o dever de casa tomar o seu lar). Pegue as dicas com o bebê; deixe que ele dê o ritmo. Quando parecer que seu pequeno estudioso já está até as fraldas com sua agenda educacional, é hora de trocar de marcha.

◆ ◆ ◆

# CAPÍTULO 12

# O Oitavo Mês

Os bebês de 7 e 8 meses são bebês ocupados. Ocupados praticando habilidades que já dominaram (como engatinhar, talvez) e habilidades que estão ansiosos para dominar (como se levantar). Ocupados brincando (o que, com a destreza muito maior nos dedinhos e mãozinhas gorduchos, é pelo menos duas vezes mais divertido e, com a maior capacidade de concentração, pelo menos duas vezes mais absorvente). Ocupados explorando, descobrindo, aprendendo e, à medida que surge o senso de humor, rindo, e muito. Neste mês, o bebê continua a experimentar com vogais e consoantes e pode uni-las naquelas combinações que vocês esperavam ("ma-mã" ou "papá") no final desta fase. A compreensão ainda é muito limitada, mas o bebê está começando a pegar o significado de algumas palavras — felizmente, "não", uma palavra que será de grande ajuda nos meses que virão, será uma das primeiras que ele vai compreender (se não obedecer). Socializar com um espelho é sua atividade favorita, embora o bebê ainda não reconheça que o "amigo" no reflexo na verdade é ele mesmo.

# O Que seu Bebê Pode Estar Fazendo

Todos os bebês atingem marcos em seu tempo de desenvolvimento. Se seu filho parece não ter atingido um ou mais destes marcos, fique tranquila, ele provavelmente os atingirá muito em breve. A taxa de desenvolvimento de seu bebê é normal para ele. Tenha em mente, também, que as habilidades que o bebê realiza na posição de bruços só podem ser dominadas se houver oportunidade de praticar. Assim, certifique-se de que o bebê passe um período brincando de bruços sob supervisão. Se você estiver preocupada com o desenvolvimento de seu filho (porque percebeu que ele não atingiu um marco de desenvolvimento ou o que você acha que pode ser um atraso no desenvolvimento), não hesite em verificar com o médico na próxima consulta — mesmo que ele não traga isso à baila. Os pais com frequência percebem nuances no desenvolvimento do bebê que os médicos não veem. Os bebês prematuros geralmente chegam aos marcos mais tarde do que os outros da mesma idade de nascimento, em geral atingindo-os mais perto de sua idade ajustada (a idade que eles teriam se tivessem nascido a termo), e às vezes mais tarde.

*Aos 8 meses, seu bebê... deve ser capaz de:*

♦ sustentar algum peso nas pernas quando erguido

♦ comer um biscoito sozinho

♦ vasculhar um objeto com os dedos e pegá-lo com a mão (mantenha todos os objetos perigosos fora do alcance do bebê)

♦ virar-se na direção de uma voz

♦ procurar por um objeto caído

*... provavelmente, será capaz de:*

♦ passar um cubo ou outro objeto de uma mão para outra

♦ ficar de pé apoiado em alguém ou alguma coisa

♦ objetar se você tentar tirar um brinquedo dele

♦ esforçar-se para pegar um brinquedo fora de alcance

♦ brincar de esconde-esconde

♦ sentar-se a partir da posição de bruços

*... pode ser capaz de:*

♦ engatinhar[1]

♦ erguer-se para ficar de pé a partir da posição sentada

♦ pegar objetos minúsculos com qualquer parte do polegar e dos dedos (mantenha todos os objetos perigosos fora do alcance do bebê)

♦ dizer "mamã" ou "papá" indiscriminadamente

*... pode até ser capaz de:*

♦ bater palmas ou acenar um adeus

♦ andar apoiando-se nos móveis

♦ ficar de pé sozinho momentaneamente

♦ entender "não" (mas nem sempre obedecer)

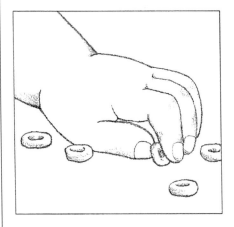

[1] Os bebês que passam pouco tempo de bruços quando brincam podem chegar a este marco mais tarde, e isso não é motivo de preocupação (ver página 316).

# O Que Você Pode Esperar do *Check-up* deste Mês

A maioria dos médicos não marca consultas para *check-ups* regulares este mês. Provavelmente está tudo bem, uma vez que a maioria dos bebês nesta idade não gosta de ficar quieto para o médico — nem para nada. Procure o médico se houver alguma preocupação que não possa esperar até a consulta seguinte.

# Como Alimentar seu Bebê:
## FINALMENTE — ALIMENTOS EM PEDACINHOS

Para muitos pais, a novidade de alimentar os bebês cedo com coisas como cereais de arroz foi uma luta para levar os cereais àquela boquinha. Os lábios obstinadamente fechados, a cabeça afastada no momento crítico (splat!), a mão rechonchuda interceptando e virando a colher pouco antes de ela chegar a seu destino (mais splat!), e o mero tédio de repetir esse ritual confuso três vezes por dia (Splat! Splat! Splat!), faz com que estes pais estejam prontos para desistir do papel que eles mal podiam esperar para ter alguns meses antes. Felizmente, a oportunidade de desistir da colher aparece muito rapidamente. A maioria dos bebês não só está ansiosa mas é capaz de começar a usar os dedos para pegar a comida na época em que têm de 7 a 8 meses.

A transição é mais repentina do que gradual. Depois que os bebês descobrem que podem levar a comida à boca de forma independente, aumenta rapidamente o número de alimentos que eles podem levar à boca com perícia. Em princípio, a maioria dos bebês segura o bolo de arroz ou o pedaço de pão na mão e o masca desta forma, sem ter aprendido ainda a coordenar os dedos para pegar e transportar. Quando surge o problema de como conseguir que o último pedaço de comida apertado na palma da mão chegue à boca, eles podem demonstrar sua frustração com um surto de choro. A solução para alguns é abrir a mão e achatá-la de encontro à boca, para outros é largar a comida e pegá-la novamente.

A capacidade de posicionar um objeto entre o polegar e o indicador para formar uma pinça só se desenvolve, em muitos bebês, entre os 9 e os 12 meses — embora alguns consigam pinças perfeitas antes e outros mais tarde. Depois de dominada, esta habilidade permite que um bebê pegue objetos muito pequenos, como ervilhas e moedinhas, e os traga à boca, expandindo consideravelmente o repertório do jantar — e o risco de sufocamento.

Aprender a lidar com alimentos em pedaços em geral é o primeiro passo no caminho para comer de forma independente. No início, os alimentos cortados meramente suplementam a dieta de uma criança nova; à medida que cresce a facilidade em se alimentar sozinho, uma grande proporção da ingestão diária será feita pelas mãos do próprio bebê. Alguns aprenderão a manejar uma colher respeitavelmente bem na metade do segundo ano ou até mais cedo, e passarão para este estilo mais civilizado de comer; outros continuarão a levar a maior parte de suas refeições à boca (até coisas duvidosas de se pegar com os dedos, como mingau de aveia e queijo *cottage*) com os dedos por um longo tempo. Alguns, em geral os que nunca puderam fazer isso sozinhos por causa do tempo ou da bagunça envolvidos, insistirão em ser alimentados muito tempo depois de serem capazes de comer sozinhos.

Os alimentos que se qualificam para a honra de serem servidos aos pedaços são aqueles que os bebês podem mascar até uma consistência que possa ser deglutida ou que se dissolverão na boca sem mastigar, e que foram bem recebidos em forma de purê nas tentativas anteriores. A maior parte destes alimentos deve ser cortada em cubos ou pedaços pequenos — do tamanho de uma ervilha para alimentos mais firmes, do tamanho de uma bola de gude para os mais moles. Boas alternativas são um *bagel* de trigo integral, pão ou torrada de trigo integral, biscoitos de arroz ou outras bolachas que ficam moles na boca; cereais de aveia, trigo ou arroz; cubos pequenos de queijo natural (mas pasteurizado), como suíço, *cheddar*, edam, havarti; fatias de banana, pera bem madura, pês-

sego, damasco, melão ou manga; pequenos pedaços de cenoura, batata-doce ou batata-inglesa, inhame, brócolis ou couve-flor (só as flores) bem cozidos e muito macios, ervilha (cortada pela metade ou amassada); lascas de peixe cozido ou assado (mas procure *cuidadosamente* as espinhas); almôndegas macias (cozidas em molho para que não forme crostas); massa bem cozida de vários tamanhos e formas (quebre antes ou corte depois do cozimento, se necessário), se não contiver ingredientes que o bebê ainda não pode consumir; gema de ovo mexida ou bem cozida (e, depois que o bebê puder comer as claras, ovos inteiros); cubos de rabanada macios ou panquecas de trigo integral (novamente, feitas primeiro só com a gema e depois, quando as claras são introduzidas, com todo o ovo). Na mesma época em que introduzir estes alimentos, você pode acrescentar mais textura a outros alimentos que o bebê está comendo usando alimentos comerciais para bebês mais velhos, ou alimentos que estejam fatiados ou amassados mas que contenham pequenos pedaços macios que o bebê possa mascar.

Para servir alimentos em pedacinhos, espalhe quatro ou cinco pedaços em um prato inquebrável ou coloque diretamente na bandeja de alimentação do bebê e reponha os que o bebê comer. Os bebês que estão começando a comer, quando confrontados com muita comida, em especial em um só lugar, podem reagir tentando enfiar tudo na boca ao mesmo tempo ou mandando tudo para o chão. Como acontece com outros alimentos, a comida cortada em pedaços deve ser consumida somente por um bebê que estiver sentado, e não por um que esteja engatinhando, andando apoiado nos móveis ou arriscando os primeiros passos sozinho.

Devido ao risco de engasgo, não dê a seu filho alimentos que não se dissolvam na boca, não possam ser mascados com as gengivas ou que possam ser facilmente aspirados pela traqueia. Evite passas cruas, pipoca, nozes, ervilhas inteiras, vegetais firmes (cenouras cruas, pimentão) ou frutas (maçã, peras descascadas, uvas), pedaços de carne vermelha ou de frango, ou salsichas (a maioria das variedades é rica demais em sódio e aditivos, de qualquer forma).

Depois que os molares nascem (os primeiros dentes são para morder e não melhoram a capacidade da criança de mastigar), em algum momento por volta do final do ano para quem tem dentição precoce, podem ser acrescentados os alimentos que exigem verdadeira mastigação, como maçã crua (corte em pedacinhos) e outras frutas e vegetais crus de consistência firme, fatias pequenas de carne vermelha ou de frango (corte no sentido contrário ao das fibras) e uva sem semente (sem pele e pela metade). Mas espere até os 3 anos para introduzir os alimentos que têm um risco comum de sufocamento, como cenoura crua, pipoca, nozes e salsicha. Introduza-os somente quando seu filho estiver mastigando bem.

Independente da textura, há alguns tipos de comida que não se deve ter pressa em introduzir à alimentação do bebê: lanches que ofereçam pouca nutrição, alimentos preparados com muito açúcar ou sal e pães e cereais refinados. Seu filho certamente os conhecerá em breve, mas espera-se que na época as experiências saudáveis que você proporcionou no início já tenham assentado uma sólida fundação para os hábitos alimentares futuros. Isso não quer dizer que seu filho jamais vá saber o gosto de batata frita, pão branco e *donuts* — só que ele também terá paladar para as boas coisas.

# As Preocupações Comuns

## AS PRIMEIRAS PALAVRAS DO BEBÊ

*"Minha filha está começando a dizer 'ma-mã', e muitas vezes. Todos ficamos empolgados até que lemos que ela provavelmente está produzindo sons sem entender o significado. Isso é verdade?"*

Só a sua filha pode ter certeza disso, e ela não está falando, pelo menos ainda não. É difícil dizer quando exatamente um bebê faz a transição dos sons que imitam palavras reais, mas não têm significado, para a fala significativa. Sua filha pode estar apenas praticando os sons do "m" agora, ou pode estar chamando a mamãe, mas isso realmente não importa. O importante é que ela está vocalizando e tentando imitar os sons que ouve. Muitos bebês, é claro, dizem "pa-pá" primeiro — o que não é um sinal de favoritismo, só um reflexo da consoante que o bebê achou mais fácil de pronunciar inicialmente.

Em muitas línguas, as palavras para pai e mãe são muito parecidas. Papai *daddy, pappa, papa, pita, vater, abba.* Mamãe *mommy, mama, mummy, aataa, mutter, imma.* É seguro apostar que todas tenham se desenvolvido a partir da vocalização das primeiras sílabas por bebês, adquiridas de pais ansiosos que tentam reconhecer a primeira palavra de seu filho. Quando, há muito tempo, um bebê espanhol novinho disse seu primeiro "ma-ma", reclamando daquele jeito típico dos bebês, sua mãe orgulhosa provavelmente teve certeza de que ele estava falando *madre*. E quando um bebê francês verbalizou pela primeira vez "pa-pa", seu pai provavelmente estufou o peito e disse, "Ele está tentando dizer *père*".

Varia muito a época em que é dita a primeira palavra de verdade, e é claro que ela está sujeita a interpretações nada objetivas dos pais. De acordo com os especialistas, a médica dos bebês pode dizer o que quer pela primeira vez em algum momento entre o décimo e o décimo quarto meses. Uma pequena porcentagem de crianças começa alguns meses antes e alguns bebês perfeitamente normais só verbalizam uma palavra perfeitamente reconhecível em meados de seu segundo ano. Com frequência, contudo, um bebê pode já estar usando sílabas, sozinhas ou em combinação, para representar o que quer ("ma" para mamadeira, "bua" para água ou "da" para pedir algo), mas seus pais podem não estar sintonizados o bastante para perceber até

que a enunciação fique mais clara. Uma criança que está muito ocupada desenvolvendo as habilidades motoras — uma criança que, talvez, rasteje e ande precocemente, está envolvida em aprender a subir escadas e empurrar um carro de brinquedo — pode ser mais lenta do que os bebês menos ativos para começar a vocalizar. Não é motivo de preocupação desde que esteja claro, a partir do comportamento, que muitas palavras familiares que ela ouve estejam sendo entendidas.

Muito antes de sua filha pronunciar sua primeira palavra, ela estará desenvolvendo suas habilidades linguísticas. Primeiro, aprendendo a entender o que se diz. Esta linguagem receptiva começa a se desenvolver ao nascimento, com as primeiras palavras que sua filha ouve. Aos poucos, ela começa a escolher determinadas palavras da miscelânea de linguagem em volta dela e depois, um dia, em meados do primeiro ano, você diz o nome dela e ela se vira. Ela reconheceu a palavra. Logo depois ela deve começar a entender os nomes de outras pessoas e objetos que vê diariamente, como mamãe, papai, mamadeira, caneca, pão. Em alguns meses, ou até antes, ela pode começar a seguir comandos simples, como "Me dá um pedaço", ou "Dá tchau" ou "Beije a mamãe". Esta compreensão segue em frente num ritmo muito mais rápido do que a própria fala e é um previsor importante dela. Você pode estimular o desenvolvimento da linguagem receptiva e da falada todo dia de muitas maneiras (ver página 528).

# Linguagem de sinais com o bebê

*"Algumas amigas minhas estão usando sinais de bebê para se comunicar com os filhos — e parece que dá certo. Mas eu também soube que usar a linguagem de sinais com meu filho pode tornar mais lento o processo de aprender a falar. Estou confusa."*

É possível ver isso nas caixas de areia e nos carrinhos de bebê em todo o país. Os bebês estão falando. Não com muitas palavras, mas com muitos sinais. A linguagem de sinais, antigamente usada só entre os surdos, está se tornando uma forma popular de comunicação entre crianças que conseguem ouvir mas ainda não falam e seus pais, que estão ansiosos para entendê-los.

Embora o movimento da linguagem de sinais de bebês seja relativamente novo, os bebês pré-verbais sempre usaram gestos e movimentos para expressar o que não são capazes de dizer através de palavras. Um bebê que aponta para a geladeira quando está com fome ou com sede, ou para o casaco quando quer sair, está comunicando-se através de sinais. Da mesma forma um bebê que puxa a orelha quando vê um coelhinho em um livro, ou acena para que os pais saibam que quer dizer adeus. Jogos de mão, como "fura-bolo", e músicas que usam os dedos, como a música dos dedinhos, têm sido os favoritos há gerações porque permitem que os bebês brinquem juntos mesmo quando ainda não são capazes de cantar juntos.

Mas os sinais que os bebês usam por instinto nem sempre são imediatamente compreendidos pelos pais. Este abismo de comunicação resulta em frustração de ambos os lados à medida que os bebês lutam para ser compreendidos e os pais lutam para compreender. É por isso que alguns especialistas em linguística propuseram um sistema de comunicação pais-bebê que forma uma ponte neste abismo: a linguagem de sinais para bebês.

Os sinais para bebês têm muitas vantagens. A mais impressionante, evidentemente, é que à medida que aumenta a compreensão — permitindo que um bebê de 9 ou 10 meses faça com que os pais saibam exatamente o que ele precisa e quer muito antes que seja capaz de expressar em palavras —, diminui a frustração. A comunicação melhor leva a uma interação mais tranquila (leia-se: menos birras), aumentando a qualidade do tempo que passam juntos. Saber que se é compreendido também aumenta a autoestima da criança ("O que eu tenho a dizer importa"), tornando-a não só uma pessoa mais confiante, mas também um comunicador mais confiante. Esta confiança se traduz, por fim, em uma motivação maior para falar. (Pense desta forma: se você estivesse lutando para falar a língua de um país estrangeiro e os nativos se esforçassem para entendê-lo, você seria mais motivado a continuar seus esforços). A pesquisa questiona a ideia de que os bebês que usam sinais serão mais lentos no desenvolvimento das habilidades da linguagem falada; na verdade, crianças de 2 anos que sinalizaram enquanto bebês têm, em média, um vocabulário maior do que os que não usaram os sinais quando bebês.

As vantagens da linguagem de sinais de bebês, porém, parecem principalmente ser de curto prazo. Embora a criança que tenha sinalizado certamente venha a ter uma comunicação mais precoce, parece que esta vantagem, como mostra a maioria das pesquisas, não dura até a época escolar. Depois que uma criança consegue falar e ser compreendida, os benefícios de ter usado sinais diminuem e por fim desaparecem. Assim, não use a linguagem de sinais com o bebê porque acha que isso deixará seu filho mais inteligente ou mais avançado do ponto de vista do desenvolvimento; use-a, se quiser, porque ajudará você a se comunicar melhor com ele agora.

Se você quer usar a linguagem de sinais com o bebê, eis como:

♦ Comece cedo. Comece assim que seu filho mostrar um interesse ativo em se comunicar com você — pelo menos no oitavo e no novo mês, embora não haja nenhum dano em começar esse hábito mais cedo. A maioria dos bebês começará a sinalizar em resposta em algum momento entre o décimo e o décimo quarto mês.

♦ Sinalize o que vem naturalmente. Desenvolva uma linguagem de sinais natural que funcione para você e para seu filho. Qualquer gesto simples que combine com uma palavra ou frase pode dar certo (agitar os braços para "passarinho", por exemplo, ou coçar as axilas para "macaco"; as mãos juntas apoiando a cabeça para "dormir", uma barriga esfregada para "fome", a mão sobre a boca para "beber", um

dedo no nariz para "cheiro"). Embora você possa usar a Linguagem Americana de Sinais, alguns especialistas acreditam que não é tão fácil de um bebê aprender quanto a linguagem natural de sinais.

♦ Dê a seu filho os sinais de que ele precisa. Os sinais mais importantes para desenvolver e aprender serão aqueles que seu filho precisa para expressar suas necessidades diárias, como fome, sede e cansaço.

♦ Seja coerente nos sinais. Ao ver os mesmos sinais repetidamente, seu filho virá a entendê-los e os imitará rapidamente.

♦ Fale e sinalize ao mesmo tempo. Para ter certeza de que o bebê aprende o sinal e a linguagem falada, use as duas coisas juntas.

♦ Que toda a família use os sinais. Quanto mais pessoas na vida do bebê puderem usar esta linguagem, mais feliz ele será. Irmãos, avós, babás e qualquer outra pessoa que passe muito tempo com seu filho devem estar familiarizados com pelo menos os sinais mais importantes.

♦ Siga os sinais de seu filho. Muitos bebês inventam seus próprios sinais. Se o seu é assim, sempre use os sinais que ele criou, o que é mais significativo para ele.

♦ Não imponha sinais. Sinalizar, como todas as formas de comunicação, deve se desenvolver naturalmente e no ritmo da criança. Os bebês aprendem melhor por experiência, e não por instrução formal. Se seu filho parecer frustrado com os sinais, se resistir a usá-los ou se indicar uma sobrecarga de sinais, não force.

Embora os sinais possam tornar a vida um pouco mais fácil durante a fase pré-verbal, certamente não é necessário para a boa comunicação pais-filho, nem é essencial para o desenvolvimento da linguagem. Assim, se um sistema de sinais oficial não for confortável para você ou parecer não funcionar para seu filho, não se sinta obrigado a criar um ou a usá-lo. Os pais vêm deduzindo o que os filhos querem dizer há milênios sem o benefício de uma linguagem de sinais formal do bebê (em geral porque aprendem a ler uma variedade de sinais não verbais, de gestos a grunhidos) — e você também pode fazer isso.

## O BEBÊ AINDA NÃO ENGATINHA

*"O bebê de minha irmã começou a engatinhar aos 6 meses. Meu filho tem quase 8 meses, e não mostrou nenhum interesse em engatinhar. O desenvolvimento dele está atrasado?"*

Nunca é justo comparar, especialmente quando se trata de engatinhar, que é considerada somente uma habilidade opcional e não uma habilidade pela qual se pode avaliar o desenvolvimento geral do bebê. Alguns bebês engatinham já aos 6 meses (em especial se passaram muito tempo supervisionado brincando de bruços), porém o mais comum é perto dos 9 meses. A maioria dos bebês engatinha mais tarde hoje em dia (porque passam menos tempo de bruços), e uma minoria significativa jamais engatinha. Isso também não é motivo de preocupação, desde que outros marcos importantes do desenvolvimento estejam sendo alcançados (como sentar-se — uma habilidade que os bebês devem dominar antes que consigam engatinhar). Aqueles que preferem não engatinhar têm limitações de mobilidade apenas por pouco tempo — até que deduzam como se erguer, para andar com apoio (da cadeira à mesa de centro e ao sofá) e finalmente a andar sozinhos. Na verdade, muitos bebês que nunca engatinharam terminam andando mais cedo do que os que são hábeis em engatinhar, que podem ficar satisfeitos por meses andando de quatro. Porque engatinhar, ao contrário de sentar-se e colocar-se de pé, não é uma parte previsível do padrão de desenvolvimento, não está incluído na maioria das escalas de avaliação.

Mesmo entre bebês que engatinham, os estilos variam. Mover-se sobre a barriga, ou arrastar-se, é um precursor para se mover sobre as mãos ou os joelhos, ou engatinhar, embora alguns bebês se prendam ao arrastar. Muitos começam a engatinhar para trás e para os lados, e não engatinham para a frente por semanas. Alguns correm sobre um joelho ou sobre as nádegas, e outros usam as mãos e os pés, uma fase que muitos bebês alcançam pouco antes de andar. O método que um bebê escolhe para ir de um ponto a outro é muito menos importante do que o fato de que ele está tentando chegar a uma locomoção independente. (Se, porém, ele parece não estar usando igualmente os dois lados do corpo — os braços e as pernas —, converse com o médico.)

A locomoção sobre as mãos e os joelhos é a técnica clássica de engatinhar. Alguns bebês ficam tão satisfeitos zanzando desta forma que não se preocupam de andar por meses.

Alguns bebês começam a se arrastar sobre a barriga. Enquanto muitos gradualmente engatinham sobre as mãos e os joelhos, alguns continuarão a se arrastar até que consigam se colocar de pé.

Um cruzamento entre engatinhar e andar, esta postura sobre mãos e pés pode ser uma postura que o bebê atinja primeiro e se prenda a ela, ou que evolua para um precursor do caminhar.

Alguns bebês não engatinham porque não têm oportunidades. Um bebê que passa grande parte do dia confinado a um berço, a um carrinho, a uma *kepina*, ao cercadinho e/ou a ExerSaucer ou deitado de costas não aprende como se erguer sozinho de quatro ou colocar as mãos e os joelhos em movimento. Certifique-se de que seu filho passe bastante tempo supervisionado de bruços no chão (não se preocupe com a poeira, desde que o chão tenha sido varrido ou aspirado e esteja livre de pequenas partículas e sem objetos perigosos). Para estimulá-lo a ir para a frente, experimente colocar um brinquedo favorito ou um objeto interessante a uma curta distância diante dele. Cubra os joelhos dele, porém, uma vez que os joelhos nus em um chão frio e duro ou um carpete áspero podem ficar desconfortáveis e isso pode até desestimular seu filho de tentar engatinhar. Tire-o do andador estacionário se ele usar um, e limite o exílio no cercadinho aos períodos em que você não possa supervisioná-lo.

De qualquer forma, nos próximos meses, seu filho estará se mexendo — e se metendo em encrencas — e você ficará se perguntando: "Por que eu tive tanta pressa?"

## CORRERIA

*"Nossa menininha dispara de bumbum em vez de engatinhar. Ela anda por toda parte, mas é estranho."*

Para um bebê ansioso e determinado a ir de um canto a outro, a forma e a elegância não têm importância nenhuma. E não devem ter para você também. Desde que sua filha esteja tentando se locomover sozinha, não importa como faça isso. Você precisa se preocupar somente se sua filha parecer incapaz de coordenar os dois lados do corpo, em outras palavras, se não conseguir mexer os braços e as pernas em sincronia. Isto pode ser um sinal de incapacidade motora, para a qual o tratamento precoce pode ser muito útil.

## CASA BAGUNÇADA

*"Agora que meu filho está engatinhando pela casa e subindo em tudo, não consigo arrumar a bagunça que ele faz. Eu devo tentar controlá-lo — e a bagunça — melhor, ou desisto?"*

A desordem pode ser seu pior inimigo, mas o melhor amigo de um bebê aventureiro. Uma casa que é mantida compulsivamente arrumadinha proporciona quase tão pouco interesse e desafio a um bebê que começa a se locomover como um lago proporcionaria a Cristóvão Colombo. Dentro dos parâmetros da razão (você não precisa deixar o bebê rasgar seu talão de cheques nem reprogramar seu computador pessoal) e segurança, sua filha precisa flexionar e ampliar a curiosidade enquanto exercita os músculos. Deixá-la vagar — e bagunçar — livremente é tão importante para o desenvolvimento intelectual quanto para o desenvolvimento físico. Aceitar esta realidade é importante para sua saúde mental; os pais de crianças novas que lutam para manter a casa tão arrumada como era antes do bebê, vão se decepcionar — e aumentarão a frustração e a ansiedade.

Mas você pode tomar algumas medidas para lidar com a realidade de uma forma mais fácil:

**Comece com uma casa segura.** Embora não haja problemas para ele se espalhar de fraldas pelo chão do quarto ou fazer uma casa de guardanapos no piso da cozinha, não é bom para ele bater garrafas de bebida para ver o que acontece ou esvaziar a água sanitária no tapete. Assim, antes de deixar seu filho solto, certifique-se de tornar a casa segura para ele e dele (ver página 575).

**Contenha o caos.** Seu lado compulsivo ficará muito mais satisfeito se você tentar restringir a bagunça a um ou dois cômodos ou a certas áreas de sua casa. Isto significa deixar que seu filho tenha livre curso somente no próprio quarto e talvez na cozinha, na sala da família ou na sala de estar — onde você e ele passem a maior parte do tempo juntos. Use portas fechadas ou portões de segurança para bebês para delimitar estas áreas. Se você tem um apartamento pequeno, é claro que pode não conseguir impor estas restrições a seu bebê; em vez disso, pode ter de se resignar à bagunça diurna e à limpeza noturna.

Reduza também o potencial para a bagunça colocando os livros comprimidos em prateleiras acessíveis a seu filho, deixando alguns livros indestrutíveis onde ele possa alcançar e pegar facilmente; fechando alguns armários e gavetas mais vulneráveis (em especial aqueles que contenham objetos quebráveis, valiosos ou perigosos) com trancas à prova de crianças; mantendo a maior parte das bugigangas longe de mesas baixas, deixando somente algumas que você não se importe que virem brinquedo dele. Reserve uma gaveta ou armário especial para ele e encha-a de objetos divertidos, como copos e pratos de papel, colheres de pau, uma caneca ou panela de metal, canecas de plástico ou caixas vazias.

Não se sinta culpada por não deixar que seu filho enfeite o banheiro com batom ou creme de barbear, rasgue as páginas de seus livros preferidos, esvazie caixas de cereais por toda a cozinha e redecore sua casa como ele preferir. Estabelecer limites não só ajudará você a poupar sua sanidade, mas também ajudará o desenvolvimento de seu filho — as crianças realmente prosperam quando são estabelecidos limites — e ensinar a ele a lição importante de que outras pessoas, até os pais, têm posses e direitos também.

**Refreie-se.** Não siga seu filho por toda parte onde ele causar estragos, pegando de volta tudo o que ele largar. Isso o frustrará, dando a ele a sensação de que tudo o que ele faz não só é inaceitável como também essencialmente inútil. E frustrará você se ele imediatamente refizer o dano que você consertou. Em vez disso, faça uma limpeza séria duas vezes ao dia, uma no final da manhã de brincadeiras dele, enquanto ele tira uma soneca ou está no cercadinho ou na cadeirinha, e uma no final da tarde ou depois de ele ir para a cama.

**Dê a ele uma aula de asseio — repetidamente.** Não faça suas limpezas intensivas com ele por perto. Mas pegue algumas coisas com ele no final de cada sessão de brincadeira, fazendo questão de dizer (mesmo que ele não tenha idade para entender), "Agora, pode ajudar o papai a pegar esse brinquedo e guardar?" Passe para ele um dos blocos para colocar de volta à arca de brinquedos, dê a ele um pote para devolver ao armário ou algum papel amassado para atirar na lixeira, e elogie cada esforço dele. Embora ele vá bagunçar com muito mais frequência do que vai limpar nos anos que estão por vir, estas lições precoces o ajudarão a entender — por fim — que tudo o que sai do lugar, deve voltar.

**Deixe que ele bagunce um pouco em paz.** Não reclame constantemente da bagunça que o bebê está fazendo nem faça com que ele sinta que expressar sua curiosidade natural e saudável ("Se eu virar esse copo de leite, o que vai acontecer?", "Se eu tirar as roupas da gaveta, o que vou encontrar embaixo?") é ruim ou significa que ele é mau. Se for alguma coisa que você prefira não ver acontecer novamente, faça com que ele saiba — mas como professor, não como juiz.

**Você não consegue superá-lo, mas não se una a ele.** Não conclua que, uma vez que você está travando uma batalha perdida, pode também deixar a bagunça se acumular e aprender a ignorá-la. Viver desse jeito não ajudará seu ânimo e não terá nenhum benefício para seu filho. Embora seja saudável para o bebê poder fazer alguma bagunça, não é saudável para ele sempre estar cercado de desordem. Dará a ele um senso de segurança saber que, embora ele deixe um mundo desordenado na hora de dormir, ele voltará em ordem quando chegar a manhã. E também tornará a bagunça mais divertida e mais satisfatória — que desafio há, afinal, em bagunçar um quarto que já está uma bagunça?

**Reserve um santuário.** Nem sempre você será capaz de evitar os danos depois da passagem do furacão do seu filho, mas tente preservar um lugar de calma no meio da tempestade — seu quarto, o estúdio ou a sala de estar, por exemplo — seja não permitindo que o bebê brinque ali, ou certificando-se de que tudo seja guardado no final da tarde ou à noite. Depois, no final de cada dia, você terá um paraíso para onde fugir.

**Cuidado com a segurança.** Um exceção à atitude de deixar a bagunça rolar onde puder deve ser feita quando representar uma ameaça à segurança. Se o bebê cospe o suco ou esvazia a tigela do cachorro, limpe imediatamente. Líquido recém-cuspido transforma um piso sem tapete em um rinque de patinação, onde as quedas são inevitáveis. Pegue também folhas de papel e revistas assim que o bebê se livrar delas, e mantenha sempre as passagens (em especial as escadas) livre de brinquedos, em particular aqueles com rodas.

## COMENDO COISAS DO CHÃO

*"Minha filha está sempre deixando cair o biscoito no chão e depois o pega e come. Parece tão anti-higiênico — é seguro?"*

Mesmo que você não mantenha o chão "tão limpo que se pode comer nele", é seguro para sua filha fazer um piquenique nele. Há germes no chão, mas não em quantidades significativas. E, na maioria das vezes, são germes a que seu bebê já foi exposto antes, particularmente se ele brinca frequentemente no chão. O mesmo geralmente vale para o chão da casa de outras pessoas, supermercados e lojas, porém, se o fato de sua filha reciclar um biscoito de um chão de estranhos ofender seu senso estético, não há nada de errado em atirá-lo no lixo e substituí-lo por um novo. Mas tenha em mente que todo encontro com um vírus ou uma bactéria cria imunidade e torna sua filha mais forte, então não se desespere da próxima vez que sua filha mascar a barra do carrinho de supermercado.

Há exceções, porém. Embora as bactérias não tenham oportunidade de se multiplicar muito em superfícies secas, elas podem se multiplicar muito rapidamente em superfícies úmidas ou molhadas. Se você tiver escolha (em outras palavras, se puder interceptar um objeto antes que ele pare na boca de sua filha), não deixe que ela coma o que caiu no banheiro, em poças ou em outras superfícies úmidas ou molhadas. A umidade no próprio alimento também pode ser um problema. Um biscoito ou alimento que tenha ido para a boca uma vez e depois foi largado (mesmo em um lugar limpo) por algumas horas enquanto as bactérias se multiplicam, não é adequado para o consumo. Assim, não deixe os biscoitos úmidos descartados onde sua filha possa pegá-los novamente. Você nem sempre tem alternativa, é claro; os bebês com frequência recuperam comidas há muito perdidas (ou copos com canudinho com um suco de três dias) e os colocam na boca antes que você consiga detê-los. Felizmente, eles raramente adoecem por isso. Outra exceção: se sua casa tem uma pintura com chumbo que esteja em más condições nas paredes, os piqueniques no chão não serão seguros para sua filha (ver página 488).

Você também precisa ser vigilante ao ar livre. Embora muitas vezes um bebê deixe cair a mamadeira na rua e depois recoloque-a na boca sem nenhum efeito danoso, há certamente mais risco em pegar germes onde os cães defecam e urinam e onde as pessoas expectoram. Substitua ou lave qualquer alimento, mamadeira, chupeta ou brinquedo que tenha caído na rua, em especial se o chão está úmido. Use lenços umedecidos para limpar um bico ou brinquedo quando não for possível passar água corrente. Em *playgrounds*, onde os cães não podem entrar e onde os adultos em geral têm mais cuidado com o que cospem, provavelmente há menos com o que se preocupar desde que o chão não esteja molhado — uma rápida varrida no chão deve ser suficiente. Mas mesmo ali as poças podem abrigar perigosos germes patogênicos, e os bebês e seus brinquedos e lanches devem ser mantidos longe deles. Para evitar ter de escolher entre apaziguar um bebê que chora e ter a segurança de descartar um lanche de cuja higiene você não tem certeza, sempre leve lanches extra.

Procure lavar as mãos do bebê com frequência (um bom hábito para ele ter desde cedo, de qualquer forma) ou use lenços umedecidos ou gel bactericida se não houver sabonete nem água por perto.

# COMER TERRA — E COISA PIOR

*"Meu filho põe tudo na boca. Agora que ele brinca tanto no chão, tenho menos controle do que ele come. O que é seguro e o que não é?"*

Com o passar dos meses, os bebês colocam na boca tudo o que cabe nela: terra, areia, comida de cachorro, insetos, bolas de poeira, comida estragada, até o conteúdo de uma fralda suja. Embora seja obviamente melhor evitar que ele pegue amostras de um bufê tão repugnante, nem sempre isto é possível. Poucos bebês passam pela fase de engatinhar sem nenhum encontro oral com alguma coisa que os pais consideram revoltante; alguns não passam sem isso uma manhã sequer.

Mas você tem muito menos a temer dessa falta de higiene do que aquilo usa para limpar. Um punhado de terra raramente machuca alguém, mas até uma lambida em produtos de limpeza pode causar sérios danos. Você não pode manter tudo longe das mãos inquisitivas do bebê, então se concentre em substâncias com o potencial mais perigoso (ver página 579 para uma lista) e preocupe-se menos com o inseto ou o monte de pelo de cachorro ocasionais que parem na boca de seu filho. Se você o pegar com uma cara de gato que está prestes a engolir o passarinho, aperte as bochechas dele com o polegar e o indicador de uma das mãos para abrir a boca de seu filho e retire o objeto com o dedo em gancho.

De maior preocupação — além das substâncias obviamente tóxicas — são alimentos que estão em deterioração. Bactérias patogênicas ou outros microorganismos podem se multiplicar rapidamente à temperatura ambiente, então se certifique de manter fora do alcance do bebê a comida que ficou estragada ou está prestes a apodrecer — com mais frequência encontrada em tigelas de animais de estimação, na lixeira da cozinha e no chão não varrido da cozinha ou da sala de jantar.

Você também deve ser muito cuidadosa para não deixar que o bebê ponha na boca objetos pequenos o bastante para ser engolidos ou sufocar — botões, tampas de garrafa, clipes de papel, alfinetes de segurança, ração seca de cachorro, moedas e coisas assim. Antes de colocar o bebê no chão para brincar, faça uma inspeção no chão em busca de qualquer coisa que tenha menos de 3,5 centímetros de diâmetro (o diâmetro aproximado do tubo de um rolo de papel higiênico) e retire. Mantenha fora de alcance também objetos que sejam potencialmente tóxicos, como produtos de limpeza. Veja Como Tornar a Casa Segura para o Bebê (página 575) para dicas adicionais sobre o que deve ser mantido afastado do bebê.

## Sujando-se

*"Minha filha adora engatinhar pelo* **playground***, se eu deixar. Mas o chão é tão sujo..."*

Prepare o removedor de manchas e sua resistência para deixar sua filha se sujar. Os bebês que são obrigados a ver de longe quando realmente gostariam de estar no meio da bagunça provavelmente ficarão limpos, mas insatisfeitos. As crianças são eminentemente laváveis. A terra mais visível pode ser removida com lenços umedecidos ou toalhinhas préumedecidas enquanto você ainda está no *playground* ou no quintal, e a sujeira mais resistente sairá depois no banho. Assim, ignore o desrespeito a sua sensibilidade e, verificando primeiro para ter certeza de que não tem caco de vidro nem cocô de cachorro no caminho, permita que sua filha engatinhe sob supervisão. Se ela cair em alguma coisa realmente suja, passe rapidamente um lenço umedecido e devolva-a ao chão novamente.

Nem todos os bebês gostam de ficar sujos; alguns preferem ser espectadores em vez de participantes. Se a sua filha está entre eles, certifique-se de que ela não esteja hesitando porque pensa que você não quer que ela se suje. Estimule-a aos poucos a se tornar mais ativa, mas não a obrigue a nada.

Sapatos macios ou tênis protegerão os pés dela quando ela estiver engatinhando em concreto; na grama, no clima quente, não há problema em manter os pés nus. Será mais fácil para os joelhos dela (embora um desafio para suas habilidades de limpeza) se ela usar calças ou macacão durante estas excursões. Se você se orgulha da aparência fresca e limpa de sua filha em público, mantenha um jogo de fraldas de pano em sua bolsa e troque-a antes da viagem de volta; depois a lave e a coloque novamente em roupas limpas antes de sair novamente.

# EREÇÕES

*"Quando estou trocando as fraldas de meu filho, às vezes ele tem uma ereção. Será que estou manipulando demais o pênis dele?"*

Se você manipula o pênis dele somente o necessário para que seja limpo na troca de fraldas e na hora do banho, não está manipulando demais. As ereções de seu filho são a reação normal ao toque de um órgão sexual sensível — como existem ereções clitoridianas nas meninas, que são menos perceptíveis, mas talvez sejam igualmente comuns. Um bebê também pode ter uma ereção quando a fralda roça no pênis, quando está mamando ou quando você o está lavando na banheira. Todos os meninos têm ereções uma vez ou outra (embora os pais possam não ter ciência delas), mas alguns as têm com mais frequência do que outros. Estas ereções não exigem nenhuma observação particular de sua parte.

# A DESCOBERTA DOS GENITAIS

*"Minha filha recentemente começou a brincar com seus genitais sempre que tiro as fraldas dela. Isso é normal em um bebê tão novo?"*

Se é bom, os seres humanos fazem. Foi no que a mãe natureza confiou quando criou os genitais; se ela os fez agradáveis ao toque, eles seriam tocados, no começo pelo próprio dono e, um dia, quando chegasse a hora, por um membro do sexo oposto — garantindo assim a perpetuação da espécie.

Os bebês são seres sexuais desde o nascimento ou, mais precisamente, desde antes do nascimento — observaram-se fetos de meninos tendo ereções no útero. Alguns, como sua filha, começam as primeiras explorações de sua sexualidade em meados do primeiro ano, outros só no final. Este interesse é tão inevitável e parte saudável do desenvolvimento de um bebê quanto foi antes o fascínio com os dedos das mãos e dos pés. Tentar sufocar esta curiosidade (como as gerações do passado eram obrigadas a fazer) é um erro tão grande quanto sufocar o interesse dela pelos dedos das mãos e dos pés.

Não importa o que qualquer pessoa diga a você, não há danos — nem físicos, nem psicológicos — em bebês ou crianças que tocam os próprios genitais. Fazer com que um bebê ou criança ache que ela é "suja" ou "má" por se envolver nesta brincadeira, porém, pode ser prejudicial e ter um efeito negativo na futura sexualidade e na autoestima. Fazer da autoestimulação um tabu também pode torná-la mais convidativa.

O medo de que os dedos que tocam os genitais não estejam limpos o bastante para ir para a boca também é infundado; todos os germes que estão na área genital do bebê são os próprios germes dele e não representam ameaça nenhuma. Se, contudo, você vê sua menininha sondando com as mãos muito sujas, seria uma boa ideia lavá-las, para evitar a possibilidade de uma infecção vaginal. Os genitais de um menino não são suscetíveis da mesma forma, mas meninos e meninas devem ter as mãos lavadas depois de tocarem a área suja das fraldas.

Quando sua filha tiver idade suficiente para entender, você vai querer explicar que esta parte do corpo é privada e que, embora não haja problemas em tocá-la, não é bom fazer isso em público nem deixar que outra pessoa a toque.

## CERCADINHO

*"Quando compramos um cercadinho uns meses atrás, parecia que o tempo que nosso bebê ficava nele nunca era suficiente. Agora ele chora para sair depois de uns 5 minutos."*

Meses atrás, o cercadinho não parecia confinar seu filho; ao contrário, parecia o parque de diversões pessoal dele. Agora ele está começando a perceber que há todo um mundo — ou, pelo menos, a sala da família — fora dali, e briga para participar dele. As quatro paredes que no passado encerravam seu paraíso agora representam barreiras frustrantes para ele, mantendo-o preso, olhando para fora.

Pegue as dicas de seu bebê e comece a usar o cercadinho somente numa emergência, naquelas ocasiões em que ele precisa ser encerrado nele para a própria segurança ou, por pouco tempo e não com frequência, para a sua conveniência — enquanto você limpa o chão da cozinha, coloca alguma coisa no forno, atende ao telefone, vai ao banheiro ou arruma-se para uma visita de última hora. Limite o tempo que ele passa no cercadinho a não mais do que 5 a 15 minutos de cada vez, que é o tempo que um bebê ativo de 8 meses consegue suportar. Varie a companhia que ele tem, trocando o estoque de brinquedos frequentemente para que ele não fique entediado antes da hora. Se ele preferir ver e ouvir enquanto brinca, mantenha o cercadinho perto de você; se ele parece satisfeito por mais tempo quando você está fora de vista, mantenha-o no cômodo ao lado (mas certifique-se de que esteja ao alcance do ouvido e olhe frequentemente). Se ele protestar antes de encerrar o tempo, experimente dar a ele novos brinquedos — alguns potes e panelas, talvez, ou uma garrafa de refrigerante vazia (sem a tampa) — qualquer coisa com que ele não costume brincar neste ambiente. Se isso não funcionar, liberte-o assim que for possível.

Fique atenta para a possibilidade de uma fuga. O bebê extremamente ágil e habilidoso pode escapar subindo nos brinquedos grandes — então, mantenha-os fora do cercadinho. E evite pendurar brinquedos por cima dele.

*"Minha filha pode ficar no cercadinho o dia todo se eu deixar, mas não tenho certeza se devo fazer isso."*

A lguns bebês plácidos parecem ficar perfeitamente felizes no cercadinho por horas intermináveis, mesmo no final do primeiro ano. Talvez eles não saibam o que estão perdendo, ou não são assertivos o bastante para exigir sua liberdade. Mas embora esta seja uma situação que deixa os pais realizados, ela impede que um bebê realize o suficiente, intelectual ou fisicamente. Assim, estimule sua filha a ver o mundo de uma nova perspectiva. No começo, ela pode hesitar em sair do cercadinho, um pouco inquieta em perder a segurança das quatro paredes. Sentar com ela no chão

aberto, brincar com ela, dar a ela o brinquedo ou o cobertor favorito, ou elogiar as tentativas que ela fizer de engatinhar tornarão a transição mais fácil.

## LENDO PARA O BEBÊ

*"Gostaria que minha filha desenvolvesse o interesse pela leitura. É cedo demais para começar a ler para ela?"*

E m uma época em que a televisão seduz as crianças para longe dos livros com facilidade e bem cedo, provavelmente nunca é cedo demais para ler para ela. Alguns até acreditam que há valor em ler para um bebê ainda no útero, e muitos começam com os livros pouco depois do nascimento. Mas é apenas em algum momento na segunda metade do primeiro ano que um bebê se torna um participante ativo do processo de leitura, pelo menos mascando os cantos do livro, para começar. Logo ele começa a prestar atenção às palavras enquanto você as lê (nesta altura, ao ritmo e aos sons das palavras em vez de ao significado) e às ilustrações (desfrutando a cor e os padrões, mas não necessariamente relacionando as imagens com objetos conhecidos).

Para ter certeza de que sua filha pegue a mosquinha da leitura desde cedo, use as seguintes estratégias:

**Leia para si mesma.** Ler para o bebê terá menos impacto se você mesma passar mais tempo na frente de uma tevê do que atrás de um livro (ou jornal, ou revista). Embora seja difícil para os pais de crianças novas encontrar um momento de calma para uma leitura tranquila, o esforço vale a pena; como em qualquer comportamento, desejável ou não, é muito mais provável que as crianças façam o que vocês fazem em vez do que vocês dizem. Leia algumas páginas em voz alta de um livro enquanto você amamenta ou dá a mamadeira ao bebê, mantenha um livro em sua mesa de cabeceira para ler antes de dormir e para mostrar ao bebê ("Este é o livro do papai").

**Comece uma coleção juvenil.** Há milhares de livros infantis nas prateleiras das livrarias, mas somente um número limitado deles é adequado para iniciantes. Procure pelo que se segue:

◆ Estrutura firme que desafie a destruição. Os livros mais resistentes, com páginas em papel-cartão laminado e bordas arredondadas, que podem ir à boca sem desintegrar e sem rasgar. Os livros de pano laminados ou macios são bons, desde que possam ficar abertos. Uma espiral plástica na lombada do livro é vantajosa, desde que não só o livro possa ficar aberto, como também o bebê possa brincar com o desenho fascinante da espiral (certifique-se de que seja flexível, e não rígida, para que os dedinhos não sejam furados). Os livros de vinil são bons para a hora do banho, para as poucas vezes em que crianças muito novinhas se sentam quietas por tempo suficiente para uma sessão de leitura. Para manter os livros sem mofo,

seque completamente depois de cada banho e guarde-os em um lugar seco.

◆ Ilustrações que incluam imagens vívidas, brilhantes e realistas de objetos familiares, em particular animais, veículos, brinquedos e crianças. As imagens devem ser simples, sem desordem, para que o bebê não seja sobrecarregado.

◆ Texto que não seja complicado demais. As rimas podem prender mais a atenção de um bebê quando você está lendo para ele, uma vez que ele ouve largamente pelo apelo auditivo, e não pela compreensão, e se passarão meses até que ele seja capaz de acompanhar uma história. Livros com uma palavra por página são bons também, uma vez que ajudam o bebê a aumentar sua compreensão do vocabulário e por fim o vocabulário falado.

◆ Atividades vinculadas. Os livros que estimulam jogos como esconde-esconde, livros do tipo toque e sinta que estimulam a aprendizagem de texturas e livros que tenham surpresas escondidas sob pequenas dobras estimulam a participação da audiência.

◆ Material de leitura descartável. Os bebês também gostam de manipular e ver revistas com muitas ilustrações em cores vivas, então, em vez de reciclar as velhas, guarde um sortimento para sua filha. É claro que, quando ela acabar com as revistas, você provavelmente terá de reciclá-las, de qualquer forma.

**Aprenda a ler no estilo dos pais.** Sim, você sabe ler em voz alta mas, quando estiver lendo para um bebê, você precisa ler com estilo. O tempo, o tom e a inflexão são importantes; leia lentamente, com uma voz cantarolada, e exagere a ênfase nos pontos certos. Pare a cada página para destacar certas passagens ("Olha o garotinho rolando ladeira abaixo", ou "Está vendo o cachorrinho neném rindo?") ou para mostrar os animais ou pessoas a ele ("Isso é uma vaca — uma vaca faz 'muuu'", ou "Olha aqui um bebê no berço — está na hora do bebê dormir").

**Faça da leitura um hábito.** Forme o hábito da leitura no bebê lendo alguns minutos duas vezes por dia, quando sua filha estiver tranquila mas alerta, e quando ela foi alimentada. Antes da soneca, depois do almoço, depois do banho e antes de dormir são bons momentos para ler. Mas prenda-se ao horário somente se o bebê for receptivo; não imponha um livro a ele se ele estiver com vontade de engatinhar ou de fazer música com duas tampas de panela. Ler nunca deve ser uma obrigação.

**Mantenha a biblioteca aberta.** Guarde os livros preciosos e destrutíveis no alto de uma estante para as sessões de leitura supervisionada pelos pais, mas mantenha um pequeno número de livros (para evitar que o bebê fique sobrecarregado), em regime de rotatividade (para evitar que o bebê fique entediado), onde ele possa alcançar e desfrutar deles. Às vezes um bebê que resiste a se sentar para uma sessão de leitura com a mamãe ou o papai ficará feliz em "ler" sozinho, virando as páginas e olhando as ilustrações em seu próprio ritmo.

## HABILIDADE COM A MÃO ESQUERDA OU A DIREITA

*"Percebi que meu filho pega os brinquedos com as duas mãos. Será que devo tentar estimulá-lo a usar a mão direita?"*

Vivemos em um mundo que não é igualitário quando se trata do uso das mãos — abastecendo os destros que estão entre nós, deixando os canhotos se virarem sozinhos. A maioria das portas, ferramentas, descascadores de batata, tesouras e carteiras escolares é desenhada para destros. E os canhotos estão destinados a bater cotovelos na mesa de jantar, a apertar o que para eles é a mão "errada" e a usar o relógio no que consideram o pulso "errado". No passado, alguns pais, relutantes em relegar seus filhos a este *status* de minoria, tentavam forçar o uso da mão direita em filhos canhotos.

Antigamente, os especialistas acreditavam que esta pressão dos pais para mudar o que é mais provavelmente uma característica geneticamente determinada levava a gagueira e a uma variedade de problemas de aprendizado. Hoje, embora eles ainda não recomendem tentar mudar o uso das mãos numa criança, suspeita-se de que várias características são geneticamente entrelaçadas com o uso da mão esquerda. Muitas delas parecem estar relacionadas com as diferen-

# SEGURANÇA NO BERÇO AGORA

À medida que o bebê se torna mais ativo e aventuroso, todo um mundo se abre para ele e, junto com isso, todo um potencial para entrar em problemas. E embora o berço possa parecer o paraíso mais seguro para seu pequeno explorador, não levará muito tempo para que o bebê seja capaz de escalar as grades. Enquanto alguns bebês nunca tentam fugir do berço, muitos o fazem, então é sensato começar a tomar medidas para prevenir uma fuga agora:

♦ Se você já não fez isso, baixe o nível do colchão ao máximo. Também verifique periodicamente os suportes do colchão para se certificar de que não estejam frouxos; se estiverem, um bebê ativo pode empurrar o colchão para baixo e se machucar.

♦ Considere remover os amortecedores, que alguns bebês deduzem como escalar para facilitar suas fugas. (Alguns pais de bebês inquietos preferem manter os amortecedores no lugar para proteger a cabeça do bebê das pancadas.)

♦ Não deixe brinquedos grandes no berço que o bebê possa empilhar e usar como escada para a liberdade — e para os problemas. Tire qualquer móbile que o bebê possa usar para se içar.

♦ Continue a evitar o uso de travesseiros e edredons no berço; não só devido ao risco de SIDS (que ainda está presente, embora muito menor), mas porque um bebê esperto (não são todos assim?) pode empilhá-los para usar como degrau.

♦ Afaste o berço pelo menos 30 centímetros de qualquer móvel ou parede para impedir que o bebê os use para escalar. Como sempre, certifique-se de que o berço não esteja ao alcance da corda de uma cortina na janela (todas as cordas devem ficar presas, de qualquer forma).

♦ Depois que o bebê estiver se colocando de pé sozinho, provavelmente ele usará a grade do berço como biscoito para os dentes. Se a grade for de madeira e você preferir protegê-la do bebê e o bebê dela, instale uma grade própria para a mastigação.

♦ Se seu bebê tentar escapar do berço, não importa como, considere colocar alguns travesseiros ou cobertores grossos no chão ao lado do berço para amortecer a queda dele.

♦ Quando o bebê tiver 90 centímetros, é hora de ir para uma cama.

ças entre canhotos e destros em relação ao desenvolvimento dos hemisférios esquerdo e direito do cérebro. Em canhotos, o lado direito do cérebro é dominante, fazendo com que eles se superem em áreas como relações espaciais, e pode ser por isso que eles são bem representados em campos como esportes, arquitetura e arte. Uma vez que mais meninos do que meninas são canhotos, também se teoriza que os níveis de testosterona, um hormônio masculino, afetam de alguma forma o desenvolvimento do cérebro e o uso das mãos. São necessários muitos outros estudos antes que entendamos plenamente o que torna uma pessoa canhota ou destra e como o uso da mão afeta várias áreas da vida de uma pessoa.

A maioria dos bebês usa as duas mãos igualmente no começo; alguns mostram uma preferência por uma das mãos ou pela outra em alguns meses, outros só quando chegam ao primeiro aniversário. Alguns parecem favorecer uma das mãos no começo, e depois trocam. O importante é deixar que o bebê use a mão com que fica mais à vontade, e não a que você gostaria que ele usasse. Uma vez que cerca de 70% da população é fortemente destra (10% são canhotos e os outros 20% são ambidestros), você pode pressupor, até que ele demonstre o contrário, que seu filho também será assim. Ofereça coisas para a mão direita dele. Se ele estender a mão e pegar com a esquerda, ou pegá-las com a direita e passar para a esquerda, pode ser que no futuro ele vença muitos jogos para um time desportivo ou projete a maior ponte do mundo.

## SUA CASA À PROVA DE CRIANÇAS

*"Eu sempre disse que um bebê não ia mudar o modo como vivemos. Mas, com nossa filha engatinhando por aí, muitas coisas valiosas que colecionamos com o passar dos anos estão correndo risco. Será que devo guardá-las, ou tento ensinar a ela a ficar longe destes objetos?"*

Muitas lojas de porcelana ficariam tão felizes em receber um bebê de 7 ou 8 meses quanto ficariam em receber um touro. E na verdade seus objetos valiosos e quebráveis podem ter a mesma oportunidade de sobreviver em uma sala de estar com seu bebê que teriam em uma arena com El Toro.

Assim, se você não quer ver a tigela Baccarat que comprou em Paris, ou o vaso Wedgwood que seu melhor amigo lhe deu de presente de casamento espatifados aos pés de sua filha, mantenha-os todos fora do alcance dela até que ela tenha idade e responsabilidade suficientes para tratar deles com respeito — o que pode demorar alguns anos. Faça a mesma coisa com objetos (de arte ou outros) que são pesados o bastante para machucá-la se ela os derrubar.

Entretanto, sua família não deve passar os próximos anos em uma casa sem objeto nenhum — tanto pelo bem de sua filha, como pelo de vocês. Se você quer que ela aprenda a viver com as coisas mais refinadas e mais frágeis da vida, ela deve ser exposta a alguns objetos desde esta idade. Deixe algumas peças mais resistentes e mais baratas de sua coleção ao alcance do bebê. Quando ela estender a mão, diga firmemente, "Não, não toque nisso. É da mamãe e do papai". Dê um brinquedo a ela e explique que é *dela*. Se ela insistir em estender a mão para o objeto proibido, retire-o (negativas demais começam a perder o efeito) e devolva-o ao lugar outro dia. Embora você não possa contar com a obediência agora (bebês novos têm memória curta), um dia sua filha entenderá. À medida que ela ficar mais velha, você pode dar aulas práticas — quando ela puder segurar e afagar adequadamente objetos quebráveis enquanto você vigia de perto, dando a ela a valiosa experiência de lidar com coisas de valor. Depois que ela puder evitar ou lidar com cuidado com os objetos, você pode devolver o Baccarat e o Wedgwood para o lugar.

# O Que É Importante Saber:
## COMO TORNAR A CASA SEGURA PARA O BEBÊ

Coloque um bebê frágil de um dia perto de um robusto bebê de 7 meses e o recém-nascido parecerá, comparativamente, tão indefeso, muito mais vulnerável a danos. Mas na realidade, é o bebê mais velho que é mais vulnerável. As habilidades recém-adquiridas que não vêm acompanhadas de um bom julgamento deixam os bebês na segunda metade do primeiro ano com um risco extremo para a própria saúde. E depois que os bebês são capazes de se locomover sozinhos, a casa se torna tão perigosa quanto excitante para eles explorarem.

E um bebê com mobilidade independente em uma casa que não é à prova de bebês é um acidente prestes a acontecer — e acontecer de novo. Em geral é preciso uma combinação de fatores para provocar um acidente ou uma lesão, inclusive um objeto ou substância perigosos (no caso de um bebê, talvez uma escada ou um remédio), uma vítima suscetível (seu bebê) e possivelmente as condições ambientais (escadas sem portão, um armário de remédios destrancado) que permitem que a vítima e o perigo andem juntos. No caso de lesões no bebê, pode também depender de falta de vigilância — às vezes só por um minuto — do pai, da mãe, ou de quem cuida dele.

Para reduzir a possibilidade de uma lesão, todos estes fatores devem ser modificados de alguma forma. Objetos e substâncias perigosos devem ser retirados do alcance, o bebê suscetível deve ficar menos suscetível por um treinamento gradual em segurança, o ambiente perigoso deve ser modificado (com portões em escadas, trancas em armários) e, talvez o mais importante de tudo, quem cuida do bebê deve sempre estar alerta, em especial em ocasiões de estresse, quando ocorre a maioria dos acidentes. Porque muitas lesões acontecem na casa dos outros — em particular as casas do vovô e da vovó — você deve estender muitas destas medidas de segurança à casa das visitas do bebê e oferecer este capítulo como material de leitura aos que frequentemente cuidam de seu filho. Eis como modificar os fatores que contribuem para os acidentes.

## MUDE SEUS MODOS

Uma vez que modificar o comportamento do bebê será um processo educacional longo e lento, que pode começar agora mas só será concluído muitos anos depois, é o seu comportamento que terá o maior impacto sobre a segurança de seu filho nesta fase.

- Seja eternamente vigilante. Independente dos cuidados que você tem em tornar sua casa à prova de crianças, lembre-se de que você não pode torná-la completamente à prova de acidentes. Sua atenção, ou a de quem cuida do bebê, deve ser contínua, em especial se seu filho é particularmente habilidoso.

- Não deixe que sua atenção seja distraída no meio de uma atividade quando usar produtos de limpeza, remédios, aparelhos elétricos ou qualquer outro objeto ou substância potencialmente perigosos quando seu bebê estiver solto. Não é preciso mais do que um segundo para um bebê entrar em sérios problemas. Itens muito perigosos — como ferramentas elétricas — não devem ser usados enquanto o bebê estiver solto, a não ser que um segundo adulto esteja observando o bebê.

- Fique particularmente alerta nas ocasiões de estresse e nas horas estressantes do dia. É quando você está distraída (o telefone tocando, a televisão berrando, o jantar fervendo no fogão) que você provavelmente vai esquecer de tirar a faca da mesa, prender o bebê na cadeirinha ou fechar o portão da escada.

- *Nunca* deixe um bebê sozinho em um carro ou em sua casa, nem mesmo por um segundo. Não o deixe sozinho em um cômodo de sua casa (a não ser em um cercadinho ou no berço, ou em um cômodo *totalmente* à prova de bebês e somente por alguns minutos enquanto você está ao alcance do ouvido, a não ser que ele esteja dormindo). Não deixe um bebê sozinho, mesmo "seguramente" fechado em um berço ou no cercadinho, acordado ou dormindo, com uma criança em idade pré-escolar (elas com frequência não sabem a força que têm, nem percebem as possíveis consequências de seus atos) ou com um animal de estimação (nem mesmo um dócil).

- Escolha roupas adequadas. Use somente pijamas de tecido resistente a chamas; certifique-se de que os pés do pijama não estejam dobrados demais, as calças não sejam compridas demais ou as meias não sejam escorregadias demais para um bebê que está se colocando de pé e começando a andar. Evite cachecóis ou faixas compridas que possam prender o bebê, enrolar nele ou representar um risco de estrangulamento; o mesmo para cordões com mais de 15 centímetros (retire-os de tênis, capuz de casacos e outras roupas).

- Familiarize-se, se ainda não o fez, com os procedimentos de emergência e de primeiros socorros (ver páginas 803-839). Você nem sempre pode evitar lesões, mas saber o que fazer se ocorrer uma lesão grave pode salvar a vida e os membros.

◆ Dê a seu filho muita liberdade supervisionada. Depois que você tornar o ambiente do bebê seguro ao máximo, evite que ele fique adejando (sem supervisão). Apesar de você querer que seu filho tenha consciência da segurança, não vai querer desestimular a experimentação normal da infância. As crianças, como os adultos, aprendem com os erros; nunca permitir que eles aconteçam pode impedir o desenvolvimento. E uma criança que tem medo de correr, de escalar ou de experimentar coisas novas perde não só a educação que vem com a brincadeira livre, mas muita diversão da infância também.

## MUDE O AMBIENTE DE SEU BEBÊ

Até agora, seu filho viu sua casa principalmente de seus braços, no nível de seus olhos. Agora que ele está começando a olhar de baixo para os quatro cantos, você terá de começar a olhar desta perspectiva também. Uma forma de fazer isso é realmente baixar até o chão; dali, você verá uma multiplicidade de perigos que pode não ter percebido antes. Outra forma é examinar tudo o que está a 1 metro acima do chão — o espectro habitual do alcance de um bebê.

**Mudanças em toda a casa.** Enquanto você dá um giro pela casa, olhe e altere, quando necessário, o que se segue:

◆ Janelas. Se ficarem acima do nível do chão, instale grades de acordo com as orientações do fabricante; ou ajuste-as para que não se abram mais de 15 centímetros. Mantenha os móveis escaláveis afastados das janelas.

◆ Cordas de cortinas. Amarre-as alto para que o bebê não se estrangule nelas, e evite as alças; não coloque um berço ou cercadinho, ou uma cadeira ou cama onde o bebê possa subir, ao alcance de qualquer corda.

◆ Fios elétricos. Mude-os para fora de alcance, por trás dos móveis, para que o bebê não os coloque na boca, correndo o risco de um choque elétrico, ou os puxem, derrubando abajures ou outros objetos pesados; não os coloque debaixo de tapetes, onde podem superaquecer e causar um incêndio.

◆ Tomadas elétricas. Cubra com tampas ou coloque móveis pesados na frente delas para evitar que o bebê insira alguma coisa (como um grampo) ou sonde com um dedo gorducho e leve um choque.

◆ Móveis instáveis. Mantenha fora de alcance cadeiras de balanço ou instáveis, mesas ou outros móveis que possam virar se o bebê puder puxar; prenda seguramente estantes ou outras estruturas que o bebê possa puxar para baixo.

◆ Gavetas de roupas. Mantenha-as fechadas (e, se possível, trancadas) para que o bebê não suba nelas e puxe a gaveta por cima dele; se o gaveteiro for uma mesa, pense em encostá-lo na parede.

# CONTROLE DE INTOXICAÇÃO

Todo ano, mais de um milhão de exposições involuntárias de crianças de até 5 anos a substâncias tóxicas são registrados nos Estados Unidos. É triste, mas não surpreende. As crianças, em particular as muito novas, fazem grande parte da descoberta do mundo oralmente. Quase tudo o que elas pegam vai direto para a boca. Elas não aprenderam ainda a classificar as substâncias ou os objetos como "seguros" ou "perigosos" — tudo é meramente "interessante". Nem as papilas gustativas estão sofisticadas o bastante para alertá-las, como as nossas, de que uma substância é perigosa porque o sabor é horrível.

Para proteger seus inocentes dos perigos, obedeça terminantemente às seguintes regras:

♦ Tranque todas as substâncias potencialmente tóxicas fora do alcance das mãos e dos olhos de seu bebê — até os que engatinham podem subir em cadeiras baixas, carrinhos ou almofadas.

♦ Siga todas as regras de segurança para a administração de remédios (ver página 756).

♦ Evite comprar produtos de limpeza e outras substâncias em embalagens atraentes e de cores vivas. Elas seduzirão seu bebê. Se necessário, cubra as ilustrações com fita isolante (mas não cubra as instruções ou as advertências). Também evite substâncias tóxicas com aromas atraentes de comida (como menta, limão ou damasco).

♦ Compre produtos com embalagens resistentes a crianças, quando possível.

♦ Torne um hábito devolver itens perigosos para o armazenamento seguro imediatamente depois de cada uso; não baixe uma lata de *spray* de polimento de móveis ou uma caixa de naftalina "só por um minuto" enquanto atende ao telefone.

♦ Guarde a comida separada de outros itens, e nunca coloque não comestíveis em recipientes vazios de comida (alvejante em um frasco de suco de maçã, por exemplo, ou lubrificante em um vidro de geleia). Os bebês aprendem muito cedo a identificar de onde vem a comida, e não entendem por que não podem beber o que está no frasco de suco ou lamber o que está no pote de geleia.

♦ Evite comprar e exibir enfeites que pareçam comida (como frutas de cera ou de vidro).

♦ Superfícies pintadas ao alcance do bebê. Certifique-se de que não contenham chumbo; se contiverem ou você não tiver certeza, pinte novamente ou coloque um papel de parede. Se o teste mostrar chumbo na pintura, peça conselhos a um especialista sobre o melhor procedimento a tomar.

♦ Cinzeiros. Coloque-os fora do alcance do bebê para que ele não toque uma guimba quente ou pegue um

# O OITAVO MÊS

♦ Descarte substâncias potencialmente tóxicas. Esvazie-as conforme as instruções do rótulo, lavando os recipientes antes de jogar fora a não ser que o rótulo instrua outra coisa, e colocando-as em uma lata de lixo bem fechada imediatamente. *Nunca* os descarte no cesto de papéis ou na lixeira da cozinha.

♦ Sempre que possível, escolha o produto *relativamente* menos perigoso em vez de um produto com uma longa lista de advertências. Entre aqueles produtos de limpeza considerados menos perigosos: alvejantes sem cloro, vinagre, Bon Ami, óleo de limão, cera de abelha, óleo de oliva (para móveis), pega-moscas não químico, cola de Elmer, óleo mineral (para lubrificação, não para uso interno), desentupidores de ralo a ar comprimido (em vez de líquidos ou grânulos corrosivos).

♦ Coloque etiquetas com VENENO em todos os produtos tóxicos. Se você não conseguir encontrar estas etiquetas, coloque simplesmente um X em fita isolante em cada produto (mas não cubra as instruções e as advertências). Um dia, seu filho também passará a reconhecer que estes produtos não são seguros.

♦ Pense em tudo o que se segue como potencialmente tóxico se ingerido por seu bebê (aqueles com asterisco não devem estar em sua casa de jeito nenhum):

Bebidas alcoólicas
Mercúrio amoniacado (não tem utilidade medicinal)*
Anticongelante
Aspirina ou acetaminofeno
Ácido bórico
Óleo canforado
Alvejante de cloro
Cosméticos
Detergentes de lava-louças
Desentupidores químicos
Polidores de móveis
Venenos de insetos ou roedores
Comprimidos ou gotas de ferro (até as do bebê)
Querosene
Lixívia*
Remédios de todos os tipos (as variedades infantis que têm cheiro e sabor agradáveis podem ser especialmente tentadoras)
Naftalina
Desinfetante bucal
Produtos para as unhas
Perfume
Petróleo (isto é, gasolina)*
Turpentine (não é útil)
Óleo de gualtéria (não tem utilidade medicinal)
Soníferos
Tranquilizantes
Mata-mato

punhado de cinzas e guimbas; melhor ainda, pela saúde do seu filho e pela segurança dele, proíba inteiramente o tabaco em sua casa.

♦ Plantas dentro de casa. Mantenha-as fora do alcance do bebê, onde ele não possa puxar sobre si mesmo nem mordiscá-las; tenha um cuidado especial com plantas venenosas (ver página 591).

♦ Maçanetas e puxadores frouxos de móveis. Retire ou prenda qualquer um que seja pequeno o bastante para ser engolido (menor do que o punho do bebê) ou causar sufocamento.

♦ Aquecedores. Coloque barreiras em volta deles ou coberturas de aquecedores durante o aquecimento.

♦ Escadas. Coloque um portão no alto e outro três degraus a partir da base.

♦ Corrimão e grade. Certifique-se de que o espaço entre as ripas verticais da escada ou as grades do parapeito tenham menos de 10 centímetros, e que nenhuma delas esteja frouxa. Se o espaço for maior, instale um Plexiglas, um plástico claro ou uma rede em toda a grade.

♦ Lareiras, estufas, aquecedores de piso. Coloque grades de proteção ou outras barreiras para manter os dedinhos longe da superfície quente (mesmo a grade de um radiador de piso pode ter calor suficiente para causar queimaduras de segundo grau) bem como do fogo. Tire da tomada os aquecedores que não estiverem em uso, e sempre que possível guarde-os onde as crianças não consigam pegá-los.

♦ Toalhas de mesa. Se elas ficarem penduradas ao lado da mesa e não estiverem bem ancoradas, retire-as até que seu filho saiba que não deve puxá-las; como alternativa, tire o bebê do chão quando tiver uma toalha na mesa.

♦ Mesas com tampo de vidro. Ou cubra-as com uma pesada cobertura ou coloque-as fora de alcance temporariamente.

♦ Bordas ou quinas afiadas em mesas, arcas etc. Se o bebê pode esbarrar nelas, cubra-as com tiras e cantoneiras acolchoadas feitas em casa ou compradas.

♦ Tapetes espalhados. Certifique-se de que tenham verso antiderrapante; não os coloque no alto de escadas nem deixe que fiquem dobrados.

♦ Ladrilhos e carpetes. Conserte todas as áreas soltas para prevenir tropeços.

♦ Pontas de borracha de aparadores de porta. Retire-os porque representam um risco de sufocamento. Ou retire todo o aparador e instale um pino em V no alto da porta.

♦ Bugigangas e suportes de livros. Coloque-os onde o bebê não possa alcançar e puxar; os bebês têm mais força do que você pensa.

♦ Baús de brinquedos. Estes devem ter tampas leves com mecanismos de fechamento de segurança (ou não ter tampa), bem como buracos de ventilação (no caso de o bebê se prender neles). Melhor ainda, não use baús de brinquedos. Em geral, prateleiras abertas são mais seguras para guardar brinquedos.

♦ Berço. Depois que o bebê começar a mostrar interesse em se levantar (não espere até que a proeza tenha sido realizada), é hora de fazer alguns ajustes; (ver página 573).

♦ Bagunça no chão. Procure manter limpas as linhas de tráfego para prevenir tropeços. Limpe os cuspes e pegue os papéis imediatamente.

# O OITAVO MÊS

◆ Garagem, porão e áreas de *hobby*. Tranque com segurança e mantenha as crianças longe delas, uma vez que estas áreas em geral contêm uma variedade de utensílios perigosos e/ou substâncias tóxicas.

◆ Outras áreas com objetos perigosos ou quebráveis, como a sala de estar que abriga uma coleção de xícaras de chá. Coloque um portão ou outra barreira para manter o bebê de fora, ou tranque os objetos.

Fique também alerta para os itens perigosos encontrados na casa típica e veja se estão guardados em segurança, em geral em gavetas, armários ou arcas à prova de crianças ou em prateleiras absolutamente fora de alcance (você se surpreenderia com a altura que os bebês podem conseguir subir). Quando estiver usando estes itens, certifique-se de que o bebê não possa pegá-los quando você der as costas, e sempre se certifique de guardá-los assim que tiver terminado com eles ou tão logo veja um que tenha sido esquecido. Tenha um cuidado especial com:

◆ Utensílios afiados como tesouras, facas, abridores de carta, barbeadores (não os deixe ao lado da banheira nem na cesta de lixo) e lâminas.

◆ Objetos que podem ser engolidos, como bolas de gude, moedas, alfinetes de segurança e qualquer outra coisa que tenha um diâmetro menor do que 3,5 centímetros (cerca do diâmetro do tubo de um rolo de papel higiênico).

◆ Canetas, lápis e outros utensílios para escrever (substitua por lápis de cor mastigáveis e atóxicos).[2]

◆ Artigos de costura, em particular alfinetes e agulhas, dedais, tesouras, linhas e botões.

◆ Sacos plásticos leves como de supermercado, de lavanderias e de roupas novas (os bebês podem sufocar num saco desses se for colocado sobre o rosto).

◆ Artigos inflamáveis como fósforos e caixas de fósforos, isqueiros e pontas de cigarros acesas. (A propósito, qualquer cigarro é perigoso — tanto como veneno, como pelo risco de sufocamento.)

◆ Ferramentas de seu trabalho ou *hobby*: tintas e solventes, se houver um artista em casa; alfinetes e agulhas, se alguém costura; equipamento de trabalho em madeira, se houver um carpinteiro; e assim por diante.

◆ Brinquedos para crianças mais velhas. Os brinquedos que pertençam aos irmãos mais velhos geralmente não devem ser usados por bebês de menos de 3 anos; estes incluem jogos de armar com peças pequenas, bonecas com pequenos acessórios, bicicletas e patinetes, carrinhos e caminhões em miniatura e qualquer coisa com cantos afiados, partes pe-

---

[2]Algumas crianças gostam de usar lápis e canetas, assim como a mamãe e o papai. Se seu filho é assim, deixe que ele use somente quando estiver sentado com segurança e sob sua supervisão.

quenas, peças pequenas removíveis ou quebráveis ou conexões elétricas.

♦ Baterias pequenas; a forma em disco usada em relógios, calculadoras, aparelhos auditivos, câmeras e assim por diante (são fáceis de engolir e podem liberar o conteúdo tóxico no esôfago ou no estômago do bebê).

♦ Comida falsa de cera, *papier-mâché*, borracha ou qualquer outra substância que não seja segura para um bebê ou criança colocar na boca (uma maçã de cera, uma vela aromática que pareça um sorvete de creme, uma borracha que tenha cheiro e forma de morango).

♦ Produtos de limpeza.

♦ Vidro, porcelana ou outros quebráveis.

♦ Lâmpadas, em especial as pequenas, como as usadas em iluminação noturna, que o bebê possa colocar na boca e quebrar.

♦ Joias e bijuterias, em particular pérolas, que podem ser separadas; e itens pequenos como anéis (são atraentes para o bebê e podem ser facilmente engolidos). Os bebês não devem usar joias, pelo mesmo motivo.

♦ Naftalina (é venenosa).

♦ Cera de sapatos (além de fazer uma sujeira, podem deixar um bebê doente).

♦ Perfumes e todos os cosméticos (são potencialmente tóxicos); vitaminas e remédios.

♦ Apitos (o bebê pode sufocar com eles e com a bolinha de dentro, se ela se soltar).

♦ Mantenha as bolsas ou sacolas das visitas longe do alcance das crianças. Elas podem conter produtos de toalete, remédios ou outros itens que não são seguros para o bebê.

♦ Bolas de soprar (desinfladas ou rasgadas, elas podem ser inaladas e causar sufocamento).

♦ Alimentos pequenos que podem ser comidos com a mão, como nozes ou passas, pipoca ou doces duros que podem restar nos pratos de doces (o bebê pode sufocar com eles). O mesmo para ração seca de animais.

♦ Armas e munições, de verdade ou de brinquedo (se você tiver alguma em casa).

♦ Lixívia e ácido; por exemplo, produtos para desentupir ralos (melhor não os ter em casa de jeito nenhum).

♦ Bebidas alcoólicas (uma quantidade que apenas relaxa você pode deixar seu bebê mortalmente doente).

♦ Cordões, cordas, fitas cassete ou qualquer outra coisa que possa enroscar no pescoço do bebê e causar estrangulamento.

♦ Qualquer coisa em sua casa que seria perigosa se colocada na boca ou engolida por um bebê. Veja a lista de venenos na página 579.

**Mudanças anti-incêndio.** Ouvir dizer que uma criança está em perigo num incêndio já é bastante perturbador. Saber que o incêndio podia ter sido prevenido, ou podia ter sido descoberto antes de se espalhar em proporções fatais, é ainda mais perturbador. Verifique cada canto de sua casa em busca de possíveis riscos de incêndio para ter certeza de que "isso não acontece aqui".

♦ Certifique-se de que a roupa de dormir de seu bebê e das crianças atendam aos padrões de resistência a chamas.

♦ Se for permitido fumar em sua casa, descarte cuidadosamente todas as pontas de cigarro ou charuto, cinzas, cinzas de cachimbo e fósforos usados e nunca os deixe onde o bebê possa pegar. Qualquer fumante em sua casa deve ter o hábito de descartar as guimbas imediatamente, e você deve esvaziar os cinzeiros prontamente quando tiver convidados fumantes.

♦ Não permita que ninguém (inclusive as visitas) fume na cama ou quando cochila no sofá.

♦ Mantenha fósforos e isqueiros fora do alcance de crianças e bebês.

♦ Não permita que o lixo se acumule (em especial combustíveis, como tintas ou estopa de pintura).

♦ Evite usar líquidos inflamáveis, querosene e produtos comerciais para remover manchas nas roupas. Outro motivo para evitá-los: eles são tóxicos se ingeridos.

♦ Não deixe ninguém (adulto ou criança) perto de uma lareira, estufa, vela ou espaço mais quente se estiver usando mangas compridas, cachecóis que se arrastam ou fraldas de camisa penduradas, que podem pegar fogo involuntariamente.

♦ Mantenha as velas fora do alcance de mãos curiosas em lugares onde elas não possam cair, e certifique-se de apagá-las antes de sair do cômodo. Mantenha as luzes da árvore de Natal altas o bastante para que uma criança não consiga alcançá-las e puxar toda a árvore para baixo.

♦ Cubra as lâmpadas halógenas com um escudo de segurança.

♦ Verifique o sistema de aquecimento anualmente; tenha o cuidado de não superaquecer circuitos elétricos, sempre retirando as tomadas dos soquetes adequadamente (não puxe pelo fio) e verifique os aparelhos e fios elétricos regularmente em busca de conexões puídas e/ou soltas. Se você tiver fusíveis em vez de disjuntores, use somente fusíveis de 15 A para as lâmpadas; nunca coloque nada em substituição a um fusível.

♦ Evite usar aquecedores portáteis quando tiver crianças na casa. Se você precisar usá-los, certifique-se de desligá-los se caírem ou se alguma coisa for encostada neles. E não deixe o bebê perto de um deles sem supervisão.

♦ Coloque extintores em áreas onde o risco de incêndio é maior, como na cozinha ou na fornalha, perto da lareira ou da estufa, e na garagem. Verifique a pressão pelo menos uma vez

# EQUIPAMENTO DE SEGURANÇA

Há mais a comprar para o bebê do que roupas, carrinhos e a mais recente cadeirinha do carro. Você também vai precisar encher o carrinho de compras com os seguintes bens essenciais à prova de crianças, para ter certeza de que sua casa é segura para o bebê:

◆ Trancas de armários e gavetas (para manter armários de cozinha e gavetas seguras de dedos curiosos)

◆ Fechos de armários (pelo mesmo motivo)

◆ Guardas de forno

◆ Guardas de maçanetas de portas (para dificultar que os pequenos as abram)

◆ Cantoneiras acolchoadas de plástico (para suavizar as quinas das mesas)

◆ Amortecedores de bordas (para fazer o mesmo com bordas afiadas)

◆ Capas de tomadas

◆ Coberturas de segurança para torneiras da banheira

◆ Tapetes antiderrapantes para o fundo da banheira

◆ Coberturas antiderrapantes para degraus

◆ Trancas à prova de crianças para o quintal

◆ Coberturas com ventosas (para manter a tampa da privada baixa quando não estiver em uso)

---

por ano ou, de preferência, duas vezes ao ano (você pode fazer isso quando trocar as baterias dos detectores de fumaça). Mas somente aqueles que foram testados por um laboratório independente e rotulados com o tipo de fogo (combustível comum, líquidos inflamáveis ou elétrico) e o volume que podem extinguir. (Em uma emergência, o bicarbonato de sódio pode ser usado para abafar o fogo na cozinha.) Tente apagar um incêndio somente se for pequeno e restrito (como em seu forno, numa panela de fritura ou no cesto de lixo) e se você estiver entre o fogo e uma saída. Se não conseguir contê-lo, saia da casa.

◆ Instale detectores de incêndio e de fumaça como recomendado pela Defesa Civil, se já não o fez. Verifique mensalmente para ver se estão em bom estado de funcionamento e se as baterias não arriaram.

◆ Instale escadas de corda em determinadas janelas altas para facilitar a saída; ensine as crianças mais velhas e os adultos a usá-las. Pratique a descida segurando uma boneca.

◆ Elabore um plano de saída e pratique-o para que todos que moram ou trabalham na casa saibam como sair com segurança e rapidamente em uma emergência e saibam onde encontrar os outros membros da família. Atribua a retirada de determinadas crianças a pais e outros adultos. Mas certifique-se de que todos (inclusive a babá do neném) saibam que a prioridade no caso de incêndio é evacuar imediatamente — sem se preocupar com roupas, salvar objetos valiosos ou apagar o fogo. (A única exceção é um incêndio contido que possa ser controlado com um extintor.) A maioria das mortes ocorre por sufocamento ou queimaduras devido à fumaça quente, e não diretamente pelas chamas. A Defesa Civil deve ser chamada assim que for possível de um celular, telefone público ou da casa de um vizinho.

**Mudanças na cozinha.** Dê um giro especial pela cozinha, um dos lugares mais intrigantes da casa para seu bebê que se locomove há pouco tempo — e também um dos lugares mais perigosos. Você pode torná-la mais segura tomando as seguintes medidas:

◆ Prenda fechos à prova de crianças em gavetas ou armários que contenham qualquer coisa proibida para os pequenos, como objetos de vidro quebrável, utensílios afiados, compostos de limpeza perigosos, remédios ou comidas perigosas (como nozes ou pipoca — que podem sufocar um bebê — e pimenta). Se seu bebê deduzir como destrancar os armários (alguns muito espertos conseguem), você terá de relegar todos os itens perigosos a áreas de armazenamento fora do alcance ou simplesmente manter

seu bebê longe da cozinha com um portão ou outra barreira. O que estiver verdadeiramente fora de alcance mudará à medida que seu filho ficar mais velho, e assim seus arranjos de armazenamento terão de mudar também.

◆ Reserve pelo menos um armário (é mais provável que o bebê coloque os dedos em um armário do que em uma gaveta) para seu pequeno explorador desfrutar livremente. Alguns potes e panelas resistentes, colheres de pau, coadores, toalhas de papel, tigelas de plástico e assim por diante podem proporcionar diversões rápidas e podem satisfazer a curiosidade de seu filho o bastante para mantê-lo longe dos locais proibidos.

◆ Mantenha os cabos de panelas e caçarolas que estejam no fogão virados para trás e fora do alcance do bebê, e use os queimadores de trás sempre que for possível. Se os controles ficarem na frente, erga algum tipo de barreira para mantê-los intocáveis, ou use uma capa para fogões. Uma trava manterá os fornos convencionais e de micro-ondas inacessíveis.

◆ Mantenha a porta do lava-louça bem fechada o tempo todo. Um bebê que usa uma porta aberta para se içar pode encontrar vários perigos, inclusive facas.

◆ Não sente o bebê em uma bancada perto de aparelhos elétricos, do fogão, ou de qualquer coisa que possa ser perigosa — ou você pode vê-lo com os dedos na torradeira, as mãos em uma panela quente ou uma faca indo para uma boca aberta no momento em que você der as costas.

♦ Certifique-se de não deixar uma bebida quente ou uma tigela de sopa na beirada de uma mesa, onde o seu bebê possa alcançar.

♦ Mantenha as caixas de embalagens de plástico, folha de metal, papel encerado, papel vegetal ou qualquer outra caixa com borda denteada (que possa facilmente cortar dedinhos) em uma gaveta trancada ou em um armário alto.

♦ Mantenha os sacos plásticos fora de alcance.

♦ Coloque os ímãs de geladeira altos o bastante para que seu filho não possa alcançá-los — ou não os use. Eles representam risco de sufocamento.

♦ Mantenha o lixo em um recipiente bem fechado, que o bebê não possa abrir, ou debaixo da pia, atrás de uma porta seguramente fechada. As crianças adoram vasculhar o lixo, e os perigos — de alimentos estragados a vidro quebrado — são muitos.

♦ Limpe todos os cuspes e regurgitações imediatamente — eles deixam o chão escorregadio.

♦ Esvazie baldes de água imediatamente depois de terminar de usá-los; um bebê pode tropeçar neles e o derrubar.

♦ Obedeça às regras de segurança para escolher, usar e guardar detergentes de cozinha, sapólios, polidores de prata e todos os outros produtos de limpeza (veja na página 578).

**Mudanças no banheiro.** Para um bebê, um banheiro é quase tão sedutor quanto a cozinha, e é igualmente perigoso. Uma maneira de mantê-lo proibido é colocar um fecho ou outra trava no alto da porta, e mantê-lo fechado quando não estiver em uso. Torne o banheiro seguro para o bebê tomando as seguintes precauções:

♦ Mantenha todos os remédios (inclusive os de balcão, como antiácidos), desinfetantes bucais, pasta de dentes, vitaminas, preparados e *sprays* para cabelo, loções para a pele e cosméticos seguramente guardados fora do alcance do bebê.

♦ Mantenha as prateleiras baixas dos armários do banheiro sem bolas de algodão, cotonetes ou qualquer coisa que possa representar risco de sufocamento em crianças novas.

♦ Não use, nem deixe ninguém usar, um secador de cabelo perto do bebê quando ele estiver no banheiro ou brincando com a água. Não use o secador no cabelo do bebê.

♦ Nunca deixe pequenos aparelhos elétricos na tomada quando não os estiver usando. Um bebê pode mergulhar um secador de cabelo na privada e tomar um choque fatal, ligar um barbeador e se cortar, ou se queimar com uma chapinha de alisar cabelos. Tire o fio dos aparelhos se seu filho tem boa destreza manual (crianças espertas em geral imaginam uma maneira de plugar o aparelho, com resultados possivelmente desastrosos). É melhor não deixar os aparelhos ali.

♦ Mantenha a temperatura da água de sua casa abaixo de 48º C para evitar queimaduras acidentais e sempre feche a torneira de água quente antes de fechar a fria. Teste rotineiramente a temperatura da água do banho com o cotovelo antes de colocar o bebê na banheira. Se sua banheira não tiver um acabamento antiderrapante, coloque uma cobertura antiderrapante no fundo.

♦ Se você mora em uma casa com outras famílias — como num prédio de apartamentos — pode não ter acesso ao aquecedor de água nem capacidade de estabelecer uma temperatura segura. Verifique com o síndico. Se a temperatura não é segura, procure instalar um dispositivo de encanamento antiqueimadura na banheira, onde as queimaduras com a água da torneira são mais comuns. (Alguns códigos de obra exigem isto.)

♦ Quando não estiver em uso, mantenha a tampa da privada fechada com ventosas, travas ou outro dispositivo feito expressamente para este propósito. A maioria dos bebês vê a privada como uma piscininha particular e adora brincar nela sempre que tem oportunidade. Não só não é higiênico, como um bebê que engatinha e é cheio de energia pode enfiar a cabeça nela, com resultados catastróficos.

♦ Coloque uma capa protetora na torneira da banheira para prevenir pancadas ou queimaduras se o bebê esbarrar nelas.

♦ Não deixe seu bebê na banheira sem assistência, nem depois que ele estiver se sentando bem, e nem em uma cadeirinha especial. Esta regra deve ser seguida até que a criança tenha 5 anos de idade.

♦ Nunca deixe água na banheira quando não estiver em uso; uma criança pequena pode cair na banheira de brincadeira, e pode ocorrer afogamento em um nível de água de apenas *centímetros* de altura.

**Mudanças para áreas externas mais seguras.** Embora a maioria das lesões em bebês ocorra em casa, também podem acontecer lesões graves em seu próprio quintal — ou no de outra pessoa —, bem como nas ruas e *playgrounds*. Muitos acidentes são relativamente fáceis de prevenir:

♦ Nunca deixe um bebê brincar sozinho ao ar livre. Mesmo um bebê em um arnês de segurança, cochilando em um carrinho, precisa ser observado quase constantemente — ele pode acordar de repente e se emaranhar no arnês enquanto luta para sair. Um bebê dormindo que não está preso precisa estar sob a supervisão de alguém o tempo todo. Qualquer criança sozinha por qualquer período de tempo pode ser machucada por um animal de estimação solto, ou se tornar vítima de sequestro.

♦ Mantenha piscinas, lagos e outros reservatórios de água (mesmo que tenham somente alguns centímetros de água) inacessíveis a bebês — estejam eles engatinhando, andando de forma independente ou em um andador. Cerque uma piscina por todos os lados com um portão de fechamento automático. Mantenha portas e portões para a piscina trancados o tempo todo; esvazie e vire piscinas portáteis de cabeça para baixo, e drene qualquer área em que a água possa se acumular antes de permitir que o bebê brinque por perto.

♦ Verifique as praças públicas antes de deixar o bebê solto. Embora seja muito fácil manter seu quintal sem cocô de cachorro (eles podem abrigar vermes), cacos de vidro e outros resíduos perigosos, os frequentadores do parque podem achar mais difícil fazer isso.

♦ Não é o bastante pedir, "Por favor, não coma as margaridas!" Evite cultivar plantas venenosas, ou pelo menos cerque para que o bebê definitivamente não possa alcançá-las (veja o quadro na página 591). Comece também a ensinar a seu bebê que comer plantas, dentro ou fora de casa, é terminantemente proibido; mesmo que uma planta que não seja venenosa, impeça imediatamente que qualquer folha ou flor vá para a boca do bebê.

♦ Certifique-se de que o equipamento externo de brincar seja seguro. Deve ser solidamente construído, corretamente montado, firmemente ancorado e instalado a pelo menos 2 metros de cercas de muros. Cubra qualquer parafuso ou porca para prevenir le-

sões de arestas grosseiras ou afiadas, e verifique para ver se estão soltas periodicamente. Evite os ganchos de balanço em S (as correntes podem se soltar deles e eles podem prender roupas), e aros em qualquer lugar no equipamento que tenha entre 13 e 25 centímetros de diâmetro, uma vez que a cabeça da criança pode se prender neles. Os balanços devem ser de material macio (como couro ou tela, em vez de madeira ou metal) para prevenir lesões graves na cabeça. As melhores superfícies para áreas de brincar ao ar livre são 30 centímetros de areia, palha, serragem, cascalho pequeno, ou um material que absorva choques, como blocos de borracha. As aberturas em grades e espaços entre plataformas e entre degraus devem medir menos de 9 centímetros ou mais de 22 centímetros para que as crianças não fiquem presas nos espaços.

## MUDE SEU BEBÊ

É muito mais provável que ocorram lesões nos que são suscetíveis a elas e evidentemente os bebês recaem facilmente nesta categoria. Mas não é cedo demais para começar a tornar seu bebê seguro mesmo enquanto você torna sua casa segura. Ensine a seu filho sobre os perigos sempre que os encontrar. Finja tocar a ponta de uma agulha, por exemplo, dizendo, "ai", e afaste do dedo rapidamente simulando dor. Forme e use um vocabulário de palavras de alerta ("Ai", "Dodói", "Quente", "Corta") e frases ("Não toque", "Isso é perigoso", "Cuidado", "Isso dói", "Isso faz dodói"), para que seu filho automaticamente passe a associá-las com objetos, substâncias e situações perigosas. No começo, suas pequenas dramatizações parecerão entrar por um ouvido e sair pelo outro do bebê — e é o que acontecerá. Mas aos poucos o cérebro começará a guardar a informação, e um dia ficará evidente que suas lições foram aprendidas. Comece a ensinar seu bebê agora sobre o que se segue:

**Utensílios afiados ou pontiagudos.** Sempre que usar uma faca, tesoura, lâmina ou abridor de carta na frente do bebê, certifique-se de dizer a ele que é afiado, que não é um brinquedo, que só a mamãe, o papai e outros adultos podem tocar nele. À medida que seu filho ficar mais velho e tiver um maior controle motor, ensine-o a cortar com tesouras seguras para crianças e uma faca de manteiga. Por fim, passe para o uso supervisionado das versões "adultas" destes utensílios.

**Coisas quentes.** Até um bebê de 7 ou 8 meses começará a aprender quando você consistentemente alertar que seu café (ou o forno, um fósforo aceso ou uma vela, um radiador ou aquecedor, uma lareira) é quente e não deve ser tocado. Muito em breve a palavra "quente" automaticamente indicará "Não toque" para seu bebê. Ilustre o que quer dizer deixando-o tocar alguma coisa quente, mas não o bastante para queimar; o próprio calor do lado de fora de sua xícara de café, por exemplo. Quando uma

criança tiver idade para acender um fósforo ou pegar uma xícara de café, ela deverá aprender a forma segura de fazer isso.

**Degraus.** Os pais com frequência são aconselhados a colocar portões de segurança nas escadas, onde há bebês que estão começando a se locomover — seja de forma independente, seja em andadores (ver página 481 para saber por que os andadores móveis não são aconselháveis). Por um lado, esta é uma importante precaução de segurança e uma precaução que muito poucas famílias tomam. Por outro lado, o bebê que não sabe nada sobre degraus, além do fato de que são proibidos, é um bebê que corre um risco maior de cair na primeira vez em que uma escada for descoberta. Assim, coloque um portão no alto de qualquer escada de mais de três degraus em sua casa — descer é mais arriscado, e portanto mais perigoso, do que subir. Mas também coloque um portão três degraus acima do pé da escada para que o bebê possa praticar subir e descer sob condições seguras. Quando ele aprender, abra o portão de vez em quando para deixá-lo fazer um voo solo enquanto você observa ou se agacha um degrau ou dois abaixo, pronto para dar apoio se o pezinho ou a mão escorregar. Depois que ele tiver dominado a subida, ensine o bebê a descer com segurança — uma tarefa muito mais desafiadora, que pode levar vários meses. As crianças que sabem subir e descer uma escada são muito mais seguras se por acaso sobem uma escada desprotegida, que toda criança sobe de vez em quando, do que as que não têm experiência em subir. Mas continue a manter os portões no lugar, trancando-os quando você não estiver por perto para supervisionar, até que a criança possa subir uma escada de forma confiável (em algum momento por volta dos 2 anos de idade).

**Riscos elétricos.** Tomadas elétricas, fios elétricos e aparelhos elétricos têm um grande apelo para a mente e as mãos curiosas de um bebê. Não é o bastante distrair um bebê do caminho de sondar uma tomada desprotegida ou esconder todos os fios visíveis em sua casa; é também necessário lembrar repetidamente ao bebê do perigo em potencial ("Ai!"), e ensinar a crianças mais velhas o uso cauteloso da eletricidade e os riscos de misturá-la com água.

**Banheiras, piscinas e outras atrações aquáticas.** Brincar na água é divertido e educativo; estimule isto. Mas também ensine um bebê a não entrar na banheira, piscina, lago ou qualquer outra massa de água sem a mamãe, o papai ou outro adulto — e isso inclui bebês e crianças que estão tendo aulas de natação. Você não pode deixar uma criança suficientemente "à prova d'água", mas pode começar a ensinar algumas regras de segurança na água.

**Substâncias tóxicas.** Você sempre terá o cuidado de trancar produtos de limpeza, remédios e assim por diante em casa, mas seus pais estão de visita e seu pai deixa o remédio do coração em uma mesa na sala. Ou você está na casa de sua irmã e ela tem água sanitária e detergente de lava-louças em um armário destrancado debaixo da pia da cozinha. Você estará procurando problemas se não começar a ensinar a seu filho as regras da segurança com substâncias. Repita estas mensagens incansavelmente:

- Não coma nem beba nada a não ser que a mamãe, o papai ou outro adulto que você conheça dê a você (este é um conceito difícil para um bebê, mas é importante para todas as crianças aprenderem um dia). Não coma nem beba nada que não seja "comida" ou "bebida".

- Remédios e vitaminas em comprimidos *não* são balas, embora às vezes sejam aromatizados desta forma. (Nunca se refira ao remédio ou à vitamina do bebê como "balinha" ou "docinho"). Não os coma nem beba a não ser que a mamãe, o papai ou outro adulto que você conheça dê a você.

- Não coloque nada na boca se não souber o que é.

- Só a mamãe, o papai ou outro adulto podem usar remédios, sapólios, cera em *spray* ou qualquer outro tipo de substância potencialmente tóxica. Repita isto toda vez que você tomar ou der um remédio, esfregar a banheira, polir os móveis e assim por diante.

Há perigos do lado de fora de sua casa também, e seu bebê precisa estar preparado para eles:

**Riscos na rua.** Comece a ensinar seu filho a ter cautela na rua agora. Toda vez

# SINAL VERMELHO PARA OS VERDES

Muitas plantas comuns de jardins e casas são tóxicas quando ingeridas. Uma vez que as folhas e flores das plantas não são exceção para a regra de colocar tudo o que cabe na boca de um bebê, as variedades venenosas devem ser proibidas para os bebês. Coloque as plantas no alto em casa, onde as folhas e flores não caiam no chão e onde o bebê não possa chegar a elas içando-se, engatinhando ou subindo. Melhor ainda, dê as plantas tóxicas a amigos que não tenham filhos. Etiquete com o nome botânico exato qualquer planta de interior que você conservar, para que, se seu bebê ingerir acidentalmente algumas folhas, flores ou frutos, você possa dar informações precisas ao centro de controle de intoxicações ou ao médico de seu bebê. Coloque todas as plantas, mesmo as não venenosas, onde não possam cair com um puxão.

As seguintes plantas de interior são venenosas, algumas em pequenas doses:

Comigo-ninguém-pode, hera, dedaleira, bulbos de jacinto (e folha e flores em quantidade), hortênsia, rizoma e raiz aérea de íris, lírio-do-vale, filodendro, solano.

As plantas de exterior que são venenosas incluem:

Azaleia, rododendro, caládio, narciso e bulbos de narciso, loureiro, hera, dedaleira, bulbos de jacinto (e folhas e flores em quantidade), hortênsia, espada-de-são-jorge, raiz aérea e rizoma de íris, sementes e folhas de teixo, esporinha, lírio-do-vale, sementes de ipomeia, oleandro, alfena, folhas de ruibarbo, ervilha-de-cheiro (especialmente as "ervilhas", que são as sementes), folhas de tomate, vagens e sementes de glicínia.

As favoritas das festas de fim de ano, azevinho e visco, e, a um grau menor, a poinsétia (que é irritante, mas não venenosa) também estão na lista de perigosas.

---

que atravessar uma rua com seu bebê, explique sobre escutar e ver carros, sobre atravessar na faixa e não fora dela, e esperar que o sinal feche para os carros. Se houver entradas de garagem em seu bairro, você deve explicar que é necessário "parar, olhar e ouvir" também. Depois que seu filho estiver andando, ensine-lhe a nunca atravessar sem segurar a mão de um adulto — mesmo que não haja trânsito. É uma boa ideia dar as mãos na calçada também, mas muitos bebês adoram a liberdade de andar sozinhos. Se você

permitir isso (e provavelmente terá pelo menos de permitir algumas vezes), terá de ficar de olho em seu filho literalmente a cada segundo — basta um instante para uma criança disparar para um carro que vem pela rua. As infrações à regra "não atravesse a rua sozinho" merecem uma reprimenda forte.

Mas certifique-se também de que seu filho aprenda a não sair de casa ou do apartamento sem você ou outro adulto. Mesmo um bebê que sai pela porta da frente sozinho uma só vez pode ter problemas. Uma tranca fora de alcance ajudará a evitar esta tragédia em potencial.

**Segurança no carro.** Certifique-se de que seu bebê não só se acostume em se sentar na cadeirinha do carro na traseira, mas que, à medida que ficar mais velho, entenda os motivos de isto ser essencial. Permita uma exceção de vez em quando e seu filho achará muito difícil aceitar que usar a cadeirinha do carro não é negociável. Também explique outras regras de segurança em carros, como não atirar brinquedos pelo carro e não brincar com maçanetas ou botões das janelas.

**Segurança no *playground*.** Até um bebê pode começar a aprender regras de segurança em *playgrounds*. Ensine o seu a não torcer um balanço (quando ele ou alguém está nele, ou mesmo que esteja desocupado), empurrar um balanço vazio, ou andar diante de um balanço em movimento. Observe estas regras você mesmo (a) e mencione-as regularmente para seu bebê. Explique também que é necessário esperar até que a criança na frente dele esteja fora do escorrega antes de ele descer, e que não é seguro subir pelo escorrega.

As crianças aprendem muito pelo exemplo dos pais. Assim, a melhor maneira de ensinar seu filho sobre uma vida segura é praticar você mesmo (a). Torne um hábito afivelar o cinto de segurança e obedecer aos sinais de trânsito, e seu filho provavelmente crescerá com os mesmos bons hábitos de segurança.

◆ ◆ ◆

# CAPÍTULO 13

# O Nono Mês

Não existem horas suficientes durante o dia de vigília de um bebê de 8 meses que está se locomovendo ou tentando se locomover em cada oportunidade que tem. O bebê também vira um jovem comediante (que fará qualquer coisa por uma risada), um mímico voraz (que se delicia em imitar os sons que você faz) e um artista nato ("E para um bis, eu acho que eu vou fingir aquela tosse — novamente"). Ele é capaz de entender conceitos mais complexos, como a permanência de objetos — quando algo é coberto, como o papai atrás do cardápio, ele ainda está lá — e está ficando muito mais sofisticado em suas brincadeiras. Mas esta nova maturidade tem um preço: o medo de estranhos. O bebê que ficava feliz em qualquer par de braços acolhedores de repente começa a escolher suas companhias. A mamãe, o papai e a babá são os únicos adequados.

## O Que seu Bebê Pode Estar Fazendo

Todos os bebês atingem marcos em seu tempo de desenvolvimento. Se seu filho parece não ter atingido um ou mais destes marcos, fique tranquila, ele provavelmente os atingirá muito em breve. A taxa de desenvolvimento de seu bebê é normal para ele. Tenha em mente, também, que as habilidades que o bebê realiza na posição de bruços só podem ser dominadas se houver oportunidade de praticar. Assim, certifique-se de que o bebê passe um período brincando de bruços sob supervisão. Se você estiver preocupada com o desenvolvimento de seu filho (porque percebeu que ele não atingiu um marco de desenvolvimento ou o que você acha que pode ser um atraso no desenvolvimento), não hesite em verificar com o médico na próxima consulta — mesmo que ele não traga isso à baila. Os pais com frequência percebem nuances no desenvolvimento do bebê que os médicos não veem. Os bebês prematuros geralmente chegam aos marcos mais tarde do que os outros da mesma idade de nascimento, em geral atingindo-os mais perto de sua idade ajustada (a idade que eles teriam se tivessem nascido a termo), e às vezes mais tarde.

***Aos 9 meses, o seu bebê... deve ser capaz de:***

♦ tentar pegar um brinquedo que esteja fora de alcance

♦ procurar por um objeto que caiu

*... provavelmente, será capaz de:*

♦ sair da posição sentado para a posição em pé

♦ rastejar ou engatinhar[1]

♦ sentar-se se estiver deitado de bruços

♦ ficar zangado se você tirar um brinquedo dele

♦ ficar em pé segurando alguém ou alguma coisa

♦ pegar um pequeno objeto com qualquer parte do dedão e dedo (mantenha todos os objetos perigosos fora do alcance do bebê)

---

[1] Os bebês que passam pouco tempo de bruços na hora de brincar podem atingir este marco mais tarde, e isto não motivo de preocupação (ver página 316).

♦ dizer "ma-mã" ou "pa-pá" indiscriminadamente

♦ brincar de esconde-esconde

*... pode ser capaz de:*

♦ brincar de bater palminha ou dar tchau

♦ andar segurando-se nos móveis

♦ entender um "não" (mas nem sempre obedecer)

*... pode até ser capaz de:*

♦ "brincar de bola" (rolar a bola de volta para você)

♦ beber sozinho de um copinho

♦ pegar um pequeno objeto com as pontas do polegar e do dedo indicador (mantenha todos os objetos perigosos fora do alcance do bebê)

♦ ficar sozinho momentaneamente

♦ ficar bem sozinho

♦ dizer "pa-pá" ou "ma-mã" discriminadamente

♦ dizer outras palavras além de "ma-mã" e "pa-pá"

♦ responder a comandos simples com gestos ("me dê isso", dito com a mão estendida)

# O Que Você Pode Esperar do *Check-up* deste Mês

Cada profissional terá uma abordagem pessoal ao *check-up* de um bebê. A organização geral do exame físico, bem como o número e tipo de técnicas de avaliação usadas e os procedimentos realizados também vão variar com as necessidades individuais da criança. Mas, em geral, você pode esperar o que se segue do *check-up* quando o seu bebê tiver 9 meses:

♦ Perguntas sobre como você, o bebê e o resto da família estão se saindo em casa, sobre os hábitos alimentares e o sono do bebê e o progresso geral dele e sobre os cuidados com a criança, se você estiver trabalhando.

♦ Medir o peso, comprimento e circunferência da cabeça do bebê e monitorar o progresso desde o nascimento.

♦ Exame físico, inclusive uma nova verificação de qualquer problema anterior.

♦ Avaliação do desenvolvimento. O médico pode colocar o bebê para fazer uma série de "testes" a fim de avaliar sua capacidade de sentar-se independentemente, levantar-se com ou sem ajuda, alcançar e agarrar objetos e procurar e pegar pequenos objetos, procurar por um objeto caído ou escondido, responder quando chamado pelo nome, reconhecer palavras como "mamãe", "papai", "tchau" e "não", e apreciar jogos sociais como bater palminha e esconde-esconde, ou pode simplesmente confiar na observação além dos seus relatos sobre o que o bebê está fazendo.

♦ Vacinas, se não tiverem sido dadas antes, e se o bebê estiver em boa saúde e não houver outras contraindicações. Certifique-se de discutir antes as reações a vacinas anteriores.

♦ Possivelmente um teste de hemoglobina ou hematócrito para verificar se há anemia (geralmente por meio de uma picada no dedo).

♦ Orientação sobre o que esperar no próximo mês em relação a tópicos como alimentação, sono, desenvolvimento e segurança.

Perguntas que você pode querer fazer, se o médico ainda não as tiver respondido:

♦ Que novos alimentos podem ser introduzidos na alimentação do bebê agora? Quando frutas cítricas, peixe, carnes e claras de ovo podem ser introduzidos, se ainda não foram?

♦ Quando você deve pensar em tirar a mamadeira ou o peito?

Também fale sobre preocupações que tenham aparecido neste último mês. Anote as informações e instruções do médico. Anote todas as informações pertinentes (peso do bebê, comprimento, circunferência da cabeça, vacinas, alimentos introduzidos, resultados de exames, doenças, medicamentos dados etc.) em um registro permanente da saúde.

# Como Alimentar seu Bebê:
## ESTABELECENDO BONS HÁBITOS DESDE JÁ

Nós todos já os conhecemos. Os pais estressados que reclamam quando os filhos em idade pré-escolar clamam por cereais com açúcar no supermercado, resmungam quando pedem batatas fritas em vez de um almoço saudável em um restaurante, reviram os olhos quando rejeitam o sanduíche de pão integral oferecido na casa de um amigo ou insistem em beber refrigerante em vez de suco no jantar. Como todos os pais, eles gostariam que seus filhos comessem comidas mais nutritivas, mas, bem no fundo, estão convencidos de que travam uma batalha já perdida. Afinal de contas, as crianças não nascem com uma preferência por comidas não saudáveis?

Surpreendentemente, não. O paladar de uma criança na verdade nasce limpo; os gostos se desenvolvem dependendo dos alimentos introduzidos, mesmo nos primeiros meses de alimentação. Como o seu filho vai comer — se ele vai escolher sanduíches de pão branco ou pão integral, ficar satisfeito ao lanchar uma maçã ou um saco de fritas, ficar feliz ao comer um tipo de cereal que venha com passas ou exigir aquele que vem com *marshmallows* de chocolate no café da manhã — será influenciado basicamente pelos alimentos que você colocar na bandeja da cadeirinha dele agora.

Portanto, se você não quer lamentar os hábitos alimentares de seu filho mais tarde, comece a alimentá-lo de maneira correta desde o início.

**Mantenha os alimentos brancos fora de vista, na maior parte do tempo.** A preferência por trigo integral em vez de trigo branco é uma boa forma de discriminação para ensinar crianças pequenas. Embora uma criança que tenha sido desmamada com grãos integrais não vá necessariamente crescer sem um gosto pelo branco, ela vai, mais provavelmente, optar pelas boas coisas quando tiver que escolher — ou pelo menos provavelmente vai rejeitar menos quando estas coisas forem servidas. Selecione produtos integrais no supermercado, cozinhe com farinhas integrais em casa, peça, se possível, pães integrais nos restaurantes.

**Não corte o doce ainda.** Quanto mais tarde você introduzir as comidas muito doces, mais oportunidade o seu bebê terá de criar gosto por comidas que não são doces ou são ácidas. Não suponha que o bebê não vai comer queijo *cottage* ou iogurte natural a menos que tenham sido misturados com bananas maduras amassadas ou cereal, ou que tenham sido adoçados com calda de maçã ou pêssego; os bebês cujas papilas gustativas ainda não tenham sentido o gosto doce não só aceitarão estes alimentos como "corretos" como vão aprender a gostar deles. Sirva frutas, mas como sobremesa —

depois de ter oferecido algo que não é doce, como vegetais (que você deve servir cedo e com frequência). Gradativamente introduza guloseimas mais doces (preferivelmente aquelas adoçadas com suco de frutas em vez de açúcar), mas não se acostume a distribuir biscoitos em lugar de frutas frescas à tarde, colocar algo doce em toda refeição ou espalhar geleia em todo biscoito que você der ao bebê. Na realidade seu bebê provavelmente vai experimentar o lado mais doce da vida muito em breve se houver irmãos mais velhos em casa (os irmãozinhos sempre querem algo que o irmão mais velho está ganhando); caso contrário, você pode segurar um pouco os doces até o primeiro aniversário dele ou até mais tarde.

**Sirva o leite puro.** Quando o pediatra der consentimento para o leite de vaca — geralmente em um ano — sirva-o puro ao seu bebê. Leite com chocolate é cheio de cálcio, mas também de açúcar. Considere também que, quando disfarça o sabor do leite (mesmo que seja com algo integral), você estará sabotando o gosto do bebê por uma coisa pura. Deixe estas estratégias para quando o seu filho rejeitar o leite, provavelmente quando estiver começando a andar ou nos anos pré-escolares.

**Economize no sal.** Os bebês não precisam de sal na comida além do que já existe naturalmente. Não salgue os alimentos que você prepara para o bebê e seja especialmente cuidadosa em não servir lanchinhos muito salgados, que podem dar a seu filho o gosto nada saudável por alimentos ricos em sódio.

**Tempere a dieta do bebê com variedade.** Não é de se surpreender que tantas crianças pequenas rejeitem alimentos que não conhecem. Na maioria dos casos, os pais serviam sempre a mesma coisa desde cedo (o mesmo cereal toda manhã no café, as mesmas variedades de comida para bebês no almoço e jantar todos os dias), sem dar uma única chance de mudar o ritmo ou de experimentar algo diferente. Seja ousado ao alimentar o bebê (dentro dos parâmetros estabelecidos pelo pediatra ou permitidos pela idade do bebê). Experimente tipos diferentes de cereais integrais, servidos quentes ou frios; variedades de pães integrais (aveia e centeio, bem como de trigo) em formas diferentes (pãezinhos, rosquinhas, fatias, torradas e, mais tarde, pita); formas diferentes de massa; derivados do leite em formas diferentes (iogurte, queijo *cottage*, suíço e *cheddar*); vegetais e frutas além das cenouras, ervilhas e bananas (cubos de batata-baroa, fatias de melão rosado e manga, morangos frescos cortados etc.).

A variedade agora não é garantia de que seu filho não vá passar pela fase do macarrão com queijo — a maioria das crianças passa por esta fase em algum momento. Mas a familiaridade com uma variedade maior de alimentos fará com que ele tenha uma base alimentar maior e, a longo prazo, dará a ele uma nutrição melhor.

**Abra exceções.** Todos nós ansiamos pelo que é proibido, isto é inerente à natureza humana. Proibir completamente comidas não saudáveis só vai fazer com que elas pareçam mais atraentes ao seu filho. Portanto, assim que ele tiver idade para entender o conceito de "de vez em quando", permita guloseimas ocasionais, contanto que não façam parte do cardápio diário do seu filho — e não sejam servidas em vez de servir bons alimentos, elas não vão comprometer a nutrição.

**Faça você mesma.** É muito mais provável que as crianças façam o que os pais fazem do que o que eles dizem. Encha a sua casa de comidas saudáveis e demonstre prazer em comê-las e você pode esperar que seu filho siga seus passos.

É claro que, enquanto pratica, não há mal nenhum em ensinar um pouco também. Comece a ensinar ao seu filho desde pequeno que o açúcar não é bom para você, mas que as frutas são e que pão integral é melhor para o corpo do que o branco.

# As Preocupações Comuns

## ALIMENTANDO O BEBÊ À MESA

*"Estamos alimentando nosso filho separadamente e colocando-o para brincar enquanto comemos. Quando ele deve começar a comer conosco?"*

Alimentar-se e dar de comer ao bebê ao mesmo tempo é um feito acrobático que a maioria dos pais não consegue realizar — pelo menos não com graça ou sem tomar um antiácido após cada refeição. Portanto, até que seu bebê seja competente em se alimentar sozinho, você vai querer continuar a dar as refeições a ele separadamente. Mas isto não significa que ele não deva começar a se sentar à mesa em algumas refeições com adultos (contanto que o horário permita) para praticar boas maneiras à mesa e sociabilidade. Sempre que for prático e desejável, puxe a cadeirinha dele para a mesa na hora da refeição ou coloque-o de maneira segura em uma cadeira à mesa de jantar, dê a ele o seu aparelho de jantar (pratos inquebráveis e colher apenas) e algo que ele possa comer com as mãos e inclua-o na conversa à mesa. Mas não se esqueça de reservar alguns jantares somente para adultos para manter (ou retomar) o romance na vida de vocês.

## PERDA DE INTERESSE NA AMAMENTAÇÃO

*"Toda vez que me sento para amamentar meu filho, ele parece querer outra coisa — brincar com os meus botões, puxar o meu cabelo, olhar para a televisão, tudo, menos mamar."*

Nos primeiros meses, quando o mundo inteiro de um bebê que estava sendo amamentado girava em torno dos mamilos da mãe, parecia implausível que chegaria um dia em que ele não estaria mais interessado em mamar. E, ainda assim, embora muitos bebês ainda sejam apaixonados pelo ato de mamar até o desmame, alguns demonstram algum desinteresse e falta de concentração por volta do nono mês. Alguns simplesmente recusam o seio completamente, outros mamam seriamente por um momento ou dois e depois empurram o seio; há ainda outros que se distraem facilmente durante a amamentação, seja pelo que está em volta ou pelo desejo de praticar a sua recém-adquirida proeza física. Às vezes o boicote é apenas transitório.

Talvez o bebê esteja passando por um reajuste nas necessidades nutricionais ou talvez ele esteja desmotivado pelo gosto alterado do seu leite, trazido pelas mudanças hormonais durante o período menstrual ou da massa com alho *al pesto* que você comeu ontem no jantar. Ou talvez a perda de apetite dele seja temporária devido a um vírus ou ao advento da dentição.

Ou pode ser que ele esteja lentamente perdendo o interesse por mamar no peito. Embora o bebê com frequência saiba o que é melhor para ele, infelizmente este é outro caso em que ele não sabe. O melhor para o bebê é que ele continue a mamar no peito pelo menos até o primeiro aniversário. Portanto, não desista de dar o peito a ele sem uma luta civilizada se ele continuar a greve da amamentação; lute colocando em prática as seguintes dicas:

♦ Experimente paz e calma. Um bebê de 8 ou 9 meses cada vez mais curioso é facilmente distraído simplesmente por qualquer coisa — da televisão e a sirene do corpo de bombeiros do lado de fora a um cachorro que passa. Para aumentar a concentração do bebê na tarefa, amamente com luz diminuída em um quarto tranquilo. Afague-o e aconchegue-o gentilmente enquanto o amamenta, para relaxá-lo.

♦ Amamente quando ele estiver sonolento. Dê o peito logo de manhã, antes que os cilindros de bebê ativo comecem a funcionar. Alimente-o depois de um banho morno à noite. Ou após uma massagem relaxante (veja na página 442). Ou pouco antes da soneca. Se ele estiver muito cansado, pode não saber o que está acontecendo — ou pode não se importar.

♦ Ou amamente-o na confusão. Alguns bebês preferem saber que são parte da ação — desta maneira eles podem ter certeza de que não estão perdendo nada. Se este é o caso do seu montinho de energia, amamente-o enquanto estiver andando em casa; colocar o bebê em um *sling* vai aliviar o peso para seus braços.

Mas se o seu bebê ainda parecer indiferente à amamentação, ele pode realmente estar prestes a largar o peito. Embora *você* possa não estar pronta para que este marco aconteça, pode não haver nada que você consiga fazer em relação a isto. Assim como muitas mães antes de você aprenderam, você pode levar um bebê ao seio, mas não pode fazê-lo beber.

O ideal é que você continue a bombear leite para alimentar o seu bebê até pelo menos o final do próximo ano. Se você não quiser dar toda a dose ao bebê, vai precisar mudar para a fórmula. Você pode servir o leite materno ou a fórmula em uma mamadeira, se ele já estiver usando uma, embora alguns bebês nesta idade, que não querem mamar no peito, também não queiram sugar de um bico de borracha. Se este é o caso do seu bebê, ou se ele nunca tomou uma mamadeira (não há motivo para começar agora, já que o recomendado é que se desmame para uma mamadeira em um ano), tente servir o leite materno ou a fórmula em uma caneca, pelo menos algumas vezes. Isto, em geral, satisfaz os bebês que não querem comer deitados. Os bebês que começam a usar copinhos cedo são, com frequência, proficientes nesta idade; aqueles que não são, aprendem rapidamente.

Se você acabou desmamando o bebê completamente, procure fazer este processo gradualmente — para a saúde do seu bebê e para o seu conforto. O desmame gradativo vai permitir que o bebê tenha tempo para aumentar a ingestão de fórmula antes de abandonar o peito completamente. E isto vai dar aos seus seios a chance de reduzir a produção lentamente e evitar inchaço doloroso. (Veja na página 673 dicas de como desmamar; se o seu bebê se recusa a mamar de qualquer jeito, veja como fazer para desmamá-lo abruptamente de uma maneira mais fácil na página 675.)

---

## LEITE? AINDA NÃO

Pensando em trocar o leite materno ou a fórmula do bebê por leite de vaca? Pense novamente. O leite da vaca não é adequado para seres humanos com 9 meses de idade (veja os motivos na página 394). Por isso, aconselha-se que não se dê leite de vaca até o primeiro aniversário do bebê. Iogurte de leite integral e queijos duros são ótimos acréscimos à dieta do bebê (a menos que o histórico de alergia na família tenha levado o médico do bebê a proibir que ele consuma estes alimentos também) e alguns médicos permitem *pequenas* quantidades de leite integral misturado a cereais ou até um pouco em um copinho para praticar. Mas espere até o médico dar o sinal verde antes de substituir o leite materno ou a fórmula pelos alimentos brancos. Quando você fizer a troca, certifique-se de que o seu bebê só tome leite integral até o segundo aniversário (a menos que o médico recomende o contrário).

---

## HÁBITOS ALIMENTARES CONFUSOS

*"Quando introduzi os sólidos, minha filha parecia adorar tudo que eu dava a ela. Mas ultimamente ela não quer comer nada além de pão."*

Ouvindo os pais falarem, algumas crianças (até a adolescência, quando as compras no mercado para uma semana duram três dias) vivem somente de ar, amor e, ocasionalmente, um pedaço de pão. Mas apesar das preocupações dos pais, até aquelas crianças que são chatas para comer, comem e bebem um pouquinho durante o dia; o suficiente para sobreviver. As crianças estão programadas para comer o que precisam para viver e crescer — a menos que algo aconteça e altere esta programação no início da sua história alimentar.

Nesta fase do desenvolvimento, a maioria dos bebês ainda está obtendo a maior parte das suas necessidades nutricionais do leite materno, ou da fórmula, completada por quaisquer alimentos sólidos que eles recebam durante o dia. Mas, aos 9 meses, os requisitos nutricionais estão começando a aumentar e a necessidade de leite começa a diminuir. Para garantir que seu bebê continue a ingerir tudo o que precisa, incorpore as seguintes dicas a sua estratégia de alimentação:

**Deixe-o comer pão.** Ou cereal, ou bananas ou qualquer comida que eles prefiram. Muitos bebês e crianças que estão aprendendo a andar parecem ter um plano de comida da semana (ou do mês), recusando-se a comer qualquer coisa além de uma simples seleção durante aquele período. E é melhor respeitar as preferências e aversões alimentares deles, até mesmo quando levadas ao extremo: cereais no café da manhã, almoço e jantar, por exemplo. Um dia, se ela tiver a oportunidade de fazer isso por conta própria — e se for oferecida uma grande variedade de alimentos para que ela escolha o que quiser — uma criança irá expandir o seu repertório de gostos.

**Adicione mais, quando puder.** Apesar de não dever empurrar comida para o seu bebê, não há nada de errado em tentar induzi-lo a algumas delas. Espalhe banana amassada ou queijo *cottage* sobre o pão ou derreta uma fatia de queijo suíço sobre ele. Ou transforme-o em uma rabanada (usando apenas as gemas), sirva inteiro ou corte em pequenos pedaços. Ou procure assar e comprar pães que incorporem outros ingredientes nutritivos, como abóbora, cenoura, queijo ou frutas. Se é pelo cereal que a sua filha anseia, misture-o com uma porção de frutas na forma de bananas em cubos, purê de maçã ou pêssegos cozidos em cubo ou frutas secas cozidas em cubo (o que também vai adicionar ferro). Se as bananas são a paixão da sua filha, tente servi-las com uma pequena quantidade de cereais ou queijo *cottage*, ou amasse-as no pão.

**Omita as comidas macias.** A recente rebelião de sua filha pode simplesmente ser a maneira que ela encontrou de dizer que cansou de comidas amassadas e está pronta para comidas de adulto. Mude para bocados de comida que sejam macias o suficiente para ela conseguir comer, mas intrigantes o suficiente no sabor e textura para satisfazer o paladar maduro dela, o que pode transformá-la na *gourmet* que você deseja.

**Varie o cardápio.** Talvez o seu bebê esteja apenas cansado das mesmas velhas refeições; uma mudança pode ser tudo o que ela precisa para abrir o apetite (ver página 596).

**Vire a mesa.** Talvez seja apenas o surgimento de uma independência teimosa que a esteja mantendo de boca fechada durante as refeições. Dê a ela a responsabilidade de comer e ela pode abrir a boca com ansiedade para a grande variedade de experiências que nunca teria vindo da colher que você oferecia a ela. (Para escolhas adequadas no que diz respeito à alimentação autônoma do bebê, ver página 555).

**Não afogue o apetite.** Muitos bebês (e bebês que estão aprendendo a andar) comem muito pouco porque bebem muito suco, fórmula ou leite materno. Sua filha não deve ter mais do que 120 a 180 mililitros de suco de frutas e não mais do que 480 a 700 mililitros de fórmula (ou, após o primeiro aniversário, leite) por dia. Se ela quiser beber mais do que isso, dê a ela água ou suco diluído em água, espaçando as vezes durante o dia. Se você estiver amamentando, não sabe exatamente quanto leite ela está tomando, mas pode ter certeza de que amamentá-la mais do que três ou quatro vezes por dia vai interferir no apetite; então, corte.

**Ataque os lanchinhos.** O que os pais fazem quando o bebê se recusa a tomar café da manhã? Enchem o bebê de lanchinhos antes do almoço e evidentemente isto significa que ela provavelmente não terá apetite na hora do almoço. E o que acontece quando o almoço é recusado? O bebê fica com fome novamente à tarde, os lanchinhos continuam e não há lugar para o jantar. Evite este ciclo de sabotagem do apetite limitando

---

### CEREAIS COM UMA PITADA DE SABOR

Seu bebê passou da brandura dos peneirados para gostos e texturas mais novas e interessantes? Parabéns ao pequeno *gourmand*! Mas não se esqueça, em meio à excitação de estimular a variedade de aventuras na cadeirinha, de incluir cereais ricos em ferro na dieta diária do seu bebê. Por mais repetitivo que possa parecer, esta é a maneira mais simples (a não ser que ele se alimente com fórmula) de garantir a ingestão adequada de ferro.

---

os lanches para um no meio da manhã e outro no meio da tarde, independente de sua filha ter comido pouco nas refeições. Você pode, no entanto, aumentar um pouco a quantidade de comida dada a ela na hora do lanche se uma refeição foi pulada até a seguinte.

**Sorria.** A maneira mais fácil de criar um problema permanente de alimentação é olhar com ar severo de desagrado quando seu bebê vira a cabeça para a próxima colherada, comentar com jeito triste quando ela sair da cadeirinha com a barriga tão vazia quanto quando se sentou ou passar meia hora tentando fazer uma colherada entrar na boca fechada bajulando, implorando ou fazendo o truque do trenzinho. Ela precisa sentir que está comendo porque está com fome, não porque você quer que ela coma. Portanto, a todo custo — mesmo ao custo de algumas refeições perdidas — não crie caso com o ato de comer (ou não comer). Se ela claramente não quiser mais, ou não quiser comer de jeito nenhum, retire o prato e conclua a refeição sem maiores confusões.

É claro que a perda de apetite por um curto período de tempo pode acompanhar resfriados e outras doenças graves, especialmente quando houver febre. Raramente um bebê vai apresentar uma falta de apetite crônica devido a anemia (veja na página 525) ou má nutrição (ambas incomuns entre bebês de classe média) ou outras doenças. Se a perda de apetite do seu bebê é acompanhada de perda de energia, perda de interesse no ambiente, uma diminuição no desenvolvimento, ganho insuficiente de peso ou uma mudança acentuada na personalidade (irritabilidade ou nervosismo repentino, por exemplo), verifique com o médico.

## ALIMENTANDO-SE SOZINHO

*"Toda vez que a colher chega perto de minha filha, ela a agarra. Se a vasilha dela está próxima, ela mergulha os dedos nela e faz uma bagunça tentando se alimentar sozinha. Ela não está comendo nada e eu estou ficando frustrada."*

Obviamente está na hora de mudar a colher de mãos. Sua filha está expressando o desejo de ser independente, pelo menos à mesa. Estimule em vez de desencorajá-la. Mas para minimizar a bagunça e impedir que ela fique com fome até que consiga ter boas maneiras, passe a responsabilidade para ela gradativamente, se possível.

Comece dando uma colher a ela enquanto você continua a alimentá-la. Ela pode não ser capaz de fazer muito mais do que balançar a colher de um lado para o outro no início e, quando conseguir enchê-la e levar à boca, ela geralmente vai fazê-lo com a colher virada para baixo. Ainda assim, usar a colher pode fazer com que ela fique contente o suficiente para deixar que você cuide da maior parte da alimentação, pelo menos por enquanto. O próximo passo é dar a ela alimentos para comer com as mãos, de que ela possa se alimentar sozinha enquanto você a alimenta com a colher. A combinação do que ela come com os dedos e uma colher pessoal (e/ou uma caneca para um gole entre elas) geralmente mantém o bebê ocupado e feliz para que a mãe possa dar o resto da refeição, mas nem sempre.

Alguns bebês insistem em fazer tudo sozinhos; se esta é a única maneira de o bebê comer, deixe. A hora da refeição vai levar mais tempo e terá mais bagunça no início, mas a experiência muito em breve tornará sua filha um pouco mais eficiente no ato de se alimentar sozinha. (Espalhar jornal ou um plástico no chão embaixo da cadeira da criança vai pelo menos tornar a limpeza mais fácil.)

Seja lá o que for, não deixe que a hora da refeição se torne um momento de guerra ou você corre o risco de deixá-la com problemas de alimentação permanente. Quando a autoalimentação degenera em brincadeira e nenhuma comida (um pouco de brincadeira é normal), pegue a colher e assuma a alimentação. Se sua filha se recusar, é hora de limpar a cenoura do queixo e o iogurte dos dedos e dar a refeição por encerrada.

## FEZES ESTRANHAS

*"Quando troquei a fralda de minha filha hoje, fiquei assustada. As fezes pareciam estar cheias de grãos de areia. Mas ela nunca brinca na caixa de areia."*

Quando você já estava ficando aborrecida com a troca de fraldas, aparece outra surpresa. Às vezes é fácil entender o que aconteceu com o bebê para que ele tenha produzido a mudança nas fezes. Cor de abóbora? Provavelmente as cenouras. Vermelho-sangue? Provavelmente a beterraba ou o suco de beterraba. Pontos ou fibras pretas? Banana. Objetos estranhos escuros? Geralmente ameixas ou passas. Pelotas verde-claras? Talvez as ervilhas. Amarelas? Milho. Sementes? Muito provavelmente os tomates, pepinos ou melões, cujas sementes não foram totalmente retiradas. Devido ao fato de os bebês não conseguirem mastigá-las completamente e de o trato digestório deles ainda não estar completamente maduro, o que entra com frequência sai em cores e texturas inalteradas.[2] Fezes com areia, como aquelas na fralda do bebê, são

bastante comuns, não porque os bebês comam a areia da caixa (embora eles possam fazer isso se tiverem a oportunidade) mas porque certos alimentos — especialmente Cheerios e outros cereais de aveia semelhantes e peras — com frequência parecem granulados quando passam pelo trato digestivo.

As mudanças nas fezes podem ser ocasionadas não apenas por itens naturais da dieta do bebê, mas também por outros sintetizados por laboratórios alimentares (a maioria não é adequada para bebês, mas mesmo assim, às vezes, encontra o seu caminho para os pequeninos estômagos). Sabe-se que estes produtos colorem as fezes em tonalidades tão dramáticas como verde fluorescente (de uma bebida com uva) e vermelho-cereja (de um cereal com sabor de frutas cítricas).

Portanto, antes de ficar em pânico diante da visão do que está enchendo a fralda do seu bebê, pense no que está enchendo a barriga dela. Se você ainda estiver surpresa, mostre ao médico.

## MUDANÇAS NOS PADRÕES DE SONO

*"Minha filha de repente não quer tirar um cochilo pela manhã. Uma soneca por dia é suficiente para ela?"*

Embora uma soneca por dia possa não ser suficiente para pais exaustos, pode ser tudo o que muitos bebês precisam quando estão se aproximando do seu primeiro aniversário. Alguns bebês até tentam abrir mão dos dois cochilos nesta época. Geralmente é a soneca da

---

[2]Amassar ou cortar passas, frutas cítricas, ervilhas e milho facilitará não só a digestão como também aumentará a segurança para comer.

manhã que vai embora primeiro, mas ocasionalmente é a sesta após o almoço. Os bebês de alguns pais de sorte continuam a cochilar duas vezes por dia até o segundo ano, e isto é perfeitamente normal também, contanto que não pareça estar afetando o bom sono noturno. Se este for o caso, o bebê deve ter seus cochilos reduzidos a apenas um.

O quanto o bebê dorme é menos importante do que a qualidade do sono que está tendo. Se sua filha se recusa a tirar uma soneca mas parece irritada e cansada na hora do jantar, pode ser que precise de sono extra mas esteja protestando porque não quer perder um tempo precioso — que ela poderia usar para atividade ou exploração — dormindo. Não tirar os cochilos necessários torna o bebê menos feliz e cooperativo durante o dia e em geral o bebê vai para a cama menos facilmente e não dorme tão bem durante a noite; ao ficar cansada e sobrecarregada, ela tem dificuldade em relaxar e permanecer deitada.

Se sua filha não parece estar tirando os cochilos de que precisa, faça um esforço especial para incentivá-la a tirá-los. Tente colocá-la deitada — alimentada, fralda trocada e relaxada com uma brincadeira calma ou com uma música suave e talvez uma massagem (veja na página 442) — em um quarto escuro, sem distrações. Não desista imediatamente se ela não dormir; alguns bebês precisam de mais tempo para se acalmar durante o dia. Se isto não funcionar, você pode se valer do recurso de levá-la para passear no carrinho, ou dar uma volta de carro com ela. (Muitos bebês da cidade têm o costume de dormir no carrinho,

outros bebês, no carro). Se necessário, e se você escolher este método para o sono noturno também, procure treinar sua filha para dormir (veja na página 505) antes de desistir de fazer com que ela tire uma soneca, mas não à noite. Mais de vinte minutos de choro e lá se vai a soneca dela.

*"Nós pensávamos que estivéssemos fazendo tudo certo. Nosso bebê sempre ia dormir sem confusão. Agora ele parece querer ficar acordado e brincar a noite inteira."*

É como fazer uma mudança repentina de uma cidade do interior para uma grande metrópole. Alguns meses atrás não havia quase nada que fizesse o seu bebê ficar acordado à noite. Agora, com tantas descobertas a fazer, brinquedos para brincar, pessoas com quem interagir e realizações físicas para ajustar (quem quer ficar deitado quando está aprendendo a ficar em pé?), seu bebê não quer perder tempo dormindo.

Infelizmente, este é outro caso no qual o bebê não sabe o que é bom para ele. Assim como não dormir o suficiente durante o dia, dormir muito tarde da noite pode deixá-lo cansado, o que, por sua vez, pode não permitir que ele sossegue de jeito nenhum. As crianças que não dormem tempo suficiente são mais propensas a ter problemas para pegar no sono e podem acordar durante a noite. Elas podem ficar irritadas durante o dia e mais propensas a acidentes.

Se o seu bebê não vai dormir prontamente à noite, certifique-se de que ele durma o suficiente durante o dia (veja nas páginas 468 e 605). Em seguida, crie uma rotina para a hora de dormir; se você já estabeleceu uma mas tem aderido a ela pela metade, reforce-a. Se a babá ou os avós colocam o bebê para dormir ocasionalmente, certifique-se de que eles estejam familiarizados com os rituais.

Se você não tem certeza do que deve incluir na rotina da hora de dormir, pode experimentar algumas das sugestões a seguir:

**Um banho.** Depois de um dia limpando o chão com os joelhos, massagear a cabeça com banana amassada e rolar na caixa de areia, um bebê precisa de um banho. Mas o banho da noite faz mais do que limpar o bebê — ele o relaxa. A água morna e calmante tem poderes mágicos que induzem ao sono; não desperdice estes poderes dando um banho mais cedo durante o dia. Você também pode querer experimentar algumas loções de bebê para dormir ou sabonetes de banho enriquecidos com lavanda e camomila, conhecidos por suas propriedades calmantes e relaxantes.

**Uma atmosfera que induza ao sono.** Diminua as luzes, desligue a tevê, tire as crianças mais velhas do quarto e mantenha as outras distrações afastadas.

**Uma história, uma cantiga, um carinho.** Depois que o bebê tiver trocado as fraldas e vestido o pijama, aconcheguem-se juntos em uma cadeira ou sofá confortável ou na cama do bebê, quando ele já estiver usando uma. Leia uma história simples para ele, se ele ainda ficar sentado escutando, em um tom suave e mo-

nótono em vez de usar um tom de voz vivo e animado. Ou, se você preferir, deixe-o olhar alguns livros de gravura sozinho. Cante baixinho músicas e cantigas de ninar e o acaricie, mas deixe as gracinhas (como jogos de luta ou sessões de cócegas) para outra hora. Depois que o motor do bebê é ligado, é difícil desligá-lo. Se o seu filho aprecia uma massagem, agora pode ser um ótimo momento para relaxá-lo desta forma. As pesquisas sugerem que os bebês que são massageados antes de ir para a cama produzem mais hormônio indutor do sono, a melatonina.

**Uma luz para os suspeitos.** Alguns bebês têm medo do escuro. Se o seu é um deles, instale luz noturna para que ele tenha companhia.

**Tchau.** Coloque o animal ou brinquedo favorito dele na cama. Incentive o bebê a dar tchau para o brinquedo bem como a bichos de pelúcia, irmãos, mamãe e papai. Espalhe beijos de boa-noite, cubra o bebê no berço e saia do quarto.

Se ele chorar quando você deixar o quarto, retorne por um instante para se certificar que ele está bem, beije-o novamente e depois saia. Se ele continuar a chorar e você já tiver escolhido este caminho, provavelmente você vai precisar experimentar outros métodos de "como fazer o bebê dormir a noite inteira" na página 505. Eles provavelmente vão funcionar, mas podem ser mais difíceis para você, agora que ele está não só mais velho, mas também mais esperto. Nesta idade, ele provavelmente saberá como trazê-la de volta ao quarto, ou pelo menos como fazê-la se sentir culpada se você não voltar. Ele pode repetidamente chorar e gritar até que você o ajude a se acalmar novamente. Ou ele pode começar a chamar "mamã" ou "papá", tornando difícil para vocês não responderem. E em vez de ser acalmado pela visita, como um bebê mais novo ficaria, ele provavelmente ficará com mais raiva quando você o deixar novamente. Sua melhor aposta com este espertinho pode ser tentar ficar o mais distante possível enquanto ele se acostuma a dormir sozinho.

*"Não temos condições de estabelecer uma rotina na hora de dormir para o nosso bebê porque ele sempre dorme quando está mamando, antes que nós comecemos."*

Se seu filho dorme rotineiramente com a última mamada da noite, passe pela rotina da hora de dormir — inclusive o boa-noite — antes de se sentar para dar de mamar a ele. Ou, se você gostaria de tirar o hábito de dar de mamar para que ele durma, experimente dar de mamar antes do banho, sob condições que não induzam ao sono — com bastante barulho, luz e atividade e a promessa de um banho e uma história a seguir. Se ele cair no sono apesar de todos os seus esforços, experimente acordá-lo para o banho. Se isto não funcionar, volte a amamentar após os rituais da hora de dormir e tente novamente em algumas semanas.

*"Nós realmente queremos que nossa filha aprenda a dormir sozinha*

*quando acorda durante a noite. Mas agora que estão nascendo os dentes dela, eu me sinto culpada por deixá-la chorando."*

Há várias maneiras de consolar um bebê na fase da dentição — mas infelizmente todas envolvem correr para o lado dele. É fácil se você tomou a decisão de dormirem juntos, mas não é tão fácil se você estiver comprometida em fazer com que sua filha durma sozinha. Aqui está o problema: embora a pior dor da dentição geralmente dure apenas algumas noites (e acorde o bebê apenas por um breve momento e esporadicamente), ter você por perto à noite pode se tornar um hábito que será difícil de romper. Em outras palavras, a dor da dentição manterá seu bebê acordado por um curto período de tempo; saber que você vai aparecer quando ele chorar pode fazer com que ele fique acordado indefinidamente.

Uma boa ideia é dar uma espiadinha no bebê quando ele chorar durante a noite, para se certificar de que ele não se levantou e ficou preso, sem conseguir voltar a se deitar — o que acontece com frequência nesta idade. Também seria bom oferecer algum consolo a ele (o quanto você quiser, por quanto tempo desejar): palmadinhas, uma cantiga suave, um mordedor de dentes. Mas se o seu objetivo é fazer com que ele volte a dormir por conta própria, tente não pegá-lo no colo. Veja se ele consegue se acalmar sozinho (se a sua presença invariavelmente impedir que isto aconteça, considere a possibilidade de não entrar no quarto dele).

Se ele parece inconsolável à noite, pergunte ao médico sobre a possibilidade de dar a ele uma dose de acetaminofeno antes de ele ir dormir. Entretanto, certifique-se de que acordar à noite não seja devido a uma doença do seu bebê — uma infecção de ouvido, por exemplo, uma dor que com frequência piora à noite — cuja dor um analgésico pode mascarar.

# LEVANTANDO-SE

*"Nosso bebê recentemente aprendeu a se levantar. Ele parece adorar isso por alguns minutos, mas depois começa a chorar. Será que ficar em pé está machucando as pernas dele?"*

Se as pernas do seu filho ainda não estivessem prontas para sustentá-lo, ele não conseguiria se levantar. Como a maioria dos bebês que acabaram de aprender a se levantar, ele fica preso nesta posição estranha até cair, desabar ou ser ajudado. E é aqui que você entra. Tão logo perceba a frustração aparecendo, ajude-o gentilmente a ficar na posição sentada. Faça isso lentamente — para que ele entenda como fazer sozinho, o que pode levar alguns dias ou no máximo algumas semanas. Enquanto isso, espere um bom tempo para resgatar o seu bebê em desespero — talvez até no meio da noite, se ele decidir praticar se levantar.

*"Minha filha está tentando se levantar apoiando-se em tudo que temos em casa. Devemos ficar preocupados com a segurança dela?"*

À medida que aprendem a se levantar, depois andar apoiando-se nas coisas e finalmente aprendem a andar sozinhos, os bebês entram em uma fase em que têm mais músculos do que o cérebro deles pode se responsabilizar — colocando-os em um alto risco de uma lesão. Isto pode acabar com os seus nervos, mas o seu bebê que está quase andando precisa de bastante oportunidade para explorar o mundo a sua volta. Seu trabalho é tornar o mundo o mais seguro possível para ele.

Certifique-se especialmente agora de que qualquer coisa na qual sua filha tenta se apoiar para levantar (desça ao nível dela se necessário para determinar o que pode ser) seja segura. Mesas instáveis, estantes, gaveteiros, cadeiras e abajures de chão devem ser presos à parede (e os gaveteiros com trancas de segurança), guarde ou mantenha fora de alcance do bebê, por enquanto: fios de aparelhos que devem ser escondidos ou presos à parede para que o bebê não se segure neles para se levantar, derrubando em cima dela aparelhos pesados. Cantos e pontas de mesas de centro devem ser acolchoados para o caso de o bebê cair de encontro a elas (ela provavelmente vai cair com frequência). Bibelôs quebráveis ou perigosos, que ela não alcançava antes, devem ser guardados agora. Se você tiver um lava-louça, mantenha-o fechado quando não estiver usando (é fácil se levantar em um que esteja aberto e o conteúdo, como facas, copos e restos de detergente, pode representar uma ameaça). Para prevenir escorregões e tropeções, certifique-se de que os fios elétricos estejam fora do caminho, que papéis não sejam deixados no chão e que líquidos derramados em superfícies lisas sejam secados rapidamente. E para se certificar de que os pés dela não a prejudiquem, deixe-a descalça ou com meias ou sapatos antiderrapantes em vez de sapatos com solado liso ou meias escorregadias.

Quando uma criança começa a se levantar, passear pelo quarto — da cadeira para a mesa, da parede para o sofá e as pernas do papai, por exemplo — não demorará muito a acontecer. Como sempre, o aumento da mobilidade significa um potencial aumento do perigo. Para proteger o seu bebê explorador, certifique-se de que cada canto de cada cômodo de sua casa (exceto aqueles que estão sempre fechados ou trancados) seja totalmente à prova de bebês. Se você ainda não fez isso quando sua filha começou a engatinhar, veja as dicas de como tornar o seu lar seguro para o bebê na página 575.

## PÉS CHATOS

*"A planta dos pés do meu bebê fica totalmente chata quando ele fica em pé. Será que ele tem pé chato?"*

O achatamento em bebês é a regra, e não a exceção. E é uma regra para a qual você provavelmente não vai encontrar exceções. Existem vários motivos para isso: primeiro, já que bebês pequenos não andam muito, os músculos dos pés ainda não se exercitaram o suficiente para que a planta dos pés se desenvolva totalmente. Segundo, uma capa de gordura cobre a arcada do pé, tornando difícil discernir, especialmente em bebês rechonchudos. E quando os

bebês começam a andar, eles ficam com os pés separados para conseguir o equilíbrio, colocando mais peso na arcada do pé, deixando o pé com a aparência mais achatada.

Na maioria das crianças, a aparência de pé chato vai diminuir lentamente ao longo dos anos e, quando o crescimento completo tiver sido atingido, o arco estará formado. Em apenas uma pequena porcentagem, os pés permaneceram chatos (o que não é um grande problema, afinal de contas) mas isto é algo que não se pode prever agora.

## ANDANDO CEDO DEMAIS?

*"Nossa filha quer andar o tempo todo, segurando as mãos de qualquer adulto que esteja disposto a ajudá-la. Andar antes que ela esteja pronta pode machucar as pernas dela?"*

É mais provável que machuque as suas costas do que as pernas dela. Se as pernas de sua filha não estivessem prontas para este tipo de atividade pré-caminhada, ela não estaria clamando por isto. Assim como ficar em pé cedo, andar cedo (com ou sem assistência) não faz com que as pernas fiquem em forma de arco (na verdade, uma característica normal de bebês de menos de dois anos de idade) ou qualquer outro problema físico. Na verdade, ambas as atividades são benéficas, já que elas exercitam e fortalecem alguns dos músculos usados para andar sozinho. E se ela estiver descalça, isso vai ajudar a fortalecer os pés também. Portanto, desde que suas costas aguentem, deixe-a andar até que as pernas dela fiquem satisfeitas.

Um bebê que não quer "andar" nesta fase, é claro, não deve ser forçado a isto. Como com outros aspectos do desenvolvimento, siga apenas o seu pequeno líder.

# Desenvolvimento lento

*"Nosso bebê começou apenas recentemente a se sentar bem sozinho — muito mais tarde do que os bebês dos nossos amigos. Devemos ficar preocupados?"*

A taxa de desenvolvimento de cada bebê é predeterminada principalmente por seus genes, que determinam a rapidez com que o sistema nervoso vai se desenvolver. Ele está programado para se sentar, levantar, ficar em pé, andar, dar o seu primeiro sorriso e dizer sua primeira palavra em uma certa idade. Poucos se desenvolvem em uma taxa uniforme em todas as áreas; a maioria é mais rápida em algumas e mais lenta em outras. Um bebê pode, por exemplo, ser rápido para sorrir e falar (habilidades social e da fala) mas pode se levantar somente quando tiver quase um 1 de idade (uma habilidade motora grande). Outro pode andar (uma habilidade motora ampla) aos 8 meses e só saber pegar objetos com movimentos de pinça (uma habilidade motora fina) depois do primeiro aniversário. A taxa na qual as habilidades motoras se desenvolvem não está de maneira nenhuma relacionada com a inteligência. Tenha em mente tam-

bém que o desenvolvimento de certas habilidades pode ser retardado porque o bebê não teve oportunidade suficiente de praticá-las. Isto é válido para a habilidade de sentar; se sua filha passa muito tempo de bruços, presa em uma cadeirinha de bebê ou segura em um *sling*, ela pode não ter tido muitas oportunidades de descobrir como ficar na posição sentada.

Fazer a maioria das coisas mais tarde do que outras crianças, contanto que o desenvolvimento não saia da variável considerada normal (como é o caso da habilidade de se sentar) e ela progrida um passo de cada vez, não é motivo de preocupação. Se uma criança atingir marcos de desenvolvimento muito depois de outras crianças, no entanto, é necessária uma consulta com o médico. Na maioria dos casos, esta consulta vai atenuar o medo dos pais. Algumas crianças amadurecem mais lentamente, mas ainda assim são perfeitamente normais. De vez em quando, uma avaliação posterior será necessária para determinar se um problema existe realmente ou não, e às vezes existe.

De vez em quando, o médico do bebê não está preocupado, mas os pais têm dúvidas persistentes apesar de toda a garantia. A melhor maneira de recuperar a paz de espírito: uma consulta com um especialista em desenvolvimento. Às vezes o médico do bebê, que o vê apenas para avaliações breves, não percebe sinais de desenvolvimento deficiente que os pais veem ou sentem e que um especialista, ao fazer uma avaliação mais prolongada, pode perceber. A consulta tem duplo propósito. Primeiro, a preocupação dos pais se torna verdadeiramente desnecessária, pelo menos em relação ao desenvolvimento, e pode ser deixada de lado. Segundo, se a preocupação for na verdade um problema, uma intervenção precoce pode fazer uma diferença enorme.

## MEDO DE ESTRANHOS

*"Nossa garotinha sempre foi amigável e extrovertida. Mas quando os meus sogros — com quem ela sempre adorou brincar — chegaram de viagem ontem, ela caía no choro toda vez que eles chegavam perto dela. O que aconteceu com ela?"*

A maturidade — de uma maneira bem imatura. Embora vá demonstrar uma preferência pela mãe e pelo pai após alguns meses, um bebê com menos de 6 meses geralmente responderá positivamente a todos os adultos. Sejam eles adultos conhecidos ou estranhos, ele os agrupa na categoria de pessoas que são capazes de cuidar das necessidades dela. Com frequência, à medida que o bebê se aproxima dos 8 ou 9 meses de idade, ele começa a entender de que lado o biscoito dela tem manteiga; que a mãe, o pai e possivelmente uma ou outra pessoa conhecida são os que cuidam dela principalmente, e que ela deve ficar com eles e longe dos que provavelmente querem separá-la deles (a "ansiedade de estranhos", o termo oficial para este fenômeno, pode começar aos 6 meses ou até mes-

mo mais cedo). Durante este tempo, até os avós antes adorados (e ocasionalmente até as antes adoradas babás) podem ser repentinamente rejeitados, quando o bebê se agarra desesperadamente aos pais (especialmente o genitor que cuida mais dele).

O medo de estranhos pode desaparecer rapidamente, ou só aparecer após o primeiro ano; em cerca de dois em dez bebês ele nunca se desenvolve (possivelmente porque estes bebês se adaptam facilmente a novas situações de todos os tipos) ou passa tão rapidamente que não é notado. Se sua filha exibe ansiedade em relação a estranhos, não a pressione para ser sociável. Um dia ela vai superar esta fase e é melhor que faça isso no tempo dela. Enquanto isso, avise aos amigos e familiares que ela está passando por um estágio apreensivo (que eles não devem tomar isso como pessoal) e que os avanços rápidos podem assustá-la. Sugira que, em vez de tentar abraçá-la ou segurá-la imediatamente, eles tentem quebrar a resistência dela lentamente — sorrindo para ela, conversando com ela, oferecendo um brinquedo — enquanto ela está segura, sentada no seu colo. Um dia ela vai ceder, e mesmo que não ceda, pelo menos não vai chorar e ter sentimentos ruins em relação à situação.

Se for uma babá de longa data que a sua filha de repente não quer ver, provavelmente você vai sair de casa — não importa como ela fique na sua presença — e ela vai se acalmar. Se for uma nova babá, você pode querer passar algum tempo orientando-a antes que o bebê tenha vontade de ficar sozinho com a novata. Se o bebê ficar realmente inconsolável com uma babá, nova ou antiga, é hora de reavaliar os cuidados com a sua filha. Talvez a babá não esteja dando ao bebê o tipo de atenção e amor de que ela precisa, mesmo que pareça carinhosa quando você está por perto. Ou pode ser simplesmente um caso extremo de ansiedade de estranhos. Alguns bebês, especialmente os que são amamentados no peito, podem chorar por horas quando a mamãe vai embora, até quando o papai ou a vovó é a babá. Neste caso, você pode ter que limitar o tempo longe da sua filha, se possível, até que esta fase de "sentir saudades da mamãe" tenha passado. Se não for possível (você trabalha fora e tem que deixá-la com uma babá ou na creche), fique disponível para ela quando estiver em casa.

## Objetos de segurança

*"Nos últimos dois meses, nosso bebê ficou cada vez mais apegado ao cobertor dele. Ele até o arrasta pela casa quando está engatinhando. Isto significa que ele é inseguro?"*

Ele é um pouco inseguro e por um bom motivo. Nos últimos dois meses ele descobriu que é uma pessoa separada e não uma extensão dos braços dos pais. A descoberta é inegavelmente excitante (tantos desafios!), ainda assim um pouco assustadora (tantos riscos!). Muitos bebês, quando entendem que a mamãe e o papai nem sempre estarão disponíveis para ele se apoiar de agora em diante, apegam-se a um objeto de conforto transacional (um cobertor macio, um bichinho de pelúcia macio, uma mamadeira, uma chupeta) como um tipo de substituição. Como os pais, o objeto proporciona conforto — o que é especialmente atraente quando o bebê está frustrado, doente, cansado, explorando novos horizontes ou fazendo uma transição de qualquer tipo — mas, diferente dos pais, ele está sob o controle do bebê. Para o bebê que tem problemas em se separar dos pais, levar um objeto de segurança para a cama torna o dormir mais fácil.

Às vezes um bebê que não se tornou ligado a um objeto de segurança mais cedo o fará repentinamente quando confrontado com uma situação nova e inquietante (uma nova babá ou a creche, mudar-se para uma nova casa etc.). O objeto de conforto transacional geralmente é abandonado entre os 2 e 5 anos de idade (na mesma época que o hábito de chupar dedo, outro hábito de conforto), mas com frequência só quando o objeto é perdido, desintegrado ou de alguma forma fica indisponível. Algumas crianças lamentam por um dia ou dois, mas depois seguem com a vida; outras mal notam o desaparecimento de seu velho amigo.

Embora os pais (ou outros responsáveis) nunca devam provocar ou brigar com um bebê ou criança em relação ao objeto de segurança ou pressioná-lo a largá-lo, com frequência é possível estabelecer alguns limites no início para que o hábito se torne menos voltado para o objeto e ajude a preparar o bebê para a inevitável separação:

♦ Se o hábito está nos estágios iniciais e ainda não está profundamente arraigado, você pode tentar evitar futuros aborrecimentos limitando o uso do objeto a dentro de casa ou na hora de dormir (mas não se esqueça de levá-lo ao passar a noite fora de casa ou nas férias). Se já parece ser um hábito sem o qual o bebê não consegue viver, não se preocupe em estabelecer qualquer limite; deixe-o levar o seu conforto para onde for (no carrinho de bebê, no carro, na creche, onde quer que seja).

♦ Antes que o objeto comece a ficar sujo demais e o seu filho comece a sentir o cheiro dele, lave-o. Caso contrário, ele pode se tornar tão ligado ao odor quanto ao objeto em si, e reclamar duramente se ele voltar da lavagem com cheiro de flores. Se você não puder tirá-lo durante as horas em que ele estiver andando, lave-o enquanto ele estiver dormindo.

♦ Se o objeto for um brinquedo, você pode querer investir em uma duplicata. Isto vai dar a você uma pronta recolocação no caso de uma perda, deixar que você o lave de vez em quando e permitir que você faça um rodízio dos objetos para que nenhum deles fique imundo. Se for um cobertor, você também pode considerar comprar uma duplicata ou pode tentar cortá-lo em várias partes para que as peças perdidas ou com fios puxa-

dos possam ser recolocadas quando necessário.

♦ Embora quanto menos se falar do objeto, melhor, à medida que seu filho crescer, você poderá lembrá-lo ocasionalmente que, quando ele for "grande", não vai mais precisar do cobertor dele (ou de qualquer outro objeto).

♦ Embora uma mamadeira vazia ou uma mamadeira de água seja aceitável, não deixe o bebê usar uma mamadeira (ou copinho) de suco ou leite como objeto de conforto. Sugar líquidos por um longo período — especialmente à noite — pode estragar os dentes e interferir na aceitação de sólidos pelo bebê.

♦ Certifique-se de que o seu bebê está tendo o conforto (e amor e atenção total) que ele precisa de você também, não apenas na forma de muitos abraços e beijos, mas com conversas frequentes e sessões de brincadeiras.

Embora a ligação a um objeto de conforto seja um passo normal do desenvolvimento para muitos bebês (embora não para todos), uma criança que se torna muito obcecada por um objeto a ponto de não passar tempo suficiente interagindo com outras pessoas, brincando com os brinquedos ou realizando proezas físicas pode ter algumas necessidades emocionais que não estejam sendo atendidas. Se é o que parece estar acontecendo com seu filho, verifique com o médico.

## SEM DENTES

*"Nossa filha tem quase 9 meses de idade e ainda não tem um único dente. O que pode estar impedindo o início da dentição?"*

Aproveite estes sorrisos desdentados enquanto puder, e tenha a certeza de que existem muitos bebês de 9 meses que só têm gengivas — até alguns que terminam o seu primeiro ano sem um único dente com o qual possa morder o bolo de aniversário —, mas a fada do dente virá visitar todos os bebês um dia. Embora o primeiro dente apareça aos 7 meses na média dos bebês, a época varia dos 2 meses (ocasionalmente mais cedo) aos 12 meses (às vezes mais tarde). A dentição tardia geralmente é hereditária e não é um reflexo do desenvolvimento do bebê (o segundo dente provavelmente vai aparecer tarde também). A falta de dentes não precisa sofrer intervenção quando o bebê muda para alimentos em pedaços; as gengivas são usadas para mastigar a comida em bebês com ou sem dentes até que os molares cheguem no meio do segundo ano.

## AINDA SEM CABELO

*"Nossa filha nasceu careca e ainda tem pouco mais do que uma penugem. Quando os cabelos dela vão nascer?"*

Para os pais cansados de ouvir "Que gracinha de menininho" toda vez que passeiam com sua linda menininha e estão ansiosos para fazer uma declaração definitiva do sexo com cabelos longos e lacinhos, aquela careca pode ser frustrante. Mas, como a falta de dentes, a falta de cabelos nesta idade não é incomum — e não é permanente. A falta de cabelo é mais comum entre bebês de pele clara e cabelos claros e não é um prenúncio de falta de cabelos posteriormente na vida. Com o tempo, o cabelo de sua filha vai nascer (embora só em quantidade no final do segundo ano). Por enquanto, seja grato por não ter que lutar com uma cabeça cheia de fios de cabelo durante as lavagens e penteados.

# O Que É Importante Saber:
## JOGOS PARA BEBÊS

Quando se fala em cuidados com o bebê, muito mudou desde os dias de maternidade das nossas bisavós. Ainda assim, com todas as novidades, existem algumas coisas que nunca envelhecem — especialmente os jogos que os bebês adoram.

Com a garantia do tempo e a herança, o esconde-esconde e o "serra, serra, serrador" que trouxeram momentos de deleite para o bebê da sua bisavó certamente farão o mesmo com o seu. Mas estes jogos são mais do que simples diversão; eles melhoram as habilidades sociais, ensinam conceitos como a permanência dos objetos (esconde-esconde), a coordenação de palavras e atos (a brincadeira da formiguinha), a habilidade de contar (um, dois, feijão com arroz) e a habilidade da fala (olhos, nariz e boca).

É possível que você não tenha visto uma brincadeira para bebês em décadas, e muitas que sua mãe usou com você vão voltar agora que você está no papel dela. Se não voltarem, peça a sua mãe para repetir as suas favoritas (uma mãe nunca se esquece). Use também os recursos vindos de parentes mais velhos por canções folclóricas, rimas infantis e jogos que podem ter ficado perdidos.

Refresque sua memória ou aprenda novos jogos com a lista a seguir:

**Esconde-esconde.** Cubra o seu rosto (com as mãos, a ponta de um cobertor, um pedaço de pano, o cardápio de um restaurante ou escondendo-se atrás da cortina ou ao pé do berço) e diga, "Cadê a mamãe"? (ou o papai). Depois descubra o rosto e diga, "Achou!" Ou diga "sumiu" quando cobrir o seu rosto e "achou!" quando descobrir. De qualquer maneira, esteja pronta para repetir até cansar; a maioria dos bebês adora este jogo.

**Bater palminhas.** Enquanto canta — "Palminhas, palminhas nós vamos bater" (ou outro verso) —, pegue as mãos do bebê e mostre a ele como bater palmas. No início, as mãos do seu bebê provavelmente não vão ficar totalmente abertas, mas a habilidade de abrir as mãos

finalmente virá, embora somente no final do primeiro ano; não o force. Ela também pode vir um pouco antes que o bebê bata palmas sozinho, mas isto também virá. Durante este período, ele pode gostar de segurar as suas mãos e bater palminhas juntos.

Você pode adicionar um jogo de esconder às palmas enquanto canta: "Palminhas, palminhas, nós vamos bater, depois as mãozinhas pra trás esconder, pra cima, pra baixo, nós vamos bater, depois as mãozinhas pra trás esconder, prum lado, pro outro, bem leve, bem forte." Ou você pode tentar bater os pés para mudar o ritmo.

**A aranha.** Use os seus dedos — o polegar de uma das mãos e o indicador da outra — para simular uma aranha subindo uma teia invisível e cante: "A dona aranha subiu pela parede." Usando os dedos, imite a chuva caindo e continue: "Veio a chuva forte e ela caiu." Jogue os seus braços para cima e para fora e continue: "Já passou a chuva e o sol já vem." E depois volte para a teia e termine com "e a dona aranha continua a subir".

**O porquinho foi ao mercado.** Pegue o polegar ou o dedão do pé do bebê e comece com, "Este porquinho foi ao mercado". Vá para o próximo dedo ou dedo do pé, "Este porquinho ficou em casa". E para o próximo, "Este porquinho comeu rosbife" (ou se você for vegetariana, "pizza"); quarto dedo, "Este porquinho não comeu nada". E no último verso, "e este porquinho chorou, chorou de volta para casa", corra os dedos pelos braços ou pernas do bebê até embaixo dos braços ou pescoço, fazendo cócegas (se o seu bebê não gosta de cócegas, dê apenas umas batidinhas).

**Grande assim.** Pergunte, "Qual é o tamanho do bebê"? (ou use o nome da criança, o nome do cachorro ou de um irmãozinho), ajude a criança a abrir os braços o máximo que ela puder e exclame: "É grande assim!"

**Olhos, nariz, boca.** Coloque as mãos do bebê nas suas e toque cada um dos seus olhos, depois o seu nariz e depois a sua boca (onde você deve terminar com um beijo) dizendo os nomes de cada parte à medida que você passa por elas: "Olhos, nariz, boca, beijo." Nada ensina mais facilmente essas partes do corpo.

**Ciranda, cirandinha.** Experimente essa quando o seu bebê já estiver andando. Segure as mãos dele (convide um irmãozinho, um amiguinho ou outro adulto para se juntar à brincadeira, quando possível) e ande em círculos, cantando: "Ciranda, cirandinha, vamos todos cirandar, vamos dar a meia-volta, volta e meia vamos dar."

**Um, dois, feijão com arroz.** Quando subir escadas ou contar os dedos, cante: Um, dois, feijão com arroz; três, quatro, feijão no prato; cinco, seis, bolo inglês; sete, oito, comer biscoito; nove, dez, comer pastéis.

**Serra, serra, serrador.** Coloque o bebê de frente e pegue as mãos dele. Depois, mova os braços, indo e vindo, enquanto fala: "Serra, serra, serrador! Serra o papo do vovô! Quantas tábuas já serrou?" Você diz um número e, sem soltar as mãos dele, dê um giro completo com os braços, num movimento gracioso, ou puxe para a frente e para trás com as mãos. Repita até completar o número dito.

♦ ♦ ♦

# CAPÍTULO 14

# O Décimo Mês

A única coisa que vai diminuir no bebê este mês é a taxa de crescimento dele e, junto com isto, o apetite que o alimenta. O que é bom, já que os bebês em movimento preferem explorar a sala a ficar quietos por horas sentados na cadeirinha. Como qualquer bom explorador, o bebê está decidido a alcançar territórios ainda não esquadrinhados — o que com frequência significa fazer algum tipo de escalada. Infelizmente, a habilidade para subir vem muito antes da habilidade para descer — e isso quase sempre deixa o bebê preso. (Estas explorações avançadas também colocam o bebê em um perigo maior, portanto esteja sempre alerta.) Os bebês entendem um "não", mas podem estar começando a testar os seus limites, desafiando-a — ou podem já ser bastante hábeis em ignorar esta palavra. A memória melhora e os medos (que vêm lado a lado com o aumento das habilidades cognitivas) começam a se multiplicar — do aspirador de pó, por exemplo, que pode ter que ser usado apenas quando o bebê estiver dormindo.

## O Que seu Bebê Pode Estar Fazendo

Todos os bebês atingem marcos em seu tempo de desenvolvimento. Se seu filho parece não ter atingido um ou mais destes marcos, fique tranquila, ele provavelmente os atingirá muito em breve. A taxa de desenvolvimento de seu bebê é normal para ele. Tenha em mente, também, que as habilidades que o bebê realiza na posição de bruços só podem ser dominadas se houver oportunidade de praticar. Assim, certifique-se de que o bebê passe um período brincando de bruços sob supervisão. Se você estiver preocupada com o desenvolvimento de seu filho (porque percebeu que ele não atingiu um marco de desenvolvimento ou o que você acha que pode ser um atraso no desenvolvimento), não hesite em verificar com o médico na próxima consulta —

mesmo que ele não traga isso à baila. Os pais com frequência percebem nuances no desenvolvimento do bebê que os médicos não veem. Os bebês prematuros geralmente chegam aos marcos mais tarde do que os outros da mesma idade de nascimento, em geral atingindo-os mais perto de sua idade ajustada (a idade que eles teriam se tivessem nascido a termo), e às vezes mais tarde.

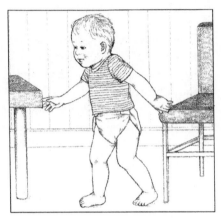

*Muitos bebês de 10 meses de idade adquiriram o "controle de viagem", o último passo antes de conseguir andar sem ajuda. Com uma das mãos cuidadosamente na base, eles primeiro levam a outra mão, depois o pé a outro móvel. Assegure-se de que o seu bebê estará dando o seu passeio em segurança, deixando-o ir de um lado a outro apenas em cadeiras e mesas firmes.*

**Aos 10 meses, seu bebê... deve ser capaz de:**

- ficar em pé segurando alguém ou alguma coisa
- sair da posição sentado para a posição em pé
- ficar zangado se você tentar tirar um brinquedo dele
- dizer "mamã" ou "papá" indiscriminadamente
- brincar de sumiu, achou
- trocar gestos com você

**... *provavelmente, será capaz de:***

- sentar-se se estiver deitado de bruços
- brincar de bater palminhas ou dar tchau
- pegar um pequeno objeto com qualquer parte do polegar ou do dedo indicador (mantenha todos os objetos perigosos longe do alcance do bebê)
- andar segurando-se nos móveis
- entender um "não" (mas nem sempre obedecer a ele)

**... *pode ser capaz de:***

- ficar sozinho momentaneamente
- dizer "mamã" ou "papá" discriminadamente
- apontar alguma coisa para conseguir ajuda para pegá-la

**... *pode até ser capaz de:***

- indicar o que quer de outras maneiras que não seja chorando
- "brincar de bola" (rolar a bola de volta para você)

- beber sozinho de um copo com canudinho

- pegar um pequeno objeto com as pontas do polegar e dedo indicador (mantenha todos os objetos perigosos longe do alcance do bebê)

- ficar bem sozinho

- usar jargão imaturo (bobagens que fazem parecer com que o bebê esteja falando em uma língua estrangeira inventada)

- dizer outra palavra além de "mamá" ou "papá"

- responder a comandos simples com gestos ("me dê isso", dito com a mão estendida)

- andar bem

# O Que Você Pode Esperar do *Check-up* deste Mês

A maioria dos médicos não marca *check-ups* para bebês saudáveis neste mês. Ligue para o médico se houver alguma preocupação que não possa esperar até a próxima visita.

# Como Alimentar seu Bebê: Quando Desmamar

Aqueles primeiros dias da amamentação no peito — quando você se atrapalhava a cada sessão, quando você passava tanto tempo cuidando dos mamilos doloridos quanto ficava amamentando o bebê, quando a diminuição do leite a deixava frustrada — são apenas uma mancha obscura. Agora a amamentação no peito é de natureza secundária para você e para o bebê — algo que vocês dois podem fazer dormindo (e provavelmente o fazem). Você sente como se tivesse amamentado a vida inteira — e, de certa maneira, desejaria poder amamentar para sempre. E, ao mesmo tempo, pensa que talvez já esteja quase na hora de acabar com isso.

Quando desmamar o bebê? Esta é uma pergunta que não tem respostas definitivas, nem mesmo dos "especialistas". No final das contas, mamãe, é você quem decide, embora provavelmente deva considerar muitos fatores ao tomar esta decisão:

**Os fatos.** Você ouviu isto antes (várias vezes): embora qualquer quantidade de leite materno seja melhor do que nenhuma, recomenda-se que a amamentação continue por pelo menos um ano e depois por quanto tempo a mãe e o bebê quiserem mantê-la. Esperar pelo primeiro aniversário para desmamar o bebê que nunca pegou uma mamadeira antes (pelo menos de fórmula) pode mudar diretamente do leite materno para canecas de leite integral sem um intervalo de adaptação com a fórmula.

Muitas mulheres preferem continuar amamentando no segundo ano e além dele, o que é bom também. Mas já que o seu bebê que está aprendendo a andar vai precisar de mais proteína, vitaminas e outros nutrientes que o leite materno sozinho não consegue fornecer, ele precisa comer (e beber leite) também.

Embora alguns especulem que continuar a amamentar na fase em que o bebê está aprendendo a andar e até mesmo na idade pré-escolar pode limitar o desenvolvimento social e emocional da criança, não há nenhuma evidência que comprove estas teorias. Crianças mais velhas que são amamentadas no peito têm tanta probabilidade de ser seguras, felizes e independentes quanto aquelas que foram desmamadas mais cedo.

Se você decidir continuar a amamentar após o primeiro aniversário, existem alguns fatores a serem considerados. Primeiro, mamar a noite toda (alguns bebês que dormem com a mãe podem se beneficiar deste fato) pode, assim como o uso prolongado da mamadeira à noite, levar à deterioração dos dentes — embora as crianças que mamam no peito desenvolvam, em geral, menos cáries do que aquelas que foram alimentadas com a mamadeira. Segundo, sugar deitado (também mais comum à noite) pode levar a um aumento no risco de infecção de ouvido — embora, novamente, em geral as crianças que mamam no peito tenham menos destas infecções. Evitar este perigo é simples: amamente na hora de ir para a cama, mas nunca durante a noite.

**Seus sentimentos.** Você ainda está gostando de amamentar mais do que nunca? Você não tem absolutamente nenhuma pressa em abandonar esta parte especial do relacionamento com o bebê? Então, continue pelo tempo que você e o bebê quiserem.

Ou você está começando a ficar cansada de ficar tirando e colocando os seios da sua blusa o dia inteiro (e talvez a noite toda)? Você está começando a ansiar por aquela liberdade e flexibilidade que parecem inatingíveis enquanto você ainda está amamentando (embora amamentar uma criança mais velha geralmente a deixe menos presa)? Você se sente desconfortável com a possibilidade de amamentar uma criança mais velha? Se você está começando a ter sentimentos confusos sobre a amamentação no peito, o radar do seu bebê certamente vai captá-los. Ele pode até considerar isso como uma rejeição pessoal em vez de uma rejeição à experiência de amamentar. Então, o desmame — mais uma vez, preferivelmente após o primeiro aniversário do bebê — pode ser a solução.

**Os sentimentos do bebê.** Alguns bebês desmamam sozinhos. Por suas ações e reações (inquietação e indiferença em relação ao seio, amamentação errática e breve) eles mostram que estão prontos para usar outras maneiras de obter nutrição líquida. No entanto, tenha em mente que é possível interpretar de maneira errada os sinais de um bebê. Aos 5 meses, a falta de interesse na amamentação pode ser apenas um sinal do aumento do interesse do seu bebê pelo ambiente; aos 7 meses, pode sugerir que ele está ansiando por uma atividade física que supere qualquer vontade de comer; aos 9 meses ou mais tarde, com frequência significa que ele é mais independente e mais maduro. Em qualquer idade, pode ser uma reação a uma doença ou à dentição. Em nenhuma idade deve ser interpretado como uma rejeição a você, e sim ao leite que você fornece a ele. (Os bebês que parecem estar perdendo o interesse pela amamentação com frequência podem ser convencidos a continuar; aqueles que se distraem facilmente podem ter a atenção redirecionada para a tarefa; veja dicas na página 598.) É mais provável que um bebê desmame por si só em algum momento entre os 9 e os 12 meses. Se a ligação do seu bebê pelo seio não parece estar diminuindo aos 18 meses (e isto não é incomum), é possível que ele nunca tome a iniciativa de parar de mamar.

**Sua situação.** Embora seja recomendado que os bebês continuem a mamar no peito por pelo menos um ano, isto às vezes não é viável nem desejável. Às vezes o trabalho entra no caminho e a logística de tirar leite para encher as mamadeiras diárias começa a ser um fardo. Às vezes, são outras atividades (da escola aos esportes e a fazer amor) que uma mulher descobre que são conflitantes com o horário da amamentação. Se a amamentação simplesmente não se encaixa mais na sua vida ou no seu estilo de vida, pense seriamente no desmame — seja total ou parcialmente. Quando possível, no entanto, não tente desmamá-lo durante outra grande mudança na sua vida ou na vida do bebê (veja a se-

guir). Uma doença ou a necessidade de viajar pode também pedir o desmame; neste caso, pode não haver alternativa a não ser o desmame repentino.

**A situação do bebê.** A melhor época para desmamar um bebê é quando tudo está em paz na sua casa. Doenças, dentição, mudança, férias, seu retorno para casa, uma mudança de babá ou qualquer outro tipo de mudança ou estresse na vida de um bebê sugere que se deva deixar o desmame em suspenso, para que ele não fique com marcas de uma tensão adicional.

**Sua saúde.** Se você está sempre cansada e parece não ter explicação além da demanda física e emocional do ato de amamentar, você pode querer discutir com o médico a possibilidade de desmamar para recuperar suas forças. Entretanto, antes de fazê-lo, certifique-se de que não se deve a um problema facilmente remediável, como nutrição inadequada e/ou descanso insuficiente, que está nocauteando você.

**A saúde do bebê.** Às vezes o fornecimento de leite materno parece diminuir excessivamente à medida que o bebê fica mais velho. Se o bebê está ganhando peso de maneira inadequada, está letárgico, irritável ou mostra outros sinais de falha no desenvolvimento (seu médico poderá determinar se é o que está acontecendo), seu leite pode não estar atingindo a cota de necessidade nutricional. Considere a possibilidade de adicionar mais sólidos, complementar com uma fórmula ou desmamá-lo completamente. Com frequência um bebê desmama-do se interessa repentinamente por outras formas de alimentação que não eram atraentes quando o peito estava disponível, e começa a se desenvolver novamente.

**Outras formas de alimentação do bebê.** Se o seu bebê aceita a mamadeira desde o começo, desmamá-lo usando a mamadeira será relativamente fácil. Da mesma maneira, se o bebê aprendeu a beber de um copinho com bastante habilidade, desmamá-lo diretamente para um copinho (passando por cima da mamadeira) será possível no final. Se, por outro lado, o bebê resiste a tomar leite de outra fonte além de seu seio, o desmame terá de esperar até que ele tenha domínio da mamadeira ou da caneca.

**A idade do bebê.** Se nem você quer colocar um prazo limite para a amamentação, nem a idade do bebê é um problema — continue pelo tempo que quiser. Se, por outro lado, você está se sentindo pronta, é algo a se pensar. Mesmo que eles não tomem a iniciativa, a maioria dos bebês está mais preparada para o desmame por volta do primeiro aniversário, quando uma mudança para o leite de vaca integral em um copinho pode acontecer (sem a necessidade da fórmula). A maioria tem menos necessidade de sugar, resiste ao ser segurada no colo ou ficar sentada quieta durante as refeições (alguns até preferem mamar em pé) e é geralmente mais independente. Eles também são menos rigorosos em seu jeito de ser nesta idade do que serão quando começarem a andar, o que torna (relativamente) mais fácil desmamar.

Tomar a decisão de desmamar é apenas um passo no longo processo de tirar o peito do bebê e mudar para outras formas de alimentação — um processo que já começou com o primeiro gole da mamadeira ou a primeira colherada de sólidos. Seja lá como for para você, a época do desmame é uma época de emoções confusas. Por um lado, você provavelmente vai se sentir bastante aliviada por ter tirado a tarefa da amamentação da sua lista — animada pela esperança de mais liberdade (uma noite na cidade, um final de semana fora). Você sem dúvida ficará orgulhosa do novo passo do seu rebento na estrada do desenvolvimento. Mas, ao mesmo tempo, provavelmente haverá uma pequena névoa no final deste capítulo da vida do seu filho, quando os laços forem afrouxados, ao tomar conhecimento de que o seu bebê nunca mais vai depender tanto de você novamente.

Cedo ou tarde, o desmame é um marco inevitável no desenvolvimento da criança — como dizem, ninguém vai para a faculdade ainda mamando no peito. Seu filho (mesmo que ele mame com muita vontade) provavelmente não sentirá falta do peito por muito tempo e provavelmente vai seguir em frente mais rapidamente do que você gostaria. E você também vai sobreviver a este momento grandioso da maternidade — embora provavelmente continue a sentir quando vir outras mães amamentando, até anos mais tarde.

# As Preocupações Comuns

## BAGUNÇA NA HORA DA REFEIÇÃO

*"Meu filho não come nada até ter esmagado, amassado e esfregado no cabelo dele. Será que deveríamos tentar ensinar a ele boas maneiras à mesa?"*

Comer com um bebê de 9 ou 10 meses é o suficiente para fazer qualquer um perder o apetite. Ele brinca tanto quanto come a comida e não é raro que a maior parte dela acabe *no* bebê (e nas suas roupas, na cadeirinha e no cachorro da família que está ansiosamente esperando por ela) do que *dentro dele.*

Isto se deve ao fato de que a hora da refeição não é mais apenas para se alimentar, mas também para fazer explorações e descobertas. Do mesmo modo como faz na caixa de areia e na banheira, o bebê está descobrindo sobre causa e efeito, sobre texturas, sobre diferenças de temperatura. Quando ele espreme iogurte na mão, amassa batatas na mesa, atira aveia da bandeja da cadeirinha, esfrega banana na camiseta, faz bolhas na caneca de suco, esmigalha biscoitos com os dedos, é uma bagunça para você, mas uma experiência de aprendizado para ele.

Espere que a hora das refeições seja caótica e que a sua necessidade de ter rolos de papel-toalha em grandes quantidades continue por muitos meses até que seu filho tenha aprendido tudo o que puder sobre as propriedades físicas fascinantes dos alimentos e esteja pronto para começar a comer em vez de brincar. Isto não significa que você terá de sorrir (se puder) e aguentar tudo sem tomar nenhuma medida em defesa de sua sensatez ou de sua casa e preparar o seu bebê para um futuro de respeitáveis (bem, pelo menos um pouco respeitável) boas maneiras à mesa.

Use proteção. Um pouco de proteção vale muitas folhas de papel-toalha. Use todas as medidas de proteção que estão disponíveis para você: espalhe jornal por toda a base da cadeirinha ou da mesa e jogue fora após a refeição. Vista o bebê com um babador de pano que cubra a frente e os ombros (um bolso onde os restos possam cair, o que impede que o cereal e a batata caiam nas pernas dele e no chão, é um adicional precioso), ou use babadores descartáveis (que também podem ser bastante convenientes para refeições fora de casa). Enrole as mangas do bebê acima do cotovelo para que permaneçam secas e relativamente limpas (se a temperatura ambiente permitir, pode ser mais aconselhável alimentar um bebê que faça muita bagunça com a comida somente de fraldas.)

Impeça avanços indesejáveis. Você não quer inibir os experimentos do seu bebê, mas também não vai querer tornar fácil para ele brincar de destruir a sala de jantar. Portanto, dê comida a ele em uma tigela funda em vez de um prato raso, do qual a comida pode ser jogada para fora facilmente. Ou coloque-a diretamente sobre a bandeja da cadeirinha (certificando-se de que ela esteja completamente limpa). O uso de uma tigela funda que fique presa à mesa ou bandeja com ventosas de sucção confere uma proteção a mais, mas só funcionará em uma superfície não porosa, como plástico, e somente se a superfície e as ventosas de sucção estiverem limpas. Para minimizar derramamentos, pense em oferecer bebidas colocadas em copinhos com canudo, durante a refeição, até que o bebê fique mais eficiente com o copo normal. Se ele prefere beber sem um bico, ponha um pouco de líquido em um copo normal e dê a ele quando ele estiver pronto para beber, mas mantenha-o fora de alcance entre goles. Não ofereça mais do que uma tigela de comida por vez e não coloque mais do que dois ou três itens na tigela por vez — os bebês tendem a ficar confusos quando têm muitas opções e reagem brincando e jogando a comida fora em vez de comer. Todos os utensílios e pratos devem ser inquebráveis, tanto pela segurança quanto pela economia.

**Permaneça neutra.** Como você provavelmente já aprendeu, os bebês são artistas natos. Se você responder com uma risada ao comportamento dele na cadeirinha, estará apenas estimulando-o a fazer o mesmo outras vezes. A crítica tem o mesmo efeito. Portanto, brigar com ele e dizer algo do tipo "pare com isso já!" não vai fazer com que ele refreie o com-

portamento, mas sim aumentar a provocação. A melhor política: não faça comentários sobre os modos dele. Se, no entanto, seu bebê comer um pouco de maneira elegante, seja com a colher ou com os dedos, elogie-o generosamente. Deixe que ele perceba sempre que possível que a higiene é importante.

**Retalie com a prataria.** Mesmo que ele possa não fazer nada a não ser bater na bandeja (enquanto ele continua a usar a outra mão para o transporte do alimento), coloque uma colher na mão do bebê no início da refeição e também periodicamente durante os procedimentos. Um dia (embora ainda demore alguns meses) ele terá a ideia de usá-la para comer.

**Não recorra a uma tomada de controle hostil.** Pais desesperados tendem a ter atos desesperados — neste caso, tirando completamente a comida do controle do bebê, e desta forma a possibilidade de fazer bagunça. Mas embora esta tomada de controle vá resultar em uma hora da refeição mais limpa, também vai resultar no atraso do bebê em aprender como se alimentar sozinho e, como resultado, ele também será mais lento no desenvolvimento de boas maneiras à mesa e de bons hábitos alimentares.

**Seja um líder modelo.** Não são palestras que vão ensinar o bebê a ter boas maneiras à mesa no futuro, mas o que ele observa nas refeições em família. Se outros membros da família comem com os dedos, engolem a comida sem ao menos respirar, mastigam ruidosamente, pegam a comida em vez de pedir que seja passada para eles; se todos falam com a boca cheia ou pior, ninguém conversa durante as refeições, seu filho vai cultivar estes hábitos em vez dos que você espera inspirar nele.

**Saiba quando mandar um cessar-fogo.** Quando a quantidade de tempo passada brincando com a comida começa a ficar significativamente maior do que o tempo levado para ingeri-la, está na hora de mandar parar. Limpe a mesa e tire o bebê da cadeirinha assim que este momento chegar. É pouco provável que o bebê proteste (foi a chatice na hora das refeições que causou o comportamento dele), mas, se ele fizer isto, distraia-o com um brinquedo ou uma atividade.

## BATER A CABEÇA, BALANÇAR E ROLAR

*"Meu filho está com a mania de bater a cabeça na parede ou do lado do berço. Embora para mim seja doloroso observá-lo, ele não parece sentir nenhuma dor — na verdade, ele parece bastante satisfeito."*

Parece que seu filho descobriu que tem ritmo e esta é a maneira de ele expressar isto — pelo menos até que comece a dançar ou brincar com o tambor de brinquedo. Bater a cabeça (assim como rodar a cabeça, balançar e saltar, todos atos comuns nesta idade) é um movimento rítmico, e os movimentos rítmicos, especialmente os que ele mesmo faz, são fascinantes para o bebê.

Embora a maioria dos bebês dance quando ouve música, parece haver mais do que a simples busca por diversão. Suspeita-se de que algumas destas crianças possam estar tentando reproduzir a sensação de estar sendo embaladas pela mamãe ou pelo papai. Ou que os bebês em fase de dentição podem estar tentando lidar com a dor — neste caso, o balanço continua apenas enquanto os dentes estiverem nascendo, a não ser que com o tempo tenha se tornado um hábito. Para aqueles que se batem, balançam ou rolam na hora do cochilo, na hora de dormir e quando são acordados no meio da noite, estas atividades parecem ser uma ajuda para dormir e talvez um meio de aliviar as tensões acumuladas durante o dia. O comportamento às vezes é desencadeado ou aumentado pelo estresse na vida da criança (desmame, aprender a andar, uma nova babá etc.). Embora meninos e meninas estejam igualmente propensos a balançar ou rolar, bater a cabeça é muito mais comum em meninos.

O ato de rolar geralmente começa por volta dos 6 meses, e bater a cabeça geralmente só começa pelos 9 meses. Estes hábitos podem durar algumas semanas, meses ou um ano ou mais. Mas a maioria das crianças os abandona sem a interferência dos pais por volta dos 3 anos de idade. Brigar, implicar ou chamar a atenção para o comportamento de outra maneira não vai melhorar o problema; ao contrário, pode fazer com que piore.

Embora possa ser difícil de acreditar, balançar e rolar, e até mesmo bater a cabeça, normalmente não representam um perigo para a saúde do seu bebê. Nem estão associados, em uma criança com desenvolvimento normal, com distúrbios neurológicos ou psicológicos. Se seu filho parece feliz, não está batendo a cabeça de raiva e não está constantemente se machucando (uma marca roxa ocasional não é motivo para preocupação), não há nada com que se preocupar. Mas se estas atividades estão tomando boa parte do tempo do bebê, se ele parece apresentar outro comportamento incomum, está se desenvolvendo lentamente ou parece infeliz a maior parte do tempo, converse com o médico sobre o problema.

Você não pode obrigar um bebê a largar estes hábitos antes que ele esteja pronto, mas as dicas a seguir podem tornar mais fácil para você e para o bebê conviver com o hábito e por fim fazê-lo se livrar dele:

◆ Dê ao bebê amor, atenção, carinho e aconchego extra durante o dia e na hora de dormir.

◆ Forneça outra atividade rítmica — e para você, mais aceitável — para o bebê durante o dia. As possibilidades incluem: balançar-se numa cadeira de balanço com ele ou mostrar a ele como se faz em uma cadeira do tamanho dele; dar a ele um ou mais instrumentos de brinquedo ou simplesmente uma colher e um pote com os quais ele possa fazer sons; empurrá-lo em um balanço; dançar uma música animada e brincar de bater palminhas ou outras brincadeiras com os dedos ou com as mãos, especialmente com música.

◆ Permita que o bebê tenha bastante tempo para brincar ativamente durante o dia e amplas oportunidades para desacelerar antes de ir dormir.

◆ Estabeleça uma rotina antes de dormir que seja regular e relaxante que inclua brincadeiras mais calmas, abraços, uma pequena massagem (veja na página 442) e talvez algum balanço (não até o ponto de dormir).

◆ Se o bebê bate mais a cabeça quando está no berço, só o coloque lá quando ele estiver com sono.

◆ Se o bebê se balança ou bate a cabeça no berço, minimize o risco para móveis e paredes (que são geralmente mais sérios do que qualquer dano ao bebê) colocando o berço em um tapete grosso e removendo as rodinhas para que o berço não fique pulando no chão. Coloque o berço o mais distante possível da parede ou móvel e, se necessário, acolchoe as partes externas do berço para amenizar o impacto. Lembre-se de verificar o berço periodicamente para ver se não há parafusos soltos, se o seu bebê gostar de bater cabeça.

◆ Você pode tentar proteger a cabeça do bebê colocando um acolchoado no berço (ou devolvendo-o, se você o retirou) e tapete no chão onde ele gosta de bater a cabeça, se o chão não for acarpetado — mas é provável que ele não fique satisfeito com os golpes amaciados e vá procurar uma superfície mais dura.

## ENROLAR E PUXAR O CABELO

*"Quando minha filha está com sono ou irritada, ela puxa os cabelos."*

Dar batidinhas ou arrancar os cabelos é uma outra maneira que o bebê ou uma criança pequena tem de relaxar a tensão ou tentar recriar o conforto tranquilizador que ela recebia quando era um bebê, durante a amamentação no peito ou na mamadeira, quando dava batidinhas no seio ou na bochecha da mamãe ou puxava o cabelo dela. Já que provavelmente ela vai querer este conforto durante as horas de maior estresse, especialmente quando estiver muito cansada ou irritada, provavelmente sua filha vai ficar satisfeita nestes momentos.

Enrolar o cabelo ocasionalmente, bater ou puxá-lo, o que com frequência é acompanhado do ato de chupar o dedo, é comum e pode se estender pela infância sem efeitos danosos. Arrancar contínua ou vigorosamente o cabelo ou puxá-lo que resulte em perdas de tufo de cabelo deve, obviamente, ser interrompido. Estas sugestões podem ajudar:

- ◆ Dar mais conforto e atenção a sua filha, especialmente em momentos de aumento de estresse.

- ◆ Mande cortar o cabelo dela bem curto, para que ela não possa pegá-lo.

- ◆ Dê a ela outra coisa para puxar — um bicho de pelúcia com pelo longo, por exemplo.

- ◆ Ocupe-a com outras atividades que mantenham as mãos dela ocupadas, especialmente quando ela começar a puxar o cabelo.

Se nada disto der certo, procure aconselhamento médico.

## RANGER OS DENTES

*"Com frequência eu ouço meu filho ranger os dentes quando ele está tirando um cochilo. Isto é prejudicial de alguma maneira?"*

Assim como bater a cabeça ou rolar, puxar o cabelo ou chupar o polegar, ranger os dentes com frequência é uma maneira que alguns bebês têm de descarregar a tensão. Para minimizar o ranger, reduza a tensão na vida do bebê sempre que possível e certifique-se de que ele tem outras saídas para aliviar-se — como uma atividade física ou brinquedos que ele possa bater. Muito amor e atenção antes do cochilo ou da hora de ir dormir podem também diminuir a necessidade de ranger os dentes, ajudando o bebê a desacelerar. Na maioria dos casos, o hábito é abandonado à medida que melhora a habilidade do bebê de lidar com problemas e antes que qualquer dano seja causado aos dentes.

A tensão nem sempre é a causa do ranger dos dentes. Às vezes um bebê descobre acidentalmente o maneirismo quando faz experiências com os novos dentes, aprecia a sensação e o som que eles fazem e adiciona esta experiência ao seu crescente repertório de habilidades. Mas, muito em breve, o entusiasmo vai

# A CENA SOCIAL DO BEBÊ

Agora que o bebê está pronto para mais diversão do que você pode dar sozinha, entrar em um grupo de brincadeiras dará o estímulo que ele tanto quer. Mas o grupo de brincadeiras não beneficia apenas o bebê. Na verdade, você provavelmente tem mais a ganhar entrando para um grupo deste tipo do que o bebê. As vantagens de um grupo de brincadeiras incluem:

**Conversa adulta.** A conversa sem sentido do seu bebê pode ter o som mais doce aos seus ouvidos, mas se você é como a maioria dos pais, especialmente aqueles que ficam em casa, deve estar ansiando por um pouco de diálogo adulto. Encontrar-se regularmente com outros pais lhe dará a oportunidade de conversar e de ouvir frases completas.

**Diversão para o bebê.** Embora ainda seja cedo demais na carreira social do bebê para esperar que ele brinque em uma situação de grupo, ao final do primeiro ano a maioria dos bebês se torna mais capaz de ter algum tipo de interação significativa com os coleguinhas — geralmente na forma de brincadeira paralela (brincar lado a lado). Há também bastante diversão para o bebê quando ele apenas observa outros bebês brincarem — e, se o grupo brinca na casa de alguém, experimentar brinquedos novos e animados.

**Formar amizades.** E isto serve para vocês dois. Se o grupo de brincadeira é um sucesso, seu filho pode ter a oportunidade de ficar amigo das mesmas crianças por anos. As amizades feitas em um grupo de brincadeira podem continuar na forma de encontros para brincar após a escola e outros compromissos que comecem a interferir nas reuniões regulares do grupo original. E se o grupo de brincadeira se reúne em seu bairro, muitas das mesmas crianças acabam sendo colegas de escola do bebê — uma familiaridade que pode trazer conforto no primeiro dia na escola. E quanto a você, a oportunidade de criar toda uma nova rede de amigos que pensam igual é muito bem-vinda, especialmente se sua velha rede de amigos ainda não entrou na fase de vida do bebê.

**Recurso e referência.** Se você estiver procurando um novo pediatra ou se perguntando quando e como deve desmamar o bebê, alguém no grupo de brincadeira pode dar a você um conselho ou uma indicação.

**Apoio daqueles que você conhece.** Encontrar-se regularmente com outros pais pode lembrá-la de que você não é a única que tem a) um bebê que não dorme; b) quase nenhum tempo para ficar com o marido; c) frustrações em relação à carreira; d) uma fazenda de criação de poeira na sala de estar; ou e) todas as alternativas anteriores.

Existem muitas maneiras de achar um grupo de brincadeiras. Pergunte nas redondezas ou procure por folhetos promocionais nas lojas de seu bairro, na biblioteca, no centro comunitário, igreja, hospital ou consultório médico ou verifique no jornal local.

Se você (e um grupo de amigos) prefere começar um grupo novo, você terá várias considerações a fazer antes, inclusive:

- Qual será a faixa etária das crianças? Elas não têm de ser exatamente da mesma idade, mas, a esta altura, uma variação de alguns meses é melhor do que uma variação de um ano ou mais. Isto vai garantir que elas sejam capazes de brincar com os mesmos brinquedos e se relacionar no mesmo nível.

- Com que frequência o grupo vai se encontrar — semanalmente, duas vezes por semana, a cada quinze dias?

- Que hora e dia são mais convenientes para você e para os outros pais? Uma vez que você tenha escolhido o horário, procure ater-se a ele o máximo possível. A coerência é um ingrediente importante em um grupo de brincadeiras de sucesso. Também é aconselhável evitar a hora do cochilo e os horários em que os bebês es-

tão normalmente irritados (como no final da tarde).

- Onde o grupo vai se encontrar? Na casa de alguém, ou vão fazer rodízio de casas? Em um parque local ou no centro comunitário? A rotatividade de lugares torna as coisas mais animadas para os bebês do grupo, ao mesmo tempo em que divide igualmente as responsabilidades de receber um grupo entre os membros adultos. Também significa que as crianças terão a oportunidade de brincar com uma grande variedade de brinquedos. Mudar o local para um *playground* ou parque, quando o tempo estiver favorável (ou para o centro comunitário ou museu, quando não estiver), proporcionará uma mudança de ritmo para todos os envolvidos.

- Quantos participantes o grupo terá? Haverá um limite no número de pais e bebês que poderão participar? Muitos pais e bebês (digamos, 15 bebês) podem tornar um grupo de brincadeiras extremamente tumultuado; ao mesmo tempo, poucos (apenas dois ou três bebês) podem proporcionar pouco estímulo (tenha em mente que nem todo membro do grupo comparecerá a todas as reuniões do grupo, devido a resfriados, consultas médicas e outros conflitos de horário).

- Vai haver um lanche? O pai anfitrião será o único responsável por seu fornecimento? Se houver crianças com alergias alimentares no grupo, elas serão respeitadas? Haverá regras que restrinjam o consumo de doces e bebidas com açúcar, ou a escolha do lanche vai depender do anfitrião?

♦ O grupo oferecerá atividades estruturadas para pais-crianças ou será de brincadeiras para as crianças e um momento social para os adultos? Tenha em mente que os pais podem passar muito tempo servindo como juízes ou pacificadores até que as crianças tenham idade (pelo menos até os 3 ou 4 anos) para brincar calmamente.

♦ Haverá regras sobre disciplinas e expectativas de comportamento? Você provavelmente vai querer especificar que os pais serão os únicos responsáveis pelo controle do comportamento dos próprios filhos.

Uma vez que você tenha definido os parâmetros do grupo de brincadeiras, o passo seguinte será promover o grupo. Faça propaganda entre os seus amigos e vizinhos, coloque folhetos, anuncie no jornal da sua comunidade ou no jornal para pais, convoque outros pais no parquinho local. Uma vez que consiga alguns pais interessados, você estará pronta para brincar (você sempre pode acrescentar mais membros depois).

Junto com a diversão, existem alguns riscos em potencial em reunir ou começar um grupo de brincadeiras. Primeiro, ver outros bebês da idade do seu toda semana pode levá-la a se preocupar des-

necessariamente com o desenvolvimento dele em relação a outras crianças (a solução: lembre-se — e repita isto com frequência para si mesma — de que a variação do normal é muito ampla quando se trata do desenvolvimento social, verbal e físico de um bebê). Outro é a possibilidade de que seu filho divida não só brinquedos, mas também germes com os outros membros do grupo. (Isto é apenas um resultado inevitável das atividades em grupo no início da infância, nada que deva causar preocupação e na verdade é possível que resulte em alguns resfriados posteriormente na vida. Mas, de certa forma, será útil estabelecer a regra "bebês doentes ficam em casa" no estatuto do seu grupo de brincadeiras.) Outro risco em potencial é que você pode impor uma pressão social involuntária em seu filho. Os grupos de brincadeiras devem ser divertidos, não estressantes. Se seu filho quiser participar, ótimo. Se não, ótimo também.

Tenha em mente também que se unir ou iniciar um grupo de brincadeiras pode trazer benefícios, mas de forma nenhuma é uma obrigação dos primeiros anos. Seu filho pode apreciar brincar com outros bebês, mas certamente não precisa disto. Se vocês dois têm estímulo suficiente sem um grupo de brincadeiras, se você trabalha e não encontra uma brecha no seu horário para isso, ou se você não gosta de experiências estruturadas em grupo e prefere reuniões de improviso com outros pais e crianças, não se sinta obrigada a frequentar um grupo de brincadeiras.

passar e ele perderá o interesse em sua orquestra dental.

Se você acha que o ranger dos dentes do seu bebê está se tornando mais frequente em vez de diminuir e você está preocupada que possa começar a prejudicar os dentes, consulte o médico ou um dentista.

# MORDER

*"Meu bebê começou a nos morder de brincadeira — no ombro, na bochecha, em qualquer área macia e vulnerável. No começo, nós achávamos bonitinho. Agora estamos começando a ficar preocupados que ele esteja desenvolvendo um mau hábito — e, além de tudo, dói!"*

É natural que o bebê teste seu novo conjunto de mordedores em todas as superfícies possíveis, inclusive em você. Mas também é natural que você não queira ser mordida — e queira dar um fim a isso. Morder pode se tornar um mau hábito e, à medida que mais dentes aparecem, mais doloroso fica para as vítimas.

As mordidas no início são de brincadeira e experimentais; o bebê não tem a menor ideia de que está machucando alguém. Afinal, ele mordeu muitos mordedores, já chupou muitos brinquedos de pelúcia e mastigou muitas vezes a grade do berço sem uma única reclamação. Mas uma reação humana tem uma causa e efeito interessante e com frequência estimula mais a causa (as mor-

didas) na busca de mais efeitos (a reação). Ele acha a expressão do rosto da mamãe engraçada quando ele morde o ombro dela, acha hilário o olhar assustado e a expressão "Ai!" do papai e o "Não é lindo, ele está me mordendo" da vovó, um sinal de aprovação. Por mais estranho que possa parecer, até um "Ai" com raiva ou uma repreensão severa pode reforçar o hábito de morder, porque o bebê acha divertido ou vê isso como um desafio ao seu sentido emergente de independência, ou ambos. E mordê-lo de volta torna a coisa pior; não só é cruel, mas não há a implicação de que o que é bom para você é bom para ele. Pelo mesmo motivo, as mordidas de amor dos pais e dos avós também podem desencadear mordidas da parte dele.

A maneira mais eficaz de reagir é retirar o pequeno mordedor calmamente, sem demonstrar emoções com um firme "Não morda". Depois, rapidamente desvie a atenção dele com uma música, um brinquedo ou outra distração. Faça isso toda vez que ele morder e ele vai acabar entendendo o recado.

# PISCAR

*"Nas últimas semanas, minha filha tem piscado muito. Ela não parece estar sofrendo de nenhum desconforto e não parece ter problemas de visão, mas não posso deixar de me preocupar que haja algo de errado com os olhos dela."*

É mais provável que exista algo de certo com a curiosidade dela. Ela sabe como o mundo é quando está de olhos abertos, mas se ela fechar os olhos parcialmente, ou se abrir e fechar os olhos rapidamente? Os resultados dos experimentos podem ser tão intrigantes que ela pode ficar "piscando" até que se canse da novidade. (Quando ela ficar mais velha, por volta dos 2 anos de idade, provavelmente vai tentar experimentos semelhantes com as orelhas, colocando os dedos ou cobrindo-as com as mãos para ver o que acontece com o som.)

É claro que o bebê pode ter dificuldades para reconhecer as pessoas e os objetos, ou piscar ou apertar os olhos pode ser desencadeado por uma sensibilidade à luz do dia normal (e não desconfortavelmente clara). Se o hábito de piscar não desaparecer na época em que o bebê fizer o próximo *check-up*, mencione o fato para o médico.

Apertar os olhos é outro hábito temporário que alguns bebês cultivam, também para uma mudança de cenário. Novamente, não deve ser motivo de preocupação a não ser que seja acompanhado de outros sintomas, ou seja, persistente — neste caso, verifique com o médico.

## PRENDER A RESPIRAÇÃO

*"Recentemente meu bebê começou a prender a respiração quando chora. Hoje ele prendeu a respiração por tanto tempo que desmaiou. Isto pode ser perigoso?"*

Invariavelmente, são os pais que sofrem mais quando o filho prende a respiração. Embora o adulto testemunhando o tormento provavelmente vá ficar abalado por algumas horas, mesmo um bebê que fica azul e desmaia depois de prender a respiração se recupera rápida e completamente, à medida que os mecanismos respiratórios automáticos voltam para o lugar e a respiração retorna.

O ato de prender a respiração é geralmente precipitado por raiva, frustração ou dor. O choro, em vez de diminuir, torna-se mais cada vez mais histérico; o bebê começa a hiperventilar e finalmente para de respirar. Em eventos mais brandos, os lábios ficam azulados. Em casos mais graves, o bebê fica totalmente azulado e depois perde a consciência. Enquanto ele está inconsciente, o corpo pode ficar enrijecido ou até convulsivo. O episódio geralmente termina em menos de um minuto — muito antes que qualquer dano cerebral possa ocorrer.

Cerca de um em cinco bebês prende a respiração uma vez ou outra. Alguns têm apenas episódios ocasionais, outros podem ter um ou dois por dia. Prender a respiração tende a ser de família e é mais comum entre os 6 meses e os 4 anos de idade, embora possa começar mais cedo e continuar até mais tarde.

Prender a respiração pode ser distinguido da epilepsia (não há nenhuma relação entre as duas cosias) pelo fato de que é precedido pelo choro e o fato de que o bebê fica azulado e perde a consciência antes de enrijecer ou das convulsões. Na epilepsia, geralmente não há um fator que precipite o episódio e a criança não fica azulada antes da convulsão.

Não é necessário nenhum tratamento para uma criança que desmaiou por ter prendido a respiração. E embora não haja cura certa para o problema — a não ser o passar do tempo — é possível relacionar alguns episódios de irritação que podem levar a criança a prender a respiração:

◆ Certifique-se de que o bebê descanse o suficiente. Um bebê que está muito cansado ou foi muito estimulado é mais suscetível do que outro que esteja descansado.

◆ Escolha as suas batalhas. Muitos "nãos" podem causar muita frustração para o bebê.

◆ Tente acalmar o bebê antes que a histeria se estabeleça usando música, brinquedos ou outras distrações (mas não comida, que pode criar outro hábito ruim).

◆ Procure reduzir a tensão sobre o bebê — o seu e de todo mundo — se isto for possível.

◆ Responda calmamente às crises de prender a respiração do seu bebê; sua ansiedade pode torná-las pior.

◆ Não ceda à pressão após um surto. Se o bebê sabe que pode ter o que quiser ao prender a respiração, ele vai repetir este comportamento frequentemente, em especial à medida que se tornar uma criança mais manipuladora.

◆ Algumas pesquisas mostram que os episódios de prender a respiração às vezes param quando uma criança começa a receber suplementos de ferro; verifique com o pediatra para ver se esta pode ser uma boa opção de tratamento para o seu filho.

Se os episódios de prender a respiração do seu bebê são graves, duram mais de um minuto, não estão relacionadas com o choro, não estão relacionadas com dor ou frustração ou a preocupam por uma outra razão, discuta-os com o médico assim que for possível.

## COMEÇANDO AS AULAS

*"Eu vejo tantas propagandas de cursos para bebês que me sinto privando minha filha se não a matricular em pelo menos um deles."*

Com 13 anos de escola à frente na vida da sua filha (ou 17, se você contar os anos do maternal, muito mais do que se você estiver contando com a faculdade), não há necessidade de correr para matriculá-la em cursos. Especialmente quando você considera que os bebês aprendem melhor não através de instrução (especialmente instrução formal) mas por experiência: o tipo de experiência que eles têm quando têm muito tempo e oportunidades para explorar o mundo da maneira deles, apenas com alguma ajuda de amigos adultos. Na verdade, esperar que eles aprendam de uma certa maneira, a uma certa hora, em um certo lugar ou a um certo ritmo pode diminuir o entusiasmo natural que uma criança tem pelo aprendizado — e para as novas experiências que por fim a ajudarão a aprender mais. Atividades e aulas muito estruturadas em uma fase muito precoce também podem levar à exaustão na época em que a criança realmente começar a educação formal.

Certamente sua filha não precisa fazer aulas de arte, música ou natação na idade dela — e não vai "ficar para trás" se for o único bebê no quarteirão que não fizer cursos (na verdade, ela pode ser o único bebê no quarteirão que realmente vai apreciar estas atividades, simplesmente porque não está sendo obrigada a participar delas tão cedo). Mas embora as aulas não sejam necessárias para os bebês, pode haver benefícios — para vocês duas — em ingressar em um curso de atividades para bebês. Afinal, é ótimo para o bebê brincar perto de outras crianças — ela provavelmente ainda não está pronta para brincar *com* elas — e passar algum tempo para conhecer outros adultos. É ainda melhor para você ter a oportunidade de conversar com outros pais, compartilhando preocupações e experiências comuns e pegando algumas ideias para brincar com sua filha.

Existem algumas maneiras de você colher alguns benefícios para o seu bebê sem as possíveis desvantagens de uma matrícula prematura:

♦ Leve-a ao *playground*. Mesmo que ainda não esteja andando, ela vai apreciar o balanço dos bebês, os pequenos escorregas e a caixa de areia — e vai gostar especialmente de observar as outras crianças.

♦ Crie ou junte-se a um grupo de brincadeiras. Se você não conhecer outros pais com bebês da idade da sua filha, coloque um recado no quadro de avisos do consultório do pediatra, no jornal local e até no supermercado. Os grupos de brincadeiras, que geralmente se encontram semanalmente em lares ou em *playgrounds*, são com frequência muito informais e proporcionam a introdução ideal às atividades de grupo (ver na página 628).

♦ Matricule-a em uma aula informal de exercícios, música, arte ou movimentos para bebês, observando as diretrizes na página 445. Apenas lembre-se de que em qualquer aula que sua filha ou uma criança maior se envolva, é a diversão — e não o aprendizado — que deve ser predominante.

## SAPATOS PARA ANDAR

*"Nosso bebê acaba de dar os primeiros passos. Que tipo de sapatos ele precisa agora?"*

O melhor para o novo caminhante é ficar sem sapatos. Os especialistas concordam que os pés, como as mãos, desenvolvem-se melhor quando estão descalços, e não cobertos e confinados; andar descalço ajuda a construir a arcada do pé e fortalece os tornozelos. E da mesma maneira que as mãos do bebê não precisam de luvas no calor, os pés não precisam de sapatos dentro de casa e em superfícies seguras do lado de fora, exceto quando estiver frio. Mesmo andar em superfícies irregulares, como areia, é bom para os pés de sua filha, uma vez que faz com que os músculos trabalhem mais.

Mas, por segurança e higiene (você não vai querer que ela pise em cacos de vidro ou em fezes de cachorro), bem como pela aparência, sua filha precisa de sapatos para a maioria das excursões, bem como para ocasiões especiais (o que seria de um vestido de festa sem os sapatos adequados, ou de uma roupinha de marinheiro sem sapatinhos combinando?). Escolha sapatos que estejam mais próximos da sensação de não estar usando calçados, observando as características a seguir:

**Solas flexíveis.** Sapatos que não se curvam facilmente quando o dedão é dobrado interferem no movimento natural do pé. Sua melhor aposta é procurar solados de borracha ou de couro que se dobram facilmente. Muitos médicos recomendam tênis por causa de sua flexibilidade, mas alguns sustentam que aqueles sapatos tradicionais para os primeiros passos são ainda mais flexíveis e os bebês desta forma ficam menos propensos a cair com eles. Peça uma orientação ao pediatra e teste os modelos disponíveis nas lojas antes de fazer sua escolha.

**Corte baixo.** Embora os sapatos com corte alto possam ficar no lugar por mais tempo do que os de corte baixo, a maioria dos especialistas acredita que restringem muito os pés e interferem no movimento dos tornozelos. Eles certamente não

devem ser usados para sustentar um bebê que ainda não está pronto para andar.

**Parte de cima porosa e flexível.** Para ficar saudável, os pés precisam respirar e ser exercitados. Eles respiram melhor e têm mais liberdade de movimento em sapatos de couro, tecido ou lona. O plástico ou a imitação de couro são geralmente quentes e às vezes duros, e tendem a fazer com que o pé transpire excessivamente. Evite "tênis de corrida" com faixas largas de borracha em volta, já que também podem aumentar a transpiração. Se você comprar sapatos para chuva ou botas que são feitas de plástico ou borracha para o bebê, use-os apenas quando necessário e tire-os assim que ela estiver dentro de casa.

**Solado liso, antiderrapante e sem saltos.** Uma criança que começou a andar tem bastante dificuldade em manter o equilíbrio sem ter que lutar com sapatos que escorregam. Solas de borracha ou compostas, especialmente quando têm ranhuras, em geral proporcionam uma superfície menos escorregadia do que o couro, a não ser que este tenha sulcos ou ranhuras. Se um par de sapatos adequado for escorregadio demais, aumente um pouco a aspereza da sola com uma lixa ou com algumas tiras de fita adesiva.

**Contrafortes firmes.** A parte de trás do sapato (acima do calcanhar) deve ser firme, não frágil. É melhor que a parte de cima seja acolchoada ou abaulada e a costura da parte de trás macia, sem irregularidades que possam causar irritação no calcanhar do bebê.

**Encaixe com folga.** É melhor ter sapatos que são largos demais do que pequenos demais, mas é claro que os que são "a conta justa" têm o melhor ajuste de todos. Embora os sapatos não possam dar aos pés tanta liberdade quanto teriam se estivessem descalços, sapatos muito apertados não dão liberdade nenhuma. Se os sapatos forem usados com meias grossas, certifique-se de levar um par quando for experimentá-los. Meça os pés e teste o tamanho dos novos sapatos (ambos) quando o bebê estiver em pé, com todo o peso dele sobre os pés. A parte de cima do sapato não deve ficar com um espaço quando ela estiver em pé (embora não haja problemas se houver espaço quando ela caminhar) e os calcanhares não devem escorregar a cada passo. Para verificar a largura, tente apertar o sapato o máximo possível. Se você conseguir pegar um pedaço bem pequeno com os dedos, a largura está boa; se conseguir pegar uma grande parte, ele é muito largo; e se não conseguir pegar nenhum pedaço, ele é muito estreito. Para verificar o comprimento, pressione-o com o polegar entre os dedos do bebê e a parte de trás do sapato. Se for da largura de um polegar, o comprimento está correto. A parte de trás do sapato deve ser confortável, mas não apertada. Se o calcanhar do bebê desliza facilmente, o sapato está grande demais; se o sapato machuca o calcanhar, está pequeno demais. Quando você comprar um par de sapatos para o bebê, verifique o tamanho em algumas semanas, já que os bebês crescem rapidamente, às vezes em seis semanas, com frequência em três meses. Quando a distância do dedo encolher para menos da metade da largura de um polegar, comece a pensar em comprar sapatos novos. Áreas avermelhadas nos dedos do bebê ou nos pés quando os sapatos são retirados também são um sinal de que o sapato não está cabendo mais.

**Formatos padrão.** Estilos incomuns — como botas de caubói ou sapatos de festa com bico fino — podem estar na moda, mas também podem deformar o pé à medida que ele cresce. Em vez destes modelos, procure por um sapato que seja largo na parte interna e nos dedos e tenha o calcanhar chato.

A durabilidade não é um requisito em sapatos para crianças porque elas crescem muito mais rápido do que o tempo de duração dos calçados. Devido ao alto preço dos sapatos para crianças e a sua curta duração, é grande a tentação de passar os sapatos para os irmãos mais novos — mas resista a isto. Os sapatos se amoldam ao formato do pé de quem os usa, e usar sapatos no formato do pé de outra pessoa não é bom para pezinhos. Abra uma exceção apenas para aqueles sapatos (como calçados elegantes de festa) que não foram muito usados, mantiveram o formato original e não estão gastos na área do calcanhar.

Um bom sapato só é bom se a meia dentro dele também for adequada. As meias, como os sapatos, devem ser do tamanho exato e feitas de um material (como algodão) que permita que os pés respirem. Meias muito apertadas podem impedir o crescimento dos pés; aquelas que são longas demais podem ficar enrugadas e causar irritações ou bolhas, embora dobrar cuidadosamente a ponta de uma meia longa antes de calçá-la possa resolver o problema do enrugamento. Meias elásticas geralmente calçam bem, mas fique alerta para o ponto em que elas ficam pequenas demais e começam a ficar espremidas, o que geralmente se percebe pelas marcas deixadas nos pés do bebê. Os bebês sensíveis ao toque vão apreciar aquelas que têm a costura na base dos dedos em vez de na ponta, onde podem incomodar.

## CUIDADOS COM OS CABELOS

*"Nossa filha nasceu com a cabeça cheia de cabelos, eles embaraçam e é difícil cuidar deles."*

Para os pais dos inúmeros bebês carecas de 9 meses, o seu seria um problema que eles adorariam ter. Mas lidar com um cabelo superfino que não fica em ordem, especialmente se ele pertence a um bebê que fica se mexendo e não coopera, pode fazer qualquer cabeleireiro querer desistir do pente. As coisas provavelmente vão ficar piores antes de melhorarem; para algumas crianças que estão aprendendo a andar e aquelas em idade pré-escolar, cada lavagem de cabelo e penteado é motivo para uma crise de raiva. Mas antes de recorrer ao cabelo curto (que, se você for corajosa, pode ser a melhor coisa a fazer), você pode ter os melhores e mais limpos resultados

com o mínimo de trabalho usando as seguintes dicas:

♦ Desembarace o cabelo antes de começar a lavá-lo, para impedir que fiquem mais embaraçados depois da lavagem.

♦ Procure usar um xampu que também seja condicionador ou um *spray* desembaraçante que não precise ser enxaguado. Será muito mais fácil pentear o cabelo.

♦ Use um pente com dentes largos ou escova que tenha cerdas com pontas revestidas de plástico para pentear cabelos molhados. Um pente com dentes finos tende a quebrar as pontas do cabelo e puxar mais.

♦ Desembarace das pontas para cima, mantendo uma das mãos firmemente nas raízes à medida que trabalha, para reduzir os puxões de cabelo e a dor que vem com eles.

♦ Não use secador no cabelo do bebê.

♦ Não faça tranças no cabelo do bebê nem os prenda em rabos de cavalo ou maria-chiquinha apertados, já que estes estilos podem levar a partes sem cabelo ou à diminuição de cabelo. Se você fizer rabos de cavalo ou maria-chiquinha, faça-os folgados e amarre-os com grampos protetores especiais ou elásticos forrados em vez de elásticos normais ou fivelas que podem arrancar e danificar o cabelo. Não use grampos ou fivelas que sejam pequenos demais (ou com partes pequenas demais) que possam ser engolidos (veja na página 581). Tire arcos, grampos e fivelas antes de colocar o bebê na cama.

♦ Apare o cabelo (ou leve-a a um salão especializado em paciência e cortes de criança) pelo menos a cada dois meses para que ele cresça saudável. Apare a franja quando chegar às sobrancelhas.

♦ Planeje pentear o cabelo quando sua filha não estiver cansada, com fome ou irritada. Aumente a diversão deixando-a ocupada com um brinquedo antes de começar, possivelmente uma boneca com cabelos compridos e um pente. Ou coloque-a na frente de um espelho para que ela possa ver você trabalhar no cabelo dela; um dia ela aprenderá a apreciar o resultado, tornando a sessão mais tolerável.

## MEDOS

*"Meu bebê costumava adorar me ver ligar o aspirador de pó; agora ele fica completamente aterrorizado com ele — e qualquer outra coisa que faça um barulho alto."*

Isto porque ele está ficando inteligente. Quando seu bebê era mais novo, os barulhos altos não o assustavam — embora possam tê-lo assustado momentaneamente — porque ele não percebia a possibilidade de que estivessem relacionados com alguma coisa perigosa. Agora, à medida que compreende mais o mundo, os medos também crescem.

Existem várias coisas na vida diária de um bebê que, embora sejam inócuas para você, podem desencadear um pavor nele: sons como o do aspirador de pó, do liquidificador, o latido de um cachorro, uma sirene, a descarga de um vaso sanitário, a água descendo pelo ralo da banheira; ter uma camisa tirada pela cabeça; ser levantado alto no ar (especialmente se ele já começou a subir, a se levantar ou se já desenvolveu alguma percepção de profundidade); ser mergulhado na banheira; o movimento da corda de um brinquedo mecânico.

Provavelmente todos os bebês têm medos em algum momento, embora os superem tão rapidamente que seus pais nem chegam a perceber. As crianças que moram em um ambiente ativo e vivaz, em especial com irmãos mais velhos, tendem a viver estes medos mais cedo, bem com a se livrar deles mais cedo.

Mais cedo ou mais tarde, a maioria das crianças deixa para trás os medos do final da fase de bebê. Até lá, você pode ajudar o bebê a lidar com os medos dele (que podem se multiplicar no próximo ano) destas maneiras:

**Não force.** Fazer o seu bebê ficar com o nariz no bocal do aspirador de pó não só não vai ajudar como pode até mesmo intensificar o medo dele. Embora a fobia possa parecer irracional para você, é bastante legítima para ele. Ele precisa esperar e enfrentar o bicho barulhento da maneira e no tempo dele, quando sentir que é seguro.

**Não ridicularize.** Fazer piadas do medo do seu filho, chamá-los de bobos ou rir deles só vai servir para enfraquecer a autoconfiança dele e a capacidade de lidar com os medos. Leve os medos dele a sério — ele os leva.

**Aceite e seja solidária.** Ao aceitar os medos do seu bebê como reais e oferecer conforto quando ele precisar, você o estará ajudando a superá-los mais rapidamente. Se ele chora quando você liga o aspirador de pó (ou dá descarga ou liga o liquidificador) pegue-o rapidamente no colo e dê-lhe um grande abraço tranquilizador. Mas não exagere na compreensão ou você poderá reforçar a ideia de que existe algo do qual ele deve ter medo.

**Tranquilize e dê apoio, depois forme confiança e habilidade.** Embora você deva ser compreensiva com os medos dele, seu objetivo final é ajudá-lo a vencê-los. Ele pode fazer isso se familiarizando com as coisas das quais tem medo, aprendendo o que elas fazem e como funcionam e ganhando algum senso de controle sobre elas. Deixe-o tocar ou até brincar com o aspirador quando estiver desligado e desplugado — ele provavelmente é tão fascinado pelo aparelho quanto tem medo dele.

Uma vez que ele se sinta à vontade brincando com o aspirador quando estiver desligado, tente segurá-lo firmemente em um braço enquanto você aspira com o outro — se isto não o deixar incomodado. Depois, mostre a ele como ligar o aparelho, com um pouco de ajuda, se o botão de ligar for complicado. Se ele tiver medo da descarga, deixe-o jogar um pedaço de papel higiênico e incentive-o a dar descarga quando ele se sentir pronto. Se for do ralo da banheira, deixe-o observar a água descer quando ele estiver seguro do lado de fora, totalmente vestido e, se for necessário, nos seus braços. Se os cachorros o assustam, procure brincar com um enquanto o bebê a observa à distância e de um local seguro — talvez no colo de seu marido. Quando ele finalmente tiver vontade de se aproximar do cachorro, incentive o bebê (enquanto o segura) a fazer carinho nele, em um cão que você sabe que é dócil e que não vai morder de repente.

# O Que É Importante Saber:
## O INÍCIO DA DISCIPLINA

Você aplaudiu entusiasticamente a primeira tentativa bem-sucedida de seu bebê de ficar em pé, ficou orgulhosa quando o arrastar-se finalmente se transformou em engatinhar. Agora você se pergunta por que comemorou tanto.

Junto com a nova mobilidade veio um talento para se meter em encrencas de fazer inveja a Denis, o Pimentinha. Se seu filho não está ligando a televisão com habilidade, ele está triunfantemente puxando toalha da mesa de jantar (junto com a fruteira que estava em cima dela), alegremente desenrolando rolos inteiros de papel higiênico ou engenhosamente esvaziando o conteúdo de gavetas, armários e prateleiras. Antes, tudo o que você tinha de fazer para manter o bebê e a casa livres de danos era colocar o bebê em um local seguro; agora, este lugar não existe mais.

Pela primeira vez, você provavelmente vai ficar irritada em vez de orgulhosa das explorações do seu bebê. E pela primeira vez a questão da disciplina provavelmente chegou a sua casa. O momento é certo. Esperar para introduzir disciplina na vida de seu filho muito depois dos 10 meses de idade pode tornar a tarefa muito mais difícil; tentar fazer isso muito cedo, antes que a memória tenha se desenvolvido, teria sido inútil.

Por que disciplinar um bebê? Primeiro, para que seja introduzido o conceito de certo e errado. Embora não demore muito até que o seu filho entenda isto plenamente, é agora que você deve começar a ensinar a ele o que é certo e o que é errado, por meio de exemplos e orientação. Segundo, para plantar as sementes de autocontrole. Elas não vão criar raízes agora, mas se isto não acontecer um dia, seu filho não conseguirá ter uma vida satisfatória. Terceiro, para ensinar respeito pelos direitos e sentimentos dos outros, para que uma criança deixe de ser um bebê egocêntrico normal e se transforme em uma criança e um adulto sensível e carinhoso. E, finalmente, para proteger seu bebê, seu lar, sua sanidade — agora e nos meses de travessuras que estão por vir.

Enquanto embarca no programa de disciplina de crianças, tenha o seguinte em mente:

♦ Embora a palavra *disciplina* esteja associada a punição para muita gente, na verdade ela vem da palavra latina "ensinar".

♦ Cada criança é diferente, cada família é diferente, cada situação é diferente. Mas existem regras universais de comportamento que se aplicam a todos, em todos os tempos.

♦ Até que os bebês entendam o que é seguro e o que não é, ou pelo menos que atos são aceitáveis e quais não são, os pais têm total responsabilidade por manter o ambiente seguro, bem como por proteger os próprios pertences e os dos outros.

♦ A retirada do amor dos pais ameaça a autoestima da criança. É importante que a criança saiba que ainda é amada incondicionalmente, mesmo quando tem um comportamento que os pais não aprovam.

♦ A disciplina mais eficiente não é totalmente rigorosa nem permissiva demais. A disciplina rigorosa, que confia inteiramente no policiamento dos pais em vez de incentivar o desenvolvimento do autocontrole, em geral resulta em crianças que são totalmente submissas aos pais mas não são controláveis quando estão longe deles ou de outra autoridade adulta. Por outro lado, pais muito permissivos também não terão filhos comportados, capazes de lidar com o mundo real. Seus filhos muito mimados são frequentemente egoístas, mal-educados, desagradáveis, gostam de discutir, não acatam com facilidade.

Os dois extremos da disciplina podem fazer com que a criança não se sinta amada. Pais rigorosos podem parecer cruéis e, desta forma, dar a impressão de que não amam os filhos; pais permissivos podem dar a impressão de que não se importam com os filhos. O tipo mais adequado de disciplina está no meio-termo — estabelecer limites que são justos, firmes e ao mesmo tempo com amor.

Isto não quer dizer que haja variações normais entre os estilos de disciplinas. Alguns pais são simplesmente mais relaxados; e alguns, mais rigorosos. Tudo bem, desde que não se chegue a extremos.

- ◆ A disciplina eficaz é individualizada. Se você tem mais de um filho, quase certamente notou as diferenças de personalidade desde o nascimento. Estas diferenças afetarão o modo como cada criança é disciplinada. Uma, por exemplo, não vai brincar com uma tomada elétrica depois de uma advertência leve. Outra não levará o seu aviso a sério a menos que haja firmeza — ou talvez haja medo — na sua voz. Uma terceira pode precisar ser fisicamente retirada da fonte do perigo. Adapte o seu estilo de acordo com o de seu filho.

- ◆ As circunstâncias podem alterar a reação de uma criança à disciplina. Uma criança que normalmente precisa de frequentes advertências pode

se sentir oprimida se for repreendida quando estiver cansada ou estiver na fase da dentição. Mude de orientação se necessário, para atender as necessidades imediatas do seu filho.

- ◆ Crianças precisam de limites. Em geral elas não sabem controlar a si mesmas ou a seus impulsos e ficam assustadas com a falta de controle. Limites razoáveis, adequados à idade, estabelecidos pelos pais e reforçados coerente e amorosamente, representam um apoio reconfortante que mantém a criança segura e firme enquanto faz suas explorações e cresce. Estender estes limites só porque ele é "apenas um bebê" não é justo com o seu filho ou com aqueles cujos direitos estão sendo violados. A pouca idade — pelo menos até depois dos 10 meses — não deve ser garantia de carta branca para puxar o cabelo de um irmão ou rasgar a revista da mamãe antes que ela a leia. Planejar com antecedência e ensinar o bebê a viver dentro dos limites desde a mais tenra idade pode ajudar a acalmar um pouco o tumulto que virá ao 2 anos. Será necessário também para o sucesso em uma sociedade que é cheia de limites — na escola, no trabalho e no lazer.

Que limites que você vai estabelecer dependerá em parte de suas prioridades. Em alguns lares, manter os sapatos longe do sofá e não comer na sala são questões essenciais. Em outros, ficar longe da escrivaninha do papai ou da mamãe está no topo da lista. Na maioria das famílias, cortesias comuns e etiqueta simples —

usar "por favor" e "obrigado", dividir, respeitar os sentimentos dos outros — são expectativas essenciais. Estabeleça regras que você reforçará cuidadosamente e limite a quantidade delas. Regras demais geram poucas oportunidades para um bebê aprender por meio de sua própria exploração e pelos erros que comete.

Tenha em mente a idade do bebê à medida que estabelecer — e por fim reforçar — as regras que se aplicam a ele. Embora possa ser razoável esperar que uma criança de 3 anos diga "por favor" e "obrigado" ou que guarde os brinquedos, obviamente não é razoável que se espere o mesmo de uma criança de 1 ano. Esperar mais do que o seu filho pode dar invariavelmente resultará em fracasso.

É mais fácil, é claro, conversar sobre estabelecer e reforçar limites para bebês do que na verdade segui-los. É tentador ceder a um bebê adorável que dá a você um sorriso travesso quando você diz "não" ou um sorriso doce e sensível que se transforma em lágrimas com o simples som da palavra. Mas fique firme e lembre-se de que é para o bem de seu filho. Pode não parecer fundamental agora impedir que o bebê leve biscoitos para a sala, mas se ele não aprender a seguir pelo menos algumas regras agora, será mais difícil lidar com as muitas regras que ele terá de enfrentar mais tarde. Você pode continuar a esperar protestos, mas aos poucos descobrirá que cada vez mais o seu filho aceita os limites sem discussão.

♦ Um bebê que se mete em encrencas não é "mau". Os bebês e crianças que estão começando a andar não sabem diferenciar o certo do errado, então seus atos não podem ser consideradas ruins. Eles aprendem sobre o mundo fazendo experiências, observando as causas e efeitos e testando os adultos. O que acontece se eu virar o copo de suco? Vai acontecer de novo? E de novo? Ou dentro das gavetas da cozinha, e o que vai acontecer se eu tirar tudo de dentro delas? Qual será a reação da mamãe?

Dizer repetidamente a seu filho que ele é ruim pode macular o ego dele e interferir na autoconfiança e nas realizações ao longo da vida. E a criança que ouve "Você é um menino mau [ou menina má]" várias vezes pode cumprir a profecia anos mais tarde ("Se eles dizem que eu sou mau, eu devo ser mau"). Critique as ações do seu bebê mas não o seu bebê ("Dar mordidas é feio", e não "Você é feio").

♦ A coerência é importante. Uma vez que você tenha estabelecido um certo número de regras adequadas à idade dele, reforce-as. Nada é mais desestabilizador para uma criança pequena do que regras que se aplicam às vezes ou que variam dependendo de quem está no comando, a mamãe, o papai ou a babá. Se sapatos no sofá são proibidos hoje mas permitidos amanhã, ou se lavar as mãos antes do jantar era obrigatório ontem mas foi ignorado hoje, a única lição que será aprendida será a de que o mundo é confuso e as regras não significam nada.

- A sequência é fundamental. Levantar os olhos do seu livro o tempo suficiente para dizer "não" para um bebê que está puxando os fios da televisão, mas não o suficiente para se certificar de que ele pare, não é disciplina eficaz (e, além disso, não é segura). Se seus atos não falam tão alto quanto suas palavras, suas repreensões perderão o impacto. Quando o primeiro não é ineficiente, tome uma atitude imediatamente, em especial nestas situações perigosas. Largue o livro, pegue o bebê e tire-o de perto dos fios tentadores da TV — de preferência para bem longe, em outro quarto. Depois, desvie a atenção de seu filho da televisão com uma brincadeira de que ele goste. Para a maioria dos bebês, o que foi tirado de vista é logo tirado da cabeça — embora alguns possam tentar voltar à cena do crime, o que você deve impedir. A distração, quando funciona, também permite que o bebê sinta que um "não" é um desafio para o ego, o que pode ser salvador.

- Os bebês e aqueles que estão aprendendo a andar têm memória limitada. Você pode esperar que eles não aprendam a lição na primeira aula, e você pode esperar que eles repitam a ação indesejada várias vezes. Seja paciente e esteja preparada para repetir a mesma mensagem — "Não toque na tevê" ou "Não coma a comida do cachorro" — todo dia por semanas antes que finalmente seja internalizada e o fascínio desapareça.

- Os bebês adoram o "jogo do não". A maioria dos bebês adora o desafio de um "não!" vindo dos pais tanto quanto o desafio de subir um lance de escadas ou de encaixar uma peça em um jogo de montar. Portanto, não importa o quanto o bebê a provoque, não permita que o "não!" transforme-se num jogo ou num ataque de riso. Seu bebê não a levará a sério.

- Muitos "nãos" podem perder a eficiência e desmoralizam. Você não ia querer viver em um mundo governado por um ditador implacável cujas três palavras favoritas fossem "Não! Não! Não!" E não vai querer que seu bebê viva em um mundo desse também. Limite os nãos àquelas situações nas quais o bem-estar do bebê, de outra pessoa ou de seu lar esteja ameaçado. Lembre-se de que nem tudo é motivo para uma briga. Menos nãos serão necessários se você criar um ambiente à prova de crianças (veja na página 575) na sua casa, com muitas oportunidades para explorar sob condições seguras.

  Junto com cada não, procure dar um sim na forma de uma alternativa: "Não, você não pode brincar com o livro do papai, mas pode olhar este aqui", ou "Você não pode esvaziar a prateleira de cereal, mas pode tirar os potes e panelas das prateleiras". Em vez de dizer, "Não, não toque os papéis na mesa da mamãe" para um bebê que já jogou vários itens no chão, experimente dizer, "Aqueles papéis pertencem à gaveta da mamãe. Vamos ver se conseguimos colocar os papéis de volta e fechar a gaveta". Esta abordagem mais amena faz com que a mensagem seja entendida sem que o bebê se sinta "mau".

De vez em quando, quando os riscos não forem altos ou quando você perceber que cometeu um erro, deixe o bebê ganhar. Uma vitória ocasional vai ajudar a compensar as muitas derrotas que ele tem de aceitar todos os dias.

◆ As crianças precisam cometer alguns erros e aprender com eles. Se você tornar isto impossível para o seu filho (espalhando os bibelôs, por exemplo), não terá de dizer não com muita frequência, mas vai perder muitas oportunidades de ensinar. Dê espaço para os erros (embora você vá preferir evitar os que são perigosos e/ou caros, mediante uma proteção à prova de crianças), para que seu bebê aprenda com eles.

◆ Correção e recompensa funcionam melhor do que castigo. O castigo, sempre de valor questionável, é especialmente inútil para crianças muito novas, já que elas não entendem por que estão sendo castigadas. Um bebê é pequeno demais para fazer a associação entre um tempo para brincar no quintal que foi tirado dele e o fato de ter jogado sal para fora do saleiro, ou para entender que a mamadeira está sendo tirada porque ele mordeu um irmãozinho. Em vez de castigar um mau comportamento, pegue o bebê sendo bom. O reforço positivo, a recompensa e os elogios a bons comportamentos funcionam muito melhor. Eles constroem, em vez de destruir, a autoconfiança e incentivam um bom comportamento. Outra abordagem produtiva, que ensina que os atos têm consequências, é fazê-lo ajudar a remediar os resultados — limpar o leite derramado, pegar os panos de pratos espalhados, entregar os livros a você para que sejam colocados de volta na estante.

◆ Raiva gera raiva. Tenha um acesso de raiva quando o bebê quebrar seu prato favorito, jogando-o contra a parede como se fosse uma bola, e ele provavelmente vai acompanhar o ataque de fúria, em vez de reagir com remorso. Se necessário, acalme-se por alguns minutos antes de se dirigir à parte culpada. Depois de recuperar o equilíbrio, explique ao bebê que o que ele fez está errado e por quê. ("Aquilo não era um brinquedo, era o prato da mamãe. Você o quebrou e agora a mamãe está triste.") É importante fazer isto mesmo que a explicação pareça navegar sem rumo pela cabeça do bebê, ou que ele esteja distraído.

Tente, nos momentos de alta ansiedade (nem sempre será fácil), lembrar-se de que o seu objetivo a longo prazo é ensinar o bom comportamento e que gritar e bater só vai ensinar a ele o comportamento errado, dando maus exemplos do comportamento adequado quando você está com raiva.

Não se preocupe se de vez em quando você achar impossível frear sua raiva. Como mãe e ser humano, você pode ter sua cota de erros e momentos de fraqueza, e o bebê precisa saber disto. Contanto que os seus sermões sejam relativamente poucos, com um espaço maior entre eles e de curta duração, eles não vão interferir na eficiência da criação de um filho. Quando eles ocorrerem, certifique-se de se desculpar. "Desculpe por ter gritado com você, mas eu estava muito zangada". Acrescentar "Eu te amo" e um abraço não apenas tranquilizam, como farão com que o bebê saiba que às vezes ficamos com raiva das pessoas que amamos e que este sentimento é normal.

◆ A disciplina pode ser algo que faça rir. Nada torna a vida mais leve do que o humor — e ele também é uma ferramenta disciplinar surpreendentemente eficiente. Use-o livremente em situações que poderiam exasperar, por exemplo, quando o bebê se recusa a deixar que você coloque uma roupa de frio nele. Em vez de travar um combate infrutífero com gritos de protesto, acabe com a pirraça e a luta com alguma tolice inesperada. Sugira, talvez, que você coloque o casaco no cachorro (ou no gato, na boneca ou em você mesma) e finja fazer isto. A incoerência do que você está propondo provavelmente fará com que a mente do bebê se desvie das objeções por tempo suficiente para que você consiga realizar o seu objetivo.

O humor pode ser usado em uma grande variedade de situações disciplinares. Faça pedidos enquanto finge que é um cachorro ou um leão, o Barney ou outro personagem favorito do bebê; realize tarefas consideradas desagradáveis usando musiquinhas bobas como acompanhamento ("É assim que lavamos o rosto, lavamos o rosto"); leve o bebê para o odiado trocador de fraldas (cuidadosamente apoiado) de cabeça para baixo; faça caretas no espelho com o bebê em vez de repreender, "Não chore, não chore". Levar o outro menos a sério trará dias mais radiantes para a sua vida, especialmente à medida que se aproxima a fase tumultuada dos 2 anos. No entanto, fique séria quando a situação for perigosa, já que até um sorriso pode ser fatal para a eficácia da lição que você está tentando ensinar.

◆ Os acidentes precisam de um tratamento diferente do que algo que tenha sido feito errado intencionalmente. Lembre-se de que todo mundo pode cometer erros, mas os bebês, devido à imaturidade intelectual, física e emocional, podem cometer muito mais erros. Quando o bebê virar o copinho de leite ao tentar pegar uma fatia de pão, "Opa, o leite derramou. Procure ser mais cuidadoso, querido", é uma resposta adequada. Mas quando o copinho é virado intencionalmente, "O leite é para ser bebido e não derramado. Derramar leite faz sujeira e desperdiça o leite. Está vendo, agora não tem mais leite", é mais apropriado. Em qualquer um dos casos, também é útil dar um papel-toalha ao bebê para ajudar a limpar a sujeira, colocar menos quan-

## BATER OU NÃO BATER

Embora o castigo físico tenha sido transmitido de geração em geração em muitas famílias, muitos especialistas concordam que não é e nunca foi uma maneira eficaz de disciplinar uma criança. As crianças que apanham podem deixar de repetir um mau comportamento para não correrem o risco de apanhar novamente, mas só obedecem quando o risco está presente. Bater pode fazer uma criança parar um ato indesejável, mas não modificará o comportamento dela. Uma surra não ensina a criança a saber a diferença entre o certo e o errado (somente entre o que faz com que ela apanhe e o que não faz com que ela apanhe) — que, afinal, é o objetivo mais importante da disciplina.

As pesquisas mostram que o benefício a curto prazo de bater — obediência imediata (naquele momento) — é definitivamente superado pelos potenciais riscos a longo prazo. Castigos físicos promovem a violência, agressão e outros comportamentos antissociais. Além disso, bater ensina as crianças que a melhor maneira de acabar com uma disputa é pela força física e nega a elas a oportunidade de aprender (pelo exemplo dos pais) caminhos alternativos e menos dolorosos para lidar com a raiva e a frustração. Bater também representa um abuso de poder de um lado muito maior e mais forte contra um lado fraco e pequeno (um modelo que você não vai querer que seu filho siga mais tarde no *playground*). E pode levar a graves ferimentos em uma criança, com frequência involuntários, em especial quando feito com raiva. Bater depois que a raiva passou, embora possa causar menos danos físicos, parece ser ain-

---

tidade de líquidos nos copinhos no futuro e certificar-se de que o bebê tem oportunidades suficientes para fazer os experimentos dele, derramando líquidos na banheira ou em outras áreas aceitáveis.

◆ Os pais têm de ser os adultos da família. Isto significa ficar calmo quando seu filho que está quase andando fizer pirraça, desculpando-se quando cometer um erro, nem sempre exigir que as coisas sejam feitas da maneira que você acha que têm de ser, quando poderiam ser mais fáceis se feitas da maneira como o bebê acha que têm de ser feitas — em geral, agindo de acordo com a sua idade enquanto o bebê age de acordo com a idade dele.

◆ Crianças merecem respeito. Em vez de tratar o bebê como um objeto, uma propriedade ou até como "apenas um bebê", trate-o com o respeito que você daria a qualquer outra pessoa. Seja educada (diga por favor, obrigada e com licença), dê explicações simples (mesmo que você ache que ele não vai entendê-las) quando proibir algo, seja compreensiva com os desejos e os sentimentos do bebê

da mais questionável do que fazer isto no calor do momento. Certamente é calculado com mais crueldade e até menos eficaz para corrigir um comportamento. Na verdade, os especialistas afirmam que existe uma linha tênue que separa a surra dos maus-tratos à criança.

Ao dizermos que a surra tem consequências negativas e não é mais eficaz do que outras formas de disciplina, recomendamos que os pais usem outros métodos para disciplinar os filhos: conversa franca (quando a criança tiver idade suficiente entender o significado das palavras) ou reforço positivo. Se o ato de bater foi uma explosão motivada pela raiva, os pais devem explicar posteriormente, de maneira calma, por que fizeram isso, o comportamento específico que provocou a surra e como ficaram irritados, e devem se desculpar (novamente, isto é para crianças que têm idade para entender).

Se for inevitável para um pai bater no filho, é ainda menos aconselhável que outra pessoa o faça. A criança pode se sentir segura com o pai ou a mãe sabendo que apanhou de alguém que se importa com ela, mas alguém de fora da família não lhe dá esta segurança. Babás, professores e outros que cuidam do seu filho devem ser instruídos a *nunca* bater nele nem administrar qualquer forma de castigo físico.

Alguns especialistas (e pais) concordam que uma palmada na mão ou nas nádegas pode ser dada em uma situação perigosa para que uma criança muito pequena entenda rapidamente uma mensagem séria — por exemplo, uma repreensão severa não funciona quando uma criança que está aprendendo a andar vai para a rua sozinha ou se aproxima de um fogão quente. No entanto, uma vez que a compreensão seja estabelecida, a força física não é mais justificável.

---

(mesmo que você não possa permitir que ele os expresse), evite situações constrangedoras para o bebê (brigar com ele na frente de estranhos) e ouça o que ele está tentando dizer. Nesta fase pré-verbal, quando os grunhidos e apontar as coisas são as principais formas de comunicação, ouvir é um desafio e continua a ser assim até que a fala se torne clara e a linguagem bem desenvolvida (algo que acontece entre os 3 e 5 anos de idade) — mas é importante fazer este esforço. Lembre-se de que é frustrante para o bebê também. (Ver Fazendo Sinais com o Bebê na página 559,

para maneiras de encontrar pontes que liguem este abismo na comunicação.)

♦ Deve haver uma distribuição justa dos direitos entre os pais e a criança (ou crianças). Quando o bebê é pequeno, é fácil os pais errarem nesta área, indo de um extremo a outro. Alguns abrem mão de todos os seus direitos em favor do filho — baseiam a própria vida nos horários do bebê, largam tudo ao primeiro choro do bebê, sempre colocam as necessidades do bebê antes das necessidades deles — e acabam ensinando o filho que os direitos dele são os únicos que interessam. Outros vivem a vida como se não tivessem filhos. Sem pensar muito nas necessidades do bebê, eles arrastam um bebê exausto para festas, pulam a hora da história para assistir a um jogo de futebol e optam por ficar em casa em um domingo à tarde em vez de ir ao *playground*. Estes pais ensinam aos filhos que os direitos deles não interessam de jeito nenhum. Para ser justo, a vida em família não deve ser nem centrada no bebê, nem completamente centrada nos pais. Só é necessário ter equilíbrio.

♦ Ninguém é perfeito — e não se deve esperar que ninguém seja. Evite estabelecer padrões que o bebê não possa alcançar. As crianças precisam de todos os anos que a infância lhes dá para se desenvolverem até onde poderão se comportar como adultos. E à medida que crescem e amadurecem, eles também precisam saber que você não espera perfeição em nenhuma idade. Elogie as conquistas em vez de fazer pronunciamentos sobre a natureza do seu filho: "Você foi ótimo na loja" em vez de "Você é o melhor bebê do mundo". Já que ninguém pode ser "bom" o tempo todo, estes elogios exagerados, feitos de maneira regular, podem fazer com que a criança tema que as suas expectativas não sejam alcançadas. Também pode criar um viciado em elogios, sempre dependente de um elogio, um tapinha nas costas, para se sentir bem consigo mesmo.

Você também não deve esperar perfeição de si mesma. Não existem pais que nunca perdem a calma, jamais gritam nem têm o desejo mais remoto de bater em uma criança que está aprendendo a andar; nem o pai da série de televisão *Papai sabe tudo* sabia de tudo sempre. E expressar verbalmente os seus sentimentos de raiva e frustração de vez em quando (sem agir com aquele impulso de bater; ver quadro da página 646) pode ser melhor do que mantê-los guardados dentro de você. A raiva reprimida sempre encontra um jeito de explodir de forma inadequada, com frequência fora de proporção em relação ao crime.

Se, no entanto, você se vir perdendo a paciência com o bebê com muita frequência, procure determinar a causa por trás disto. Você está com raiva por ter de se responsabilizar por todos os cuidados com o bebê? Você está com raiva de si mesma ou de outra pessoa e está descontando no bebê? Você estabeleceu limites demais ou deu oportunidades demais para que o bebê se metesse em problemas? Se isto aconteceu, procure remediar a situação.

♦ As crianças precisam saber que têm algum controle sobre a vida delas. Para uma boa saúde mental, todos — até o bebê — precisam se sentir como se estivessem na liderança. Nem sempre será possível para o bebê fazer as coisas do jeito dele, mas, quando for adequado, deixe que isto aconteça. Dê ao bebê a oportunidade de fazer algumas escolhas — o biscoito ou um pedaço de pão, o balanço ou o escorrega, o babador de elefante ou o de palhaço. Não ofereça opções demais (o que pode deixar o bebê confuso), e saiba quando não é o bebê que deve escolher (quando usar a cadeirinha para carro, por exemplo).

◆ ◆ ◆

# CAPÍTULO 15

# O Décimo Primeiro Mês

Você pode ter um bebê Houdini nas suas mãos este mês, cuja preocupação principal é chegar em lugares que ele não deveria chegar e sair de lugares dos quais ele não deveria sair. Não existe prateleira tão alta ou maçaneta de armário tão estranha que detenha um bebê de 10 meses na missão de procurar e (ao que parece) destruir. Reconhecido como um artista da fuga, o bebê agora tentará escapar das trocas de fraldas, de carrinhos, cadeirinhas — em outras palavras, de qualquer situação de confinamento. Junto com os grandes progressos físicos (inclusive alguns poucos primeiros passos) vêm notórios progressos verbais — não tanto pelo número de palavras ditas, mas pelo número de palavras entendidas. Olhar livros torna-se uma experiência mais interessante e enriquecedora à medida que o bebê começa a reconhecer e até a apontar figuras conhecidas. Na verdade, apontar torna-se uma atividade favorita, não importa o que o bebê esteja fazendo — é simplesmente a maneira que ele tem de se comunicar sem palavras.

## O Que seu Bebê Pode Estar Fazendo

Todos os bebês atingem marcos em seu tempo de desenvolvimento. Se seu filho parece não ter atingido um ou mais destes marcos, fique tranquila, ele provavelmente os atingirá muito em breve. A taxa de desenvolvimento de seu bebê é normal para ele. Tenha em mente, também, que as habilidades que o bebê realiza na posição de bruços só podem ser dominadas se houver oportunidade de praticar. Assim, certifique-se de que o bebê passe um período brincando de bruços sob supervisão. Se você estiver preocupada com o desenvolvimento de seu filho (porque percebeu que ele não atingiu um marco de desenvolvimento ou o que você acha que pode ser um atraso no desenvolvimento), não hesite em verificar com o médico na próxima consulta — mesmo que ele não traga isso à baila. Os pais com frequência percebem nuances no desenvolvimento do bebê que os médicos não veem. Os bebês prematuros geralmente chegam aos marcos mais tarde do que os outros da mesma idade de nascimento, em geral atingindo-os mais perto de sua idade ajustada (a idade que eles teriam se tivessem nascido a termo), e às vezes mais tarde.

**Aos 11 meses, seu bebê... deve ser capaz de:**

♦ sentar-se, se estiver deitado de bruços

♦ pegar pequenos objetos com qualquer parte do polegar e dedo indicador (como sempre, mantenha todos os objetos perigosos fora de alcance do bebê)

♦ entender um "não" (mas nem sempre obedecê-lo)

**... provavelmente, será capaz de:**

♦ brincar de bater palmas ou dar tchau

♦ andar se segurando nos móveis

♦ apontar ou fazer gestos para alguma coisa para conseguir ajuda para pegá-la

**... pode ser capaz de:**

♦ pegar pequenos objetos com as pontas do polegar e dedo indicador (novamente, mantenha todos os objetos perigosos fora de alcance do bebê)

♦ ficar em pé momentaneamente

♦ dizer "pa-pá" ou "ma-mã" indiscriminadamente

♦ dizer outra palavra além de "ma-mã" ou "pa-pá"

**... pode até ser capaz de:**

♦ ficar em pé sozinho bem

♦ indicar o que quer de outras maneiras além de chorando

♦ "brincar de bola" (rolar a bola de volta para você)

♦ beber sozinho de um copinho

♦ usar jargão imaturo (bobagens que fazem parecer com que o bebê esteja falando em uma língua estrangeira inventada)

♦ dizer três ou mais palavras além de "ma-mã" ou "pa-pá"

♦ responder a comandos simples com gestos ("me dê isso", dito com a mão estendida)

# O Que Você Pode Esperar do *Check-up* deste Mês

A maioria dos médicos não marca *check-ups* para bebês saudáveis neste mês — novamente, ótimo, já que os bebês nesta idade não gostam de ficar quietos, o que é necessário durante a visita ao médico. Aqueles com ansiedade em relação a estranhos também podem não apreciar o médico, mesmo que ele seja muito carinhoso e amigo. Procure o médico se houver alguma preocupação que não possa esperar até a próxima consulta.

# Como Alimentar seu Bebê:
## DESMAMANDO DA MAMADEIRA

Pergunte à maioria dos pediatras quando um bebê deve ser desmamado da mamadeira e a maioria dirá que é por volta do primeiro ano — e definitivamente não depois dos 18 meses. Pergunte à maioria dos pais quando eles realmente desmamaram seus bebês da mamadeira e a maioria dirá... muito depois disso. Existe uma série de razões por que os pais (e os bebês) mantêm a mamadeira por mais tempo do que os médicos recomendam, e estes motivos variam entre conveniência para os pais, conforto para o bebê, menos confusão para todos os envolvidos. Acrescente-se a isto uma dose de cansaço dos pais e a dependência infantil e não é de se admirar que milhões de crianças entre 2 e 3 anos de idade ainda não tenham se livrado do hábito de tomar mamadeira.

Mas aqui está o recado sobre as mamadeiras a que a maioria dos especialistas gostaria que os pais dessem atenção: desmamar ao primeiro ano de vida ou logo após o primeiro aniversário é melhor para o bebê. E existem ótimos motivos para isso. Primeiro, como muitos dos outros objetos de ligação da infância (como a chupeta, ser ninado para dormir etc.), os velhos hábitos são difíceis de abandonar. E quanto mais velho o hábito (e o bebê), mais difícil é abandoná-lo. Tirar a mamadeira de uma criança de 1 ano de idade, razoavelmente flexível, é como tirar doce de criança comparado com a luta que é tirar a mamadeira de uma criança de 2 anos de idade.

Segundo, quando uma criança mais velha usa mamadeira, ela corre o risco de desenvolver problemas de dentição devido à amamentação com a mamadeira e não apenas porque está na fase de perder os dentes. Embora um bebê geralmente seja alimentado nos braços dos pais — e a mamadeira seja retirada quando a amamentação termina —, uma criança que já sabe andar com frequência carrega a mamadeira para onde quer que vá. Este hábito de tomar mamadeira e chupar o bico o dia inteiro permite que o leite ou o suco envolvam o dente em açúcar, o que tem como possíveis resultados cáries no futuro.

Terceiro, as crianças que já andam e que ainda tomam mamadeira acabam bebendo mais suco ou leite do que deveriam, enchendo-se de líquido demais e ingerindo poucos sólidos. Estas crianças têm hábitos alimentares estranhos (o que não é de se surpreender, já que seus estômagos estão sempre cheios de suco e leite), e podem acabar perdendo nutrientes importantes. Se a mamadeira está cheia de suco — especialmente suco de maçã — eles podem acabar com uma diarreia crônica.

E se você ainda não estiver convencida de trocar para um copinho no próximo mês ou dois, leve em conta estas desvantagens de desenvolvimento: uma criança que caminha constantemente mamando e chupando a mamadeira só tem uma das mãos livres para brincar e explorar e uma boca cheia demais para falar.

Se seu bebê ainda não tiver sido introduzido ao uso do copinho, veja as dicas de como começar na página 472. Embora introduzir o copinho seja relativamente fácil — apesar de confuso — fazer com que o seu bebê desista completamente da mamadeira e passe a ingerir líquidos do copinho é um pouco mais desafiador. Para tornar a transição da mamadeira para o copinho um pouco mais suave, siga as seguintes sugestões:

**Faça no tempo certo.** Não desmame o bebê da mamadeira se ele estiver doente, muito cansado ou com fome. Um bebê irritado não vai aceitar suas tentativas de desmamá-lo. Espere até que o bebê esteja bem novamente depois de uma grande mudança, uma nova babá ou qualquer outra época estressante.

**Vá devagar.** A menos que você esteja planejando fazer o bebê largar o hábito da mamadeira abruptamente — uma técnica mais adequada a uma criança mais velha ou em idade escolar cuja ajuda pode ser convocada — a melhor maneira de fazer a transição entre a mamadeira e o copinho é fazer o bebê passar lentamente por isso. Aqui estão algumas maneiras:

♦ Retire uma sessão de amamentação com a mamadeira por vez e substitua-a pelo copinho. Espere alguns dias ou uma semana antes de substituir a próxima pelo copinho. A mamadeira do meio do dia será a mais fácil de ser cortada primeiro. As da manhã e da hora de dormir são geralmente mais difíceis de largar.

♦ Coloque menos fórmula ou leite (fórmula para bebês abaixo de 1 ano, leite integral para aqueles com mais de 1 ano) em cada mamadeira do que o seu bebê normalmente toma e termine cada mamada com o copinho. Diminua lentamente a quantidade de fórmula ou leite na mamadeira enquanto aumenta a quantidade de fórmula no copinho.

♦ Sirva apenas água na mamadeira, começando com uma amamentação por vez. Deixe o leite, a fórmula ou o suco para o copinho. Seu bebê vai achar que as mamadeiras não valem mais a pena. Mas certifique-se de que o bebê esteja ingerindo a quantidade suficiente de fórmula ou leite ou de outras formas de cálcio através dos alimentos.

**Mantenha-a fora de vista.** Longe dos olhos, longe do coração — provavelmente. Manter a mamadeira longe do seu bebê (durante a amamentação você a estará substituindo pelo copinho) tornará esta necessidade menor. Esconda-a no armário da cozinha, coloque-a em uma prateleira alta e, quando você já estiver na última amamentação e pronta para deixá-la de lado, jogue-a fora. Ao mesmo tempo certifique-se de que o bebê veja com frequência o copinho dele pela casa — na geladeira, na pia da cozinha, na mesa do jantar.

**Motive-o.** Dê ao seu bebê copinhos com cores chamativas, enfeitados com os personagens favoritos dele, ou transparentes para que ele possa ver o líquido dentro do copinho — um tipo de copo que torne o uso mais interessante.

**Espere pela bagunça.** A menos que você esteja usando um copinho com tampa (que não deve ser usado neste momento; veja o quadro na página 474) deve esperar muitos acidentes molhados até que seu bebê domine a técnica de beber com o copinho. Permita que seu bebê experimente (sozinho) — e proteja o chão, as paredes e você mesma com jornais, aventais e toalhas. Não fique tentada a tirar o copinho da mão dele e dar você mesma para evitar a bagunça. A mamadeira estava sob controle do seu bebê; o copinho também precisa estar.

**Espere menos.** Isto é, menos leite. Espere que o seu bebê tome menos fórmula ou leite durante o processo de desmame. Depois que ele se acostumar a tomar líquidos do copinho, a quantidade que consome aumentará.

**Dê o exemplo.** Os bebês nesta idade adoram imitar os adultos (especialmente os adultos que eles amam). Tire vantagem desta vontade de imitar e beba de um copo junto com o bebê (ou dê esta tarefa aos irmãos mais velhos).

**Seja positiva.** Toda vez que o bebê usar o copinho, aplique um reforço positivo. Bata palmas quando o bebê segurar o copinho (mesmo que ele não beba). Comemore quando o bebê tomar um gole.

**Seja paciente.** Assim como Roma, desmamar da mamadeira não será conquistada em um dia. Dê a ele várias semanas ou até um mês ou dois para que o processo se complete. Os primeiros dias serão difíceis, mas como a maioria das coisas na criação dos filhos, seja persistente (não desista e entregue a mamadeira ao bebê) e dê a ele algum tempo para uma transição mais suave. Se levar mais tempo pelo fato de seu filho ser realmente ligado à mamadeira, não deixe de tentar. Não há problema em levar mais tempo — desde que o objetivo seja atingido.

**Dê mais amor.** Para muitos bebês, a mamadeira dá não só nutrição, mas também conforto. À medida que você limitar a quantidade de tempo que o bebê ficar com a mamadeira, esteja prepara-da para enchê-lo de muitos abraços, muitas sessões de brincadeira, uma história extra na hora de dormir no seu colo, ou outro animal de pelúcia para ajudar o bebê a se sentir seguro e confortável.

# As Preocupações Comuns

## PERNAS ARQUEADAS

*"Minha filha começou a andar e parece ter as pernas arqueadas."*

Pernas arqueadas até os 2 anos, joelhos em X até os 4, as pernas de uma criança pequena certamente não darão a ela uma carreira de supermodelo. Mas até as pernas graciosas das passarelas foram, provavelmente, arqueadas quando deram seus primeiros passos. Quase todas as crianças têm pernas arqueadas (seus joelhos não se tocam quando do elas ficam em pé com os pés juntos) durante os primeiros 2 anos de vida. Depois disto, à medida que passam mais tempo caminhando, elas ficam com os joelhos em X (os joelhos se encontram, mas os tornozelos não). Só com a chegada da puberdade é que os joelhos e tornozelos se alinham e as pernas parecem se endireitar. Sapatos especiais ou aparelhos ortóticos (barras, aparelhos e outros equipamentos ortopédicos) não são necessários e não fazem diferença nesta progressão normal.

Ocasionalmente um médico notará uma verdadeira anomalia nas pernas da criança. Talvez apenas uma perna esteja arqueada ou apenas um joelho esteja virado para dentro, ou talvez o bebê tenha os joelhos em X (embora às vezes o bebê só pareça ter os joelhos assim porque tem as coxas muito gordinhas), ou o arqueamento normal torna-se progressivamente mais pronunciado quando o bebê começa a andar. Nestes casos, ou se houver um histórico de pernas arqueadas ou joelhos em X na família, o bebê pode precisar de outra avaliação pelo pediatra ou por um ortopedista pediátrico. Dependendo do caso, pode ser recomendado ou não um tratamento. Felizmente o raquitismo, uma das causas mais comuns de pernas arqueadas permanentes, é bastante raro hoje em dia graças à fortificação com vitamina D da fórmula, do leite e de outros produtos derivados do leite.

## NUDEZ DOS PAIS

*"Às vezes me visto na frente do meu bebê, mas estou começando a me perguntar por quanto tempo devo deixá-lo me ver nua."*

Você tem algum tempo antes de começar a se esconder atrás de portas fechadas para se vestir ou tirar a sua roupa. Os especialistas concordam que até os anos da pré-escola a nudez dos pais não afeta a criança de maneira nenhuma (entretanto, após os 3 ou 4 anos de idade, o consenso muda. Neste ponto, como acreditam alguns, pode ser menos saudável para as crianças verem os pais do sexo oposto completamente nus). Certamente, um bebê de menos de 1 ano é novo demais para ser estimulado ao ver a mãe sem roupa (embora um bebê que ainda mame no peito possa ficar com água na boca diante da visão da sua máquina de leite favorita). Ele também é novo demais para se lembrar, anos mais tarde, do que ele viu. Na verdade é improvável que ele repare em algo especial na roupa com a qual a sua mãe veio ao mundo tanto quanto é capaz de reparar no melhor vestido, e provavelmente vai ignorar o fato.

Se seu bebê ficar curioso com o que vir e quiser tocar seus pelos pubianos ou puxar os bicos dos seus seios, sinta-se à vontade para acabar com qualquer exploração que a incomode. Seja firme, mas não faça estardalhaço. O interesse dele nas partes íntimas do seu corpo é, no final das contas, o mesmo que ele tem por suas partes públicas, como seu nariz e as orelhas (embora ele possa ficar ainda mais fascinado com as partes íntimas porque, normalmente, elas são mantidas cobertas). "Isto é da mamãe" é uma resposta que vai ajudar um bebê a começar a entender o conceito de privacidade do corpo e o ajudará a manter as partes íntimas dele privadas também — mas não vai gerar culpa.

O mesmo, evidentemente, é válido a uma menina e seu pai — a nudez agora não é uma questão importante (embora escondê-la não seja um problema também).

## QUEDAS

*"Eu me sinto como se estivesse à beira de um desastre desde que o meu menininho começou a andar. Ele tropeça nos próprios pés, bate com a cabeça nos cantos das mesas, cai das cadeiras..."*

Esta é uma idade a que muitos pais temem que nem eles nem os bebês sobrevivam. Lábios cortados, olhos roxos, trombadas, pancadas, manchas roxas e inúmeros acidentes quase fatais acontecem com o bebê. Nervos em frangalhos e batimentos cardíacos acelerados para o papai e a mamãe.

Ainda assim os bebês querem mais. E isto é bom também, ou eles nunca aprenderiam a se virar sozinhos — ou na verdade não aprenderiam nada. Embora andar a cavalo possa ser aprendido na idade adequada, com apenas sete quedas o domínio do ato de andar e subir precisa de muito mais — com sete ou mais quedas sendo bastante comuns no espaço de uma única manhã. Algumas crianças aprendem a ter cuidado muito rapidamente. Depois da primeira cabeçada na mesinha de centro, elas se retraem por alguns dias e depois prosseguem mais cuidadosamente. Outras (aquelas que provavelmente gostarão de viver perigosamente, para desgosto dos pais) parecem que nunca vão aprender a ter cuidado, nunca vão conhecer o medo, nunca vão sentir dor; cinco minutos depois da décima cabeçada, voltarão para a de número onze.

Aprender a andar é uma questão de tentativa e erro ou, mais adequadamente, de dar um passo e cair. Você não pode e não deve tentar interferir no processo de aprendizagem. Seu papel, além daquele de expectadora orgulhosa, mas nervosa, é fazer o possível para garantir que o bebê, quando cair, caia de modo seguro. Embora levar um tombo no tapete da sala possa ferir o ego dele, cair da escada pode machucar muito mais. Dar uma topada na ponta arredondada do sofá pode arrancar algumas lágrimas, mas chocar-se com a ponta afiada de uma mesa de vidro pode tirar sangue. Para diminuir o risco de ferimentos graves, certifique-se de que sua casa é segura para o bebê (ver página 575). E mesmo que você retire os perigos mais óbvios do caminho do bebê, lembre-se de que a característica de segurança mais importante na sua casa é você (ou quem quer que esteja tomando conta da criança). Embora seu filho precise de muita liberdade para explorar o mundo em volta dele, isto só deve ser permitido sob a supervisão próxima e constante de um adulto.

No entanto, mesmo no mais cioso dos lares, podem acontecer ferimentos graves. Esteja preparada para esta possibilidade, sabendo o que fazer no caso de um deles ocorrer; faça um curso de ressuscitação de bebês e aprenda os procedimentos de primeiros socorros na página 803 (eles estão nas páginas assinaladas com margens escuras, para consulta rápida).

A reação dos pais com frequência afeta a resposta do bebê aos acidentes. Se cada queda fizer com que adultos em pânico corram em seu socorro, perguntando "Você está bem? Você está bem?" com sobressaltos e arrepios, seu soldado caído provavelmente reagirá com o mesmo estardalhaço — derramando lágrimas quando ele estiver machucado da mesma forma que vai derramar quando realmente estiver ferido — e pode em breve ficar cauteloso demais ou perder o senso de aventura, talvez até a ponto de hesitar em tentar vencer obstáculos normais do seu desenvolvimento físico. Se, por outro lado, a reação do adulto é calma, "Opa, você caiu! Está tudo bem. Levante-se", então a criança provavelmente será um verdadeiro acrobata, dando pequenos tropeções ao dar um passo largo e se levantando sem perder o ritmo.

## AINDA NÃO SE LEVANTA

*"Embora venha tentando há muito tempo, minha filha ainda não consegue se levantar e ficar em pé. Estou preocupada que ela não esteja se desenvolvendo normalmente."*

Para os bebês, a vida é uma série infinita de desafios físicos (emocionais e intelectuais). As habilidades que os adultos consideram normais — rolar, sentar, levantar-se — são para eles grandes obstáculos que devem ser enfrentados e escalados com um esforço que não é pequeno. E tão logo um desafio seja vencido, aparece outro logo em seguida.

No que se refere a levantar-se, existem bebês que vão dominar esta habilidade já aos 5 meses de idade e os que terão que esperar até depois do primeiro aniversário, embora a maioria fique (ou melhor, fique em pé) entre estes dois extremos no desenvolvimento. O peso de um bebê pode ter um impacto quando ele se levanta pela primeira vez; um bebê mais pesado tem muito mais bagagem para carregar do que um bebê leve, portanto o esforço precisa ser maior. Por outro lado, um bebê forte e com boa coordenação pode ser capaz de levantar-se, independente de seu peso. O bebê que fica confinado em um carrinho, um *sling* ou fica no chiqueirinho a maior parte do dia não será capaz de praticar para poder se levantar. O bebê também não vai querer praticar se em volta dele só existirem móveis frágeis que balancem a cada tentativa que faça de se apoiar neles. Sapatos ou meias escorregadias também podem prejudicar os esforços de se levantar e podem provocar quedas que minem o entusiasmo pela atividade — pés descalços ou meias com solados antiderrapantes dão ao bebê um equilíbrio melhor. Você pode incentivar sua filha a tentar se levantar colocando o brinquedo favorito dela em lugares que ela precise ficar em pé para pegá-lo. Também pode ajudá-la a ficar em pé no seu colo frequentemente, o que vai fortalecer tanto os músculos das pernas quanto a confiança dela.

A média de idade para passar pelo marco de erguer-se é 9 meses — e a maioria, mas certamente nem todas as crianças, consegue realizar esta habilidade até os 12 meses. É claro que é uma boa ideia verificar com o pediatra caso sua filha ainda não tenha conseguido se

levantar na época do primeiro aniversário, apenas para afastar a possibilidade de um problema. Neste momento, tudo o que você precisa é se sentar e esperar que ela se levante — no momento dela. As crianças ganham confiança quando podem progredir na velocidade delas e quando descobrem: "eu sei fazer sozinha". Tentar forçar uma criança a ficar em pé ou andar antes que esteja pronta pode fazer com que ela regrida em vez de progredir.

## DANOS NOS DENTES DO BEBÊ

*"Meu filho caiu e quebrou um dos dentes de leite. Devo levá-lo ao dentista?"*

Já que aquelas perolazinhas brancas vão cair um dia, de qualquer maneira, para dar espaço a dentes permanentes, um dente de leite quebrado em geral não é motivo de preocupação — e é bastante comum, considerando o número de tropeções que um típico bebê inexperiente dá durante um dia. Ainda assim, é uma boa ideia assegurar-se de que você não está lidando com nada além da aparência física. Primeiro, verifique rapidamente o dente. Se houver pontas afiadas, ligue para o dentista quando tiver oportunidade. Ele vai querer aparar a ponta, consertar com uma coroa ou fazer um preenchimento plástico. Entretanto, ligue para o dentista imediatamente se parecer que o bebê está sentindo dor (mesmo que seja dias depois), se o dente parece ter mudado de posição ou estar infeccionado (gengivas inchadas são o sinal para isso), ou se você vir uma mancha rosa no centro do dente quebrado. Qualquer um destes sintomas pode indicar que a fratura chegou ao nervo. Neste caso, o dentista vai precisar determinar — tirando raios X — se o dente deve ser extraído ou se é necessário um tratamento no nervo (canal da raiz do dente do bebê). Um dano ao nervo, se não for tratado, pode prejudicar o dente permanente que já está se formando na boca do bebê. Seja como for, procure sorrir — haverá a oportunidade de muitos outros tropeções na vida do bebê.

## COLESTEROL NA DIETA DO BEBÊ

*"Minha mulher e eu temos bastante cuidado com o colesterol na nossa dieta, mas quando perguntamos ao pediatra se deveríamos começar a dar leite desnatado ao nosso filho a partir de 1 ano de idade, ele disse não, só leite integral. Isto significa que nós não temos que nos preocupar com o colesterol dele?"*

Uma criança no seu primeiro e segundo ano de vida está em uma situação invejável — pelo menos do ponto de vista dos pais, que sentem falta do *bacon* com ovos que comiam todos os dias. A gordura e o colesterol não só não são prejudiciais à saúde do bebê, mas acredita-se que sejam essenciais para o crescimento adequado e para o desen-

volvimento do cérebro e do resto do sistema nervoso.

Ainda assim, embora você deva planejar incluir leite integral e derivados do leite integral (inclusive iogurte e queijos integrais) na dieta do bebê até o segundo aniversário dele, é aconselhável também tomar medidas para ajudar a assegurar que ele tenha um futuro cardiovascular mais saudável, fazendo com que ele adquira hábitos alimentares para um coração saudável agora:

**Não dê manteiga ao bebê.** Se o bebê está acostumado com pães, panquecas, vegetais, peixe e outros alimentos cozidos e servidos sem manteiga ou margarina agora, não vai querer o gosto da manteiga posteriormente. E se, quando ele for mais velho, quiser passar manteiga no pão dele, o mínimo será o máximo. (Para manter baixo o colesterol da família quando for comprar margarina, escolha aquelas que são pobres em ácidos graxos; geralmente margarinas em potes são mais saudáveis do que as em tablete).

**Desista da fritura.** Alimentos fritos não devem ser uma parte regular da dieta de ninguém. Sirva ou peça batatas assadas em vez de batatas fritas para o bebê, grelhe o peito de frango ou cozinhe os nuggets em vez de fritá-los. Faça o mesmo com os peixes, fritando-os em uma frigideira antiaderente ou cozinhando-o no forno. Quando você cozinha com gordura, opte por aquelas ricas em poli-insaturados, como azeite, óleo de canola, açafrão, girassol, milho ou óleo de soja em vez das gorduras saturadas, como óleo de coco ou de palmeira, gordura vegetal hidrogenada ou gorduras animais.

**Saiba escolher as proteínas.** A carne vermelha é ótima para o bebê (e na verdade é uma boa fonte de ferro). Mas também é importante para o seu filho comer fontes de proteína que tenham pouco colesterol e gordura (como peixe, aves sem pele, feijões e ervilhas e tofu) — para que ele não cresça sem comer nada além de hambúrguer. Evitar carne vermelha totalmente é bom, mas certifique-se de que seu bebê tenha outras fontes de ferro na dieta. Os ovos são uma grande fonte de proteína para o bebê; escolha ovos ricos em ômega 3, que fornecem ácidos graxos que ajudam no desenvolvimento do cérebro e são bons para o coração também.

**Dê preferência ao peixe.** Não existe comida melhor para o coração do que o peixe, especialmente aquelas variedades que têm grandes quantidades de ácidos graxos ômega 3 (como o salmão e a sardinha) — o que torna o peixe um bom hábito para se ter desde o início. Introduza uma grande variedade de peixes frescos, em especial aqueles que têm um sabor suave e agradável e uma textura facilmente mastigável. (Alguns peixes são melhores para os bebês do que outros, e alguns devem ser evitados totalmente devido à contaminação por mercúrio; veja na página 494.) Procure cuidadosamente as espinhas no peixe quando for servi-lo ao bebê.

**Verifique o rótulo.** A maior parte da gordura e do colesterol da dieta, tanto de adultos quanto de crianças, está escondida em alimentos prontos. Batatas fritas e outros lanches são a fonte principal de gordura para os americanos, além dos bolos e folhados. Para evitar gorduras prejudiciais à saúde escondidas em alimentos, leia os rótulos cuidadosamente. Procure produtos feitos sem gordura ou sem gorduras ou óleos saturados.

**Devagar com os lanches de *fast-food*.** Eles podem ser gostosos, mas a maioria é rica em gordura, colesterol e sódio e pobre em nutrientes importantes e fibras. Eles também podem ser bastante viciantes. Não servir *fast-foods* ao seu bebê agora fará com que ele não fique viciado nestes alimentos em uma idade precoce. Outro motivo para evitá-los: a maioria não é nutricionalmente adequada para os bebês. Embora os hambúrgueres preparados em casa sejam bons, as variedades servidas em lanchonetes geralmente contêm sódio demais. O mesmo se aplica a nuggets de frango, o favorito das crianças em idade pré-escolar; será melhor para o bebê comer os hambúrgueres caseiros (feitos no forno) ou as marcas integrais compradas no mercado. O mesmo vale para as batatas fritas; não há necessidade de servi-las ao bebê tão cedo na vida, especialmente porque elas estão cheias de sal e de gorduras não saudáveis. Se você vai à lanchonete com a família, faça isto com pouca frequência e escolha o que comer cuidadosamente. As boas opções para o bebê incluem frango grelhado e batatas assadas sem recheio.

## MUDANÇAS NO CRESCIMENTO

*"A pediatra me disse que meu filho caiu de 90% a 50% em altura. Ela disse que eu não me preocupasse, mas isso parece uma grande queda."*

Os bebês e crianças saudáveis têm todos os tamanhos. Quando o médico avalia o progresso de uma criança, olha mais para a curva de crescimento. A altura e o peso estão mantendo um ritmo de aumento razoavelmente parecido? O bebê está passando por marcos de desenvolvimento (sentando e se levantando, por exemplo) no tempo certo? Ele está ativo e alerta? Ele parece feliz? Ele parece se relacionar bem com os pais? O cabelo e a pele têm uma aparência saudável? Aparentemente a médica está satisfeita com a maneira como seu bebê está crescendo e se desenvolvendo e, a não ser que você tenha algum motivo (além desta diminuição na altura) para acreditar que algo está faltando, você deve tirar suas conclusões desta avaliação. A razão mais comum para esta mudança de crescimento, neste momento, é que um bebê que nasceu grande está chegando perto de seu tamanho geneticamente determinado. Se ambos os pais não são muito altos, você não deve esperar que o seu filho fique nos 90% — provavelmente ele não vai ficar. No entanto, a altura não é herdada através de um único gene. Assim, uma criança cujo pai tem 1,82m e a mãe 1,52m provavelmente não vai chegar à fase adulta exatamente da mesma altura que um ou outro. Provavelmente vai ficar no meio. (No entanto, cada geração é, em média, um pouco mais alta do que a anterior.)

Ocasionalmente o que parece ser uma mudança repentina de crescimento é apenas o resultado de um erro de medição — feito na última consulta ou na anterior. Em geral os bebês são medidos enquanto estão deitados, e um bebê que se mexe bastante pode facilmente gerar resultados incorretos. Quando uma criança começa a ser medida em pé, ela pode na verdade parecer ter perdido um pouco de altura porque os ossos se acomodam quando ela fica em pé.

Manter um diário da saúde do bebê é importante, portanto anote as estatísticas do seu bebê a cada *check-up*. Depois se esforce para não se esquecer delas. Como você vai perceber em breve, as crianças crescem muito rapidamente.

# O Que É Importante Saber:
# AJUDANDO O BEBÊ A FALAR

Você passou por muita coisa, bebê. De um recém-nascido cuja única forma de comunicação era o choro e que não entendia nada além das suas necessidades primárias; para um bebê de 6 meses que estava começando a articular sons, compreender palavras e expressar raiva, frustração e felicidade; para um bebê de 8 meses que era capaz de transmitir mensagens através de sons e gestos primários, e agora para um bebê de 11 meses que já pronunciou ou em breve vai pronunciar as suas primeiras palavras de verdade. E ainda assim, com todas as realizações já deixadas para trás pelo bebê, há ainda muito mais crescimento por vir. Nos meses que se seguirão, a compreensão do seu bebê aumentará em um ritmo incrível; com cerca de 1 ano e meio, haverá uma drástica expansão no número de palavras faladas.

Aqui estão algumas maneiras de ajudar o desenvolvimento da linguagem do bebê:

**Etiquete, etiquete, etiquete.** Tudo no mundo do seu bebê tem um nome — use-o. Verbalize os objetos no ambiente do bebê (banheira, vaso sanitário, pia da cozinha, fogão, berço, lâmpadas, cadeira, poltrona etc.); brinque de "olhos-nariz-boca" (pegue a mão do bebê e toque os seus olhos, o seu nariz e a sua boca, beijando a mão dele no final) e aponte outras partes do corpo; aponte os pássaros, cachorros, árvores, folhas, carros, caminhões e carros de bombeiros quando você estiver passeando. Não se esqueça das pessoas — aponte as mamães, papais, bebês, mulheres, homens, meninas e meninos. Ou o bebê — use o nome dele com frequência para ajudar a desenvolver uma noção de identidade.

**Ouça, ouça, ouça.** Tão importante quanto o que você fala para o seu bebê é o quanto você deixa o bebê falar com você. Mesmo que você não consiga identificar nenhuma palavra ainda, ouça-o e responda: "Ah, isto é muito interessante!", ou "É mesmo?" Quando fizer uma pergunta, espere por uma resposta, mesmo que seja apenas um sorriso, um gesto ou algo indecifrável. Faça um esforço concentrado para entender as palavras que o bebê tenta dizer; muitas "primeiras palavras" são tão mal interpretadas que os pais não as percebem. Tente combinar as palavras irreconhecíveis do bebê com os objetos que elas podem representar; elas podem nem mesmo soar corretamente e ainda assim, se a criança usar a mesma "palavra" para o mesmo objeto repetidamente, ela está valendo. Quando você tiver problemas para traduzir o que o seu bebê está pedindo, aponte para os possíveis candidatos ("você quer a bola? A mamadeira? O quebra-cabeça?") dando a ele a chance de dizer a você se acertou. Haverá frustração em ambos os lados até que os pedidos do bebê se tornem mais inteligíveis, mas se você continuar tentando agir como intérprete, isto vai ajudar a acelerar o desenvolvimento da linguagem e dará ao bebê a satisfação de ser entendido.

**Concentre-se nos conceitos.** Tanto já foi feito e tanto ainda há para o bebê aprender. Aqui estão alguns conceitos que podem ajudar o bebê a se desenvolver; você pode pensar em muitos mais. Certifique-se de dizer cada palavra para o conceito ao mesmo tempo em que você e o bebê o representam.

◆ Quente e frio: deixe o bebê tocar a parte de fora de uma xícara de café quente, depois um cubo de gelo; água fria e depois água morna; aveia quente e depois leite gelado.

◆ Para cima e para baixo: levante gentilmente o bebê no ar e depois o abaixe até o chão; coloque um bloco no gaveteiro, depois o coloque no chão; ponha o seu bebê no alto do escorrega, depois na parte baixa.

◆ Dentro e fora: coloque blocos em uma caixa ou balde, jogue-os para fora; faça o mesmo com outros objetos.

◆ Vazio e cheio: mostre ao bebê um recipiente cheio com a água do banho, depois o esvazie. Um balde cheio de areia, depois um balde vazio.

◆ Levantar e sentar: segure a mão do bebê, levante-se junto com ele, depois sente-se junto com ele (para ajudar neste conceito, você pode cantar uma música).

◆ Molhado e seco: compare um pano molhado com uma toalha seca; o cabelo molhado do bebê com o seu cabelo seco.

◆ Grande e pequeno: coloque uma bola grande perto de uma pequena; mostre ao bebê que o "papai (ou a mamãe) é grande e o bebê é pequeno" em um espelho.

**Explique a causa e efeito e o meio ambiente.** "O sol é brilhante para que nós possamos ter luz." "A geladeira mantém a comida gelada para que ela possa ficar gostosa e fresca." "A mamãe usa uma escova pequena para escovar os seus dentes, uma escova média para escovar os seus cabelos e uma escova grande para escovar o chão." "Virando o interruptor na parede para cima, a sala fica clara, virando para baixo, ela fica escura." E assim por diante. E uma consciência expandida e um entendimento daquilo que o cerca, bem como a sensibilidade de outras pessoas, as necessidades e sentimentos delas são um passo muito mais importante no eventual domínio da linguagem e da leitura pelo bebê do que aprender como um papagaio a repetir um monte de palavras sem sentido.

**Faça-o tomar conhecimento das cores.** Comece identificando as cores, quando for adequado. "Está vendo, este balão é vermelho, igual à cor da sua blusa", ou "Aquele caminhão é verde; o seu carrinho é verde também", ou "Olhe aquelas lindas flores amarelas". Entretanto, tenha em mente que a maioria das crianças só "aprende" as cores por volta dos 3 anos de idade.

**Use linguagem dupla.** Use frases adultas e depois traduza-as para a linguagem do bebê: "Agora você e eu vamos sair para passear. Papai e Jonas já vão, tchau." "Oh, você terminou o seu lanche. Pedro fez tudo sumir." Falar duas vezes vai ajudar o seu bebê a entender duas vezes mais.

**Não fale como um bebê.** Usar linguagem adulta simplificada, em vez da fala de bebês, vai ajudar o bebê a aprender a falar corretamente mais rápido: "Bruninha quer mamadeira?" é melhor do que dizer "Bebê quer mamá?" Formas como "totó" e "bonequinha" podem ser usadas com as crianças pequenas — elas são naturalmente mais atraentes.

**Introduza os pronomes.** Embora seu bebê provavelmente não vá usar os pronomes corretamente por um ano ou mais, o final do primeiro ano é uma boa época para começar a desenvolver a familiaridade com eles usando-os com os nomes. "Papai vai preparar o café da manhã do Daniel — Eu vou preparar alguma coisa para você comer." "Este livro é da mamãe — é meu — e este livro é da Olívia — é seu." Isto também ensina o conceito de posse.

**Force o bebê a responder.** Use qualquer truque para fazer o bebê responder, seja por palavras ou gestos. Apresente opções: "Você quer pão ou biscoito?" ou "Quer usar o pijama do Mickey ou o que tem aviões?", e depois dê ao bebê a chance de apontar ou verbalizar indicando a escolha dele, que deve então ser nomeada. Faça perguntas: "Você está cansado?" "Você quer um lanchinho?" "Quer ir no balanço?" Um balançar de cabeça provavelmente vai preceder um sim ou não verbalizado, mas ainda assim representa uma resposta. Peça ajuda ao bebê para localizar objetos (mesmo que eles não estejam realmente perdidos): "Você sabe onde está a bola?"

Dê ao bebê bastante tempo para encontrar o item e recompense-o com entusiasmo. Até somente olhar na direção certa deve contar — "Isto mesmo, lá está a bola!"

**Nunca force um assunto.** Incentive seu bebê a conversar, dizendo, "Diga à mamãe o que você quer" quando ele usar a comunicação não verbal (apontar ou outros sinais, grunhir) para indicar uma necessidade. Se o bebê grunhir ou apontar novamente, proponha alternativas; por exemplo, "Você quer o urso ou o cachorro?" Se você ainda obtiver uma resposta não verbal, dê nome ao item, "Ah, é o cachorro que você quer", e depois dê o objeto a ele. Nunca segure alguma coisa porque o seu filho não sabe perguntar o nome ou porque ele pronunciou o nome incorretamente. Um dia haverá mais respostas verbais que não verbais.

**Mantenha as instruções simples.** Em algum momento por volta do primeiro aniversário (com frequência antes), a maioria dos bebês que estão aprendendo a andar pode começar a seguir comandos simples, mas somente um de cada vez. Em vez de "Por favor, pegue a colher e me dê", experimente dizer: "Por favor, pegue a colher", e depois que isto tiver sido feito, acrescente: "Agora, por favor dê a colher para o papai." Você também pode ajudar seu bebê a apreciar o sucesso precoce ao seguir comandos que ele realizaria de qualquer maneira. Se, por exemplo, o bebê está tentando pegar um biscoito, diga: "Pegue o biscoito." Estas técnicas vão ajudar a desenvolver a compreensão, que deve preceder a fala.

**Corrija cuidadosamente.** Muito raramente uma criança pequena vai dizer uma única palavra da forma correta, e nenhuma dirá tudo com a correção de um adulto. Muitas consoantes podem estar além da capacidade do seu bebê pelos próximos anos ou mais, e as terminações de palavras podem ser omitidas por pelo menos mais alguns meses ("mai lei" pode significar "mais leite" e "qué descê" pode querer dizer "quero descer"). Quando o bebê pronunciar uma palavra incorretamente, não o corrija como se você fosse uma professora — crítica demais pode fazer com que o bebê desista de tentar. Em vez disso, use uma abordagem mais sutil, ensinando sem fazer sermões, para proteger o ego do seu bebê. Quando o bebê olhar para o céu e disser, "lu, tela", responda com: "Isso mesmo, lá estão a lua e as estrelas." Embora pareça adorável, resista à tentação de repeti-las, o que pode confundir (o bebê deve aprender como as palavras devem ser pronunciadas).

**Expanda seu repertório de leitura.** As rimas ainda são as favoritas dos bebês que estão entrando nos anos que precedem os primeiros passos, assim como são os livros com gravuras de animais, veículos, brinquedos e crianças. Algumas crianças estão prontas para histórias muito simples, embora a maioria só vá ter vontade de se sentar para ouvi-las vários meses depois. Mesmo aquelas que estão prontas geralmente não conseguem ficar com o livro nas mãos por mais do que três ou quatro minutos nesta idade — o nível de atenção delas ainda é curto. Você vai prender a atenção dela por mais tempo se tornar a leitura interativa, um processo do qual o bebê possa participar completamente. Pare a leitura para discutir as gravuras ("Olhe, o gato está usando um chapéu!"), peça à criança para apontar objetos familiares (dar nomes a eles acontecerá mais tarde), e dê nomes àqueles que ela nunca viu ou dos quais não consegue se lembrar. Um dia (muito em breve para algumas crianças), sua filha será capaz de completar as últimas palavras da rima ou frases do livro favorito.

**Pense numericamente.** Contar pode ser uma coisa que vai acontecer muito mais tarde para sua filha, mas o conceito de um ou muitos, não. Comentários como: "Tome, você pode comer um biscoito", ou: "Olhe, veja quantos passarinhos estão naquela árvore", ou: "Você tem dois gatinhos" vão começar a inculcar alguns conceitos matemáticos básicos. Conte ou recite: "Um, dois, feijão com arroz" enquanto sobe uma escada com o seu bebê, especialmente se ele souber andar segurando as suas mãos. Cante rimas com números, use os dedos para indicar quantidades, dobrando os dedos e mostrando-os um por um. Integre os números na vida do seu filho: quando você fizer abdominais, conte-os em voz alta de um a dez; quando estiver colocando farinha na massa de biscoito, conte as xícaras uma por uma à medida que as adiciona; quando estiver colocando bananas no cereal do seu bebê, conte as fatias.

**Use sinais.** Muitos pais apreciam usar sinais e movimentos com as mãos em vez de palavras a fim de incentivar a comunicação com os bebês, melhorar o entendimento e até mesmo, como alguns estudos mostram, promover o desenvolvimento da linguagem. Para maiores informações sobre como usar os sinais do bebê, veja a página 559.

◆ ◆ ◆

# CAPÍTULO 16

# O Décimo Segundo Mês

A vida é um jogo para o bebê nesses dias ou, na verdade, devido a uma atenção ainda curta, muitos jogos diferentes podem ser feitos em uma rápida sucessão. Um jogo que ele logo vai querer jogar sempre: derrubar coisas (o bebê finalmente entendeu como deixar objetos caírem), vê-los cair, observar a mamãe ou o papai pegá-los e depois repetir a sequência novamente — de preferência até que as costas dos pais estejam doendo e a paciência deles no limite. Empurrar brinquedos pode se tornar um de seus jogos favoritos; à medida que o bebê luta para dominar a habilidade motora ampla mais desafiadora de todas — andar — esses brinquedos podem proporcionar a segurança de que ele precisa para ficar em pé e por fim colocar um pé na frente do outro. Este mês você pode notar também sinais de que o bebê — por menor e mais engraçadinho que ainda seja — não é mais um bebê. Lenta mas seguramente você vai começar a perceber comportamentos (uma crescente independência, o desaparecimento da negatividade, pirraças, a personalidade cada vez mais forte) que prenunciam o tema do ano que está à frente: Eu Já Sei Andar, Aqui Vou Eu.

# O Que seu Bebê Pode Estar Fazendo

Todos os bebês atingem marcos em seu tempo de desenvolvimento. Se seu filho parece não ter atingido um ou mais destes marcos, fique tranquila, ele provavelmente os atingirá muito em breve. A taxa de desenvolvimento de seu bebê é normal para ele. Tenha em mente, também, que as habilidades que o bebê realiza na posição de bruços só podem ser dominadas se houver oportunidade de praticar. Assim, certifique-se de que o bebê passe um período brincando de bruços sob supervisão. Se você estiver preocupada com o desenvolvimento de seu filho (porque percebeu que ele não atingiu um marco de desenvolvimento ou o que você acha que pode ser um atraso no desenvolvimento), não hesite em verificar com o médico na próxima consulta — mesmo que ele não traga isso à baila. Os pais com frequência percebem nuances no desenvolvimento do bebê que os médicos não veem. Os bebês prematuros geralmente chegam aos marcos mais tarde do que os outros da mesma idade de nascimento, em geral atingindo-os mais perto de sua idade ajustada (a idade que eles teriam se tivessem nascido a termo), e às vezes mais tarde.

**Aos 12 meses, seu bebê... deve ser capaz de:**

- andar se segurando nos móveis

- usar alguns gestos para ter as suas necessidades atendidas

**... provavelmente, será capaz de:**

- brincar de bater palmas ou dar tchau (a maioria das crianças aprende a fazer isto por volta dos 13 meses)

- beber sozinho de um copo com canudinho

- pegar pequenos objetos com as pontas do polegar e dedo indicador (muitos bebês só conseguem fazer isto por volta dos 15 meses; continue a manter todos os objetos perigosos fora do alcance do bebê)

- ficar em pé momentaneamente muitos só fazem isto aos 13 meses)

- dizer "pa-pá" ou "ma-mã" discriminadamente (a maioria vai dizer pelo menos uma destas palavras aos 14 meses)

- dizer outra palavra além de "ma-mã" ou "pa-pá" (muitos só vão dizer a primeira palavra aos 14 meses ou mais)

**... pode ser capaz de:**

- "brincar de bola" (rolar a bola de volta para você; muitos só vão realizar este feito aos 16 meses)

- ficar em pé sozinho bem (muitos só chegam a este ponto aos 14 meses)

- usar jargão imaturo (bobagens que fazem parecer com que o bebê esteja falando em uma língua estrangeira inventada; metade de todos os bebês só começa a fazer isto depois do pri-

# VOCÊ CONHECE SEU BEBÊ MELHOR DO QUE NINGUÉM

Talvez você não tenha um diploma em Desenvolvimento Infantil, mas quando se trata do desenvolvimento do seu filho, até mesmo os especialistas concordam que você é, também, uma *expert*. Diferentemente de um pediatra, que costuma ver o seu bebê uma vez por mês, ou até menos — e que atende, nesse meio tempo, centenas de outros bebês —, você está com seu filho todos os dias. E passa mais tempo interagindo com ele do que qualquer outra pessoa. Com certeza, você percebe nuances de desenvolvimento que outras pessoas podem não ver.

Sempre que estiver preocupada com o desenvolvimento de seu filho — seja porque ele parece estar atrasado em algumas áreas, ou porque alguma habilidade antes conhecida parece ter sido esquecida, ou simplesmente porque você tem a sensação incômoda de que algo não está certo —, não as guarde para si. Especialistas em desenvolvimento infantil acreditam que os pais não apenas são os melhores defensores de seus filhos como, também, podem ser fundamentais na hora de diagnosticar precocemente transtornos de desenvolvimento, como o autismo, por exemplo. O diagnóstico precoce pode levar ao tipo de intervenção antecipada que fará uma enorme diferença no desenvolvimento, a longo prazo, de uma criança com autismo ou quaisquer outros transtornos.

Com o objetivo de auxiliar os pais a melhor ajudarem seus filhos, os médicos destacaram alguns pontos importantes do desenvolvimento da criança a serem verificados nos primeiros doze meses. Espera-se, também, que o pediatra do seu bebê procure por esses sintomas durante os *check-ups*. Porém, se você notar que o seu bebê de 1 ano não troca sons com você, não sorri ou gesticula, não consegue estabelecer ou manter contato visual com você, não aponta ou se utiliza de outros gestos para conseguir o que quer, não gosta de brincadeiras interativas como esconde-esconde ou bater palminhas, não responde quando chamado (a) pelo nome ou não olha quando você aponta para algum lugar, não deixe de avisar seu médico. Pode ser que absolutamente nada esteja errado. Mas qualquer tipo de avaliação posterior ou mesmo a menção dos sintomas a um especialista pode determinar se há ou não razão para se preocupar.

---

meiro aniversário e muitos só quando completem 15 meses de idade)

♦ andar bem (três de quatro bebês não andam bem até os 13 meses e meio, e muitos só consideravelmente mais tarde. Aqueles que engatinham bem podem ser mais lentos para caminhar; quando o desenvolvimento é normal, andar mais tarde raramente é motivo de preocupação)

### ... pode até ser capaz de:

♦ dizer três ou mais palavras além de "mamã" ou "papá" (metade dos bebês só atinge este estágio aos 13 meses e muitos só aos 16 meses)

♦ responder a comandos simples com gestos ("me dê isso", dito sem a mão estendida; a maioria das crianças só atinge este estágio depois do primeiro aniversário, muitos só depois dos 16 meses)

# O Que Você Pode Esperar do *Check-up* deste Mês

Cada profissional vai ter uma abordagem pessoal ao *check-up* de um bebê saudável. A organização geral do exame físico, bem como o número e tipo de técnicas de avaliação usadas e os procedimentos realizados também vão variar de acordo com as necessidades individuais da criança. Mas, em geral, você pode esperar o que se segue do *check-up* quando o bebê tiver 12 meses:

♦ Perguntas sobre como você, o bebê e o resto da família estão se saindo em casa, e sobre os hábitos alimentares, o sono e o progresso geral do bebê.

♦ Medir o peso, comprimento e circunferência da cabeça do bebê e monitorar o progresso dele desde o nascimento.

♦ Exame físico, incluindo uma nova verificação de qualquer problema anterior. Agora que o bebê já sabe ficar em pé, os pés e as pernas serão verificados quando ele estiver em pé, apoiado ou não, e andando, se o bebê já estiver andando.

♦ Um exame para verificar se o bebê tem anemia, se não tiver sido realizado anteriormente.

♦ Avaliação do desenvolvimento. O médico pode colocar o bebê para fazer uma série de "testes" para avaliar sua habilidade de: sentar-se independentemente, de levantar-se e andar se apoiando (ou não), alcançar e agarrar objetos e procurar e pegar pequenos objetos, procurar por um objeto caído ou escondido, responder quando chamado pelo nome, cooperar no ato de se vestir, reconhecer e possivelmente dizer palavras como "mamãe", "papai", "tchau" e "não", e apreciar jogos sociais como bater palma e esconde-esconde, ou pode simplesmente confiar na observação, além de seus relatos, sobre o que o bebê está fazendo.

♦ Vacinas, se não tiverem sido dadas antes, e se o bebê estiver em boa saúde e não houver outras contraindicações. Certifique-se de discutir antes as reações a vacinas anteriores. (Uma vacina contra tuberculose deve ser ministrada apenas se o seu bebê correr alto risco por ter entrado em contato com uma pessoa infectada. Pode ser dada antes ou ao mesmo tempo que a vacina MMR.)

♦ Orientação sobre o que esperar do próximo mês em relação a tópicos

# O DÉCIMO SEGUNDO MÊS

como alimentação, sono, desenvolvimento e segurança.

♦ Recomendações sobre suplementos de flúor, se necessário.

Perguntas que você pode querer fazer, se o médico ainda não as tiver respondido:

♦ Que novos alimentos podem ser introduzidos agora? Quando o trigo, as frutas cítricas, peixe, carnes, tomates, morangos e claras de ovo podem ser introduzidos, se ainda não foram?

♦ Quando você deve pensar em tirar a mamadeira, se ele ainda estiver mamando na mamadeira ou no peito, se ele ainda não foi desmamado? Quando o leite integral deve ser introduzido?

♦ O bebê deve ir ao dentista? Recomenda-se que as crianças visitem o dentista pela primeira vez entre o primeiro e o segundo aniversário (mais cedo, se tiverem o risco de danos nos dentes).

♦ Também fale sobre preocupações que tenham aparecido neste último mês. Anote as informações e instruções do médico. Coloque todas as informações pertinentes (peso do bebê, comprimento, circunferência da cabeça, vacinas, alimentos introduzidos, resultados de exames, doenças, medicamentos dados etc.) em um registro permanente da saúde.

# Como Alimentar seu Bebê:
# DESMAMANDO DO PEITO

Desmamar pode estar prestes a acontecer, ou pode estar meses (ou até anos) à frente. Seja como for, é um grande passo na estrada da independência — um passo que significa que seu filho nunca mais será tão dependente de você para uma refeição (embora você quase certamente anseie pelos muitos anos em que vai ouvir, "Mamãe, estou com fome! O que tem para o jantar?"). Também é um passo tão grande para você quanto é para o seu filho, e um passo para o qual você vai querer estar preparada física e emocionalmente. Para obter apoio e estratégias para lidar com este marco importante, quando ele chegar, continue lendo este livro.

## DESMAMANDO DO PEITO

Como a tarefa de desmamar o bebê parece ser a mais desafiadora de todas que você já enfrentou até agora relacionadas com os cuidados com crianças, pode servir de algum conforto saber que você provavelmente já começou o processo. A primeira vez em que ofereceu ao bebê um gole de um copinho, o bico de uma mamadeira ou uma colherada, você deu um passo adiante no desmame dele. Você vem dando estes passos desde sempre.

Desmamar é um processo que tem basicamente duas fases:

**Fase Um: fazer o bebê se acostumar a se alimentar de outra fonte além de seus seios.** Já que pode levar um mês ou mais para que um bebê que mame no peito se acostume a beber de um copinho (e bastante tempo antes que ele comece a pensar na hipótese de experimentar estes métodos alternativos), é melhor introduzi-los bem antes do tempo que você espera que aconteça o desmame completo.[1] Por isso é uma boa ideia começar a Fase Um de desmame agora, mesmo que você não esteja planejando desmamá-lo antes que ele tenha 1 ano ou mais (como recomendado pelos pediatras).

Quanto mais você esperar para introduzir um substituto para o peito (o copinho é um substituto ideal nesta idade), mais lento e difícil será o processo de desmame. Por isso, quanto mais velho o bebê ficar, maior a oposição que ele fará à troca. Se o bebê for particularmente inflexível na questão do copinho, você pode ter que quebrar a resistência dele:

♦ Deixando-o ficar com fome. A ideia não é deixar o bebê morrer de fome, apenas deixá-lo chegar ao ponto em que a fome enfraquecerá a vontade dele. Tente pular (ou adiar) uma mamada no peito por dia e ofereça o copinho. Já que não haverá alternativa, o bebê pode decidir tomar um gole.

♦ Ficando fora de cena. Como aconteceu quando você estava introduzindo a mamadeira (se você o fez), o bebê provavelmente ficará mais propenso a aceitar o copinho quando não é a mamãe que o está oferecendo.

♦ Variando o conteúdo do copinho. Alguns bebês são mais propensos a beber do copinho se ele contiver o leite da mamãe. Outros são mais abertos a fazer a experiência se ela não lembrar da amamentação no peito. Neste caso, substitua por fórmula (antes de 1 ano) ou um suco diluído em água. Depois do primeiro ano (e com o aval do médico), você pode mudar diretamente para o leite integral de vaca.

♦ Variando os copinhos. Se você vem tentando copinhos comuns, experimente um copo com canudinho. Se você vem tentando com um copo com canudinho, experimente mudar para um copinho comum. Os copinhos decorados com personagens são com certeza muito mais atraentes.

♦ Perseverando. Seja paciente e indiferente (como se você não se importasse se o bebê pegasse o copinho ou não), e dê um tempo. Um dia todas as crianças aprendem a beber do copinho.

**Fase Dois: cortar as mamadas no peito.** Ao contrário de um fumante que quer parar de fumar, ou de um chocólatra que quer largar o chocolate, cortar o leite do peito abruptamente não é o melhor caminho para fazer com que

---

[1]Se você decidir desmamar o bebê do peito *para* a mamadeira, lembre-se de que é uma boa ideia desmamar *da* mamadeira no primeiro ano ou um pouco depois para evitar problemas nos dentes devido ao uso prolongado da mamadeira pelo bebê (ver página 653).

## FICANDO À VONTADE

Com frequência as mães têm mais dificuldade em desmamar do que os próprios bebês — tanto física quanto emocionalmente. O desmame gradual no final do primeiro ano de vida ou depois do primeiro aniversário provavelmente vai evitar qualquer desconforto. Você provavelmente não vai experimentar muito inchaço, se é que terá algum (se tiver, veja as dicas a seguir). Desmamar o bebê lentamente também vai diminuir o impacto emocional sobre você — embora, realisticamente, isto não vá eliminá-lo inteiramente. O desmame, assim como a menstruação, a gravidez, o parto e o período pós-parto é um momento de aumento dos hormônios, e resulta com frequência em uma leve depressão, irritabilidade e alterações no humor. Os sentimentos são com frequência exagerados por uma sensação de perda e tristeza por ter de abandonar esta relação muito especial com o bebê, em particular se você não planeja ter mais filhos. (Em algumas mulheres, a depressão pós-desmame pode ser grave e exigir ajuda profissional imediata; veja na página 939 os sinais de alerta neste caso.)

Se o desmame precisar feito de maneira repentina, especialmente nos primeiros meses, quando o suprimento de leite é mais copioso, o desconforto para a mãe pode ser grande. Inchaço extremo, acompanhado de febre e sintomas parecidos com os da gripe, podem ser o resultado e a probabilidade de ter uma infecção nas mamas e outras complicações é muito maior do que com o desmame gradual. Compressas de água quente e/ou duchas quentes, além de Tylenol, podem aliviar um pouco a dor. Tirar leite suficiente apenas para aliviar o inchaço, mas não tanto para estimular a renovação da produção, também pode ajudar. Verifique com o médico se os sintomas não diminuírem depois de 24 horas.

O desmame repentino também pode ser estressante para o bebê. Se você tiver de desmamar sem qualquer preparação anterior, certifique-se de que o seu filho receba muita atenção, amor e carinho, e tente minimizar outros fatores estressantes na vida dele. Se você precisa ficar fora de casa, peça ao papai, a vovó ou a outro parente, ou para uma babá de confiança, que se lembrem de fazer o mesmo.

Várias semanas após o desmame, seus seios parecem estar totalmente vazios de leite. Mas não se surpreenda se você ainda for capaz de extrair pequenas quantidades de leite meses e até mesmo um ano ou mais depois. Isto é perfeitamente normal. Também é normal que os seios levem algum tempo para voltar ao seu tamanho anterior, com frequência ficando um pouco maiores ou menores. Frequentemente eles ficam menos firmes, devido tanto a fatores hereditários quanto à gravidez e à amamentação.

# O SENTIDO DO LEITE

Pensando em desmamar do peito ou da fórmula no primeiro aniversário do bebê? Não tem certeza de que tipo de leite deve encher aqueles copinhos e mamadeiras quando isto acontecer? Os pediatras recomendam que se dê leite integral — que fornece a gordura e o colesterol que crianças muito pequenas precisam para o desenvolvimento do cérebro e do sistema nervoso até que eles tenham 24 meses de idade. E não é qualquer leite integral que faz isso. Por medida de segurança, escolha apenas o leite pasteurizado (não cru) para o seu filho.

Uma vez que você tenha substituído o leite materno ou as mamadeiras cheias dele pelo copinho, pode também se perguntar como será capaz de saber se o bebê está recebendo leite suficiente. O fato é que a maioria das crianças pequenas, cujos pais oferecem uma grande gama de alimentos saudáveis bem balanceados e que são estimuladas a comer quando têm apetite, acabará, em média, recebendo todos os nutrientes de que precisam, inclusive cálcio. Elas beberão leite suficiente (e/ou comerão alimentos ricos em cálcio) todo dia (ou na maioria dos dias) sem que os pais precisem monitorar cada litro.

Se você quiser se certificar de que este é o caso com o seu bebê, pode tentar fazer a seguinte experiência: meça 3 copos de leite toda manhã por uma semana (a necessidade diária do bebê e mais um pouco, para o caso de derramamento). Coloque em uma jarra limpa e ponha na geladeira. Sirva todo o leite do seu bebê (para os cereais, para beber, para amassar com batatas e outros vegetais) desta jarra. Se ele tiver acabado no final do dia, na maioria dos dias, isto significa que o bebê está tendo leite o suficiente para atender às necessidades dele. Não se preocupe se não estiver completamente terminado todos os dias ou se uma ou duas vezes por semana sobrar muito leite, especialmente se o bebê também estiver recebendo cálcio (e proteína) de outras formas (como do queijo ou do iogurte). Se, no entanto, o bebê parece estar regularmente rejeitando alimentos que fornecem cálcio e proteínas, converse com o médico para ver se precisa apressar a agenda um pouco.

Fique atenta também para aqueles bebês que adoram leite; eles podem tomar leite demais e deixar pouco espaço para outros alimentos na dieta. Se seu filho bebe regularmente mais de 3 copos de leite por dia, especialmente se ele parece não estar muito animado em relação aos alimentos sólidos, você pode precisar reduzir um pouco o leite da vida dele.

um bebê desista do peito. Também não é o melhor para a mãe, cujos seios estão sendo retirados. Para o bebê, é perturbador. Para a mãe, existe não só a questão emocional (composta pela confusão hormonal repentina que o desmame provoca) mas a questão física também. É mais provável que sobrevenham vazamento, inchaço, dutos obstruídos e infecções se ela parar de amamentar de repente. Portanto, a não ser em caso de doença, uma necessidade súbita de viajar sem o bebê ou algum evento na vida que faça com que haja necessidade de um desmame repentino, vá devagar. Desmame-o gradativamente, começando pelo menos várias semanas — e até muitos meses — antes da data planejada para se completar o processo do desmame. Adie o processo completamente em um momento de mudança (grande ou pequena) na vida do bebê — como quando uma nova babá é contratada, a mamãe está retornando ao trabalho ou a família está se mudando para uma nova casa.

A abordagem mais comum para o desmame é começar a falhar a amamentação no peito, uma de cada vez, esperando alguns dias, mas preferivelmente uma semana até que os seus seios e o bebê tenham se adaptado àquela perda antes de impor outra. A maioria das mães acha mais fácil omitir primeiro a mamada na qual o bebê parece pegar menos leite ou aquela que mais interfere no dia dela. No caso de uma mãe que trabalha fora, em geral é a mamada do meio do dia. Com bebês de menos dos 6 meses, que são bastante dependentes do leite para a sua nutrição, cada mamada abandonada deve ser substituída pela fórmula. Com bebês mais velhos e crianças aprendendo a andar, um lanche ou uma refeição (com uma bebida no copinho) pode substituir as mamadas, se for adequado.

Se você estiver dando o peito por necessidade e a demanda tem sido errática durante o dia (em outras palavras, o bebê a considera uma lanchonete), você pode ter que ser um pouco mais rigorosa —

criando um horário regular e reduzindo o número de mamadas antes que possa começar com o processo de desmame.

Não importa qual seja o horário da mãe, as mamadas bem cedo pela manhã e tarde da noite — que fornecem mais conforto e prazer tanto para a mãe quanto para o bebê — em geral são as últimas a serem retiradas. Na verdade, algumas mulheres continuam a dar uma ou ambas destas mamadas para seus bebês que já foram desmamados apenas pelo prazer do ato. (Esta opção não está disponível para todas; algumas mulheres acham que o fornecimento de leite diminui rapidamente depois que cortam o suprimento de leite.)

Para algumas mulheres, em especial as que estão em casa em tempo integral, cortar estas mamadas, em vez de cortar mamadas individuais, é um método que funciona bem. Eis como: para começar, o bebê deve receber um pouco de fórmula (ou o leite de vaca integral, se o bebê já tiver passado do seu primeiro aniversário) do copinho ou da mamadeira antes de cada mamada, e depois ele deve ter menos tempo para mamar no peito. Aos poucos, ao longo de várias semanas, a quantidade no copinho é aumentada enquanto o tempo no peito em cada mamada é diminuído. Um dia o bebê estará tomando quantidades adequadas de fórmula ou leite e o desmame estará completo.

Ocasionalmente, doenças, dentição dolorosa ou uma mudança de local ou rotina que o desoriente (como pode acontecer nas férias) pode levar a um retrocesso, com o bebê exigindo o peito com mais frequência. Seja compreensiva e não se preocupe — este retrocesso será apenas temporário. Depois que a vida do bebê voltar ao normal, você pode começar a sua missão novamente.

Tenha em mente que a amamentação é apenas uma parte do seu relacionamento com o bebê. Desistir dela não vai enfraquecer os laços ou diminuir o amor entre vocês. Na verdade, algumas mulheres acham que este relacionamento é melhorado à medida que eles passam menos tempo mamando e mais tempo interagindo ativamente.

Durante o desmame ou após ter sido desmamado, o bebê pode se voltar para outras fontes de conforto, como o dedão ou um cobertor. Isto é normal e saudável. Ele pode também querer mais atenção da sua parte, portanto, dê atenção a ele. A maioria dos bebês, no entanto, não parece sentir saudades da amamentação no peito por muito tempo. Alguns, na verdade, passam por esta fase tão rapidamente que fazem com que as mães — que com frequência ainda estão com os olhos cheios de água quando pensam nos tempos idos da amamentação — fiquem para trás.

# As Preocupações Comuns

## A PRIMEIRA FESTA DE ANIVERSÁRIO

*"Todos na família estão animados com a primeira festa de aniversário da minha filha. Eu quero que a festa seja especial, mas não quero que ela seja demais para a minha filha."*

Muitos pais, envolvidos no entusiasmo do planejamento de uma festa para o primeiro aniversário do bebê, parecem perder a noção do fato de que o bebê ainda é — de muitas maneiras — um bebê. A festa que eles tão cuidadosamente preparam raramente é adequada para o convidado de honra, que provavelmente vai acabar ficando nervoso com tanta pressão (de convidados demais, animação demais, o tipo errado de diversão) e passar a maior parte da comemoração chorando.

Para planejar uma primeira festa de aniversário memorável, em vez de uma que você provavelmente gostaria de esquecer, siga estas estratégias:

**Convide poucas pessoas.** Uma sala muito cheia até mesmo de rostos familiares provavelmente vai assustar a sua fadinha do aniversário, e você terá como resultado ela ficar agarrada a você e choro. Deixe a longa lista para o casamento dela, e mantenha a lista de convidados pequena, limitada a poucos familiares e amigos íntimos. Se ela passar algum tempo com bebês da idade dela, você pode querer convidar dois ou três; se ela não tiver amiguinhos, a ocasião da primeira festa não é o momento para começar a vida social.

**O mesmo vale para a decoração.** Uma sala decorada com tudo que as lojas de festas têm a oferecer, e ainda mais um pouco, pode ser o seu sonho, mas o pesadelo do bebê. Balões, fitas, bandeirinhas, máscaras e chapéus, bem como pessoas demais, pode ser demasiado para uma criança de 1 ano. Portanto, vá devagar com a decoração, talvez com um tema que você sabe que ela aprecie (um personagem favorito, por exemplo, ou ursinhos coloridos). Se os balões vão decorar a festa, lembre-se de livrar-se deles depois — crianças pequenas podem engasgar com pedaços de borracha depois que os balões forem estourados.

**Cronometre a festa.** O horário é tudo na festa de um bebê. Tente orquestrar as atividades do grande dia para que o bebê esteja bem descansado, tenha comido recentemente (não deixe de dar o almoço dela achando que ela vai comer na festa), e no horário que ela está acostumada. Não planeje uma festa pela manhã se ela geralmente tira um cochilo nessa hora, ou no início da tarde se ela dorme após o almoço. Um bebê cansado em uma festa é garantia de desastre. Não faça uma festa muito longa — para que ela não fique em frangalhos quando a festa acabar ou, pior, no meio dela.

**Deixe-a comer bolo.** Mas certifique-se de que não seja um tipo de bolo que ela não deva comer (que tenha chocolate, castanhas ou mel). Em vez disso, sirva um bolo de cenoura ou banana coberto com *marshmallow* sem açúcar ou *chantilly* — no formato ou decorado com o personagem favorito dela, se você estiver se sentindo artística. Sirva a criação à sua moda, se quiser, com sorvete. Corte o bolo do lanche normal do bebê, se

possível, mantendo as porções para crianças pequenas para evitar desperdício. Finalmente, se você escolher fazer salgadinhos para a festa, escolha aqueles que são seguros e nutritivos. Uma festa de aniversário não é a hora para correr o risco de o bebê engasgar com pipoca, amendoins, salsichas de aperitivo, uvas, vegetais crus ou pedaços pequenos de pretzels. Também por questão de segurança, insista que todos os convidados pequenos comam sentados.

**Não contrate palhaços.** Ou mágicos, ou qualquer outra atração paga ou voluntária que possa assustar o bebê ou um coleguinha. Bebês de 1 ano de idade são bastante sensíveis e imprevisíveis. O que os deleita em um minuto pode deixá-los aterrorizados no minuto seguinte. Também não tente organizar as crianças para que participem de brincadeiras tradicionais de festa — elas ainda não estão prontas para isto. No entanto, se houver vários convidados pequenos, separe alguns brinquedos repetidos para evitar competição. Lembrancinhas simples e seguras, como bolas de borracha grandes com cores brilhantes, livros ou brinquedos para o banho são uma diversão extra e podem ser dadas ao convidados antes que os presentes sejam abertos.

**Não faça uma *performance*.** Seria ótimo, claro, se o seu bebê pudesse sorrir para a câmera, dar alguns passos, abrir todos os presentes com interesse e fazer sons de apreciação para cada um deles — mas não conte com isso. Ela pode aprender a soprar a velinha se você praticar com ela durante um mês antes da festa, mas não espere cooperação incondicional e não a pressione. Em vez disso, deixe-a ser ela mesma, seja ficando no seu colo durante a pose para a foto, recusando-se a ficar em pé sozinha ou optando por brincar com uma caixa vazia em vez do presente caro que estava dentro dela.

**Grave para a posteridade.** A festa será rápida demais, assim como a infância do seu bebê. Gravar a ocasião em fotos ou em vídeo vai valer a pena e o esforço.

## AINDA NÃO ESTÁ ANDANDO

*"Hoje é o primeiro aniversário do meu filho e ele ainda nem tentou dar o seu primeiro passo. Ele já não deveria estar andando?"*

Pode parecer adequado para um bebê dar os seus primeiros passos na festa do primeiro aniversário (e uma grande diversão para os adultos), mas poucos bebês querem ou se sentem na obrigação de fazê-lo. Embora alguns comecem a andar semanas ou até meses mais cedo, outros só vão caminhar para este marco memorável muito mais tarde (às vezes quando a mamãe e o papai não estão por perto). Embora passar o primeiro aniversário sem dar um passo possa ser frustrante para os parentes, especialmente aqueles que trouxeram o equipamento de filmagem para registrar este momento histórico, isto não significa de maneira nenhuma um problema de desenvolvimento.

Na verdade, a maioria das crianças só começa a andar depois do primeiro aniversário. E a idade na qual uma criança dá os primeiros passos, seja aos 9, 15 meses ou até mais tarde, não é um reflexo da inteligência dela ou do futuro sucesso em qualquer área (nem no atletismo).

Quando um bebê anda, com frequência isto está relacionado com o seu mapa genético — andar cedo (ou tarde) é de família. Ou se o peso dele ou a constituição física — um bebê magro, com músculos, provavelmente vai andar mais cedo do que um bebê rechonchudo, e uma criança com pernas curtas e fortes antes de outra que tenha pernas longas e finas que são difíceis de equilibrar. Ou da personalidade — uma criança que gosta de se arriscar provavelmente vai enfrentar o desafio de andar muito mais cedo do que uma criança que é naturalmente cautelosa. Também pode estar relacionado com quando ele aprendeu a engatinhar e sua habilidade nisso. Uma criança que engatinhou de maneira ineficaz ou que não engatinhou às vezes anda antes de um bebê que está bastante satisfeito em andar de quatro.

Uma experiência negativa — talvez uma queda feia na primeira tentativa de um bebê de 1 ano de soltar a mão dos pais — também pode atrasar estes primeiros passos. Neste caso, a criança pode tentar novamente somente quando estiver bastante firme, quando se sentir como um profissional, em vez de andar insegura como um amador. A criança que foi pressionada por pais superansiosos a praticar a lição de andar várias vezes durante o dia pode se rebelar (especialmente se tem um temperamento teimoso) e andar independentemente

## CUIDE COM CARINHO

Agora que o bebê já está caminhando, você pode ficar tentada a experimentar a brincadeira favorita da infância: segurar as mãos (um pai de cada lado) e ser balançado no ar. Resista. Porque uma criança pequena ainda tem as articulações soltas, balançá-la segurando pelas mãos, torcer ou puxar o braço de repente (para pegá-la ou movimentá-la mais rapidamente) pode resultar em um ombro ou cotovelo deslocado e muito dolorido (se for fácil de consertar).

mais tarde do que andaria se tivesse a chance de fazê-lo no seu próprio tempo e velocidade. Os primeiros passos de um bebê que tem a energia minada por uma infecção de ouvido, uma gripe ou outra doença pode suspender o movimento até que ele esteja se sentindo melhor. Uma criança que fica literalmente dançando de um quarto para o outro pode, de repente, voltar a dar dois passos e cair quando estiver sem vontade para retomar a atividade, o que fará quando estiver se sentindo bem novamente.

Um bebê que fica sempre preso no cercadinho (no qual não consegue se segurar para ficar em pé), preso no carrinho, colocado no andador ou a quem não é dada nenhuma oportunidade de desenvolver os músculos das pernas e a confiança por meio de andanças pela casa se segurando nos móveis, pode andar mais tarde. Na verdade, ele pode se

desenvolver mais lentamente em outras frentes também. Dê ao bebê bastante tempo e espaço para praticar levantar-se, andar se segurando, ficar em pé e andar em um quarto que não tenha tapetes ou um chão escorregadio, onde ele possa cair, e que tenha móveis bastante seguros e próximos um dos outros para ele se apoiar e poder se levantar, fazendo as transferências de um para o outro de maneira segura ou dando passos muito curtos. Ele ficará melhor se estiver descalço, já que os bebês usam os dedos para se agarrar quando estão dando os primeiros passos; meias são escorregadias, sapatos são muito duros e pesados.

Embora muitos bebês perfeitamente normais e até excepcionalmente espertos só andem na segunda metade do segundo ano, especialmente se um ou ambos os pais não andou, um bebê que não está andando aos 18 meses deve ser examinado pelo médico para afastar a possibilidade de fatores físicos ou emocionais que estejam interferindo no processo. Mas até nesta idade — e certamente aos 12 meses — uma criança que ainda não anda não é motivo para alarde.

## ANSIEDADE DE SEPARAÇÃO MAIOR

*"Deixamos nosso neném com uma babá antes. Mas agora ele faz uma confusão terrível toda vez que vamos em direção à porta."*

Quando um bebê de 1 ano de idade tem de se separar dos pais por uma noite, a ausência não o deixa mais feliz; o que aumenta é o choro. E o seu bebê não é o único a se sentir assim. A ansiedade de separação afeta a maioria dos bebês e crianças pequenas em algum grau, e alguns de maneira bastante pronunciada.

Embora possa parecer que o seu filho esteja regredindo — afinal de contas, uma babá nunca o incomodou antes —, a ansiedade de separação pode na verdade ser um sinal de que ele está amadurecendo. Primeiro, ele está se tornando mais independente, mas com laços ainda presos (a você). À medida que se aventura a explorar o mundo com os dois pés (ou com as mãos e os joelhos), ele tem o conforto de saber que você está apenas a um passo, se ele precisar de você. Quando ele se separa de você (como quando deixa o seu lado para explorar o *playground*), ele o faz por conta própria. Quando você se separa dele (como quando você o deixa com a babá para ir ao cinema ou jantar fora), não é. Aí entra a ansiedade. Segundo, ele agora é capaz de entender o complexo conceito (para um bebê) da permanência de um objeto — de que quando alguém ou algo não está visível, ele ainda existe. Quando ele era mais novo e você saía, ele não sentia a sua falta; se você ficasse longe da vista dele, ele se esquecia de você. Agora, quando sai de vista, você ainda está muito na cabeça dele — o que significa que ele *pode* sentir a sua falta. E como ainda não entendeu o conceito ainda mais complicado de tempo, ele não tem ideia de quando ou se você vai voltar. Aí entra mais ansiedade. A memória mais desenvolvida — outro sinal de maturidade — também tem impor-

tância. Seu bebê se lembra do que significa quando você coloca o casaco e diz "tchau" para ele. Ele agora é capaz de supor que você vai ficar fora por algum período indeterminado de tempo quando você sai pela porta. Uma criança que não é deixada com a babá com frequência (e vê os pais voltando com frequência) pode também se perguntar se eles algum dia vão voltar. E aí entra um pouco mais de ansiedade.

Embora alguns bebês possam mostrar sinais da ansiedade de separação logo aos 7 meses de idade, ela geralmente atinge o pico entre os 12 e 18 meses para a maioria. Mas, como tudo no desenvolvimento de uma criança, o tempo da ansiedade de separação varia de uma criança para outra. Alguns bebês e crianças pequenas nunca a experimentam, enquanto outras sofrem de ansiedade muito mais tarde, por volta dos 3 ou 4 anos de idade. Para alguns, ela dura alguns meses; para outros, continua por anos, às vezes continuamente, às vezes com períodos alternados. Certos momentos de estresse na vida, como uma mudança, um novo irmãozinho, uma nova babá, ou até a tensão em casa podem desencadear um primeiro episódio de ansiedade de separação ou uma nova crise.

A ansiedade de separação aparece mais comumente quando você deixa seu filho aos cuidados de outras pessoas — quando você está saindo para trabalhar, saindo à noite ou deixando o bebê na creche. Mas também pode acontecer à noite, quando você coloca o bebê na cama (ver página 686). Não importa o que a desencadeie, os sintomas são os mesmos: ele se agarra a você (com uma força que faz com que seja especialmente difícil se libertar daqueles braços e dedos), chora incontrolavelmente, resiste a todas as tentativas da babá de acalmá-lo e deixa perfeitamente claro para você que não quer que você saia. Tudo isto vai deixá-la se sentindo culpada e chateada, perguntando-se se a separação vale a ansiedade que está causando para vocês dois.

Mas por mais perturbador que seja para você, a ansiedade de separação é uma parte normal do desenvolvimento do bebê — tão normal quanto aprender a andar e falar. Ajudá-lo a lidar bem com separações agora vai ajudá-lo a lidar melhor com elas no futuro, quando ele já estiver andando.

Para minimizar a ansiedade do bebê e a sua culpa, e para maximizar a adaptação do bebê a ser deixado sozinho com a babá e separado de você, siga os seguintes passos antes de dar algum passo para fora de casa:

♦ Certifique-se de que você está deixando o seu bebê com uma babá que seja não só confiável, mas compreensiva, paciente, receptiva e carinhosa, independente dos problemas que ele cause durante a separação.

♦ Faça a babá chegar pelo menos 15 minutos antes da hora que você está planejando sair (mais cedo, se for a primeira vez que ela vai ficar com o bebê), para que os dois possam se envolver em uma atividade (brincar com blocos de montar, colocar o ursinho para dormir) enquanto você ainda estiver por perto. No entanto,

tenha em mente que o bebê pode se recusar a fazer qualquer coisa com a babá (mesmo que ele a conheça) se você ainda estiver em casa. Afinal de contas, consentir em brincar com ela pode significar que ele está consentindo em ser deixado com ela. Não se preocupe; depois que você tiver saído, ele quase certamente aceitará entrar na brincadeira.

♦ Se possível, tente marcar a sua saída após os cochilos e a hora das refeições. Os bebês estão mais suscetíveis a qualquer tipo de ansiedade quando estão cansados ou com fome. (Eles sempre estão mais suscetíveis também quando estão doentes — embora você possa simplesmente cancelar os planos, pode não haver muito o que fazer em relação a isso.)

♦ Avise ao bebê com antecedência que você vai sair. Se você tentar evitar uma cena nesta hora, saindo escondida de casa enquanto ele não estiver olhando (ou quando estiver dormindo), ele vai entrar em pânico quando perceber que você saiu (ou quando acordar e você não estiver lá). Ele também pode começar a temer que você vá sair sem avisar a qualquer hora, e pode responder a isto ficando agarrado demais a você. Diga a ele 10 ou 15 minutos antes de você sair. Dê a ele mais tempo do que isto e ele vai se esquecer, menos e ele não terá tempo para se adaptar.

♦ Leve a ansiedade do seu bebê a sério. Diga a ele calma e amorosamente (mas sem nenhuma ponta de tristeza) que você sabe que ele está chateado e que não quer que você saia, mas que você vai voltar logo.

♦ Faça um ritual alegre na hora de sair, com um abraço e um beijo de vocês dois. Mas não prolongue as despedidas nem as torne sentimentais demais. Mantenha um sorriso nos lábios mesmo que ele esteja chorando e tente encarar como se você estivesse dando um grande passo com isto (se você parecer chateada, ele vai achar que existe algo que temer nesta situação). Se houver uma janela, ele e a babá podem dar tchau para você enquanto você sai.

♦ Tranquilize-o dizendo que vai voltar. "Te vejo mais tarde, querido" é uma frase tranquilizadora que pode ser usada para que ele comece a associar a sua saída com seu futuro retorno. Um dia ele será capaz de responder.

♦ Já que você vai sair, saia de vez. Reaparecer repetidamente na porta depois que você já tiver "saído" tornará as coisas mais difíceis para você, para o bebê e para a babá.

♦ Se possível, comece com separações breves. Limite a primeira em uma ou duas horas. Quando ele estiver confiante de que você vai voltar, vai ficar confortável com estas pequenas ausências e estará pronto para as saídas mais longas. Aumente o tempo que você fica fora em 15 minutos por vez, até que você possa ficar fora por várias horas. Quando o bebê se acos-

tumar em ficar separado, você pode estender as saídas.

♦ Diga ao bebê quando você vai voltar. Embora o bebê não possa entender ainda, é uma boa ideia começar a usar conceitos de tempo que ele um dia será capaz de relacionar: "Eu volto depois da sua soneca", ou: "Eu volto quando você estiver jantando", ou "Te vejo quando você acordar."

Lembre-se de que a ansiedade de separação não dura para sempre. Rapidamente seu filho vai aprender a se separar facilmente e sem dor de você. Possivelmente será um pouco mais fácil e sem dor para você. Um dia, quando o seu filho adolescente for para a escola com um "tchau" e (se você pedir com carinho) um beijo, você vai pensar com ternura nos dias em que não conseguia desgrudar aqueles dedinhos e braços do seu pescoço.

## LIGAÇÃO COM A MAMADEIRA

*"Eu esperava desmamar meu filho da mamadeira quando ele completasse 1 ano, mas ele está tão apegado a ela que não posso nem tirá-la dele por um minuto, quanto mais permanentemente."*

Assim como um ursinho favorito ou um cobertor, uma mamadeira é uma fonte de conforto e recompensa emocional para uma criança pequena. Mas ao contrário dos objetos de segurança, uma mamadeira pode ser preju-

## NÃO FIQUE NERVOSA

Seu filho de 1 ano de idade está pronto para passar da fórmula para o leite. O único problema é que ele é alérgico a leite de vaca e o pediatra sugeriu que você o substituísse por leite de soja. Mas você está preocupada que seu filho não receba gordura suficiente na dieta dele, já que o leite de soja tem apenas metade da gordura do leite integral. Pare de se preocupar. Embora seja verdade que o leite de soja sozinho não possa fornecer toda a gordura que uma criança com menos de 2 anos de idade precisa para o máximo desenvolvimento do cérebro, o leite não será a única fonte de gordura da dieta do seu filho. Ele está obtendo bastante gordura de uma dieta balanceada que inclui carne, peixe, aves e óleos usados no cozimento. (Pergunte ao médico como um bebê da idade do seu filho pode obter toda a gordura de que precisa pelo consumo de outros alimentos.) Depois do segundo aniversário, o consumo de gordura será cortado de qualquer maneira, e a necessidade será praticamente a mesma de um adulto.

dicial se usada inadequadamente ou se usada muito além do primeiro aniversário do bebê.

O que significa que você está certa, não há momento melhor do que agora para tirar a mamadeira dele. Para uma informação completa de por que é aconselhável desmamar agora, ver página 653. Para dicas de como tornar este processo mais brando, ver página 654.

## COLOCANDO O BEBÊ QUE FOI DESMAMADO PARA DORMIR

*"Eu nunca coloquei minha filha na cama acordada — ela sempre mamou para dormir. Como vou colocá-la para dormir à noite quando ela tiver sido desmamada e estiver usando o copinho?"*

Como era fácil para seu bebê mamar feliz até a terra dos sonhos. E como era fácil para você amamentá-lo e ficar em paz pelo resto da noite. Entretanto, de agora em diante, se você estiver realmente disposta a manter sua filha desmamada, colocá-la na cama para dormir vai exigir um pouco mais de esforço de ambos os lados do berço.

Como um hábito qualquer para auxiliar a dormir — de calmantes a ver televisão tarde da noite — o hábito de mamar para dormir pode ser quebrado. Uma vez que seja, sua filha terá dominado uma das mais valiosas habilidades da vida, a habilidade de dormir sozinha. Para tornar este objetivo uma realidade, comece muito antes da data que você pretende desmamá-la:

**Mantenha os velhos rituais.** A rotina da hora de ir para a cama, com cada item na agenda realizado na mesma ordem toda noite, pode funcionar com sua magia soporífera em qualquer pessoa, adulto ou criança. Se você ainda não instituiu um ritual para o bebê, faça isto pelo menos duas semanas antes do dia que planeja ser o último em que ela vai mamar à noite. Também se certifique de que as condições ambientais induzam ao sono: o quarto escuro, a não ser que o bebê prefira uma lâmpada noturna, nem muito quente, nem muito frio e silencioso; o resto da casa mantendo a voz baixa para que ela saiba que você estará lá se ela precisar de você. (Para mais dicas sobre como fazer um bebê dormir, ver página 606; veja também a próxima pergunta.)

**Acrescente uma nova distração.** Alguns dias antes do dia D, acrescente ao ritual do bebê um lanchinho na hora de dormir (se ainda não estiver na programação). Sua filha pode comer o lanche depois que estiver de pijama, enquanto você lê uma história para ela. Mantenha o lanche leve mas satisfatório (um minibolinho integral e meio copo de leite — quando ela já tiver 1 ano de idade —, talvez um pedaço de queijo e um bolinho de arroz) e deixe-a aproveitar o seu colo, se ela desejar. A pequena refeição vai não só tomar o lugar da mamada que ela está abandonando, mas o leite terá um efeito indutor do sono. É claro que se você tiver escovado os dentes dela mais cedo, agora terá de deixar esta parte da rotina para depois do lanche dela. Se ela estiver com sede quando os dentes já tiverem sido escovados, ofereça água.

**Quebre o velho hábito, mas não tente substituí-lo por um novo.** Sua filha pode acostumar-se a ser embalada, às

cantigas e a outros recursos para dormir. Mas se você quiser que ela desenvolva autossuficiência na hora de dormir, vai precisar deixar que ela descubra como dormir sozinha. Afague-a bastante durante a rotina de dormir, depois a coloque para deitar seca, feliz (com alguma sorte), confortável e sonolenta — mas acordada.

Se você quiser ficar com ela por algum tempo, afagando e tranquilizando-a, tudo bem. Veja mais dicas para ajudar um bebê a dormir sozinho na página 505.

**Espere algum choro.** Possivelmente muito choro, no início. É provável que sua filha vá resistir a esta abordagem ousada na hora de ir para a cama — em voz alta. Poucos bebês aceitam a troca sem briga, embora alguns possam aceitar muito mais prontamente se não for a mamãe (e os seios dela, lembrança constante do que era) quem vai colocá-la na cama. Mas espere também que o bebê vá se adaptar bem rapidamente à hora de dormir sem mamar, do mesmo modo como vai se adaptar aos outros aspectos do desmame.

# Ansiedade de separação na hora de dormir

*"Nosso bebê costumava dormir facilmente e acordar durante a noite. Mas de repente passou a ficar agarrado a nós e chorar quando o colocamos para dormir — e também a acordar chorando durante a noite."*

A ansiedade de separação, um monstro familiar do dia que geralmente atinge o seu pico entre os 12 e os 18 meses, também pode aparecer à noite. Na verdade, já que a separação à noite deixa o bebê completamente sozinho, pode provocar ainda mais ansiedade do que a separação durante o dia. O resultado: outra saga na contínua história do pequeno e do inquieto bebê.

Felizmente é uma história que não precisa continuar. Para os pais que dormem junto com ele, isto não é um problema, já que não há separação. Para os pais que querem manter (ou ter) uma cama só deles, existem soluções para a ansiedade de separação noturna. Para ajudar o bebê a superar o medo de ficar sozinho:

♦ Saiba que é normal. A maioria dos bebês que experimentam a ansiedade de separação durante o dia também a terão durante a noite. Isto não significa que seu filho não está se sentindo amado e cuidado, ou que você esteja fazendo algo errado. Significa que ele está crescendo, mas ainda tem muito o que crescer (para mais informações sobre a ansiedade de separação, ver página 681).

♦ Tenha um prelúdio pacífico na hora de ir para a cama. Faça com que a hora ou duas que precede o momento de ir para a cama seja mais calma, tranquilizadora e reconfortante, especialmente se você trabalhou o dia todo, mas mesmo que você tenha ficado ocupada somente dentro de casa. Procure dar ao bebê o máximo de atenção que puder, colocando outros assuntos (como fazer o jantar e comer ou trabalhar) em suspenso até

que ele durma. Isto vai manter baixo o nível de estresse dele antes de ir para a cama, enquanto armazena reservas de atenção da mamãe e do papai.

♦ Confie nas rotinas. Um ritual na hora de dormir não só induz ao sono — é reconfortante em um momento da vida do bebê em que o conforto advém da coerência. Cada noite é garantia para o seu filho de que os mesmos eventos vão acontecer na mesma sequência (surpresa nenhuma significa menos ansiedade). Uma rotina na hora de ir dormir pode também se tornar o início de um ciclo noturno que seu filho vai começar a esperar (em vez de temer), previsivelmente começando com um banho, levando a dormir e terminando ao acordar pela manhã. Certifique-se de não sair da rotina nem mesmo em um pequeno detalhe — trocar o banho pelo lanche ou pular uma cantiga de dormir. O conforto de um bebê vem de saber *exatamente* o que pode esperar (veja na página 606 mais sobre rituais na hora de dormir).

♦ Preencha a lacuna com um objeto transicional. Por volta do primeiro aniversário, quando as transições se tornam difíceis para a criança, um objeto transicional (ou de conforto) com frequência ajuda a preencher o vazio. Pode ser um bichinho de pelúcia, um pequeno cobertor (para segurar; cobertores grandes, para cobrir, ainda não são recomendados nesta idade; ver página 703) ou até mesmo uma lembrança sua no berço (como uma camiseta que você tenha usado). Nem todas as crianças pequenas tiram conforto destes objetos — mas muitas sim. Armada com o objeto, pode ser menos estressante deixar você (e fazer a transição entre estar acordado e estar dormindo).

♦ Seja tranquilizadora, mas não sentimental. Dê um abraço e um beijo no bebê antes de colocá-lo no berço, depois diga "boa-noite". A coerência também é importante aqui; é melhor que você mantenha as palavras de despedida como rotina tanto quanto o resto do ritual da hora de dormir (algo como "Boa-noite, durma bem, a gente se vê de manhã"). Um tom de voz carinhoso, mas suave, vai ajudar; se seu bebê sentir que você está ansiosa para sair, ele ficará também.

Se o bebê chorar, continue tranquilizando-o calmamente — colocando-o delicadamente de volta ao berço, se ele se levantar. Mas não o pegue no colo, não acenda a luz e não fique até que ele durma. Use esta estratégia também se o bebê acordar novamente durante a noite. Seja coerente nesta abordagem de conforto — usando as mesmas técnicas, as mesmas palavras — mas também procure fazer progressivamente menos a cada noite (ofereça conforto primeiro do lado do berço, depois a alguns metros de distância, depois da porta do quarto). Uma frase como "Mamãe (ou papai) está bem aqui. Volte a dormir. Nós nos vemos pela manhã" reforçará a mensagem de que a noite vai terminar com o dia.

♦ Seja coerente. Isto merece ser repetido. E repetido de novo. Sem coerência, a vida é confusa para as crianças pequenas. E sem coerência, as técnicas de criação de um filho estão destinadas ao fracasso. Com determinação da sua parte, o bebê aprenderá a lidar com a ansiedade de separação à noite — e parar de lutar contra a hora de dormir e o sono.

♦ Procure não se sentir culpada. Ficar com seu filho a noite toda não vai ajudá-lo a superar a ansiedade de separação noturna (não mais do que evitar deixá-lo com uma babá vai ajudá-lo a superar a ansiedade de separação durante o dia) — uma rotina consistente, amorosamente reforçada, sim.

Alguns bebês também começam a acordar durante a noite quando os molares estão nascendo. Se é o que está acontecendo com seu filho, veja a página 607.

# TIMIDEZ

*"Meu marido e eu somos muito extrovertidos; ficamos um pouco surpresos em ver como a nossa filha é tímida."*

A natureza hesitante do bebê em relação a novas situações e novas pessoas nesta idade geralmente resulta não de timidez verdadeira, mas de um comportamento adequado de desenvolvimento normal. Vários fatores contribuem para este comportamento, comum na maioria dos bebês que já andam ou estão quase andando:

♦ Ansiedade em relação a estranhos. Alguns bebês começam a exibir esta reticência com qualquer um que não seja a mamãe ou o papai assim que completam 7 meses, mas muitos só começam a ficar tímidos na presença de estranhos perto do primeiro ano (ver página 611).

♦ Ansiedade de separação. Situações que exigem socialização sempre exigem a separação da mamãe e do papai. Agarrar-se a você quando está no grupo de brincadeiras ou quando um amigo da família tenta pegar a sua filha no colo não é necessariamente um sinal de que ela seja tímida — apenas que ela está ansiosa em se aventurar sem você por perto nesta fase do desenvolvimento (ver página 681).

♦ Ansiedade "não familiar". Para um bebê que acaba de começar a andar, o mundo é um lugar excitante para explorar, mas também pode ser assustador. A independência que vem quando se consegue ficar em pé sozinho é estimulante, mas ao mesmo tempo pode desestimular diante de tantas mudanças. Os bebês mais velhos e os que começaram a andar com frequência se escondem do desconhecido, obtendo conforto na continuidade e na coerência. Este comportamento hesitante pode ser facilmente interpretado como timidez.

♦ Ansiedade social. O que parece timidez pode, na verdade, ser falta de experiência social, isto é especialmente provável de acontecer se a sua filha teve mais contato social com você ou com uma única pessoa, sem ter sido exposta desde cedo a situações de grupo (como em uma creche). É cedo demais para garantir que sua filha — com muita prática e um mínimo de incentivo — não se tornará sociável. Ao completar o terceiro aniversário, muitas crianças que começaram "tímidas" fazem rápidos progressos na arte da socialização.

É claro que algumas crianças são mais tímidas por natureza, outras são mais extrovertidas. Na verdade as pesquisas mostram que muitos traços da personalidade são, pelo menos parcialmente, predeterminados pela genética. Alguns pesquisadores descobriram que a timidez é o resultado de 10% da natureza (com os restantes 90% determinados pela criação); outros acreditam que a genética representa um papel ainda maior. Mesmo que esta seja uma característica que os pais não apresentem, é ela que os pais transmitiram aos filhos. Embora seja possível que os pais ajudem a modificar a timidez de seus filhos — e ajudá-los a se tornar parte da festa — não é possível que eles a apaguem totalmente. Nem este deve ser o objetivo. A timidez deve ser respeitada como parte da personalidade da criança.

Embora muitas crianças "tímidas" mantenham o centro da sua vida reservado, a maioria se torna bastante extrovertida quando adulta. Não são a pressão e o estímulo dos pais que vão tirar uma criança tímida do casulo, mas o apoio e o carinho dados a ela com generosidade. Chamar a atenção para a timidez da criança ("ela é tão tímida") só vai reforçá-la; apresentá-la como uma falha de personalidade só vai minar a autoconfiança dela, o que pode, por sua vez, torná-la mais insegura em situações normais. Por outro lado, aumentar a autoestima vai ajudá-la a se sentir mais à vontade com ela mesma. Ela, por sua vez, se sentirá mais à vontade com os outros, o que por fim ajudará a reduzir a timidez.

Por enquanto, incentive sua filha em situações sociais. (Sente-se ao lado dela, no chão, para que ela se sinta mais confortável brincando com um coleguinha em uma festa de aniversário; segure-a firmemente quando os seus amigos se aproximarem para dizer oi a ela.) Mas não force. Permita que sua filha responda às pessoas no tempo dela e no próprio ritmo — enquanto diz a ela que você sempre estará lá se ela precisar de uma perna para agarrar ou de um ombro para esconder a cabeça.

## HABILIDADES SOCIAIS

*"Estamos envolvidos em um grupo de brincadeiras há algumas semanas e eu notei que minha filha não brinca com as outras crianças. Como posso fazer para que ela fique mais sociável?"*

V océ não pode e não deve tentar. Embora uma criança seja um ser social desde o nascimento, ela só será capaz de ser verdadeiramente sociável quando tiver pelo menos 18 meses — como você pode ver, se observar qualquer outro grupo de bebês e crianças pequenas "brincando". Embora os bebês no grupo de brincadeiras possam interagir (com frequência por tempo suficiente para pegar a pá de outra criança ou empurrar um coleguinha para pegar um brinquedo que chamou a atenção deles), a maioria das brincadeiras deles é feita de modo paralelo — eles brincam lado a lado, mas não juntos. Eles podem gostar de observar outras crianças brincando, mas não necessariamente brincam com elas. Naturalmente e normalmente egocêntricos, eles ainda não são capazes de reconhecer que outras crianças seriam ótimas companheiras de brincadeira. Na verdade, eles ainda veem as outras crianças como objetos — objetos interessantes e móveis, mas objetos de qualquer maneira.

Tudo isto é completamente adequado para a idade deles. Embora bebês de 1 ano de idade com bastante prática em grupos de brincadeiras possam progredir mais rápido no quesito sociabilidade, toda criança um dia vai progredir. Empurrar sua filha para brincar com outras crianças do grupo só vai fazer com que ela se afaste de tal situação. Para melhores resultados, dê a sua filha oportunidades de se socializar e depois deixe que ela se relacione no seu próprio ritmo.

## DIVIDINDO

*"Meu menininho pertence a um grupo de brincadeiras. Ele e as outras*

*crianças parecem passar a maior parte do tempo brigando pelos mesmos brinquedos. Quando as coisas vão melhorar?"*

Você e os outros pais podem ficar preparados para fazer o papel de juiz do grupo de brincadeiras por pelo menos 2 anos. É somente na segunda metade do segundo ano que uma criança começa a entender a ideia de que um item que ele deseja pode pertencer a outra pessoa — um conceito que precisa ser compreendido antes que dividir faça sentido, o que começa por volta dos 3 anos de idade. Até que este dia de iluminação social aconteça, o único pronome possessivo no vocabulário dele será "meu". Por enquanto, as necessidades e desejos do seu filho serão as únicas que importam para ele, e ele vai continuar a tratar os coleguinhas como objetos, sem necessidades e desejos próprios. Devido ao fato de este comportamento ser completamente adequado para a idade (os bebês e crianças pequenas precisam aprender e se importar com eles mesmos antes que possam aprender e se importar com os outros), cada criança no grupo de brincadeiras dele vai continuar a acreditar que o direito dele de brincar com qualquer brinquedo ou com todos é absoluto.

Mais tarde, no segundo ou no terceiro ano, as táticas de meio-termo — como cronometrar o tempo para que três crianças possam brincar com o mesmo carro do corpo de bombeiros — ajudarão a incentivar a divisão e a manter a paz, mas são complicadas demais para uma criança pequena compreender e

acatar. Uma abordagem melhor seria ter vários brinquedos iguais ou do mesmo tipo disponíveis nas sessões do grupo de brincadeiras (o que pode acabar com o cabo de guerra). Se isto não der certo, a distração por um adulto — desviando a atenção de um brinquedo disputado para outro brinquedo ou atividade — geralmente funciona.

Ensinar a dividir com exemplos, a cada oportunidade que você tiver (quando você der a seu filho a chance de olhar a sua revista, diga a ele que você está "dividindo a minha revista"; quando der a ele uma mordida do seu sanduíche, diga a ele que você está "dividindo o meu sanduíche"), não tornará seu filho um modelo de generosidade da noite para o dia, mas aos poucos reforçará os valores que você espera transmitir a ele. Forçar seu filho a dividir, por outro lado, apenas vai ferir sua noção de identidade recém-formada ao deixar que ele acredite que as necessidades dele são menos importantes do que as dos outros. Pode também fazer com que ele se torne mesquinho. Uma criança que sente que seus pertences estão sempre lá para o desfrute dos outros terá menos propensão a dividi-los, fazendo com que queira guardá-los ciumentamente.

Também é importante ter em mente que seu filho tem o direito de se recusar a deixar que um convidado toque nos seus caminhões e ursinhos, de não dividir um único biscoito com uma criança no parque e gritar quando o primo mais novo vai dar uma volta no carrinho dele. Com que frequência você, afinal, deixa que um amigo — e ainda por cima um estranho — dirija seu carro, pegue um colar valioso emprestado ou sente-se na sua poltrona favorita?

# BATENDO

*"Meu filho está em um grupo de brincadeiras com algumas crianças que são um pouco mais velhas do que ele. Algumas batem nele quando não conseguem o que querem, e meu filho começou a fazer o mesmo também. Como eu devo lidar com isto?"*

Primeiro, ajudaria entender por que o seu filho bate. Bater, como outras formas de comportamento agressivo, é comum entre crianças de 1 ano de idade por muitos motivos. Primeiro, é uma forma de comunicação. Sem ter ainda o vocabulário que um dia permitirá que seu filho diga: "Você me deixou com raiva!" ou: "Devolva o meu caminhão!", bater pode expressar o que não pode ser dito em palavras. Por outro lado, é uma maneira de liberar a frustração. A frustração de ser um peixe tão pequeno em um lago que cada vez fica maior; frustração por ser incapaz de controlar e manipular o seu ambiente (e aqueles que estão nele); frustração por suas habilidades ainda limitadas (que parecem não acompanhar o ritmo do que ele quer realizar). Some-se a estes fatores a natureza egocêntrica de uma criança pequena (o que faz com que ela trate os amiguinhos como objetos que passam de mão em mão com uma falta de empatia), uma falta de controle fundamental dos impulsos (esta não pensa antes de ba-

ter), uma deficiência de habilidades sociais (elas não vêm como equipamento de série em um ser humano; devem ser aprendidas e praticadas com o tempo) e uma queda para a imitação (é provável que ele pegue este hábito preguiçoso dos amiguinhos preguiçosos) e não é de se surpreender que o grupo de brincadeiras de seu filho tenha se transformado em um ringue de boxe. A reação interessante que bater provoca (geralmente choro) incentiva as revanches frequentes.

Mas só porque bater é compreensível não significa que seja aceitável. Muito antes de a criança ser capaz de entender que na verdade está machucando alguém quando bate, ela é capaz de entender que não pode bater. Quando seu filho bate (ou morde, ou demonstra outra forma de comportamento agressivo indesejável), reaja imediatamente, firme e calmamente. A raiva provavelmente apenas reforçará a ira de seu filho. Dar um tapa ou uma surra vai ensiná-lo que a violência é uma boa maneira de resolver uma disputa (ou de expressar raiva). Reagir com estardalhaço ao incidente apenas incentivará uma repetição da situação em busca de mais atenção. Em vez disso, diga apenas: "Não bata. Bater machuca" e retire a criança imediatamente da cena da briga. Sem mais objeções, distraia-o com um brinquedo ou atividade. A seguir, prepare-se para repetir toda a sequência muitas outras vezes antes que a mensagem comece a ser entendida (tenha em mente que mesmo quando seu filho começar a entender que não é aceitável bater, uma falta de controle sobre os impulsos o obrigará a dar um soco de vez em quando).

Enquanto isto, certifique-se sempre de que as sessões de brincadeira com outras crianças sejam cuidadosamente supervisionadas. Embora o gancho direto de uma criança pequena raramente possa machucar um coleguinha, há sempre uma possibilidade de uma criança usar mais do que o seu próprio braço para bater. Há muito mais risco de ferimento com um pé, um brinquedo, uma pedra ou um pedaço de pau.

Além disso, já que agressões de crianças pequenas normais podem ser agravadas pela falta de sono e pela fome, certifique-se de que seu filho apareça descansado e alimentado no grupo de brincadeiras.

## "ESQUECENDO" UMA HABILIDADE

*"No mês passado, minha filha dava tchau o tempo todo, mas agora ela parece ter esquecido como se faz. Eu achava que ela iria sempre adiante em seu desenvolvimento, e nunca fosse retroceder."*

Ela *está* indo adiante em seu desenvolvimento, para novas habilidades. É muito comum que um bebê pratique até a perfeição uma habilidade quase continuamente por algum tempo — para o deleite dela e o de todos a sua volta — e depois, uma vez que a habilidade tenha sido dominada, coloque-a de lado para enfrentar um novo desafio. Embora sua filha esteja cansada de dar tchau, ela provavelmente está animada com as habilidades que está ensaiando agora, talvez latir toda vez que vir um animal de quatro patas, ou brincar de esconde-esconde ou de bater palminhas. Tudo isto será deixado de lado quando não for mais novidade. Em vez de se preocupar com o que o bebê parece ter esquecido, entre em sintonia com ela e incentive-a a desenvolver as novas habilidades com as quais está ocupada neste momento.

Você só precisa se preocupar se o bebê de repente parecer incapaz de fazer muitas coisas que fazia anteriormente, e se ela não estiver aprendendo a fazer nada novo. Se este for o caso, verifique com o médico.

## UMA QUEDA NO APETITE

*"De repente, meu filho parece não ter nenhum interesse nas refeições — ele apenas brinca com a comida e mal pode esperar para sair da cadeirinha. Será que está doente?"*

É mais provável que a mãe natureza o tenha colocado em uma dieta de manutenção. Porque, se ele continuasse a comer do jeito que comia no início da vida e continuasse a ganhar peso na mesma velocidade, em breve pareceria um zepelim em vez de uma criança pequena. A maioria dos bebês triplicam o peso do nascimento no primeiro ano de vida; no segundo ano, ganham cerca de apenas um terço do seu peso. Portanto, é por uma diminuição no apetite agora que o corpo de seu bebê garante esta diminuição normal na taxa de ganho de peso.

Existem também fatores que podem afetar os hábitos alimentares do bebê agora. Um deles é o aumento do interesse no mundo em volta dele. Durante a maior parte do primeiro ano de vida, a hora das refeições — fossem elas feitas nos seus braços ou na cadeirinha — era o ponto alto da existência dele. Agora ela representa uma interrupção indesejável em um "dia na vida de uma criança que acaba de aprender a andar", que preferia estar andando por aí a ficar sentado quieto diante de uma tigela de cereal (com tantas coisas para fazer, tantos lugares para ver, tanta bagunça para fazer — e tão poucas horas em um dia!).

A crescente independência pode também influenciar a reação da criança à comida colocada diante dela. O bebê, na agonia de aprender logo a andar, pode decidir que ele, e não você, deve ser o árbitro na mesa de jantar. Nos próximos meses, as mudanças de gosto podem prevalecer — queijo em tudo numa semana, rejeição de qualquer coisa que vagamente lembre queijo na semana seguinte. E é melhor aceitar o planejamento do cardápio de ditador do bebê (contanto que ele tenha apenas opções nutritivas) do que combater. Um dia as excentricidades na alimentação vão diminuir (embora devam quase certamente piorar antes de melhorar). O controle da colher também pode ser um problema para seu descendente que está se tornando independente; se você ainda não deu a ele a tarefa de se alimentar, agora seria um bom momento. Deixe que ele se alimente sozinho (como ele puder) com uma colher só dele e uma grande variedade de alimentos em pedacinhos.

Talvez seu bebê esteja fazendo greve de fome porque não gosta de ficar exilado na cadeirinha. Se for por isso, tente colocá-lo sentado na mesa da família em uma cadeira de jantar segura. Ou talvez ele não consiga ficar sentado quieto por tanto tempo quanto o resto da família. Neste caso, só o coloque na cadeira quando a comida for servida e deixe-o se levantar assim que ele começar a ficar inquieto (mas fique de olho nele enquanto você termina sua refeição); ou sirva a refeição dele antes de comer.

Alguns bebês perdem o apetite temporariamente quando os dentes estão nascendo, especialmente quando aparecem os primeiros molares — e isto não é motivo de preocupação. Se a perda de apetite do bebê for acompanhada de irritabilidade, chupar dedo e outros sintomas da dentição, você pode ter certeza de que vai passar assim que o desconforto melhorar. Não se preocupe também se a perda de apetite do bebê estiver acompanhada de sinais de uma doença branda, como um resfriado ou febre. Isto é comum e, depois que a doença passar, é provável que o apetite dele volte ao normal. Mas verifique com o médico se o ganho de peso do bebê parar totalmente, se ele estiver magro demais, se estiver fraco, apático e irritável ou se o cabelo dele estiver especialmente seco e quebradiço e a pele seca e pálida.

Embora não exista nada que você possa (ou deva) fazer em relação ao apetite que diminuiu como resultado da diminuição normal do crescimento do bebê, há maneiras de garantir que ele coma o que precisa para crescer (veja a próxima pergunta).

# Exigência ao comer

*"Receio que minha filha não esteja ingerindo proteínas ou vitaminas suficientes, porque ela não come carne nem vegetais."*

Pais de crianças exigentes (em outras palavras, a maioria dos pais de bebês mais velhos e crianças), relaxem. Primeiro, as necessidades nutricionais de uma criança de 1 ano são surpreendentemente pequenas e portanto facilmente atendidas. Segundo, estas necessidades não vêm nos pacotes mais óbvios (proteína na carne e no peixe, vitamina no brócolis). Elas também vêm em alguns pacotes inesperadamente favoráveis às crianças:

♦ Proteína. Seu bebê pode ter a quantidade adequada de proteína mesmo que torça o nariz para carne e ave — e até para o peixe. Queijo *cottage*, queijos duros, leite, iogurte, ovos, cereais integrais e pães, gérmen de trigo, feijão e ervilhas, e massas (especialmente as marcas ricas em proteínas), tudo isso fornece proteína. Na verdade, a necessidade de proteína para um dia de uma criança de 1 ano pode ser atendida com 2/3 de copos de leite e 2 fatias de pão integral; *ou* 2 copos de leite e 28 gramas de queijo suíço; *ou* um copo de leite, um copo de iogurte, uma tigela pequena de aveia e uma fatia de pão integral; *ou* um copo de leite, ¼ de copo de queijo *cottage*, uma tigela de Cheerios ou outro cereal de aveia e duas fatias de pão integral.

Se sua filha não gosta de comidas com proteína pura, experimente um pequeno truque. Misture frutas no iogurte ou leite; faça panquecas com leite, ovos e gérmen de trigo; rabanadas com pão integral, ovos e leite (quanto mais tempo o pão ficar mergulhado na mistura de leite e ovos, mais ela vai absorvê-los); adicione queijo aos ovos mexidos; coloque molho de carne e queijo ralado em uma massa rica em proteínas. Veja também as receitas que começam na página 1041.

♦ Vitaminas de origem vegetal. Você pode servir todas as vitaminas dos vegetais variando com disfarces tentadores: bolinhos de abóbora, bolo de cenoura, molho de tomate ou queijo e brócolis picadinhos, ou molho de couve-flor em uma massa, panquecas vegetarianas, vegetais ao molho de queijo ou uma caçarola de massa. Às vezes os vegetais cozidos, servidos com molho (de iogurte ou de queijo fundido, por exemplo) — porque são divertidos de comer —, são mais aceitáveis para uma criança de 1 ano que seja muito exigente. (Isto é especialmente verdadeiro quando uma criança está com fome, portanto pense em servir vegetais cozidos com molho como aperitivo.) Ou deixe os vegetais de lado inteiramente por enquanto (embora você deva continuar a oferecê-los quando você estiver comendo). Muitas frutas, inclusive melão, mangas, pêssegos e damascos, fornecem as vitaminas encontradas em vegetais amarelos e verdes folhosos não tão adorados assim. A batata-doce,

## A HORA DO AMENDOIM

Quando se trata de amendoim, a maioria das crianças — e de seus pais — é grande fã. As crianças adoram amendoim por causa do sabor. Os pais o adoram porque não é caro e é uma fonte versátil de proteína, fibra, vitamina E e minerais que até mesmo a criança mais exigente vai comer sem briga.

Mas as alergias a alimentos em geral e alergia a amendoim em particular estão presentes entre as crianças, forçando as comidas que levam esse ingrediente a ficar um pouco de lado. Se não houver histórico de alergias alimentares em sua família, o pediatra provavelmente dará consentimento para usar o amendoim quando o bebê completar 1 ano (para minimizar o risco de engasgo, nunca deixe que o seu bebê coma amendoins inteiros ou moídos até que ele tenha 4 ou 5 anos e espere até os 4 anos de idade para deixar que ele coma maiores quantidades). Se houver um histórico de alergias na família (a amendoim ou outros alimentos), os produtos com amendoim devem ser evitados até que você receba o aval do médico — provavelmente só aos 2 anos de idade, possivelmente aos 3, 4 ou até mais tarde.

O mesmo vale para castanhas inteiras ou moídas. Elas geralmente podem ser dadas ao bebê depois do primeiro ano de idade, se não houver um histórico de alergia na família — ou muito mais tarde, se houver. Castanhas inteiras podem representar um risco de engasgo e só devem ser trazidas à mesa quando seu filho tiver 4 ou 5 anos de idade.

---

embora tecnicamente um vegetal, tem o sabor de uma fruta quando assada até ficar macia e é cortada em cubos. Tenha também em mente os pontos a seguir quando estiver alimentando seu bebê exigente:

**Deixe que o apetite do bebê seja seu guia.** Deixe que ele coma bastante quando estiver com fome e deixe-o escolher quando não estiver. Não o obrigue nunca. Mas aguce o apetite dele para as refeições, limitando os lanches antes delas.

**Não encharque pequenos apetites.** Grandes quantidades de suco (mais de 120 a 180 mililitros por dia) podem encher o bebê, sem deixar espaço para os sólidos nutritivos. O mesmo vale para a fórmula ou leite, que podem facilmente estragar um apetite leve. Portanto, seja rígida e limite o suco, e não ofereça mais fórmula ou leite do que o bebê precisa. (Veja no quadro na página 676.) Trocar da mamadeira para o copinho vai fazer com que o reforço deste limite fique muito mais fácil.

**Faça o bebê fazer o jantar.** Ou pelo menos o deixe ajudar. Quanto mais envolvida uma criança estiver no processo que leva a refeição à cadeirinha, mais provavelmente ele vai consumi-la. Portanto, se ele se interessar, deixe que ele ajude a pegar as ervilhas no supermercado e colocá-las em um saco plástico. Esfregar uma cenoura com uma escova macia. Ou picar a alface em uma vasilha. Este sentido de posse da refeição ("eu que fiz") pode induzi-lo a experimentar comidas que ele pode ter rejeitado antes. Mais tarde, tente plantar um pequeno canteiro juntos (se você tiver espaço e motivação) e traga a colheita para a mesa de jantar. Cultivar o gosto pelos verdes pode ser o que faltava para quebrar a resistência dele aos vegetais.

**Não desista.** Só porque o bebê não come carne (ou frango ou peixe) e espinafre (ou brócolis ou cenoura) hoje não significa que não vá comê-los amanhã. Deixe-os disponíveis para ele na mesa da família — mas nunca o obrigue a comê-los — em várias formas e de maneira regular. Um dia ele pode surpreendê-la ao se servir deles.

Não fique preocupada se ele não estiver tendo uma refeição balanceada — ou até um dia equilibrado todo dia. Em vez disto, observe a comida que ele ingere durante a semana para saber se ele está tendo o máximo da Dieta Ideal (ver página 460).

# AUMENTO NO APETITE

*"Eu achava que um bebê de 1 ano tinha uma queda no apetite. O apetite de minha filha parece ter aumentado substancialmente. Ela não é gorda, mas não posso deixar de me preocupar* *de que vá engordar se continuar comendo desta maneira."*

Provavelmente ela está comendo mais porque está bebendo menos. Os bebês que acabaram de ser desmamados ou que estão perto do desmame do peito ou da mamadeira para o copinho provavelmente vão receber menos do seu total calórico de leite e outros líquidos, e podem compensar esta falta aumentando a ingestão de sólidos. Embora possa parecer que a sua filha está ingerindo mais calorias, ela provavelmente está ingerindo o mesmo número ou menos, apenas de uma forma diferente. Ou pode ser que ela esteja comendo mais porque está passando por um crescimento repentino ou está ficando mais ativa — possivelmente porque está andando muito — e o corpo precisa de mais calorias.

Os bebês saudáveis, quando podem comer de acordo com o apetite — voraz ou não — sem a interferência dos pais, continuam a crescer no ritmo normal. Se as curvas de altura e peso da sua filha não estão repentinamente se afastando, não há necessidade de se preocupar se ela estiver comendo demais. Preste mais atenção na qualidade em vez de na quantidade; certifique-se de que o apetite dela não seja desperdiçado em comidas nutricionalmente frívolas e que a dieta não seja sobrecarregada de gordura (o que *pode* levar à obesidade). Observe também a motivação de sua filha para comer. Se ela parece estar comendo por tédio, por exemplo, em vez de por fome, você pode ajudar certificando-se de que ela se mantenha bastante ocupada, fora da cozinha, entre as refeições. Você também pode evitar o estabelecimento de maus hábitos alimentares — nem sempre dê a ela um lanche para o carrinho ou para o passeio de carro, por exemplo, ou quando ela estiver chorando no supermercado. Ou, se você suspeita de que ela esteja comendo por uma necessidade de recompensa emocional, certifique-se de que ela tenha atenção suficiente, amor e carinho. Quando ela cair e se machucar, dê a ela um abraço em vez de um biscoito.

## RECUSANDO-SE A COMER SOZINHO

*"Eu sei que meu filho é perfeitamente capaz de se alimentar sozinho — ele já fez isto várias vezes. Mas agora ele se recusa a segurar a mamadeira, pegar um copinho ou usar a colher."*

A luta íntima entre querer permanecer um bebê e querer crescer apenas começou para o seu filho. Finalmente capaz de tomar conta de uma de suas necessidades, ele não tem certeza se quer isto, se isto significa ter que abandonar o papel seguro e confortável de bebê. Assim como todos os aspectos da separação, este é cheio de ambivalências.

Não obrigue o bebê a crescer rápido demais. Quando ele quiser se alimentar sozinho, deixe. Mas quando quiser ser alimentado, alimente-o. Um dia o garotão vai triunfar sobre o bebezinho, se você deixar os dois lutarem no curso natural das coisas — embora o conflito interno (e aquela ambivalência) prova-

velmente voltem em cada estágio do desenvolvimento até a fase adulta e em cada separação. Enquanto isto, dê a ele todas as oportunidades de ser autossuficiente. Disponibilize a mamadeira, o copinho e a colher sem insistir que ele os use. Ofereça a ele alimentos cortados em pedacinhos tanto nas refeições como na hora do lanche. Poucas crianças nesta idade são realmente competentes com uma colher, e a maioria fará as primeiras aventuras com utensílios de cinco pontas que estão convenientemente presos aos pulsos. Certifique-se também de que você não desestimule estes esforços inconscientemente, insistindo na aparência de limpeza (que só virá à mesa muitos meses depois).

Quando ele conseguir se alimentar sozinho, reforce a decisão dele, ficando por perto e dando a ele bastante incentivo, elogio e, especialmente, atenção. Ele precisa saber que desistir de ser alimentado pela mamãe ou pelo papai não significa ter de desistir da mamãe e do papai.

## AUMENTANDO A INDEPENDÊNCIA

*"Minha menininha não se decide sobre o que quer. Ora ela fica atrás de mim pela casa, se pendurando nas minhas pernas enquanto tento fazer as tarefas domésticas. Ora ela tenta fugir de mim quando eu me sento para abraçá-la."*

Ter conflitos é parte da vida normal de uma criança de 1 ano de idade. Como o bebê que se recusa a se alimentar sozinho, sua filha está dividida entre a ânsia pela independência e o medo de ter que pagar um preço muito alto por ela. Quando você está ocupada com outra coisa, especialmente quando está se movendo mais rápido do que ela consegue, ela se preocupa, achando que está perdendo você e o amor, o sustento, o conforto e a segurança que você representa e reage agarrando-se a você. Por outro lado, quando você fica mais disponível, ela se faz de durona e testa a independência na segurança de sua presença.

À medida que ela ficar mais à vontade com a independência e mais segura do fato de que vocês serão o papai e a mamãe dela, não importa o quanto ela cresça, sua filha ficará menos agarrada. Mas esta batalha interna vai se manifestar repetidamente por muitos anos ainda, provavelmente até quando ela for mãe.

Enquanto isto, você pode ajudá-la para que ela se sinta mais segura. Se você está na cozinha descascando cenouras e ela está na sala, converse com ela, pare de tempos em tempos e vá até ela ou convide-a a ajudá-la, colocando-a na cadeirinha perto de você na pia, por exemplo, e dando-lhe uma abobrinha e uma escova para esfregar vegetais. Apoie e elogie os passos que sua filha toma em direção à independência, mas seja pa-ciente, compreensiva e receptiva quando ela tropeçar e correr para se consolar nos seus braços.

Seja também realista em relação à quantidade de tempo que você pode doar em resposta às exigências dela. Haverá momentos em que você terá que deixá-la se pendurar nas suas pernas, chorando, enquanto você coloca o jantar na mesa e momentos em que você poderá apenas dar a ela alguns minutos de atenção enquanto cuida das compras. Tão importante para ela saber que você vai amá-la para sempre e que sempre atenderá as necessidades dela é saber que outras pessoas — e mesmo você — têm necessidades também.

## LINGUAGEM NÃO VERBAL

*"Nossa menininha fala muito poucas palavras, mas parece ter desenvolvido um sistema de linguagem de sinais. Será que ela tem problemas de audição?"*

É provável que sua filha não tenha problemas de audição, mas que a inventividade dela seja boa. Contanto que sua filha pareça entender o que você diz e tente imitar os sons, mesmo sem sucesso, quase certamente a audição dela é normal. O uso de sinais ou de outras maneiras mais primitivas de expressar pensamentos e necessidades (como grunhidos) é simplesmente uma maneira inventiva de lidar com uma deficiência temporária: um vocabulário compreensível limitado. Algumas crianças simplesmente têm mais dificuldades para formar palavras nesta idade do que outras; para muitas, a dificuldade continua, geralmente até a idade pré-escolar e, às vezes, até o jardim de infância e a primeira série. Elas podem pronunciar palavras de maneira errada quando a maioria dos coleguinhas já fala de maneira clara.

Para compensar a incapacidade de se comunicar verbalmente, muitas destas crianças desenvolvem suas próprias formas de linguagem. Algumas, como a sua filha, são boas em falar com as mãos. Elas apontam para o que querem e empurram o que não querem. Um aceno quer dizer tchau, um dedo apontado para o alto significa para cima e um dedo apontado para baixo significa para baixo. Elas podem latir para indicar um cachorro, apontar para o nariz para "dizer" elefante ou para as orelhas para "dizer" coelho. Algumas podem cantarolar músicas para se comunicar: uma cantiga de ninar quando estão com sono, o tema do programa de tevê favorito quando querem ver tevê. (Veja na página 559 mais informações sobre sinais do seu bebê.)

Já que é necessário muita criatividade e um desejo forte de se comunicar — ambas boas qualidades para se cultivar — você deve fazer o possível para decifrar a linguagem especial de sua filha e mostrar a ela que você a entende. Mas não se esqueça de que o objetivo é que ela fale realmente. Quando ela cantarolar uma cantiga de ninar, diga: "Você quer dormir?" Quando ela apontar para o leite, responda: "Você quer um copo de leite? Tudo bem." Se ela apontar para as orelhas dela quando vir um coelho num livro de histórias, responda: "Você está certa, isto é um coelho com orelhas compridas." Se no entanto ela não parece ouvir quando você chama atrás dela ou de outro cômodo, ou não entende comandos simples, você deve pedir ao médico que examine a audição dela.

## DIFERENÇAS DE GÊNERO

*"Estamos tentando não criar os nossos filhos de uma maneira machista. Mas descobrimos que não importa o quanto tentemos, não conseguimos fazer com que nosso filho seja carinhoso com as bonecas — ele prefere atirá-las na parede."*

Vocês estão fazendo a mesma descoberta feita por muitos pais bem-intencionados, determinados a evitar moldar os filhos de acordo com estereótipos sexuais. A igualdade sexual é um ideal cuja época já chegou, mas a uniformidade sexual é uma ideia cuja época pode nunca vir — pelo menos enquanto a mãe natureza continuar a mandar no assunto. Meninos e meninas, ao que parece, são formados no útero tanto quanto no pátio e no quintal.

As diferenças entre os sexos, acreditam os cientistas, começam no útero quando os hormônios sexuais, como a testosterona e o estradiol, começam a ser produzidos. Os fetos masculinos recebem mais do primeiro e os femininos mais do segundo. Isto aparentemente faz com que haja um desenvolvimento cerebral diferente e forças e abordagens diferentes à vida.

Embora muito mais trabalho seja necessário fazer antes que os cientistas possam precisar todas as diferenças, está claro que algumas existem desde o nascimento, mesmo antes que os bebês tenham alta do hospital. As meninas parecem focalizar rostos por mais tempo, especialmente os falantes. As meninas reagem mais ao toque, à dor e ao barulho; os meninos reagem mais ao estímulo visual. As meninas são mais sensíveis, mas são mais facilmente acalmadas e confortadas; os meninos tendem a chorar mais e ser mais irritados. Estas e outras diferenças, é claro, aplicam-se a meninos e meninas como um todo, e não necessariamente como indivíduos. Algumas meninas podem ter mais características "masculinas" do que alguns meninos, e alguns meninos podem ter mais características "femininas" do que algumas meninas.

É também aparentemente cedo que os meninos têm mais massa muscular, pulmões e corações maiores e uma sensibilidade menor à dor, enquanto as meninas têm mais gordura corporal, um formato diferente da pélvis e uma maneira diferente de processar o oxigênio nos músculos, dando a elas menos vigor do que os meninos mais tarde na vida. No entanto, as meninas bebês não são definitivamente o sexo mais fraco — elas tendem desde o início a ser mais saudáveis e mais fortes do que os meninos.

Ao que parece, desde cedo as meninas demonstram maior interesse em pessoas e os meninos em coisas, e pode ser este o motivo pelo qual mais meninas gostam de brincar de bonecas e de vesti-las, enquanto mais meninos preferem caminhões e carros de bombeiro; mas será que o fato de meninas preferirem as bonecas enquanto meninos preferem caminhões significa que o destino deles é predeterminado? Em parte, sim — as meninas crescem e se tornam mulheres, e os meninos crescem e se tornam homens. Mas muitas das atitudes vão depender das atitudes dos pais; grande

parte do comportamento deles vai depender do exemplo que os pais estabelecem. É possível criar uma criança que não seja "machista", do seu ponto de vista, que tenha respeito tanto por homens quanto por mulheres, que escolham seus futuros papéis na vida não com base em estereótipos (de qualquer tipo), mas com base em seus próprios desejos e forças pessoais — e que, independente do sexo, serão carinhosos em seus relacionamentos. As dicas a seguir vão ajudá-los a atingir estes objetivos:

◆ Lembrem-se de que existem referências inatas entre homens e mulheres, e isto não significa que um sexo seja melhor ou pior, mais forte ou mais fraco. As diferenças são enriquecedoras, as igualdades limitam. Transmitam esta atitude aos seus filhos.

◆ Tratem seus filhos como indivíduos. Coletivamente, os homens têm mais músculos e são mais agressivos do que as mulheres. Existem algumas mulheres que têm mais músculos e são mais agressivas que alguns homens. Se você tem uma filha que tem mais características "masculinas" ou um filho que tem mais características "femininas", não as menosprezem nem depreciem — e não tentem forçar uma mudança, também. Estimulem o seu filho a usar seus pontos fortes, em vez reprimi-los. Aceitem, amem, apoiem e incentivem o seu filho como ele é.

◆ Modifiquem os extremos. Aceitar seu filho como ele é não significa não ajudá-lo a superar comportamentos

## APRENDENDO A ANDAR

Acha que viu negatividade? Acredita que vislumbrou determinação? Esta é apenas uma prévia dos anos de uma criança pequena aprendendo a andar — quando estes comportamentos egocêntricos, e outros, vão encantar e exasperar, deleitar e surpreender, fascinar e frustrar, testar a sua engenhosidade e a sua paciência como pai ou mãe. De fetiches por comida a ritualismo, as crianças pequenas têm uma maneira tão singular de encarar a vida que os pais se surpreendem — e procuram por conselhos sobre a melhor maneira de lidar com os filhos peculiar e intensamente independentes. Uma vez que muitos comportamentos de crianças pequenas começam a aparecer mais tarde no primeiro ano de vida, você será capaz de coletar algumas dicas para enfrentar a fase neste capítulo. Mas para obter muito mais ajuda em muitos outros tópicos, leia *O que esperar dos primeiros anos*.

que podem deixá-lo para trás na vida. Se uma criança é extremamente agressiva, vocês devem ensiná-la a dosar a agressividade. Se, por outro lado, for passiva demais, vocês podem encorajar a assertividade dela.

◆ Escolham brinquedos não porque vocês estejam tentando formar ou romper um estereótipo, mas porque realmente acreditam que seu filho gostará e se beneficiará deles. Se uma criança usa um brinquedo de maneira diferente da que vocês esperam (meninos e meninas usam os mesmos brinquedos de maneiras diferentes, e até no mesmo sexo o uso pode variar), aceitem. Lembrem-se, um menino nunca terá de ninar uma boneca para se tornar um pai carinhoso; o exemplo de pai carinhoso (ou de outro homem carinhoso na vida dele) terá muito mais impacto.

◆ Não caiam inconscientemente em armadilhas machistas. Não digam ao seu filho que está chorando para não chorar porque ele é um homem, nem logo depois afoguem a irmã dele quando ela estiver chorando. Não limitem os cumprimentos a sua filha em: "Como você está bonita", e para o seu filho: "Como você sobe em bem em árvores" ou: "Que garotão você é." Digam estas coisas quando for adequado. Mas também cumprimentem um menino por ser gentil com a irmã e uma menina por jogar bola bem. Façam isto porque a personalidade de uma criança é composta de muitos aspectos, e todos precisam de apoio.

◆ Evite fazer julgamentos de valor sobre tipos diferentes de habilidades ou papéis na vida. Se, por exemplo, você der a seus filhos a impressão de que os cuidados com uma criança é um trabalho que não precisa ser muito respeitado, nem os meninos nem as meninas vão valorizá-lo quando adultos. Se você der a eles a ideia de que ir trabalhar no escritório é mais valioso do que trabalhar como mãe ou pai em tempo integral ou trabalhar em um ambiente que não seja o escritório, eles também não vão valorizar estas últimas opções.

♦ Divida as tarefas da família de acordo com as habilidades, os interesses e o tempo, em vez de dividir de acordo com estereótipos preconcebidos ou para romper tal estereótipo. Isto significa que o melhor cozinheiro cozinha mais (o outro parceiro pode lavar a louça e limpar tudo), e o melhor contador deve cuidar das finanças. Tarefas que ninguém quer devem ter rotatividade, divididas de comum acordo entre as partes ou relegadas ao sabor do momento ("Querido, você pode tirar o lixo, por favor?"), mas este sistema pode falhar se não for cuidadosamente monitorado (como quando ninguém tira o lixo).

Dê o exemplo. Decida que qualidades, tanto no homem quanto na mulher, você e o seu parceiro valorizam mais, e tentem cultivar estes valores em vocês mesmos e nos seus filhos. Crianças pequenas desenvolvem a identidade de gênero em parte por meio de brincadeiras com outros de seu próprio sexo e em parte pela identificação com o genitor do mesmo sexo. Novamente, as bonecas não vão ensinar um menininho tanto quanto um pai carinhoso (ou outro homem importante na vida dele). Um bastão e uma bola provavelmente vão incentivar menos uma menina a desenvolver a aptidão física do que uma mãe que corre todos os dias.

# Mudando de cama

*"Estamos esperando nosso segundo bebê para daqui a seis meses. Quando e como devemos passar nosso filho do berço para uma cama?"*

Se seu filho está pronto ou não para uma cama vai depender da idade dele, do tamanho, do desenvolvimento e do espírito de aventura mais do que se existe ou não um irmãozinho a caminho. A regra geral: se uma criança tem 88 cm ou consegue descer do berço sozinha (ou tentou e quase conseguiu), ela está pronta para uma cama. Algumas crianças especialmente ágeis podem descer de um berço antes de chegar a esta altura; outras, menos ousadas, podem nem mesmo tentar. (Até uma criança que seja mais alta, mas esteja perfeitamente satisfeita no berço — e não tente escapar dele — só deve passar para a cama quando estiver pronta.)

Já que seu filho mais velho ainda será novo demais quando o novo bebê nascer, é improvável que ele esteja pronto para fazer a mudança para uma cama de "menino grande". Mesmo que esteja, ele pode se sentir deslocado se vocês simplesmente o tirarem do berço quando o novo bebê chegar. Uma ideia melhor seria passá-lo para um berço que possa ser convertido em cama quando ele estiver pronto.

# Usando o travesseiro

*"Eu ainda não dei um travesseiro ou um cobertor a minha filha, no berço*

*dela, por causa do risco de SIDS. Mas agora que ela tem 11 meses, eu me pergunto se é seguro para ela dormir com eles."*

Para você, uma cama pode não ser uma cama se não tiver um travesseiro (ou dois ou três) para descansar a cabeça, ou um edredom macio para se aninhar. Mas para uma neném que dorme sem travesseiro e descoberto no colchão desde o nascimento, travesseiros e cobertores não são um problema — o que ela não conhece não pode perturbá-la nem mantê-la acordada durante a noite. Então está tudo bem. Embora a época de risco para asfixia e SIDS tenha passado, a maioria dos especialistas recomenda só dar um travesseiro quando o bebê passar para a cama ou entre os 18 e 24 meses de idade. Até lá, mesmo o pouco risco remanescente terá desaparecido. Outro conselho que você deve considerar é: alguns especialistas dizem que dormir sem um travesseiro é melhor para todo mundo — bebê ou adulto.

Quanto ao cobertor, o mesmo conselho é válido — quanto mais tarde, melhor. Embora alguns pais comecem a enrolar os bebês em cobertores quando chegam aos 12 meses de idade, a maioria dos especialistas recomenda que se espere até pelo menos a metade do segundo ano. O risco de usar um cobertor, especialmente com um bebê ativo, não é tanto pela asfixia e sim pelo fato de que ele pode se enrolar no cobertor quando se levantar do berço, levando-o a quedas, contusões e frustração. Muitos pais optam por pijamas com pezinhos, de algodão leve, para manter os bebês aquecidos em noites frias.

Quando decidir introduzir o travesseiro e o cobertor, não deixe que sua preferência por acessórios fofos para a cama guie sua seleção. Escolha um travesseiro para crianças pequenas que seja menor e muito fino e um cobertor que seja leve.

## ASSISTINDO À TEVÊ

*"Eu me sinto culpada por ter começado a deixar minha filha ver desenhos animados quando começo a preparar o jantar. Ela parece adorar, mas eu me preocupo se não vai ficar viciada em tevê."*

Você não é a única que está preocupada com isto — a maioria dos especialistas também está. Segundo as pesquisas, crianças entre 2 e 12 anos de idade assistem a uma média de 25 horas de televisão por semana. Se o tempo que a sua filha passa em frente à tevê está dentro desta média, ela terá passado 15 mil horas grudadas ao aparelho quando terminar o segundo grau — cerca de 4 mil horas a mais do que terá passado na escola. Se o que ela assiste não for cuidadosamente monitorado, as pesquisas afirmam que ela terá testemunhado 18 mil assassinatos, inúmeros outros crimes, como roubos e estupros, atentados a bomba e espancamentos e mais sexo casual do que você pode imaginar. Ela também terá sido o alvo inocente de 350 mil comerciais que tentam vender a ela (e através dela, a você) produtos de valor discutível.

Ver tevê demais traz outras desvantagens para crianças. Entre elas a obesidade e um desempenho ruim na escola. Uma vez que pode reduzir a interação entre os membros da família (especialmente se estiver ligada na hora das refeições ou se as crianças têm tevê nos quartos), a televisão também pode promover um abismo de comunicação. Talvez o pior de tudo, cria uma imagem do mundo distorcida, incorreta e confusa no sistema de valores em desenvolvimento de uma criança, estabelecendo normas de comportamento e crenças que não são aceitas no mundo real.

Os programas feitos para crianças são, evidentemente, muito melhores para elas do que os programas feitos para telespectadores mais velhos. Embora ainda haja muita coisa atraente que não valha a pena deixar um pequeno telespectador assistir, os programas infantis são bem melhores do que costumavam ser graças aos órgãos regulamentadores. A maioria dos programas feitos para o público mais jovem é de alta qualidade, oferecendo uma boa dose de educação aliada à diversão. Muitos programas esforçam-se para ensinar não apenas os números e as letras, mas também valores positivos, como dividir, cooperar, autocontrole, tolerância racial, consciência ecológica e gentileza com os outros. Alguns também têm um componente interativo, tornando o ato de assistir à tevê uma atividade menos passiva.

Poucas pesquisas foram feitas sobre os efeitos da televisão sobre os bebês e crianças pequenas, já que é muito difícil fazê-las (como as crianças nesta idade têm um vocabulário muito rudimentar,

é muito difícil determinar o que ganham assistindo à tevê, se é que ganham alguma coisa). Ainda assim, baseados no que sabem, muitos especialistas concordam que até o melhor que a televisão tem a oferecer não é muito bom para crianças de 1 ano de idade. Os pediatras recomendam que os pais não deixem os filhos de menos de 2 anos de idade assistirem à tevê. Até lá, os bebês e crianças pequenas precisam e parecem se beneficiar mais de interações pessoais com os pais ou com outra pessoa que cuide deles — o tipo de interação que ajuda a fazer associações mentais fundamentais, o tipo de interação que alimenta o desenvolvimento intelectual, emocional e social de uma criança. Embora a televisão possa promover o aprendizado, ela não permite que crianças pequenas aprendam com a experiência e pela exploração ativa, que é como elas aprendem melhor.

Provavelmente o maior problema de colocar seu filho na frente da televisão é a facilidade com que isso pode se tornar um hábito. Nem tanto para o bebê (que nesta idade pode ser rapidamente distraído por uma grande variedade de atividades), mas para você. Muitos pais ocupados usam a tevê como babá e, embora seja perfeitamente compreensível (a tevê pode manter uma criança pequena envolvida — e em um lugar — enquanto a mamãe ou o papai prepara o jantar, verifica os *e-mails* ou fala ao telefone) e talvez algumas vezes inevitável, não é aconselhável fazer isto de maneira regular. É muito fácil que aqueles "cinco minutos enquanto eu esvazio o lava-louças" possam se transformar em vinte, depois meia hora, depois uma hora e depois... você entendeu. Além disso, os especialistas aconselham que uma criança que vê televisão se beneficiará se estiver vendo ao lado de um dos pais — que pode tornar a experiência mais educacional e interativa, fazendo perguntas, apontando para imagens, discutindo temas — algo que não é possível quando os pais estão usando a tevê como babá.

Algumas famílias decidem esperar até que a criança tenha 2 anos para apresentar a televisão, mas isto não é realista (em especial quando existem outros irmãos em casa). Se a televisão faz parte da vida de uma criança, tente estabelecer limites rigorosos desde o começo. Evite manter a televisão ligada para o seu próprio divertimento durante as horas em que a criança estiver acordada, especialmente durante as refeições, quando a interação da família pode perder para o efeito hipnotizador da tevê. Embora nem sempre seja prático, assista à tevê junto com sua filha sempre que puder, reforçando o que ela vê na tela — como você reforçaria o que ela vê em uma página de um livro na hora de contar uma história.

Em vez de confiar na tevê como o único divertimento audiovisual para seu filho, use também fitas e CDs; eles requerem uma imaginação visual (algo que a televisão não exige), estimulando a criatividade e, quando são musicais, dando oportunidades de autoexpressão através da música e da dança.

E se você ainda precisa de outro motivo para evitar ou limitar ver televisão agora, aqui está mais um: nunca mais será fácil fazer isto. Os dois primeiros anos são provavelmente a única época em que você conseguirá evitar lutas contra a televisão com a sua filha. Depois que ela atingir a idade pré-escolar — e sofrer a influência dos coleguinhas para assistir mais televisão em lares não tão rigorosos — a idade da inocência em relação à mídia estará terminada para sempre.

## SOFTWARE PARA BEBÊS

*"Eu já vi CD-ROMs especialmente desenvolvidos para bebês em lojas. Será que já devo introduzir os jogos de computador na vida de meu filho?"*

Em uma cultura onde as crianças em idade pré-escolar que ainda não sabem ler provavelmente serão pelo menos tão boas usuárias de computadores quanto os pais, era apenas uma questão de tempo antes que o uso de softwares chegasse ao cenário das fraldas. Ainda que seja chamado de *lapware*, por ser feito para crianças tão pequenas que ainda precisam se sentar no colo de um adulto para ver a tela e alcançar o teclado, ele está rapidamente ganhando popularidade entre os pais ansiosos para dar a sua prole a mentalidade tecnológica que eles nunca tiveram.

Os programas de lapware desenvolvidos especialmente para bebês entre os 9 e 12 meses de idade incluem aquelas atividades educacionais próprias para bebês e crianças pequenas como diferenciar objetos, ouvir sons de animais, vestir personagens, montar quebra-cabeças simples, brincar de esconde-esconde e ouvir histórias. Alguns softwares na verdade permitem que os pais integrem fotos da família e vozes ao programa, para grande deleite dos jovens participantes. Teclados para bebês, com teclas coloridas, brilhantes e grandes, convidam o bebê a tocá-las; uma bolinha que gira, mais fácil de manipular do que o mouse, leva em consideração as habilidades motoras dos pequenos usuários.

É educativo, divertido e muitas crianças pequenas adoram, implorando pe-la oportunidade de ficar à frente do computador sempre que podem. Mas o lapware está sujeito a debates entre especialistas em desenvolvimento infantil. É um debate que está apenas esquentando e provavelmente não terminará tão cedo, principalmente porque existem poucas evidências que provem, de um jeito ou de outro, os efeitos do computador sobre os bebês e crianças pequenas. Muito mais pesquisas precisam ser feitas. Na verdade, os pediatras ainda estão estudando o caso, analisando as consequências do lapware no desenvolvimento de crianças pequenas.

Enquanto isso, você vai precisar considerar os benefícios e riscos em potencial do lapware antes de decidir se é hora de "conectar" o seu bebê. O aspecto positivo é que ele vai se familiarizar com os computadores desde cedo, o que pode dar a ele habilidades valiosas e possivelmente uma vantagem tecnológica no futuro (embora aprender estas habilidades um pouco mais tarde, nos anos da pré-escola e do jardim de infância, possa dar a ele muito mais vantagem). O lapware pode dar a ele um desenvolvimento motor fino através de gráficos e jogos, todo o estímulo que ele anseia. Também pode promover o aprendizado (embora provavelmente menos do que o faria ler para ele, participar de jogos fora do computador ou dividir uma série de experiências fora de casa com ele). Brincar no computador com bebês também vai de encontro ao desejo natural deles de imitar os outros membros da família, assim como fariam servir o jantar com um kit de brinquedo ou falar em um telefone de brinquedo. Finalmente, porque requer a participação de um adulto — ou pelo menos o colo dele — o lapware, ao contrário da televisão (que os pais simplesmente usam para largar seus filhos em frente), incentiva pais e crianças pequenas a passarem um "tempo de qualidade" juntos, aprendendo e se divertindo (embora, novamente, este "tempo de qualidade" possa ser usado em muitas atividades que não precisam do uso de tecnologias).

Os efeitos negativos de alimentar o seu filho com chips de computador tão cedo na vida? Por um lado, ao contrário de outros tipos de brincadeira, brincar com o computador (mesmo quando educacional) não desafia muito a capacidade intelectual do bebê. Quando está montando um quebra-cabeça no chão da sala, ele tem de visualizar que peça vai se encaixar, depois pegar a peça na mão para refletir sobre a imagem e em seguida manipulá-la e encaixá-la no quadro. Quando está montando um quebra-cabeça no computador, ele pode apertar as teclas do teclado aleatoriamente, o que faz com que aconteça a ação na tela. A criatividade também não é alimentada com o lapware. Enquanto o escopo de visão do seu filho na tela do computador é limitado pelo que o software fornece, a imaginação é ilimitada quando ele representa papéis com uma família de ursos ou em uma garagem para carros do tamanho de uma criança. Além do mais, passar muito tempo na frente do computador pode limitar a oportunidade que as crianças têm de aprender as habilidades críticas da vida real que não existem no ciberespaço, como autocontrole e relacionamento com os outros. Uma interface ocasional com uma máquina é bom, mas o que as crianças realmente precisam é de interação com pessoas. Embora mais interativo do que a televisão, brincar com um computador ainda é muito mais passivo do que outros tipos de brincadeira. É especialmente inadequado para uma criança ativa de 1 ano de idade que quer (e deve estar) se movimentando ao máximo quando acordada, explorando o mundo de perto. Embora o lapware seja uma garantia de um tempo passado juntos, alguns especialistas afirmam que na verdade o computador pode se interpor entre pai e filho. E, de acordo com estes especialistas, as atividades feitas em dupla, sem a interferência da tecnologia — como ler para o seu filho, dançar ou rolar uma bola para ele, brincar de tomar chá com as bonecas — fornece muito mais "tempo de qualidade" do que o uso do computador. Além disso, eles se perguntam — por que a pressa?

Até que exista um consenso definitivo sobre o lapware para bebês e crianças pequenas, pode ser melhor agir com cau-

tela. Se você preferir usar o lapware, tenha as seguintes diretrizes em mente:

♦ Lembre-se do "colo" no lapware. Nunca deixe seu bebê em uma cadeira sozinho na frente de um computador.

♦ Não dê a seu filho mais do que ele pode aguentar. Limite o uso para dez ou 15 minutos de cada vez. Tempo demais passado em frente ao computador pode resultar em pouco tempo passado trabalhando o desenvolvimento social, emocional, físico e intelectual. Ele impede que o bebê aprenda da maneira tradicional — fazendo. Cuidado para não obrigar uma criança que está cansada de usar o teclado — e preferiria estar brincando com outra coisa — a ficar quieta em frente ao computador por mais tempo do que a paciência ou o tempo de atenção que ela tem.

♦ Use-o pelos motivos certos. É divertido, de certa forma estimulante e educativo. Mas não vai aumentar o QI do seu filho, não fará com que ele progrida na escola nem o transformará em um gênio da tecnologia.

E certamente, se você optar por não seguir a moda da tecnologia para bebês e reservar as suas sessões de colo para cantigas de ninar (sem falar no fato de dar um bom colinho tradicional), não se preocupe de estar privando seu filho da preparação que ele precisa para vencer em um mundo conectado. Ele terá bastante tempo para isto.

# HIPERATIVIDADE

*"Minha filha está sempre em movimento o dia inteiro — engatinhando, andando, subindo nas coisas, sempre se mexendo. Eu receio que ela possa se tornar hiperativa."*

Observando o ritmo frenético que a maioria das crianças pequenas tem, é fácil ver por que tantos pais de crianças de 1 ano de idade se perguntam a mesma coisa que você. Mas não se preocupe. O que parece um alto nível de atividade anormal, para alguém que nunca tentou cuidar de uma criança pequena, é bastante normal. Depois de muitos meses de frustração, a mobilidade que sua filha lutou tanto para conseguir é finalmente dela. Não é de se admirar que ela esteja em constante movimento — correndo (ou andando, engatinhando ou subindo) em cada oportunidade que tem. No que diz respeito a ela, o dia é curto demais para todas as expedições que ela quer fazer.

É cedo demais para se preocupar com a verdadeira hiperatividade (oficialmente chamada ADHD, Distúrbio de Hiperatividade e Déficit de Atenção). Este diagnóstico é contemplado apenas nos primeiros anos escolares, quando fica claro que a atenção de uma criança não se desenvolveu adequadamente junto com ela. Por enquanto, a atenção da sua filha e o constante movimento são tão adequados à idade dela quanto os hábitos alimentares confusos. Quando é necessário desligar a máquina em constante movimento à noite, um banho morno e relaxante e algumas atividades calmas, como uma massagem (se ela gostar) e um pouco de leitura ou canto, podem funcionar.

# NEGAÇÃO

*"Desde que o meu filho aprendeu a balançar a cabeça para dizer não, ele tem respondido negativamente a tudo — mesmo a coisas que eu tenho certeza de que ele quer."*

Parabéns — seu filho se transformou em uma criança. E com esta transição vem o início do padrão de comportamento que você verá muito mais, com intensidade crescente, no próximo ano ou mais: a negação.

Apesar da dificuldade de ficar no lado receptor, a negação é uma parte normal e saudável do desenvolvimento de uma criança pequena. Pela primeira vez, ela é capaz de ser ela mesma em vez de um bebê maleável, de exercer algum poder, testar os próprios limites e desafiar a autoridade dos pais. E o mais importante, ele é capaz de expressar as opiniões dele de uma maneira clara e distintamente. E a opinião que ele descobriu que tem maior impacto é "Não!"

Felizmente, neste estágio da negação, seu filho provavelmente não quer dizer "não" tão violentamente como o expressa. Na verdade, ele com frequência não quer dizer isto — como quando ele diz não para a banana que estava pedindo ou sacode a cabeça quando você pergunta se ele quer ir no balanço que você sabe que ele realmente quer ir. Como levantar ou dar passos, aprender a dizer não e a balançar a cabeça são habilidades — e ele precisa praticá-las, mesmo quando não são adequadas. O fato de que os bebês invariavelmente balançam a cabeça não muito tempo antes de aprender a dizer sim com elas tem menos a ver com a negação do que com o fato de que é um movimento menos complexo e mais facilmente executado que requer menos coordenação.

Às vezes a verdadeira negação pode ser evitada com uma pequena manipulação verbal da sua parte. Se você não quer ouvir um não, não faça uma pergunta que possa ser respondida desta forma. Em vez de: "Você quer uma maçã?", experimente dizer: "Você quer uma maçã ou uma banana?", oferecendo as mãos para que ele aponte. Em vez de: "Você quer ir no escorrega?", pergunte: "Você quer ir no escorrega ou no balanço?" No entanto, fique atenta para o fato de que algumas crianças pequenas podem responder a uma pergunta de múltipla escolha com um não.

Ocasionalmente, um bebê de 11 ou 12 meses vai responder com uma versão primitiva da pirraça que só fará aos 2 anos de idade. Estes atos são engraçados, embora rir deles (ou do uso vigoroso do não e do balançar da cabeça) apenas vá prolongar este comportamento e incentivar a repetição. Embora nem sempre funcione mais tarde (uma criança mais velha pode continuar a fazer pirraça até que os pais cedam), ignorar uma crise de um bebê de 1 ano geralmente resulta na desistência da luta por parte dele, que mansamente vai brincar com um brinquedo. A distração, um abraço ou um pouco de humor também funcionam bem.

Os nãos provavelmente vão durar na sua casa por cerca de pelo menos mais um ano, e provavelmente vão se intensificar antes de desaparecerem. A melhor maneira de lidar com este período tempestuoso é não dar muita importância ao comportamento negativo; quanto mais você der importância aos nãos do bebê, mais nãos vai ouvir. Manter a negação em perspectiva enquanto mantém o senso de humor pode não ser útil para eliminar os nãos, mas pode ajudar na habilidade de lidar com eles.

# O Que É Importante Saber:
# ESTIMULANDO SEU BEBÊ DE 1 ANO DE IDADE

Primeiras palavras. Primeiros passos. Com estas duas asas no corpo do bebê, ou quase isto, o jogo do aprendizado se tornará cada vez mais animado. O mundo está crescendo em grandes saltos e pulos; dê a seu filho de 1 ano a oportunidade de explorar e aprender sobre o mundo, enquanto promove o desenvolvimento físico, social, intelectual e emocional contínuo dele, oferecendo o seguinte:

**Um espaço seguro para andar — dentro e fora de casa.** O bebê que anda geralmente se recusa a ficar preso no carrinho ou no *sling*, portanto use-os apenas quando necessário. Incentive seu bebê a andar o máximo possível, mas fique de olhos bem abertos para os perigos, especialmente nas ruas, estradas e avenidas próximas. Para o bebê que não sabe andar ainda, coloque alguns objetos que chamem a atenção dele fora de alcance para que ele se motive a se levantar e ir buscá-los. Empurrar brinquedos também pode ajudar a firmar um bebê que está inseguro para se levantar e andar.

**Espaço seguro para subir, com supervisão.** Os bebês adoram subir degraus (quando você não está olhando, o portão é um atrativo ainda maior), subir no escorrega (fique bem atrás, só por precaução), manobrar em volta de uma cadeira baixa e descer da cama. Deixe-o fazer isto — mas fique por perto e esteja pronta para salvá-lo, se for necessário.

**Incentivo a ser fisicamente ativo.** O bebê inativo pode precisar de um pouco de incentivo para ficar mais ativo. Você pode precisar se abaixar e engatinhar você mesma, desafiando o bebê a engatinhar ou andar atrás de você ("Tente me pegar!") ou correr de você ("Eu vou te pegar!"). Coloque brinquedos ou objetos favoritos fora de alcance e incentive algum tipo de movimento para pegá-los. O bebê medroso pode precisar de algum apoio moral — e físico. Incentive, mas não obrigue. Suba e desça no escorrega com uma criança tímida até que ela se sinta à vontade para ir sozinha. Passeie

com ele ainda inseguro dando a mão (ou as duas) para que ele se apoie. Vá para o balanço das "crianças grandes" com ele até que seu filho pequeno esteja pronto para se arriscar sozinho no balanço para bebês.

**Um ambiente variado.** O bebê que não vê nada além do interior da casa, o carro da família e o supermercado será um bebê muito entediado (sem falar no fato de que a pessoa que cuida dele também será). Existe um mundo excitante fora de casa e o seu bebê deve vê-lo diariamente. Mesmo sair na chuva ou na neve (exceto quando as condições estiverem ruins demais) pode ser uma experiência de aprendizado. Dê um giro com o bebê pelos *playgrounds*, parques e museus (os bebês ficam geralmente fascinados com pinturas e esculturas), um museu para crianças (se você tiver sorte de ter um por perto), lojas de brinquedos, restaurantes, *shoppings* e outras áreas movimentadas de comércio com muitas vitrines para olhar e muitas pessoas para observar.

**Brinquedos de puxar e empurrar.** Os brinquedos que precisam ser puxados ou empurrados fornecem um boa prática àqueles que estão começando a andar e confiança (e apoio físico) para os que já sabem andar. Os brinquedos que as crianças podem se sentar e empurrar com os pés podem ajudá-las a andar, embora outras achem mais fácil andar de forma independente.

**Materiais criativos.** Escrever com giz de cera dá bastante satisfação a muitos bebês de 1 ano de idade. Coloque papel em uma mesa, no chão ou em um quadro e confisque o giz de cera quando não estiver sendo usado onde deveriam ou se o bebê decidir mastigá-los; isto vai ajudá-lo a entender o uso adequado. Não permita que ele use lápis ou canetas, exceto sob supervisão próxima, já que as pontas afiadas podem ser um desastre se o bebê as balançar perto do olho. Pintar com os dedos pode ser divertido para alguns, mas os dedos sujos são desconfortáveis para outros. (Embora lavar as mãos demonstre que a condição é apenas temporária, ainda assim algumas crianças resistem a esta técnica.) Brinquedos musicais também podem ser divertidos, mas procure por aqueles que tenham uma boa qualidade sonora. O bebê também pode aprender a improvisar musicalmente, com uma colher e o fundo de uma panela, por exemplo, se você demonstrar como se faz.

**Colocar e tirar brinquedos.** Os bebês adoram colocar coisas e depois tirá-las, embora esta última habilidade se desenvolva antes da primeira. Você pode comprar brinquedos especiais ou apenas usar objetos de sua própria casa, como caixas vazias, colheres de pau, copos de medida e pratos e guardanapos. Encha uma cesta com uma variedade de objetos pequenos (mas não tão pequenos que o bebê possa colocar na boca e engasgar) para os iniciantes. Esteja preparada para brincar mais com isto até que o bebê seja mais eficiente. Areia, ou se você estiver em uma casa, arroz cru ou água (você pode limitar o uso à banheira ou à cadeirinha) permitem que seu filho coloque e derrame estas coisas — a maioria dos bebês adoram estes materiais, mas precisam de supervisão constante.

---

## OS OLHOS ESTÃO... PRONTOS

Os pais sempre desejam que seus filhos olhem para eles em busca de direção. Bem, de acordo com algumas pesquisas interessantes, as crianças costumam olhar para seus pais (e para outros adultos) em busca de um orientação — e muitos o fazem bem mais cedo do que se acreditava. Os pesquisadores acham que é mais provável que bebês com 12 meses de idade olhem para um objeto somente depois que um adulto olhar na mesma direção. De acordo com as pesquisas, isso demonstra que os bebês desde muito cedo entendem o significado dos olhares — e começam a procurar por eles em busca de uma orientação social. A pergunta é: esse fato funciona aos 16 anos de idade?

---

**Passa-formas.** Geralmente antes que os bebês saibam dizer círculo, quadrado ou triângulo, eles aprendem a reconhecer estas formas e podem colocá-las nas aberturas adequadas em um passa-formas. Estes brinquedos também ensinam a ter destreza manual e, em muitos casos, ensinam as cores. Entretanto, fique atenta se o bebê precisar de muitas demonstrações e muita ajuda antes de dominar a habilidade de brincar com um passa-formas.

**Brinquedos para destreza.** Brinquedos que requerem virar, torcer, empurrar, pressionar e puxar estimulam as crianças a usar as mãos de formas variadas.

## UM LEMBRETE DE SEGURANÇA

Seu bebê está ficando mais inteligente e coordenado a cada minuto — mas ainda vai levar algum tempo até que o julgamento alcance a inteligência e a habilidade motora. Como o bebê agora é capaz de pensar e agir de novas maneiras e entrar em confusões, são justamente as habilidades e a inteligência que o colocam em um risco ainda maior do que antes.

Portanto, à medida que o bebê entrar no segundo ano de vida, certifique-se de continuar sua constante vigilância, bem como tomar todas as precauções de segurança que você já havia colocado em prática. Mas também faça um segundo inventário, levando em consideração que ele é um bebê que agora anda e em breve será um escalador eficiente. Isso significa que quase nada em sua casa que não esteja bem trancado ou atrás de uma fechadura à prova de bebês está seguro nas mãozinhas dele. Em sua pesquisa, procure não apenas por objetos que seu filho de 1 ano pode alcançar, mas também por qualquer coisa que ele possa pensar em usar para subir. É aconselhável retirar do alcance e guardar todos os objetos que podem ser perigosos para o seu bebê (ou vice-versa). Considere também que as crianças pequenas podem ser bastante engenhosas para conseguir o que desejam — empilham livros para alcançar uma prateleira, puxam uma cadeira para alcançar a janela, ficam em pé sobre um brinquedo para alcançar o balcão da cozinha. Certifique-se de que qualquer coisa na qual o seu bebê suba — cadeiras, mesas e prateleiras — seja firme o suficiente para aguentar o peso dele. Continue estabelecendo limites ("Não, você não pode subir aí!"), mas não dependa de seu filho, que ainda é muito pequeno, para se lembrar hoje da proibição de amanhã.

---

Podem ser necessárias muitas demonstrações feitas pelos pais antes que os bebês sejam capazes de lidar com algumas destas manobras complicadas, mas uma vez que tenham sido dominadas, estes brinquedos podem proporcionar horas de brincadeira concentrada.

**Brinquedos para a hora do banho.** Eles ensinam muitos conceitos e permitem a alegria de brincar na água sem fazer bagunça no chão ou nos móveis. A banheira é um ótimo lugar para fazer bolhas de sabão, mas você provavelmente terá de fazer as bolhas por enquanto.

**Brincar de siga o líder.** O papai começa a bater palmas, depois a mamãe. O bebê é incentivado a ser o próximo. Depois o papai agita os braços, a mamãe faz o mesmo. Depois de algum tempo, o bebê seguirá o líder sem precisar pedir, e um dia será ele o líder.

**Livros, revistas e qualquer coisa com figuras.** Você não pode ter um cavalo, um elefante e um leão vivos na sua sala — mas pode tê-los todos, e muito mais, visitando a sua casa através de um livro ou revista. Olhe e leia livros com o bebê várias vezes ao dia. Cada sessão provavelmente será curta, com talvez apenas alguns minutos, devido à atenção limitada de seu filho, mas, juntas, formarão uma base sólida para a futura apreciação pela leitura.

**Materiais para brincar de fingir.** Pratos de brinquedo, material de cozinha, comida de mentira, casas de brinquedo, caminhões e carros, chapéus e sapatos de adultos, almofadas de sofá — quase tudo pode ser magicamente transformado na imaginação de uma criança em um mundo de faz de conta. Este tipo de brincadeira desenvolve as habilidades sociais e a coordenação motora fina (vestir e tirar roupas, fazer "ovos mexidos" ou "fazer uma sopa"), a criatividade e a imaginação.

**Paciência.** Embora as habilidades dos bebês que estão quase aprendendo a andar avancem aos saltos em relação àquelas que eles tinham aos 6 meses, a atenção não acompanhou o ritmo. Alguns brinquedos podem prender a atenção por um período maior, mas terão interesse variável na maioria das atividades. O tempo de atenção pode ser mais curto ainda quando a atividade requer ficar sentado quieto por um longo período de tempo, como numa história. Seja paciente com estas limitações, não force uma criança de 1 ano de idade além do limite, e definitivamente não se preocupe — à medida que os bebês crescem, a atenção deles também aumenta.

**Aplauso (mas não aclamação).** Alegrese pelo fato de seu bebê ter dominado novas habilidades. As realizações, embora satisfatórias, com frequência significam mais quando acompanhadas de reconhecimento. Mas esteja ciente de que alegrar-se demais ou com demasiada frequência pode transformar o bebê em um viciado em elogios — dependente dos cumprimentos para se sentir aceito e incapaz de enfrentar desafios a não ser que tenha reconhecimento. A satisfação pessoal (ficar orgulhoso de si mesmo por uma realização) também é importante, e às vezes pode ser tudo de que o bebê precisa.

◆ ◆ ◆

# Parte 2

# AS PREOCUPAÇÕES ESPECIAIS

# CAPÍTULO 17

# Um Bebê para Todas as Estações

Não importa em que época do ano o seu bebê nasceu; sempre existirão quatro estações nos primeiros 12 meses da vida dele. E à medida que mudam as estações — com sol, vento, calor, frio, chuva e, em alguns climas, neve, uma grande variedade de novas perguntas pode surgir. Perguntas que não necessariamente se aplicam a um mês específico da vida de um bebê, mas a uma estação específica do ano — dúvidas sobre alimentação, vestuário e brincadeiras em temperaturas extremas, queimaduras de sol ou do frio, protetores de janela e de lareira, decoração de festividades e talvez até mesmo sobre aulas de natação. Leia este capítulo para ter certeza de que você e seu bebê estão preparados para todas as estações.

# As Preocupações Comuns no Verão

## COMO MANTER O BEBÊ REFRESCADO

É verão e é fácil escolher o que vestir. Ou não? Uma cena bastante comum no verão é a dos pais usando *shorts*, camiseta e sandálias empurrando um carrinho com um bebê vestido para um inverno ártico. A verdade é que os bebês — mesmo os bem novinhos — não precisam estar vestidos com roupas mais quentes do que os adultos em uma temperatura mais alta. Colocar mais roupas é desnecessário; além disso, pode ser perigoso e levar a sérias consequências indesejáveis, como brotoejas e, em casos extremos, insolação.

A menos que você tenha um termostato pessoal duvidoso (você está sempre com calor quando todo mundo está com frio, ou você está sempre com frio quando todo mundo está com calor), sinta-se à vontade para vestir seu bebê como vestiria a si própria. Se você está à vontade usando *shorts* e camiseta, seu filho também se sentirá bem com essa mesma roupa. Se você está com calor usando um suéter, seu bebê provavelmente também estará.

Roupas leves, folgadas, com cores claras são mais confortáveis quando a temperatura sobe; um boné leve, um chapéu ou uma boina podem proteger a cabeça do seu bebê sem esquentá-la demais. O material deve ser absorvente e reter a transpiração, mas as roupas devem ser trocadas quando começarem a ficar "úmidas" — assim, tenha por hábito levar com você mais algumas peças de roupa.

Um *sling* ou *kepina* feito com um tecido grosso pode manter o seu bebê aquecido no inverno, mas ao mesmo tempo pode fazê-lo transpirar no verão, especialmente se estiver cobrindo o bebê da cabeça aos pés. A falta de ventilação, combinada com o calor do seu corpo e

---

### BROTOEJAS NO VERÃO

É o que muitos bebês estão usando no verão: brotoejas. As brotoejas, também chamadas de miliária, com suas pequeninas manchas vermelhas no rosto, pescoço, axilas e peito são causadas pelo suor excessivo devido a glândulas sudoríparas obstruídas. Embora a erupção geralmente desapareça em uma semana, você pode tratar o bebê com um banho frio (como sempre, use um sabonete bem suave), mas evite talcos ou loções que podem bloquear ainda mais a transpiração. Procure um médico em caso de bolhas, inchaço ou vermelhidão — esses sintomas podem indicar uma infecção bacteriana.

uma temperatura externa alta, pode aumentar o calor excessivo na *kepina*.

Dentro de casa, com a temperatura quente, seu filho pode aproveitar os efeitos refrescantes de um ar-condicionado ou ventilador do mesmo modo que você. Apenas certifique-se de que o ar não esteja indo diretamente para seu bebê, que a temperatura não caia muito além de 22ºC e que o aparelho de refrigeração e o fio elétrico estejam fora do alcance do bebê. Uma fralda é o suficiente para dormir em noites quentes, mas uma roupa de dormir leve pode ser necessária se o ar-condicionado estiver ligado.

Mãos ou pés frios não são um sinal de que seu bebê está com frio, mas a transpiração (verifique o pescoço, a cabeça, embaixo dos braços) é um sinal de que está quente demais para ele.

# INSOLAÇÃO

Embora os pais normalmente se preocupem se o bebê está sentindo muito frio, eles muitas vezes não percebem que o calor também pode ser perigoso. No primeiro ano de vida, os bebês são especialmente suscetíveis ao calor porque seu sistema de regulagem de temperatura ainda não está totalmente formado e é difícil para eles se refrescarem com eficiência. Como resultado disso, um superaquecimento pode levar a uma insolação grave, ou até mesmo fatal. A insolação em geral acontece repentinamente. Dentre os sinais de alerta para a insolação incluem-se pele quente ou seca (ou ocasionalmente úmida), febre muito alta, diarreia, agitação ou letargia, confusão,

convulsões e perda da consciência. Caso seu bebê apresente esses sintomas, procure ajuda médica de emergência imediatamente e siga os procedimentos de primeiros socorros que estão na página 818.

Como na maioria das emergências médicas, o melhor tratamento é a prevenção. Você pode prevenir insolações das seguintes maneiras:

♦ *Nunca* deixe um bebê ou uma criança dentro de um veículo estacionado em uma temperatura quente ou amena, nem mesmo por um instante. (Tenha em mente que bebês e crianças nunca devem ser deixados sozinhos em carros estacionados, em qualquer temperatura.) Mesmo com as janelas abertas, a temperatura interna pode subir rápida e perigosamente. Quando a temperatura externa é de 35ºC, por exemplo, a temperatura dentro do carro pode chegar a mais de 40ºC em 15 minutos *quando as janelas estão baixas pela metade* e a quase 66ºC se as janelas estiverem fechadas. Os bebês podem morrer rapidamente nessas condições.

♦ Não enrole um bebê que esteja com febre com cobertores ou bolsas de água. Uma criança com febre precisa baixar a sua temperatura e não aumentá-la. "Suar para baixar a febre" não é um tratamento recomendado em nenhuma temperatura.

♦ Vista o bebê com roupas leves quando estiver quente e evite a exposição direta à luz do sol. Tome cuidado com o superaquecimento no *sling*.

- Certifique-se sempre de que seu filho receba bastante líquido em altas temperaturas.

## SOL DEMAIS

Houve uma época em que se acreditava que crianças que se bronzeavam por ficarem horas brincando sob o sol quente em uma tarde de verão eram crianças saudáveis; e as crianças que eram pálidas por ficarem muito tempo dentro de casa eram consideradas "doentias". Acreditava-se que os raios de sol eram tão saudáveis quanto tortas de maçã e tão revigorantes quanto uma semana no campo.

Hoje em dia, sabe-se que o sol não é exatamente uma recomendação médica. Na verdade, é algo do qual os médicos ordenam que seus pacientes fiquem longe. Tempo demais sob o sol sem proteção pode levar ao câncer de pele (incluindo o potencialmente fatal melanoma), manchas marrons, rugas prematuras e envelhecimento da pele. Embora o tom bronzeado pareça "saudável", ele é, na verdade, um sinal de lesão na pele e é a maneira pela qual esse órgão sensível tenta se proteger de maiores danos.

A exposição excessiva aos raios do sol também está fortemente relacionada com o desenvolvimento de cataratas (que é muito mais comum em climas ensolarados) e se descobriu que o sol reduz os níveis de betacaroteno no corpo (uma substância que, acredita-se, protege contra o câncer). Se tudo isso não é suficiente para dar a você uma ideia do que pode fazer um dia ensolarado, considere o seguinte: pode precipitar certos tipos de doenças ou fazer com que piorem, e podemos citar entre elas a herpes simples e algumas doenças virais de pele, vitiligo (branco ou despigmentado, manchas na pele), PKU e eczema fotossensível. Para aqueles que estão tomando antibióticos (como tetraciclina) ou outros medicamentos, pode causar sérios efeitos colaterais. Uma vasta folha corrida para algo que já foi considerado uma panaceia para todos os males.

Sessões diárias de exposição direta ao sol já foram fundamentais para o crescimento e desenvolvimento saudável na infância, pois eram a única fonte disponível de vitamina D, necessária para o crescimento de ossos fortes. Hoje, as fórmulas infantis, todos os tipos de leite e muitos outros produtos dele derivados são enriquecidos com vitamina D, que também é encontrada em suplementos especialmente feitos para bebês em fase de amamentação. Portanto, os pais não precisam sacrificar o futuro da pele de seus filhos para se certificarem de que eles recebem a dose recomendada de vitamina D.

Para se assegurar de que o bebê não sofra as consequências de exposição excessiva ao sol, tenha em mente os seguintes fatos e dicas sobre como se expor ao sol de maneira segura.

### FATOS SOBRE SEGURANÇA AO SOL

- Os bebês são particularmente suscetíveis a queimaduras de sol devido a

# O QUE PROCURAR AO ESCOLHER UM FILTRO SOLAR

**FPS alto.** Os bloqueadores solares são rotulados com um fator de proteção solar, ou FPS, que varia de 2 a 50. Quanto mais alto o número, maior a proteção. Um FPS de pelo menos 15 é recomendado para bebês e crianças, embora um que tenha fator 30 a 45 seja melhor para aqueles que têm uma pele sensível ou muito alva. Não use bronzeadores em bebês ou crianças; eles não oferecem nenhuma proteção.

**Eficácia.** Procure um produto que contenha ingredientes que filtrem tanto os raios ultravioleta curtos (UVB) do sol, que queimam e causam câncer, quanto os raios ultravioleta mais longos (UVA), que bronzeiam, podem causar danos à pele a longo prazo e aumentam os efeitos causadores de câncer dos raios UVB.

**Segurança.** Alguns ingredientes de bloqueadores solares podem causar irritação ou reações alérgicas em algumas pessoas, especialmente em bebês com pele delicada. Os agentes agressores mais comuns são o PABA (ácido para-aminobenzoico) e formas de PABA (padimato O ou pentil dimetil PABA, por exemplo), fragrâncias e corantes. Para uma segurança ainda maior, faça um "teste de contato" com o novo bloqueador solar no braço do seu bebê 48 horas antes de usá-lo em todo o corpo dele. No caso de você começar a utilizar um produto e seu bebê desenvolver uma irritação vermelha pruriente ou qualquer outro tipo de reação cutânea, ou se os olhos dele parecerem irritados, experimente outro produto, de preferência que tenha sido fabricado especialmente para o uso de bebês ou que seja hipoalergênico. Se seu filho tem pele sensível, procure um produto com o ingrediente ativo dióxido de titânio, um bloqueador livre de substâncias químicas.

**Proteção na água.** Quando o bebê ficar na água, escolha um produto que seja à prova d'água (isso significa que ele vai reter seu efeito depois de quatro mergulhos de 20 minutos) ou resistente à água (ele vai reter o efeito depois de dois desses mergulhos).

---

sua pele sensível. Um único episódio de queimadura grave durante a infância dobra o risco de se desenvolver o mais grave dos cânceres de pele, o melanoma maligno. Mesmo um bronzeado aparentemente inocente sem queimadura nos primeiros anos pode estar relacionado com o carcinoma de células basais e de células escamosas, o mais comum dos tipos de câncer de pele, bem como a um envelhecimento precoce da pele. Acredita-se que o sol é responsável por pelo menos 90% de todos os cânceres de pele, a maioria dos quais pode ser prevenida.

♦ Não existe bronzeado saudável, mesmo que ele tenha sido adquirido gradativamente. Nem mesmo um bronzeado leve protege a pele de um dano maior.

- Indivíduos de pele, olhos e cabelos claros são mais suscetíveis, mas ninguém está imune aos efeitos prejudiciais dos raios do sol.

- Nariz, lábios e orelhas são as partes do corpo mais suscetíveis a danos pelo sol.

- A intensidade do sol é maior e seus raios são mais perigosos entre 10h e 15h (ou 11h e 16h, no horário de verão).

- Oitenta por cento da radiação total do sol atravessam as nuvens, então, é necessário usar protetor em dias nublados, bem como em dias claros.

- A água e a areia refletem os raios do sol, aumentando o risco de danos à pele e a necessidade de proteção na praia, piscina ou lago.

- A pele molhada permite uma penetração maior de raios ultravioleta do que a pele seca, portanto, uma proteção extra é necessária na água.

- O calor extremo, o vento, a altitude elevada e a proximidade à linha do equador podem acentuar os perigos dos raios solares; deste modo, tome precauções a mais sob essas condições.

- A neve no chão pode refletir raios de sol em um dia claro em quantidade suficiente para provocar uma queimadura.

## DICAS SOBRE SEGURANÇA AO SOL

- Evite expor os bebês com menos de 6 meses ao sol forte, especialmente no auge de intensidade do sol no verão ou onde o clima é quente o ano inteiro. Proteja esses bebês com um toldo ou guarda-sol nas cadeirinhas com rodas e nos carrinhos.

- Se não houver um toldo disponível, aplique bloqueador solar no rosto, mãos e corpo do bebê pelo menos 15 minutos (mas preferencialmente 30) antes da exposição ao sol. Espalhe uma boa quantidade em bebês mais velhos; use pequenas quantidades em bebês com menos de 6 meses (mas continue a limitar a exposição direta ao sol). Evite colocar filtro solar na boca, nos olhos do bebê ou em suas pálpebras. Para proteção adicional em áreas muito sensíveis, como lábios, nariz e orelhas, peça orientação ao médico sobre a utilização de uma pomada ou bastão labial com bloqueador solar ou óxido de zinco. Use bloqueador solar à prova d'água se o bebê entrar na água.

- Reaplique o filtro solar a cada duas ou três horas, e com mais frequência se o bebê estiver brincando na água ou se ele estiver suando muito. Leve o filtro solar na bolsa do bebê para o caso de precisar dele.

- Exposições iniciais ao sol com proteção não devem durar mais do que alguns minutos e podem aumentar gradativamente, indo de 2 a 20 minutos por dia.

- No sol, todos os bebês e crianças devem usar chapéus leves com abas, para proteger os olhos e o rosto, e camisetas para proteger a parte superior do corpo, mesmo quando estão na água. As roupas devem ser leves, com tecidos com trama fechada. Duas camadas podem proteger melhor do que uma, já que os raios de sol podem passar por alguns tecidos — mas cuidado para não colocar roupas demais no seu bebê.

♦ A exposição ao sol prejudica os olhos e a pele. As crianças que passam muito tempo sob o sol devem usar óculos de sol protetores que filtram os raios prejudiciais. Assim, quando o bebê fizer 8 ou 9 meses de idade (especialmente se ele fica muito tempo no *playground*), é hora de colocar um toldo. Procure aqueles que têm a etiqueta "100% de proteção contra raios UV" e esteja de acordo com todas as normas e regulamentos do Inmetro. Fazer com que o bebê se acostume a usar óculos de sol desde cedo pode ajudar no hábito de usá-los mais tarde.

♦ Durante a estação quente, tente marcar a maioria das atividades ao ar livre para o início da manhã ou para o final da tarde. Mantenha as crianças longe do sol do meio-dia, na medida do possível.

♦ Se o seu filho está tomando algum medicamento, certifique-se de que não causa aumento da sensibilidade ao sol antes de permitir que ele se exponha ao sol.

♦ Dê um bom exemplo ao seu filho protegendo sua própria pele contra os danos causados pelos raios do sol, com um chapéu, filtro solar e sombrinhas.

## SINAIS DE QUEIMADURA DE SOL

Muitos pais supõem que seus bebês estão bem ao sol se não houver vermelhidão da pele. Infelizmente eles estão enganados. Não se pode ver uma queimadura de sol quando ela está acontecendo e, quando se consegue vê-la, já é tarde demais. Só depois de duas a quatro horas após a exposição ao sol é que a pele se torna vermelha, quente, inflamada e a cor só chega ao "vermelho-camarão" 10 ou 14 horas após a exposição. Uma queimadura grave também formará bolhas e será acompanhada de dor localizada e, em casos mais graves, dores de cabeça, náusea e calafrios. A vermelhidão geralmente começa a desaparecer e os sintomas a diminuir depois de 48 a 72 horas — ponto em que a pele, mesmo em alguns casos mais brandos, pode começar a descascar. Entretanto, ocasionalmente, o desconforto pode continuar por uma semana a dez dias. Ver página 824 para dicas de como tratar queimaduras de sol.

## PICADAS DE INSETOS

Embora a maioria dos insetos seja inofensiva, suas mordidas e picadas quase sempre causam dor ou coceira incômoda e podem transmitir doenças graves ou causar uma grave reação alérgica. Desse modo, você deve proteger seu bebê contra insetos e suas mordidas sempre que puder. (Para tratar de picadas de insetos, ver página 820.)

## PROTEÇÃO CONTRA MORDIDA OU PICADA

**Abelhas e outros insetos que picam.** Mantenha o seu bebê longe de áreas onde as abelhas se reúnem, como em campos de trevos ou flores silvestres, pomares ou próximo a um bebedouro para pássaros. Proteja o bebê mesmo no seu próprio quintal, especialmente em dias quentes e claros ou após uma forte chuva. Se você descobrir uma colmeia ou um ninho de vespas dentro ou próximo à sua casa, chame um especialista para removê-los. Para evitar atrair abelhas, ao sair para brincar do lado de fora, vista a sua família de branco ou em tons pastéis em vez de usar cores escuras ou brilhantes ou com estampas florais. Não use talcos ou loções com fragrância, colônia ou *spray* para cabelo com aroma.

**Mosquitos.** Eles se reproduzem na água, então esvazie poças, chafarizes, calhas e outras áreas ou objetos que podem acumular água perto da sua casa, como brinquedos deixados do lado de fora, balanços e coberturas para piscinas. Mantenha o bebê dentro de casa ao anoitecer, quando os mosquitos aparecem em enxames, e certifique-se de que as janelas tenham telas e as telas sejam mantidas em boas condições. Um mosquiteiro sobre o carrinho do bebê pode ajudar a protegê-lo. Para bebês acima de 6 meses, use repelente contra insetos formulado para crianças, ou aqueles feitos com citronela ou óleo de soja (embora estes produtos sejam menos eficientes do que os que contêm DEET; veja a seguir). Siga as instruções do fabricante quando aplicar o repelente, use com parcimônia, evite aplicar nas mãos ou rosto do bebê e retire-o totalmente, lavando com sabão e água assim que você entrar em casa. Fórmulas de loções são mais fáceis de controlar; o gás do *spray* pode ser inalado e chegar aos olhos.

**Carrapatos.** Antes de sair para áreas infestadas de carrapatos, aplique um repelente contra insetos contendo baixas concentrações (10% ou menos) de DEET (se o bebê tiver mais de 6 meses) nas roupas e com parcimônia nas partes em que a pele estiver descoberta. Para evitar ingestão, não coloque nas mãos do bebê. Verifique frequentemente se a família, os animais de estimação e utensílios domésticos não têm carrapatos minúsculos. (É mais fácil encontrá-los em roupas de cores claras e agarrados a tramas de tecido mais fechadas.) Para evitar a doença de Lyme, remova os carrapatos imediatamente (ver página 820).

**Todos os insetos que mordem ou picam.** Mantenha os braços, as pernas e a cabeça cobertos em áreas onde estes insetos podem estar se escondendo. Em lugares onde os carrapatos são comuns, enfie a bainha das calças dentro das meias.

# SEGURANÇA NO VERÃO

A chegada do verão sinaliza novas possibilidades de ferimentos. As seguintes precauções vão ajudar a minimizar as chances de que estas possibilidades tornem-se realidade.

UM BEBÊ PARA TODAS AS ESTAÇÕES

◆ Devido ao fato de altas temperaturas significarem janelas abertas, instale grades que atendam aos padrões de segurança para saídas de emergência em todas as janelas da sua casa. Não confie em telas, já que podem ser facilmente empurradas por um bebê. Se não tiver grades em sua casa ou no local que você está visitando, abra as janelas no máximo 15 centímetros (e certifique-se de que elas não possam ser abertas mais do que isso) ou abra apenas a parte de cima delas. Você também pode comprar prendedores de janela, que podem ser colocados no peitoril para impedir que ela abra mais do que 10 centímetros. Algumas janelas modernas já vêm com prendedores instalados. Não coloque sob as janelas móveis ou qualquer coisa na qual o bebê possa subir.

◆ As portas também são com frequência deixadas abertas em dias quentes, convidando os bebês que engatinham a sair de casa e na direção de problemas. Certifique-se de manter todas as portas fechadas, inclusive portas de correr de vidro, e as telas trancadas.

◆ Ao sair de casa, jamais tire os olhos do bebê que já sabe rastejar ou engatinhar, e tenha mais cuidado ainda quando estiver próximo a balanços e outros brinquedos. Certifique-se de que qualquer brinquedo no seu quintal esteja a pelo menos 1,80m de cercas e muros e que haja uma superfície protetora embaixo dele (borracha, areia, cascalho, serragem ou casca de árvore). Os bebês com menos de 1 ano devem ser colocados apenas em balanços com assento que tenham cintos de segurança ou em balanços com cinto especialmente desenhados para bebês. Não utilize escorregas de metal em temperaturas altas sem antes experimentá-los no sol; eles podem ficar quentes o bastante para produzirem queimaduras.

◆ Não coloque o bebê no chão onde haja grama alta ou arbustos, ou em qualquer lugar em que possa haver heras venenosas, arbustos venenosos ou sumagre ou onde o seu bebê possa colocar a mão ou mastigar flores venenosas, arbustos ou árvores. Quando estiver em áreas com madeira, certifique-se de que o bebê está protegido com um abrigo. Se o bebê acidentalmente entrou em contato com uma hera venenosa, arbusto ou sumagre, remova as roupas dele, protegendo suas mãos com luvas ou papel-toalha. Lave a pele do bebê com sabão e água o mais rápido possível — de preferência em 5 minutos. Qualquer outra coisa que tenha tido contato com as plantas (roupas, carrinho ou até mesmo o cachorro) deve ser lavada também. Os sapatos devem ser lavados, se forem laváveis, ou pelo menos totalmente limpos. Se ocorrer alguma reação alérgica, aplique calamina ou qualquer outra loção calmante para aliviar a coceira (ver página 808).

◆ Já que altas temperaturas também trazem churrascos, tome medidas para proteger os bebês de queimadu-

## ÁGUA, BEBÊ?

Durante os dias muito quentes de verão (que podem começar na primavera e durar por todo o outono em algumas áreas) ou em uma região onde o clima é quente o ano inteiro, o seu filhotinho precisa de mais líquidos para repor aqueles perdidos através da transpiração. Os bebês com menos de 6 meses que se alimentam exclusivamente do leite materno podem quase sempre ter todo o líquido adicional de que precisam apenas se alimentando mais vezes, mas pergunte ao médico se você deve oferecer um pouco de água em dias muito quentes. Para os bebês alimentados com fórmula, o pediatra pode sugerir dar água entre as mamadeiras —

mas é bom lembrar que você só deve fazer isso se ele recomendar. Para bebês mais velhos, ofereça pequenas quantidades de água ou suco de frutas diluídas em canecas ou mamadeiras. (Dar muita água não é bom para o bebê; veja na página 264.)

Uma vez que sejam apresentadas a eles, frutas suculentas como melões, pêssegos e tomates podem fornecer doses extras de líquidos. Não sirva bebidas adoçadas com açúcar, como refrigerantes, coquetéis de frutas ou ponches, já que estas bebidas aumentam a sede (e não são adequadas para bebês) ou bebidas que contenham sal (como bebidas esportivas).

---

ras acidentais. Mantenha as churrasqueiras fora do alcance das mãozinhas. Certifique-se de que não existam cadeiras ou qualquer outro objeto no qual o bebê possa subir para alcançar estas gostosuras quentes. Churrasqueiras de mesa e *hibachis* devem ser colocados sobre superfícies estáveis. Lembre-se de que o carvão pode permanecer quente por um bom período de tempo. Para reduzir o risco de queimaduras, encharque o carvão com água quando terminar de assar; depois coloque em algum lugar onde o seu filho não irá pegá-lo. Nunca use churrasqueiras em espaços fechados devido ao risco de envenenamento por monóxido de carbono e também pelo alto risco de incêndio.

## BEBÊS AQUÁTICOS

Os pais, na ânsia de tornar seus bebês "impermeáveis", além de dar a eles um lado competitivo em relação aos seus coleguinhas, com frequência ficam tentados a matricular seus filhos em aulas de natação. Mas, de acordo com pediatras e vários especialistas na área de segurança, as aulas de natação não são uma boa ideia para bebês. Embora seja fácil ensiná-los a boiar — as crianças mais novas boiam naturalmente porque têm uma proporção maior de gordura corporal do que os adultos —, é pouco provável que eles usem esta habilidade em situações de risco de vida. As aulas de natação não vão tornar os bebês melhores nadadores a longo pra-

# UM BEBÊ PARA TODAS AS ESTAÇÕES

zo do que fariam se as aulas começassem mais tarde na infância. Na verdade, há dúvidas se uma criança com menos de 3 anos poderia se beneficiar de aulas de natação. Além disso, existem graves riscos para a saúde. Primeiro, se um bebê coloca sua cabeça embaixo d'água, pode haver o risco de "intoxicação pela água" (ver página 728). Segundo, a exposição precoce a piscinas públicas pode aumentar o risco de infecções como diarreia (devido aos germes engolidos junto com a água da piscina), problemas nos ouvidos (por causa da água que entra pelo ouvido), micoses e outras erupções cutâneas.

Isto não significa que você não deva tentar ajudar o seu bebê a sentir-se à vontade dentro da água — um passo importante no treinamento para a segurança na água. Entretanto, antes de mergulhar com o seu bebê, veja as dicas a seguir. Tenha-as em mente também se você planeja matricular seu filho na aula de natação:

♦ Um bebê não deve ser levado para uma piscina ou para outra grande extensão de água até que tenha adquirido um bom controle da cabeça — isto é, quando a cabeça pode ser levantada a um ângulo de 90 graus sem problemas. Antes que esta habilidade seja dominada, geralmente aos 4 ou 5 meses de idade, a cabeça pode afundar acidentalmente dentro da água.

♦ Um bebê com qualquer tipo de problema médico crônico, incluindo otites frequentes, deve receber o aval do médico antes que você permita que ele brinque na água. Um bebê com resfriado ou outra doença (especialmente diarreia) deve ser temporariamente afastado das atividades aquáticas, a não ser dos banhos de banheira, até que esteja completamente recuperado.

♦ Um bebê que gosta e está acostumado com a água está provavelmente menos seguro perto dela do que aquele que tem medo. Então, não deixe o seu filho sozinho perto da água (piscina, banheira de hidromassagem, banheira, lago, mar, riachos), mesmo aquele que tem aulas de "natação" ou está usando boias de braço ou qualquer outro tipo de boia, por *qualquer* período de tempo. Um afogamento pode acontecer em menos tempo do que leva para atender ao telefone e em apenas alguns centímetros de água. Se você precisar se afastar da água, mesmo que por um segundo, leve o bebê com você.

♦ Todas as atividades aquáticas para bebês devem ter a assistência de um adulto para cada criança. O adulto não deve ter medo da água, porque este medo pode ser transmitido para a criança.

♦ Os instrutores de natação para bebês devem ser qualificados e diplomados para ensinar bebês e para agir em uma possível necessidade de ressuscitação em caso de parada cardíaca. Todas as aulas devem estar de acordo com a idade e o desenvolvimento dos alunos. Fique atento caso qualquer instrutor ou programa afirme que ele fará seu bebê ficar "à prova de afogamento".

# AS PREOCUPAÇÕES ESPECIAIS

- Um bebê que tem medo de água ou resiste ao ser mergulhado não deve ser forçado a participar de brincadeiras na água.

- A água onde o bebê vai brincar deve ter uma temperatura agradavelmente quente. Em geral, os bebês gostam da água entre 28 e 30ºC. Bebês com menos de 6 meses não devem ser mergulhados em água que esteja mais fria do que isso. A temperatura do ar deve estar pelo menos 3 graus mais quente do que a temperatura da água e a brincadeira na água deve ser limitada a sessões de meia hora, para evitar que a criança fique com frio. Para reduzir também o risco de infecção, a água da piscina deve ser clorada e os cursos naturais de água não devem ser poluídos, e devem ser certificados por autoridades locais de que são seguros para a prática da natação.

- Bebês com fraldas devem usar calças à prova d'água que tenham um elástico nas pernas, ou fraldas descartáveis especialmente desenhadas para o uso na água. Você não deve se preocupar muito com o vazamento da urina, mas saia da água se sentir que o bebê está fazendo algum movimento neste sentido.

- A cabeça ou o rosto de um bebê não devem ficar submersos. Embora instintivamente prendam a respiração quando mergulham, eles continuam a engolir água. Engolir grandes quantidades de água, o que muitos bebês fazem durante as brincadeiras na água, pode diluir o sangue, levando a "in-

## QUANDO A COMIDA VOLTA

Nos adultos, uma comida estragada pode estragar um dia de verão. Em bebês e crianças pequenas, a intoxicação alimentar pode ser muito mais perigosa. Portanto, tome cuidados especiais com a comida do bebê em altas temperaturas, que podem fazer com que as bactérias se multipliquem mais rapidamente. Veja as dicas nas páginas 476 e 477 para reduzir o risco de intoxicação alimentar. Mantenha vários pacotes pequenos de gelo no *freezer*, prontos para serem usados. Ao sair, use um para manter frios a mamadeira de fórmula ou leite materno, vidros abertos de suco ou de comida para bebê ou para esfriar alimentos perecíveis, ou carregue bebidas em uma garrafa térmica ou em uma jarra com cubos de gelo (apenas para sucos, já que o leite materno ou o preparado não devem ser diluídos em gelo derretido). Uma bolsa térmica garante uma proteção a mais em passeios mais longos e é fácil de carregar. Não utilize qualquer comida ou bebida (exceto caixas de suco ou vidros de comida de bebê ainda não abertos) que não esteja mais fria ao toque.

toxicação pela água". A água pode reduzir perigosamente os níveis de sódio no sangue. O consequente inchaço no cérebro pode causar inquietação, fraqueza, náusea, contrações musculares, estupor, convulsões e até mesmo coma. Os bebês são muito mais suscetíveis do que os adultos à intoxicação pela água por causa do volume menor de sangue (não é preciso uma grande quantidade de água para diluir o sangue) e porque eles tendem a engolir qualquer coisa que chegue à boca. A intoxicação pela água é uma condição ilusória. Uma vez que o bebê não encontra nenhum sinal de perigo na água e os sintomas não aparecem de três a oito horas após a ingestão, a doença não é frequentemente associada à natação. O mergulho aumenta o risco de infecção, especialmente dos ouvidos e seios da face, bem como de hipotermia (temperaturas corporais perigosamente baixas).

♦ Tubos, boias de braço, colchões e outras boias dão uma falsa sensação de segurança ao bebê e aos pais. Basta somente um minuto para que o bebê escorregue de um tubo ou caia de uma boia. Coletes salva-vidas devem ser usados na água por bebês e crianças, mas até mesmo eles não devem substituir a vigilância constante de um adulto.

♦ Um brinquedo boiando em uma piscina pode ser uma atração fatal para uma criança curiosa. Mantenha todos os objetos fora da piscina quando não estiverem em uso.

♦ Uma piscina comum, uma piscininha para crianças ou um pulverizador sem um ralo só devem ser utilizados quando estiverem em perfeito funcionamento. Um bebê ou uma criança pequena podem se machucar gravemente pela força da sucção.

♦ Os adultos que estiverem vigiando bebês ou crianças perto da água devem conhecer as técnicas de ressuscitação (ver página 831), de preferência após ter feito um curso prático. Equipamento de resgate, como boias de resgate e um cartaz explicativo de técnicas de ressuscitação cardiorrespiratória (RCR) devem ser colocados próximos à piscina. Um telefone deve estar disponível para situações de emergência.

# As Preocupações Comuns no Inverno

## MANTENDO O BEBÊ AQUECIDO

Está frio lá fora. Da mesma forma que no calor o seu próprio conforto pode ser o seu indicador de como vestir os bebês e as crianças mais velhas. Mas os bebês de menos de 6 meses — por terem uma proporção maior de superfície do corpo em relação ao peso e porque eles ainda não conseguem tiritar para gerar calor — precisam de um pouco mais de proteção no tempo frio do que você.

Mesmo quando o tempo está apenas um pouco frio, um bebê novinho deve usar um chapéu para ajudar a reter calor (muito do calor do corpo é perdido pela cabeça). Quando a temperatura está perto do congelamento, um chapéu, luvas, meias e sapatinhos quentes e um lenço ou cachecol devem ser o vestuário padrão. Quando o vento está cortante ou as temperaturas estão muito baixas, um cachecol deve ser amarrado em volta do rosto ou uma máscara de tricô deve ser colocada, mas tenha cuidado para não bloquear o nariz (certifique-se de que o cachecol esteja bem amarrado para que não fique preso às rodas do carrinho ou em qualquer outro brinquedo). Um toldo manterá o vento e a neve longe do carrinho e o deixará aquecido. Mas mesmo um bebê bem agasalhado não deve ficar exposto ao tempo frio por um longo período.

No tempo frio, várias camadas leves de roupas (o poliéster é uma ótima escolha) são mais eficazes e menos restritivas do que duas vestes pesadas. Se pelo menos uma camada for de lã, o bebê ficará aquecido.

As seguintes dicas sobre o tempo frio também ajudarão a manter o seu bebê agasalhado e confortável:

♦ Certifique-se de que o bebê tenha se alimentado antes de sair — o corpo perde muitas calorias tentando se manter aquecido em temperaturas frias.

♦ Se qualquer uma das roupas do seu bebê ficar molhada, entre em algum lugar e troque-a imediatamente.

♦ Um bebê que já anda deve usar botas à prova d'água ao caminhar no inverno. As botas devem ter espaço suficiente para entrar ar, o que fun-

cionará como um isolante extra, circulando em pés com meias.

♦ No carro, tire o chapéu do seu filho e uma ou mais camadas de roupa, se possível, para evitar superaquecimento; se não for possível, mantenha fresca a temperatura do carro. Tire também algumas roupas em um ônibus ou trem quente.

♦ No inverno, use uma loção ou creme hidratante suave na pele do bebê que ficar exposta para evitar rachaduras.

♦ Não se preocupe se o nariz do seu bebê escorrer quando estiver ao ar livre no tempo frio (você não pega gripe por estar com frio). Os pelos do nariz, que normalmente empurram as secreções nasais para o fundo do nariz em vez de deixar que pinguem, ficam temporariamente paralisados com o frio. Uma vez dentro de casa, o corrimento cessa. Um pouco de creme ou vaselina embaixo do nariz (nunca dentro dele) ajuda a prevenir rachaduras.

# QUEIMADURA PELO FRIO

Embora você não precise se preocupar com o corrimento do nariz do seu bebê, você deve prestar atenção se o nariz (ou orelhas, bochechas, dedos das mãos ou dos pés) ficar muito frio e branco ou cinza-amarelado. Isto é sinal de queimadura pelo frio, que pode se tornar um ferimento muito grave. As partes do corpo feridas pelo frio devem ser aquecidas imediatamente. Veja na página 824 como fazer isso.

# MUDANÇA DE TEMPERATURA

Se existe um tipo de temperatura que é um mistério até mesmo para aqueles que estão no topo das listas dos mais bem-vestidos é aquele tempo "nem lá nem cá" que faz entre a primavera e o outono. Para os pais inexperientes de um bebê novinho, a confusão é ainda mais complexa. Como escolher uma roupa no armário do bebê quando o dia nasce claro e pode terminar com trovões ao cair da tarde (ou vice-versa)?

Geralmente, a chave para se vestir adequadamente é usar várias camadas de roupas neste tempo inconstante. O mais prático é usar várias camadas leves que podem ser colocadas ou tiradas à medida que o tempo faz o seu ziguezague do quente para o frio e vice-versa. É sensato levar sempre um casaco extra ou um cobertor no caso de uma mudança de tempo repentina. Um chapéu é uma boa ideia para um bebê em quase qualquer tempo — um bem leve, com abas, quando está fresco e um mais quente para dias tempestuosos. Um bebê mais velho pode sair sem chapéu quando a temperatura está entre os 15 e 20°C e o sol ou o vento não estão muito fortes. E lembre-se, assim que o termostato do seu bebê ficar regulado (por volta dos 6 meses), deixe o seu próprio bem-estar ser o seu guia na escolha do vestuário dele. Uma rápida olhada nos braços, coxas ou nuca do seu bebê (mas nunca nas mãos ou nos pés, que estão quase sempre frios em bebês novinhos) lhe dirá se o seu bebê está confortável. Se você achar que estas partes estão frias e/ou se o bebê estiver irritadiço, ele pode estar com frio.

---

Após uma exposição prolongada a baixas temperaturas, a temperatura do corpo do bebê pode cair abaixo dos níveis normais. Isto é uma emergência médica — não se deve perder tempo em levar um bebê que parece estar demasiadamente frio ao toque, mesmo que esteja bem agasalhado, à emergência mais próxima. Enquanto isso, retire roupas molhadas, enrole o bebê em cobertores ou em qualquer peça de roupa quente, se possível, dê a ele um líquido quente (leite materno, fórmula ou sopa quente) e mantenha o bebê perto do seu corpo (para aquecê-lo).

Evite estas emergências no tempo frio vestindo o seu bebê adequadamente, protegendo áreas de pele expostas ao frio e limitando o tempo que ele passa do lado de fora em temperaturas muito baixas.

## QUEIMADURA PELA NEVE

Não é só o bebê levado a praias tropicais no inverno que está correndo risco de sofrer uma queimadura no inverno — um bebê que está aproveitando um Natal com neve, ou um *hanuca*, ou um Kwanzaa também pode estar em perigo. Já que a neve reflete até 85% dos raios ultravioleta do sol, até mesmo o fraco sol de inverno pode queimar a pele sensível de um bebê se bater em uma área com neve primeiro. Portanto, proteja a pele do seu bebê com roupas, um chapéu com abas e um filtro solar quando vocês passarem muito tempo expostos ao sol ou à neve.

## MANTENDO O BEBÊ AQUECIDO DENTRO DE CASA

Em temperaturas frias, o quarto do bebê deve ser mantido entre 20 e 22°C durante o dia e 20° C à noite. Se a temperatura interna for maior do que isso, o ar quente árido pode secar as membranas mucosas que revestem o nariz, fazendo com que elas fiquem mais vulneráveis a germes do frio e também ressequem a pele, tornando-a pruriente. À noite, mantenha o bebê aquecido com lençóis de flanela, o que tende a dar conforto mesmo em noites frias. Tenha em mente que um cobertor extra (por medida de segurança, deve vir em forma de pijamas de lã com pezinhos) é necessário durante o sono quando o metabolismo está baixo. Mas tente não cometer o erro comum de agasalhar demasiadamente o seu bebê na hora de dormir (se ele acordar no meio da noite molhado de suor é porque você está fazendo isso).

## PELE SECA

Poucas pessoas de qualquer idade estão livres de ficar com a pele seca e pruriente no inverno. Embora a maioria das pessoas suponha que basta proteger o bebê dos ataques cruéis do vento e do frio externo para manter a pele dele macia e flexível, não é bem assim que acontece. A principal causa da pele seca do inverno são os fatores internos, e não externos. Na maioria dos lares, quando a estação quente começa, o ar interior torna-se quente e seco. É este ar quente e seco que é o principal fator para o ressecamento da pele no inverno. Você pode combater este efeito das seguintes maneiras:

**Aumente a umidade na sua casa.** Compre um umidificador para o seu sistema de aquecimento ou pelo menos para o quarto do seu bebê. Veja a página 96 para dicas do tipo que deve comprar.

**Aumente a umidade dentro do seu bebê.** Os bebês (e todos nós) obtêm umidade para a pele tanto de dentro quanto de fora. Certifique-se de que o seu bebê está recebendo uma quantidade suficiente de fluidos.

**Aumente a umidade da pele do seu bebê.** Espalhar uma loção para bebês de boa qualidade na pele ainda úmida após o banho ajuda a reter a umidade. Peça ao médico para recomendar um produto específico ou escolha um produto que seja hipoalergênico.

**Reduza o sabonete.** Sabonetes ressecam a pele. Os bebês raramente precisam de sabonetes — exceto uma vez por dia, na área das fraldas. Os bebês que engatinham podem precisar de um pouco de espuma nos joelhos, nos pés e nas mãos. Mas, em geral, use muito pouco sabonete; evite especialmente usar espuma de banho ou sabonete líquido para fazer bolhas no banho do bebê, já que a água ensaboada é mais ressecante do que a água limpa. Use um sabonete suave ou um creme de limpeza hidratante; peça recomendação ao médico.

**Diminua o aquecedor.** Quanto mais quente a casa, mais seco o ar (supondo-se que nenhuma umidade volte para o ar à medida que a casa fica aquecida). Para os bebês com mais de algumas semanas de vida, a temperatura na casa não precisa ficar acima dos 20ºC. Se o bebê estiver sentindo frio com esta temperatura, é melhor colocar mais peças de roupa do que aumentar a temperatura do aquecedor.

# FOGO DA LAREIRA

Antes das televisões, existiam lareiras para unir as famílias em uma noite fria de inverno. Mesmo hoje em dia um fogo pode fazer frente a qualquer coisa que o horário nobre tenha a oferecer, trazendo calor para o corpo e para a alma. O segredo, no entanto, quando bebês e crianças mais novas fazem parte do círculo familiar, é mantê-los em segurança quando estiverem próximos ao fogo. Mantenha a lareira coberta com uma tela mesmo quando o fogo se apagar (a brasa pode permanecer quente por várias horas); a tela deve ser pesada o suficiente até mesmo para mãozinhas for-

tes e resistentes removerem. Se você não puder proteger um bebê de superfícies quentes com barreiras apropriadas, não deve usar a lareira. Para proteção adicional, ensine o seu bebê desde cedo que aquele fogo é "quente!" e que tocá-lo pode causar dor. Certifique-se também de que o fumeiro esteja limpo para que o gás não encha a sala e que você não tenha um incêndio na sua chaminé. Se o bebê ou outros membros da família têm um problema respiratório crônico — como a asma — consulte um médico para saber se a lareira pode agravar o problema.

# PERIGOS DAS FESTAS

Nada é mais maravilhoso para uma criança pequena do que uma casa que foi enfeitada para as festas de fim de ano. Mas se não forem tomadas precauções adequadas, nada pode se tornar mais perigoso. Vários perigos se escondem em cenas idílicas das salas de estar. Todos os itens a seguir são ameaças em potencial para o seu bebê. Alguns devem ser usados com cuidado, outros não devem ser usados nunca — pelo menos até o seu filho ficar mais velho, mais esperto e menos vulnerável.

**Visco e solano.** Ambos podem ser fatais se ingeridos. Não os traga para dentro da sua casa nem deixe seu bebê brincar perto deles quando estiver em visita.

**Bico de papagaio.** Esta beleza das Festas pode causar irritação local na boca e talvez distúrbio estomacal se grandes quantidades forem ingeridas. Mantenha-a fora de alcance.

**Sempre-viva.** Uma árvore cortada deve ser fresca e mantida bem regada; qualquer folha seca deve ser arrancada para evitar o risco de incêndio. Árvores artificiais não são totalmente seguras; escolha aquelas que indicam "resistentes ao fogo" e nunca use luzes elétricas em uma árvore metálica. Não permita brincadeiras sem vigilância ao redor de uma árvore; puxar um galho pode levar à queda da árvore em cima do bebê.

**Agulhas de pinheiro.** Varra-as regularmente e, se possível, mantenha os pinheiros, as coroas de flores e os galhos fora do alcance dos bebês. As agulhas do pinheiro podem causar uma tosse crupe persistente se elas se alojarem na traqueia; procure ajuda médica em caso de suspeita.

**Pesos de papel com cenas na neve.** Embora o líquido dentro deles não seja venenoso, uma vez quebrado, pode se contaminar com germes; jogue fora se o peso de papel rachar.

**Cabelo de anjo.** É feito de vidro retorcido, que pode irritar a pele e os olhos e causar hemorragia interna caso seja engolido; se usar, coloque bem alto e fora do alcance do bebê.

*Spray* **com neve artificial ou flocos.** Podem agravar um problema respiratório; não utilize se alguém de sua família sofre deste problema.

**Lâmpadas para árvores.** Crianças pequenas podem morder estes ornamentos atraentes e sofrer cortes internos; assim, pendure-os bem no alto, fora do alcance delas; o mesmo conselho vale para os fios. Tenha especial cuidado com pequenas lâmpadas pisca-pisca que contêm um produto químico que é perigoso se ingerido.

**Velas.** Acenda e mantenha-as completamente longe do alcance do bebê — e, é claro, longe de cortinas ou outros materiais inflamáveis. Nunca as deixe acesas sozinhas; certifique-se de que elas estejam completamente apagadas antes de sair de casa ou ir se deitar à noite. Se você as deixar à mostra em uma janela, certifique-se de que as cortinas estão bem amarradas e longe delas.

**Minidecorações.** Enfeites de árvore muito pequenos, piões ou qualquer objeto menor do que o diâmetro de um tubo de papel higiênico (ou com partes pequenas que sejam fáceis de quebrar ou arrancar) podem fazer com que a criança se engasgue. Não os utilize ou só os utilize se tiver certeza de que o bebê não vai conseguir pegá-los.

**Enfeites de ouropel, vidro ou plástico e isopor.** Todos estes itens decorativos são perigos fascinantes que podem fazer o bebê engasgar. Se uma peça é arrancada com a boca, pode ficar presa na garganta e, dependendo do material do qual o ornamento é feito, pode causar hemorragia interna.

## DENTRO DOS EMBRULHOS

Quando se fala de papéis de presente, nem tudo que reluz é necessariamente seguro. Eles são festivos, mas aquelas fitas e laços — e até mesmo o próprio papel de presente — podem representar perigo de asfixia ou sufocação para um bebê curioso que está explorando a árvore ou a menorá. Portanto, mantenha os presentes embrulhados — e também os papéis de presente rasgados — fora do alcance do bebê.

**Conservantes de árvore.** Se você os utiliza, certifique-se de que um bebê curioso não poderá mergulhar no vaso da árvore para fazer um lanche diferente — e nocivo.

**Presentes.** É claro que os presentes que você arrumou para o bebê são perfeitamente seguros e apropriados para as brincadeiras dele, mas existe uma grande probabilidade de os presentes que você está dando aos outros membros da família não serem. Portanto, após desembrulhar os presentes, certifique-se de que todos os presentes que não sejam seguros sejam guardados fora do alcance do bebê.

**Comida e bebida.** Não é somente o que se usa para enfeitar a casa que pode ser perigoso; o que se coloca na mesa também. Todo ano, centenas de crianças são levadas à emergência de um hospital depois de tomar um martíni, uma cerveja ou uma xícara de *eggnog* ou de ponche descuidadamente deixados ao alcance delas. Outras engasgam com azeitonas, castanhas, minissalsichas, balas ou outros petiscos apreciados por adultos. Portanto, seja cuidadoso ao organizar as festas. Certifique-se de que bebidas alcoólicas ou comidas não adequadas não fiquem, mesmo que brevemente, em mesinhas de café ou mesinhas de centro que podem ser alcançadas até por bebês que engatinham e são menos ativos. Tenha em mente que não importa qual a estação, certos alimentos — como bolos de frutas que foram embebidos em bebidas alcoólicas, pipoca, chocolate, castanhas e qualquer coisa contendo mel — são proibidos para os bebês.

Portanto, decore a casa, festeje e comemore com cuidado. Mas não pare por aí. Para o caso de algo de errado acontecer, apesar de todas as suas precauções, prepare-se para as festas familiarizando-se com técnicas de primeiros socorros e RCR, se você ainda não as conhece, e coloque o número do médico e da emergência em um lugar à vista.

## PRESENTES SEGUROS

O primeiro item na lista de qualquer pai ou mãe na hora de fazer compras em uma loja de brinquedos deve ser a segurança. Nessa época do ano, as lojas de brinquedos são tentadoras; então, resistam a elas até que estejam completamente familiarizados com as dicas para comprar brinquedos que sejam seguros e que valham a pena para o bebê, começando na página 446. Lembrem-se de que nem sempre se pode esperar que os fabricantes produzam o que é melhor para o seu filho — especialmente durante as festas de fim de ano — e nós, os consumidores, devemos ter todo cuidado.

# O Que É Importante Saber:
# A ÉPOCA PARA VIAJAR

Antes do nascimento dos filhos, qualquer época era boa para uma viagem. Excursões de verão para a casa de praia de um amigo, férias de inverno com os pais na costa do sol, finais de semana esquiando entre semanas de muito trabalho, passeios turísticos a Paris na primavera, escapadas de final de semana ao Caribe quando as ruas da sua cidade estão cobertas de gelo, ou para as montanhas, quando elas estão fervendo com o calor e a umidade.

Mas, e agora? Considerando-se o esforço que envolve levar o seu bebê pela cidade em uma simples ida a uma loja — as horas de planejamento, a execução e o equivalente a dez quilos do bebê, acessórios e provisões carregadas nos seus ombros doloridos —, a logística para duas semanas de férias, ou até mesmo para uma viagem de dois dias à casa da vovó, pode parecer extenuante demais para se pensar em fazer.

Mesmo assim você não precisa esperar até que os seus filhos estejam grandes o bastante para carregarem a bagagem deles, ou que estejam na colônia de férias, para satisfazer o seu desejo de viajar ou os apelos da vovó por uma visita.

Embora as férias com um bebê dificilmente sejam relaxantes e tornem-se sempre sejam um desafio, elas podem ser viáveis e agradáveis.

## PLANEJANDO COM ANTECEDÊNCIA

Os dias de escapadas de final de semana decididas na última hora, quando um espírito inquieto e umas poucas roupas e acessórios jogados em uma mochila a levavam a qualquer lugar, terminaram subitamente com a chegada do bebê. Agora você pode esperar passar mais horas planejando a viagem do que a fazendo propriamente. Os passos preparatórios sensatos para quaisquer viagens incluem:

**Não se prenda a horários.** Esqueça itinerários que levam você a seis cidades maravilhosas em cinco dias. Em vez disso, estabeleça um ritmo moderado com bastante tempo livre — para um dia extra na estrada, se você precisar, uma tarde extra na praia ou uma manhã à beira da piscina, se você quiser.

**Atualize os passaportes.** Você não poderá levar o bebê ao exterior somente com o seu passaporte. Atualmente, toda pessoa que viaja, independente da idade, precisa ter um passaporte. Para informações sobre como obter um passaporte para o seu bebê e outras informações sobre viagens, procure uma unidade da Polícia Federal.

**Tome precauções médicas.** Se você vai viajar para o exterior, verifique com o pediatra se ele está em dia com todas as vacinas. Se você estiver indo para um destino exótico, pergunte ao pediatra se você e o seu bebê precisam de alguma vacina específica (contra febre amarela, por exemplo) ou um tratamento profilático (para prevenir hepatite A e/ou malária). Para outras informações ou precauções sobre este assunto, informe-se com um órgão de saúde do governo. Ou peça ao seu médico uma indicação de uma clínica que possa informá-lo sobre como se prevenir e proteger de doenças existentes em destinos exóticos.

Antes de fazer uma viagem longa, marque um *check-up* completo para o seu bebê, se já fizer algum tempo que ele fez o último. Além de assegurar que o seu bebê está em bom estado de saúde, a visita vai dar a você a oportunidade de discutir a viagem com o médico e fazer perguntas que você pode ter enquanto está longe — quando poderá ser impossível, ou pelo menos impraticável, pegar o telefone e ligar para o consultório. Se o seu filho fez um exame há menos de um mês, uma consulta por telefone pode ser tudo o que você necessita.

Se o seu bebê toma algum remédio, certifique-se de que você tem bastante dele para a viagem, além de uma receita médica, no caso de o suprimento se perder, derramar ou acontecer um imprevisto. Se um remédio precisar ficar em refrigeração e for difícil mantê-lo no gelo constantemente, pergunte ao médico se é possível substituí-lo por outro equivalente que não precise ficar no gelo. Já que um nariz entupido pode deixar um bebê desconfortável, interferir no seu sono e provocar dor de ouvido ao viajar de avião, peça também ao médico para receitar um descongestionante para o caso de o seu bebê pegar uma gripe. Se você for para um lugar onde a "diarreia do viajante" pode ser um problema, faça um estoque de líquidos pediátricos de reidratação. Para qualquer medicamento que você levar, procure saber a dosagem segura para uma criança na idade do seu bebê, bem como as condições sob as quais ele deve ser administrado e os possíveis efeitos colaterais. Outra dica útil, especialmente em casos de viagens longas, é ter a indicação de um pediatra no seu destino. Obviamente você pode ligar para o médico do bebê para pedir conselhos em qualquer parte do mundo.

**Cronometre a sua viagem.** A hora do dia ou da noite que você começará a sua viagem vai depender, entre outras coisas, do horário do bebê e de como ele reage a mudanças, o seu meio de viagem, seu destino e quanto tempo vai levar para chegar lá. Se você está deixando a Costa Leste para a Oeste de avião, por exemplo, pode ser mais sensato planejar a sua chegada por volta da hora de o bebê dormir (horário da Costa Leste). Levando-se em conta que ele deu um cochilo na viagem, a excitação e a confusão da chegada provavelmente vão fazer com que o bebê fique acordado algumas horas além da sua hora habitual de ir para a cama. Isto permitirá que o bebê durma até mais ou menos 5 ou 6 da manhã, em vez de acordar bem disposto às 3 ou 4 da manhã. (Obviamente você terá que rezar para que trens e aviões saiam no horário previsto.)

Considere as vantagens de viajar em horários mais calmos, quando é mais provável que haja assentos vazios para seu bebê engatinhar e poucos passageiros serão incomodados por ele.

Se o seu bebê normalmente dorme assim que entra no carro e você está planejando uma viagem de carro longa, planeje, se possível, fazer a maior parte do trajeto quando ele normalmente estaria dormindo — durante as horas de soneca ou à noite. Caso contrário, você pode chegar ao seu destino com o bebê que dormiu o dia inteiro pronto para brincar a noite toda. Se o seu bebê dorme bem em trens ou aviões, mas fica confuso quando acorda em ambientes fechados, faça com que a hora da soneca coincida com a da viagem. Mas se o seu filho está sempre muito agitado para dormir nestes ambientes, planeje viajar depois da soneca, para evitar irritação durante a viagem. Pode parecer que chegar ao seu destino o mais rápido possível é o melhor a fazer; mas nem sempre é assim. Para um bebê ativo, por exemplo, um voo com conexão com algum tempo livre para esticar as pernas pode ser melhor do que um voo direto.

## SÓ VOCÊS DOIS?

Atualmente, a segurança está mais rígida do que nunca, mesmo quando se trata de viajar com um bebê. Se você vai levar o seu bebê ao exterior sozinho, vai precisar pedir uma autorização por escrito do pai ou da mãe dele para isso — ou uma prova de que você tem a guarda dele. A política varia de um país para outro (e pode variar a cada dia, dependendo de quem estiver de plantão na imigração), então você deve tomar as providências bem antes do dia da partida. Você deve checar estas informações com a companhia aérea com a qual você vai viajar e com o seu agente de viagem, bem como com o consulado ou embaixada do país para o qual você está viajando. Leve mais do que você acha que vai precisar (por exemplo, uma carta de autorização com firma reconhecida), para o caso de pedirem uma a você.

**Faça o seu pedido com antecedência.** Quando for viajar de avião, não alimente nem mesmo um bebê mais velho com a comida padronizada da companhia aérea, já que a comida oferecida geralmente não é apropriada para os bebês. Em vez disso, planeje fazer um pedido especial, como queijo *cottage*, uma bandeja de frutas e pão integral para o seu bebê mais velho. Geralmente pedidos especiais são feitos com apenas um telefonema com um dia de antecedência e você pode fazer isso quando estiver confirmando as passagens. Entretanto, mesmo que você tenha feito um pedido especial, planeje levar consigo um suprimento substancial de lanchinhos. Quando os voos atrasarem ou pedidos especiais se extraviarem (algo que não é incomum hoje em dia), uma longa espera entre as refeições pode deixar o bebê, e qualquer outra pessoa ao redor, infeliz. Para voos nos quais não são servidas refeições — apenas aqueles saquinhos de amêndoas que o bebê não pode comer — certifique-se de que você esteja levando comida suficiente para manter a paz até a aterrissagem.

Algumas companhias aéreas, especialmente as que fazem voos internacionais, oferecem comida para bebês, mamadeiras, fraldas e berços de vime. Pergunte quando fizer a sua reserva.

**Reserve um assento adequado.** Se você viajar de avião, viaje fora da alta temporada e peça para reservar um lugar vazio para você ou tire vantagem do desconto de 50% para crianças com menos de 2 anos. Leve com você uma cadeirinha para carro — o colo não é seguro durante a decolagem, aterrissagem ou turbulência.

O corredor para você (para que você possa se locomover quando necessário) e a janela para o bebê (interessante se houver nuvens ou para assistir o pôr do sol) são ideais, mas nem sempre possíveis. Seja como for, não aceite assentos no meio de uma fileira central, não apenas por você, mas por aqueles sentados próximos a você.

Embora você possa e deva reservar espaço em muitos trens no país, não

pode reservar assentos específicos. Mas você pode reservar uma cabine-leito em algumas viagens mais longas. Estas cabines lhe dão um pouco mais de privacidade, algo que você vai adorar quando passar muitas horas ou dias em um trem com um bebê.

**Reserve com antecedência.** Você pode imaginar que ao viajar de carro e na baixa temporada, não será preciso reservar hotéis. Mas em um país com muitos viajantes, muitos estabelecimentos à beira da estrada, especialmente aqueles com menores taxas, colocam o sinal de "Não Há Vagas" todas as noites. Portanto, planeje com antecedência onde você vai passar a noite, permitindo-se mais tempo para chegar lá do que precisaria e reserve um quarto de hotel com berço (certifique-se de que ele esteja dentro dos padrões especificados na página 98 ou, se puder, leve um berço portátil).

**Escolha um serviço de hotelaria prestativo.** Quando possível, procure um hotel que tenha um serviço que atenda às necessidades de uma família. Muitos não oferecem este serviço. Uma dica sobre o que esperar é saber se oferecem ou não berços e se têm babás à disposição. Você provavelmente não terá uma boa estada em um hotel que não ofereça estas conveniências. Você poderá até mesmo sentir que não é bem-vinda.

**Prepare o seu equipamento.** Locomover-se, especialmente se você está viajando sem outro adulto ou com mais de uma criança, será mais fácil se você tiver os equipamentos certos:

- Uma *kepina*, se o bebê for pequeno. Vai deixar suas mãos livres para pegar as malas — importante no embarque e desembarque. Mas não se esqueça de dobrar os joelhos ao pegar as malas, para que o bebê não caia.

- Um carrinho com sombrinha leve e muito compacto para um bebê mais velho. Você pode carregá-lo pelas alças, mas tome cuidado para não deixar o carrinho virar para trás. A maioria das companhias aéreas pega o seu carrinho no portão de embarque antes de você embarcar e devolve assim que você chega ao seu destino.

- Uma cadeirinha portátil para bebê — de pano, para não adicionar muito mais peso a sua bagagem.

- Uma cadeirinha para carro aprovada pelo INMetro. Você pode carregá-la e usá-la durante o voo, se estiver viajando de avião. Se você estiver viajando de trem e planeja alugar um carro ao chegar ao seu destino, pode alugar uma cadeirinha também — mas certifique-se de reservar uma que seja adequada à idade do seu filho quando reservar o carro.

Você também pode alugar ou pegar emprestado outros equipamentos, como berços, cercadinhos, cadeiras altas e cadeirinhas de comer quando chegar ao destino. Procure fazer isso com antecedência.

**Não agite o barco antes de içar as velas.** Para evitar problemas desnecessários na sua viagem, evite mudanças desnecessárias um pouco antes dela. Não tente desmamar o seu filho, por exemplo, um pouco antes da partida; o ambiente desconhecido e as mudanças na rotina já serão difíceis o suficiente sem o acréscimo de nenhum outro estresse. Além disso, não existe outra maneira mais fácil de alimentar o seu bebê na estrada e nem mais confortável para o bebê do que mamar no peito. Não introduza alimentos sólidos perto da época da partida. Começar a comer com colher é um grande desafio (para vocês dois) mesmo em casa. Entretanto, se o seu bebê já está pronto para comer petiscos, pense seriamente em introduzi-los antes da viagem. Eles são ótimos para manter os bebês ocupados e felizes na viagem.

Se o seu filho não estiver dormindo a noite toda, esta não é a hora de tentar remediar a situação. Pode haver alguma mudança e o bebê passar a acordar à noite durante a viagem (e por algum tempo, após o regresso ao lar), e deixar o bebê chorar em um quarto de hotel ou na casa da vovó não será bom para as suas férias e nem fará com que seja bem-vindo.

**Confirme.** Um dia antes da sua viagem, confirme todas as reservas, se ainda não tiver feito isso, e ligue para checar o horário da partida antes de sair de casa. Você não vai querer chegar ao aeroporto e descobrir que o seu voo foi cancelado ou atrasado por quatro horas, ou chegar à estação ferroviária e descobrir que o trem vai atrasar.

## COMO FAZER AS MALAS DE MANEIRA INTELIGENTE

Apesar de quase tudo, inclusive a pia da sua cozinha (para lavar mamadeiras que caíram no chão ou tirar manchas), ser útil na sua viagem, obviamente não é aconselhável colocar tudo na mala. Ao mesmo tempo, você não deve estar perigosamente despreparada. Faça um esforço para chegar a uma média satisfatória (apesar de pesada), levando apenas aquilo de que você realmente precisa, sendo tão eficiente quanto possível na sua seleção: sabonete líquido tamanho viagem para bebês, acetaminofeno ou ibuprofeno, pasta de dentes e similares; fraldas descartáveis extra-absorventes, roupas contrastantes com estampas vivas que escondam bem manchas e desta forma possam aguentar um pouco mais de tempo entre as lavagens, tecidos leves que sequem rápido, se você precisar lavá-los.

Você pode levar menos coisas se for para um lugar onde pode comprar o que estiver faltando, especialmente se isto fizer parte da diversão — comprar *shorts* e camisetas nas Bermudas, por exemplo, ou um vidro de xampu para bebês em Paris. Mas se você estiver fazendo trilha nas montanhas ou acampando, tudo que você imagina que vá precisar deve estar na sua mochila. Para uma viagem típica, você provavelmente irá colocar os seguintes itens em sua mala:

**Uma bolsa de fraldas.** Ela deve ser leve, forrada com plástico, ter bolsos externos para guardar lenços de papel, lenços umedecidos, mamadeiras e outros itens necessários que precisam ser encontrados rapidamente; deve ter alças para os ombros para que você fique com as mãos livres ao carregá-la. Os itens que você deve deixar à mão na bolsa incluem:

- Um casaco leve para o bebê (de náilon impermeável com capuz é o melhor, já que também pode servir como capa de chuva) ou suéter se o carro, trem, avião ou ônibus estiverem frios.

- Um número suficiente de fraldas descartáveis ultra-absorventes para a primeira parte da viagem, e algumas a mais no caso de atraso ou uma crise de diarreia do viajante. Planeje comprar fraldas quando chegar em vez de levar vários pacotes de casa, a menos que você esteja viajando de carro e tenha bastante espaço, ou a menos que você não tenha onde comprá-las no seu destino.

- Lenços umedecidos para as suas mãos (e as do bebê) são uma escolha óbvia. Elas servem para limpar o braço do assento do avião que o bebê parece ter a intenção de morder ou a janela do trem que ele está limpando com a língua, ou para rapidamente limpar líquidos derramados em roupas ou artigos de tecido antes que eles manchem.

- Creme ou loção contra assaduras, uma vez que comidas estranhas, trocas de fraldas menos frequentes e tempo quente podem provocar assaduras.

- Um babador grande impermeável ou um pacote de babadores descartáveis, para proteger as roupas. Se por acaso deixar o babador plástico em um restaurante ou os descartáveis acabarem, tenha sempre um alfinete de segurança para prender o guardanapo do restaurante nas roupas do bebê. Sacos plásticos para guardar mamadeiras que estão vazando, babadores ou roupas sujos e fraldas sujas quando não há uma lata de lixo por perto.

♦ Filtro solar, seja o seu destino um lugar ensolarado ou com neve.

♦ Um cobertor ou colcha de retalhos leve para o bebê tirar uma soneca ou brincar no caminho e nos lares que você visitar. Ou leve um xale que você possa usar sobre os ombros ou para o bebê, quando necessário.

♦ Uma almofada impermeável para o seu colo ou um colchonete para trocar fraldas e proteger as camas dos hotéis e outras superfícies quando o bebê precisar de uma troca.

♦ Um objeto de conforto, se o seu bebê tiver um (talvez dois, caso você perca um deles).

♦ Um par de meias ou sapatinhos para um bebê que esteja descalço, para o caso de você encontrar um ambiente em que o ar-condicionado for muito forte.

♦ Protetores de plástico para tomadas se o seu bebê já anda ou engatinha, para mantê-lo seguro nos hotéis e casas que você visitar. Você também pode levar uma trava para assentos sanitários, se o seu bebê gosta de brincar com água (algumas redes de hotel oferecem kits à prova de bebês).

♦ Uma grande variedade de petiscos e bebidas. Não espere encontrar comida adequada para o seu bebê na estrada, nos aviões ou nos trens. Por garantia, traga consigo comida e bebida suficiente para mais uma ou duas refeições do que você espera. Dependendo da variedade culinária, leve comida para bebê (desidratada, já que você deve viajar com pouco peso); biscoitos *cream-cracker* integral; pequenos pacotes de cereais para beliscar; mamadeiras prontas descartáveis; suco de frutas sem água mantido em garrafas pequenas ou em garrafas térmicas com uma caneca (se o bebê tem uma caneca favorita, leve-a também). Leve os vidros de comida para bebê de 85 gramas para ter variedade e evitar o desperdício.

♦ Colheres plásticas guardadas em um saco plástico para alimentar o bebê durante a viagem.

♦ Toalhas de papel, que são mais práticas, mais resistentes e geralmente mais absorventes do que guardanapos.

♦ Algo velho e algo novo para entreter o seu bebê — o velho para conforto e confiança, e o novo para excitação. Um livro ilustrado ou um quadro para bebês mais velhos; um espelho, chocalho e um bicho de pelúcia musical para um bebê mais novinho. Deixe em casas brinquedos com muitas peças que podem se perder ou que são muito volumosos para guardar na mala e para usar em pequenos espaços — bem como brinquedos que façam barulho (e causem dores de cabeça). Para um bebê cujos dentes estão nascendo, leve alguns objetos que ele possa morder.

♦ Uma pequena bolsa. Já que você tem um número limitado de mãos, carregar uma bolsa de mão separada pode ser quase impossível, além de arriscado (sua aparência provavelmente será de alguém distraído e atrapalhado o suficiente para se tornar uma presa fácil para um ladrão). Em vez disso, mantenha itens pessoais, passagens de avião, trem ou ônibus e a sua carteira, documento de identidade, dinheiro, cartões de crédito, cartões do convênio médico e cópias das receitas médicas, bem como o telefone do médico do bebê e os nomes de médicos recomendados no seu destino em uma bolsa pequena, fácil de identificar ao toque na bolsa de fraldas. Ou, como alternativa, mantenha sua carteira à mão no seu bolso (se as suas roupas de viagem forem seguras, com bolsos grandes, você vai achar a vida muito mais fácil).

♦ Um telefone celular, para usar em caso de emergências, de ordem médica ou não.

♦ Se você ainda tiver espaço (e ânimo), um plástico para proteger os móveis e tapetes do hotel durante a alimentação e para servir de proteção para cadeirinhas de bebê em restaurantes.

**Uma bolsa para as roupas do bebê.** O ideal para o guarda-roupa de viagem do bebê é uma bolsa pequena, leve, de material macio que possa ser usada nos ombros ou como mochila. Já que deve ser mantida à mão no carro, avião ou trem, você deve ser capaz de retirar uma nova peça de roupa sem confusão e sem desarrumar a sua própria mala em público. Entretanto, se você decidir levar as roupas do bebê na sua mala, e ela não estiver disponível enquanto estiver viajando (porque terá sido despachada ou estará no porta-malas do carro), certifique-se de que você tenha uma ou duas roupinhas a mais para o bebê na bolsa de fraldas.

**Uma bolsa com remédios e produtos de higiene.** Esta bolsa deve estar obrigatoriamente inacessível a um bebê curioso em todos os momentos (nos compartimentos de cima em trens e aviões, por exemplo) e deve ser, preferencialmente, difícil de abrir por uma criança. O ideal é que tenha a parte interna impermeável e lavável, bem como uma alça para carregar nos ombros. Mantenha esta bolsa com você aonde quer que você vá, para que os remédios estejam sempre disponíveis, se forem necessários, e para proteger líquidos de danos de congelamento no compartimento de cargas dos aviões. Ela deve conter:

♦ Remédios ou vitaminas o suficiente para durar a sua viagem; acetaminofeno ou ibuprofeno infantil; qualquer outro remédio recomendado pelo médico.

♦ Para viagens ao ar livre, repelente contra insetos, loção de calamina, remédios contra picada de insetos ou de abelhas para o caso de o bebê ser alérgico.

- Um kit de primeiros socorros contendo curativos e gazes autoadesivas; creme antibiótico (como bacitracina); tensores elásticos para torções; termômetro; pinças; cortador de unhas infantil.

- Sabonete líquido infantil, que sirva tanto para o cabelo quanto para a pele. Os sabonetes encontrados em quartos de hotel geralmente não são suaves o bastante para bebês.

- Escova de dente, de unhas ou gaze para limpar os dentes do bebê, se os dentes ainda não nasceram.

- Um canivete que pode servir de abridor de latas ou tesoura (mas não tente levá-lo no avião; ele pode ser confiscado).

- Uma lâmpada noturna, se o seu bebê gostar de dormir com a luz acesa.

## CHEGAR LÁ JÁ É METADE DA DIVERSÃO?

Provavelmente não. Mas você pode pelo menos tentar garantir que haja menos confusão. Quer você esteja viajando de carro, avião ou trem, existem várias maneiras de tornar a sua viagem mais fácil.

**Se você está indo de avião.** Os aviões têm a vantagem, para a viagem em família, de serem a maneira comercial mais rápida de ir de um ponto a outro. Você pode tornar a viagem de avião agradável (ou razoável) e confortável se você:

- Pedir assentos com encosto alto. Eles oferecem mais espaço para as pernas e para os movimentos e mais privacidade, embora menos espaço para guardar bolsas de fraldas etc. Outra vantagem é que não existirão assentos à frente do seu para o bebê bater com a cabeça e nenhum passageiro para o bebê incomodar.

- Chegue cedo o suficiente para cuidar dos detalhes pré-embarque, como bagagens e assentos, e para passar pela segurança, mas não cedo demais que torne a sua espera no terminal aéreo demasiado longa.

- O pré-embarque é uma vantagem oferecida por algumas companhias aéreas para aqueles que estão viajando com crianças, permitindo que acomodem a si e a sua bagagem nos compartimentos de cima sem pressa. Entretanto, se você tem um bebê que fica inquieto em espaços apertados (lembre-se, você não pode andar pelos corredores durante o embarque), você deve esperar e embarcar por último. Se você estiver viajando com outro adulto, pergunte se um de vocês não pode embarcar primeiro com a bagagem enquanto o outro fica mais um tempo com o bebê na área aberta da sala de espera.

- Coordene os horários de alimentação do bebê com a decolagem e a aterrissagem. As crianças são mais sensíveis à pressão nos ouvidos do que os adultos e às vezes à dor, causada por mudanças na pressão da cabine durante a subida e a descida. Dar mamadeira (com leite materno ou fórmula) ou oferecer petiscos ou a chupeta faz com que a criança engula saliva com frequência, o que ajuda a prevenir a dolorosa pressão e o choro que geralmente a acompanha. Oferecer o peito não é prático neste momento, já que o bebê deve estar com o cinto de segurança afivelado.

- Se o seu bebê reclama muito alto, aceite a ajuda (se for oferecida) de outros passageiros gentis e ignore os olhares feios dos outros.

- Dê bastante líquido ao seu bebê durante o voo; viajar de avião pode causar desidratação. Se você está amamentando, certifique-se de que você também beba bastante líquido — mas lembre-se, bebidas com cafeína ou álcool não contam.

- Se o seu bebê prefere alimentos quentes, você pode perguntar aos comissários de bordo se é possível esquentar a mamadeira e a comida do bebê (sem a tampa). Mas lembre-se de agitar ou misturar completamente e de cuidadosamente verificar a temperatura antes de alimentar o seu bebê para evitar acidentes, já que o forno de micro-ondas aquece de maneira irregular. Tenha em mente também que, em voos lotados, os comissários podem não estar disponíveis para ajudar neste serviço.

- Se você estiver viajando sozinha com o bebê, sinta-se à vontade para pedir ao comissário para segurar o seu bebê enquanto você usa o toalete — mas tente esperar até que o serviço de bordo tenha terminado.

- Desembarque por último para evitar aglomerações e para ter certeza de que teve tempo para pegar todos os seus pertences (se alguém for esperá-los no aeroporto, avise que vocês serão os últimos a desembarcar).

**Se você for de trem.** Embora seja mais lento do que viajar de avião, viajar de trem permite que as crianças tenham mais mobilidade. Sua viagem de trem em família pode ficar mais fácil se você se lembrar de:

- Embarcar o mais cedo possível para encontrar um assento acolchoado. Se um passageiro em uma cadeira de rodas (que tem preferência) não estiver colocado na frente no primeiro assento do carro, este é um bom lugar para uma família devido ao espaço livre na frente, onde o bebê pode dormir ou brincar. Uma boa escolha também é a cabine com quatro lugares no início ou final dos carros, que permite que famílias se espalhem confortavelmente. Se o trem estiver lotado porque você está viajando na alta temporada e a sua viagem for longa, pode ser útil comprar um lugar para o seu bebê. Se você tem somente um lugar, pode ser difícil decidir se o melhor é ficar na janela (para que o bebê possa olhar a paisagem lá fora) ou no corredor (para que você possa levan-

## EM ALTITUDES ELEVADAS

Se você estiver indo para uma região acima do nível do mar, existem algumas precauções que precisam ser tomadas. Devido ao fato de os raios do sol serem mais fortes em áreas mais altas, você deve estar ciente de que precisa usar filtros solares e limitar a exposição ao sol. Devido ao aumento da necessidade de líquidos, seu bebê mais velho precisará de mais suco de frutas ou água diariamente enquanto você permanecer em altitudes elevadas.

Para um bebê anêmico, o reduzido nível de oxigênio no ar pode aumentar o batimento cardíaco e os níveis de respiração e causar fadiga. Não há com o que se preocupar em relação a isso, a menos que seu bebê tenha uma infecção ou outro problema médico, como uma doença cardíaca — neste caso, você deve consultar o médico antes de fazer a viagem. Mas programe paradas freqüentes para descansar.

---

tar com frequência, caso o bebê fique inquieto).

♦ Leve um carrinho se você estiver viajando sozinha e o bebê ainda não souber andar; sem ele, será impossível ir ao banheiro (não deixe o seu bebê sozinho com um estranho nem mesmo por um minuto, não importando se ele parecer cordial).

♦ Se a viagem de trem for muito longa, leve uma grande variedade de brinquedos para que você dê ao seu bebê um brinquedo novo quando ele se cansar do velho. Ou mostre a paisagem a ele. Olhar pela janela e apontar para os carros, cavalos, vacas, cachorros, pessoas, casas, céu e nuvens é uma atividade que salva muitos pais que já não sabem mais o que fazer para distrair o bebê.

♦ Certifique-se de que você tenha lanchinhos para você e para o seu filho.

As filas de comida nos trens são geralmente longas e não seria difícil finalmente chegar ao balcão e descobrir que aquele sanduíche de frango, que você estava esperando comprar, acabou.

**Se você dirigir.** O carro é uma forma muito mais lenta de viajar do que outras, significando mais cansaço para você, se você é o motorista, e mais confinamento para o bebê. Mas viajar de carro dá a você o prazer de ir à sua própria velocidade, parando quando e onde quiser e tendo o seu meio de transporte disponível quando você chegar ao seu destino. Torne a viagem de carro para a família mais segura, mais agradável e mais confortável da seguinte maneira:

♦ Certifique-se de que existam cintos de segurança para todos os adultos e crianças mais velhas, cadeirinhas de bebê para os mais novos e que o carro não se movimente até que todos estejam totalmente seguros e todas as portas do carro estejam trancadas (leia as páginas 216-220 para mais dicas de segurança em automóveis).

♦ Faça paradas com frequência (o ideal seria a cada duas horas), já que os bebês ficam indóceis se ficarem sentados nas cadeirinhas por muito tempo. Quando você parar, leve o bebê para tomar um pouco de ar fresco e, se ele já souber, para engatinhar ou andar. Use também as paradas para amamentá-lo.

♦ Alterne posições. Para uma mudança de ritmo e também de companhia para todos, deixe a direção e vá se sentar atrás, distraindo o bebê.

♦ Amarre os brinquedos na cadeirinha de carro do bebê com plástico (ou fios com no máximo 15 centímetros) para que você não tenha que tirar o cinto de segurança a todo momento para pegar brinquedos jogados no chão.

♦ Se estiver viajando no tempo frio, especialmente se houver previsão de tempestades, leve roupas extras e cobertores, caso você fique preso. Um carro pode se transformar em uma geladeira em temperaturas muitos baixas.

♦ Nunca deixe um bebê em um estacionamento no calor ou mesmo quando a temperatura estiver amena. Mesmo com as janelas abertas, o carro pode rapidamente se transformar em um forno. Nunca deixe um bebê ou uma criança sozinha dentro de um carro — não importa em que condições de temperatura.

# HOTÉIS OU CASAS

A primeira noite passada fora de casa com o seu bebê pode ser apavorante. Mas vocês vão dormir bem se você tomar as seguintes precauções:

♦ Ao chegar ao seu destino, verifique a segurança do quarto onde vocês vão ficar — especialmente se o seu bebê já souber se locomover sozinho. Algumas redes de hotel oferecem kits à prova de crianças; caso contrário, você mesma pode levar o seu próprio equipamento. Certifique-se de que janelas abertas, fios elétricos, vidros etc. (ver páginas 577-583) não estejam acessíveis a ele. Cubra as tomadas expostas e mantenha a porta do banheiro fechada. Verifique a segurança do berço (ver página 573). Se houver um frigobar no quarto, peça para que seja esvaziado ou certifique-se de que esteja trancado de forma segura.

♦ Se você colocar o seu bebê na cama para trocar a fralda ou brincar, use um colchonete impermeável para proteger a cama do bebê e para proteger o bebê de uma colcha que pode não ter sido higienizada.

♦ Quando estiver alimentando o bebê no quarto, espalhe jornal ou um plástico no chão para proteger o carpete, por uma questão de cortesia e para que você não se aborreça com a gerência do hotel, atrasando a viagem.

♦ Não confine um bebê ativo. Ele pode engatinhar sob a sua vigilância desde que o carpete não esteja sujo; também é permitido caminhar pelo quarto para explorá-lo, se um adulto estiver observando. Certifique-se de que tenha feito uma verificação de segurança completa embaixo da cama para que não haja nenhum objeto que possa ser danoso ou anti-higiênico escondido embaixo dela.

♦ Arrume babás no hotel. A maioria dos hotéis e balneários oferece este serviço. Mas o tipo pode variar bastante. Pode ser a camareira querendo ganhar um dinheiro extra, uma lista de agências de babás na região (você é quem deve ligar e contratar), ou pode ser um programa de recreação para crianças no próprio hotel (mais comum em balneários que recebem famílias). Trate essas babás como se fosse contratar uma para a sua própria casa: entreviste a pessoa (ou pelo menos a empresa) se possível, certifique-se de que a babá que você está contratando seja testada, licenciada, tenha seguro e seja ligada à empresa. Encontre-se com ela na recepção do hotel para ter certeza de que você está falando com a pessoa certa.

# DIVERTINDO-SE

Você fez planos, fez as malas, levou-as consigo e viajou. Agora é hora de se divertir. Seguem algumas orientações para assegurar uma boa viagem com o bebê:

♦ Seja realista com o itinerário. Você não vai conseguir manter o mesmo ritmo com um bebê a tiracolo que teria em uma viagem somente com adultos. Se quiser fazer mais do que seu tempo permite, vai se divertir menos.

♦ Seja flexível com o itinerário. Se você planejou dirigir sem parar de um ponto a outro, mas o bebê se cansou no meio do caminho, considere a possibilidade de fazer mais uma parada à noite. Se você planejou dois dias de visita, mas a irritação do bebê está arruinando seus planos no primeiro dia pela manhã, adie o passeio.

♦ Escolha locais onde o bebê não ficará confinado ou não precisará ficar em silêncio por longos períodos de tempo. Monumentos ao ar livre, parques, zoológicos e até mesmo alguns museus podem ser interessantes para bebês e crianças pequenas — mesmo que você passe a maior parte do tempo apenas olhando outras pessoas. Se possível, contrate uma babá quando você quiser ir à ópera, a um show ou ao teatro.

♦ Lembre-se de que as necessidades do bebê vêm em primeiro lugar — se não, ninguém vai se divertir. Se o bebê não dormir ou comer na hora certa, ou se ficar sujeito a ir dormir mais tarde do que o costume, todos vão sofrer as consequências. Na verdade, o único horário para o qual você não deve ser flexível é o do seu bebê. Aja de acordo com os costumes locais, mas somente se o seu bebê puder se adaptar facilmente.

♦ ♦ ♦

# CAPÍTULO 18

# Quando o Bebê Adoece

Não há nada mais patético, vulnerável e indefeso do que um bebê doente. Com exceção dos pais de um bebê doente.

A doença de um bebê, mesmo a mais branda, geralmente atinge a mamãe e o papai de maneira mais forte do que o bebê, especialmente quando é a primeira doença do primeiro filho. Existe a ansiedade quando os sintomas iniciais aparecem, o alarme quando eles parecem piorar ou quando outros se desenvolvem, a indecisão sobre chamar ou não o médico e quando (as crianças quase invariavelmente adoecem no meio da noite ou nos finais de semana, fora do horário normal de trabalho), o que

fazer enquanto espera o médico ligar de volta (interminável, mesmo que sejam apenas 15 minutos), o sacrifício de dar o remédio e preocupação, preocupação, preocupação.

Acredite ou não, as coisas ficam melhores com a experiência, os pais aprendem a lidar com a criança febril ou com o bebê que está vomitando com menos pânico e mais segurança. Para chegar a este ponto mais rápido, é muito útil aprender a avaliar os sintomas, como medir e interpretar a temperatura do bebê, o que dar para uma criança doente comer, quais são as doenças infantis mais comuns e como reconhecer e lidar com uma emergência real.

# Antes de Ligar para o Médico

A maioria dos pediatras quer saber se você acha que o bebê está realmente doente — independente da hora do dia ou da noite. Mas antes que você ligue para aquele número que provavelmente já lhe é familiar, certifique-se de que você está de posse de uma lista por escrito de todas as informações que o médico do seu bebê pode precisar para avaliar corretamente a situação.

Comece com os sintomas. Nas doenças mais simples, apenas dois ou três sintomas estão presentes — em alguns casos, talvez apenas um —, mas, lendo a lista a seguir, você terá a certeza que não deixou nada de fora. Esteja preparado para dizer ao médico quando os sintomas apareceram; o que os provocou (se é que foram provocados); o que aumenta ou alivia os sintomas (colocar o bebê de cabeça para baixo reduz a tosse, por exemplo, ou comer aumenta o vômito); e que remédio caseiro ou remédios de balcão você usou para tratar deles. Será útil também dizer ao médico se o seu bebê foi exposto a um primo com catapora, um irmãozinho com diarreia, ou qualquer outra pessoa com uma doença contagiosa; se ele se machucou recentemente, se caiu ou se esteve doente recentemente. Não suponha que o histórico do bebê esteja nas mãos do médico. Informe a idade do bebê, qualquer problema médico crônico e qualquer remédio que ele esteja tomando.

Tenha à mão o nome e o telefone de uma farmácia aberta, caso o médico precise telefonar para aviar uma receita, e um bloco de papel e caneta para anotar qualquer instrução que você receber.

**Temperatura.** A velha técnica de lábios na testa para verificar se a criança tem febre é notoriamente imprecisa (embora mais confiável do que a mão), em especial se você bebeu algo quente ou gelado recentemente ou se acabou de chegar, vindo do calor ou do frio. Embora você possa considerar medir a febre desta maneira (especialmente se não tiver um termômetro por perto; tenha em mente que este método é mais preciso em determinar a ausência do que a presença de febre), não confie nele para uma leitura precisa. Em vez disso, use o termômetro se você suspeitar de que seu filho está com febre (ver página 794). Lembre-se de que, além da doença, a leitura pode ser influenciada por fatores como a temperatura do quarto ou do ar (a temperatura de um bebê provavelmente estará mais alta depois de passar a manhã dentro de um apartamento muito quente do que depois de ter entrado em casa vindo da neve); nível de atividade (exercícios, brincadeiras e choro forte podem aumentar a temperatura) e hora do dia (as temperaturas tendem a ser mais altas no final do dia). Se a testa do bebê estiver fria, suponha que ele não tem febre significativa.

**Batimento cardíaco.** Em alguns casos, saber a taxa de batimento cardíaco do seu bebê pode ser útil para o médico. Se o seu bebê parece muito letárgico ou tem febre,

> ### INTUIÇÃO DOS PAIS
>
> Às vezes vocês não sabem identificar um sintoma específico, mas o seu bebê parece não estar "bem" aos seus olhos. Liguem para o médico. Muito provavelmente vocês serão tranquilizados, mas também é possível que a sua intuição de pais tenha percebido algo sutil que mereça atenção.

tome o pulso na parte superior do braço (ou braquial) (veja a figura a seguir). A variação normal em um bebê é muito maior do que em crianças mais velhas e adultos, entre 120 e 140 batidas por minuto quando o bebê está acordado (embora a taxa possa cair para 70 bpm quando o bebê está dormindo e ser maior do que 170 quando ele está chorando).

**Respiração.** Se o seu bebê está com dificuldade de respirar, está tossindo ou parece respirar rápida ou irregularmente, verifique a respiração contando quantas vezes por minuto o peito dele sobe ou desce. Respira-se muito mais rápido durante a atividade (incluindo chorar) do que durante o sono, e a respiração pode ficar mais rápida ou mais lenta com a doença. Os recém-nascidos normalmente respiram de 40 a 60 vezes por minuto; as crianças de 1 ano, apenas de 25 a 35. Se o peito do seu bebê não parece subir ou descer a cada respiração ou se a respiração parece trabalhosa ou difícil (o que não está relacionado com nariz entupido), passe esta informação para o médico também.

**Sintomas respiratórios.** O nariz do seu bebê está escorrendo? Está entupido? O corrimento no nariz é aquoso ou grosso? É transparente, branco, amarelo ou verde? Ele está tossindo? A tosse é seca, entrecortada, pesada ou aguda?

A tosse tem muco? (Às vezes uma tosse forçada traz com ela o muco.) O bebê está arquejando (um som chiado, na maioria das vezes ao expirar)? Ele tem um rangido (um som gutural que vem da laringe)?

**Comportamento.** Houve alguma mudança no comportamento normal do seu bebê? Você descreveria o seu filho como cansado e letárgico, mal-humorado e irritável, inconsolável ou apático? Ou o seu bebê demonstra seu estado feliz normal? Você pode arrancar um sorriso do seu bebê (caso ele já não tenha dado um sorriso)?

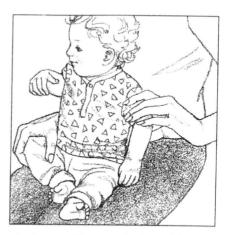

*Pratique verificar o pulso braquial quando o seu bebê estiver saudável e calmo.*

**Sono.** O bebê está sonolento ou dormindo muito mais do que o normal? Ou ele está tendo problemas para dormir?

**Choro.** O bebê está chorando mais do que o normal? O choro tem um som ou intensidade diferente — é mais agudo, por exemplo?

**Apetite.** O bebê está comendo normalmente? Recusa-se a mamar no peito ou na mamadeira e/ou comer sólidos?

**Pele.** A pele do bebê parece diferente? Está vermelha ou avermelhada? Branca ou pálida? Azulada ou cinza? Está úmida e quente (suada) ou úmida e gelada (pegajosa)? Ou está seca demais? Os lábios, narinas ou bochechas estão excessivamente secos ou rachados? Existem manchas ou lesões em alguma parte da pele do bebê — embaixo dos braços, atrás das orelhas, nos membros ou peito ou em algum outro lugar? Caso exista, como você descreveria a cor, o formato, o tamanho e a textura? O bebê tenta coçá-las?

**Boca.** Há inchaço nas gengivas onde os dentes podem estar tentando nascer? Alguma mancha vermelha ou branca ou pedaço visível na gengiva na face interior das bochechas, no palato ou na língua?

**Garganta.** O arco na garganta está avermelhado? Existem manchas ou trechos brancos ou vermelhos?

**Moleira.** A parte mole no topo da cabeça do bebê está afundada ou inchada?

**Olhos.** Os olhos do bebê parecem diferentes do que o normal? Estão vidrados, vagos, afundados, parados, lacrimosos ou avermelhados? Existem olheiras sob eles ou eles parecem estar parcialmente fechados?

Se existir uma secreção, como você descreveria a cor, a consistência e a quantidade?

**Orelhas.** O bebê está puxando ou enfiando o dedo em uma ou ambas as orelhas? Existe uma secreção saindo de alguma orelha?

**Sistema digestivo.** O bebê vomita? Com que frequência? A quantidade é muita ou o esforço para vomitar é quase sempre seco? Como você descreveria o vômito (como leite coalhado, mucoso, rosado, com sangue)? O bebê faz força para vomitar? O vômito se projeta a longa distância? Existe alguma coisa que parece provocar o vômito — comer, por exemplo? Houve alguma mudança na evacuação do bebê? Ele tem diarreia, com fezes soltas, aquosas ou com sangue? As fezes são mais frequentes, repentinas e forçadas? Ou o bebê parece constipado? Houve aumento ou diminuição da saliva? Ou alguma dificuldade aparente de engolir?

**Abdome.** A barriga do seu bebê parece diferente — mais reta, mais redonda, mais protuberante? Quando você a pressiona delicadamente, ou quando dobra o joelho do bebê no abdome, ele parece sentir dor? Onde a dor parece estar localizada — no lado direito ou esquerdo, na parte superior ou inferior do abdome?

**Sintomas motores.** O seu bebê tem, teve ou está tendo calafrios, tremedeira, rigidez ou convulsões? O pescoço parece estar duro ou difícil de mover, o queixo se dobra até o peito? Ele parece ter alguma dificuldade em mexer qualquer outra parte do corpo?

# De Quanto Descanso o Bebê Doente Precisa?

Os bebês têm muito que aprender, mas quando se trata do próprio corpo, eles podem ensinar coisas aos seus pais. Você pode confiar no seu bebê quando ele diz a você o quanto precisa descansar durante a doença, não em palavras, é claro, mas em ações. Um bebê muito doente deixa de lado as suas buscas para ter o descanso necessário, enquanto um bebê que não esteja tão gravemente doente ou quase recuperado estará ativo e brincalhão. Em qualquer um dos casos, não há necessidade de impor suas próprias restrições. Apenas siga o que o seu bebê determinar. (Se existe alguém que precisa de descanso quando o bebê está doente, este alguém é o pai ou a mãe dele.)

# Como Alimentar um Bebê Doente

A perda de apetite é algo que com freqüência acompanha a doença. Às vezes, como no caso de indigestão, isto é bom, já que comer menos dá ao estômago e aos intestinos uma pausa para se recuperar. Às vezes, como quando o bebê tem febre, não é tão bom, já que a diminuição do apetite significa que o bebê não está ingerindo as calorias a mais, necessárias para fazer com que a febre lute contra a infecção.

Para a maioria das doenças secundárias que não afetam o sistema digestivo, não é necessária nenhuma dieta especial (exceto se for especificada para algum tipo de doença). Mas várias regras gerais se aplicam quando se está alimentando qualquer bebê doente:

**Líquidos.** Se o seu bebê estiver com febre, uma infecção respiratória (como um resfriado, gripe ou bronquite), ou uma doença gastrintestinal com diarreia, os líquidos — que ajudam a prevenir a desidratação — devem ter preferência em relação aos sólidos. Os bebês que estão somente mamando no peito ou tomando mamadeira devem mamar o quanto desejarem, a menos que o médico recomende o contrário. Os bebês mais velhos também podem receber líquidos e comida com alto conteúdo de água (sucos, frutas, sopas, gelatinas e sobremesas geladas, se você já introduziu este tipo de alimento). Ofereça líquidos com frequência o dia inteiro, mesmo que o bebê não tome mais do que um gole por vez. Fluidos de reidratação podem ser recomendados pelo médico se o bebê estiver com muita diarreia ou vomitando e/ou se parecer desidratado.

**Ofereça os favoritos.** Quando você está doente, certos tipos de comida são atraentes, outras não. Seja especialmente respeitoso com os gostos do bebê quando o apetite dele diminuir devido à doença. Se isto significar mamar no peito ou tomar mamadeira e comer bananas por quatro dias, tudo bem.

**Não force.** Mesmo que o seu bebê não tenha comido nada nas últimas 24 horas, não o force a nada. Os bebês tendem a comer o que precisam e quando precisam. Quando o seu bebê estiver recuperado da doença, o apetite dele vai voltar também. Na verdade, os bebês geralmente recuperam as refeições perdidas rapidamente depois de uma doença comendo voraz e rapidamente, ganhando novamente os quilos perdidos. Entretanto, informe ao médico sobre esta perda de apetite.

# Quando um Remédio É Necessário

Poucos bebês conseguem passar pelo seu primeiro ano de vida sem adoecerem ou passarem por um problema que não requeira um remédio. Se este remédio foi receitado ou recomendado pelo médico do bebê, você precisará saber muito mais do que qual remédio comprar na farmácia. Para ter certeza de que o bebê receba o tratamento correto, você terá que fazer as perguntas corretas.

## O QUE É IMPORTANTE SABER SOBRE REMÉDIOS

Tanto o médico quanto o farmacêutico (ou a bula que o laboratório fornece junto com o remédio) serão capazes de responder as perguntas a seguir. Já que você provavelmente estará recebendo estas informações enquanto está segurando um bebê chorando (e/ou às 3 horas da manhã, quando tiver dormido pouco), não confie na sua memória. Anote as respostas para que possa consultá-las depois.

- Qual é o nome genérico do remédio? Qual é a marca?

- O que ele deve fazer?

- Qual é a dose apropriada para o seu bebê (seja preciso em relação ao peso aproximado do seu bebê para que, se for necessário, o médico possa calcular a dose adequada).

- Com que frequência o remédio deve ser dado; o bebê deve ser acordado no meio da noite para tomá-lo?

- O remédio deve ser tomado antes, durante ou após as refeições?

- O remédio deve ser tomado com algum tipo de líquido e não com outros?

- Que efeitos colaterais podem ser esperados?

- Que possíveis reações adversas podem ocorrer? Quais delas devem ser relatadas ao médico? (Lembre o médico de qualquer outra reação anterior.)

- Se o seu filho tem um problema médico crônico, o remédio pode ter um efeito indesejável sobre ele? (Certifique-se de lembrar ao médico que está prescrevendo o remédio desta condição, já que ele pode não estar com o prontuário do bebê à mão.)

♦ Se o seu bebê está tomando algum outro remédio, pode haver alguma interação adversa?

♦ Quando você pode esperar ver alguma melhora?

♦ Quando você deve contatar o médico se não houver nenhuma melhora?

♦ Quando você deve parar com o remédio?

## COMO DAR O REMÉDIO CORRETAMENTE

Os remédios servem para curar ou aliviar sintomas, mas, quando usados de maneira imprópria, podem fazer mais mal do que bem. Sempre observe estas regras quando estiver administrando o remédio:

♦ Não dê a um bebê com menos de 3 meses nenhum remédio (nem mesmo remédios que não precisam de receita) que não tenha sido prescrito para ele por um médico.

♦ Não use um remédio cuja data de validade tenha expirado ou cuja textura, cor ou odor tenha se modificado. Embrulhe estes remédios de maneira segura e jogue-os no lixo.

♦ Meça cuidadosamente os remédios de acordo com as instruções dadas pelo pediatra ou de acordo com as instruções do rótulo em remédios sem receita.[1] Use uma colher medidora, conta-gotas, seringa plástica oral ou uma xícara especial (todas disponíveis na sua farmácia); colheres de cozinha são de tamanhos variáveis, então é melhor você não usá-las.

♦ Mantenha um registro dos horários em que cada dose foi dada para que você sempre saiba quando deu a última dose. Isto vai diminuir o risco de esquecer uma dose ou de dar outra acidentalmente (já que as crianças tendem a manter remédios em seus organismos por mais tempo do que os adultos, este remédio pode se transformar rapidamente em uma superdosagem). Mas não se preocupe em dar o remédio um pouco mais tarde; volte ao horário normal na próxima vez em que o der.

♦ Verifique o frasco do remédio para saber que cuidados tomar e como guardá-lo. Alguns remédios precisam ser mantidos na geladeira ou em temperaturas baixas, e outros devem ser agitados antes de usar.

♦ Se as instruções no rótulo forem conflitantes com as do médico e/ou com as do farmacêutico, ligue para o farmacêutico ou para o médico para

---

[1]Não há dosagem recomendada para crianças abaixo de 2 anos de idade em rótulos de medicamentos antitérmicos para bebês ou crianças. Isto se deve ao fato de que a dosagem apropriada é baseada no peso do seu bebê, não na idade dele. Peça ao médico ou ao farmacêutico para lhe dizer como dosar o medicamento da maneira correta.

resolver o conflito *antes* de dar o remédio.

♦ Leia sempre o rótulo antes de dar o remédio, mesmo que você tenha certeza de que está segurando o vidro de remédio certo. Se estiver escuro no quarto, verifique o rótulo na claridade antes.

♦ Não dê remédios receitados para outra pessoa (mesmo para um irmãozinho) ao seu bebê sem a aprovação do médico. Nem mesmo use um remédio que já tenha sido receitado anteriormente ao seu bebê sem que o médico autorize.

♦ Não administre remédios em um bebê que esteja deitado; ele pode se sufocar. Em vez disso, eleve a cabeça do seu bebê ou faça-o sentar-se, se ele for mais velho.

♦ Não coloque o remédio em uma mamadeira de suco ou leite, a menos que o médico recomende. Seu filho pode não consumir a mamadeira inteira e assim não vai ingerir toda a dosagem. Além disso, alguns remédios tornam-se menos eficientes quando misturados ao ácido dos sucos.

♦ Sempre dê antibióticos pelo tempo receitado, a menos que o médico aconselhe o contrário, mesmo que o seu bebê pareça completamente recuperado.

♦ Se o seu bebê está tendo reações adversas a um medicamento, pare de administrá-lo temporariamente e consulte o médico imediatamente.

♦ Não continue a dar um medicamento além do tempo especificado pelo médico; não comece a dar um mesmo remédio novamente depois de ter parado com ele sem antes conversar com o médico.

♦ Registre qualquer medicamento que você tenha dado ao seu bebê, a doença tratada por ele, o tempo pelo qual foi administrado e qualquer efeito colateral ou reação adversa que ele tenha provocado no seu bebê para futura referência (ver página 783).

## AJUDANDO O BEBÊ A ENGOLIR O REMÉDIO

Aprender a dar o remédio de maneira correta é somente o primeiro passo para os pais, e normalmente é o passo mais fácil. Dar o remédio na prática é outra uma história. No entender da criança, a cura é quase sempre pior do que a própria doença e, sem a cooperação deles, fazê-los tomar o remédio pode ser uma provação terrível. E mesmo quando o remédio desce, ele frequentemente volta — em cima do bebê, do papai ou da mamãe, dos móveis e do chão.

Se você tiver sorte, o seu bebê vai ser um daqueles poucos que se deleitam com o ritual de dar remédio, mesmo quando o medicamento tem o gosto estranho de xarope das vitaminas, antibióticos e analgésicos — ele abre a boca como um passarinho quando vê que você se aproxima com o conta-gotas. Se você não tiver tanta sorte assim (e infelizmente há uma grande probabilidade

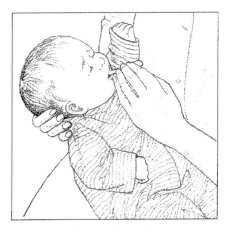 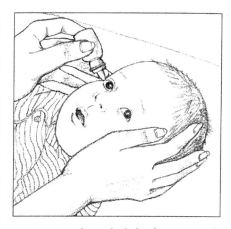

*Use uma colher medicinal ou um conta-gotas para facilitar a ingestão de medicamentos na boca do bebê.*

*Manter a cabeça do bebê firme quando aplicar um colírio vai garantir que pelo menos um pouco do remédio atinja seu alvo.*

de não ter), você terá um bebê que fechará a boca com firmeza quando você der uma dose de qualquer coisa a ele. Não há nada que faça você administrar a dose do medicamento a este bebê de maneira prazerosa, mas estas dicas o ajudarão a dar o remédio com menos problemas:

◆ A menos que você seja instruído a dar o remédio durante ou após as refeições, planeje administrá-lo um pouco antes delas. Primeiro porque o bebê provavelmente vai aceitá-lo por estar com fome, e segundo porque, se o bebê vomitar logo em seguida, menos comida será perdida.

◆ Esfrie o medicamento se isso não afetar a sua eficácia (pergunte ao farmacêutico); o gosto fica menos acentuado quando ele está frio.

◆ Pergunte ao farmacêutico se o gosto ruim do remédio pode ser disfarçado com alguma coisa. (Tenha em mente que qualquer medicamento deve ser mantido fora do alcance de crianças, mais especialmente aqueles cujo gosto elas adoram.)

◆ Peça ao farmacêutico uma colher medicinal ou uma seringa de plástico que permitirá que você jogue o remédio bem fundo na boca do bebê; mas não jogue mais do que ele consiga engolir de uma só vez. Se o seu bebê rejeita o remédio com o conta-gotas, a colher ou a seringa e gosta de um bico, tente colocar a dose em uma mamadeira ou na chupeta para que o bebê possa sugar o remédio. A seguir, dê água a ele no mesmo bico para que qualquer resto de medicamento seja tomado pelo bebê.

◆ Direcione uma colher ao fundo da boca do bebê e um conta-gotas ou seringa entre os molares e a parte posterior da gengiva e da bochecha, já que as papilas gustativas estão concentradas na parte anterior e no centro da língua (o truque aqui é evitar estas áreas o máximo possível). Mas evite deixar o conta-gotas ou a colher tocar a parte posterior da língua; ele pode sentir ânsia de vômito.

♦ Como último recurso, misture o medicamento com uma pequena quantidade (1 ou 2 colheres de chá) de frutas amassadas ou suco de frutas, mas somente se o médico ou farmacêutico tiverem autorizado esta mistura. Não dilua o remédio em uma quantidade muito grande de comida ou suco porque o seu bebê pode não ingerir tudo. A menos que o seu filho seja geralmente atraído por novas comidas, use uma fruta ou suco desconhecido para misturar o remédio, já que ele pode dar um gosto desagradável a um gosto já conhecido, fazendo com que o bebê rejeite-o no futuro.

♦ O acetaminofeno que vem em cápsulas não tem gosto e pode ser esvaziado em uma colher de suco ou de fruta, facilitando muito a tarefa de dar um remédio.

♦ Consiga ajuda quando puder. Segurar um bebê que se contorce e não quer cooperar enquanto tenta dar a ele uma colher cheia até a borda de remédio a uma boca que não o quer, é um desafio mesmo para uma "mãe-polvo", e às vezes é quase impossível para alguém com apenas dois braços. Se o seu cônjuge (ou outro auxiliar) não estiver por perto para segurar o bebê,

experimente usar a cadeirinha do bebê ou uma cadeirinha alta como seu par de mãos extra; mas certifique-se de prender o bebê antes de começar.

Se você tiver que fazer isso sozinho sem a cadeira para segurar o bebê, experimente este procedimento com um bebê resistente a remédios: primeiro, prepare o remédio em um conta-gotas, seringa, xícara ou colher medicinal (que não deve estar cheia até a borda) e deixe-o pronto para usar em uma mesa ao seu alcance. Sente-se em uma cadeira reta e posicione o bebê no seu colo, com o rosto voltado para a frente. Coloque o seu braço esquerdo em volta do corpo do bebê, segurando bem firmemente os braços dele. Pegue a mandíbula dele com a sua mão esquerda, estando o seu polegar em uma bochecha e o dedo indicador na outra. Incline levemente a cabeça do bebê para trás e empurre gentilmente as bochechas para baixo, para que ele abra a boca. Com a mão direita (inverta as mãos, se você for canhota), administre o medicamento. Mantenha as bochechas do bebê levemente para baixo até que o remédio seja engolido. A velocidade é essencial para o sucesso desta manobra; se levar mais de alguns segundos, o bebê começará a lutar para se soltar.

♦ Sopre gentilmente o rosto do seu bebê quando estiver dando o remédio. Isto vai provocar o reflexo de engolir em bebês novinhos.

♦ Se qualquer líquido escorrer da boca do seu bebê, use o dedo para empurrá-lo de volta. O bebê provavelmente vai sugar o resto no seu dedo.

- Se cada dose é uma batalha, pergunte ao médico se é possível receitar um remédio com uma concentração mais alta ou uma medicação diferente que requeira menos doses por dia.

- Aproxime-se do seu bebê com o remédio, com confiança — mesmo que as experiências anteriores tenham lhe ensinado a esperar pelo pior. Se o bebê sabe que você está esperando por uma batalha, pode ter certeza de que você terá uma. Você pode ter uma batalha de qualquer maneira, mas uma abordagem com confiança pode ser um ponto a seu favor.

# Os Problemas de Saúde mais Comuns em Bebês

Os bebês no seu primeiro ano de vida geralmente são saudáveis e a maioria das doenças às quais eles são suscetíveis são doenças que só acontecem uma vez (veja o quadro que começa na página 1056 para maiores detalhes sobre cada uma delas). Mas existem algumas doenças que são tão comuns, ou que tendem a acontecer novamente em alguns bebês, que os pais precisam saber o máximo possível sobre elas. Elas incluem alergias, o resfriado comum, a constipação, infecções no ouvido e doenças gastrintestinais com diarreia e vômito.

## ALERGIAS

**Sintomas:** dependem do órgão ou sistema inflamados pela hipersensibilidade. Os sistemas corporais mais comumente afetados e os sintomas e condições relacionados são:

- Trato respiratório superior: nariz escorrendo (rinite alérgica), sinusite (embora não aconteça em bebês), dor de ouvido (otite média), dor de garganta (mais como resultado de respiração de ar seco pela boca do que como alergia), catarro pós-nasal (muco escorrendo atrás do nariz para a garganta, o que pode provocar tosse crônica), difteria laríngea. Quando se engole pela garganta, a respiração pode ser obstruída.

- Trato respiratório inferior: bronquite alérgica, asma.

- Trato digestório: diarreia aquosa, às vezes com a presença de sangue, vômito, gases.

- Pele: dermatite atópica, incluindo erupções com coceira como eczemas (ver página 470), urticária (erupções com manchas, coceira e vermelhidão) e edema facial (inchaço do rosto, especialmente em volta dos olhos e boca que não coçam tanto quanto as erupções).

- Olhos: ardência, vermelhidão, olhos lacrimejantes e outros sinais de conjuntivite alérgica.

**Estação do ano:** Qualquer época do ano para a maioria das alergias, primavera, verão ou outono para aquelas relacionadas com pólen.

**Causa:** A liberação de histamina e outras substâncias pelo sistema imunológico em resposta à exposição ao alérgeno em bebês que são hipersensíveis a ele ou a um semelhante (a sensibilização acontece com uma exposição precoce). A tendência à alergia vem de família. O modo como a alergia se manifesta é com frequência diferente em diferentes membros da família — um tem febre do feno, outro tem asma e um terceiro tem urticária após comer morangos.

**Modo de contágio:** Aspiração (de pólen, pelo de animais, por exemplo), ingestão (de leite ou clara de ovos), injeção (vacina de penicilina ou picada de inseto) ou contato (sabão em pó, tinta) com o alérgeno.

**Duração: Variável.** A duração de um único episódio alérgico pode variar de alguns minutos a várias horas ou dias. Algumas alergias, como ao leite de vaca, vão até depois do crescimento; outras mudam, à medida que a criança fica mais velha, de um tipo de alergia para outro. Muitas pessoas alérgicas têm alergias de um tipo ou de outro durante a vida.

**Tratamento:** O tratamento mais eficiente para a alergia, embora seja com frequência o mais difícil, é retirar o agente alérgico da vida do paciente. Aqui estão algumas maneiras de remover os alérgenos do ambiente se o seu filho for definitivamente alérgico (algo difícil de se determinar, já que os testes de pele não são muito precisos em crianças com menos de 18 meses de idade) ou só exista uma possibilidade do seu filho ser alérgico.

♦ Alimentos alérgenos (ver *Mudanças na dieta*, página 765).

♦ Polens. Alergia a pólen é rara em bebês, mas se você e o médico suspeitam de alergia a pólen (a dica é a persistência dos sintomas enquanto houver pólen no ar, e o desaparecimento deles quando não houver), mantenha o seu filho dentro de casa a maior parte do tempo quando a quantidade de pólen no ar for alta ou quando estiver ventando muito durante as estações com pólen (primavera, final do verão ou outono, dependendo do tipo de pólen), dê banhos diários e lave o cabelo do bebê (para remover o pólen) e use o ar-condicionado no clima quente em vez de abrir as janelas e permitir que o pólen entre. Se você tem um animal de estimação, ele também pode pegar o pólen quando for do lado de fora, e assim você deve dar banho frequentemente no seu bichinho também.

♦ Pelo de animal. Às vezes os próprios animais causam alergia. Se esta é a causa, ou a provável, experimente manter o animal e o bebê em cômodos separados, ou mantenha o animal do lado de fora (em vários casos, a única solução pode ser encontrar um novo lar para o bichinho). Já que crina de cavalo também pode provocar

## TER UM BICHINHO NÃO É MÁ IDEIA

Para minimizar o risco de desenvolver alergia a animais, os pais e médicos acreditaram durante muito tempo que os bebês nascidos em uma família com um histórico de alergia deveriam ser mantidos longe de animais — o que significava que estas crianças cresciam com um cãozinho nos seus livros mas não em suas casas. Entretanto, é cada vez maior a evidência que sugere que ter animais em casa pode na verdade proteger as crianças de alergias a animais. Pesquisadores descobriram que os bebês que vivem com gatos ou cachorros desde o primeiro ano de vida têm uma probabilidade menor de apresentar uma alergia a animais aos 7 anos de idade. E ter dois animais ou mais em casa parece protegê-los ainda mais do que um.

Já que os pesquisadores ainda não sabem por que ter um bichinho parece proteger as crianças de desenvolverem alergias, é pouco provável que os médicos comecem a recomendar "comprem um bicho" a todas as famílias com histórico de alergia. E tenha em mente também que, embora ter um ou mais animais possa ajudar a prevenir que seus filhos pequenos desenvolvam alergias, pelos de animal voando pela casa definitivamente podem provocar espirros e chiados em qualquer membro da família que já tenha alergia — neste caso, você vai mesmo precisar manter o cãozinho na casinha dele.

---

alergia, não compre um colchão deste tipo para o berço do seu bebê.

♦ Ácaro. Estes seres microscópicos não são um problema para a maioria das pessoas, mas para alguém com hipersensibilidade a ácaros pode significar um tormento. Limite a exposição do seu bebê, mesmo que você apenas suspeite desta alergia, mantendo os cômodos que ele usa livres ao máximo de pó.

Tire o pó com um pano úmido ou com um *spray* de móveis quando o bebê não estiver no quarto; aspire os tapetes e móveis estofados e passe um pano molhado no chão com frequência; evite colchas de chenile, carpetes, cortinas e outros objetos que acumulam poeira onde o bebê dorme e brinca; lave os bichos de pelúcia com frequência; mantenha as roupas em sacos de roupas de plástico; coloque filtros sobre os respiradouros; instale um filtro de ar. Você também pode comprar um aspirador de pó ou purificador de ar com um filtro altamente eficiente em retirar partículas do ar (HEPA) e capturar ácaros e outros alérgenos. Qualquer cortina, tapete ou outro item que você tenha deve ser lavado pelo menos duas vezes por mês, ou embalado. Já que o ácaro sobrevive devido à umidade do ar, mantenha a umidade baixa.

♦ Mofo. Controle a umidade na sua casa usando um desumidificador em

## É ALERGIA — OU APENAS INTOLERÂNCIA?

Sente-se a uma mesa de jantar hoje em dia e você terá a impressão de que a taxa de alergia a alimentos alcançou proporções epidêmicas. Entre aqueles que recusam a sopa ("derivados do leite") a aqueles que rejeitam o pão ("trigo"), cada vez mais as pessoas estão recusando comidas que acreditam causarem "alergia" a eles. Mas o fato é que as verdadeiras alergias alimentares que envolvem o sistema imunológico são relativamente incomuns. A maioria das "alergias" a comida são na verdade sensibilidade ou intolerância a um tipo de comida. Aqui está a diferença: alguém com alergia a um alimento deve evitá-lo completamente (em especial quando a alergia causa reações graves), mesmo em quantidades mínimas. Alguém com intolerância não tem que ficar vigilante em relação à comida (já que as reações geralmente causam apenas desconforto) e ele pode, às vezes, comer pequenas quantidades (ou mesmo moderadas) daquele alimento sem sentir os efeitos. Enquanto o bebê que simplesmente tem intolerância a lactose (ele não tem a enzima necessária para ingerir o açúcar do leite) pode sofrer de dor abdominal, gases e possivelmente diarreia ao ingerir leite, um bebê com verdadeira alergia ao leite também terá sangue e muco nas fezes. Portanto, se o seu bebê experimentar o que parece ser um sintoma "alérgico" após comer certas comidas, verifique com o médico, que pode determinar se o seu bebê é alérgico ou simplesmente sensível.

boas condições, fornecendo uma ventilação adequada e tirando o vapor da sua cozinha, lavanderia e banheiros. As áreas onde o mofo provavelmente cresce (latas de lixo, geladeiras, cortinas de boxe, azulejos de banheiro, cantos molhados) devem ser meticulosamente limpas com um agente antimofo. Do lado de fora, certifique-se de que a drenagem em volta da sua casa seja boa, que folhas e outros restos de plantas não formem pilhas e, se possível, que haja bastante sol no quintal e na casa para evitar áreas úmidas que criem mofo. Mantenha a caixa de areia do bebê coberta em dias de chuva.

◆ Veneno de abelhas. Qualquer um que seja alérgico a veneno de abelhas deve evitar áreas externas onde porventura existam populações de abelhas ou vespas. Se o seu bebê tem alergia ao veneno de abelhas, qualquer pessoa encarregada da criança deverá estar equipada e saber usar um kit contra picada de abelha.

◆ Alérgenos variados. Muitos outros alérgenos e irritantes em potencial podem também ser eliminados do mundo do seu filho: cobertores de lã (cubra-os ou use cobertores sintéticos ou de algodão); travesseiros de plumas ou penas (use os de espuma ou poliéster hipoalergênico quando o bebê já tiver idade suficiente para usar um); fumaça de tabaco (não permita nenhum tipo de fumo dentro de casa ou perto do bebê em outros locais); perfumes (use lenços, *sprays* etc. sem cheiro); sabonetes (use os do tipo hipoalergênico); detergentes (você pode ter que mudar para um sem cheiro ou usar o sabonete do bebê para lavar roupa).

Uma vez que a alergia é uma reação hipersensível ou (supersensível) do sistema imunológico a uma substância estranha, a dessensibilização (geralmente via aumento gradativo das doses ingeridas do alérgeno ofensivo) é às vezes bem-sucedida na eliminação das alergias — especialmente ao pólen, poeira e pelo de animais. Entretanto, exceto em casos graves, a dessensibilização só é iniciada quando a criança completa 4 anos de idade. Anti-histamínicos e esteroides podem ser usados para neutralizar a reação alérgica e diminuir o inchaço das membranas mucosas em bebês e crianças.

### Mudanças na Dieta:

♦ Eliminação de possíveis alérgenos alimentares, sempre usando substitutos nutricionais equivalentes (ver A Dieta do Bebê na página 460). Retire o alérgeno suspeito (leite de vaca, trigo, clara de ovo e frutas cítricas estão entre as possibilidades) da dieta do seu bebê, sob supervisão médica; se os sintomas desaparecerem em poucas semanas, você provavelmente descobriu o culpado. Você pode obter a confirmação se os sintomas

recorrerem quando retornar o alimento à dieta do bebê (mas faça isso apenas com a sugestão do médico). Substitua (se necessário) aveia, arroz e cevada pelo trigo; soja ou fórmula hidrolisada[2] por leite de vaca; gema de ovo por ovos inteiros e mangas, melões, brócolis, couve-flor e pimentão vermelho por cítricos.

### Prevenção:

♦ Amamentar por pelo menos seis meses — preferivelmente por um ano — pode ajudar. Isto é especialmente importante se houver um histórico de alergia na família.

♦ Introduzir os sólidos depois, não até pelo menos os 6 meses e com cuidado (ver página 459). Introduza ainda mais tarde os causadores de alergia (leite de vaca, clara de ovo, trigo, chocolate, cítricos, amendoim, castanhas e frutos do mar). Observe cuidadosamente as reações quando a comida é apresentada.

### Complicações:

♦ Asma

♦ Choque anafilático, o que pode ser fatal sem tratamento (mas extremamente raro)

**Quando ligar para o médico:** logo após ter suspeitado de uma alergia. Ligue

---

[2]Cerca de 40% dos bebês alérgicos a leite de vaca são também alérgicos a soja; portanto, a fórmula hidrolisada é geralmente uma aposta mais segura. Não use os chamados leites de soja, já que eles não contêm nutrientes adequados para os bebês.

# RESFRIADO OU ALERGIA?

Os sintomas do resfriado e das alergias são tão semelhantes que é difícil separá-los. Mas, com um pouco de investigação médica, você será capaz de descobrir a causa da congestão do seu bebê. Se você responder sim a uma ou mais das perguntas a seguir, existe uma forte possibilidade de você estar lidando com uma alergia:

♦ Os sintomas duram mais do que dez ou quatorze dias? (Embora isto também possa indicar que o resfriado se transformou em uma infecção secundária; verifique com o médico.)

♦ O nariz do seu bebê está sempre entupido ou escorrendo?

♦ O muco que sai do nariz do seu bebê é claro e fino (em vez de amarelo ou verde e grosso)?

♦ O seu bebê parece estar constantemente esfregando, puxando ou empurrando o nariz?

♦ O seu bebê espirra muito?

♦ Os olhos do seu bebê estão sempre lacrimejantes e vermelhos? O seu bebê esfrega os olhos com frequência (quando não está cansado)?

♦ O seu bebê tem uma erupção?

---

novamente toda vez que o seu filho tiver novos sintomas. Ligue imediatamente se houver sinais de asma (respiração asmática), dificuldade em respirar ou sinais de choque (desorientação, arquejo, pulso rápido, pele pálida, fria, úmida, tontura ou perda de consciência).

**Possibilidade de recorrência:** algumas alergias desaparecem na fase adulta e nunca mais retornam; outras retornam com aspectos diferentes.

**Problemas com sintomas semelhantes:**
♦ Resfriado comum (como rinite alérgica); veja o quadro acima.

♦ Bronquite (mas uma criança que pareça ter crises repetidas desta doença provavelmente tem asma)

♦ Doenças gastrintestinais (semelhantes aos sintomas do trato digestório)

♦ Sensibilidade a alimentos (semelhante aos sintomas do trato digestório); veja o quadro na página 764.

# RESFRIADO COMUM OU INFECÇÃO DO TRATO RESPIRATÓRIO SUPERIOR

O resfriado comum é ainda mais comum entre os pequenos. Isto se deve ao fato de bebês e crianças pequenas ainda não terem tido a oportunidade de desenvolver imunidade contra os muitos tipos de vírus. Portanto, esteja preparado para ter pelo menos algumas

## COMBATENDO O VÍRUS DA GRIPE

A maioria das pessoas considera a gripe apenas um passo além do resfriado, pelo menos para os mais jovens e mais saudáveis. Um pouco febril, dias de cama longe da escola ou do trabalho, alguns calafrios, tosse persistente. Irritante e incômoda, sim, mas perigosa, não — a menos que você seja idoso ou doente.

Hoje, a comunidade médica está tentando mudar esta percepção, estimulando os pais para que entrem na fila para vacinar seus filhos pequenos contra a gripe junto com seus avós e bisavós. Embora seja verdade que as doenças graves e as complicações de uma gripe sejam maiores em pessoas com mais de 65 anos de idade, a incidência de infecção por gripe é mais alta entre as crianças. E para os bebês de colo e os que estão aprendendo a andar, o ataque do vírus da gripe pode ser mais forte do que os pais podem esperar. Na verdade, as crianças entre 6 e 23 meses de idade que aparecem com gripe com frequência precisam ser hospitalizadas.

Felizmente, existe uma vacina disponível para bebês com mais de 6 meses que os protege contra a gripe (ver página 344). No Brasil, a campanha de vacinação normalmente acontece em abril (a época das gripes ocorre nos meses de inverno). A proteção se desenvolve em duas semanas e dura até um ano. Os bebês precisam de duas doses da vacina — com intervalo de um mês entre elas — na primeira vez em que forem vacinados.

Até agora não existe uma vacina para bebês com menos de 6 meses de idade. Até que os cientistas desenvolvam uma, os pais podem proteger os bebês da exposição ao vírus tomando eles próprios a vacina e imunizando também os filhos mais velhos e outras pessoas da casa. Lembre-se também de que, mesmo que sua família tenha sido vacinada, é importante lavar as mãos frequentemente para evitar a disseminação de muitos outros vírus comuns que causam resfriados e doenças semelhantes à gripe.

Para mais informações sobre os sintomas da gripe, leia a página 1072.

---

ocorrências de nariz escorrendo durante os primeiros dois anos, provavelmente mais se o seu filho frequenta creches ou se tem irmãos mais velhos.

**Sintomas:**

♦ Nariz escorrendo (a coriza é aquosa no início, ficando mais grossa e amarelada a seguir)

♦ Espirros

♦ Congestão nasal

*Ocasionalmente:*

♦ Tosse seca, que pode piorar quando o bebê está deitado

♦ Febre

♦ Garganta irritada

♦ Fadiga leve

♦ Perda de apetite

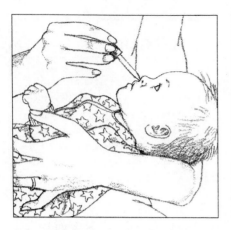 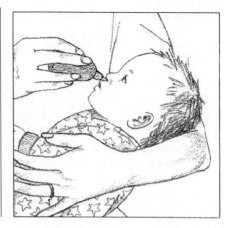

*Para um bebê que está tendo problemas em respirar devido ao nariz entupido, gotas salinas (à esquerda) para amaciar o muco e aspiração (à direita) para sugar o muco e trazer o alívio.*

**Época:** durante todo o ano, porém mais comumente quando os filhos mais velhos estão na escola.

**Causa:** sabe-se de mais de 100 diferentes vírus que causam resfriados.

**Método de transmissão:** geralmente dissemina-se de mão em mão.

**Período de incubação:** de um a quatro dias.

**Duração:** geralmente de três a dez dias, mas em crianças pequenas os resfriados podem demorar mais tempo.

**Tratamento:** não se conhece a cura, mas os sintomas podem ser tratados, se necessário:

♦ Sucção do muco do nariz com um aspirador (veja a ilustração acima). Se o muco estiver endurecido, antes de sugá-lo amacie-o com gotas salinas nasais. Isto pode ser necessário para ajudar o bebê a se alimentar e dormir. (Se o bebê resistir ao uso do aspirador, você pode usar somente as gotas salinas nasais para soltar o muco, para que ele possa pingar ou ser engolido.)

♦ Umidificação (ver página 1053) para ajudar a umedecer o ar, reduzir a congestão e tornar a respiração mais fácil para o bebê.

♦ Deixar o bebê dormir com a cabeça elevada (levantando a cabeceira do colchão do berço com alguns travesseiros ou outro tipo de apoio *sob* o colchão; nunca coloque qualquer travesseiro no berço com o bebê) para facilitar a respiração.

♦ Descongestionantes, somente se recomendados pelo médico (eles são feitos para bebês), para tentar fazê-lo

# QUANDO O BEBÊ ADOECE

comer e dormir mais facilmente; eles normalmente são ineficientes e podem deixar alguns bebês irritadiços.

♦ Solução nasal, se recomendada pelo médico, para aliviar a congestão. Mas siga as instruções cuidadosamente, porque estas gotas podem ter efeitos colaterais e uma superdosagem pode ser prejudicial. Usar por mais de alguns dias pode causar uma reação de recaída e fazer o bebê se sentir pior.

♦ Vaselina ou pomada semelhante aplicada *levemente* no nariz, do lado de fora e embaixo, para ajudar a prevenir rachaduras e vermelhidão da pele. Mas tenha cuidado para não deixar que ela caia dentro dos orifícios nasais, onde pode ser inalada e bloquear a respiração.

♦ Xarope, mas somente para aliviar a tosse seca que interfere no sono e somente se for receitado pelo médico (muitos médicos questionam a eficácia e a segurança em dar xaropes para acabar com a tosse de crianças pequenas). *Antibióticos não vão ajudar* e não devem ser usados a menos que haja uma infecção bacteriana secundária.

**Mudanças na dieta:** o bebê pode continuar a dieta normal (embora muitos sofram de perda de apetite), com as seguintes exceções:

♦ Aumento da ingestão de líquidos para ajudar a recuperar aqueles perdidos devido à febre, respiração pela boca e nariz com coriza. Se o bebê for mais velho, beber em uma xícara po-

de ser mais confortável do que tentar mamar no peito ou na mamadeira com o nariz entupido.

♦ Se for recomendado pelo médico do bebê, reduza a ingestão de derivados do leite (mas não o leite do peito ou a fórmula), já que é possível que eles engrossem as secreções.

**Prevenção:** mãos cuidadosamente lavadas por toda a família, especialmente quando alguém tem um resfriado e particularmente antes de segurar o bebê ou os objetos dele. Tosses e espirros devem ser cobertos.

**Complicações:** os resfriados às vezes progridem para uma infecção no ouvido ou bronquite. (Em bebês e crianças pequenas, a bronquite viral é a extensão natural de um resfriado nas vias mais largas dos pulmões.) Geralmente não precisa de tratamento separado e se cura por si própria. Se, no entanto, a tosse persistir além dos outros sintomas do resfriado, informe ao médico. Com menos fre-

---

## LAVAR AS MÃOS É A SOLUÇÃO

A melhor maneira de prevenir que qualquer infecção se espalhe é lavar com frequência as mãos, após a troca de fraldas, após o uso do vaso sanitário ou de assoar o nariz, antes de pegar em alimentos etc. Lave com sabonete e água quente por pelo menos dez segundos.

## COMO TRATAR OS SINTOMAS DO BEBÊ

| SINTOMA | TRATAMENTO APROPRIADO |
|---|---|
| Tosse | Ar umidificado*<br>Aumento de líquidos*<br>Redução de derivados do leite, para bebês mais velhos nos quais os produtos do leite parecem aumentar a produção de muco<br>Remédio contra tosse (mas somente se receitado, já que tal tratamento é geralmente inadequado para bebês) |
| Tosse crupe | Vapor abundante*<br>Uma viagem do lado de fora |
| Diarreia | Mudanças possíveis na dieta (ver página 776)<br>Medicamento antidiarreia (mas somente se receitado, já que tal tratamento é geralmente inadequado para bebês) |
| Dor de ouvido | Analgésico, como acetaminofeno e ibuprofeno<br>Calor seco no ouvido (água quente em uma garrafa de água quente)<br>Antibióticos, somente se receitados para a infecção<br>Remédio em gotas para ouvido, somente se receitado |
| Febre | Aumento de líquidos (ver página 799)<br>Ingestão adequada de calorias, se possível<br>Medicamento antipirético, como acetaminofeno e ibuprofeno, como recomendados pelo médico<br>Banho morno ou com esponja (melhor se usado em conjunto com o remédio para redução da febre; ver página 800)<br>Roupas leves e temperatura ambiente fresca (ver página 799) |
| Coceira | Loção de calamina ou loção contendo pramoxina, tal como Caladryl (mas evite anti-histamínicos tópicos)<br>Banho confortavelmente morno (teste a água com o seu cotovelo ou pulso)<br>Banho morno sedativo*<br>Banho de aveia coloidal (tais como Aveeno) |

# COMO TRATAR OS SINTOMAS DO BEBÊ

| SINTOMA | TRATAMENTO ADEQUADO |
|---|---|
| Coceira (cont.) | Prevenção de coceira e infecção (mantendo as unhas das mãos curtas e limpas); cobrir as mãos com meias ou luvas durante o sono<br>Analgésico, como o acetaminofeno (mas *não* aspirina; veja na página 798)<br>Anti-histamina oral (mas somente se receitado, já que tal tratamento é geralmente inadequado para bebês) |
| Congestão nasal | Ar umidificado*<br>Irrigação com soro fisiológico*<br>Aspiração nasal*<br>Elevação da cabeça*<br>Aumento de líquidos*<br>Gotas salinas (soro fisiológico) nasais<br>Descongestionante (mas somente se receitado, já que tal tratamento é geralmente inadequado para bebês)<br>Solução nasal, somente se receitada |
| Dor ou desconforto devido a um ferimento leve | Conforto (abraço)<br>Distração<br>Analgésico, como acetaminofeno ou ibuprofeno<br>Calor ou frio no local, conforme o caso |
| Dor de garganta | Comidas e bebidas calmantes, não ácidas<br>Analgésico, como acetaminofeno ou ibuprofeno<br>Tratamento contra febre, se necessário |
| Dor da dentição | Conforto (abraço)<br>Algo gelado (e seguro) para mastigar, como um mordedor gelado<br>Pressão nas gengivas (ver página 466)<br>Analgésico, como acetaminofeno ou ibuprofeno ou analgésicos tópicos, somente se recomendados pelo médico |
| Vômito | Aumento de líquidos, em pequenos goles (ver página 776)<br>Dieta restrita (ver página 776) |

*Veja as Referências (página 1054) para dicas de como executar este tratamento.

## RESFRIADOS FREQUENTES

Parece que o seu bebê entrou em um programa de resfriados frequentes — pegando cada resfriado que os irmãos mais velhos pegam ou trazendo um para casa vindo da creche em semana sim, semana não? Não se preocupe. Embora elas pareçam estar testando a sua paciência e sejam impiedosas com o nariz de seu filho, estas doenças brandas frequentes não vão fazer nenhum mal a ele — e podem na verdade até fazer o bem.

As vantagens? Resfriados frequentes (e infecções de ouvido e crises com outros vírus) melhoram o sistema imunológico do seu filho, fazendo com que ele fique menos suscetível a uma infecção mais tarde na vida. Na verdade, os bebês que ficam em creches (que pegam doenças com mais frequência do que aqueles que ficam em casa) são muito menos suscetíveis a resfriados e outras infecções à medida que ficam mais velhos e vão para a escola.

Os resfriados frequentes também parecem não ter nenhum efeito sobre o desenvolvimento futuro do seu bebê. Pesquisadores descobriram que as crianças que adoecem devido a múltiplos resfriados, infecções de ouvido e diarreia estão tão bem preparadas para a pré-escola e têm tantas habilidades sociais quanto os seus colegas que ficam doentes com menos frequência. (Além do mais, estas crianças já sabem dividir — os germes, pelo menos.)

---

quência, um resfriado pode levar a uma pneumonia ou sinusite.

**Quando ligar para o médico:**

♦ Se este for o primeiro resfriado; se o seu bebê tem menos de 3 meses e está com febre acima de 38°C.

♦ Se a temperatura subir de repente ou se a febre continuar por mais de dois dias.

♦ Se uma tosse seca durar mais do que duas semanas e estiver interferindo no sono do seu bebê, fazendo com que ele fique sufocado ou provocando vômito, se ela se tornar grossa e produtiva (muco saindo com a tosse) ou chiada ou se a dificuldade de respiração aumentar. Se a tosse durar mais de três semanas em um bebê novo ou seis semanas em um bebê mais velho pode ser necessário consultar um especialista.

♦ Se um catarro nasal amarelo-esverdeado e grosso se desenvolver e durar mais de um dia, ou se o catarro estiver misturado com sangue.

♦ Se houver choro em maior quantidade do que o normal (puxando ou não as orelhas).

♦ Se houver uma perda completa de apetite.

♦ Se o bebê parecer realmente mal-humorado.

**Possibilidade de recorrência:** já que ter um resfriado causado por um vírus não torna o bebê imune a um resfriado causado por outro, os bebês, que não tiveram a chance de formar imunidade aos mais de 100 vírus existentes, podem ter um resfriado após outro.

**Problemas com sintomas semelhantes:**
- Rubéola e catapora começam com sintomas parecidos com os do resfriado; verifique estas doenças (veja a tabela que começa na página 1056) para sintomas adicionais

- Alergias respiratórias

- Influenza

# CONSTIPAÇÃO

Este problema é raro em bebês que estão sendo amamentados no peito (mesmo que eles evacuem com pouca frequência e tenham dificuldade em expelir), porque as suas fezes nunca são duras. (Em um recém-nascido que mama no peito, fezes infrequentes — não importando se estejam moles — podem ser um sinal de que o bebê não está co-

## TOSSE SÚBITA

Se o seu bebê ou criança pequena de repente começar a tossir descontroladamente e não parece ter nenhum resfriado ou outra doença, considere a possibilidade de que um objeto inalado tenha sido a causa. Veja a página 827 para um tratamento de emergência.

mendo o bastante; ver página 253.) A constipação pode, no entanto, ser um tormento para bebês que estão se alimentando com fórmula.

**Sintomas:** fezes não frequentes que são duras (com frequência pequenas bolinhas) e difíceis de passar; a infrequência por si só, no entanto, não é um sinal de constipação e pode ser o padrão normal do seu bebê.

- Fezes misturadas com sangue, se houver fissura anal (rachaduras no ânus causadas pela passagem de fezes duras)

- Problemas gastrintestinais e dor abdominal

- Irritabilidade

**Época:** qualquer uma.

**Causa:** trato digestório preguiçoso, doença, dieta pobre em fibras, não beber líquidos o suficiente, atividade insuficiente ou uma fissura anal que faz com que o ato de defecar seja doloroso; raramente é um problema médico mais grave.

**Duração:** pode ser crônica ou ocorrer apenas ocasionalmente.

**Tratamento:** embora a constipação não seja incomum em bebês alimentados com mamadeira, os sintomas devem sempre ser relatados ao médico, que pode, quando necessário, verificar a existência de alguma anormalidade que possa estar causando a constipação. A constipação ocasional ou a constipação crônica leve

# MEDICINA COMPLEMENTAR E ALTERNATIVA

A maioria dos pais não pensaria em tratar os sintomas de um bebê com nada mais forte do que acetaminofeno sem primeiro dar um telefonema ao pediatra. Alguns sequer pegariam o Tylenol infantil sem o consentimento do médico. E no entanto muitos dos mesmos pais não hesitariam em visitar a loja de produtos naturais para procurar por um remédio holístico para o resfriado, a gripe ou a constipação de seu bebê — nem pensaria duas vezes antes de dar ao bebê um remédio baseado em ervas medicinais sem verificar com o médico primeiro.

Eles não estão sozinhos nisso. De acordo com algumas estimativas, mais de 40% dos pais nos Estados Unidos se uniram às fileiras daqueles que escolhem terapias alternativas para os filhos. Seja uma dose de equinácea para cortar um resfriado pela raiz, uma aspirada em lavanda para aliviar o estresse, uma mamadeira de camomila para acalmar um bebê com cólica ou uma visita ao quiropata para prevenir infecções recorrentes de ouvido, a medicina alternativa e complementar claramente encontrou o caminho para o quarto do bebê.

Mas a questão é: há lugar no quarto do bebê para a medicina alternativa? Durante anos, a medicina alternativa — e os que a praticavam — foi considerada reino de praticantes à margem. Hoje em dia, está sendo integrada de uma forma ou outra em quase todas as áreas da medicina tradicional, da cardiologia à oncologia. Infelizmente, porém, o estudo da medicina alternativa na prática pediátrica está seriamente atrasado.

Quase nenhuma terapia alternativa foi testada em crianças, tornando uma ciência imprecisa determinar que tratamentos são seguros e quais não são seguros para os pacientes menores — até para os cientistas. Para os pais, que só têm informações anedóticas para seguir, as respostas são ainda mais evasivas.

Alguns estudos estão sendo realizados; muitos outros precisam ser feitos. Nesse meio tempo, aqui está o que você precisa considerar antes de assumir a abordagem alternativa para a saúde de seu filho. Primeiro, ao contrário dos remédios industrializados e vendidos com receita médica, os remédios vegetais não têm um controle rigoroso dos órgãos reguladores. Eles não tiveram testadas a eficácia, a segurança e a dosagem adequada, mesmo em adultos. Segundo, "natural" não significa necessariamente seguro. Os remédios de ervas não são mais seguros do que qualquer preparado farmacêutico, e em alguns casos podem ser muito menos seguros. Na verdade, alguns remédios de ervas podem causar graves efeitos colaterais em crianças; outros podem interferir no tratamento tradicional que uma criança recebe — interagindo mal com um remédio receitado, por exemplo. Terceiro, embora quase certamente existam terapias alternativas que são benéficas, proceder a qualquer tratamento — tradicional ou alternativo — sem consultar um médico que conheça o assunto é insensato e potencialmente perigoso. Se você estiver pensado em usar a medicina alternativa com seu bebê, verifique sempre com o médico primeiro.

é geralmente tratada com mudanças na dieta (veja a seguir); um aumento dos exercícios pode ajudar (em bebês, experimente mexer as pernas como se ele estivesse andando de bicicleta quando você vir que ele está tendo dificuldades para evacuar). Não dê laxantes, enemas nem nenhum medicamento sem a recomendação médica.

**Mudanças na dieta:** faça-as somente após consultar o médico do bebê.

◆ Se forem introduzidas, dê 30 ou 50 gramas de ameixa seca ou suco de maçã na mamadeira, xícara ou colher.

◆ Para um bebê que já esteja comendo alimentos sólidos, aumente a dose diária de frutas (exceto banana) e de legumes e verduras.

◆ Para bebês mais velhos, corte os derivados do leite (mas não o leite materno ou a fórmula).

**Prevenção:** quando os sólidos forem adicionados à dieta do bebê, certifique-se de incluir principalmente grãos integrais além de uma grande quantidade de frutas, verduras e legumes. Certifique-se também de que a ingestão de líquidos seja adequada e que o bebê tenha bastante oportunidade de fazer atividade física.

**Complicações:**
◆ Fissuras

◆ Fezes impactadas (fezes que não passam naturalmente podem ser dolorosas se removidas manualmente)

◆ Se este quadro continuar crônico até o bebê começar a andar e ir para a escola, pode resultar em uma dificuldade no treinamento para ir ao banheiro.

**Quando ligar para o médico:** se o seu bebê parece ter prisão de ventre com frequência ou regularmente; se o problema aparecer de repente quando não havia sido notado anteriormente ou se houver sangue nas fezes.

**Possibilidade de recorrência:** o problema pode se tornar um "hábito" se não for tratado da primeira vez em que ocorrer.

**Problemas com sintomas semelhantes:**
◆ Obstruções ou anormalidades intestinais.

# DIARREIA

Também este problema é incomum em bebês que mamam no peito porque parece haver substâncias no leite materno que destroem muitos micro-organismos que causam a diarreia.

**Sintomas:**
◆ Fezes líquidas, contínuas (não granuladas, como as de um bebê que mama no peito)

*Ocasionalmente:*
◆ Aumento da frequência

◆ Aumento do volume

- Muco nas fezes

- Sangue nas fezes

- Vômito

**Causas:** Muito variadas:

- Infecção gastrintestinal (vírus, mais frequentemente rotavírus; também bactérias e parasitas)

- Às vezes outra infecção

- Dentição (possivelmente)

- Sensibilidade a um alimento da dieta

- Frutas ou suco demais (especialmente maçã ou pera)

- Antibióticos (dar iogurte com culturas vivas para um bebê que esteja tomando antibióticos pode prevenir este tipo de diarreia)

**Método de transmissão:** os casos infecciosos podem ser transmitidos via fezes-mão-boca. Também são transmitidos por alimentos contaminados.

**Período de incubação:** depende do organismo causador.

**Duração:** geralmente entre algumas horas e vários dias, mas alguns casos podem se tornar crônicos se a causa não for descoberta e corrigida.

**Tratamento:** depende da causa, mas as abordagens mais comuns são as dietas (veja a seguir). Às vezes um medicamento pode ser receitado. Não dê remédio antidiarreia para um bebê sem o consentimento do médico — alguns podem ser prejudiciais para crianças pequenas. Evite a irritação no bumbum do seu bebê trocando a fralda assim que possível depois que ela ficar suja e espalhando uma grossa camada de pomada após cada troca. Se houver assadura de fraldas, consulte a página 396.

Um bebê muito doente pode precisar ser hospitalizado para que seus fluidos corporais se estabilizem.

**Mudanças na dieta:**
- o melhor é continuar com a amamentação no peito ou com a fórmula. Uma vez que o bebê com diarreia pode desenvolver uma intolerância temporária a lactose, uma mudança para uma fórmula sem lactose, com soja, pode ser recomendada se a diarreia não melhorar com a fórmula regular do bebê.

- Alta ingestão de líquidos (pelo menos 60 miligramas por hora) para repor os fluidos perdidos pela diarreia. Aumentar o leite do peito ou a fórmula, ou dar um soro de reidratação (como o Pedialite), disponível em qualquer farmácia, é por vezes recomendado. Ofereça alguns goles com uma colher, xícara ou mamadeira a cada dois ou três minutos, até chegar a 236 ml entre as evacuações. Não dê bebidas adoçadas (como refrigerantes), suco de frutas não diluído, bebidas esportivas, água glicosada ou o soro caseiro.

- Continuação dos sólidos, se o bebê os ingere regularmente. Quanto mais rápido o bebê é alimentado, menos grave será a diarreia. Alimentos com amido, como banana amassada, arroz branco ou cereais de arroz, batatas, massa ou torrada, dependendo da dieta normal do bebê, são boas opções. Pequenas quantidades de proteína (como o frango) também são apropriadas. A curto prazo, deixe de fora outras frutas (além da banana) e vegetais.

♦ Quando há vômito, normalmente não se reintroduz o alimento sólido até que tenha passado. Mas ofereça goles de líquidos (sucos diluídos ou fluidos de reidratação oral, se forem receitados). Oferecer pequenas quantidades (não mais do que uma ou duas colheres de sopa por vez, menos para um bebê) vai aumentar as chances de que fique no estômago. Uma vez que o vômito tenha acabado, os alimentos podem ser adicionados como sugerido anteriormente.

♦ Quando as fezes começarem a voltar ao normal, geralmente após dois ou três dias, o médico recomendará que o seu bebê comece a retornar à dieta regular, mas continue limitando os derivados do leite (outros, e não o leite materno e a fórmula) por mais um ou dois dias.

♦ Na diarreia que dura mais de duas semanas ou mais em um bebê alimentado por mamadeira, o médico pode recomendar uma mudança na fórmula.

**Prevenção:** a diarreia não pode ser prevenida sempre, mas os riscos podem ser reduzidos:

♦ Atenção com o preparo higiênico dos alimentos (ver página 476).

♦ Aqueles que cuidam do bebê devem lavar as mãos cuidadosamente após trocar as fraldas ou ir ao banheiro.

♦ Diluição do suco de frutas tomado pelo bebê; limite o total de ingestão em não mais do que 118 a 177 ml por dia; mude para suco de uva branca (ver quadro na página 779).

**Complicações:**
♦ Assadura por fralda

♦ Desidratação, se a diarreia for grave e deixar de ser tratada

**Quando ligar para o médico:** uma ou duas evacuações com fezes moles não é motivo para preocupação. Mas as seguintes indicações podem significar diarreia que pode precisar de cuidados médicos:

♦ Você suspeita de que o bebê tenha consumido alimentos ou fórmula estragados.

♦ O bebê está soltando fezes aquosas e moles nas últimas 24 horas.

♦ O bebê está vomitando (mais do que um simples refluxo) repetidamente ou está vomitando nas últimas 24 horas.

♦ Há sangue nas fezes do bebê.

♦ O bebê está com febre ou parece doente.

♦ Ligue *imediatamente* se o bebê mostrar sinais de desidratação: diminui-

# AS PREOCUPAÇÕES ESPECIAIS

ção significativa de micção (as fraldas não estão tão molhadas como normalmente e/ou a urina está amarela); olhos fundos ou secos; fontanela ("moleira") afundada; pele seca; saliva escassa.

**Possibilidade de recorrência:** provável, se a causa não tiver sido eliminada; alguns bebês têm tendência a diarreia.

**Problemas com sintomas semelhantes:**
♦ Alergia alimentar

♦ Intoxicação alimentar

♦ Deficiência de enzimas

# INFLAMAÇÃO NO OUVIDO MÉDIO (OTITE MÉDIA)

Os bebês e crianças pequenas são mais suscetíveis a dores de ouvido de todos os tipos por uma série de razões. A maioria supera esta susceptibilidade.

**Sintomas:** na otite média aguda (OMA), a infecção do ouvido médio, os sintomas incluem:

*Geralmente:*
♦ Dor de ouvido, que com frequência piora à noite (os bebês às vezes puxam, esfregam ou seguram as orelhas, mas com frequência não dão indicação de dor exceto ao chorar, e às vezes nem isso; choram ao sugar o seio ou a mamadeira, indicando que o dor de ouvido se irradia pela mandíbula)

♦ Febre, que pode ser leve ou alta

♦ Fadiga e irritabilidade

♦ Nariz com coriza e congestão (com frequência, mas não sempre)

*Às vezes:*
♦ Náusea e/ou vômito

♦ Perda de apetite

*Ocasionalmente:*
♦ Nenhum sintoma óbvio

No exame, a membrana timpânica aparece rosada (durante os estágios iniciais da infecção) e depois vermelha e protuberante (posteriormente). Em muitos casos, a OMA melhora sem o tratamento (embora a decisão de tratar ou de "esperar para ver" deva ser deixada para o médico; veja a página 780 para mais tratamentos). Entretanto, às vezes, se a infecção ficar sem tratamento, a pressão pode estourar o tímpano, soltando pus no canal auricular e aliviando a pressão. O tímpano por fim se cura, mas o tratamento ajuda a prevenir futuros danos.

Na otite média serosa (OMS), também conhecida como otite média com efusão ou fluido no ouvido médio, os sintomas incluem:

*Geralmente:*
♦ Perda da audição (temporária, mas pode se tornar permanente se o problema persistir sem tratamento por muitos meses)

*Às vezes:*
♦ Estalo ou estouros ao engolir ou sugar (relatados por crianças mais velhas)

## UM SUCO MELHOR PARA O SEU BEBÊ DOENTE?

Uma barriguinha doente deixou o seu bebê deprimido? Pode ser a hora de trocar de suco. Pesquisadores descobriram que as crianças se recuperam mais rapidamente da diarreia quando bebem suco de uva branca do que quando ficam tomando aqueles sucos padrão de maçã e pera. Elas também têm uma probabilidade menor de recorrência com o suco de uva branca. Aparentemente, a composição de açúcar e carboidrato do suco de uva branca é melhor para o sistema digestivo (e muito menos complicada para lavar do que a sua prima roxa). Os sucos de maçã e pera contêm sorbitol (um carboidrato indigesto que pode causar gases, inchaço e desconforto) e uma quantidade maior de frutose do que de glicose, enquanto o suco de uvas brancas não contém sorbitol e tem quantidades equilibradas de frutose e glicose.

Entretanto, antes de mudar para o suco de uva branca, discuta com o médico, que pode recomendar água ou soro de reidratação em vez de suco. Em alguns casos, tomar muito de um único tipo de suco pode causar problemas de digestão.

♦ Nenhum sintoma, a não ser pelo fluido na orelha

**Época:** todo o ano, mas mais comumente no inverno.

**Causa:** geralmente uma bactéria ou vírus, mas a alergia também pode causar uma infecção do ouvido médio. Bebês e crianças pequenas podem ser mais suscetíveis devido ao formato e ao tamanho das trompas de Eustáquio; por estarem mais propensos a pegar infecções respiratórias, o que geralmente precede as infecções de ouvido; porque o sistema imunológico é imaturo; porque eles normalmente são alimentados deitados de costas. As trompas de Eustáquio, que drenam secreções das orelhas para a parte posterior do nariz e da garganta e mantêm o ouvido médio ventilado com ar, são mais curtas em um bebê do que em um adulto e, assim, os germes podem facilmente viajar por elas até o ouvido médio. E devido ao fato de as trompas serem horizontais e não verticais (como nos adultos), a drenagem é deficiente, especialmente em bebês que passam muito tempo deitados de costas. O diâmetro pequeno também faz com que as trompas fiquem mais sujeitas a obstruções (ao inchar, devido a uma alergia ou infecção como o resfriado, por malformação ou por adenoides dilatados). Esta obstrução leva a um aumento das secreções, o que se torna um excelente meio para a multiplicação de bactérias causadoras de infecções, causando com isso a otite média serosa.

**Método de transmissão:** não diretamente (você não pode "pegar" uma infecção de ouvido), mas as crianças que ficam em creches podem ficar mais vulneráveis simplesmente porque pegam mais resfriados, o que pode levar a infecções no ouvido. Pode existir uma tendência na família a pegar infecções no ouvido.

**Período de incubação:** com frequência segue-se a um resfriado ou uma gripe.

**Duração:** pode ser curta; apenas alguns dias; pode se tornar crônica.

**Tratamento:** as infecções de ouvido requerem consulta ao médico; não tente tratar delas sozinha. O tratamento pode incluir:

♦ Antibióticos, quando se julgar necessário (às vezes eles são absolutamente necessários, às vezes não; veja a seguir). Quando antibióticos forem receitados, sempre dê a dose pelo tempo total que foi prescrito — geralmente de cinco a dez dias — para evitar a volta da infecção, uma infecção crônica ou resistência a antibióticos. Os descongestionantes geralmente não são úteis.

♦ Esperar e observar em situações onde não seja necessário o tratamento imediato com antibiótico. Uma pesquisa mostrou que a maioria dos casos simples de otite média aguda some em quatro ou sete dias sem tratamento. Pergunte ao médico se o antibiótico é absolutamente necessário para esta infecção do seu bebê.

♦ Remédio de ouvido, se o médico recomendar.

♦ Acetaminofeno ou ibuprofeno infantil para a dor e/ou a febre.

♦ Calor aplicado no ouvido na forma de uma bolsa de água quente ou compressas quentes (ver página 1053) — qualquer dos métodos pode ser usado enquanto você estiver tentando encontrar o médico.

♦ Miringotomia (pequena cirurgia para drenar as secreções do ouvido infectado através de uma pequena incisão no tímpano) se o tímpano parecer que vai estourar; a incisão se cicatriza em aproximadamente dez dias, mas podem ser necessários cuidados especiais até lá. Outra opção é a miringotomia a *laser*, um novo tratamento no qual o médico cria um pequeno buraco no tímpano usando o *laser*, permitindo que a secreção no ouvido seja drenada.

♦ Inserção de um pequeno tubo que permite a entrada de ar no ouvido médio, quando a secreção (otite média serosa; OMS) não responde à terapia com antibióticos. Isto é feito com anestesia geral e é um último recurso para casos que não respondem a outros tratamentos. Geralmente tenta-se com um tubo (que pode ser considerado uma "trompa de Eustáquio artificial") se a secreção permaneceu em um ouvido por seis meses — ou nos dois ouvidos por quatro meses — sem nenhuma melhora. O tubo cai depois de seis ou oito meses, às vezes antes. Os riscos devem ser pesados em relação aos benefícios antes de recorrer aos tubos; os benefícios a longo prazo ainda não são conhecidos.

- Exames de ouvido periódicos até que o ouvido (ou ouvidos) volte ao normal, para se certificar de que o problema não se tornou crônico.

- Eliminação ou tratamento das alergias relacionadas com as repetidas infecções no ouvido.

**Mudanças na dieta:** Fluidos extra para a febre. Se antibióticos forem receitados, o iogurte de leite integral com culturas ativas (se os produtos derivados do leite já tiverem sido introduzidos) pode ajudar a prevenir a dor de estômago causada com frequência por estes medicamentos.

**Prevenção:** ainda não se conhece uma maneira segura de prevenir a otite média. Entretanto, pesquisas recentes sugerem que as recomendações a seguir podem reduzir o risco de infecção de ouvido em bebês:

- Boa saúde geral através de nutrição adequada e descanso e cuidados médicos regulares.

- Alimentação no peito por pelo menos seis meses, preferivelmente por todo o primeiro ano de vida.

- Vacinação contra gripe, vacinação pneumocócica (ver página 344).

- Uma posição mais sentada na hora de se alimentar, especialmente quando o bebê tem uma infecção respiratória.

- Usar mamadeiras com formato angular, em vez das mamadeiras retas tradicionais.

- Uma pequena elevação na posição de dormir quando o bebê tem um resfriado (coloque alguns travesseiros *embaixo* do lado da cabeceira no colchão, não sob a cabeça do bebê).

- Dê uma mamadeira ou chupeta para o bebê chupar em decolagens e especialmente em aterrissagens, quando a maioria dos problemas de ouvido ocorre devido a mudanças na pressão do ar.

- Limite o uso da chupeta durante o dia e tire a chupeta da boca do bebê assim que ele dormir.

- Antibióticos de dose baixa de profilaxia (dados para prevenir as infecções) para crianças com infecções de ouvido frequentes durante a pico da estação da otite média, ou apenas quando a criança aparecer com um resfriado, para prevenir uma infecção secundária no ouvido.

- Moradia livre da fumaça do cigarro (o ato passivo de fumar pode levar a mais congestão, o que pode levar a OMS).

- Cuide de seu filho em casa, em vez de deixá-lo em creches, onde as crianças estão mais propensas a uma otite média.

## Complicações:
*Entre outras:*
- Otite média crônica com perda auditiva

- Infecção mastoide (um problema raro, no qual o osso mastoide do crânio fica infectado)

- Meningite, pneumonia

**Quando ligar para o médico:** inicialmente, tão logo você suspeite que o seu bebê possa ter uma dor de ouvido. Novamente, se os sintomas não parecem começar a desaparecer em dois dias, ou se o bebê parecer pior. Mesmo que não haja suspeita de uma infecção no ouvido, ligue se o bebê de repente parecer não estar ouvindo tão bem quanto normalmente.

**Possibilidades de recorrência:** alguns bebês nunca têm uma infecção de ouvido; outros têm uma ou duas durante a infância e depois não mais, e ainda há outros que as têm repetidamente, da fase em que começa a andar aos anos da pré-escola.

**Problemas com sintomas semelhantes:** um objeto estranho na orelha, otite externa ou "orelha de nadador" e a dor causada por uma infecção respiratória podem imitar a dor de ouvido. A dentição pode às vezes causar dor no ouvido.

# REFLUXO GASTROESOFÁGICO (RGE)

Houve um aumento aparentemente drástico no número de bebês com RGE recentemente — não porque mais bebês estão desenvolvendo o problema, mas porque mais bebês estão sendo corretamente diagnosticados. Os médicos acreditam que muitos bebês, que foram classificados como tendo cólicas no passado, na verdade sofriam de RGE. É um problema comum em bebês de menos de 1 ano de idade e até mais comum em bebês prematuros.

**Sintomas:** O RGE é semelhante à azia (refluxo ácido) em adultos. O ácido no estômago reflui para o esôfago ou até para a garganta, causando a salivação excessiva ou o vômito e a irritação do esôfago, indicada pelo choro excessivo e pelo desconforto. Os sintomas incluem:

- Choro inconsolável ou repentino, dor aguda e arquear-se durante a alimentação

- Salivação excessiva ou vômito

- Vômito extremamente forçado

- Vômito horas após se alimentar

- Padrões de alimentação erráticos, como recusar comida ou comer e beber constantemente

- Ganho de peso lento

- Maus hábitos de sono

- Náusea ou asfixia

- Arrotar ou soluçar com frequência

- Dificuldade ou barulho ao engolir

*Às vezes:*
- Tosse crônica, crupe

- Garganta avermelhada ou inflamada com frequência

- Frequentes infecções no ouvido

- Problemas respiratórios incluindo chiado, respiração trabalhosa, asma, bronquite, pneumonia e apneia

# HISTÓRICO DE SAÚDE DO SEU BEBÊ

Se não houver espaço suficiente no livro do seu bebê, compre um caderno para usar como um histórico de saúde permanente. Registre todas as estatísticas do nascimento do seu bebê, bem como informações sobre cada doença, medicamentos dados, vacinas, médicos etc. O que se segue é só uma amostra dos tipos de informações que você deve incluir.

## NO NASCIMENTO

Peso:            Comprimento:            Circunferência da cabeça:

Condição ao nascer:

Índice de Apgar no primeiro e no quinto minutos:

Resultados de outros testes:

Problemas ou anormalidades:

## DOENÇAS INFANTIS
(para cada doença registre as seguintes informações)

Data de início:            Data de recuperação:

Sintomas:

Médico chamado:

Diagnóstico:

Instruções:

Medicamentos dados:            Duração:


Efeitos colaterais:

## VACINAS

Tipo:            Recebida em:            Reações:

**Época:** qualquer uma.

**Causa:** o RGE é o retorno do conteúdo do estômago ao esôfago. Normalmente, ao engolir, o esôfago impulsiona a comida ou o líquido para o estômago com uma série de pressões. Uma vez que a comida tenha entrado no estômago, ela é misturada a ácidos para que a digestão comece. Quando esta mistura ocorre, a faixa circular de músculos na parte final do esôfago fica apertada, impedindo a comida de voltar. Em bebês prematuros ou em bebês recém-nascidos, a junção entre o estômago e o esôfago é pouco desenvolvida e às vezes relaxa quando deveria ficar apertada. Este relaxamento dos músculos permite que o líquido e a comida voltem. O refluxo do conteúdo ácido estomacal irrita o revestimento do esôfago e causa uma forma de azia.

**Duração:** O RGE geralmente começa entre a segunda e a quarta semanas de idade e pode durar até 1 ou 2 anos. Os sintomas têm seu ápice por volta dos 4 meses e começam a enfraquecer por volta dos 7 meses, quando o bebê começa a se sentar e ingere mais alimentos sólidos.

**Tratamento:** as formas brandas do RGE são comuns e geralmente não requerem tratamento e desaparecem por si sós em um período de meses. Para o RGE mais grave, o tratamento é direcionado não para curar a doença, mas para fazer o bebê se sentir melhor até que ele cresça. Use as estratégias de prevenção (a seguir) para ajudar a melhorar o desconforto do

seu bebê. Medicamentos que reduzem a acidez no estômago, que neutralizam os ácidos no estômago ou que aumentem a motilidade são às vezes úteis mas devem ser dados somente se o médico receitar ou recomendar para o seu bebê. Se o problema for grave e falharem outras formas de tratamento, pode ser feita uma cirurgia para apertar o esfíncter esofagiano inferior.

**Mudanças na dieta:**

◆ Evite superalimentação. Ofereça pequenas quantidades de leite materno, fórmula ou alimentos sólidos mais frequentemente.

◆ Quando o bebê tiver idade suficiente para comer sólidos, sirva alimentos mais grossos em vez de alimentos ralos. A gravidade segura as comidas mais pesadas mais facilmente. Evite também comidas gordurosas ou ácidas em grandes quantidades.

**Prevenção:** O RGE nem sempre pode ser prevenido, mas existem algumas coisas que podem ser feitas para reduzir a sua gravidade:

◆ Alimente o bebê no peito pelo máximo de tempo possível. Geralmente o RGE é muito menos grave em bebês que mamam no peito porque o leite materno é mais fácil e rapidamente digerido do que a fórmula e age como um antiácido natural. Se você está amamentando, elimine a cafeína (um conhecido causador de refluxo) da sua dieta.

# QUANDO O BEBÊ ADOECE

- Torne os momentos das refeições o mais calmos e quietos possíveis, evitando interrupções.

- Faça o seu bebê arrotar com frequência.

- Segure o seu bebê de maneira que ele fique ereto durante a refeição e por uma ou duas horas após a mesma. Se possível, faça isso em um lugar tranquilo. Se o seu bebê dormir após comer, coloque-o na cama, mas com uma certa inclinação. Você pode fazer isso colocando alguns travesseiros embaixo da cabeceira do colchão ou usando um calço para inclinar o travesseiro, especialmente desenhado para bebês com RGE (com tiras de velcro para impedir que o bebê caia).[3]

- Tente oferecer a chupeta após as refeições; a chupeta muitas vezes acalma o refluxo.

- Evite brincar ou sacudir o bebê imediatamente após comer. Não dê banhos após as refeições.

- Não fume perto do bebê. A nicotina estimula a produção de ácidos gástricos.

**Complicações:**
- Falha no desenvolvimento

- Crises de asfixia graves

---

[3]Embora mudar a posição do bebê durante e após comer possa funcionar para alguns bebês, há evidências que sugerem que colocar o bebê sentado pode na verdade piorar o refluxo. Converse com o seu médico para determinar o que é melhor para o seu bebê.

- Chiadeira, pneumonia por aspiração e outros problemas pulmonares

- Apneia

**Quando chamar o médico:**
- Se o RGE for grave o suficiente para interferir no ganho de peso ou sono.

- Se o seu bebê parece estar sentindo muita dor.

**Possibilidades de recorrência:** a boa notícia é que quase todos os bebês com RGE vão ficar livres quando crescerem. E quando isso acontecer, o RGE não vai mais retornar. Ocasionalmente, o refluxo pode continuar na vida adulta.

**Problemas com sintomas semelhantes:**
- Infecções virais e bacterianas

- Asma

- Estenose pilórica

- Doenças metabólicas

- Doença de Hirshsprung

# INFECÇÃO DO TRATO URINÁRIO (ITU)

As infecções do trato urinário (ITU) são infecções bacterianas do trato urinário (rins, ureteres, bexiga e uretra).

**Sintomas:** os sintomas da ITU podem ser difíceis de reconhecer em um bebê ou uma criança pequena, mas é importante procurá-los quando uma criança está doente com febre e quando parece urinar com dor. Os sintomas incluem:

- Febre sem explicação no bebê

- Choro, irritabilidade, segurar a genitália ou mostrar outros sinais de dor quando urina

- Dor de estômago ou nas costas (difícil de detectar em bebês)

- Urina com cheiro desagradável

- Urina turva

- Urina com sangue (marrom, vermelho ou rosa)

- Micção mais frequente do que o normal

- Náusea, vômito ou diarreia com outros sintomas urinários

- Apetite diminuído ou falta de interesse em se alimentar

- Irritabilidade

- Crescimento deficiente em bebês

**Época:** o ano todo

**Causa:** o trato urinário inclui os rins, a bexiga, os tubos que conduzem a urina dos rins à bexiga (ureteres) e o tubo que leva a urina da bexiga até a parte externa do corpo (uretra). As infecções do trato urinário ocorrem quando uma bactéria (ou mais raramente um vírus ou um fungo) começa a crescer no trato urinário. As ITUs são comuns em crianças pequenas porque a uretra é muito curta, fornecendo, com isso, fácil acesso à bexiga para as bactérias.

**Método de diagnóstico:** o médico precisará realizar a cultura da urina em urina não contaminada para determinar se a criança não tem realmente uma ITU. Para fazer isso em um bebê pequeno, o médico pode colocar um saco plástico sob os genitais e coletar a urina. Este método de coleta não é muito preciso porque a bactéria (do reto, do ambiente) pode contaminar a amostra. Um modo melhor de coletar uma amostra de urina é inserindo um cateter na uretra e recolher a urina diretamente da bexiga.

**Método de transmissão:** a bactéria pode vir da pele em volta do reto e dos genitais e depois viajar pela uretra até a bexiga. Algumas ITUs são causadas por bactérias no sangue que se movimentam pelos rins.

**Duração:** depende do tipo de infecção e da sua gravidade.

**Tratamento:** a maioria das ITUs é tratada com antibióticos.

**Mudanças na dieta:**
- Aumento na ingestão de fluidos

**Prevenção:** algumas crianças estão mais propensas a ITUS devido a sua anatomia. As medidas preventivas incluem:

- Ao trocar as fraldas, sempre limpe o bebê da frente para trás, mesmo para os meninos.

- Certifique-se de que o seu bebê está recebendo bastante líquido para ajudar a eliminar bactérias indesejáveis no corpo dele.

- Evite banhos de banheira e sabonetes perfumados que podem irritar os genitais, especialmente nas meninas.

- Alguns estudos sugerem que o suco de uva-do-monte é eficiente contra ITUs, mas estes estudos foram feitos em adultos, não em crianças; consulte o pediatra do seu bebê.

- Possivelmente, a circuncisão em meninos. Algumas pesquisas mostram que meninos não circuncidados são um pouco menos propensos a ITUs.

**Complicações:** infecções urinárias não tratadas podem levar a infecções renais que, se não forem tratadas, podem causar graves lesões.

**Quando ligar para o médico:** se o seu bebê estiver com febre por alguns dias sem nenhum sinal de resfriado (como coriza), se a micção parecer dolorida ou se o seu bebê tiver qualquer dos sintomas listados anteriormente.

**Possibilidades de recorrência:** pode retornar a qualquer momento.

# VÍRUS SINCICIAL RESPIRATÓRIO (VSR)

O VSR é a principal causa de infecções no trato respiratório inferior em bebês e crianças pequenas. Aproximadamente dois terços dos bebês são infectados por VSR no primeiro ano de vida. Na maioria dos bebês, a infecção por VSR não causa mais do que uma doença branda. Entretanto, em certos bebês com alto fator de risco, o VSR pode levar a algo muito mais sério.

**Sintomas:** na maioria dos bebês, o vírus causa sintomas parecidos com os do resfriado comum, inclusive:

- Congestão nasal

- Coriza

- Febre baixa

- Diminuição do apetite

- Irritabilidade

Em alguns bebês, ele pode às vezes causar sintomas respiratórios (bronquiolite) na parte inferior (pulmões):

- Respiração acelerada

- Batimento das asas do nariz

- Taquicardia

- Tosse intensa

- Ronco

- Coloração azulada na pele em volta da boca (cianose)

- Chiadeira no peito quando respira

- Pele entre as costelas afundada em cada respiração

- Letargia, sonolência, desidratação

**Época:** os picos ocorrem nos meses de outono e inverno.

**Causa:** o VSR é um vírus tão comum que quase todos os adultos e crianças são afetados por ele mais cedo ou mais tarde. Um vírus de resfriado normal ou uma infecção branda de VSR afeta somente o nariz e a parte superior dos pulmões. Mas estes sintomas podem piorar rapidamente em alguns bebês, à medida que o vírus contamina os pulmões, inflamando sua parte inferior e os pequenos tubos de ar internos, tornando a respiração difícil (esta infecção é chamada de bronquiolite). Na maioria dos bebês, a doença é branda. Mas os bebês de risco (como os prematuros, cujos pulmões ainda não estão desenvolvidos e que ainda não receberam anticorpos suficientes de suas mães para ajudá-los na luta contra a doença do VSR depois que tenham sido expostos a ela) são mais propensos a pegar bronquiolite aguda e terminarem no hospital. Os bebês considerados em risco maior incluem aqueles que:

♦ Nasceram prematuramente

♦ Têm uma doença pulmonar preexistente

♦ Não foram amamentados no peito

♦ Sofrem exposição a fumaça do tabaco

♦ Nasceram de parto múltiplo (como por exemplo, gêmeos), já que têm maior probabilidade de ser prematuros

♦ Nasceram na época de pico da VSR (aniversário nos meses de outono ou inverno)

♦ Ficam em creches (estes bebês são os mais propensos à infecção por VSR)

♦ Têm irmãos em idade escolar; novamente, devido ao fato de a exposição ser mais provável

**Método de transmissão:** o VSR é altamente contagioso e é transmitido pelo contato direto com as mãos entre indivíduos. A infecção também pode se disseminar pelo ar, ao tossir e espirrar. O VSR pode sobreviver de quatro a sete horas em superfícies como berços e bancadas.

**Método de diagnóstico:** o diagnóstico geralmente é feito pelo exame da secreção do nariz, com um exame de raios X do peito para confirmação.

**Período de incubação:** de quatro a seis dias após a exposição.

**Duração:** crianças com bronquiolite de VSR branda são tratadas em casa e melhoram de três a cinco dias, embora possam permanecer contagiosas por até uma semana.

**Tratamento:** para aqueles cujo VSR causou uma bronquiolite mais aguda:

♦ Administração de oxigênio, se houver desgaste respiratório ou os níveis de oxigênio no sangue forem baixos. Raramente os bebês podem precisar ser colocados no oxigênio.

♦ Albuterol, um medicamento broncodilatador que é dado através de nebulização, pode ajudar. O nebulizador transforma o remédio, que é líquido, em estado de aerossol, quando então é inalado.

- ◆ Descobriu-se que os esteroides diminuem a inflamação nos pulmões e às vezes são utilizados para tratar bronquiolite de VSR aguda.

- ◆ Os antibióticos não são eficientes pelo fato de o VSR não ser um vírus ou uma bactéria.

**Mudanças na dieta:** assim como na gripe comum, certifique-se de que o seu bebê está ingerindo bastante líquido.

**Prevenção:**
- ◆ Alimente no peito, se possível.

- ◆ Faça do ato de lavar as mãos uma prioridade em sua casa.

- ◆ Mantenha os irmãos mais velhos longe do bebê o máximo possível se eles tiverem coriza, resfriado ou febre.

- ◆ Não leve um bebê com alto risco para fora de casa em áreas cheias de gente, como *shoppings*, durante a época do VSR.

- ◆ Não fume perto do seu bebê.

- ◆ Há uma vacina disponível para o VSR (não como tratamento), mas a vacina, chamada Synagis, não oferece proteção a longo prazo e deve ser administrada mensalmente em hospitais a bebês com alto risco durante a época do VSR. Ela também pode ser extremamente cara.

**Complicações:**
- ◆ Crianças de alto risco que são infectadas por VSR com frequência precisam ser hospitalizadas

- ◆ Desidratação

- ◆ Falha respiratória

**Quando ligar para o médico:**
- ◆ Se o bebê tiver qualquer sintoma de bronquiolite (ver página 1056)

- ◆ Se uma febre persistir por mais de quatro a cinco dias e/ou permanecer elevada, apesar de ter sido dado acetaminofeno.

- ◆ Se o seu bebê sofreu mudanças no padrão de respiração (respiração acelerada, chiado no peito ou se a pele entre as costelas é sugada a cada respiração) ou se é difícil acalmá-lo.

**Possibilidades de recorrência:** quase toda criança se recupera completamente, sem nenhum efeito duradouro. O retorno da infecção durante a vida é comum, embora os sintomas do trato respiratório inferior sejam mais comuns em bebês e crianças que estão começando a andar e mais acentuados na primeira infecção. Em crianças maiores, o VSR é indistinguível do resfriado comum.

**Problemas com sintomas semelhantes:**
- ◆ Resfriado comum

- ◆ Asma (embora menos frequente em bebês mais novos)

- ◆ Pneumonia

- ◆ O refluxo gástrico com aspiração do conteúdo do estômago também pode produzir os sintomas da bronquiolite, mas os sintomas parecidos com os do resfriado não precedem o desgaste respiratório nestes casos.

# O Que É Importante Saber:
# TUDO SOBRE A FEBRE

Embora você possa lembrar da sua mãe perto de você, com o termômetro na mão e a voz carregada de preocupação anunciando: "Você está com febre, é melhor eu chamar o médico", a febre nem sempre deve ser considerada um motivo para alarme. Os mais velhos davam as boas-vindas a uma temperatura elevada porque estavam convencidos de que ela queimaria os maus "humores". Também Hipócrates especulava que as febres faziam mais bem do que mal. Na Idade Média, a febre era na verdade induzida em certas ocasiões para lutar contra a sífilis e outros tipos de infecção. E, de fato, acreditava-se tanto nos benefícios da febre, do ponto de vista histórico, que ela não era nem mesmo tratada até cerca de cem anos atrás, quando a aspirina, com sua capacidade de reduzir a febre, entrou em cena. Com o advento da aspirina, no entanto, veio a reformulação da opinião médica sobre a febre. Por quase todo o século XX, mesmo o menor aumento de temperatura tornou-se um motivo de preocupação e uma febre alta razão suficiente para o completo pânico.

Por mais estranho que possa parecer, Hipócrates e seus contemporâneos tinham uma ideia melhor do que era a febre do que sabia a comunidade médica de algumas gerações atrás. As pesquisas confirmam que a maioria das febres serve para curar em vez de fazer mal —

que elas existem para queimar, senão os maus humores, pelo menos os germes que invadem e ameaçam o corpo. Em vez de ser considerada um problema a ser temido e combatido, a febre é reconhecida como parte importante da resposta imunológica do corpo à infecção. Febre não é doença, e sim um sinal de doença — e um sinal do esforço do corpo para superar a doença.

Este é o modo como os cientistas acreditam agora ser o papel da febre. Em resposta a invasores como vírus, bactérias e fungos, os glóbulos brancos do corpo produzem um hormônio chamado interleucina que viaja ao cérebro para instruir o hipotálamo a aumentar o termostato do corpo. A uma temperatura corporal alta, o restante do sistema imunológico pode combater melhor a infecção. Os vírus e as bactérias crescem melhor em temperaturas mais baixas, portanto a febre na verdade torna o corpo menos hospitaleiro a infecções. A febre também pode diminuir os níveis de ferro enquanto aumenta a necessidade desse mineral pelos invasores — um efeito que faz com que eles morram de fome. E quando é um vírus que foi lançado ao ataque, a febre ajuda a aumentar a produção de interferon e outras substâncias antivirais no corpo. Quando a temperatura do corpo de uma pessoa de repente aumenta alguns graus além do normal (37°C, medidos oralmente), ela em geral se sente, paradoxalmente, friorenta. O frio serve para estimular um aumento posterior na temperatura de diversas maneiras. O tremor involuntário que geralmente ocorre sinaliza que o corpo aumentou o termostato e está preparando o corpo do doente para tomar outras medidas que aumentem a temperatura corporal: beber líquidos quentes, colocar outro cobertor ou um suéter. Ao mesmo tempo, os vasos sanguíneos se contraem para reduzir a perda de calor dos tecidos do corpo — como a gordura acumulada — e são fechados para produzir calor (motivo pelo qual é importante ingerir mais calorias durante a febre).

Estima-se que de 80 a 90% de todas as febres em bebês estão relacionadas com infecções virais autolimitadoras (que melhoram sem precisar de tratamento). A maioria dos médicos hoje em dia não recomenda tentar reduzir uma febre dessas em bebês com mais de 6 meses de idade, a não ser que ela seja de 38°C ou mais, e alguns esperam por temperaturas expressivamente altas para aconselhar os pais a começar a dar remédio no conta-gotas se o bebê não parecer estar se sentindo mal. (Para diretrizes sobre quando ligar para o médico em caso de febre, ver página 796.) Eles podem, no entanto, sugerir o uso de acetaminofeno ou ibuprofeno infantil, mesmo com baixas temperaturas, para aliviar dores, fazer o bebê se sentir mais confortável, melhorar o sono e, às vezes, fazer com que os pais nervosos se sintam melhor. Mas, embora a febre possa não exigir tratamento, a doença que a está provocando pode precisar. Por exemplo,

uma doença causada por uma bactéria geralmente precisa ser tratada com antibióticos, o que vai eliminar a infecção (diminuindo a temperatura indiretamente, desta forma). Dependendo da doença, do antibiótico escolhido, do nível de conforto da criança e da intensidade da febre, os antibióticos e antipiréticos podem ou não ser receitados simultaneamente.

Ao contrário da maioria das outras febres relacionadas com infecções, a febre relacionada com o choque de uma invasão bacteriana generalizada no corpo, como numa septicemia (envenenamento do sangue), requer tratamento médico imediato para diminuir a temperatura do corpo. O mesmo ocorre com a febre relacionada com a insolação.

Normalmente, a temperatura do corpo é mais baixa (35,8°C, medida oralmente) no meio da noite (entre 2:00 e 4:00), e ainda assim estará relativamente baixa (em torno dos 36,1°C) pela manhã ao levantar-se, para em seguida subir vagarosamente durante o dia até o seu pico (37,2°C) entre as 18:00 e 22:00. Ela tende a ser ligeiramente mais alta no calor, mais baixa no frio e mais alta durante os exercícios do que em repouso. Ela é mais volátil e sujeita a maiores variações em bebês e crianças pequenas do que em adultos.

As febres se comportam de diferentes maneiras em diferentes doenças. Em algumas, a febre pode permanecer persistentemente elevada até que o bebê fique bom; em outras, ela ficará constantemente mais baixa pela manhã e mais alta à noite, aparecendo periodicamente ou indo e vindo sem um padrão evidente.

## CONVULSÕES EM UM BEBÊ COM FEBRE

Uma febre muito alta ocasionalmente causa convulsões em bebês e crianças pequenas, geralmente no início da febre. Embora as convulsões febris sejam assustadoras para os pais, os médicos acreditam que elas não são perigosas (veja na página 797 métodos seguros para lidar com as convulsões). Estudos mostram que crianças que têm convulsões febris simples e breves não demonstram nenhuma lesão mental ou neurológica posteriormente. Os bebês que uma vez tiveram convulsões com febre têm uma probabilidade 30 a 40% maior de repetir o episódio, e o tratamento médico não afeta este risco. Nem o tratamento de uma febre durante a doença parece reduzir a incidência de crises nestas crianças com predisposição, provavelmente porque as convulsões quase sempre ocorrem quando a febre sobe no início de uma doença, antes que elas possam ser tratadas.

O padrão às vezes ajuda o médico a fazer o diagnóstico.

Quando a febre é parte da reação do corpo à infecção, são raras as temperaturas acima de 40°C e aquelas acima de 41°C são desconhecidas. Mas quando a febre é o resultado de uma falha no mecanismo de regulagem de calor do corpo, como em uma insolação, a temperatura pode ir a 45°C. Estas temperaturas podem ocorrer quando o ambiente está muito quente e o corpo não consegue esfriar por si próprio com eficiência. Isto pode ocorrer tanto por uma anomalia interna como, mais comumente, por uma fonte externa de calor, como uma sauna ou uma banheira de água quente, por exemplo, ou dentro de um carro estacionado sob o sol quente (a temperatura dentro de um carro pode rapidamente subir para 45°C, mesmo com as janelas abertas 5 centímetros e uma temperatura externa de 29°C). O superaquecimento também pode ser resultado de atividade física intensa no calor ou umidade ou por se estar vestido demais para a temperatura. Os bebês e idosos são os mais suscetíveis a doenças do calor porque os mecanismos reguladores de temperatura são menos confiáveis. Uma febre devido a uma falha na regulagem de calor já é uma doença por si só e não apenas não é benéfica, como também é perigosa e requer tratamento imediato. Uma temperatura extremamente alta (acima dos 41°C), seja qual for a causa, requer tratamento imediato para prevenir danos ao cérebro e a outros órgãos. Acredita-se que, quando uma febre é alta, ela deixa de ser benéfica e seus efeitos positivos na resposta imunológica podem ser revertidos.

## COMO MEDIR A TEMPERATURA DO BEBÊ

A maioria dos médicos prefere um indicador mais eficiente da condição do bebê do que um beijo de um dos pais (embora o beijo ainda possa ser bem recebido por um bebê que não esteja se sentindo bem). Coloque o termômetro.

Medir a temperatura durante o curso de uma doença pode ajudar a responder perguntas como, "O tratamento realmente fez a temperatura diminuir?" ou "A febre subiu, significando com isso uma piora?" Mas tenha em mente que, embora as leituras da temperatura possam ser úteis, elas não precisam ser feitas a toda hora. Na maioria dos casos, uma vez pela manhã e outra à noite é o mais adequado. Meça entre este intervalo somente se o bebê de repente parecer mais doente. Se o bebê parecer melhor e os seus lábios são testemunha de que a febre cedeu, você não precisa de uma segunda opinião vinda de um termômetro.

As temperaturas são mais frequentemente medidas pela boca, pelo reto e pelas axilas ou pela orelha. Já que colocar um termômetro na boca de um bebê é perigoso (a maioria dos médicos não recomenda medir a temperatura oral até que uma criança tenha 4 ou 5 anos de idade), você deve utilizar outro meio, por enquanto.

**Antes de começar.** Tente manter o seu bebê calmo por meia hora antes de medir a temperatura, já que o choro e os gritos podem transformar uma temperatura ligeiramente elevada em uma temperatura alta. (Embora seja necessário não dar bebidas ou comidas geladas ou quentes antes de medir a temperatura oral, devido ao fato de elas também poderem afetar a leitura da temperatura, esta precaução não é necessária quan-

## A FEBRE NÃO DIZ TUDO

A febre não é a única indicação da doença — e por si só pode não ser uma medida confiável para saber o quanto o bebê está doente. Um bebê que está com uma febre moderadamente alta, mas está alegre e ativo, possivelmente está menos doente do que um bebê que está com febre baixa (ou sem febre) mas que está visivelmente apático e letárgico. Depois de medir a temperatura do bebê, dê também uma olhada em outras medidas de bem-estar, inclusive que aparência tem o bebê, seu comportamento e sua alimentação.

do você medir a temperatura timpânica, axilar, ou retal.)

**Como escolher um termômetro.** Os pediatras recomendam que os pais não mais utilizem um termômetro de vidro com mercúrio devido aos perigos à exposição ao mercúrio. Em lugar dele, escolha um dos seguintes:

◆ *Termômetro digital.* Eles são seguros, fáceis de usar, sempre disponíveis e relativamente baratos. Eles podem ser usados para obter uma leitura retal, oral ou axilar (embaixo dos braços) (mas não use o mesmo termômetro para leituras orais e retais). Com o termômetro digital, você obtém a leitura em cerca de 20 a 60 segundos — uma grande vantagem quando você está lidando com um bebê se contorcendo. Procure por um termômetro que tenha uma ponta flexível, para dar conforto. Se você quiser, pode usar uma cobertura descartável, disponível em farmácias, mas elas não são necessárias.

- *Termômetro-chupeta.* Eles têm o formato de uma chupeta e são desenhados para fornecer uma leitura oral em um bebê muito novo para usar o termômetro oral. Normalmente leem temperaturas mais baixas do que os termômetros retais. E como precisam de uma média de 3 minutos para obter uma leitura, são difíceis de usar em uma criança que não quer cooperar e portanto não são muito confiáveis.

- *Termômetro timpânico.* Estes termômetros, que medem a temperatura no ouvido, são bastante caros. E embora forneçam a leitura em apenas segundos, são difíceis de posicionar e usar corretamente — especialmente em um bebê novinho. Em geral, a leitura pela orelha é menos confiável do que a axilar (embaixo do braço) e nenhuma das duas é tão precisa quanto a leitura retal — ainda assim, considere o padrão. As leituras do ouvido podem ser ainda menos precisas em bebês, que têm canais auriculares muito estreitos; a maioria dos especialistas concorda que você deve abster-se de usar um termômetro de ouvido até que o bebê tenha pelo menos 3 meses de idade, de preferência esteja acima de 1 ano. A cera no ouvido também pode in-

terferir na leitura da temperatura, independente da idade da criança. Se você tem um termômetro timpânico, peça ao médico para fazer uma demonstração do uso adequado.

*O método retal.*

- *Termômetro da artéria temporal.* Estes termômetros medem a temperatura com um transdutor que é passado pela testa, e os estudos mostraram que são muito precisos (embora ainda não tão precisos quanto os retais). Eles são fáceis de usar e estão se tornando cada vez mais disponíveis, embora sejam caros.

**Como medir a temperatura**
- *Retal:* prepare o termômetro, lubrificando a ponta do sensor com vaselina e tire a parte de baixo da roupa do bebê, enquanto conversa com ele. A seguir, coloque o bebê com a barriga no seu colo (o que permite que as pernas fiquem penduradas, tornando a inserção mais fácil) ou numa cama ou trocador (onde um

pequeno travesseiro ou uma toalha dobrada sob o quadril levanta as nádegas do bebê para facilitar a inserção). Para distrair o bebê, experimente cantar algumas canções de que ele goste ou coloque um livro ou brinquedo na linha de visão dele. Segure uma das nádegas com uma das mãos, expondo o ânus do bebê (a abertura retal). Com a outra mão, deslize 2,5 centímetros da ponta do termômetro para dentro do reto, tomando cuidado para não forçar. Segure o termômetro nesta posição até que soe o alarme, usando seus outros dedos para que as nádegas fiquem juntas, evitando assim que o termômetro deslize para fora e impedindo que o bebê se contorça. Entretanto, remova o termômetro imediatamente se o bebê começar a demonstrar uma resistência muito ativa.

♦ *Axilar:* uma leitura axilar é útil quando o bebê tem uma diarreia, não para quieto para uma leitura retal ou se somente um termômetro oral (que *nunca* deve ser usado para leituras retais) estiver disponível. Você pode usar um termômetro digital retal ou oral para uma leitura axilar. Retire a blusa do bebê para que ela não fique entre o termômetro e a pele do bebê e certifique-se de que a axila esteja seca. Coloque a ponta do termômetro bem no meio da axila e segure o braço confortavelmente sobre ele, pressionando gentilmente o cotovelo contra o lado do bebê. Distraia o bebê, se for necessário.

♦ *Timpânico:* é necessária uma grande habilidade para usar este termômetro. Peça ao médico para fazer uma demonstração.

**Como ler o termômetro.** A temperatura retal é a mais precisa, uma vez que capta a temperatura do centro do corpo. As temperaturas obtidas de modo retal, como são mais frequentemente usadas em bebês, têm geralmente de meio a um grau a mais do que as temperaturas medidas por via oral; as leituras axilares têm cerca de um grau a menos do que as orais. O padrão em uma leitura oral é de 37ºC; 37,5ºC na leitura retal e 36,4ºC na leitura axilar. Uma febre de 39ºC medida por via retal é quase equivalente a uma febre de 38,4º C por via oral e 37,8ºC na leitura axilar.

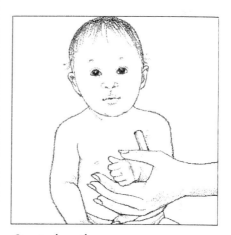

*O método axilar.*

Como guardar o termômetro. Após o uso, lave o termômetro com água fria e sabão, enxugue e envolva o sensor com álcool. Tenha cuidado para não molhar o mostrador digital, o botão liga/desliga ou a tampa da bateria.

## ANTES DAQUELA PRIMEIRA FEBRE

A melhor época para perguntar ao médico o que fazer quando o seu bebê tiver febre é *antes* que ele a tenha — especialmente porque é muito provável que ela apareça (chame isso de outra Lei de Murphy da Paternidade) no meio da noite. Uma consulta de um bebê saudável de 2 meses é um bom momento para estabelecer ou rever esse protocolo. Descubra, por exemplo, quando ligar para o médico, quando dar remédio e que outros métodos de redução de febre você deve utilizar.

## AVALIANDO UMA FEBRE

O comportamento é um instrumento melhor do que a temperatura do corpo para saber o quanto um bebê está doente. Um bebê pode estar gravemente doente, com pneumonia ou meningite, por exemplo, e não ter febre nenhuma ou ter uma febre alta com um simples resfriado.

*Nas circunstâncias que se seguem, um bebê com febre requer atenção médica imediata (chame o médico mesmo no meio da noite ou vá a um pronto-socorro se não conseguir encontrá-lo):*

- O bebê tem menos de 2 meses e uma febre acima de 37,8ºC, medida por via retal.

- O bebê tem mais de 2 meses e uma febre de mais de 40ºC, medida por via retal.

- O bebê tem uma convulsão pela primeira vez (o corpo enrijece, os olhos viram para cima, os membros se batem).

- O bebê chora de maneira inconsolável (e você está certo que não é uma cólica), chora como se sentisse dor ao ser tocado ou ao mexerem nele ou está choramingando, ou apático ou mole.

- O bebê tem manchas roxas em qualquer lugar na pele.

- O bebê tem dificuldade para respirar mesmo depois de você ter desobstruído as vias nasais.

- O pescoço do bebê parece rígido; o bebê resiste quando se tenta empurrar a cabeça de encontro ao peito.

- O surgimento da febre seguiu-se a um período de exposição a uma fonte externa de calor, como o sol em um dia quente ou o interior fechado de um carro ao sol. É possível que seja insolação (ver página 818), e recomenda-se cuidados médicos emergenciais imediatos.

- Um aumento repentino de temperatura ocorre no bebê que está bem agasalhado ou enrolado em cobertores com uma febre moderada. Este caso deve ser tratado como doença do calor.

- O médico o instruiu a ligar imediatamente se o seu bebê estiver com febre.

- Você sente que alguma coisa está errada, mas simplesmente não sabe o que é.

## COMO LIDAR COM AS CONVULSÕES FEBRIS

As convulsões devido à febre geralmente duram apenas um minuto ou dois. Se o seu bebê tiver uma, fique calma (lembre-se, essas convulsões não são perigosas) e tome as seguintes medidas. Mantenha o bebê livre nos seus braços, em uma cama ou outra superfície macia, deitado de lado, com a cabeça mais baixa do que o corpo, se possível. Não tente alimentá-lo ou colocar algo na boca e remova qualquer coisa (como a chupeta) que esteja na boca do bebê. Os bebês com frequência perdem a consciência durante uma crise, mas eles normalmente recuperam-se rapidamente sem ajuda. Quando a crise acaba, o bebê em geral quer dormir.

Assim que a crise acabar, você deve chamar o médico. (Qualquer crise que dure 5 minutos ou mais requer ajuda emergencial imediata — telefone para o médico ou um número local de emergência). Se você não conseguir ajuda imediatamente e o bebê tiver mais de 6 meses (como a maioria dos bebês que têm convulsões), você pode dar a ele acetaminofeno ou ibuprofeno para tentar diminuir a temperatura enquanto estiver esperando (mas não enquanto o bebê estiver em convulsão). Você também pode dar a ele um banho de esponja. Mas não o coloque na banheira para tentar reduzir a febre, já que pode ocorrer outra crise e ele engolir água.

*Nas circunstâncias que se seguem, um bebê com febre requer atenção médica imediata assim que possível:*

- A febre está acima de 38°C por via retal em bebês de 2 a 6 meses ou acima de 39°C em bebês com mais de 6 meses (ou qualquer outra temperatura que o seu médico tenha recomendado que você deva ligar para ele). Embora tal temperatura não seja por si só um sinal de que o bebê está muito doente (os bebês podem ter febre de 40°C com doenças menos graves), verifique com o médico, só para prevenir. *Lembre-se de que bebês menores precisam de atenção médica para qualquer febre acima de 39°C.*

- O bebê tem uma doença crônica, como doença de coração, rim ou doença neurológica, anemia falciforme ou qualquer outra anemia crônica.

- O bebê está tendo convulsões febris e teve convulsões com febre no passado.

- O bebê exibe sinais de desidratação: micção infrequente, urina amarelo-escura, pouca saliva e lágrimas, lábios e pele seca, olhos e moleira afundados.

- O comportamento do bebê não parece característico: ele está excessivamente rabugento; letárgico ou excessivamente sonolento; incapaz de dormir; sensível à luz; chorando mais do que o normal; recusando-se a comer; puxando as orelhas.

## ACETAMINOFENO OU IBUPROFENO?

Existem muitos tipos de analgésicos e antitérmicos no mercado, mas apenas dois deles podem ser considerados adequados para crianças: o acetaminofeno ou paracetamol (Tylenol, Dôrico, Panadol e outras marcas genéricas) e ibuprofeno (Motrin, Advil e outras marcas genéricas). Dar aspirina a crianças tornou-se um tabu depois que crianças que tomaram aspirina para tratar sintomas de infecções virais, como a gripe, sofreram um grande risco de contrair a síndrome de Reye, um distúrbio raro e potencialmente fatal que afeta o cérebro e o fígado. Devido ao aumento do risco, os pediatras aconselham não dar aspirina a crianças a menos que um médico tenha receitado especificamente o seu uso.

Tanto o acetaminofeno quanto o ibuprofeno funcionam tão bem quanto a aspirina no alívio da dor ou febre (e também têm um sabor melhor para muitas crianças), embora funcionem diferentemente no corpo e tenham efeitos colaterais diferentes. Por muitos anos, o acetaminofeno foi a primeira escolha, excetuando-se a aspirina, para o alívio da dor. Em seguida, remédios líquidos com ibuprofeno tornaram-se disponíveis e muitos pediatras começaram a recomendá-los porque eram ligeiramente mais fortes e de duração mais prolongada (com uma posologia a cada 6 ou 8 horas, comparada com a posologia a cada 4 ou 6 horas do acetaminofeno).

O acetaminofeno para bebês está disponível em forma de xarope líquido, pastilhas, *spray* ou supositório (que é de grande ajuda quando uma criança com inflamação no estômago precisa tomar um medicamento contra a febre mas vomita, ou quando o bebê se recusa a ingerir medicamentos pela boca). O ibuprofeno também está disponível em forma de líquido ou pastilhas. *O ibuprofeno deve ser dado apenas a crianças com mais de 6 meses e nunca a crianças que estão desidratadas ou vomitan-*

---

♦ Uma febre, que vinha baixa por alguns dias, sobe repentinamente; ou um bebê que teve um resfriado por alguns dias e de repente fica febril (isto pode ser sinal de uma infecção secundária, como otite média ou pneumonia).

♦ Uma febre que não diminui com remédios antitérmicos.

♦ Uma febre baixa (abaixo dos 38°C, por via retal) com sintomas leves de resfriado ou gripe por mais de três dias.

♦ Uma febre que dura mais de 24 horas quando não há outros sinais detectáveis de doença.

## O TRATAMENTO DE UMA FEBRE

Se o seu bebê está com febre, tome estas medidas quando necessário, a menos que o médico tenha recomendado um curso de ação diferente.

*do continuamente ou que tenham dores abdominais.*

Poucos efeitos colaterais acontecem com esses medicamentos quando usados adequadamente — e esta é a parte crítica. Embora o acetaminofeno seja considerado seguro quando usado como recomendado, tomá-lo regularmente por um período maior do que uma semana por vez pode ser perigoso. Uma superdosagem de acetaminofeno (15 vezes a dose recomendada) pode causar danos fatais ao fígado, e é provavelmente por esse motivo que o acetaminofeno líquido infantil vem em frascos tão pequenos (e o motivo por que todos os medicamentos devem ser guardados fora do alcance dos bebês). A maior desvantagem do ibuprofeno é o potencial para causar irritação no estômago. Para evitar esse efeito colateral, dê o remédio ao seu bebê junto com a refeição ou com uma bebida.

A prática de alternar as doses de acetaminofeno e ibuprofeno para tratar a febre em crianças tem sido recomendada por alguns pediatras, mas a maioria dos médicos agora concorda que a longo prazo não é benéfico e pode ser prejudicial. Houve alguns casos de problemas nos rins causados pela combinação de terapia com essas duas drogas a longo prazo.

Se seu filho tem mais de 6 meses e tem dor ou febre, comece com qualquer um dos dois remédios; aquele que você tiver na sua farmácia caseira (se o seu bebê tem menos de 6 meses, fique somente com o acetaminofeno). Se um não funcionar, experimente o outro, contanto que você se certifique de dar as doses corretas, esperar até que seja seguro dar outra dose de medicamento (pelo menos 4 horas com o acetaminofeno e pelo menos 6 horas com o ibuprofeno) e siga o horário recomendado de acordo com as instruções no rótulo e as recomendações do médico. E, quando você não estiver usando nenhum dos dois medicamentos, mantenha-os (bem como todos os medicamentos) seguramente guardados, fora do alcance de bebês e de crianças.

**Mantenha o bebê fresco.** Contrariando a crença popular, manter um bebê febril aquecido com cobertores, roupas pesadas e um quarto muito quente não é uma prática segura. Estas medidas podem na verdade levar a uma insolação por aumentarem a temperatura do corpo a níveis perigosos. Vista o seu bebê com roupas leves para permitir que o calor do corpo escape (nada mais do que uma fralda é necessária no tempo quente) e mantenha a temperatura do ambiente entre 20 e 21ºC (quando necessário para manter o ar fresco, use um ar-condicionado ou ventilador, se você tiver um, mas mantenha o bebê fora do fluxo de ar).

**Aumente a ingestão de fluidos.** Porque a febre aumenta a perda de água através da pele, é importante assegurar-se de que um bebê febril receba uma quantidade adequada de líquidos. Dê o leite do peito ou da fórmula aos bebês mais novos.

Para bebês mais velhos, ofereça boas fontes de fluidos com frequência. Estas fontes incluem (se elas ainda não tiverem sido introduzidas) sucos diluídos e frutas suculentas (como frutas cítricas e melões), água, sopas e gelatina (ver página 1047). Encoraje goles frequentes, mas não force. Se o bebê se recusa a ingerir qualquer líquido por várias horas durante o dia, informe o médico.

**Dê remédios para reduzir a febre, se for necessário.** A decisão de se (e quando) dar ao bebê um medicamento para reduzir a febre deve ser baseada nas recomendações médicas (que se espera que você já conheça). Em geral, a maioria dos médicos não vê nenhum problema no fato de os pais darem acetaminofeno para os bebês com mais de 2 meses quando eles estão com uma febre alta (acima de 38ºC, medida por via retal em bebês de 2 a 6 meses; acima de 39ºC em bebês com mais de 6 meses) antes que eles entrem em contato com o médico. Se a febre ceder após o medicamento e não houver nenhuma outra indicação de que o bebê precisa de atenção médica imediata (veja Avaliando uma febre, página 796), contate o médico assim que puder (pela manhã, se a febre começou no meio da noite, por exemplo). Se a temperatura não diminuir, ou se ela subir, ou se o bebê parecer muito desconfortável, ligue para o médico imediatamente — mesmo se for no meio da noite.

**Banho de esponja.** Considerado antigamente um tratamento de rotina para a febre, o banho de esponja é agora recomendado apenas sob certas circunstâncias, como quando os medicamentos antitérmicos não estão funcionando (a temperatura não está diminuindo mesmo uma hora depois da administração do remédio); quando se tenta diminuir a temperatura do corpo de um bebê com menos de 6 meses sem medicamento; ou quando se tenta fazer um bebê muito febril se sentir mais confortável.

Somente água tépida ou morna (temperatura do corpo, nem quente nem fria ao toque) deve ser usada para o banho de esponja. Usar água fria ou gelada ou álcool (um recurso para reduzir a febre antigamente) pode aumentar em vez de diminuir a temperatura ao induzir o calafrio, o que leva o corpo a se confundir e aumentar o termostato. Além disso, o gás do álcool pode ser prejudicial se inalado. Usar água quente também vai fazer a temperatura do corpo aumentar e pode, assim como roupas demais, causar insolação. Você pode dar um banho de esponja em um bebê febril na banheira ou fora dela, mas, em qualquer dos casos, o cômodo deve estar confortavelmente aquecido e livre de correntes de ar. (Se o banho de esponja parece incomodar o seu bebê, suspenda-o).

♦ Banho de esponja fora da banheira. Tenha três panos prontos em uma banheira ou em uma bacia de água tépida antes de começar. Coloque um lençol, uma almofada impermeável ou uma toalha de mesa de plástico na cama ou no seu colo; coloque uma toalha grossa e coloque o bebê, com o rosto voltado para cima, sobre a toalha. Tire a roupa do bebê e cubra-o com um cobertor leve ou uma toalha. Torcendo um dos panos para que não pingue, dobre-o e coloque-o na testa do bebê (umedeça novamente se ele começar a secar em qualquer momento do banho de esponja). Pegue outro pano e comece a esfregar suavemente a pele do bebê, expondo uma área do corpo do bebê por vez e mantendo o restante levemente coberto. Concentre-se no pescoço, no rosto, estômago, na parte interna dos cotovelos e nos joelhos, mas também inclua a área embaixo dos braços e ao redor da virilha. O sangue trazido à superfície pelo ato de esfregar será resfriado à medida que a água morna evaporar na pele. Quando o pano que estiver sendo usado como esponja começar a secar, troque pelo terceiro pano. Continue esfregando e friccionando o seu bebê, alternando os panos quando necessário, por pelo menos 20 minutos a meia hora (este é o tempo que o corpo leva para baixar a sua temperatura). Se a qualquer momento a água na bacia esfriar abaixo da temperatura do corpo, adicione mais água morna para aumentá-la novamente.

♦ Banho de esponja na banheira. Para muitos bebês, os banhos são calmantes e reconfortantes, especialmente quando eles estão doentes. Se o seu bebê é deste tipo, dê o banho de esponja na banheira. Mais uma vez, a água deve estar na temperatura do corpo e você deve esfregar e usar a esponja por pelo menos 20 minutos a meia hora para fazer a temperatura baixar. Não coloque um bebê que está com convulsão febril na banheira para tomar um banho de esponja.

**O que não deve fazer.** Tão importante quanto saber o que fazer quando o seu bebê tem febre, é saber o que não fazer:

♦ Não force o descanso. Um bebê realmente doente vai querer descansar, no berço ou fora dele. Se o seu bebê quiser ficar fora dele, não há problema em uma atividade moderada, mas desestimule atividades extenuantes porque podem aumentar a temperatura do corpo ainda mais, especialmente em um quarto quente.

♦ Não vista ou embrulhe demais o bebê.

♦ Não cubra o bebê com uma toalha molhada ou lençol molhado, já que isto pode impedir que o calor saia da pele.

♦ Não "mate a febre de fome". A febre aumenta a necessidade de calorias e bebês doentes na verdade precisam de mais calorias, não de menos.

♦ Não dê aspirina ou acetaminofeno se houver suspeita de insolação. Em vez disso, ver página 818.

♦ ♦ ♦

# CAPÍTULO 19

# O Que Fazer em Casos de Emergência

"Dodóis" acontecem. Mesmo quando você está consciente, mesmo quando é meticulosamente cuidadoso e até mesmo vigilante, mesmo quando você tomou todas as precauções algo pode acontecer. Com sorte, os "dodóis" que vão acontecer na vida do seu bebê serão pequenos em sua maioria (do tipo "um beijinho sara"). Ainda assim, você precisa saber como reagir no caso de um acidente maior e como cuidar de machucados (como cortes, contusões, queimaduras e fraturas) que precisam de mais tratamento do que um simples carinho — e este capítulo foi escrito por isso. Será ainda mais útil reforçar o conhecimento fazendo um curso de primeiros socorros. Mas não espere até o bebê cair da escada ou mastigar uma folha de rododendro para procurar o que fazer em uma emergência. Agora — antes que esses incidentes aconteçam — é a hora de se familiarizar com os procedimentos para tratar machucados comuns assim como você se familiarizou com os procedimentos para o banho do bebê ou para trocar as fraldas e revisar procedimentos menos comuns quando adequado (picada de cobra, por exemplo, se você mora em uma área de deserto ou se está saindo para acampar). Consiga que todos que cuidam do seu bebê também façam o mesmo.

A seguir estão os tipos mais comuns de ferimentos, o que você deve saber so-

# ESTEJA PREPARADO

♦ Discuta com o médico do seu bebê qual é o melhor plano de ação em caso de ferimento — ligar para o consultório, ir a um pronto-socorro ou seguir outro protocolo. As recomendações podem variar, dependendo da gravidade do ferimento, do dia da semana e da hora do dia.

♦ Mantenha os seus suprimentos de primeiros-socorros (veja na página 95) em uma caixa ou maleta à prova de crianças facilmente manuseável, que possa ser levada completa até o local do acidente. Certifique-se de que você tenha um telefone sem fio carregado ou um celular ao seu alcance para que possam ser levados ao local do acidente ou pela casa.

♦ Perto de cada telefone de sua casa, coloque os números dos médicos que a sua família consulta, do Centro de Controle de Intoxicação (CCI) da sua cidade, do pronto-socorro mais próximo, da farmácia, da emergência (hospitalar), bem como o número de um amigo íntimo ou de um vizinho para quem você possa ligar no caso de uma emergência. Mantenha um cartão com a mesma lista na bolsa de fraldas do bebê.

Conheça o caminho mais rápido para o pronto-socorro ou outro centro médico de emergência.

♦ Faça um curso de RCP em bebês e mantenha os seus conhecimentos atualizados e prontos para serem usados com cursos de reciclagem e prática regular em casa usando uma boneca. Familiarize-se também com os procedimentos de primeiros-socorros para ferimentos mais comuns.

♦ Mantenha algum dinheiro guardado em um lugar seguro para o caso de você precisar pegar um táxi para ir ao pronto-socorro ou ao consultório médico em uma emergência.

♦ Aprenda a manter a calma ao lidar com pequenos acidentes, o que a ajudará a manter-se fria se acontecer alguma coisa grave. Seu modo de agir e seu tom de voz (ou o de outra pessoa que cuida do bebê) afetarão o modo como ele reage a um ferimento. O pânico ou a preocupação da sua parte podem irritar o bebê. Um bebê irritado pode cooperar menos em uma emergência e será mais difícil tratá-lo.

♦ Lembre-se que amor, atenção e carinho são com frequência o melhor tratamento para pequenos ferimentos. Mas ajuste o seu conforto de acordo com o grau de seriedade do machucado. Um sorriso, um beijo, uma palavra de conforto ("você está bem") são tudo de que ele precisa quando dá uma pancada no joelho. Mas um dedo prensado provavelmente precisará de uma grande quantidade de beijos e uma distração. Na maioria dos casos, você precisará acalmar o bebê antes de aplicar os primeiros-socorros. Somente em uma situação de risco de vida (que felizmente são raras e nas quais os bebês normalmente estão prontos para cooperar) levar algum tempo acalmando o bebê pode interferir no resultado do tratamento.

bre eles, como tratá-los (e como não tratá-los) e quando procurar ajuda médica. Os tipos de ferimentos estão listados em ordem alfabética (ferimentos abdominais, fraturas e mordidas, por exemplo), com ferimentos individuais numerados para fácil referência.

Uma barra cinza foi colocada no alto destas páginas para facilitar encontrá-las em caso de emergência.

## AFOGAMENTO (FERIMENTO DE SUBMERSÃO)

**1.** Mesmo uma criança que se recupere rapidamente após ter sido retirada da água inconsciente deve fazer uma avaliação médica. Para a criança que permanece inconsciente, peça a alguém para chamar a assistência médica de emergência, se possível, enquanto você inicia o procedimento de RCP imediatamente e ligue depois. Não pare a RCP até que a criança recupere os sentidos ou a ajuda chegue, não importando quanto tempo isso demore. Se houver vômito, vire o bebê de lado para evitar asfixia. Se você suspeita de uma pancada na cabeça ou de um ferimento no pescoço, imobilize estas partes (nº 49).

## ARRANHÕES

Veja o nº 11.

## ASFIXIA

Veja página 827.

## CHOQUE

**2.** O choque pode se desenvolver em doenças ou ferimentos graves. Os sinais incluem pele fria, pálida e pegajosa; pulso acelerado e fraco; calafrios, convulsões e frequentemente náusea ou vômito, sede excessiva e/ou respiração fraca. Ligue para a emergência imediatamente. Até que a ajuda chegue, posicione o bebê de costas. Afrouxe as roupas dele, eleve as pernas com a ajuda de um travesseiro ou roupa dobrada para forçar o sangue a subir para o cérebro e cubra o bebê levemente para impedir que ele fique com frio ou que perca calor do corpo. Se a respiração parecer difícil, levante a cabeça e os ombros do bebê ligeiramente. Não dê comida nem bebida, nem use uma mamadeira de água quente para aquecer um bebê em choque.

## CHOQUE ELÉTRICO

**3.** Corte o contato com a fonte elétrica desligando a força, se possível, ou isolando a criança da corrente utilizando um objeto não metálico seco, como uma vassoura de madeira, uma escada de madeira, um roupão, uma almofada, uma cadeira ou até mesmo um livro grande. Ligue para a assistência médica de emergência e, se o bebê não estiver respirando, comece o procedimento de RCP (ver página 831).

## CONTUSÕES, PELE

Veja nº 10.

# Convulsões

**4. Os sintomas de ataque ou convulsões incluem:** colapso, olhos rolando para cima, enrijecimento do corpo seguido de movimentos descontrolados e, nos casos mais graves, dificuldade de respirar. Convulsões breves não são comuns com febres altas (ver página 792). Lide com a crise da seguinte maneira: limpe a área ao redor do bebê, mas não reprima nenhum movimento, exceto se for necessário para evitar ferimentos. Afrouxe as roupas em volta do pescoço e da cintura e deite o bebê de lado com a cabeça mais baixa que o quadril. Não coloque nada na boca do bebê, nem comida e bebida, peito ou mamadeira. Chame o médico. Quando a convulsão passar, dê um banho de esponja com água fria se houver febre, mas não coloque o bebê na banheira nem jogue água no rosto dele. Se o bebê não estiver respirando, inicie o procedimento de RCP (ver página 831) imediatamente.

# Cortes

Veja nos 12 e 13.

# Corte ou rachadura nos lábios

Veja o nos 25 e 26.

# Dedos dos pés, ferimentos

Veja nos 34, 35, 36, 37.

# Dentes, ferimentos nos

Veja nos 27 e 28.

# Deslocamento

**5. Deslocamento do ombro e do cotovelo** não são tão comuns entre bebês quanto entre aqueles que já estão começando a andar, porque eles com frequência são puxados pelo braço por adultos com pressa (ou levantados ou "jogados" no ar pelos braços). Uma deformidade do braço ou a incapacidade da criança em movê-lo, geralmente combinada com um choro persistente devido à dor, são indícios típicos. Uma rápida visita ao consultório médico ou ao pronto-socorro, onde um profissional experiente vai reposicionar a parte deslocada, dará a ele alívio quase instantâneo. Se a dor parecer aguda, aplique compressas de água fria e uma tala antes de sair (ver páginas 822 e 1052).

# Desmaio/perda da consciência

**6.** Verifique a respiração e, se ela estiver ausente, inicie o procedimento de RCP *imediatamente* (ver página 831). Se você detectar a respiração, mantenha o bebê deitado reto, levemente coberto para mantê-lo aquecido, se necessário. Afrouxe as roupas em volta do pescoço. Vire a cabeça do bebê para o lado e tire qualquer objeto ou comida da boca do bebê.

Verifique rapidamente para ver se o bebê ingeriu algum remédio ou produto de limpeza (em caso afirmativo, ligue para o Centro de Controle de Intoxicação). Não dê a ele nada para comer ou beber. Ligue imediatamente para o médico.

# ENVENENAMENTO

**7. Veneno ingerido.** Qualquer substância que não seja um alimento é um veneno em potencial. Se o bebê ficou inconsciente e você sabe ou suspeita da ingestão de uma substância perigosa, comece o tratamento de emergência imediatamente. Coloque o bebê com o rosto virado para cima em uma mesa e verifique a respiração dele (ver página 833). Se não houver sinal de respiração, inicie o procedimento de RCP imediatamente. Ligue para a assistência médica de emergência após um minuto e a seguir continue com o RCP até que o bebê reviva ou até que a ajuda chegue.

Os sintomas mais comuns de envenenamento incluem: letargia, agitação ou outro comportamento que seja diferente do normal; pulso acelerado, irregular e/ou respiração acelerada; diarreia ou vômito (o bebê deve ser virado de lado para evitar se engasgar com o vômito); olhos que lacrimejam excessivamente, suor, salivação; pele e boca secas; pupilas dilatadas (bem abertas) ou contraídas (ponta de alfinete), olhos que pestanejam ou movem-se para os lados; tremores ou convulsões.

Se o bebê tem vários destes sintomas (e não existe outra explicação para eles), ou se você tem uma evidência de que o seu bebê possivelmente ou com certeza ingeriu uma substância questionável, não tente tratar dele por conta própria. Em vez disso, ligue para o Centro de Controle de Intoxicação (CCI) da sua cidade, para o médico ou para o pronto-socorro *imediatamente* para obter instruções. Ligue mesmo que não haja nenhum sintoma — eles podem não aparecer por horas. Leve com você o frasco de onde saiu a substância suspeita, com o rótulo intacto, bem como qualquer resto do conteúdo. Informe o nome da substância (ou planta, se o seu bebê ingeriu uma folhagem) e o quanto você sabe ou acredita que o bebê tenha ingerido, se for possível determinar. Não esqueça de informar a idade, tamanho, peso e sintomas do seu bebê.

*Nunca dê carvão ativado (usado para absorver o veneno) ou qualquer outra coisa para induzir o vômito (inclusive xarope de ipeca) sem aconselhamento médico.* O tratamento errado pode fazer mais mal do que bem.

**8. Gases ou vapores nocivos.** Vapores da gasolina, do escapamento do carro e alguns produtos químicos venenosos e a fumaça densa das fogueiras podem ser tóxicos. Retire para o ar livre imediatamente um bebê que tenha ficado exposto a qualquer destes perigos (abra as janelas ou leve o bebê para fora). Se o bebê não estiver respirando, inicie o procedimento de RCP (ver página 831) *imediatamente* e continue até que a respiração seja restabelecida ou que chegue ajuda. Se possível, peça a alguém para telefonar para o Centro de Controle de Intoxicação ou para um serviço médico de emergência enquanto você continua com a RCP. Se não houver mais ninguém por perto, pare por um momento para ligar e dar a você um descanso após um minuto de esforço de ressuscitação — e depois retorne imediatamente ao procedimento de RCP. A menos que um veículo de emergência esteja a caminho, leve o bebê para um centro médico imediatamente, mas não se, ao fazer isso, você precise interromper a RCP — ou se você também inalou os gases e o seu julgamento estiver comprometido. Peça a alguém para dirigir. Mesmo que você tenha sucesso em estabelecer a respiração, é necessária a atenção médica imediata.

## Envenenamento por hera, Carvalho ou Sumagre

9. A maioria das crianças que entram em contato com hera, carvalho ou sumagre venenosos terá uma reação alérgica (geralmente uma brotoeja vermelha com coceira, possível inchaço, bolhas e prurido) que se desenvolve entre 12 e 48 horas e pode durar de dez dias a quatro semanas. Se você sabe que o bebê teve tal contato, remova as roupas dele, proteja suas mãos da seiva (que contém a resina que inicia a reação) com luvas, papel-toalha ou uma fralda limpa. A brotoeja por si só não é contagiosa e não passa de pessoa para pessoa ou de uma parte do corpo para a outra se a seiva tiver sido lavada (faça isso o mais rápido possível, preferivelmente em 10 minutos).

Para prevenir que a resina se "fixe", lave a pele totalmente com sabão e água fria por pelo menos 10 minutos; enxágue completamente. Em um aperto, use um lenço umedecido. Lave também qualquer coisa que possa ter entrado em contato com as plantas (inclusive roupas, animais, carrinho etc.); a resina causadora da brotoeja pode permane-cer ativa por até um ano nestes objetos. Os sapatos também podem ser limpos da mesma forma, se não puderem ser lavados.

Se ocorrer alguma reação alérgica, a calamina ou qualquer outra loção que contenha pramoxina (como Caladryl) pode ajudar a aliviar a coceira, mas evite loções que contenham anti-histamínicos (embora o médico possa recomendar um anti-histamínico para reduzir a coceira e a ardência, ou, em um caso grave de envenenamento por hera ou inchaço em áreas sensíveis, alguns dias de um esteroide oral). O acetaminofeno, compressas frias e/ou banho de aveia também podem proporcionar alívio. Corte as unhas do seu bebê para minimizar os arranhões. Contate o pediatra se a brotoeja for grave ou envolver os olhos, o rosto ou os genitais.

## Feridas na pele

*Importante:* A exposição ao tétano é uma possibilidade toda vez que a pele estiver ferida. Se o seu filho sofrer uma ferida aberta na pele, certifique-se de que a vacina contra tétano esteja atualizada. Fique também alerta para sinais de possível infecção (inchaço, calor, fragilidade, vermelhidão da área em volta, secreção de pus da ferida) e ligue para o médico se estes sinais aparecerem.

**10. Contusões ou marcas azuis e pretas.** Encoraje uma brincadeira mais calma para descansar a parte ferida, se possível. Aplique compressas geladas, uma bolsa de gelo ou gelo enrolado em um pedaço de pano por 30 minutos. (Não aplique o gelo diretamente sobre a pele.) Se a pele estiver ferida, trate a contusão como se estivesse tratando um corte (n$^{os}$ 12 e 13). Procure o médico imediatamente se o machucado for uma torção ou se for o resultado de ter prendido a mão ou o pé nos raios de uma roda em movimento. As contusões que aparecem do nada ou que coincidem com uma febre também devem ser examinadas pelo médico.

**11. Arranhões e esfoliações.** Nestes ferimentos (mais comuns nos joelhos e cotovelos) a camada (ou camadas) superior da pele é arrancada, deixando a área exposta e sensível. Geralmente há um leve sangramento de áreas mais profundamente esfoliadas. Usando uma gaze esterilizada, um algodão ou um pano limpo, lave a ferida com sabão e água para retirar a sujeira e outras substâncias estranhas. Se o bebê se recusa firmemente a deixar, tente mergulhar a parte arranhada em uma banheira. Aplique pressão se o sangramento não cessar por si só. Cubra com uma faixa não-aderente esterilizada. A maioria dos arranhões sara rapidamente.

**12. Pequenos cortes.** Lave a área com água limpa e sabão; a seguir, segure o corte sob água corrente para limpar a sujeira e outras substâncias estranhas. Aplique um *band-aid* não aderente esterilizado. Uma curativo em forma de borboleta (veja a figura) vai manter o pequeno corte fechado enquanto melhora. Para prevenir uma infecção, aplique uma solução antisséptica ou uma pomada antibacteriana (como bacitracina; peça ao médico para receitar uma) antes de colocar o *band-aid*. Verifique com o médico sobre qualquer corte no rosto do bebê.

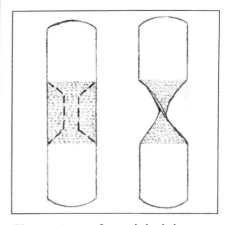

*Um curativo em forma de borboleta mantém fechado um corte aberto para que possa cicatrizar. Se você não tiver um à mão, corte um* band-aid *comum e torça uma vez para formar uma borboleta.*

**13. Cortes grandes.** Com uma gaze esterilizada, uma fralda limpa, um guardanapo, um pano limpo ou, se necessário, com o próprio dedo, aplique pressão para tentar estancar o sangramento, elevando a parte ferida acima do nível do coração, se possível, ao mesmo tempo.

Se o sangramento persistir após 15 minutos de pressão, adicione mais gaze ou panos e aumente a pressão. (Não se preocupe em causar nenhum dano pela pressão.) Se for necessário, mantenha-a até que a ajuda chegue ou que você leve o bebê ao médico ou ao pronto-socorro. Se houver outros ferimentos, tente amarrar ou colocar um curativo com um objeto para pressionar o local do ferimento, para que você fique com as mãos livres para cuidar deles. Aplique uma atadura não aderente esterilizada sobre o ferimento quando o sangramento parar, frouxo o suficiente para não interferir na circulação. Não use iodo, solução de Burrow ou outro antisséptico sem recomendação médica. Leve o bebê para o consultório médico (ligue primeiro) ou para o pronto-socorro quando houver feridas que se abrem, pareçam profundas ou não parem de sangrar em 30 minutos. As lacerações que envolvem o rosto, maiores que 2,5 centímetros, são profundas ou estão sangrando abundantemente podem necessitar de pontos ou de um adesivo cirúrgico.

**14. Sangramento intenso.** Peça assistência médica de emergência ou corra para o pronto-socorro mais próximo se um membro foi decepado (nº 39) e/ou o sangue jorrar ou sair em grandes quantidades. Enquanto a ajuda não chega, aplique pressão sobre o ferimento com gaze, uma fralda limpa, um guardanapo ou um pano limpo ou toalha. Aumente a pressão se o sangramento não parar. Não recorra a um torniquete sem recomendação médica, já que ele pode,

às vezes, fazer mais mal do que bem. Mantenha uma boa pressão até que a ajuda chegue.

**15. Feridas com perfuração.** Mergulhe a ferida em água com sabão em temperatura morna, agradável, por 15 minutos, se possível. Consulte o médico do bebê ou vá a um pronto-socorro. Não remova qualquer objeto (como uma faca ou uma vara) que esteja projetado para fora da ferida, já que isso pode levar a um aumento do sangramento. Acolchoe o objeto, se for necessário, para evitar que ele saia do lugar. Mantenha o bebê o mais calmo e quieto possível para evitar que a ferida bata em algum lugar e piore.

**16. Lascas ou estilhaços.** Lave a área com sabão e água limpa, a seguir atenue a dor com uma bolsa de gelo (ver página 1052). Se o estilhaço estiver completamente encravado, tente soltá-lo com uma agulha de costura que tenha sido esterilizada com álcool ou com a chama de um fósforo. Se um lado do estilhaço estiver claramente visível, tente removê-lo com uma pinça (também esterilizada com fogo ou álcool). Não tente removê-lo com suas unhas, que podem estar sujas. Lave o local novamente após ter removido a lasca. Se o estilhaço não tiver sido removido com facilidade, tente mergulhar o local em água morna com sabão por 15 minutos, três vezes ao dia por dois dias, o que pode ajudar a fazer com que o estilhaço saia por si só. Se ele não sair ou se a área estiver infectada (vermelhidão, calor ou inchaço), consulte o médico. Ligue também para o médico se o estilhaço estiver muito fundo e a vacina antitetânica do seu bebê estiver fora da validade.

## FERIMENTOS ABDOMINAIS

**17. Hemorragia interna.** Um golpe violento no abdome do seu bebê pode resultar em um ferimento interno. Os sinais deste ferimento podem incluir: contusões ou outra descoloração do abdome; sangue vomitado ou expelido pela tosse que seja escuro ou de um vermelho brilhante e que tenha a consistência de borra de café (isto também pode ser um sinal de que o bebê engoliu uma substância cáustica); sangue (pode ser escuro ou vermelho intenso) nas fezes ou urina; choque (pele fria, úmida, pálida; pulso fraco, rápido; calafrios; confusão e possível náusea, vômito e/ou respiração superficial). Procure assistência médica emergencial. Se o bebê parece estar em choque (nº 2), trate imediatamente. Não dê comida ou bebida.

**18. Cortes ou lacerações do abdome.** Trate como os outros cortes (nºs 12 e 13). Com uma laceração maior, os intestinos podem se projetar para fora; não tente colocá-los para dentro do abdome. Em vez disso, cubra-os com um pano ou fralda limpo e úmido e consiga ajuda médica de emergência imediatamente.

## FERIMENTOS NOS OLHOS

*Importante:* Não faça pressão sobre um olho machucado, não toque o olho com seus dedos e não coloque remédio sem recomendação médica. Impeça que o bebê esfregue o olho segurando um pequeno copo de vidro ou xícara sobre ele ou segurando as mãos do bebê, se necessário.

**19. Objeto estranho no olho.** Se você puder ver o objeto (cílio ou grão de areia, por exemplo), lave as suas mãos e use uma bola de algodão úmido para tentar remover delicadamente o objeto do olho do bebê, enquanto alguém o segura (tente fazer isso somente no canto do olho, além da pálpebra inferior ou no branco dos olhos; não tente fazer isso na pupila para evitar arranhar a córnea). Ou tente puxar a pálpebra superior para baixo por alguns segundos. Se estas técnicas não resolverem e se o bebê estiver se sentindo muito incomodado, você também pode tentar tirar o objeto jogando um pouco de água tépida (na temperatura do corpo) de uma jarra, xícara ou garrafa no olho enquanto alguém segura o bebê (mas tome cuidado para não deixar cair água no nariz do bebê).

Se após estas tentativas você ainda puder ver o objeto no olho ou se o seu bebê ainda parecer incomodado, siga para o consultório médico ou para o pronto-socorro, já que o objeto pode ter ficado encravado ou ter arranhado o olho. Não tente remover este objeto por sua conta. Cubra o olho com uma gaze esterilizada ou com alguns lenços de papel limpos ou um lenço limpo para aliviar algum desconforto no caminho.

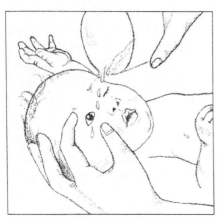

*O bebê não gosta de lavar os olhos, mas isto é fundamental para remover uma substância corrosiva.*

**20. Substâncias corrosivas no olho.** Lave o olho imediata e completamente com água morna limpa (jogada de uma jarra, xícara ou garrafa) por 15 minutos, segurando o olho aberto com os seus dedos. Se o problema for apenas em um dos olhos, mantenha a cabeça do bebê virada para que o olho que não foi afetado esteja mais alto do que o afetado e que os restos da substância não pinguem nele. Não use colírios ou pomadas e não permita que o bebê esfregue o(s) olho(s). Ligue para o médico ou para o Centro de Controle de Intoxicação (CCI) para obter maiores instruções.

**21. Ferimento no olho com um objeto pontiagudo ou afiado.** Mantenha o bebê na posição semirreclinada enquanto você procura ajuda. Se o objeto ainda estiver no olho, não tente removê-lo. Se não estiver mais, cubra o olho levemente com uma gaze, pano limpo ou lenço facial; não faça pressão. Em qualquer caso, consiga assistência médica de emergência imediatamente. Embora estes ferimentos com frequência pareçam piores do que na verdade são, é aconselhável consultar um oftalmologista sempre que o olho estiver arranhado ou perfurado, mesmo que levemente.

**22. Ferimento no olho com um objeto não pontiagudo.** Mantenha o bebê deitado com o rosto para cima. Cubra o olho ferido com gelo ou compressa gelada (ver página 1052). Se o olho ficar roxo, se o bebê parecer ter dificuldades em enxergar ou ficar esfregando o olho ou se um objeto atingir o olho em grande velocidade, procure o médico.

## FERIMENTOS COM PERFURAÇÃO

Veja o nº 15.

## FERIMENTOS NO OUVIDO

**23. Objetos estranhos no ouvido.** Tente desalojar o objeto com as seguintes técnicas:

♦ Para um inseto, use uma lanterna para atraí-lo para fora.

♦ Para um objeto de metal, experimente usar um ímã para puxá-lo para fora (mas não coloque o ímã dentro do ouvido dele).

♦ Para um objeto de madeira ou plástico que possa ser visto e não esteja alojado no ouvido, espalhe um pouco de cola de secagem rápida (não use o tipo que pode colar a pele) em um clipe de papel esticado e toque o objeto. Não explore o ouvido interno. Espere até que ele grude e seque, e depois puxe o clipe para fora, com sorte, com o objeto preso a ele. Não tente este procedimento se não houver ninguém por perto para ajudar a manter o bebê parado.

- Se as técnicas anteriores falharem, não tente tirar o objeto com os seus dedos ou com um instrumento. Em vez disso, leve o seu bebê ao consultório médico ou a um pronto-socorro.

**24. Dano no ouvido.** Se um objeto pontiagudo for empurrado para dentro do ouvido ou se o seu bebê mostrar sinais de danos no ouvido (sangramento no canal auricular, dificuldade de audição repentina, lóbulo da orelha inchado), procure o médico.

## FERIMENTOS NA BOCA

**25. Lábios rachados.** Poucos bebês passam o seu primeiro ano de vida sem ter pelo menos um corte nos lábios. Felizmente, estes cortes geralmente parecem muito piores do que realmente são e curam-se muito mais rapidamente do que você imagina. Para aliviar a dor e controlar o sangramento, aplique uma bolsa de gelo. Ou deixe um bebê mais velho chupar um picolé. Se o corte abrir, ou se o sangramento não parar em 10 ou 15 minutos, ligue para o médico. Ocasionalmente, um ferimento labial é causado quando um bebê mastiga um fio elétrico. Se você suspeitar disso, procure o médico.

**26. Cortes dentro do lábio ou da boca (inclusive a língua).** Estes ferimentos também são comuns em crianças pequenas. Uma bolsa de gelo para os bebês ou um picolé para chupar vai aliviar a dor e controlar o sangramento dentro do lábio ou bochecha. Para parar com o sangramento da língua, se ele não parar espontaneamente, pressione o corte com um pedaço de gaze ou um pano limpo. Se o ferimento for na garganta ou no palato mole (a parte de trás do céu da boca), se houver um ferimento feito por um objeto afiado (como um lápis ou uma vareta) ou se o sangramento não parar em 10 a 15 minutos, procure o médico.

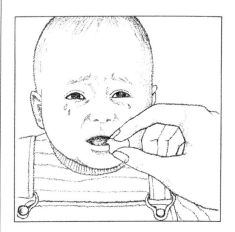

*Pressionar um corte no lábio com um pedaço de gaze seguro por seu polegar e dedo indicador fará com que o sangramento pare.*

**27. Dente arrancado.** Há pouca possibilidade de que o dentista tente reimplantar um dente deslocado de um bebê (estes implantes com frequência formam abscessos e raramente se firmam), então, não são necessárias precauções para preservar o dente. Mas o dentista vai querer ver o dente para se certificar de que ele está inteiro. Os fragmentos deixados na gengiva podem ser expelidos e a seguir ingeridos ou ficar entalados no bebê. Assim, leve o dente para o dentista ou para o pronto-socorro se você não conseguir falar com o dentista.

**28. Dente quebrado.** Limpe cuidadosamente a sujeira ou os detritos na boca com água morna e uma gaze ou com um pano limpo. Certifique-se de que as partes quebradas do dente não estão mais na boca do bebê — elas podem causar asfixia. Coloque compressas frias (ver página 1052) no rosto dele, na área do dente afetado, para minimizar o inchaço. Ligue para o dentista assim que puder para pedir mais instruções.

# FERIMENTOS NA CABEÇA

*Importante:* os ferimentos na cabeça são geralmente mais graves se uma criança cai em uma superfície dura de uma altura igual ou maior que a altura dela, ou se bate a cabeça em um objeto pesado. Pancadas do lado da cabeça podem causar maiores danos do que aquelas na parte da frente ou de trás da cabeça.

**29. Cortes e contusões no couro cabeludo.** Devido à grande profusão de vasos sanguíneos no couro cabeludo, um sangramento muito grande é comum em cortes na cabeça, mesmo os muito pequenos, e as contusões tendem a inchar e ficar do tamanho de um ovo muito rapidamente. Trate como se fosse qualquer outro tipo de corte (n$^{os}$ 12 e 13) ou contusão (n$^o$ 10). Verifique com o médico todos os ferimentos no couro cabeludo.

**30. Possível trauma grave na cabeça.** A maioria dos bebês experimenta várias pancadas na cabeça durante o primeiro ano. Geralmente não é necessário mais do que um "beijinho para curar" dado pela mamãe ou pelo papai, mas é aconselhável observar o bebê cuidadosamente por 6 horas após uma pancada na cabeça. Ligue para o médico ou procure assistência médica de emergência imediatamente se o seu bebê mostrar qualquer um destes sinais após uma contusão na cabeça:

♦ Perda de consciência (embora um período de tontura — não mais do que 2 ou 3 horas — seja comum e geralmente não seja digno de preocupação; deixe que o grau e a duração da tontura sejam o seu guia)

♦ Convulsões

♦ Dificuldade de ser acordado. Verifique a cada uma ou duas horas durante o dia e duas ou três vezes durante a noite pelas primeiras 6 horas após o ferimento, para se certificar de que o bebê está respondendo; se você não conseguir acordá-lo, verifique a respiração; ver página 833

♦ Mais de um ou dois episódios de vômito

♦ Uma depressão ou corte no crânio ou um inchaço tão grande em volta da ferida que você não consegue precisar se o crânio tem uma depressão

♦ Incapacidade de mexer um braço ou uma perna

♦ Sangue ou um fluido aquoso saindo das orelhas ou do nariz

♦ Áreas azuis ou roxas em volta dos olhos ou atrás das orelhas

♦ Dor aparente por mais de uma hora que interfira nas atividades normais ou no sono

♦ Tontura que persiste além de uma hora após o ferimento (o bebê parece estar sem equilíbrio)

♦ Pupilas com tamanhos diferentes ou pupilas que não respondem piscando a um foco de luz (comprimindo; veja a ilustração) ou a remoção da luz aumentando (dilatando)

♦ Palidez incomum que persiste por mais do que um curto período

♦ O bebê parece não estar agindo direito — parece atordoado, confuso, não o reconhece, está atrapalhado e assim por diante

♦ Enquanto espera por ajuda, mantenha o bebê deitado, quieto, com a cabeça virada para um lado. Trate-o contra choques (nº 2), se necessário. Comece o procedimento de RCP

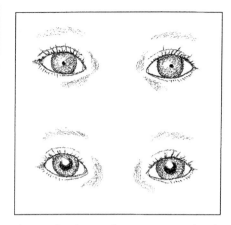

*As pupilas (o círculo escuro em volta do globo ocular) devem diminuir de tamanho em resposta à luz (acima) e aumentar quando a luz é retirada (abaixo).*

(ver página 831) se o bebê parar de respirar.

♦ Não ofereça qualquer comida ou bebida até que você fale com o médico.

## FERIMENTOS NO NARIZ

**31. Sangramento.** Mantenha o bebê em uma posição ereta ou levemente inclinada para a frente, aperte ambas as narinas gentilmente usando o seu polegar e seu indicador por 10 minutos. (O bebê automaticamente passará a respirar pela boca.) Tente acalmar o bebê porque o choro vai aumentar o fluxo de sangue. Se o sangramento persistir, aperte por mais 10 minutos. Se não funcionar e o sangramento continuar, procure o médico — mantenha o bebê ereto enquanto você faz isso. Os sangramentos frequentes no nariz, mesmo que parem

*Apertar as narinas estanca o fluxo do sangramento no nariz.*

facilmente, devem ser informados ao pediatra do bebê.

**32. Objeto estranho no nariz.** Dificuldade em respirar pelo nariz e/ou um cheiro estranho, às vezes secreção nasal com sangue podem ser um sinal de que existe alguma coisa estranha dentro do nariz. Mantenha o bebê calmo e incentive a respiração pela boca. Remova o objeto com os seus dedos se você puder alcançá-lo facilmente, mas não examine nem use pinças ou qualquer outra coisa que possa machucar o nariz se o bebê se mexer inesperadamente ou que possa empurrar o objeto ainda mais para o fundo do canal nasal. Se você não conseguir remover o objeto, assoe o nariz e tente fazer com que o bebê imite o seu gesto. Se isto falhar, leve o bebê ao médico ou ao pronto-socorro.

**33. Pancada no nariz.** Se houver sangramento, mantenha o bebê na posição ereta e inclinada para a frente para reduzir a ingestão de sangue e o risco de ficar sufocado com ele (nº 31). Use uma bolsa de gelo ou compressas frias (ver página 1052) para reduzir o inchaço. Verifique com o médico se não houve nenhuma fratura.

## FERIMENTOS NOS DEDOS

**34. Contusões.** Os bebês, sempre curiosos, são especialmente propensos a contusões doloridas ao prender dedos em gavetas e portas. Para estes machucados, coloque o dedo em água com gelo. Uma hora é o recomendado, com um intervalo de 15 minutos (o suficiente para o dedo esquentar novamente) para evitar congelamento. Infelizmente poucos bebês ficam sentados quietos por tanto tempo, embora você consiga fazer o tratamento por alguns minutos usando uma distração ou a força. Uma topada no dedo do pé também pode ser tratada da mesma maneira, mas isto não é muito prático com um bebê que não quer cooperar. Os dedos machucados vão inchar menos se ficarem elevados — novamente, isso provavelmente não vai acontecer se a vítima for um bebê.

Se o dedo machucado ficar muito inchado com muita rapidez, está disforme ou não pode ser endireitado, há suspeita de fratura (nº 47). Procure o médico imediatamente se o machucado for uma torção ou se ele tiver prendido a mão ou o pé nos raios de uma roda em movimento.

**35. Sangramento sob a unha.** Quando um dedo está muito machucado, pode se formar um coágulo de sangue sob a unha, causando uma pressão dolorosa. Se o sangue gotejar para fora da unha, pressione-a para provocar o fluxo, o que

# O QUE FAZER EM CASOS DE EMERGÊNCIA

## TRATANDO UM JOVEM PACIENTE

Os bebês raramente são pacientes cooperativos. Não importa o grau de incômodo dos sintomas da doença ou de seus machucados, eles provavelmente vão considerar o tratamento pior. Devido à sua compreensão limitada, não é de grande valia dizer a eles que aplicar pressão sobre um corte que está sangrando vai curá-lo mais rapidamente ou que uma bolsa de gelo vai impedir que o dedo machucado inche. O melhor método ao tentar tratar um bebê é usar uma distração.

Divirta (comece antes do tratamento e, com sorte, antes de as lágrimas terem começado) com uma caixinha musical ou um desenho animado favorito; um cachorrinho de brinquedo que late e balança o rabo; um trenzinho que pode viajar pela mesinha de centro ou um pai ou irmão que sabe dançar, pular ou cantar canções bobas que ajudam a fazer a diferença entre uma sessão de tratamento bem-sucedida e uma desastrosa. Você pode também tentar fazer

alguns barquinhos velejarem na água que estiver usando no tratamento; medir a temperatura do ursinho de pelúcia; dar uma dose do remédio para a boneca; colocar uma bolsa de gelo no dodói do cachorrinho de pelúcia.

O grau de energia que você terá que aplicar durante o tratamento vai depender da gravidade do ferimento. Uma contusão leve pode não dar aborrecimento a você e ao bebê que está rejeitando a bolsa de gelo. Entretanto, uma queimadura grave certamente vai precisar ficar de molho em água fria, mesmo se o bebê gritar e espernear durante todo o tratamento. Na maioria dos casos, tente pelo menos fazer o tratamento de maneira breve: mesmo alguns minutos de molho vão reduzir a inflamação da queimadura; mesmo alguns minutos de gelo em uma contusão vão reduzir o inchaço. Saiba quando encerrar o tratamento. Quando a irritação do bebê superar os benefícios do tratamento, pare.

---

ajudará a aliviar a pressão. Mergulhe o ferimento em água com gelo, se o bebê suportar. Se a dor continuar, pode ser preciso fazer um furo na unha para aliviar a pressão. Seu médico pode fazer este serviço ou pode instruí-la para que você mesma faça.

**36. Unha quebrada.** Para um pedaço pequeno, prenda com uma fita adesiva ou com um *band-aid* até que a unha cresça até o ponto de ser cortada. Se for

quase toda a unha, corte próximo à parte quebrada e cubra com um *band-aid* até que a unha esteja grande o bastante para proteger o dedo.

**37. Unha arrancada.** A unha cai por si só; não é necessário puxá-la. Mergulhar o dedo em água não é recomendado porque a constante umidade no leito da unha, sem a proteção dela, aumenta o risco de infecções por fungos. Entretanto, certifique-se de manter a área limpa.

Pomadas antibióticas podem ser aplicadas, mas nem sempre são necessárias (pergunte ao pediatra do seu bebê). Cubra o leito da unha com um *band-aid* sempre novo, mas, quando a unha começar a crescer, os *band-aids* não serão mais necessários. Uma unha leva de quatro a seis meses para crescer totalmente. Se ocorrer vermelhidão, calor ou inchaço da infecção em qualquer momento, ligue para o médico.

# HEMORRAGIA INTERNA

Veja o nº 17.

# HIPOTERMIA

Veja o nº 55.

# LESÕES PELO CALOR

**38. A insolação** em geral vem repentinamente. Os sinais a observar são pele seca e quente (ou ocasionalmente úmida), febre muito alta, diarreia, agitação ou letargia, confusão, convulsões e perda da consciência. Se você suspeitar de insolação, envolva o seu bebê em uma toalha grande que tenha sido molhada em água gelada (despeje cubos de gelo na pia enquanto ela estiver enchendo com água fria da torneira e mergulhe a toalha em seguida) e consiga ajuda médica de emergência imediatamente ou corra com o bebê para o pronto-socor-

ro mais próximo. Se a toalha ficar quente, repita o processo com uma nova.

# LASCAS OU ESTILHAÇOS

Veja o nº 16.

# LÍNGUA, FERIMENTOS NA

Veja o nº 26.

# MEMBRO OU DEDO DECEPADO

**39.** Este tipo de ferimento grave é raro, mas saber o que fazer quando um deles ocorrer pode fazer toda a diferença entre salvar e perder um braço, perna, dedo da mão ou do pé. Tome as seguintes providências imediatamente:

♦ Tente controlar o sangramento. Com várias gazes esterilizadas, uma fralda limpa, um guardanapo ou um pano limpo, aplique uma forte pressão sobre o ferimento. Se o sangramento continuar, aumente a pressão. Não se preocupe em causar dano ao apertar forte demais. Não aplique um torniquete sem recomendação médica.

♦ Se houver choque, trate-o. Se a pele do bebê estiver pálida, fria e pegajosa, o pulso fraco e acelerado e a respiração fraca, trate-o contra choque afrouxando a roupa, cobrindo o bebê levemente para impedir perda de calor do corpo e eleve as pernas com um travesseiro (ou uma roupa dobrada) para forçar o sangue a subir para o cérebro. Se a respiração parecer difícil, levante a cabeça e os ombros do bebê ligeiramente.

♦ Restabeleça a respiração, se necessário. Comece a RCP imediatamente se o bebê não estiver respirando (ver página 831).

♦ Conserve o membro ou dedo decepado. Na medida do possível, envolva-o com um pano ou esponja molhado e coloque-o em um saco plástico. Encha o saco com gelo e amarre bem. Não coloque a parte diretamente no gelo, não use gelo seco e não o deixe imerso em água ou antissépticos.

♦ Peça ajuda. Ligue ou peça a alguém para ligar para a assistência médica de emergência imediatamente ou corra para um pronto-socorro, ligando com antecedência para que eles possam se preparar para a sua chegada. Certifique-se de que você está levando o membro no saco plástico com gelo; os cirurgiões podem conseguir recolocá-lo. Durante o transporte, mantenha a pressão sobre a ferida e continue outros procedimentos, se necessário.

# MORDIDAS

**40. Mordidas de animais.** Tente evitar mexer na parte afetada. Chame o médico imediatamente. Lave a ferida com-

pleta e delicadamente com sabão e água. Não aplique antisséptico ou qualquer outra coisa. Controle o sangramento (n[os] 12, 13 e 14) e aplique uma atadura esterilizada. Tente conter o animal para testagem, mas evite ser mordido. Cães, gatos, morcegos, gambás e guaxinins que mordem podem ter raiva, especialmente se atacarem sem serem provocados. A infecção (vermelhidão, sensibilidade, inchaço) é comum em mordidas de gatos e pode ser preciso tomar um antibiótico.

Mordidas de cachorro de baixo risco (mordidas de um cão conhecido que não tem raiva) geralmente não precisam de antibióticos, mas é importante consultar o pediatra no caso de qualquer mordida de animal para decidir sobre a necessidade de antibiótico e para a proteção pós-exposição contra a raiva. *Ligue imediatamente para o médico* se você observar vermelhidão, inchaço e sensibilidade no local da mordida.

**41. Mordidas humanas.** Se o seu bebê for mordido por um irmãozinho ou por outra criança, não se preocupe, a menos que a pele esteja aberta. Se estiver, lave a área mordida completamente com um sabonete suave e com água fria, deixando a água da torneira correr sobre ela, se puder, ou colocando um pouco de água de uma jarra ou uma xícara. Não esfregue a ferida nem aplique *spray* ou pomada (antibiótica ou não). Simplesmente cubra a mordida com uma gaze esterilizada e procure o médico. Use pressão para estancar o sangramento (n° 13), se necessário. O médico pode receitar antibióticos para prevenir uma infecção.

**42. Mordidas ou picadas de insetos.**
Trate picadas ou mordidas de insetos da seguinte maneira:

♦ Raspe o ferrão da abelha *imediatamente*, fazendo isso com a ponta de uma faca de manteiga sem serrilha, um cartão de crédito ou a sua unha ou remova gentilmente com uma pinça ou com seus dedos (não tente pressionar o ferrão porque com isso você vai injetar mais veneno). Após este procedimento, trate como se segue.

♦ Remova carrapatos *imediatamente*, usando uma pinça cega ou as pontas dos seus dedos protegidos por um lenço, toalha de papel ou luvas de borracha. Agarre o inseto próximo da cabeça o mais perto possível da pele do bebê e puxe para cima, firmemente e de uma só vez. Não torça, arranque, esprema, esmague ou fure o carrapato. *Não* utilize remédios populares, como vaselina, gasolina ou um fósforo quente — eles podem piorar a situação. Se você suspeitar da doença de Lyme (ver página 1062), procure o médico.

♦ Lave o local da mordida de uma abelha menor, ou mordida de vespa, formiga, aranha ou carrapato com sabão e água. A seguir aplique gelo ou compressas geladas (ver a página 1052) se a área parecer inchada ou dolorida.

♦ Aplique loção de calamina em mordidas que coçam, como aquelas causadas por mosquitos.

♦ Se parecer que a área está extremamente dolorida após a picada de uma aranha, aplique gelo ou compressas geladas e ligue para a emergência hospitalar. Tente encontrar a aranha e leve-a ao hospital com você (evitando ser picado), ou pelo menos se certifique de ser capaz de descrevê-la; ela pode ser venenosa. Se você sabe que a aranha é venenosa — uma viúva-negra, uma caranguejeira, uma tarântula ou escorpião, por exemplo — *procure tratamento de emergência imediatamente*, antes que os sintomas apareçam.

♦ Observe sinais de hipersensibilidade, como dor aguda, inchaço ou qualquer grau de encurtamento da respiração, em seguida a qualquer picada de abelha, vespa ou vespão. Indiví-duos que exibem estes sintomas com uma primeira ferroada geralmente desenvolvem hipersensibilidades ou alergias ao veneno e, no caso de uma ferroada subsequente, pode ser fatal se não for administrado tratamento emergencial imediato. Se a reação do seu bebê a uma ferroada não passar de uma dor ou de inchaço no local imediato da picada, informe ao médico, que provavelmente vai recomendar um teste de alergia. Se for diagnosticada uma alergia, é provável que seja necessário que você carregue sempre um kit de emergência contra picadas de abelhas.

♦ É possível, é claro, que a sensibilização ao veneno de abelha ocorra sem uma reação previamente observada. Então, se após uma picada o seu bebê tiver o corpo coberto de urticária, dificuldade em respirar, rouquidão, tosse, chiado, dor de cabeça aguda, náusea, vômito, a língua engrossar, inchaço no rosto, fraqueza, tontura ou desmaio, *procure atenção médica de emergência imediatamente.*

**43. Mordida de cobra.** É raro que um bebê seja mordido por uma cobra venenosa (alguns tipos são a cascavel, a jararaca, a surucucu, a urutu e a cobra coral — e todas têm presas que geralmente deixam marcas fáceis de identificar quando mordem), mas esta mordida é muito perigosa. Devido ao pequeno tamanho de um bebê, até mesmo uma dose mínima de veneno pode ser fatal. Logo após a mordida, é importante manter o bebê e a área afetada o mais imóvel possível. Se a mordida for em um membro, imobilize-o com uma tala, se necessário, e mantenha-a abaixo do nível do coração. Use uma compressa fria, se possível, para aliviar a dor mas *não* aplique gelo nem dê qualquer medicamento sem aconselhamento médico. *Consiga ajuda médica imediata;* esteja pronto para identificar a variedade de cobra, se for possível. Se você não conseguir assistência médica dentro de uma hora, aplique uma faixa que comprima (um cinto, uma gravata ou uma fita de cabelo larga o suficiente para que você coloque um dedo sob ela) 5 centímetros acima da mordida para diminuir a circulação. (Não use torniquete em volta de um dedo da mão ou do pé ou em volta do pescoço, cabeça ou tronco). Verifique o pulso (ver página 835) sob o torniquete frequentemente para ter certeza de que a circulação não foi cortada e afrouxe o torniquete se o

membro começar a inchar. Anote a hora em que ele foi amarrado. Chupar o veneno com a boca (e cuspi-lo) pode ser útil se feito imediatamente, mas *não* faça nenhum tipo de incisão, a menos que você esteja há quatro ou cinco horas da ajuda e ocorram sintomas graves. Se o bebê não estiver respirando, faça uma RCP (ver página 831). Trate-o para choque (no 2), se necessário.

Trate as mordidas de cobras não venenosas como feridas de perfuração (no 15) e avise ao pediatra.

**44. Picadas de animais marinhos.** Tais picadas geralmente não são sérias, mas ocasionalmente um bebê ou uma criança pode ter uma reação grave. O tratamento médico deve ser procurado imediatamente, por precaução. O tratamento de primeiros-socorros varia de acordo com o tipo de animal marinho envolvido, mas em geral qualquer fragmento com ferrão deve ser cuidadosamente afastado com uma fralda ou um pedaço de pano (para proteger seus próprios dedos). O tratamento para hemorragia intensa (no 14), choque (no 2) ou parada respiratória (ver página 835), se necessário, deve começar imediatamente. (Não se preocupe se houver um sangramento leve; pode ajudar a purgar as toxinas.) As picadas de uma raia, peixe-leão, peixe-pedra ou urtigado-mar devem ser colocadas em água bem morna por 30 minutos ou até que chegue a ajuda médica. As toxinas da picada de uma medusa ou de caravelas podem ser contra-atacadas aplicando-se álcool, amônia diluída ou amaciante de carne. (Leve álcool na sua bolsa de praia, só para prevenir.)

# Mordidas de Cachorro

Veja o nº 40.

# Mordidas e Picadas de Insetos

Veja o nº 42.

# Objetos Estranhos Ingeridos

**45. Moedas, bolinhas de gude e outros pequenos objetos redondos semelhantes.** Quando um bebê engole um desses objetos e não parece estar nervoso, é melhor que se espere que o objeto passe pelo trato digestório. A maioria das crianças deixa este objeto passar em dois ou três dias. Verifique as fezes até que encontre o objeto. A exceção: se o bebê engoliu uma bateria, consulte o médico imediatamente.

Se, no entanto, após ingerir o objeto, o bebê tiver dificuldade de engolir ou se arquejar, salivar, tiver ânsia de vômito ou vomitar ou se tiver dificuldades de engolir que surjam posteriormente, o objeto pode estar alojado no esôfago. Ligue para o médico e leve o seu filho a um pronto-socorro imediatamente.

Se ele tossir ou se tiver dificuldade para respirar, o objeto pode ter sido aspirado em vez de engolido; neste caso, trate como se fosse um caso de asfixia (veja página 827).

**46. Objetos pontiagudos.** Consiga ajuda médica imediata se um objeto engolido for pontiagudo (um alfinete, uma espinha de peixe, um brinquedo com pontas). Pode ser que ele tenha que ser removido no pronto-socorro com um instrumento especial.

# Ossos Quebrados ou Fraturas

**47. Dedos, clavícula, pernas, braços possivelmente quebrados.** É difícil dizer quando um osso está quebrado em um bebê. Os sinais de fratura incluem: um estalido na hora do ferimento; deformidade (embora isto também possa indicar um deslocamento, nº 5); incapacidade de se mover ou sustentar o peso da parte afetada; dor aguda (o choro persistente pode ser uma dica); entorpecimento e/ou formigamento (um bebê não será capaz de dizer que sente estes dois sintomas); inchaço e descoloração. Se você suspeita de um membro fraturado, não mexa a criança (se possível) sem checar com o médico antes — a não ser que seja necessário para segurança. Se você precisar mover o bebê imediatamente, primeiro tente imobilizar o membro machucado com uma tala na posição com uma régua, uma revista, um livro ou outro objeto firme, almofadado com um pano macio para proteger a pele. Ou use um travesseiro firme e pequeno como tala. Amarre a tala firmemente na fratura e acima e abaixo dela com ataduras, faixas de pano, lenços ou gravatas, mas não tão apertado que obstrua a circulação. Verifique regularmente para se assegurar de que a tala não esteja cortando a circulação. Se não houver nenhuma tala disponível, tente usar o seu braço como tala. Embora as fraturas em crianças pequenas geralmente cicatrizem rapidamente, o tratamento médico é necessário para assegurar uma cura adequada. Leve o seu filho ao médico ou ao pronto-socorro mesmo que você tenha apenas uma suspeita de fratura.

**48. Fraturas expostas.** Se o osso se projeta através da pele, não o toque. Cubra o ferimento, se possível com uma gaze esterilizada ou com uma fralda de pano limpa; controle o sangramento, se necessário com pressão (nºs 13 e 14), e consiga assistência médica.

**49. Possível ferimento no pescoço ou nas costas.** Se você suspeita de um ferimento no pescoço ou nas costas, não mexa o bebê *sob nenhuma hipótese.* Procure assistência médica de emergência. Cubra e mantenha o bebê confortável enquanto espera por ajuda e, se possível, coloque alguns objetos pesados em volta da cabeça do bebê para ajudar a imobilizá-lo. Não lhe dê comida nem bebida. Se houver um sangramento grave (nº 14), choque (nº 2), ou ausência de respiração (ver página 835), trate destes problemas imediatamente.

# QUEIMADURAS E ESCALDADURAS

*Importante:* Se as roupas de uma criança estiverem pegando fogo, use um casaco, cobertor, tapete, lençol ou o seu próprio corpo para abafar as chamas.

**50. Queimaduras limitadas pelo calor.** Se uma extremidade (braço, perna, pé, mão ou dedo) for queimada, mergulhe-a em água fria (se possível e se o bebê cooperar, segure sob água corrente). Se o rosto do bebê ou o seu peito foi queimado, aplique compressas frias (de 10 a 15ºC). Continue até que o bebê pareça não estar mais sentindo dor, geralmente após meia hora. Não aplique gelo, manteiga ou pomadas na queimadura; eles podem formar uma lesão na pele; e não estoure nenhuma bolha que se formar. Depois de colocar de molho a parte afetada, seque gentilmente a área queimada e cubra com um material não adesivo (como uma atadura não adesiva ou, em uma emergência, uma folha de papel-alumínio). Queimaduras no rosto, nas mãos, nos pés ou na área genital devem ser vistas pelo médico imediatamente. Qualquer queimadura, até mesmo leve, em uma criança com menos de 1 ano de idade merece um telefonema para o médico.

**51. Queimaduras extensas pelo calor.** Mantenha o bebê deitado reto. Remova todas as roupas da área queimada que não tenham aderido à ferida. Aplique compressas de água fria (você pode usar um pano) na área ferida (mas não mais do que 25% do corpo por vez). Mantenha o bebê confortavelmente aquecido, com as extremidades acima do coração se elas estiverem queimadas. Não aplique pressão, pomadas, manteiga ou outras gorduras, talco ou soluções de ácido bórico na queimadura. Se o bebê estiver consciente e não tiver queimaduras graves na boca, dê o peito, água ou outro líquido a ele. Transporte a criança para um pronto-socorro imediatamente ou ligue para a emergência para obter assistência médica.

**52. Queimaduras químicas.** Substâncias cáusticas (como água sanitária e ácidos) podem causar queimaduras graves. Usando um pano limpo, limpe gentilmente o material químico seco e remova qualquer peça de roupa contaminada. Lave imediatamente a pele com grandes quantidades de água. Chame um médico, o Centro de Controle de Intoxicação (CCI) da sua cidade ou ligue para um pronto-socorro para pedir aconselhamento. Peça assistência médica imediata se houver dificuldade na respiração ou se ela for dolorosa, o que pode indicar ferimento no pulmão devido à inalação de vapores cáusticos. (Se um produto químico tiver sido engolido, veja o nº 7.)

**53. Queimaduras por eletricidade.** Desconecte a fonte de energia imediatamente, se possível. Ou isole a vítima da fonte usando um objeto seco não metálico, como um cabo de vassoura, uma escada de madeira, corda, almofada, cadeira ou até mesmo um livro grande — mas não com suas próprias mãos. Inicie o procedimento de RCP (ver página 831) se o bebê não estiver respirando. Todas as queimaduras por eletricidade devem ser avaliadas por um médico; assim, procure o pediatra do seu bebê ou vá imediatamente para um pronto-socorro.

**54. Queimaduras do sol.** Se o seu bebê (ou qualquer outra pessoa da família) tiver uma queimadura de sol, trate-a imediatamente aplicando compressas de água fria (ver página 1052) de 10 a 15 minutos, três ou quatro vezes ao dia, até que a vermelhidão desapareça; a água que evapora ajuda a esfriar a pele. Entre tratamentos, aplique gel puro de aloe vera (disponível em farmácias ou diretamente das folhas da planta, se você tiver), Nutraderm, Lubraderm ou uma loção hidratante suave semelhante a estas. Não use vaselina em uma queimadura porque ela bloqueia o ar necessário para a cura. Não dê anti-histamínicos a menos que sejam receitados pelo médico. Para queimaduras graves, pomadas ou cremes com esteroides podem ser receitados e bolhas grandes podem ser secadas e drenadas. Um analgésico para bebês, como o acetaminofeno, pode diminuir o desconforto. Se houver inchaço, o ibuprofeno é uma opção melhor. Como qualquer outra queimadura em um bebê, as queimaduras de sol merecem pelo menos um telefonema para o médico. Queimaduras de sol extensas podem causar sintomas mais graves, como dores de cabeça e vômito, e precisam de uma avaliação médica urgente.

# QUEIMADURA PELO FRIO E HIPOTERMIA

**55.** Os bebês são extremamente suscetíveis a feridas causadas pelo frio, especialmente nos dedos das mãos e dos pés, orelhas, nariz e bochechas. As partes afetadas, neste caso, ficam muito frias e se tornam brancas ou cinza-amareladas. Se você notar qualquer destes sinais no seu bebê, tente aquecer as partes geladas com o seu corpo imediatamente — abra o seu casaco e camisa e coloque o bebê em contato com a sua pele. Assim que possível, leve-o a um médico ou pronto-socorro. Se isto não for possível imediatamente, leve o bebê para dentro de casa e comece um processo de aquecimento gradativo. Não coloque o bebê perto de um aquecedor, forno, lareira ou lâmpada porque a pele pode se queimar; não tente degelar o bebê rapidamente com água quente, o que pode também causar danos. Em vez disso, mergulhe os dedos das mãos e dos pés diretamente em água a 38ºC — um pouco mais quente do que a temperatura normal do corpo e apenas ligeiramente quente ao toque. Para as partes que não estejam mergulhadas em água, como nariz, orelhas e bochechas, use compressas (panos molhados e toalhas) com a mesma temperatura, mas não aplique pressão. Continue o processo até que a cor volte à pele, geralmente de 30 a 60 minutos (adicione água morna, se necessário), acalentando o bebê ou dando líquidos mornos (não quentes) na mamadeira ou xícara. Assim que aquecer novamente, a pele danificada se torna vermelha e ligeiramente inchada e pode ficar com bolhas. Se o ferimento do bebê não tiver sido examinado por um médico até o momento, é importante que isto aconteça agora.

Se, uma vez que as partes afetadas tenham se aquecido, você tiver que sair novamente para levar o bebê ao médico (ou ir a algum outro lugar), não se esqueça de manter as áreas afetadas aquecidas no caminho, já que o

um novo congelamento das áreas aquecidas pode causar outros danos.

Muito mais comum do que a queimadura pelo frio (e muito menos grave) é a lesão leve pelo frio. Nela, a parte do corpo afetada fica fria e pálida, mas o reaquecimento leva menos tempo e causa menos dor e inchaço. Assim como na queimadura pelo frio, evite calor seco e evite resfriar o corpo novamente. Embora não seja necessário fazer uma visita ao consultório ou a um pronto-socorro, um telefonema para o médico é algo que deve ser feito.

Após uma exposição prolongada ao frio, a temperatura do corpo do bebê pode cair abaixo dos níveis normais. Isto é uma emergência médica conhecida como hipotermia. Não se deve perder tempo em levar o bebê que pareça estranhamente gelado ao toque imediatamente ao pronto-socorro mais próximo. No caminho, mantenha o bebê aquecido próximo ao seu corpo.

## QUEIMADURAS DE SOL

Veja o nº 54.

## QUEIMADURAS QUÍMICAS

Veja o nº 52.

## SANGRAMENTO

Veja nºs 12, 13 e 14.

## COLOCANDO UM CURATIVO NO DODÓI

Como pais, vocês podem esperar ter que aplicar dezenas, provavelmente centenas de *band-aids* e curativos ao longo dos anos, em cortes e arranhões às vezes grandes, na maioria das vezes pequenos. Estas dicas vão tornar este ato mais fácil e vão ajudar o dodói a sarar mais rapidamente:

♦ Trate o ferimento adequadamente (veja as dicas individuais para cada ferida).

♦ Para aumentar o poder de aderência, aplique o *band-aid* sempre sobre a pele seca e limpa.

♦ Se o seu bebê resiste aos curativos e tende a retirá-los, ou em lugares onde é difícil fazer com que o *band-aid* fique colado, considere a possibilidade de aplicar um gel líquido ou um *spray* curativo. Eles são caros, mas, em alguns casos, valem a pena.

♦ Em feridas abertas, use apenas gaze ou curativos esterilizados que não tenham sido abertos antes do uso. Não toque na compressa não aderente do *band-aid* com seus dedos; toque apenas na parte adesiva.

♦ Use curativos não aderentes e/ou pomadas antibióticas para impedir que o curativo grude na ferida. Se o curativo colar, mergulhe em água morna em vez de ficar tentando arrancá-lo.

♦ Exceto para cortes que precisam ser pressionados para fechar, coloque o curativo de modo que possa permitir a passagem de ar.

♦ Não coloque um curativo em um dedo do pé ou da mão tão apertado que corte a circulação.

♦ Remova o curativo diariamente para verificar se a ferida está cicatrizando (o melhor momento é durante ou logo após o banho, quando o curativo estiver molhado e solto e sai sem briga). Coloque outro curativo na ferida se ela ainda estiver em carne viva ou aberta. Se uma casquinha tiver se formado sobre o arranhão ou se um corte já fechou, não é mais necessário colocar uma proteção.

♦ Troque o curativo com mais frequência se eles ficarem sujos ou molhados.

# Técnicas de Ressuscitação para Bebês e Crianças

As instruções que se seguem devem ser usadas apenas como reforço. Você deve, para a segurança do seu filho, fazer um curso de RCP (verifique com o médico do seu bebê, um hospital local ou com a Cruz Vermelha onde encontrar uma turma no seu bairro) para se certificar de que você sabe conduzir corretamente estes procedimentos. Periodicamente, releia estas orientações ou aquelas que você receber no curso e execute-as passo a passo com uma boneca (nunca com o seu bebê, outra pessoa nem mesmo em um animalzinho) para que você seja capaz de executá-las no caso de uma emergência. Faça um curso de reciclagem de vez em quando — para reexercitar as suas habilidades e aprender as técnicas mais recentes.

## QUANDO O BEBÊ ENGASGAR

Tossir é a maneira natural de tentar expelir algo que esteja obstruindo a passagem de ar. Não se deve interferir quando um bebê (ou qualquer outra pessoa) que esteja engasgado com comida ou algum objeto estranho consegue respirar, chorar e tossir com força. Mas se após 2 ou 3 minutos o bebê continuar a tossir, ligue para o médico. Quando a vítima de asfixia estiver lutando para respirar, não puder tossir com força ou estiver fazendo sons altos e/ou estiver ficando azul (começando geralmente pelos lábios), inicie os seguintes procedimentos de salvamento. Comece *imediatamente* se o bebê estiver inconsciente e não estiver respirando *e* se tentativas de abrir a passagem de ar ou de respirar pelos pulmões (ver páginas 832-833, passos A e B) não forem bem-sucedidas.

*Importante*: uma obstrução também pode ocorrer devido a infecções como a crupe e a epiglotite. Um bebê as-

---

### O OBJETO INALADO INSUSPEITO

Se seu bebê parece ter engasgado com alguma coisa e após o tratamento de emergência parecer melhor, observe atentamente qualquer sinal de continuidade do problema, como um tom de voz incomum ao chorar ou falar; diminuição dos sons na respiração; chiado, tosse sem explicação ou lábios, unhas ou pele azulados. Se qualquer destes sinais for aparente, leve o bebê imediatamente a um pronto-socorro. É possível que um objeto esteja alojado no trato respiratório inferior.

---

fixiado que parece doente precisa de assistência imediata em um pronto-socorro. Não perca tempo com tentativas inúteis e perigosas de aliviar o problema.

### PARA BEBÊS DE MENOS DE 1 ANO (CONSCIENTES OU INCONSCIENTES)

**1. Peça ajuda.** Se outra pessoa estiver presente, peça que telefone para a assistência médica de emergência. Se você estiver sozinha e não souber os procedimentos de salvamento, ou se ficar em pânico e esquecer como proceder, leve o bebê com você para o telefone ou leve um telefone sem fio ou celular até onde o bebê está e ligue para a emergência *imediatamente*. Também se recomenda que mesmo que você esteja familiarizada com os procedimentos de resgate, ligue para a emergência antes que a situação piore (o melhor é tentar os procedimentos por um minuto e depois ligar para a emergência hospitalar.)

**2. Posicione o bebê.** Coloque o bebê com o rosto para baixo ao longo de seu antebraço, a cabeça mais baixa do que o tronco (em um ângulo de cerca de 60 graus; veja a figura anterior). Aninhe o queixo do bebê entre o seu polegar e o seu indicador. Se estiver sentado, descanse o antebraço na coxa para obter um apoio melhor. Se o bebê for grande demais para sustentá-lo somente com o seu antebraço, sente-se em uma cadeira ou com os joelhos no chão e coloque o bebê com o rosto voltado para baixo no seu colo com a cabeça mais baixa do que o corpo.

**3. Bata nas costas.** Dê cinco pancadas firmes consecutivas entre as omoplatas do bebê com a base da mão que está livre.

**4. Aplique compressões no peito.** Se não houver indicação de que a obstrução te-

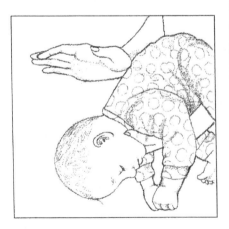

*Pancadas nas costas normalmente podem expelir um objeto inalado.*

nha sido deslocada ou solta (tosse forçada, respiração normal, o objeto é jogado para fora), coloque a palma da sua mão livre nas costas do bebê e, apoiando a cabeça, o pescoço e o peito com a outra mão, vire a criança, novamente com a cabeça mais baixa do que o tronco. Apoie a cabeça e o pescoço com a mão e descanse o antebraço na coxa para obter um apoio melhor. (O bebê que for muito grande para ser seguro nesta posição pode ser colocado com o rosto voltado para cima no seu colo ou em uma superfície firme.)

Imagine uma linha horizontal de um mamilo ao outro. Coloque a parte macia do seu dedo indicador abaixo da interseção entre esta linha com o esterno (o osso do peito que vai do meio do peito até as costelas). A área a ser comprimida é um dedo de comprimento abaixo deste ponto de interseção. Posicione dois dedos (três, se você não estiver obtendo sucesso com dois — mas tome cuidado para ficar dentro desta área de um dedo de distância abaixo da linha dos mamilos e acima do fim do esterno) ao longo do esterno no peito do bebê. Faça cinco compressões abdominais, comprimindo o esterno a uma profundidade de 1,2 centímetro, permitindo que o esterno volte à posição normal entre as compressões e sem retirar os seus dedos. Esta manobra é semelhante às compressões do peito na RCP (ver página 597), mas é feita de maneira mais lenta — cerca de 1 a 1½ segundo de diferença (um e dois e três e quatro e cinco).

Se o bebê estiver consciente, continue repetindo as pancadas nas costas e as compressões no peito até que a passagem

# O QUE FAZER EM CASOS DE EMERGÊNCIA

de ar seja desobstruída ou que o bebê comece a perder a consciência. Se o bebê estiver inconsciente, continue como se segue:

**5. Faça uma verificação de corpos estranhos.** Se não houver indicação de que a obstrução foi deslocada ou solta (tosse forçada, respiração normal, o objeto é jogado para fora), verifique se não existe uma obstrução visível. Abra a boca do bebê colocando nela o seu polegar e prenda a língua e a mandíbula inferior entre o dedo polegar e o indicador. À medida que você levantar a mandíbula, desça a língua e tire-a do fundo da garganta. Se você vir um objeto estranho, tente removê-lo com a curva do dedo. Não vasculhe a boca se você não vir nenhuma obstrução e não tente remover uma obstrução visível com uma pinça, já que você pode empurrar o objeto ainda mais fundo na passagem de ar.

**6. Verifique a via aérea.** Se o bebê ainda não estiver respirando normalmente, abra a passagem de ar inclinando a cabeça do bebê para trás e em seguida elevando seu queixo, e tente administrar duas respirações com a boca fechada sobre o nariz e a boca do bebê, como na página 833. Se o peito subir e descer a cada respiração, a via aérea está limpa

**7. Repita a sequência.** Se a via aérea continuar bloqueada, continue repetindo a sequência anterior (itens 2 a 6) até que ela seja desbloqueada e o bebê esteja consciente e respirando normalmente, ou até que a emergência chegue. Não desista, já que quanto mais tempo o

bebê ficar sem oxigênio, mais os músculos da garganta vão relaxar e mais provavelmente a obstrução poderá ser expelida.

## PARA CRIANÇAS DE MAIS DE 1 ANO (INCONSCIENTES)

**1. Posicione o bebê.** Coloque a criança com o rosto voltado para cima em uma superfície firme e plana (chão ou mesa). Fique em pé ou ajoelhe-se aos pés da criança (não monte em cima de uma criança pequena) e coloque a base de uma das mãos no abdome na linha do meio entre o umbigo e as costelas, com os dedos voltados para o rosto da criança. Coloque a outra mão em cima da primeira.

**2. Aplique compressões abdominais.** Com a mão de cima, pressione a de baixo e faça uma série de cinco rápidas compressões abdominais para cima e para baixo para expelir o objeto estranho. Estas compressões devem ser mais delicadas do que seriam em um adulto ou uma criança maior. Tenha cuidado para não aplicar pressão na ponta do esterno ou nas costelas.

**3. Faça uma verificação de corpos estranhos.** Se não houver indicação de que a obstrução foi deslocada ou solta (tosse forçada, respiração normal, o objeto é jogado para fora), verifique se não existe uma obstrução visível. Abra a boca do bebê, colocando nela o polegar, e prenda a língua e a mandíbula inferior entre o dedo polegar e o indicador. À medida que você levantar a mandíbula, desça a língua e tire-a do fundo da garganta. Se você vir um objeto estranho, tente removê-lo com a curva do dedo. Não vasculhe a boca se você não vir nenhuma obstrução e não tente remover uma obstrução visível com uma pinça, já que você pode empurrar o objeto ainda mais fundo na passagem de ar.

4. **Verifique a via aérea.** Se o bebê ainda não estiver respirando espontaneamente, leve a cabeça dele ligeiramente para trás e administre duas respirações boca a boca, enquanto mantém as narinas dele fechadas. Se o peito subir e descer a cada respiração, a via aérea está limpa. Verifique a respiração espontânea, passo B (ver página 833) e continue o procedimento, se for necessário.

5. **Repita a sequência.** Se a via aérea continuar bloqueada, continue repetindo a sequência anterior (itens 2 a 6) até que ela seja desbloqueada e o bebê esteja consciente e respirando normalmente, ou até que a emergência chegue. Não desista, já que quanto mais tempo o bebê ficar sem oxigênio, mais os músculos da garganta vão relaxar e mais provavelmente a obstrução poderá ser expelida.

## PARA CRIANÇAS COM MAIS DE 1 ANO (CONSCIENTES)

1. **Posicione-se.** Fique atrás da criança (para alcançar uma criança pequena, você vai precisar se curvar ou suspender a criança, colocando-a em uma cadeira ou mesa) e passe os braços em volta da cintura dela.

2. **Posicione suas mãos.** Feche o punho. O polegar deve ficar voltado para dentro, sobre o abdome da criança, ligeiramente acima do umbigo e bem acima da ponta do osso central do peito.

3. **Aplique compressões no peito.** Agarre o punho com a sua outra mão e pressione o abdome da criança com um movimento para cima (a pressão deve ser

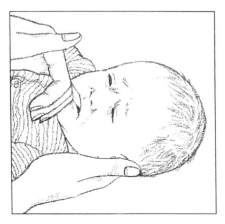

*Tirando objetos estranhos da boca do bebê.*

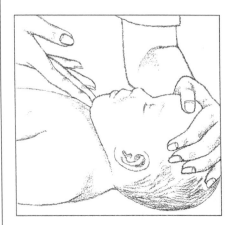

*Hiperextensão do pescoço.*

menor do que seria para um adulto). Repita até que você veja o objeto ser expelido ou a criança parar de respirar normalmente, ou a criança perder a consciência; nestes casos veja abaixo.

*Importante:* Mesmo que seu filho se recupere rapidamente de um episódio de asfixia, será necessária a atenção médica. Ligue para o médico ou para o pronto-socorro.

## RESSUSCITAÇÃO CARDIOPULMONAR (RCP): RESPIRAÇÃO DE SALVAMENTO E MASSAGEM NO PEITO

Inicie o procedimento a seguir apenas em um bebê que parou de respirar, está lutando para respirar ou que esteja ficando azulado (verifique a área em volta dos lábios e os dedos das mãos).

Se um bebê está lutando para respirar mas não ficou azulado, ligue para a assistência médica de emergência imediatamente ou corra para o pronto-socorro mais próximo. Enquanto isso, mantenha o bebê aquecido e o mais quieto possível, em uma posição em que ele pareça mais confortável.

Se a ressuscitação for necessária, pesquise a condição do bebê com os passos 1-2-3:

## PASSO 1. VERIFIQUE A FALTA DE RESPOSTA

Tente despertar um bebê que pareça estar inconsciente chamando-o pelo nome

— "Ana, Ana, você está bem?" — várias vezes. Se isto não funcionar, tente dar tapinhas na sola dos pés do bebê. Como um último recurso, tente gentilmente sacudir ou bater nos ombros do bebê — não balance com muita força e não sacuda de maneira nenhuma se houver a possibilidade de ossos quebrados ou de ferimentos na cabeça, no pescoço ou nas costas.

## PASSO 2. PROCURE AJUDA

Se você não obtiver resposta, peça a outra pessoa presente que ligue para a emergência enquanto você continua com o passo 3. Se você estiver sozinha com o bebê e tiver certeza da sua habilidade de utilizar os procedimentos de ressuscitação, proceda-os sem demora, periodicamente gritando para atrair ajuda. No entanto, se você não estiver familiarizada com a ressuscitação e/ou sentir-se paralisada de pânico, pegue o telefone mais próximo, com o bebê (levando-se em conta de que não há nenhum sinal de ferimento na cabeça, no pescoço ou nas costas), ou melhor ainda, traga um telefone sem fio ou telefone celular até o lugar onde está o bebê e ligue para a emergência. O atendente vai orientá-la sobre o melhor curso de ação.

*Importante:* A pessoa que ligar para a emergência deve ficar ao telefone o tempo que for necessário para dar informações completas e até que o atendente conclua o interrogatório. As informações que se seguem devem ser incluídas: nome e idade do bebê;

localização (endereço, ruas paralelas, número do apartamento, melhor caminho para chegar se houver mais de um); condição (o bebê está consciente? Respirando? Sangrando? Em choque? Tem batimento cardíaco?); causa da condição (veneno, afogamento, queda), se conhecida; número do telefone, se houver um no local. Peça à pessoa que ligou para a emergência que relate a você após a ligação tudo o que foi dito.

## PASSO 3. POSICIONE O BEBÊ

Mova o bebê como se fosse uma unidade, apoiando cuidadosamente a cabeça, o pescoço e as costas enquanto o leva para uma superfície firme e reta (uma mesa é um bom lugar porque você não vai ter que se ajoelhar, como teria que fazer se estivesse no chão). Posicione o bebê com o rosto voltado para cima rapidamente, com a cabeça no nível do coração e use os passos A-B-C (abertura das vias aéreas, boa ventilação, circulação)[1] para investigar as condições do bebê.

---

[1]Se você suspeitar de que existe um ferimento na cabeça, no pescoço ou nas costas, proceda primeiro ao passo B: olhe, ouça e sinta se há respiração antes de mover o bebê. Se a respiração estiver presente, não mexa o bebê a menos que haja um perigo imediato (como fogo ou explosão) no local. Se a respiração estiver ausente e a respiração de resgate não puder ser feita devido à posição do bebê, role o bebê de modo que fique com o rosto voltado para cima como se fosse uma unidade, fazendo com que a cabeça, o pescoço, as costas e o corpo se mexam como se fossem um só, sem se torcer.

## A. DESOBSTRUA AS VIAS AÉREAS

Use a seguinte técnica de inclinar a cabeça do bebê para trás e em seguida elevar seu queixo para tentar desobstruir as vias aéreas, a menos que haja a possibilidade de um ferimento na cabeça, no pescoço ou nas costas. Se você suspeitar de algum destes ferimentos, use a técnica de tração da mandíbula.

*Importante:* As vias aéreas de um bebê inconsciente podem estar bloqueadas por causa da língua relaxada ou da epiglote, ou por causa de um objeto estranho. As vias aéreas precisam ser desbloqueadas antes que o bebê volte a respirar.

**Hiperextensão do pescoço.** Coloque uma das mãos na testa do bebê e um ou dois dedos (não o polegar) da outra mão abaixo da parte óssea da mandíbula inferior, no queixo. Gentilmente, incline levemente a cabeça do bebê para trás aplicando pressão na testa e elevando o queixo. Não aperte os tecidos abaixo do queixo nem deixe a boca fechar totalmente (mantenha o seu polegar dentro dela, se for necessário, para manter os lábios separados). A cabeça do bebê deve estar direcionada para o teto no que se chama de posição neutra, com o queixo nem para baixo no peito, nem apontando para cima, para o ar. A inclinação da cabeça necessária para abrir as vias aéreas de uma criança acima de 1 ano pode ser um pouco maior (a posição neutra-plus; ver página 834). Se as vias aéreas não se abrirem na posição neutra, siga em frente para a verificação da respiração (B).

# O QUE FAZER EM CASOS DE EMERGÊNCIA

**Tração da mandíbula, para ser usada quando houver suspeita de ferimento no pescoço ou nas costas.** Com os seus cotovelos descansando na superfície onde o bebê está deitado, coloque dois ou três dedos embaixo de cada lado da mandíbula inferior, no ângulo onde a mandíbula inferior se encontra com a superior, e gentilmente levante-a até a posição neutra (veja inclinação da cabeça, anteriormente).

*Importante:* Mesmo que o bebê volte a respirar imediatamente, peça ajuda médica. Qualquer bebê que tenha estado inconsciente, que tenha parado de respirar ou que quase tenha se afogado precisa de uma avaliação médica.

## B. VERIFIQUE A BOA VENTILAÇÃO

1. Após realizar tanto a inclinação da cabeça quanto a tração da mandíbula, olhe, ouça e sinta por 3 a 5 segundos se o bebê está respirando. Você pode ouvir ou sentir a passagem de ar quando você coloca o seu ouvido perto da boca ou do nariz do bebê? Um espelho colocado em frente ao rosto do bebê fica embaçado? Você pode ver o peito e o abdome do bebê subindo e descendo (somente isso não é prova de respiração, já que pode significar que o bebê está tentando respirar, mas não está conseguindo)?

Se a respiração normal foi restabelecida, mantenha as vias aéreas desobstruídas com a inclinação da cabeça ou com a tração da mandíbula. Se o bebê recuperar a consciência também (e não tem nenhum ferimento que não seja recomendável se mover), vire-o de lado. Ligue para a emergência agora, se outra pessoa ainda não tiver feito isso. Se o bebê começar a respirar independentemente e também começar a tossir violentamente, isto pode significar que o corpo está tentando expelir a obstrução. *Não interfira na tosse.*

Se a respiração estiver ausente, ou se o bebê estiver lutando para respirar e tiver os lábios azulados e/ou um choro fraco e abafado, você deve imediatamente enviar ar para os pulmões. Continue como a seguir. Se a emergência ainda não tiver chegado e você estiver sozinha, continue tentando atrair a atenção de um vizinho ou de um transeunte.

2. Mantenha as vias aéreas abertas, conservando a cabeça do bebê na posição neutra (ou neutra-plus, se necessário, para bebês acima de 1 ano) com a sua mão na testa dele. Com um dedo da outra mão, limpe a boca do bebê de qualquer vômito, sujeira ou outro objeto estranho que esteja *visível.* Não tente vasculhar a boca do bebê se não houver nada visível.

*Importante:* Se ocorrer vômito em algum momento, vire imediatamente o bebê de lado, limpe a boca com um de seus dedos, recoloque o bebê na posição e rapidamente retorne os procedimentos de salvamento.

3. Prenda a respiração e coloque a sua boca sobre a boca e o nariz do bebê,

formando um lacre (veja a figura a seguir). Para um bebê acima de 1 ano de idade, cubra apenas a boca e aperte as narinas com os dedos da mão que está inclinando a cabeça para trás.

4. Faça duas respirações *leves, lentas* de 1 a 1½ segundos cada, na boca do bebê, fazendo uma pausa entre elas, virando sua cabeça levemente e pegando ar. Observe o peito do bebê a cada respiração. Pare de respirar se o peito subir e espere até o peito descer antes de começar outra respiração. Além disso, ouça e sinta o ar sendo exalado.

*Fazendo a respiração de salvamento em bebês.*

**Importante:** Lembre-se, um bebê pequeno precisa de uma quantidade pequena de ar para encher os pulmões. Embora o sopro leve demais possa não expandir os pulmões completamente, soprar forte ou rápido demais pode forçar ar para dentro do estômago e causar uma distensão. Se a qualquer momento, durante a respiração de salvamento, o abdome do bebê se tornar distendido, não tente empurrá-lo para baixo — isto pode causar vômito, o que pode representar um risco de o vômito ser aspirado ou inalado para dentro dos pulmões. Se a distensão parecer estar interferindo com a expansão do peito, vire o bebê de lado, com a cabeça para baixo, se possível, e aplique pressão suavemente no abdome por um ou dois segundos.

5. Se o peito não subir e descer a cada respiração, reajuste a posição do bebê (inclinação da cabeça ou tração da mandíbula) e tente mais duas respirações. Sopre um pouco mais forte, se necessário. Se o peito ainda assim não subir, é possível que as vias aéreas estejam obstruídas por alguma comida ou um objeto estranho — em todo caso, faça movimentos para expelir o objeto, usando os procedimentos em Quando o Bebê Engasgar na página 827.

**Posição Neutra-plus.** *Para um bebê acima de 1 ano,* e às vezes para um bebê maior, pode ser necessário inclinar a mandíbula um pouco mais para a posição neutra-plus para abrir as vias aéreas e ventilar (levar ar) o bebê; incline e tente mais duas respirações. Se isto não funcionar, estenda o queixo ainda mais e tente novamente; repita até que o queixo esteja apontando para cima. Se o peito ainda assim não subir, proceda como em Quando o Bebê Engasgar (página 827).

## C. Verifique a Circulação

1. Assim que as vias aéreas tenham sido abertas com duas respirações bem-sucedidas, verifique o pulso. Com um bebê de menos de 1 ano, tente encontrar o pulso braquial no braço mais próximo a você; mantenha uma das mãos na cabeça do bebê para manter as vias aéreas abertas, use a outra para afastar o braço do bebê do corpo e virá-lo com a palma para cima. Use os seus dedos indicador e médio para tentar localizar o pulso entre os dois músculos na parte de dentro do braço, entre o ombro e o cotovelo; veja a figura. (Com um bebê de mais de 1 ano, pegue o pulso na carótida no pescoço — sinta a artéria no pescoço atrás da orelha e bem abaixo da linha da mandíbula.) Já que é perigoso aplicar RCP em um bebê cujo coração está batendo, faça uma busca completa. Dê a você mesmo de 5 a 10 segundos para localizar o pulso. (Os pais devem praticar localizar o pulso do bebê sob condições não emergenciais para que possam encontrá-lo rapidamente em uma situação de estresse).

2. Se você não encontrar pulso, inicie as compressões no peito (ver página 831), imediatamente. Se você encontrar, o coração do bebê está batendo. Inicie a respiração de salvamento imediatamente (veja a seguir), se a respiração não voltar espontaneamente.

*Importante:* Chame a Emergência. Se a emergência ainda não tiver sido chamada e se houver alguém disponível para ligar, peça que façam isso agora. Se um telefonema foi dado antes que as condições do bebê tivessem sido conferidas, faça a pessoa ligar novamente para fornecer informações adicionais sobre a condição do bebê: se o bebê está ou não consciente, se está respirando e se ele tem pulso. Não perca tempo ligando você mesma se o bebê precisar de respiração de salvamento ou RCP. Proceda sem demora, periodicamente gritando para atrair a atenção de um vizinho ou transeunte.

## Respiração de Salvamento (Ressuscitação Boca a Boca)

Se após seguir os passos 1-2-3 (A-B-C) na página 832, você encontrar pulso mas a respiração do bebê não voltar espontaneamente, inicie o seguinte procedimento:

1. Sopre na boca do bebê ou na boca e no nariz do bebê como descrito na pá-

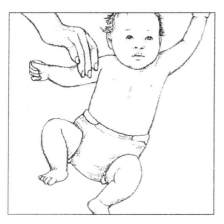

*Verificando o pulso braquial em bebês.*

gina 834; faça uma respiração lenta a cada 3 segundos (vinte respirações por minuto) para um bebê de menos de 1 ano de idade (respire, um e dois e três, respire) e uma vez a cada 4 segundos (15 respirações por minuto) para um bebê mais velho, de mais de 1 ano. Observe se o peito do bebê sobe e desce a cada respiração.

**2.** Verifique o pulso do bebê após um minuto de respiração de salvamento para se certificar de que o coração não parou. Se ele tiver parado, proceda a massagem cardíaca (RCP). Se não parou, olhe, ouça e sinta a respiração espontânea (ver página 834) por 3 ou 5 segundos. Se o bebê começou a respirar independentemente, continue a manter as vias aéreas abertas e verifique a respiração e o pulso frequentemente enquanto espera a ajuda chegar; mantenha o bebê aquecido e o mais quieto possível. Se não houver respiração espontânea, continue a respiração de salvamento, verificando o pulso e a respiração a cada minuto.

*Importante:* As vias aéreas devem ser mantidas abertas para que a respiração de salvamento possa ser eficaz. Certifique-se de manter a cabeça do bebê na posição neutra durante a respiração de salvamento.

**3.** Se você estiver sozinha e a emergência ainda não tiver sido chamada, ligue assim que a respiração independente for estabelecida. Se dentro de alguns minutos o bebê não começar a respirar independentemente, vá até o telefone, com o bebê nos seus braços, sem interrom-

per a respiração de salvamento. Ao telefone, simplesmente diga: "Meu bebê não está respirando" e rápida e claramente dê todas as informações pertinentes (ver página 839). Não desligue o telefone até que o atendente o faça; se possível, continue com a respiração de salvamento enquanto o atendente estiver falando.

*Importante:* Não pare com a respiração de salvamento até que o bebê esteja respirando independentemente ou até que profissionais médicos cheguem e assumam o controle.

## MASSAGEM NO PEITO (RCP): BEBÊS DE MENOS DE 1 ANO[2]

**Se após seguir os passos 1-2-3 (A-B-C) da página 832, o bebê não estiver respirando e não tiver pulso, inicie o seguinte protocolo de RCP:**

*Importante:* Na RCP, a respiração de salvamento, na qual se força oxigênio para dentro dos pulmões onde é recebido pela corrente sanguínea, deve ser alternada com massagens cardíacas, que artificialmente bombeiam

---

[2]Um ano é a idade limite escolhida pela Associação Americana do Coração, a Cruz Vermelha americana e pela Academia Americana de Pediatria para mudar os procedimentos de ressuscitação de bebê para criança. O tamanho da criança pode ser um fator determinante em alguns casos, mas os especialistas dizem que um erro mínimo para mais ou para menos não é grave.

sangue carregado de oxigênio para os órgãos vitais e para o resto do corpo.

1. Com o bebê ainda deitado em uma superfície firme e plana, com o rosto voltado para cima, cabeça nivelada com o coração, continue mantendo a cabeça do bebê na posição neutra com uma das mãos sobre a testa dele. Coloque uma toalha pequena enrolada, uma fralda ou outro apoio sob os ombros do bebê e levante-os um pouco, o que também vai ajudar a manter as vias aéreas abertas. Não deixe a cabeça pender para trás mais do que ligeiramente (ver figura na página 830).

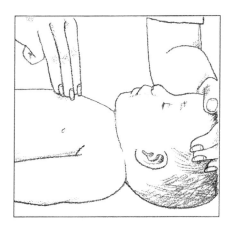

*A massagem cardíaca em bebês pode ser feita com dois ou três dedos.*

2. Posicione os três dedos do meio da sua mão livre no peito do bebê. Imagine uma linha horizontal de um mamilo ao outro. Coloque a parte macia do seu dedo indicador abaixo da interseção entre esta linha com o esterno (o osso do peito que vai do meio do peito até as costelas). A área a ser comprimida é um dedo de comprimento abaixo deste ponto de interseção (veja a figura anterior).

3. Usando dois ou três dedos, comprima o esterno a uma profundidade de 1,2 centímetro (seu cotovelo deve estar dobrado). Ao término de cada massagem, solte a pressão sem remover os seus dedos do esterno e permitindo que ele retorne à posição normal. Desenvolva um ritmo suave de compressão-relaxamento que aloque tempos iguais em cada fase e evite movimentos bruscos.

4. Após a quinta compressão, dê uma pausa com os seus dedos ainda posicionados sobre o esterno e aplique uma respiração de salvamento lenta de 1 a 1½ segundo. Observe se o peito levanta (se não levantar, remova os seus dedos do osso do peito, levante o queixo e sopre novamente). Faça uma média de 100 compressões por minuto, com uma respiração de salvamento a cada cinco compressões. Conte mais rápido do que você contaria os segundos: um, dois, três, quatro, cinco — respira.

5. Após cerca de um minuto, dê 5 segundos para verificar o pulso braquial (ver figura na página 835). Se não houver pulso, faça uma respiração de salvamento lenta e continue os ciclos de compressão/ventilação de RCP, dando alguns minutos e verificando o pulso. Se você encontrar pulso, interrompa as compressões no peito. Olhe, ouça e sinta por 3 a 5 segundos se existe respiração espontânea. Se ela estiver presente, mantenha as vias aéreas abertas e o bebê aquecido e quieto, e continue a monitorar a respi-

ração do bebê. Se o bebê ainda não estiver respirando, continue somente com
respiração de salvamento conforme descrito anteriormente.

6. Após um minuto de RCP, se você estiver sozinha e não conseguiu atrair a atenção de ninguém que pudesse ligar para a
emergência até agora, vá rapidamente ao
telefone (levando o bebê com você, se
possível, ou trazendo o telefone até onde
o bebê está) e chame a ajuda; a seguir,
retorne imediatamente aos procedimentos de salvamento, se necessário.

*Importante:* não interrompa a RCP
até que a respiração e o batimento
cardíaco sejam restabelecidos ou até
que a ajuda médica chegue.

# MASSAGEM NO PEITO (RCP): BEBÊS DE MAIS DE 1 ANO

Se após seguir os passos 1-2-3 (A-B-C)
da página 832, o seu filho de mais de 1
ano não estiver respirando e não tiver
pulso, inicie o seguinte protocolo de
RCP:

1. Mantenha a criança com o rosto voltado para cima sobre uma superfície firme e plana. Não deve haver nenhum
travesseiro sob a cabeça da criança; a
cabeça deve estar no mesmo nível que o
coração. A cabeça da criança deve estar
na posição neutra-plus (veja na página
834) para manter as vias aéreas abertas.

2. Posicione as suas mãos. Coloque a
base de uma das mãos sobre a parte de
baixo do osso do peito (em crianças, o
osso que fica entre as costelas).

*Importante:* Não aplique pressão na
ponta do esterno. Ao fazer isso, você
pode causar graves lesões internas.

3. Comprima o peito com a base da sua
mão a uma profundidade de 2,5 a 4 centímetros. O único contato deve ser entre a base da sua mão e a parte plana no
fim do esterno — não pressione as costelas durante a compressão. Permita que
o peito retorne à posição de descanso
após cada compressão sem levantar a
mão do peito. Desenvolva um ritmo
suave de compressão-relaxamento que
aloque tempos iguais em cada fase e evite
movimentos bruscos.

4. Ao final de cada cinco compressões,
dê uma pausa e, com as narinas do bebê
apertadas, dê um sopro lento de 1 a 1½
segundo. As compressões no peito devem sempre ser acompanhadas da respiração de salvamento para assegurar o
fornecimento estável de oxigênio ao cérebro (uma criança sem batimento cardíaco não está respirando e não está
recebendo oxigênio). Faça uma média de
80 a 100 compressões por minuto, com
uma respiração de salvamento a cada
cinco compressões. Conte mais rápido
do que você contaria os segundos: um,
dois, três, quatro, cinco — respira.

5. Após cerca de um minuto, dê 5 segundos para verificar o pulso. Se não houver
pulso, dê um sopro lento com as narinas
apertadas, e continue os ciclos de com-
pressão/ventilação de RCP, dando alguns

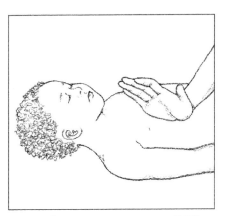

*Posição das mãos para compressão RCP em crianças com mais de 1 ano.*

minutos e verificando o pulso. Se você encontrar pulso, interrompa as compressões no peito. Se o bebê ainda não estiver respirando, continue com a somente com respiração de salvamento.

**6.** Se você não tiver conseguido atrair a atenção de ninguém e se a assistência médica de emergência ainda não tiver sido contatada até agora, vá ao telefone e chame a ajuda agora; a seguir, retorne imediatamente aos procedimentos de salvamento, se necessário. Se possível, leve a criança com você ao telefone sem interromper a respiração de salvamento.

*Importante:* Não interrompa a RCP até que a respiração e o batimento cardíaco sejam restabelecidos ou até que a ajuda médica chegue.

◆ ◆ ◆

# CAPÍTULO 20

# O Bebê de Baixo Peso ao Nascimento

A maioria dos futuros papais espera que seus filhos cheguem na data prevista, com diferença de alguns dias ou semanas. E isso acontece com a maioria dos bebês, permitindo a eles que tenham bastante tempo para preparar a vida fora do útero e a seus pais tempo para preparar a vida com um bebê.

Mas, cerca de 40 mil vezes por ano, só nos Estados Unidos, este tempo preparatório vital é interrompido inesperadamente — e, às vezes, perigosamente — quando o bebê nasce prematuramente e/ou nasce muito pequeno. Alguns destes bebês pesam poucos gramas abaixo do peso normal de nascimento (2,630 kg) e podem se recuperar rápida e facilmente para acompanhar os seus colegas que têm peso normal. Mas outros, dos quais foram roubadas muitas semanas de desenvolvimento uterino, chegam tão pequenos que cabem na palma da mão; meses de cuidados médicos intensivos podem ser necessários para ajudá-los a crescer o quanto deveriam ter crescido no útero.

Muitos pais também não estão preparados quando o nascimento vem muito cedo. Para eles, os primeiros dias após o parto, às vezes semanas ou meses, são preenchidos não de coisas como aprender a trocar fraldas, adaptar-se a ter um bebê em casa e escrever mensagens de agradecimento, mas sim aprender a ler boletins médicos, a alimentar o bebê através de um tubo e adaptar-se a *não* ter um bebê em casa.

Embora o bebê abaixo do peso (tenha ele nascido prematuro ou não) corra riscos maiores do que os bebês maiores, os rápidos avanços nos cuidados médicos para pequenos bebês possibilitam que a maioria deles cresça como crianças normais e saudáveis. Mas antes que

sejam levados orgulhosamente para casa, existe uma longa caminhada à frente para estes bebês e para os seus pais.

Se o seu bebê chegou cedo demais ou pequeno demais, você vai achar as informações e o apoio de que precisa para caminhar por esta estrada nas páginas que se seguem.

# Como Alimentar seu Bebê:

# NUTRIÇÃO PARA O BEBÊ PREMATURO OU PARA O BEBÊ COM BAIXO PESO AO NASCIMENTO

Aprender a comer fora do útero não é fácil a princípio, até mesmo para um bebê normal — que precisa dominar a arte de mamar no peito ou na mamadeira. Para os bebês nascidos prematuros, os desafios aumentam exponencialmente — e quanto mais novo e menor o bebê, maior o desafio. Aqueles que nasceram prematuros em apenas três ou quatro semanas geralmente são capazes de mamar no peito ou na mamadeira logo após o parto — novamente, após dominar esta arte. Mas os bebês nascidos antes de 36 semanas têm necessidades nutricionais especiais que o método tradicional de alimentação não satisfaz — não só porque nasceram menores, mas também porque crescem mais rapidamente do que os bebês nascidos no tempo normal eles não são capazes de sugar com eficácia e/ou podem ter sistemas digestórios imaturos.

Por um lado, estes pequeninos bebês precisam de uma dieta que reflita a nutrição que estariam recebendo se ainda estivessem no útero e que os ajude a ganhar peso rapidamente. Por outro lado, estes nutrientes precisam ser servidos da forma mais concentrada possível, porque os bebês prematuros e os bebês com baixo peso ao nascimento só podem comer pequenas quantidades de comida por vez — em parte porque o sistema digestivo deles ainda é lento, tornando a passagem do alimento um processo muito demorado. E como eles não sabem sugar bem ou até não sabem sugar de jeito nenhum, eles não podem fazer as refeições pela mamadeira ou pelo seio — pelo menos não agora. Felizmente, o leite materno, o leite materno enriquecido ou fórmulas especialmente elaboradas podem fornecer todos os nutrientes de que os prematuros precisam para crescer e se desenvolver.

Como pais de um bebê prematuro, vocês vão descobrir que a alimentação e o monitoramento de ganho de peso vão se tornar um dos aspectos mais intensos dos cuidados com o seu bebê no hospital — tanto em termos de tempo quanto de emoção. Os neonatologistas e as enfermeiras farão o que puderem para garantir que o seu prematuro receba esta nutrição necessária para que ele ganhe peso. O quanto o seu bebê vai receber esta nutrição vai depender de seu grau de prematuridade ao nascimento:

**Alimentação IV.** Quando um pequeno recém-nascido é levado às pressas para a unidade de terapia intensiva infantil, ele em geral recebe uma solução intravenosa de água, açúcar e alguns eletrólitos para prevenir a desidratação e a falta de eletrólitos. Bebês muito doentes ou muito pequenos (geralmente aqueles que nascem antes da 28ª semana de gestação) continuam a receber a nutrição intravenosa. Chamada de nutrição parenteral total (NPT) ou de hiperalimentação parenteral, esta mistura de proteína, gordura, açúcar, vitaminas, sais minerais e fluidos IV é dada até que o bebê possa tolerar a alimentação com leite. Assim que o seu bebê puder começar a se alimentar de leite por gavagem (veja a seguir), a NTP será reduzida.

**Alimentação por gavagem.** Os bebês que nascem entre 28 e 34 semanas de gestação, e que não precisam de alimentação IV, são alimentados por gavagem — um método que não depende de sucção, já que bebês tão novos geralmente ainda não desenvolveram este reflexo. (Este método é também usado para alimentar bebês que começaram com a NPT mas progrediram ao ponto onde

---

## PERDA DE PESO PRECOCE

Como pais de um bebê prematuro ou de um bebê abaixo do peso, vocês vão ficar especialmente ansiosos para começar a ver os números subindo na balança. Mas não se sintam desencorajados se, ao invés disso, o bebê parecer estar perdendo peso no início. É normal em um bebê prematuro (bem como em um bebê normal) perder alguns gramas — perdendo cerca de 5 a 15% do peso ao nascer — antes de começar a ganhar peso. Assim como com o bebê normal, grande parte desta perda de peso será de água. Os bebês prematuros geralmente não ganham novamente o peso que tinham ao nascimento antes de completarem duas semanas de idade ou mais, quando podem começar a ultrapassar este peso.

---

podem tolerar a alimentação com leite). Um tubo flexível pequeno (tubo gavagem) é colocado na boca ou no nariz do bebê, indo até o estômago. Quantidades receitadas de leite materno, leite materno enriquecido ou fórmula são injetadas pelo tubo em determinadas horas (ver a página a seguir sobre as vantagens de usar o leite materno). Os tubos gavagem são deixados no lugar ou retirados e reinseridos a cada alimentação. (O tubo não incomodará o seu bebê prematuro porque o reflexo de vomitar só se desenvolve perto da 35ª semana.)

## TIRANDO LEITE PARA UM BEBÊ PREMATURO

A decisão de amamentar um bebê prematuro nem sempre é fácil, até para mulheres que planejaram amamentar. A grande atração da amamentação, o contato íntimo da mãe com o bebê, geralmente está ausente, pelo menos no início. Em vez disso, uma bomba fria e impessoal fica no caminho da experiência íntima, tornando a amamentação um caso entre mãe-máquina-bebê. Mas embora quase todas as mulheres achem cansativo bombear os seios e achem que consome muito tempo, a maioria persevera, sabendo que essa é uma maneira pela qual elas podem contribuir para o bem-estar de seus bebês em vez de se sentirem excluídas dos cuidados com eles.

As dicas a seguir podem fazer com que o esforço de alimentar um bebê prematuro seja feito da maneira mais eficiente e menos tediosa possível:

- Veja na página 241 dicas de como tirar leite. Pergunte no hospital sobre os serviços para tirar leite do peito no próprio hospital. A maioria dos hospitais tem uma sala especial (com cadeiras confortáveis e uma bomba elétrica para tirar leite materno) preparada para as mães.

- Comece a tirar o leite logo após o parto, se possível, mesmo que o bebê não esteja pronto para tomá-lo. Tire a cada duas ou três horas (mais ou menos com a frequência com que recém-nascidos mamam) se o seu bebê for usar o leite imediatamente; a cada quatro horas ou mais se o leite for congelado para uso posterior. Você pode descobrir que fazer isso no meio da noite vai ajudar a aumentar o seu suprimento de lei-

Pode levar um tempo relativamente longo antes que você seja capaz de alimentar o bebê como você sempre imaginou que faria, no peito ou na mamadeira. Até lá, você pode tomar parte na alimentação dele segurando o tubo ou medindo o quanto o bebê toma; acariciando-o durante a alimentação pelo tubo (se você puder segurar o bebê); ou dando o seu dedo ao seu bebê para que ele pratique sugar enquanto ele está sendo alimentado (isto ajuda a fortalecer o reflexo de sucção e também ajuda o seu bebê a associar a sucção com ficar com a barriguinha cheia).

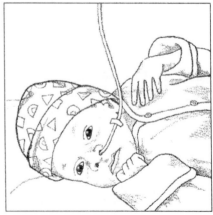

*O bebê recebe alimentação através de um tubo gavagem.*

te, ou você pode dar mais importância a uma noite inteira de sono.

♦ É provável que você um dia seja capaz de tirar mais leite do que o bebê consiga mamar. No entanto, não corte o suprimento, achando que você está desperdiçando leite demais. O bombeamento regular agora vai ajudar a estabelecer um suprimento abundante de leite regular para quando o seu bebê ocupar o lugar da máquina no seu peito. Enquanto isso, o leite pode ser datado e congelado para uso posterior.

♦ Não fique desanimada com as variações diárias ou a cada hora do suprimento. Essas variações são normais, e você não estaria ciente delas se estivesse amamentando diretamente. É normal também, quando o leite é tirado mecanicamente, haver um fornecimento aparentemente inadequado de leite e/ou uma queda na produção após várias semanas. O bebê será um estimulador muito melhor do seu fornecimento de leite do que a mais eficiente das bombas. Quando ele começar a sugar de verdade, seu suprimento quase com certeza vai aumentar rapidamente.

♦ Quando o bebê estiver pronto para ser alimentado por via oral, tente o peito primeiro, antes de dar a ele a mamadeira. Estudos mostram que os bebês que nasceram abaixo do peso pegam o peito mais facilmente do que a mamadeira. Mas não se preocupe se o seu bebê se der melhor com a mamadeira — use-a enquanto ele estiver pegando o jeito com a amamentação (comece com sessões de amamentação no peito, depois mude para a mamadeira), ou use um sistema de nutrição complementar (ver página 256).

**Alimentação no peito.** Um dos momentos mais marcantes da estada do seu prematuro no hospital será a troca da alimentação por gavagem pela alimentação no peito. Quando se trata do momento para este marco, existem algumas diferenças entre os pequenos bebês. Alguns estão prontos para o peito ou a mamadeira na 30ª ou 32ª semana de idade gestacional. Outros só ficarão prontos para pegar o peito na 34ª semana, e outros, ainda, não antes da 36ª de idade gestacional.

O neonatologista vai levar em conta os fatores gerais antes de dar a você o sinal verde para começar a amamentação no peito ou na mamadeira: a condição do seu bebê está estável? Ele pode aguentar ficar no seu colo? As outras exigências físicas foram atendidas? (O bebê demonstra prontidão ao chupar a chupeta com ritmo ou ao ser alimentado pelo tubo, consegue coordenar a respiração e a sucção, fica acordado por períodos mais longos, produz sons intestinais, eliminou mecônio e não mostra sinais de distensão abdominal ou infecção.)

Como mamar no peito é cansativo para um bebê pequeno, eles podem começar devagar — uma ou duas vezes por dia, alternando com alimentação pelo tubo. Os bebês com problemas respiratórios têm mais dificuldades ainda, levando-os a precisar de oxigênio extra enquanto estiverem mamando ou experimentar episódios breves de apneia (pausa respiratória) enquanto sugam (eles podem se concentrar muito em sugar e se esquecerem de respirar). Para os bebês que têm problemas para dominar a sucção, uma chupeta especialmente desenvolvida pode ser utilizada para ajudá-los a praticar e aperfeiçoar a técnica antes de passar para o peito ou para a mamadeira.

Bebês prematuros que estão prontos para migrar para a amamentação no bico podem ser alimentados com leite materno, leite materno enriquecido ou fórmula:

♦ Leite materno. O peito é o melhor não só para bebês normais. A maioria dos especialistas prefere o leite materno à fórmula também para o prematuro por uma série de motivos: primeiro, é um costume desenvolvido para as necessidades nutricionais especiais do prematuro. O leite de mães que dão à luz prematuramente é diferente do leite das mães que dão à luz a termo. Ele contém mais proteína, sódio, cálcio e outros nutrientes do que o leite materno normal, mas menos do que é encontrado em fórmulas. Este equilíbrio perfeito para o prematuro impede que bebês muito pequenos percam muitos fluidos que ajudam a manter estável a temperatura do corpo. Também é mais fácil de digerir e ajuda o bebê a crescer mais rápido. Segundo, o leite materno tem substâncias importantes que não são encontradas na fórmula. O colostro (o primeiro leite) é extremamente rico em anticorpos e células que ajudam a combater a infecção. Isto é especialmente importante quando os bebês estão doentes ou são prematuros e podem ter uma grande possibilidade de desenvolver uma infecção. Terceiro, as pesquisas mostram que os prematuros amamentados no peito têm um risco menor de desenvolver enterocolite necrotizante, uma infecção intestinal única em prematuros (ver página 872); têm uma melhor tolerância a amamentações; menos risco de contrair alergias; um desenvolvimento melhor e recebem todos os benefícios que um bebê normal recebe do leite materno (ver página 36). Mesmo que você não planeje amamentar por muito tempo, fornecer leite do peito ao seu bebê enquanto ele ela está no hospital dá ao bebê o melhor ponto de partida possível quando o início começou cedo demais.

Para garantir que o seu bebê ainda tenha nutrição suficiente nos primeiros estágios da amamentação no peito (quando a sucção do bebê ainda parece fraca ou os seus seios não estão produzindo quantidades suficientes de leite), converse com o médico sobre os métodos de suplementação alimentar, a seguir, que não interfiram com a amamentação:

♦ Amamentar com gavagem ainda no lugar

♦ Usar um sistema de nutrição suplementar (ver página 256)

- Usar um sistema de alimentação preso ao seu dedo (alimentação com o dedo)

- Alimentação com uma xícara especialmente desenvolvida para tal

- Alimentação com seringa

- Alimentação com mamadeira com bicos de mamadeira de pouco fluxo

- Para maiores informações sobre o seu bebê prematuro, veja a página 860.

- Leite materno enriquecido. Às vezes, até o leite da mãe do prematuro não é adequado para ele. Já que alguns bebês, especialmente os muito pequenos, precisam de uma nutrição ainda mais concentrada — que inclua mais gordura, proteína, açúcar, cálcio e fósforo e, possivelmente, mais de outros nutrientes como o zinco, magnésio, cobre e vitamina $B_6$ — o leite materno dado através de um tubo ou de uma mamadeira pode ser enriquecido com o fortificante para o leite humano (FLH), quando necessário. O FLH vem na forma de pó, que pode ser misturado ao leite materno, ou na forma líquida para usar quando estiverem disponíveis quantidades adequadas de leite do peito.

- Fórmula. Os bebês podem se dar muito bem também, quando são amamentados com fórmulas especialmente desenvolvidas para prematuros. Mesmo que você esteja amamentando no peito, o bebê pode ter uma alimentação adicional com a mamadeira e com o sistema de nutrição comple-

mentar. Os prematuros são alimentados usando mamadeiras pequenas de plástico graduadas em centímetros cúbicos (cc) ou milímetros (ml). Os bicos são especialmente desenvolvidos e requerem do seu bebê menos força na sucção. Peça à enfermeira para mostrar a você a posição correta da mamadeira para amamentar um prematuro — ela pode ser ligeiramente diferente da que seria para um bebê normal.

## COMO AMAMENTAR EM CASA

Ao chegar em casa com o seu prematuro, a alimentação será tão desafiadora e morosa quanto era no hospital. Você vai precisar experimentar bicos, mamadeiras e posições de amamentação diferentes e assim por diante. Como regra geral, os prematuros precisam receber doses menores e mais frequentes do que os bebês normais. Eles se alimentam devagar e se cansam facilmente. Dependendo do progresso do seu bebê, você pode ou não precisar continuar usando a fórmula especificamente desenvolvida para prematuros. Os pais com frequência continuam a usar as mesmas mamadeiras pequenas que usavam no hospital. Mas tenha em mente que o que funcionava no hospital pode não funcionar tão bem na sua casa e ainda assim seu bebê continuar a se desenvolver em tamanho e maturidade.

Você pode esperar encontrar uma ou mais das seguintes preocupações em relação à alimentação em casa (embora alguns pais sortudos não vivam nenhuma delas):

- **Bebê dorminhoco.** Muitos bebês prematuros se cansam facilmente, e o desejo de dormir às vezes se sobrepõe ao desejo de comer. Mas como todos os bebês, especialmente aqueles que nasceram pequenos, precisam de alimentação regular, é muito importante que você se certifique de que ele não durma durante a alimentação. Para dicas de como acordar um bebê sonolento, veja na página 196.

- **Respiração presa.** Alguns prematuros, especialmente os nascidos sem uma boa coordenação sugar-respirar, vão se esquecer de respirar quando estiverem sendo alimentados. Isto é cansativo para o seu bebê e causa ansiedade em você. Se você notar que o seu bebê não está respirando após um certo número de sucções ou parece pálido quando mama, remova o bico da boca do bebê e deixe-o respirar. Se o bebê parecer estar prendendo a respiração todo o tempo durante a amamentação, retire o bico regularmente após cada três ou quatro sucções.

- **Aversão oral.** Os bebês que passaram muito tempo na UTI neonatal podem ter associado a boca com experiências desagradáveis (tubos de alimentação, tubos de ventilação, sucção etc.) e com frequência desenvolvem uma forte aversão a ter qualquer coisa dentro ou próxima da boca quando chegam em casa. Para combater isto, tente trocar as associações orais desagradáveis por sensações mais agradáveis. Toque o bebê em volta da boca de maneira suave, dê ao seu bebê uma chupeta ou o seu dedo para chupar ou estimule o bebê a tocar a boca ou chupar o dedão ou o pulso dele mesmo.

- **Refluxo.** Muitos prematuros estão propensos a regurgitar excessivamente ou de ter RGE por causa de seus sistemas digestivos imaturos. Para dicas de como lidar com a regurgitação excessiva ou com o RGE, veja as páginas 268 e 784.

- **Começar com os sólidos.** Como bebês normais, os prematuros devem começar a receber sólidos entre o quarto e o sexto mês. Mas, para prematuros, esta data é baseada na sua idade corrigida em vez de a cronológica (o que significa que um prematuro só estaria pronto para os sólidos no sexto ou no oitavo mês cronológico). Porque alguns prematuros experimentam atrasos no desenvolvimento, a alimentação sólida só deve começar quando o bebê demonstrar sinais de que está pronto para ela (ver página 426), mesmo que a idade corrigida diga que "é hora" de começar com os sólidos. Alguns prematuros têm um pouco mais de dificuldade com os sólidos — especialmente quando começam a comer alimentos em pedaços maiores.

# As Preocupações Comuns

## UNIDADE DE TRATAMENTO INTENSIVO NEONATAL (UTIN)

*"O meu bebê foi levado às pressas para a UTIN imediatamente após o nascimento. O que eu posso esperar quando eu for visitá-lo pela primeira vez lá"?*

Uma primeira olhada em uma unidade de tratamento intensivo neonatal pode ser assustadora, especialmente se o seu bebê for um dos pequeninos e indefesos pacientes internados lá. Saber o que você vai ver pode ajudar a manter os seus medos sob controle. Eis o que você pode esperar na maioria das UTINs:

♦ Uma área de enfermaria principal composta de um quarto grande ou de uma série de quartos com áreas para camas colocadas ao longo das paredes. Pode também haver alguns quartos isolados em uma área separada da enfermaria principal. Adjuntas a estes podem estar várias salas para a família, onde as mães podem expressar leite (geralmente fornecem bombas de leite ali) e onde as famílias podem passar algum tempo acariciando os seus bebês enquanto eles ficam mais fortes.

♦ Uma atmosfera agitada. Haverá muitas enfermeiras e médicos ocupados indo de um lado para o outro, tratando e monitorando os bebês. Os pais também poderão estar cuidando ou alimentando os seus próprios bebês.

♦ Calma relativa. Embora este seja um dos lugares mais movimentados em um hospital, é também um dos mais silenciosos. Isso porque barulho muito alto pode ser estressante para pequenos bebês ou até prejudicial para a audição deles. Para ajudar a manter o ambiente silencioso, você deve conversar em um tom de voz baixo, fechar as portas e as portinholas da incubadora gentilmente e ter cuidado para não deixar cair coisas ou colocar objetos que façam barulho sobre as incubadoras. (Entretanto, um som que é importante para o seu prematuro é o da sua voz; veja na página 856.) Os olhos ainda sensíveis precisam de proteção também; a equipe da UTIN geralmente tenta controlar a luminosidade da enfermaria. Entretanto, ocasionalmente as luzes de certas áreas podem ficar mais intensas para que médicos e enfermeiras realizem certos procedimentos.

♦ Padrões de higiene rígidos. Manter os germes que podem disseminar infecções (e tornar o bebê ainda mais doente) fora da enfermaria é uma das principais prioridades na UTIN. A cada vez que você for fazer uma visita, vai precisar lavar as mãos com sabonete bactericida (normalmente existe uma pia para isto do lado de fora da enfermaria). Podem pedir que você coloque uma roupa de hospital também. Se o seu bebê estiver no isolamento, você também vai precisar usar luvas e uma máscara.

♦ Pequenos bebês por toda parte. Você vai vê-los por incubadoras transparentes ou por *isolettes* (berços que são totalmente fechados, exceto por quatro portinholas que permitem que você e a equipe alcancem o bebê e cuidem dele) ou em berços abertos. Você também verá alguns berços de calor radiante sob lâmpadas de aquecimento. Alguns bebês podem estar embrulhados em celofane para minimizar a perda de fluidos e o calor do corpo através da pele. Isto ajuda os prematuros a manterem-se aquecidos (especialmente aqueles com menos de 1,8 kg) que não têm a gordura necessária para regular a temperatura do corpo, mesmo quando estão enrolados em cobertores.

♦ Aparelhagem. Você vai notar uma abundância de tecnologia perto de cada cama. Monitores que gravam os sinais vitais (e vão avisar, por um alarme, qualquer mudança que necessite de atenção imediata) estão conectados ao bebê, presos à pele dele com gel ou inseridos por agulha logo abaixo da pele. Além do monitor, o seu bebê também estará ligado a um tubo de alimentação, uma IV (pelo braço, perna, mão, pé ou cabeça), um cateter na veia umbilical, sensores de temperatura (conectados à pele dele

com uma fita adesiva) e um oxímetro de pulso que mede o nível de oxigênio no sangue com uma pequena luz conectada à mão ou ao pé. Um ventilador mecânico (máquina respiratória) pode ser usado para ajudar o bebê a respirar normalmente se ele estiver abaixo da 30ª ou 33ª semana de idade gestacional. Caso contrário, ele pode receber oxigênio através de uma máscara ou pelo nariz mediante uma pronga macia de plástico anexada aos tubos. Haverá também bombas de sucção que são usadas periodicamente para remover o excesso de secreções respiratórias, bem como luzes para fototerapia (banhos de luz), usadas em tratamento de bebês com icterícia. (Os bebês que estão passando por este tratamento estarão nus, exceto pelos protetores nos olhos, que os protegem das luzes intensas.)

♦ Um lugar para pais sentarem e acalentarem os seus bebês. No meio de todo este equipamento de alta tecnologia, provavelmente vão existir cadeiras de balanço, onde você pode alimentar e segurar o seu bebê.

♦ Uma grande equipe de especialistas médicos altamente treinados. A equipe que vai cuidar do seu bebê na UTIN provavelmente incluirá um neonatologista (um pediatra que teve treinamento especial em cuidados intensivos com recém-nascidos); pediatras residentes e colegas de neonatal (médicos sob treinamento); um médico assistente ou um técnico em enfermagem; uma enfermeira principal (que é quem vai mais frequentemente cuidar do seu bebê e ensiná-la a cuidar dele); um nutricionista; um terapeuta respiratório; outros especialistas médicos, dependendo das necessidades específicas do seu bebê; assistentes sociais; terapeutas físicos e ocupacionais; técnicos laboratoriais e de raios X e especialistas em lactação.

♦ Torne-se parte da equipe. Lembre-se de que você é um dos mais importantes parceiros nos cuidados do seu bebê. Informe-se o máximo possível em relação ao equipamento e procedimentos de UTINs e familiarize-se com as condições e progresso do seu bebê. Peça explicações sobre como os ventiladores, máquinas e monitores estão ajudando o seu bebê. Peça informações escritas que expliquem o jargão médico que você está ouvindo. Aprenda o máximo possível sobre a rotina; horários de visitas e restrições de visitantes, quando as enfermeiras trocam de turno, quando os médicos fazem a ronda. Descubra quando você vai ter as últimas notícias sobre o progresso do seu bebê. Dê o número do seu celular aos membros da equipe, para que eles sempre possam encontrá-la, se for necessário.

*"As enfermeiras me avisaram que ficar com a minha filha na UTIN seria como uma montanha-russa, com todos os altos e baixos. Mas eu estou surpresa com a incrível variedade de emoções que estou sentindo."*

Você não está sozinha. A maioria dos pais cujos bebês estão na UTIN experimenta uma grande variedade de emoções sempre em mudança, inclusive choque, raiva, estresse, pânico, medo, paralisia, frustração, decepção, confusão, tristeza, intenso pesar e esperança igualmente intensa. Tudo por uma boa razão. Você pode estar se sentindo confusa com todo o equipamento médico conectado ao seu bebê e com a constante atividade das enfermeiras e médicos. Você pode estar se sentindo assustada com os procedimentos pelos quais o seu bebê está tendo de passar ou frustrada com sentimentos de impotência. Você pode se sentir decepcionada porque sua filha não é o bebê normal, adorável, cheio de covinhas que você estava esperando (e vislumbrando) por toda a sua gravidez, frustrada por não poder levá-la para casa para começar a vida juntas e culpada por ambas as emoções. Pode também se sentir culpada por não estar feliz com o nascimento do seu bebê ou culpada por não ter sido capaz de manter a gravidez por mais tempo (mesmo que não tenha sido possível fazer absolutamente nada para impedir que a sua filha nascesse prematura). Você pode se sentir perturbada pela incerteza em relação ao futuro do bebê, especialmente se ela for muito pequena ou estiver muito doente. Pode até inconscientemente distanciar-se dela, por medo de ficar muito ligada ou por achar que esta ligação é muito difícil de acontecer através das portinholas de uma incubadora. Ou você pode ter sentimentos inesperadamente fortes de afeição, aprofundados, em vez de comprometidos, pelos desafios que você e o seu bebê estão enfrentando. Você pode ficar com raiva de si mesma por suas reações, do seu marido, por não reagir da mesma maneira que você, da sua família e amigos por não entenderem o que você está passando ou por agirem como se nada houvesse acontecido, do seu médico por não ter impedido que isto acontecesse. Confundindo estas emoções pode estar o fato de que elas com frequência podem ser conflitantes ou variarem violentamente — por exemplo, fazer com que você sinta esperança em um minuto, impotência no outro, apaixonada pelo seu bebê em um dia, com medo de amá-lo no dia seguinte. Misturada a elas pode estar o desgaste físico proveniente de manter uma vigília 24 horas por dia ao lado da cama do seu bebê, o que pode ser mais debilitante se você ainda não se recuperou do nascimento dela.

Lidar com estas emoções pode ser extremamente difícil, mas ter os fatos a seguir em mente pode ajudar:

◆ O que você está sentindo, dizendo e fazendo é perfeitamente normal. Estas emoções extremas e por vezes contraditórias são experimentadas por quase toda mãe de um bebê prematuro em um momento ou outro (embora você possa com frequência acreditar que ninguém jamais se sentiu como você se sente agora).

◆ Não há maneira correta de sentir. Suas emoções podem ser diferentes das emoções do seu marido, dos pais do bebê na incubadora ao lado ou dos seus amigos que também tiveram bebês prematuros. Cada pessoa rea-

ge a este fato de uma maneira diferente — e isto também é normal.

◆ É importante expressar as emoções. Mantê-las guardadas só vai fazer com que você se sinta mais isolada e indefesa. Conte à equipe da UTIN quais são os seus medos e sentimentos. Eles não só vão entender o que está se passando com você (já que ajudar os pais é uma parte do trabalho deles quase tão importante quanto ajudar os bebês), como podem propor ideias para ajudá-la a lidar com esta situação.

◆ Não se feche para o seu marido. Vocês dois podem ganhar força ao se apoiarem um no outro. As linhas de comunicação abertas também podem ajudar a impedir que o estresse herdado por ser pai de um bebê prematuro prejudique seu relacionamento.

◆ O apoio é melhor quando vem daqueles conhecem o assunto. Tente conversar com outros pais na UTIN. Você vai descobrir que eles também se sentem sozinhos, inseguros e assustados. Laços de amizade são facilmente formados na UTIN porque os outros pais precisam de você tanto quanto você precisa deles. Muitos hospitais têm grupos de apoio disponíveis dirigidos pela assistente social da UTIN ou eles podem colocar você em contato com famílias cujos bebês já deixaram a UTIN. Ninguém pode relatar melhor o que você está vivendo — e compartilhar mais sabedoria e empatia — do que os pais que viveram esta situação. Você pode en-

# RETRATO DE UM PREMATURO

Os pais de recém-nascidos normais podem se surpreender quando veem seus filhos pela primeira vez. Os pais de um bebê prematuro com frequência ficam chocados. Um bebê prematuro pesa entre 1.600 e 1.900 gramas ao nascer e alguns pesam consideravelmente menos. O menor deles pode caber na palma da mão de um adulto e tem pulsos e mãos tão pequenos que uma aliança de casamento pode passar por eles. A pele do bebê prematuro é translúcida, deixando veias e artérias visíveis. Ela parece solta porque falta uma camada de gordura embaixo dela (tornando impossível fazer com que a temperatura do bebê se regule sozinha) e com frequência é coberta por uma camada fina de pelos do corpo pré-natal, ou lanugo, que normalmente já caiu em bebês nascidos a termo. Devido ao sistema circulatório imaturo, a cor da pele muda quando o bebê é tocado ou alimentado. As orelhas do bebê prematuro podem ser chatas, viradas ou moles porque a cartilagem que dará forma a elas ainda tem que se desenvolver. O bebê prematuro com frequência fica deitado com braços e pernas retos em vez de curvados ou dobrados, devido à falta de força muscular.

As características sexuais geralmente ainda não estão completamente desenvolvidas — os testículos podem estar recolhidos, o prepúcio nos meninos e as dobras internas dos lábios vaginais nas meninas podem estar imaturos e pode não haver aréola nos bicos do peito. Por não haver desenvolvimento muscular ou nervoso completo, muitos reflexos (como agarrar, sugar, sobressaltar-se, firmar-se) podem estar ausentes. Diferentemente de bebês que nascem na época certa, os prematuros podem chorar pouco ou não chorar. Eles podem também estar sujeitos a períodos de pausa respiratória, conhecidos como apneia da prematuridade.

Mas as características físicas dos bebês prematuros que compõem este retrato são apenas temporárias. Uma vez que o bebê nascido antes da época chegue a quarenta semanas de idade gestacional, o tempo em que, de acordo com o calendário, ele deveria ter nascido, ele vai parecer muito com o recém-nascido típico em tamanho e desenvolvimento.

---

contrar apoio adicional ao se tornar membro de um dos muitos grupos de discussão para pais de prematuros na internet.

◆ **Vai levar tempo.** Você provavelmente não vai estar em seu perfeito equilíbrio emocional pelo menos até que o bebê esteja no perfeito equilíbrio físico dele.

Até lá, você vai ter dias bons e dias ruins (que vão corresponder aos altos e baixos do seu bebê). Lembrar-se de que os seus sentimentos são normais — que todos os pais de prematuros andam nesta montanha-russa emocional até que os bebês estejam seguros em casa e completamente bem — não vai fazer com que os sentimentos desapareçam, mas vai ajudá-la a dar a perspectiva de que você precisa para lidar com eles.

Se você tem outro filho em casa, ajudá-lo a lidar com a ansiedade será uma prioridade; ver página 859.

# RECEBENDO CUIDADOS IDEAIS

*"Como posso saber se o nosso bebê prematuro — ela é a única que tem um pouco mais de 1,134 kg — está recebendo os melhores cuidados possíveis?"*

O primeiro passo para garantir que a sua filha receba os melhores cuidados possíveis é certificar-se de que ela está sendo tratada no hospital que é o melhor para as necessidades dela. O sistema hospitalar tem diferentes níveis. Pequenos hospitais nas comunidades estão organizados no nível um — fornecem cuidados para casos não complicados de todos os tipos, inclusive partos de baixo risco e recém-nascidos normais, mas não têm unidades de tratamento intensivo para recém-nascidos prematuros, que nasceram abaixo do peso ou são doentes. Os hospitais do segundo nível têm instalações um pouco mais sofisticadas, podem cuidar de casos mais complicados, inclusive muitos partos de alto risco, e têm unidades de tratamento intensivo neonatal que podem cuidar da maioria dos bebês com problemas. Os hospitais de terceiro nível, ou terciários, são os principais centros médicos, que possuem os especialistas mais altamente qualificados, as instalações mais sofisticadas e unidades de tratamento intensivo neonatal (UTINs) prontas para cuidar do menor e do mais doente dos bebês.[1]

Embora bebês saudáveis, inclusive os bebês prematuros que pesam aproximadamente 2.200 gramas ou mais, se deem bem em hospitais do primeiro, segundo ou terceiro nível, os bebês muito pequenos (aqueles que estão em alto risco, pesando menos de 1.500 gramas no nascimento) vão se dar melhor em grandes centros médicos. Ter o seu bebê nessas instalações é a melhor garantia de que você terá um bom tratamento. Se o seu bebê não estiver em um hospital terciário, discuta com o pediatra, a equipe atual da UTIN e a equipe do centro médico que você está considerando sobre a possibilidade de transferi-lo para lá.

Onde quer que sua filha esteja, o seu conhecimento será importante para garantir um ótimo tratamento. Aprenda sobre bebês abaixo do peso em geral e sobre os problemas especiais que o seu bebê tem, lendo livros ou fazendo perguntas. Quando não se sentir à vontade ou insatisfeita em relação ao curso que o tratamento do seu bebê está tomando, fale de suas preocupações com o pediatra e/ou enfermeiras ou neonatologistas do hospital. Você pode ficar satisfeita com a explicação deles, ou talvez as coisas possam ser feitas de uma maneira diferente. Se você não ficar satisfeita, peça para fazer uma consulta com ou-

---

[1] Em alguns hospitais, esta unidade é chamada de enfermaria de tratamento intensivo (ETI).

tro neonatologista. Se você não se sentir à vontade em discutir com médicos, procure um amigo ou parente que aja como advogado.

## FALTA DE LAÇOS DE FAMÍLIA

*"Nós estávamos esperando ficar ligados a nossa filha logo após o nascimento dela. Mas já que ela chegou seis semanas antes e pesando apenas 1.500 gramas, ela foi tirada de nós antes mesmo que tivéssemos a chance de tocá-la. Estamos preocupados com o efeito que isto vai surtir nela — e no nosso relacionamento com ela."*

Durante esse momento estressante, a última coisa que você vai querer é outra preocupação. E a última coisa com a qual você vai precisar se preocupar é com os laços no nascimento. Amor e afeto entre pai e filho se desenvolvem em muitos meses, até mesmo anos, florescendo em uma vida inteira em vez de explodir de uma só vez durante os primeiros momentos da vida. Então, em lugar de se lamentar pelos primeiros poucos momentos (ou até mesmo dias) que você perdeu, comece a tirar o máximo de proveito dos meses que estão pela frente. Embora não seja necessário começar a criar laços no nascimento, você pode conseguir iniciar o processo enquanto o seu bebê ainda está no hospital. Eis a maneira de fazer isso:

**Peça imagens, junto com mil palavras.** Se sua filha foi transferida do hospital onde você deu à luz para outro hospital com uma unidade de tratamento intensivo melhor (possivelmente essencial para a sobrevivência dela) e você ainda não recebeu alta, peça que fotos dela sejam trazidas para você. O seu marido ou a equipe do hospital pode tirá-las e você pode apreciar olhar as fotos até que seja capaz de olhar para ela de verdade. Mesmo que tubos e máquinas sejam mais visíveis do que o bebê, o que você verá certamente será menos assustador e lhe dará mais garantias do que você pode imaginar. Por mais úteis que sejam as imagens, você ainda assim vai querer aquelas mil palavras — de seu marido e, mais tarde, da equipe médica — descrevendo cada detalhe de como é o bebê e como ele está se saindo.

**Festa para os olhos.** Simplesmente olhá-la na incubadora ou no berço de calor radiante pode ajudar a torná-la mais próxima.

**Coloque as mãos.** Embora possa parecer que um bebê tão pequeno e vulnerável fique melhor se não for tocado, estudos mostram que bebês prematuros que são acariciados e levemente massageados enquanto estão em tratamento intensivo crescem melhor e são mais alertas, ativos e de comportamento mais maduro do que os bebês que são pouco tocados. Comece com os braços e pernas dela, já que eles são menos sensíveis a princípio do que o tronco. Tente fazer pelo menos 20 minutos de massagem suave por dia (para alguns bebês muito prematuros, o toque é extremamente estressante. Se o neonatologista

# LUZES APAGADAS?

Para um bebê muito pequeno que ainda deveria estar no ambiente calmo e relativamente escuro do útero, luz demais pode ser estressante — pode causar uma taxa de batimento cardíaco irregular e diminuir o sono — e até ser prejudicial aos olhos sensíveis. Isto também pode impedir que o seu bebê abra os olhos para olhar em volta e interagir com você. Por outro lado, há evidências de que a constante luz diminuída pode ser um problema também, perturbando os ritmos do corpo e diminuindo o desenvolvimento dos ciclos normais de sono e despertar. As pesquisas sugerem que os prematuros que são expostos a ciclos naturais de luz e escuridão que imitam os ritmos do dia e da noite ganham peso mais rápido do que aqueles mantidos 24 horas sob uma luz intensa ou diminuída. (Pergunte ao neonatologista se isto pode ser feito com o seu bebê, se for adequado.)

A maioria das UTINs faz o máximo para manter as luzes baixas para simular a vida no útero, embora as luzes intensas possam ser necessárias pelo menos ocasionalmente, para que o pessoal médico realize os procedimentos. Embora provavelmente não exista muito o que você possa fazer em relação ao nível da iluminação na UTIN, colocar um cobertor sobre a incubadora do seu bebê quando as luzes estiverem muito fortes pode ajudar um pouco.

---

sugerir que você minimize o contato físico, passe o tempo que puder com o seu bebê — apenas sem o contato físico).

**Cuidado de canguru.** Os marsupiais sabem das coisas. O contato da pele pode não só ajudá-la a ficar mais próxima de sua filha, mas também pode ajudá-la a crescer e melhorar mais rapidamente. Na verdade, estudos mostram que os bebês que recebem o chamado "método canguru" provavelmente deixam a UTIN mais cedo. Para aninhar o seu bebê do jeito que os marsupiais fazem, coloque-a no seu peito por baixo da sua blusa para que ela descanse diretamente sobre a sua pele (ela provavelmente estará usando apenas uma fralda e uma touca; a touca impede que haja perda de calor pela ca-

beça). Coloque a sua blusa sobre ela para mantê-la aquecida ou cubra-a com um cobertor.

**Converse com ela.** Para se certificar, será uma conversa de uma só via no início — sua filha não vai falar, nem mesmo chorar muito, enquanto estiver na UTIN. Pode ser que ela pareça não estar ouvindo. Mas ela vai reconhecer a sua voz, que ouvia no útero, e se sentirá reconfortada pelo som familiar. Se você não puder estar com o seu bebê o quanto gostaria, pergunte às enfermeiras se pode deixar uma gravação sua falando, cantando ou lendo baixinho, que possa ser tocada para ele. (Entretanto, certifique-se de falar de maneira suave quando estiver próxima ao bebê, já que os ouvidos dela ainda são muito sensíveis ao som. Na verdade, para alguns prematuros muito pequenos, qualquer som extra pode ser extremamente perturbador; portanto, verifique com o médico o que é bom para ela e o que não é.)

**Olhe nos olhos.** Se os olhos do bebê estiverem cobertos porque ele está recebendo fototerapia para o tratamento da icterícia, peça para desligar as luzes pelo menos por alguns minutos durante a sua visita para que você possa fazer contato visual com ela, uma parte importante dos laços entre pais e filhos.

**Assuma como enfermeira.** Tão logo seu bebê saia do perigo imediato, a enfermeira da UTIN vai ficar satisfeita em ensiná-la como trocar as fraldas, alimentar e dar banho no seu bebê. Você pode até mesmo fazer certos procedimentos médicos nele. Uma das primeiras tarefas com a qual os pais se sentem à vontade é medir a temperatura do bebê. Cuidar dela durante as suas visitas vai ajudar a fazer com que você se sinta mais à vontade no papel de mãe ou pai, enquanto lhe dá uma experiência valiosa para os meses à frente.

**Não se afaste.** Muitos pais permanecem distanciados dos seus bebês prematuros por medo de amá-los e perdê-los. Mas isso é um erro. Primeiro porque o bebê prematuro tem muitas chances; a maioria sobrevive e se torna saudável e normal. E, segundo, porque se você se afastar e o impensável acontecer, você vai se lamentar para sempre pelos momentos que perdeu. A perda pode ser mais dura e mais difícil de aceitar.

# HOSPITALIZAÇÃO PROLONGADA

*"Na primeira vez que eu vi o nosso bebê na enfermaria de tratamento intensivo, fiquei arrasada. É horrível pensar que ele vai passar as primeiras semanas — e talvez os primeiros meses — de vida em um ambiente estéril de hospital."*

Os pais de bebês prematuros esperam até que os bebês cheguem à idade gestacional de 37 a 40 semanas antes de levá-los para casa — mais ou menos o tempo que teriam de esperar se os bebês tivessem chegado na data prevista. Quando um bebê prematuro enfrenta outros desafios médicos, além de ser muito pequeno, a espera pode ser ainda mais longa. Mas não importa o tempo de hospitalização de seu filho, você sentirá como se fosse mais longo do que na verdade é. Para aproveitar ao máximo esse tempo e para até fazer com que ele passe mais depressa, experimente o seguinte:

**Formar uma parceria.** Os pais de um bebê prematuro costumam sentir que o bebê pertence menos a eles e mais a médicos e enfermeiras que parecem tão competentes e fazem tanto por ele. Mas, em vez de tentar competir com a equipe médica, procure trabalhar junto com ela. Conheça as enfermeiras (o que pode ficar mais fácil se o seu bebê tiver uma enfermeira "principal" encarregada do tratamento dele a cada troca de turno), o neonatologista e os residentes. Diga-lhes que você ficaria feliz em fazer pequenas tarefas para o seu filho, o que pode poupar o tempo deles, ajudá-la a passar o seu e a se sentir menos uma transeunte e mais como uma participante ativa no tratamento dele.

**Ter aulas de medicina.** Aprenda o jargão e a terminologia usados na UTIN. Peça a um membro da equipe (quando ele tiver um momento livre) para lhe mostrar como ler o quadro do seu bebê; peça ao neonatologista detalhes sobre o estado do seu bebê e esclarecimento quando você não entender. Os pais de bebês prematuros com frequência se tornam especialistas em medicina neonatal muito rapidamente, usando termos como "SDR" e "intubação" com a confiança de um neonatologista.

**Ficar firme do lado do seu bebê.** Muitos hospitais podem deixar você se movimentar dentro deles, mas mesmo que não possa, você deve passar o máximo de tempo possível com o bebê, alternando turnos com o seu marido. Desta maneira você vai saber não só do estado do seu bebê, mas também conhecê-lo. (Se você tiver outros filhos em casa, no entanto, eles também precisam de você agora. Certifique-se de que vão receber uma boa parte do tempo da mamãe e do papai também.)

**Fazer com que o seu bebê se sinta em casa.** Mesmo que a incubadora seja apenas uma parada temporária para o seu bebê, tente fazer com que ela seja um lar para ele. Peça permissão para colocar animais de pelúcia ao lado do bebê e cole fotos (inclua talvez instantâneos ampliados em preto e branco do papai e da mamãe para estimular o bebê) nos lados da incubadora para que ele tenha uma visão prazerosa. Coloque uma caixinha de música com músicas para o dia e para a noite ou uma fita com a sua voz gravada (se o médico der consentimento). Entretanto, lembre-se de que qualquer coisa que você colocar na incubadora terá que ser esterilizada e não deverá interferir no aparelho que sustenta a vida. Certifique-se também de manter os níveis de ruído baixos.

**Preparando seu suprimento de leite.** O seu leite é o alimento perfeito para o bebê prematuro (ver página 846). Até que ele seja capaz de mamar no peito, bombeie os seus seios para alimentação indireta e para manter o suprimento de leite. Bombear também vai dar a você a agradável sensação de utilidade.

**Vá às compras.** Já que o seu bebê chegou antes do tempo, você pode não ter tido tempo de encomendar os móveis, itens do enxoval e outras necessidades. Se for o caso, agora é o momento de fazer compras. Se você tem superstições em relação a encher a sua casa com coisas para bebês antes de ele ter alta do hospital, peça que sua encomenda seja entregue somente quando ele vier para casa. Você não só terá dado conta das tarefas necessárias, como também terá preenchido horas intermináveis da hospitalização do bebê e feito um voto (pelo menos para você) de confiança de trazê-lo para casa.

# RESTRIÇÃO DE CRESCIMENTO INTRAUTERINO

*"Minha filha não foi prematura, mas está abaixo de 2.200 gramas.*
*O médico disse que é devido à restrição de crescimento intrauterino.*
*O que isto significa"?*

A restrição de crescimento intrauterino, com frequência abreviada para RCIU, parece ser a maneira que a natureza encontrou de garantir a sobrevivência do feto em um útero onde, por alguma razão, ele não está recebendo um suprimento adequado de nutrientes através da placenta. A redução no tamanho permite que o bebê consiga sobreviver com uma ingestão reduzida de nutrientes. Os médicos supõem que esse mecanismo de proteção é acionado quando a placenta não está funcionando com eficiência máxima, limitando a passagem de nutrientes para o feto, ou quando a nutrição da mãe é inadequada por causa de uma doença, dieta pobre, tabagismo ou outros fatores, às vezes desconhecidos.

O cérebro do bebê também parece estar protegido por este mecanismo de sobrevivência, em geral continuando a crescer normalmente ao obter mais do que a sua cota de nutrientes que estão disponíveis. É por isso que a maioria dos bebês com RCIU têm a cabeça ainda maior em relação ao corpo do que em bebês recém-nascidos normais.

Embora um bebê que esteja abaixo do peso corra um grande risco de complicações durante os seus primeiros dias de vida, a maioria deles consegue sobreviver com cuidados adequados. Com uma boa nutrição, preferivelmente começando com o leite materno, você pode esperar que o bebê comece a se desenvolver. Ao final do primeiro ano de vida, ela vai ficar muito à frente de muitos ou talvez de todos os coleguinhas dela. Mas se você decidir engravidar novamente, tente determinar primeiro, com a ajuda do seu médico, o que pode ter ocasionado o ambiente de crescimento deficiente no seu útero para que o próximo bebê não tenha que passar pelos mesmos problemas pré-natais.

# IRMÃOS

*"Temos uma filha de 3 anos de idade e não sabemos o que dizer a ela sobre sua irmãzinha prematura."*

As crianças, até mesmo uma criança tão nova quanto a sua, são capazes de entender e lidar com os problemas muito mais do que nós, adultos, geralmente pensamos. Tentar proteger a sua filha escondendo dela o problema médico da irmã vai torná-la não só ansiosa e insegura, especialmente quando você e seu marido repentina e inexplicavelmente, para ela, começarem a passar muito tempo fora de casa. Em vez disso, informe-a sobre a situação, mas no nível dela. Explique que o bebê saiu da mamãe muito cedo, antes que tivesse crescido o suficiente e que agora tem que ficar em um berço especial no hospital até que esteja grande o suficiente para vir para casa. Se o hospital permitir, leve a sua filha mais velha para uma primeira visita e, se tudo correr bem, e ela quiser, leve-a regularmente ao hospital. As crianças tanto podem ficar fascinadas com os fios e tubos quanto assustadas, especialmente se os pais imprimirem o tom correto — confiante e alegre em vez de nervoso e sombrio. Faça com que ela traga um presente para o bebê para ser colocado na incubadora, o que vai ajudá-la a se sentir parte da equipe que está cuidando da nova irmã. Se você quiser e tiver a permissão da equipe médica, deixe-a se lavar e depois tocar o bebê através das portinholas. Assim como você, ela se sentirá mais próxima do bebê quando a vinda para casa finalmente acontecer se tiver algum contato agora (leia sobre relacionamento entre irmãos no Capítulo 25).

## MAMANDO NO PEITO

*"Eu sempre estive determinada a amamentar minha filha no peito e, desde que ela nasceu prematuramente, estou expressando leite para dar a ela através de um tubo. Será que ela vai ter problemas quando for mamar no peito mais tarde?"*

Por enquanto, tudo bem. Desde o nascimento o seu bebê tem recebido o melhor alimento possível para um recém-nascido prematuro — o leite da mãe — da única maneira que um bebê tão pequeno é capaz de receber alimento, através de um tubo. Naturalmente, você está preocupada se ela será capaz de continuar a receber este alimento perfeito quando conseguir sugar.

As pesquisas indicam que você não tem com que se preocupar. Um estudo revelou que bebês prematuros pesando 1.300 gramas eram não só capazes de sugar o peito, mas tinham mais sucesso com ele do que com a mamadeira. Estes bebês levaram entre uma e quatro semanas a mais para conseguirem sugar da mamadeira do que sugar do peito. Além disso, o corpo destes bebês respondeu melhor à amamentação no peito. Enquanto mamavam, seus níveis de oxigênio flutuaram pouco, enquanto durante a amamentação com a mamadeira eles mostraram quedas significativas nos níveis de oxigênio, e estes níveis ficavam baixos por algum tempo após a amamentação. Eles também se sentiam mais confortavelmente aquecidos quando estavam mamando no peito do que quando pegavam a mamadeira, o que é importante porque os prematuros, cujos termostatos ainda não estão funcionando bem e têm dificuldade para se manterem aquecidos. Este estudo e outros semelhantes mostram que alguns bebês prematuros começam a apresentar reflexos de sucção na trigésima semana de idade gestacional (embora, para outros bebês, o reflexo da sucção só fique forte o suficiente mais tarde).

Quando colocar sua filha no peito, você vai querer que as condições conduzam ao máximo de sucesso possível:

# O BEBÊ DE BAIXO PESO AO NASCIMENTO

- Leia tudo sobre amamentação no peito, a partir da página 121, antes de começar realmente.

- Seja paciente se o neonatologista ou enfermeira quiser que o seu bebê seja monitorado nas mudanças de temperatura e/ou oxigênio durante a amamentação. Isto não vai interferir na amamentação e vai proteger sua filha, soando um alarme no caso de ela não estar respondendo bem à amamentação.

- Certifique-se de que você esteja relaxada e sua filha esteja acordada e alerta. Uma enfermeira provavelmente vai verificar se ela está aquecida o suficiente para este momento.

- Pergunte à equipe se existe uma área de amamentação especial para mães de prematuros, um canto reservado com uma poltrona para você e o seu bebê ou um biombo que possa ser colocado para preservar a sua privacidade.

- Fique confortável, apoiando o bebê em travesseiros e apoiando a cabeça dela. Muitas mulheres acham confortável a posição de futebol americano (ver página 129), além de ser mais confortável para os bicos dos seios.

- Se o seu bebê ainda não tem firmeza (provavelmente ainda não tem), ajude-o a começar, colocando o bico do seu seio com a aréola dentro da boca do seu bebê. Comprima o seio levemente com os dedos para fazer com que ele o pegue (ver página 130), e continue tentando até que ele consiga.

- Observe sua filha para ter certeza de que ela está recebendo o leite. Nos primeiros minutos no peito, a sucção do bebê pode ser muito rápida, um movimento não nutritivo com o objetivo de estimular a saída do leite. Seus seios são usados como uma bomba mecânica e vai levar um tempo até que se ajustem aos diferentes movimentos gerados pela boca do bebê, mas logo você vai notar que o movimento ficou mais lento e que o bebê está engolindo. Isso vai permitir que você saiba que a saída está acontecendo e que o seu bebê está recebendo leite.

- Se o bebê não parecer interessado no seu seio, tente colocar algumas gotas de leite na boca dele para dar um gostinho do que está guardado.

- Amamente sua filha pelo tempo que ela quiser ficar no seu seio. Os especialistas que estudaram a amamentação de bebês prematuros recomendam deixá-los permanecer no peito por pelo menos dois minutos, até que eles tenham parado de sugar. Bebês prematuros pequenos mamam no peito por até quase uma hora antes de se sentirem satisfeitos.

- Não fique desestimulada se a primeira sessão ou as primeiras sessões parecerem improdutivas. Muitos bebês normais levam algum tempo para conseguir pegar o peito, e os prematuros merecem pelo menos a mesma oportunidade.

- Peça que outros tipos de alimentação que você não possa dar sejam dados

# LEVANDO O BEBÊ PARA CASA

Quando esse momento vai chegar? A probabilidade é de que o grande momento da vinda para casa vá acontecer aproximadamente na mesma época que aconteceria se você tivesse levado a sua gravidez a termo, em 40 semanas — embora ocasionalmente um bebê possa receber alta de duas a quatro semanas antes da data prevista. A maioria dos hospitais não exige um peso específico. Em vez disso, os bebês normalmente são mandados para casa assim que atendem aos critérios a seguir:

♦ São capazes de manter a temperatura normal do corpo em um berço aberto

♦ Passaram a mamar somente no peito ou na mamadeira

♦ Estão ganhando peso com a alimentação no peito ou na mamadeira

♦ Estão respirando por conta própria

♦ Não mostram sinais de apneia (pausas enquanto respiram)

---

por gavagem (pelo nariz) em vez de pela mamadeira. Se a mamadeira for dada ao seu bebê enquanto você estiver tentando estabelecer a amamentação no peito, a confusão dos bicos pode interferir nos seus esforços. Se o leite materno enriquecido ou outro fortalecedor for dado ao seu bebê como complemento ao leite do peito, peça que ele também seja dado por gavagem ou pelo sistema de nutrição complementar (ver página 256).

Você poderá dizer o quão bem sua filha está se saindo no peito ao acompanhar o peso dela diariamente. Se ela continuar a ganhar cerca de 1 a 2% do peso corporal diariamente, ou cerca de 1.500 a 3.400 gramas por semana, ela está indo bem. Quando alcançar a data original prevista para o parto, ela deverá estar se aproximando do peso de um bebê normal — algo em torno de 2.700 a 3.600 gramas.

## COMO SEGURAR O BEBÊ

*"Até agora eu só segurei o nosso bebê através das portinholas da incubadora. Mas estou preocupada se serei capaz de segurá-la quando ela finalmente for para casa. Ela é tão pequena e frágil."*

Quando sua filha finalmente fizer a tão esperada viagem para casa, ela poderá, na verdade, parecer gordinha e forte para você em vez de pequena e frágil. Como muitos prematuros, ela provavelmente vai dobrar o peso do nascimento quando atingir os 1.800 ou 2.200 gramas necessários para ter alta. E existe uma forte possibilidade de que você não vá mais ter problemas para cuidar dela do que a maioria dos novos pais cuida de seus bebês normais. Na verdade, se você tiver oportunidade de cuidar de algum bebê no hospital (algo no qual você deve insistir) nas semanas antes da vinda do seu bebê para casa, você estará, na verdade, ganhando o jogo. O que não significa dizer que será fácil — raros são os novos pais (de bebês prematuros ou normais) que acham isso.

Se você está se perguntando se você e sua filha vão ficar sem a enfermeira ou o neonatologista olhando por sobre o seu ombro e prontos a interferirem se algo sair errado, esteja certa de que os hospitais não mandam para casa bebês que ainda precisem de tratamento profissional em tempo integral. A maioria das UTINs oferece aos pais a oportunidade de passarem a noite com o bebê em um quarto para a família perto da enfermaria, mas sem nenhuma supervisão da equipe médica. Ainda assim, alguns pais, especialmente aqueles que vêm para casa com uma parafernália, como monitores de respiração ou balões de oxigênio, acham reconfortante contratar uma enfermeira que tenha experiência com prematuros e seu tratamento médico para ajudá-los nas primeiras semanas. Considere esta opção se você estiver ansiosa demais para fazer tudo sozinha.

## PROBLEMAS PERMANENTES

*"Embora o médico diga que o nosso bebê esteja indo bem, eu ainda tenho medo de que ele saia disso com algum tipo de sequela permanente."*

Um dos maiores milagres da medicina moderna é a taxa de sobrevivência em ascensão rápida para bebês prematuros. Houve um tempo em que um bebê de 1kg não tinha chance de sobreviver. Agora, graças aos avanços da neonatologia, muitos bebês nascem ainda menores do que se podia esperar para sobreviverem.

É claro que, junto com este aumento da taxa de sobrevivência, houve um aumento no número de bebês com dificuldades que vão de moderadas a graves. Ainda assim, as chances do seu bebê sair do hospital e ir para casa estão muito vivas *e* bem e são muito favoráveis a ele. Apenas um número estimado de 10% de todos os bebês prematuros e 20% daqueles que estão entre 0,680 e 1,5 quilo acabam com dificuldades graves. Os riscos de ficar com uma incapacidade permanente são muito maiores para aqueles que nascerem entre 23 e 25 semanas e/ou pesarem menos do que 708 gramas; ainda assim, dos 40% destes bebês que sobrevivem, mais da metade consegue ficar bem.

De modo geral, dois entre três bebês nascidos prematuramente serão perfeitamente normais e a maioria dos outros terá apenas dificuldades brandas ou moderadas. Com muita frequência, o QI do bebê será normal, embora os bebês prematuros tenham um risco maior de problemas de aprendizado.

À medida que o seu bebê crescer, será importante ter em mente que ele vai ter que avançar um pouco antes do desenvolvimento atingir a normalidade para a idade dele. O progresso provavelmente seguirá o de crianças na idade corrigida; veja a próxima pergunta. Se ele foi muito pequeno, ou se teve complicações graves durante o período neonatal, é muito provável que fique para trás em relação a seus coleguinhas nascidos a termo, especialmente no desenvolvimento motor.

Ele pode ser mais lento no departamento neuromuscular também. Alguns prematuros podem não perder reflexos de recém-nascidos como o Moro, o reflexo tônico cervical ou o reflexo de segurar tão cedo quanto os bebês normais, mesmo levando-se em conta a idade corrigida. Ou o tônus muscular dele pode ser anormal, em alguns casos fazendo com que a cabeça caia excessivamente, em outros casos fazendo com que as pernas fiquem duras e os dedos dos pés pontudos. Embora estes sinais possam indicar que há algo de errado nos bebês normais, em geral não são motivo de preocupação em bebês prematuros. (Ainda assim, devem ser avaliados pelo médico e uma terapia física deve ser iniciada, se necessário.)

O progresso lento no desenvolvimento em um prematuro *não* é motivo para alarme, é esperado. Se, no entanto, o bebê parecer não estar fazendo *nenhum* progresso semana após semana, mês após mês ou se ele parece não responder (quando não está doente), fale com o médico. Se o médico não tiver as mesmas preocupações que você mas tampouco consegue acalmá-la, peça uma segunda opinião. Não é muito incomum que um pai ou mãe que vê o bebê todo dia perceba algo que o médico não vê. Se acontecer de não haver nenhum problema, o que com muita frequência será o caso, a segunda opinião vai ajudar a dissipar os seus medos. Se for descoberto um problema, o diagnóstico precoce pode

levar ao tratamento, bem como a cuidados contínuos, o que pode fazer uma tremenda diferença na qualidade da vida do seu bebê.

## ALCANÇANDO OS OUTROS

*"Nosso filho, que nasceu quase dois meses antes do tempo, parece muito atrasado se comparado com outros bebês de 3 meses. Será que algum dia ele vai conseguir alcançá-los?"*

Ele provavelmente não está "atrasado" de jeito nenhum. Na verdade, ele provavelmente está onde estaria um bebê concebido onde ele está agora. Tradicionalmente, na nossa cultura, a idade de um bebê é calculada a partir do dia em que ele nasceu. Mas este sistema é falso quando se avalia o crescimento e o desenvolvimento de bebês prematuros, já que não leva em conta que à época do nascimento ele ainda não havia chegado a termo. O seu bebê, por exemplo, tinha pouco mais de *menos* 2 meses de idade na época do nascimento dele. Aos 2 meses de idade ele era, em termos de idade gestacional (calculada de acordo com a data *original* prevista para o seu nascimento), equivalente a um recém-nascido. Aos 3 meses ele provavelmente vai parecer ter 1 mês de idade. Tenha isto em mente quando compará-lo com outras crianças da mesma idade ou com um quadro de desenvolvimento semelhante. Por exemplo, embora em média um bebê possa se sentar bem aos 7 meses, pode ser que seu filho só faça isso quando completar

## VACINAS PARA PREMATUROS

Na maior parte dos primeiros dois anos do seu bebê prematuro, será a idade corrigida dele que vai contar mais, com exceção em uma área: vacinações. A maior parte do calendário de vacinação de um bebê não pode ser atrasada por causa da sua prematuridade; assim, em vez de receber as vacinas de acordo com a sua idade gestacional, ele vai recebê-las de acordo com a idade do nascimento. Em outras palavras, se o seu bebê nasceu dois meses antes do tempo devido, mesmo assim ele vai tomar aquelas primeiras vacinas com 2 meses de idade — e não com 4 meses. Entretanto, existem duas exceções. Primeira, os médicos geralmente vão esperar até que o bebê pese 1,5 quilo antes de ser vacinado (a maioria dos bebês estará pesando pelo menos 1,8 quilo quando completar 2 meses). Segunda, a vacina contra hepatite B não é dada a um bebê prematuro (como é às vezes dada a bebês nascidos a termo). Os médicos vão esperar até que o bebê pese pelo menos 2 quilos.

Não se preocupe com o fato do seu pequenino bebê não conseguir produzir anticorpos para as vacinas. As pesquisas revelaram que, aos 7 anos, até as crianças que nasceram extremamente pequenas têm níveis de anticorpos semelhantes a outras crianças da mesma idade.

9 meses, quando vai atingir a idade corrigida de 7 meses. Se ele era muito pequeno ou muito doente no período neonatal, provavelmente vai se sentar muito mais tarde. Em geral, você pode esperar que o desenvolvimento motor demore mais do que o desenvolvimento dos sentidos (visão e audição, por exemplo).

Os especialistas usam a idade gestacional, geralmente chamada de "idade corrigida", para avaliar o progresso do desenvolvimento de uma criança prematura até que ela complete 2 anos ou 2 anos e meio de idade. Depois deste ponto, os dois meses ou mais de diferença tendem a perder a importância — não há, afinal de contas, muita diferença de desenvolvimento entre uma criança de 4 anos de idade e uma de 4 anos menos dois meses. À medida que o seu bebê ficar mais velho, a la-

cuna de comportamento entre a idade corrigida e a idade de nascimento diminuirá e finalmente desaparecerá, como irá acontecer com qualquer diferença de desenvolvimento entre ele e os colegas (embora, ocasionalmente, seja necessário um pouco mais de cuidado para que o prematuro chegue a este ponto). Enquanto isso, se você se sentir mais à vontade usando a idade corrigida dele com estranhos, faça isso. E faça certamente quando estiver avaliando o progresso do desenvolvimento do seu bebê.

Em vez de procurar por comportamentos específicos do seu filho em épocas específicas, relaxe e aproveite o progresso dele do jeito que acontecer, dando a ele o apoio de que necessita. Se ele gosta de sorrir e de arrulhar, sorria e arrulhe para ele. Se ele começar a tentar pegar as coi-

# DICAS DE CUIDADOS DOMÉSTICOS
## PARA BEBÊS PREMATUROS

Mesmo quando atingem a idade de um bebê normal, os bebês prematuros continuam a precisar de alguns cuidados especiais. Enquanto você prepara a vinda do seu bebê para casa, tenha estas dicas em mente:

♦ Leia os capítulos que falam de cada mês do bebê neste livro. Eles se aplicam ao seu bebê prematuro tanto quanto aos bebês normais. Mas lembre-se de ajustar as dicas para a idade corrigida do seu bebê.

♦ Mantenha a sua casa mais quente do que o normal, cerca de 22°C ou mais, nas primeiras semanas em que o bebê estiver em casa. O mecanismo regulador de temperatura normalmente já está funcionando quando ele vai para casa, mas, devido a seu pequeno tamanho e da superfície de pele maior em relação à quantidade de gordura, eles podem ter dificul-

dade em se sentir confortáveis sem ajuda. Além disso, ter que gastar muitas calorias para se manter aquecido pode interferir no ganho de peso dele. Se o bebê parecer inexplicavelmente agitado, verifique a temperatura ambiente para ver se está quente o suficiente. Sinta os braços, as pernas ou a nuca do bebê para se certificar de que não está muito frio no quarto (entretanto, não superaqueça o quarto).

♦ Compre fraldas feitas para bebês prematuros, se necessário. Você também pode comprar roupinhas para bebês em tamanhos especiais para prematuros, mas não compre muitas — quando você menos esperar, o bebê estará maior do que elas.

♦ Esterilize mamadeiras, se você as estiver usando, fervendo-as antes de usá-las pela primeira vez e passando-as na água quente depois de cada

---

sas, dê a ele a oportunidade de praticar esta habilidade também. Quando ele conseguir se sentar, coloque-o sentado em diferentes lugares por algum tempo a cada dia. Mas sempre tenha a idade corrigida dele em mente, e não o apresse.

Use as dicas para estímulo de bebês neste livro (páginas 359, 527, 710) para gerá-las de acordo com o comportamento do seu bebê e não de acordo com a idade dele, e tenha o cuidado de parar quando ele indicar que está cansado. Você pode, além disso, estimular o de-

senvolvimento motor dele colocando-o sobre a sua barriga, voltado para a frente do cômodo em vez de para a parede, com frequência e pelo tempo que ele aguentar (mas só quando ele estiver sendo cuidadosamente supervisionado). Já que os prematuros e os bebês abaixo do peso passam a maior parte de suas primeiras semanas, por vezes meses, deitados na incubadora, com frequência eles resistem à posição "de bruços para brincar", mas ela é necessária para que ele fortaleça os braços e o pescoço.

mamada. Embora seja uma precaução desnecessária para um bebê normal, é bom tomar esta precaução com os prematuros, que são mais suscetíveis a infecções. Continue com este procedimento por alguns meses ou até que o médico do bebê dê o OK para guardar o esterilizador.

♦ Alimente o bebê frequentemente, mesmo que isto signifique ter que passar a maior parte do seu tempo amamentando ou dando mamadeira. Os bebês prematuros têm estômagos muito pequenos e podem precisar enchê-los a cada duas horas. Eles também podem não conseguir sugar com a mesma eficiência e eficácia dos bebês normais, e portanto precisam de mais tempo — provavelmente uma hora — para beber tudo o que precisam. Não apresse as amamentações.

♦ Pergunte ao médico se o bebê deve receber um suplemento polivitamínico. Os bebês prematuros podem correr um risco maior de deficiência vitamínica do que os bebês nor-

mais e podem precisar de uma segurança extra.

♦ Só comece a dar sólidos quando o médico der o sinal verde. Geralmente, os sólidos são introduzidos na dieta do bebê prematuro quando o peso chega a 5 ou 6 quilos, quando mais de 907 gramas da fórmula é consumida diariamente por pelo menos uma semana e/ou a idade corrigida for de 6 meses. Ocasionalmente, quando o bebê não estiver satisfeito apenas com a fórmula ou com o leite materno, os sólidos podem ser introduzidos com a idade corrigida de 4 meses.

♦ Relaxe. Sem dúvida, seu bebê passou por muita coisa — e você também. Mas uma vez que ele esteja em casa, e uma vez que você tenha tomado as precauções anteriores, procure deixar para trás as experiências de ambos. Por maior que seja o impulso de estar por perto e superprotegê-lo, procure tratar o seu bebê como a criança normal e saudável que ele é agora.

É claro que, se seu filho estiver muito distante no desenvolvimento, mesmo depois de a prematuridade ter sido levada em conta, e se parecer que ele ficará do mesmo jeito, leia a página 670 e converse com o médico.

## ASSENTOS DO CARRO

*"Minha filha parece pequena demais para a cadeirinha do carro. Ela não*

*estaria mais segura se estivesse em meus braços?"*

Não só é perigoso como ilegal ter um bebê (prematuro ou não) sendo levado nos braços de uma pessoa em vez de na cadeirinha de bebê. Todo bebê, mesmo os menores, deve ficar com o cinto de segurança para a segurança e o conforto dele sempre que estiver em um veículo em movimento. Mas os pais de bebês nascidos abaixo do peso costumam achar que os seus pequeninos bebês parecem perdidos em uma cadeirinha padrão para carros. São as seguintes as recomendações sobre como escolher e usar uma cadeirinha para carro com seu bebê prematuro:

♦ Escolha uma cadeirinha na qual o seu bebê caiba. Procure aquelas que têm menos de 13 centímetros da base da cadeira às costas do assento. Isto vai ajudar a impedir que o seu bebê escorregue. Procure também uma que meça menos de 25 centímetros da posição mais baixa do cinto de segurança até a parte de baixo do assento, para que o cinto não passe por cima das orelhas do bebê.

♦ Torne o ajuste ainda melhor. Enrole uma toalha ou um pequeno cobertor e ajeite para que formem uma almofada nas laterais da cabeça do bebê ou compre um modelo que já tenha esta proteção especialmente desenvolvida para carros. Se houver uma grande diferença entre o corpo do bebê e o cinto, use uma toalha ou cobertor dobrado para preencher o espaço. Mas não coloque nada *embaixo* do bebê.

Alguns bebês prematuros têm problemas para respirar na posição semi-inclinada que a cadeirinha requer. Um estudo mostrou que estes bebês podem ter uma diminuição do nível de oxigênio quando estão na cadeirinha do carro e que este déficit pode durar por até 30 minutos ou mais. Alguns também passam por períodos de apneia (pausa respiratória) em assentos de carro. Certifique-se de que o seu bebê seja observado e monitorado no assento do carro pela equipe do hospital antes de ir para casa. Se o bebê tiver problemas no assento do carro, use uma cadeirinha que o deixe na posição deitada em vez de inclinado, o que vai protegê-lo no caso de uma colisão sem comprometer a respiração. Se por qualquer motivo você não conseguir obter este assento desenhado especialmente para bebês prematuros, pode limitar as saídas de carro com o bebê por um ou dois meses após ele ter vindo para casa, especialmente se ele teve apneia antes. Ou peça ao médico para monitorar a respiração dele quando ele estiver em um assento comum do carro, pelo menos por enquanto, para ver se ele está tendo algum problema.

Os mesmos problemas de respiração podem acontecer em bebês prematuros muito novos em cadeirinhas e balanços para bebês; então, não use nenhum deles sem a aprovação do seu médico.

# CULPA

*"Sei que eu não fui tão cuidadosa durante a minha gravidez quanto deveria ter sido. E mesmo que o médico diga que provavelmente não foi minha culpa, não consigo deixar de me culpar pelo fato de o meu filho ter nascido tão cedo."*

Provavelmente não existe uma mãe de um bebê prematuro que não pense no passado e lamente algo que ela fez durante a gravidez que poderia ter feito melhor — algo que ela teme que tenha contribuído para a chegada prematura do bebê.

Estes sentimentos de remorso são normais, mas não são produtivos. Além disso, é quase impossível ter certeza sobre que fator ou fatores são responsáveis pela chegada precoce do seu bebê. Em muitos casos, o que uma mãe fez ou não durante a gravidez não tem impacto sobre isso (e nenhuma gestante faz *tudo* certo). Mesmo que você tenha certeza de que seu comportamento ou estilo de vida foi um fator determinante, assumir a culpa não vai ajudar o bebê. O que seu bebê precisa agora é de uma mãe que seja forte, que o ame e o apoie, e não de uma mãe que fique paralisada por sentimentos de culpa.

Leia o Capítulo 21, que trata de recém-nascidos com necessidades especiais, para obter algumas sugestões sobre como lidar com os sentimentos de culpa, raiva e frustração. Também pode ser útil você conversar com pais de outros bebês prematuros. Você vai descobrir que eles compartilham muitos de seus sentimentos. Alguns hospitais têm grupos de apoio aos pais; outros sentem que o melhor para os pais é conversar com a equipe médica em vez de com outros pais. Faça o que achar que vai ajudá-la mais.

# O Que É Importante Saber:
## PROBLEMAS DE SAÚDE COMUNS EM BEBÊS NASCIDOS ABAIXO DO PESO

A prematuridade é um negócio arriscado. Os pequeninos corpos não estão maduros ainda, muitos sistemas (regulador de calor, sistema respiratório e digestivo, por exemplo) ainda não são totalmente funcionais e não é de se surpreender que o risco de uma doença neonatal seja maior. À medida que se desenvolve a tecnologia para manter estes bebês vivos, mais atenção está sendo dada a estas condições comuns em bebês prematuros e um tratamento completamente bem-sucedido está se tornando cada vez mais a norma para a maioria deles. (Novos tratamentos estão sendo desenvolvidos quase diariamente, e portanto não podem ser detalhados aqui; certifique-se, então, de perguntar ao neonatologista ou pediatra sobre os progressos recentes.) Os problemas médicos que mais frequentemente complicam a vida dos bebês prematuros incluem:

**Síndrome do desconforto respiratório (SDR).** Devido a sua imaturidade, o pulmão prematuro com frequência tem deficiência de surfactante, uma substância que parece um detergente e ajuda a impedir que as bolsas de ar (os alvéolos) nos pulmões entrem em colapso. Sem o surfactante, as pequenas bolsas de ar entram em colapso como balões a cada expiração, forçando o pequeno bebê a se esforçar cada vez mais para respirar. Os bebês que passaram por um grande estresse no útero, geralmente durante o trabalho de parto e o nascimento, são menos propensos a ter deficiência de surfactante, já que o estresse parece acelerar a maturação dos pulmões.

A SDR, a doença pulmonar mais comum entre os bebês prematuros, já foi considerada fatal; entretanto, mais de 80% dos bebês que desenvolvem SDR sobrevivem, graças a um aumento da compreensão da síndrome e de novas formas de tratamento. O oxigênio extra é dado via um balão de oxigênio plástico ou por pressão positiva contínua nas vias aéreas (CPAP), administrada por tubos que se encaixam nas narinas ou na boca. A pressão contínua impede que os pulmões colapsem até que o corpo comece a produzir surfactante suficiente, geralmente em três ou cinco dias. Para bebês com SDR aguda, insere-se um tubo respiratório e o bebê é colocado em um ventilador. O surfactante é então administrado diretamente nos pulmões do bebê através do tubo respiratório. Às vezes, quando a imaturidade dos pulmões é detectada no útero, a SDR pode ser totalmente prevenida pela administração pré-natal de um hormônio na mãe, para acelerar a maturação dos pulmões e a produção de surfactante.

Um caso brando de SDR geralmente acontece durante a primeira semana de vida, mas, se o bebê for colocado no ventilador, a recuperação pode ser muito mais lenta. Os bebês com casos agudos de SDR podem ter um risco maior de resfriados ou de doenças respiratórias nos primeiros dois anos de vida, uma probabilidade maior de ter doenças do tipo asmática ou com respiração arquejante e uma probabilidade maior de serem hospitalizados nos primeiros dois anos de vida.

**Displasia broncopulmonar (DBP).** Em alguns bebês, especialmente aqueles nascidos muito pequenos, a administração de oxigênio por um longo período e a ventilação mecânica parecem combinar-se com a imaturidade do pulmão para causar a DBP, ou doença crônica do pulmão. A doença, que resulta de lesão pulmonar, é geralmente diagnosticada quando um recém-nascido ainda precisa da administração de oxigênio após a 36ª semana de gestação. As mudanças específicas no pulmão geralmente são vistas através de raios X, e estes bebês com frequência ganham peso lentamente e estão sujeitos a apneia. O tratamento da DBP inclui uma dose extra de oxigênio; ventilação mecânica contínua; medicamentos, como broncodilatadores (para ajudar a abrir as vias aéreas) ou esteroides (para reduzir a inflamação); limitação de líquidos ou administração de diuréticos (para reduzir o excesso de líquidos, que podem piorar a respiração); RSV e vacinas contra a gripe. Alguns bebês continuam a precisar de oxigênio quando vão para casa e todos precisam de uma ingestão alta de calorias para melhorar o crescimento. Com frequência o problema desaparece quando os pulmões amadurecem, embora bebês com DBP possam ter um risco maior de infecções respiratórias.

**Apneia da prematuridade.** Embora a apneia, os períodos de pausa respiratória, possa ocorrer em qualquer recém-nascido, este problema é muito mais comum em bebês prematuros. A apneia da prematuridade ocorre quando os sistemas respiratório e nervoso imaturos do bebê prematuro fazem com que ele pare de respirar por períodos curtos. É diagnosticada quando um bebê tem estes períodos que duram mais de 20 segundos, ou que são menores, estão associados com bradicardia, uma redução na frequência cardíaca. Também é considerada apneia se a pausa respiratória está associada com a mudança de cor do bebê para pálida, arroxeada ou azul. Quase todos os bebês nascidos com 30 semanas ou menos sofrem de apneia.

A apneia é tratada pela estimulação do bebê para recomeçar a respirar através de fricção ou pancadinhas na pele do bebê, administração de medicamento (como cafeína ou teofilina) ou o uso de pressão positiva contínua nas vias aéreas (CPAP), na qual o oxigênio é administrado através de tubos inseridos nas narinas ou na boca. A apneia desaparece com o crescimento em muitos bebês, quando eles atingem as 36 semanas de idade gestacional. De vez em quando pode ser necessário monitorar em casa, embora a maioria dos bebês não mostre sinais de apneia após completarem dez semanas depois da data prevista para o nascimento. A apneia da prematuridade não está associada com a SIDS. Se um bebê tiver pausas respiratórias após o desaparecimento da apneia, elas não são mais consideradas apneia da prematuridade e é mais provável que aconteçam devido a outro problema.

**Persistência do canal arterial.** Enquanto o bebê ainda está no útero, há um duto conectando a aorta (a artéria através da qual o sangue do coração é enviado para o resto do corpo) e a artéria pulmonar esquerda (a que leva aos pulmões) chamado de duto arterial. Este duto desvia o sangue dos pulmões em mau funcionamento e é mantido aberto durante a gestação por altos níveis de prostaglandina E (um dos grupos de ácidos graxos produzidos pelo corpo) no sangue. Normalmente, os níveis de prostaglandina E caem ao chegarem e os dutos começam a ser fechados em algumas horas. Mas em cerca de metade dos bebês prematuros muito pequenos (aqueles que pesam 1.500 gramas) e em alguns bebês maiores, os níveis de prostaglandina E não caem e o duto permanece aberto ou "persistente". Em muitos casos não existem sintomas, exceto por um sopro cardíaco e um pequeno encurtamento da respiração ao se fazer um esforço e/ou coloração azulada nos lábios, e o canal fecha por si só após o nascimento. Entretanto, podem ocorrer graves complicações de vez em quando. O tratamento com drogas antiprostaglandina (indometacina) é com frequência bem-sucedido no fechamento do canal; quando isto não acontece, uma cirurgia geralmente resolve o problema.

**Retinopatia da prematuridade (ROP).** Este problema, causado por um crescimento anormal dos vasos sanguíneos nos olhos do bebê, afeta 85% dos bebês nascidos antes da 28ª semana. Embora os bebês nascidos entre 28 e 34 semanas também corram esse risco (porém com uma porcentagem não tão alta), em geral apenas os bebês prematuros menores, independente de sua idade gestacional, correm um risco maior. Acreditava-se anteriormente que era causada pelo excesso de administração de oxigênio, mas sabe-se agora que um alto nível de oxigênio é apenas um dos fatores envolvidos, e os médicos ainda estão tentando determinar que outros fatores podem contribuir para a ROP. O monitoramento dos gases no sangue, quando é administrada terapia de oxigênio, é uma rotina atualmente e parece ajudar a minimizar o risco de ROP.

Como a ROP pode levar a arranhar ou distorcer a retina, a um risco maior de miopia, redução da acuidade visual (ambliopia), movimentos rítmicos involuntários do olho (nistagmo) e até cegueira, um recém-nascido com ROP precisará ser examinado por um oftalmologista pediátrico. Os bebês com ROP aguda podem precisar de tratamento para cessar a progressão de vasos anormais. Com o tratamento, a camada interna do olho na ponta destes vasos é eliminada para prevenir um posterior crescimento anormal dos vasos sanguíneos.

**Hemorragia intraventricular (IVH).** A IHV, ou sangramento no cérebro, é extremamente comum entre bebês prematuros porque os vasos no cérebro em desenvolvimento são muito frágeis e podem sangrar muito facilmente. A hemorragia intraventricular atinge de 15 a 20% dos bebês prematuros que pesam menos de 1.500 gramas, com mais frequência nas primeiras 72 horas de vida.

As hemorragias mais graves (que atingem apenas de 5 a 10% dos bebês extremamente prematuros) requerem uma observação minuciosa para corrigir qualquer problema posterior que se desenvolva — por exemplo, hidrocefalia (bloqueio do líquido medular). Sessões regulares de ultrassom para acompanhamento em geral são feitas para estas hemorragias até que elas tenham sido resolvidas. Os bebês com hemorragias de grau mais agudo também correm um risco maior de sequelas imediatas e de deficiências posteriormente. Não há um tratamento específico para a IVH. A cirurgia não vai prevenir ou curar o sangramento. Em casos brandos (e a maioria é branda), o sangue é absorvido pelo corpo. Geralmente é normal proceder a um ultrassom da cabeça para acompanhamento e o desenvolvimento do bebê é normal para um bebê prematuro.

**Enterocolite necrosante (NEC).** A NEC é uma inflamação nos intestinos que só ocorre quando a alimentação é iniciada. A causa é desconhecida, mas uma vez que, quanto mais prematuro o bebê, maior o risco da NEC, os médicos especulam que os intestinos de bebês muito prematuros não estão suficientemente desenvolvidos para lidar completamente com a digestão. Os bebês amamentados no peito têm menos NEC do que os bebês alimentados com fórmula. Os sintomas desta grave doença dos intestinos incluem distensão abdominal, vômito de bile, apneia e sangue nas fezes. Um bebê com enterocolite necrosante geralmente é colocado sob alimentação intravenosa e antibióticos. Se houver uma grave deterioração do intestino, em geral realiza-se uma cirurgia para remover a porção danificada.

**Anemia.** Muitos bebês prematuros desenvolvem anemia (muito poucos glóbulos vermelhos no sangue) porque os glóbulos vermelhos (como os de todos os bebês) têm uma vida mais curta do que os glóbulos vermelhos dos adultos (isto pode ser exagerado se o tipo sanguíneo do bebê for diferente do tipo sanguíneo da mãe), eles produzem poucas glóbulos vermelhos novos nas primeiras semanas de vida (como todos os bebês) e frequentes amostras de sangue devem ser retiradas do bebê para que sejam feitos os exames laboratoriais necessários, tornando difícil a reposição dos glóbulos vermelhos. A anemia branda pode não precisar de tratamento se o número de glóbulos vermelhos for suficiente para levar o oxigênio para atender às necessidades do bebê. A anemia grave geralmente é tratada com uma transfusão no bebê. Uma vez que os bebês prematuros, sejam eles anêmicos ou não, nascem com níveis baixos de ferro, geralmente precisam receber um suplemento de ferro para ajudá-los a formar as reservas necessárias para produzir glóbulos vermelhos.

**Infecção.** Os bebês prematuros são mais vulneráveis a uma variedade de infecções porque nasceram antes da transferência de anticorpos da mãe para combater as doenças, o que normalmente ocorre ao final da gravidez. Os prematuros também têm um sistema imunológico imaturo, tornando mais difícil combater os

germes, inclusive aqueles que são introduzidos por tubos de alimentação, linhas IV e exames de sangue. Entre as infecções mais comuns que os prematuros podem ter estão a pneumonia, as infecções do trato urinário, sepse (infecção do corpo ou da corrente sanguínea) e meningite. Os bebês cujo sangue, urina ou líquido medular voltam com sinal positivo de infecção são tratados com uma dose intravenosa de antibióticos.

**Icterícia.** Os bebês prematuros são muito mais propensos a desenvolver icterícia do que os bebês concebidos no tempo normal. Também os níveis de bilirrubina destes bebês (a medida da icterícia) provavelmente são mais altos e a icterícia demora mais a passar. Leia sobre este problema na página 205.

**Hipoglicemia.** Pouco açúcar no sangue em um bebê com frequência não é reconhecido ou tratado porque os sintomas podem estar ausentes ou não serem evidentes. Por consequência, isto pode levar a complicações graves, como dano cerebral. É um problema muito comum em múltiplos, quando o bebê menor pesa menos de dois quilos, e em bebês de mães diabéticas (que geralmente têm um peso maior, em vez de menor, ao nascerem). A hipoglicemia é rotineiramente identificada nas primeiras 24 ou 48 horas e, se descoberta, o tratamento para normalizar os níveis de açúcar é iniciado imediatamente.

**Pressão sanguínea baixa.** Este problema é comum em bebês prematuros após o

## RE-HOSPITALIZAÇÃO

Felizmente, a maioria dos bebês prematuros que vai para casa permanece em casa. Mas, às vezes, um prematuro acaba voltando ao hospital durante o primeiro ano de vida, geralmente para o tratamento de uma doença respiratória ou desidratação. Quando isto acontece, é especialmente difícil para os pais, que lutaram para esquecer o tempo passado na UTIN, começarem uma vida normal com os seus bebês. As lembranças e as emoções tão familiares podem voltar em ondas se o bebê for hospitalizado novamente e vão de sentimentos de culpa ("O que eu fiz de errado?") a sentimentos de medo e pânico ("O que vai acontecer se o meu bebê ficar mais doente?"). Depois de finalmente ter o bebê em casa sob os seus cuidados, você pode se sentir como se tivesse perdido o controle novamente.

Procure ter em mente que a re-hospitalização geralmente não dura muito tempo e que, como seu filho ficou na UTIN quando era recém-nascido, a estada no hospital (mais provavelmente na UTIP, unidade de tratamento intensivo pediátrica) também vai chegar ao fim — quando, então, você poderá levar o bebê de volta para casa, e desta vez, espera-se, para sempre.

---

nascimento devido à perda sanguínea antes ou durante o parto, a perda de líquidos através do parto, infecção ou medicamentos dados à mãe antes do parto. A pressão baixa com frequência também acompanha a SDR. Ela é tratada com aumento de líquidos, dando medicamentos ao bebê para aumentar a pressão sanguínea ou por uma transfusão de sangue, se necessária.

◆ ◆ ◆

# CAPÍTULO 21

# O Bebê com Necessidades Especiais

Após nove meses esperando um bebê perfeitamente saudável, dar à luz uma criança que tenha necessidades especiais pode ser arrasador. Se o problema que afeta o bebê não tiver sido detectado antes do nascimento, o choque pode se juntar a sentimentos de dor e frustração. Mas por mais desesperado — e perdido — que você esteja se sentindo quando descobre que o seu bebê nasceu com um defeito genético ou um problema médico crônico, pode ser de grande valia saber que com o tempo estes sentimentos tendem a desaparecer. À medida que você começar a lidar com as complexidades de ter um bebê com necessidades especiais, vai deixar para trás todos os problemas para se concentrar somente na criança — uma criança que precisa, acima de tudo, daquilo que toda criança precisa: o seu amor e a sua atenção.

Tenha em mente também que a tecnologia médica fez enormes avanços para ajudar a melhorar o prognóstico destes bebês. Em muitos casos, um problema de nascença — mesmo aquele que pareça assustador no início — é relativamente fácil de corrigir com uma cirurgia, medicamentos, fisioterapia ou outro tratamento. Em outros casos, o problema — e o visual do bebê — pode ser melhorado. Ainda em outros casos, aprender a viver com uma deficiência do bebê — em vez de superá-la — passa a ser o maior objetivo. Ainda assim, os pais frequentemente consideram que criar um bebê com necessidades especiais soma outra dimensão à vida — inicialmente desafiadora, enriquecedora no final. Embora cuidar destes bebês possa significar o dobro do esforço, esta tarefa também traz o dobro de recompensas. À medida que o tempo passa, eles com frequência descobrem que seu filho, além de ensiná-los algo sobre a dor, ensinou-lhes muito sobre o amor.

Embora muitas das informações gerais neste livro sejam úteis aos pais de uma criança nascida com um defeito congênito, este capítulo trata de alguns ajustes e decisões que são únicos nesta situação. Se seu bebê também foi prematuro, será útil ler o Capítulo 20.

# Como Alimentar seu Bebê:
# A DIETA PODE FAZER A DIFERENÇA?

Todo pai quer que seus filhos, deficientes ou não, sejam o melhor que puderem. Assegurar uma ótima nutrição — desde o nascimento — é uma maneira de ajudar as crianças a desenvolverem seu potencial, seja ele qual for. Embora uma boa dieta não possa mudar o fato de uma criança ter um problema de nascença, ou não possa nem mesmo melhorar esta condição, poderá ter um grande impacto na saúde geral e pode afetar o comportamento, a capacidade de aprendizado e o desenvolvimento. Entretanto, não existem evidências de

que a manipulação da dieta (fazer uma dieta especial, por exemplo, ou dar megadoses de vitamina) possa melhorar significativamente a condição médica de uma criança com problema de nascença, exceto nos casos em que o distúrbio esteja relacionado com a dieta.

Para a criança que não tem a necessidade de uma dieta diferenciada, o melhor para a nutrição começa no leite materno, quando possível, ou com uma fórmula infantil comercial e, a seguir, a Dieta para o Primeiro Ano para Iniciantes (veja na página 459).

# As Preocupações Comuns

## SENTINDO-SE RESPONSÁVEL

*"O médico acabou de nos dizer que o nosso bebê tem um problema de nascença. Não consigo deixar de me*

*sentir um pouco responsável; que eu poderia ter feito alguma coisa para impedir que este problema acontecesse."*

Os pais com frequência se sentem responsáveis pelas coisas ruins

## QUANDO A CULPA É REAL

De vez em quando, como no caso da síndrome alcoólica fetal, o desenvolvimento de um problema de nascença pode ser detectado pelos atos da mãe, tornando mais difícil lidar com a culpa que pesa em quase todos os pais de bebês nascidos com problemas de nascença. Entretanto, é importante lembrar que o alcoolismo é uma doença tanto quanto o diabetes, que as mães alcoólatras bebem não porque querem machucar seus bebês, mas sim porque a doença as controla. Se o problema de seu bebê puder ser identificado como deste tipo, procure ajuda profissional agora para lidar com ele e impedir qualquer impacto negativo neste bebê ou em bebês que você poderá ter no futuro.

É importante também ter em mente que até quando a culpa não tem fundamento, não faz bem a ninguém — e o menos culpado é o seu bebê. Em vez de desperdiçar energia emocional se lamentando, concentre-se ao máximo nas ações positivas que podem ser feitas para o futuro do seu bebê e o da sua família.

que acontecem com seus filhos; até mesmo um tombo sofrido por um bebê que está começando a andar, causado pelo jeito desastrado dele mesmo, pode fazer com que eles imediatamente se castiguem ("Por que não o observamos com mais cuidado?"). Quando uma criança nasce com um problema congênito, a culpa pode ser imensa e avassaladora. Mas os problemas de nascença raramente são causados por algo que a mãe ou o pai tenham feito e a culpa pode impedi-los de criar laços e cuidar do bebê. Aceitar que a causa estava fora de controle pode ajudá-los a iniciar o processo de conviver com o problema do seu bebê; um processo que deve começar antes de vocês começarem a aprender a viver e amar o seu recém-nascido.

Conversem com o médico do seu filho para ter mais certeza. Se isso não for suficiente para afastar o sentimento de culpa, tentem conversar com outros pais que passaram pelo mesmo problema. Perguntem no hospital sobre grupos de apoio perto da sua casa, ou conversem *on-line* com outros pais cujos bebês têm a mesma deficiência. Vocês logo vão descobrir que os sentimentos que estão experimentando são universais entre pais de crianças com necessidades especiais. Saber que vocês não estão sozinhos pode ajudar imensamente.

## SENTINDO RAIVA

*"Desde que eu dei à luz minha filha, que tem síndrome de Down, estou com raiva de todo mundo: dos médicos, do meu marido, dos meus pais, dos pais que têm bebês normais e até mesmo do meu bebê."*

Por que você não deveria ficar zangada? Os seus sonhos de nove meses ou talvez de mais tempo foram destruídos. Você olha em volta para os amigos, vizinhos, parentes e estranhos no supermercado com seus bebês normais e você pensa com rancor, "Por que não eu?" O fato de fazer esta pergunta e não obter respostas satisfatórias alimenta ainda mais a frustração. Você pode ficar irritada com o médico que fez o parto do bebê (mesmo que não seja culpa dele), com seu marido (mesmo sem uma razão lógica), até mesmo com crianças normais.

Aceite a sua raiva como normal, mas também reconheça que, como a culpa, ela não é uma emoção especialmente produtiva. Ficar com raiva consome muita energia, uma energia que deveria estar centrada no seu bebê e nas necessidades dele. Você não pode mudar o passado, mas pode fazer uma enorme diferença no futuro de sua filha.

## NÃO AMAR O BEBÊ

*"Já faz quase um mês que a nossa filha nasceu com um problema de nascença e eu ainda não me sinto próxima a ela. Eu me pergunto se algum dia vou me sentir."*

O afeto é um processo gradativo; até mesmo os pais de bebês normais com frequência levam meses para se sentirem realmente próximos de seus recém-nascidos. Para os pais de bebês com deficiência, que precisam esquecer o bebê idealizado que estavam esperando antes de abrir o coração para o bebê que tiveram na verdade, o processo é, compreensivelmente, ainda mais gradativo. E, da mesma maneira como é para pais de bebês normais, conhecer o seu bebê é o primeiro passo para aprender a amá-lo. Para isto, interaja com ele como você faria com qualquer recém-nascido — cante, nine, afague e beije. Isto vai não só ajudá-la a se sentir mais próxima do seu bebê, mas também a ajudará a dar menos importância à deficiência dele para que você possa descobrir e se concentrar nas suas qualidades ternas (toda criança as tem).

Conversar com outros pais de bebês com dificuldades semelhantes vai ajudá-la a entender que os seus sentimentos são perfeitamente normais e sem dúvida efêmeros. Se você não se sentir próxima de seu bebê com o passar do tempo, procure ajuda de alguém que tenha experiência com pais de bebês com problemas congênitos ou entre para um grupo de apoio regular. O seu médico ou o hospital poderá indicar um a você.

*"Os médicos nos dizem que o nosso menininho pode não aguentar, então temos medo de ficarmos muito ligados a ele!"*

Os pais de bebês cuja vida está em risco — seja porque são muito pequenos ou porque estão muito doentes — com frequência dividem o medo de amar e perder, e consciente ou inconscientemente evitam criar laços com seus recém-nascidos. Em geral, os pais que se permitem conhecer os be-

## TRABALHANDO SEUS SENTIMENTOS

Talvez você esteja sentindo culpa, raiva, ou frustração. Talvez esteja tendo dificuldade em criar vínculos com seu bebê ou se relacionar com seu cônjuge. Independente do que o estiver deixando deprimido, unir-se a um grupo de apoio com outros pais novos que estão no mesmo barco (verifique *on-line*, no hospital ou com o médico do bebê) pode ajudá-lo a trabalhar os sentimentos com outras pessoas que sabem como você está se sentindo. O mesmo é válido quanto à comunicação aberta com seu cônjuge, que está passando pela mesma experiência mas pode estar enfrentando-a de forma diferente. Se estes passos não funcionarem, procure por ajuda profissional assim que for possível para evitar que seus sentimentos interfiram no relacionamento com o bebê, com o cônjuge e com seus outros filhos.

---

bês que estão seriamente doentes (mesmo que apenas através das portinholas de uma incubadora) acabam tendo mais facilidade para lidar com a situação no caso de a criança não sobreviver do que aqueles que mantêm distância física e emocional — talvez porque eles sejam mais capazes de se ofender. Mas, de longe, o melhor motivo para demonstrar amor ao seu bebê que está gravemente doente é que você estará dando a ele, de certa maneira, uma razão para viver. O amor dos pais pode ter um impacto significativo sobre a vontade de sobreviver do seu bebê e pode, na verdade, ajudá-lo a superar esta fase.

## O QUE DIZER AOS OUTROS

*"Nosso filho tem um problema congênito que é bastante evidente. As pessoas não sabem o que me dizer quando o veem e eu não sei o que dizer a elas."*

Até as pessoas que sempre têm o que dizer ficam sem palavras quando estão diante de uma criança que tem uma deficiência de nascença. Elas querem dizer a coisa certa, mas não sabem qual é a coisa certa a ser dita. Elas querem ser gentis e solidárias, mas não sabem como ser uma coisa ou outra. Querem parabenizá-lo pelo nascimento do seu bebê, mas sentem que dar os pêsames seria mais apropriado neste caso. Você pode ajudá-las e a si mesma reconhecendo o desconforto delas, abrindo os canais para que expressem seus sentimentos. Se você acha que consegue, diga a elas que entende que elas estejam pouco à vontade e que isto é perfeitamente natural. Além disso, tudo que um amigo casual precisa saber é que embora o seu filho recém-nascido tenha um problema congênito, ele é seu, você o ama e pretende tratá-lo o mais normalmente possível — e espera que os amigos façam o mesmo.

É claro que esta é uma abordagem racional à situação e você pode não se sentir racional no início. Você pode querer ignorar os olhares de estranhos e às vezes até dos amigos e familiares bem-intencionados — ou ter de encarar comentários grosseiros ou impensados. Não seja dura consigo mesma se no início estiver chateada demais para deixar os outros à vontade. Com o tempo e, se necessário, com aconselhamento individual ou terapia de grupo ou apoio, você vai conseguir lidar melhor com isto.

Os amigos e familiares que estarão em contato mais próximo e mais frequente com o seu bebê, é claro, precisam saber mais. Além de serem estimulados a se abrir em relação aos seus sentimentos, eles terão de ser educados sobre os problemas e necessidades especiais do seu filho. Dê a eles material para leitura ou *sites* da Web sobre os problemas médicos do seu filho, peça ao médico do seu filho para conversar com eles, encoraje-os a conversar informalmente com outros membros da família de crianças com deficiências congênitas, ou indique a eles um grupo de apoio. Inclua-os nos cuidados com seu bebê — dê a eles a oportunidade de segurá-los, trocar fraldas, dar banho e brincar com ele. Como tempo eles também vão acabar vendo o seu filho como o bebê adorável que ele é.

Às vezes, parentes próximos, especialmente os avós, se sentem culpados ("Eu contribuí para este gene defeituoso?") ou com raiva ("Por que você não pôde nos dar um neto saudável?"), ou podem pensar que têm todas as respostas ("Dê esta comida a ele", "Vá àquele médico"). Se os seus esforços para envolvê-los na vida do seu bebê e educá-los sobre os problemas dele não ajudarem a superar estas atitudes, e se a influência negativa deles continuar a ameaçar o delicado equilíbrio do seu nicho familiar, mantenha abertas as linhas de comunicação, mas não deixe que o problema deles se torne seu.

Apesar de todos os seus esforços, sempre haverá pessoas que — simplesmente por ignorarem o assunto — farão comentários cruéis e insensíveis, desvalorizarão o seu filho porque ele é diferente e não se sentirão à vontade com ele. Haverá momentos, quando tanto você quanto ele, serão feridos pela intolerância. Apesar de você querer educar o mundo inteiro, isto não é possível. Você terá de aprender a levantar a cabeça e ignorar as pessoas de mente tacanha com a quais não conseguir lidar.

## LIDANDO COM TUDO

*"Nós amamos nossa filha, mesmo com todos os problemas dela e com todo o cuidado especial que ela precisa, mas com outra criança pequena para cuidar e educar em casa, eu me sinto totalmente perdida e incapaz de lidar com esta situação."*

Criar uma criança com um problema congênito pode esgotar física e emocionalmente até mesmo um pai que não tem outros filhos em casa. As questões nos capítulos 23 e 24, que podem ajudar qualquer novo pai, podem ajudá-la também. Mas você vai precisar também de:

**Mais descanso.** Se você for mãe em tempo integral (e muitos pais de crianças deficientes são, porque escolhem adiar a volta ao trabalho), então você tem que encontrar maneiras de sair de casa e ficar longe do estresse de cuidar do bebê todos os dias. Tire pelo menos algumas horas por semana (uma ou duas horas por dia seria ainda melhor), deixando o bebê com um parente, um amigo, uma babá de confiança ou com a enfermeira do bebê. Ou tire folga quando o seu marido chegar em casa do trabalho todo dia e nos finais de semana, quando ele não estiver trabalhando (mas certifique-se também de que vocês possam tirar alguns dias de folga juntos; uma "noite romântica" por semana é importante para todos os novos pais, mas essencial para os pais de um bebê com necessidades especiais). Almoce com uma amiga, vá se exercitar em uma academia, assista a um filme, faça uma limpeza de pele, corte o cabelo ou simplesmente vá dar uma volta no *shopping* — faça aquilo que a relaxe mais e dê a você uma energia psíquica maior. Se você tem outro filho, tente tirar algumas folgas com ele; os dois vão se beneficiar com algo que se tornou escasso, que é passar o tempo um com o outro.

**Mais relaxamento.** Não engula as suas preocupações, medos, reclamações — deixe-as sair ao conversar com o seu marido, com seus próprios pais ou irmãos, com sua melhor amiga, com seu médico, com outros pais na mesma situação ou com um terapeuta profissional, se necessário. No início, você pode não se sentir pronta para enfrentar um grupo de apoio para pais de crianças com problemas semelhantes, mas pode descobrir que isto é extremamente útil (não apenas em termos de apoio emocional, mas por razões práticas e logísticas) posteriormente. As salas de bate-papo *online*, que permitem que você tenha apoio a qualquer hora do dia ou da noite, podem ser ainda mais convenientes. Manter um diário é outra maneira de expressar os seus sentimentos e trabalhar a ansiedade. Registre os problemas e o progresso que você fez e que ainda precisa ser feito. Ver a sua vida no papel pode ajudar a fazer com que ela pareça mais administrável.

**Mais ajuda.** Você não pode fazer tudo sozinha. Se você não pode pagar para alguém ajudá-la com as tarefas de casa e com os cuidados com o seu filho, vai precisar da ajuda de amigos ou familiares mais do que nunca. Você não precisa se sentir culpada por isso, se não tomar o tempo e a energia dos outros como certo. Embora você possa se sentir a única beneficiária da gentileza deles, eles também serão beneficiados — talvez ainda mais do que você — ao ajudar.

# OBTENDO O DIAGNÓSTICO CORRETO

*"Segundo o nosso médico de família, nosso filho tem um problema congênito muito grave. Eu*

*simplesmente não consigo acreditar — todos são tão saudáveis na nossa família."*

É difícil acreditar em doenças graves, especialmente em nossos filhos. A primeira reação é quase sempre a de negação: você se agarra à esperança de que alguém cometeu um erro. A melhor maneira de resolver esta dúvida irritante é verificando novamente o diagnóstico — afinal de contas, ninguém é infalível. Portanto, se você ainda não fez isso, leve seu filho para ser examinado minuciosamente por um neonatologista experiente (ou por outro especialista pediátrico adequado: geneticista, neurologista, cardiologista, por exemplo), que seja familiarizado com o problema diagnosticado e certifique-se de que todos os exames adequados foram feitos, tanto para verificar o diagnóstico quanto para descobrir qualquer outro problema que possa existir. Você pode ajudar a garantir um diagnóstico correto ao dar aos médicos examinadores o máximo de informações possível sobre o histórico médico da sua família (inclusive qualquer distúrbio genético na família) e o histórico da sua gravidez e o seu comportamento (inclusive o uso de tabaco, álcool ou consumo de drogas, remédios que tomou, doenças, especialmente acompanhadas de febres etc.). Suas respostas sinceras podem, na verdade, ajudar o médico a identificar um diagnóstico incerto.

Se o médico consultado tiver a mesma opinião que o primeiro, você pode ter certeza de que o diagnóstico está correto — e levar seu filho de

um médico a outro não vai alterar a realidade. Embora sempre exista uma chance em um milhão de que vários médicos estejam errados, é provável que exista realmente um problema.

Mas esteja certa de que você tem total clareza do que significa o diagnóstico. Os pais de primeira viagem, quando ouvem que o filho tem um problema congênito, provavelmente vão apagar a maioria dos detalhes devido a uma onda avassaladora de choque. O que eles vão ouvir será "O seu filho não é normal". Além disso, tudo ficará turvo. Portanto, peça uma segunda consulta com o médico quando a sua mente estiver um pouco mais clara (não espere que o seu pensamento vá estar centrado naquele momento). Além das informações que você precisa saber dos médicos e/ou enfermeiras que estão cuidando do seu bebê, procure por informações em livros, converse com pais em situação semelhante e procure organizações preocupadas com crianças com deficiências e/ou o problema específico do seu bebê (ligue para obter informações ou visite um *site* na Web) ou os *sites* listados na página 885. No entanto, não confie nos conselhos de amigos ou familiares bem-intencionados e mal-informados — é provável que sejam baseados mais em mitos do que na medicina.

Antes de levar o bebê para casa, pergunte ao médico o que exatamente você pode esperar (em termos de comportamento, desenvolvimento, problemas médicos) e a que sinais de alerta você precisa ficar atenta, bem como o que você e o resto da sua família po-

# SEJA UM AMIGO DE VERDADE

Poucas pessoas sabem o que fazer ou dizer quando ficam sabendo que um amigo, parente, vizinho ou conhecido deu à luz uma criança com um problema congênito, uma criança que está gravemente doente ou que morreu ao nascer ou logo depois do parto. Não existem respostas apropriadas; cada indivíduo e cada situação são únicos. Mas, em geral, estas abordagens são as que provavelmente vão ajudar mais:

**Ouça.** Não diga, "Eu sei como você está se sentindo" a menos que você tenha passado pela mesma situação. Não diga, "Você tem que ser forte" nem use outros clichês, por mais bem-intencionado que você seja. Os novos pais em crise terão conselhos suficientes vindos de profissionais. O que eles precisam é do seu amor incondicional, do seu apoio total e muita vontade de ouvir. Ouça o que eles têm a dizer e o que se passa em seus corações sem fazer julgamentos ou propor o seu ponto de vista. Deixe que eles expressem seus sentimentos, sejam eles quais forem (você pode esperar que eles tenham raiva às vezes, estejam desesperados em outras) e solidarize-se com eles — esta será a melhor terapia.

**Informe-se.** Se os pais parecem querer falar sobre os problemas do bebê, ouça. Mas se eles já contaram a mesma história terrível muitas vezes, obtenha informações de segunda ou terceira mão através de um parente ou amigo, para que eles não precisem vivê-la novamente. Para poder entender melhor o que eles estão passando, leia este capítulo (e, se for relevante, o capítulo anterior) e consiga informações adicionais se você sentir que precisa de alguma organização que cuide especificamente da condição do bebê.

**Use a linguagem do corpo.** Com frequência, quando as palavras falham, um aperto de mão, um abraço carinhoso, um olhar solidário vai fazer com que a mensagem de que você se importa chegue a eles.

**Mantenha contato.** Uma vez que você não tem certeza do que dizer ou fazer, com frequência é mais fácil não fazer ou dizer nada, evitando o amigo que está passando por uma crise. Aqueles que estão no lado receptor deste comportamento quase sempre vão dizer: "Eu preferia ouvir as palavras erradas a não ouvir nenhuma." Então, continue ligando, fazendo visitas e convites. E embora você não deva forçar a sua companhia a alguém que prefere sofrer a sua dor sozinho, não desista depois do primeiro "Nós ainda não estamos prontos para sair". Tente novamente depois.

**Ajude.** Existem inúmeras tarefas que amigos e familiares podem fazer quando os pais estão lamentando a perda de um bebê ou têm de enfrentar o fato de terem um bebê que esteja hospitalizado ou que precise de muita atenção. Cozinhe, sirva de babá para os filhos mais velhos, lave a roupa, ofereça-se para passar aspirador na casa, tire o pó ou até mesmo fique com o bebê por uma ou duas horas, se possível. Qualquer coisa que você faça que sirva para aliviar o peso deles será, sem dúvida, apreciada.

## APENAS OS FATOS

A Internet se tornou uma fonte valiosa de informações e apoio para os pais, especialmente para os pais de crianças com necessidades especiais. Sem ter como deixar suas casas ou até mesmo a companhia de seus bebês, os pais que querem aprender tudo sobre um problema congênito ou outro problema de saúde podem acessar centenas de fontes. Os pais que precisam muito de companhia de outros que possam entender e se solidarizar, podem entrar em salas de bate-papo, onde as experiências e *insights* são divididos livremente. Portanto, de todas as maneiras, use a internet para ajudá-la a lidar com o defeito do seu filho. Mas tenha em mente que há muitos dados incorretos na supervia da informação. Para garantir que você tenha os fatos, sempre passe o que você aprendeu a um profissional médico antes de aceitar ou pensar em usá-los para o tratamento do seu filho.

---

dem fazer para ajudar o bebê a alcançar o seu potencial. Tome notas para que você possa usá-las como referência quando chegar em casa.

## ACEITAR OU NÃO O TRATAMENTO

*"Nosso bebê nasceu sem uma parte do cérebro. Os médicos dizem que ele não tem chance de viver, mas querem operá-lo para mantê-lo vivo por mais algum tempo. Nós não sabemos o que fazer."*

Embora essa questão de aceitar ou não que bebês que não tenham esperança de sobrevivência a longo prazo sejam tratados e mantidos por sistemas que mantêm a vida tenha se tornado uma questão ética para a sociedade, ela agora é uma dolorosa questão pessoal para você. A sua decisão, se possível, não deve ser tomada sozinha sem antes conversar com a sua família, um religioso, os médicos do bebê e o especialista em ética do hospital, se houver um. Em muitos casos, haverá tempo para tomar uma decisão racional. Mesmo quando não houver, e o tempo for de suma importância, há uma chance de conversar com os médicos do bebê, e possivelmente com o capelão do hospital. Os médicos podem lhe dizer que qualidade de vida você pode esperar que seu filho vá ter se for mantido vivo e se o tratamento vai melhorar a qualidade de vida dele ou simplesmente impedir que ele morra. O capelão pode explicar as questões religiosas envolvidas e o profissional de ética, os seus direitos e responsabilidades legais, bem como as questões éticas. Quando tomar a sua decisão, considere todas as informações e conselhos que recebeu, mas faça o que você acredita de cora-

## ONDE PROCURAR AJUDA

Como encontrar os recursos que podem ajudar melhor o seu bebê? Procure por organizações em sua cidade ou pesquise na internet. Os *sites* a seguir são bons lugares para começar:

Associação de Paralisia Cerebral do Brasil
http://www.apcb.org.br

ABC da Saúde
http://www.abcdasaude.com.br

Sociedade Síndrome de Down
http://www.ssd.org.br/

Associação Cruz Verde
http://www.cruzverde.org.br

APAE do Brasil
www.apaebrasil.org.br

---

ção que seja o certo — porque não importa, qual seja, esta será a decisão com a qual você terá de conviver.

Em alguns casos, os pais de crianças para as quais não há esperança encontram algum consolo ao doarem alguns órgãos dos bebês para salvar a vida de outros bebês doentes. Isso nem sempre é possível — às vezes por razões médicas, às vezes por razões legais —, mas pergunte ao médico e às autoridades do hospital sobre a possibilidade de doação de órgãos, se isto interessar a você.

## RECEBENDO O MELHOR CUIDADO E TRATAMENTO

*"Estamos decididos a dar ao nosso bebê, apesar das suas deficiências, a melhor chance possível de vida. Mas não temos certeza de como fazê-lo."*

Sua determinação em ajudar o seu filho aumenta muito as chances que ele tem de ter uma vida produtiva e fe-

liz. Mas você pode fazer muito mais do que isto e, quanto mais cedo começar, melhor. A maioria dos bebês com deficiências congênitas graves tem um começo de vida melhor em um grande centro médico, mas pode ser que um hospital da comunidade esteja equipado com uma excelente unidade de tratamento intensivo neonatal (UTIN). Um hospital próximo a sua casa tem a vantagem de permitir que você o visite regularmente, o que às vezes vai compensar a falta de sofisticação científica.

Onde quer que o seu filho seja tratado, você vai querer que ele esteja aos cuidados de um médico que seja especializado em lidar com um problema congênito específico — embora os cuidados diários possam ser dados por um pediatra local ou pelo médico da família, sob supervisão do especialista. Para deficiências congênitas múltiplas, é melhor ter uma equipe médica para o tratamento. A equipe pode incluir médicos de várias especialidades, psicólogos, fisioterapeutas, nutricionistas, assistentes sociais, bem como um neonatologista e geralmente o próprio médico do bebê. Se você não estiver certa de como localizar o(s) especialista(s) adequado(s) e a equipe do hospital não puder ajudá-la, pode entrar em contato com alguma organização local que seja voltada para o problema congênito do seu bebê.

Embora um cuidado médico excelente e, com frequência, uma intervenção educacional precoce sejam fundamentais para o desenvolvimento do seu filho, na maioria dos casos o ambiente doméstico que você criar será ainda mais significativo para determinar o quanto ele estará preparado para a vida e se ele vai alcançar o potencial máximo ou não. A necessidade primária da maioria das crianças nascidas com deficiências congênitas é ser tratada como qualquer outra criança — ser amada e cuidada, mas também disciplinada e ensinada a estar dentro dos padrões (o que, obviamente, deve levar em conta as limitações individuais delas). Como outras crianças, eles precisam sentir-se bem consigo mesmas — saber que cada passo dado adiante, mesmo os pequenos, será apreciado e aplaudido e que ninguém espera que eles sejam como o bebê do vizinho, e sim que eles vivam de acordo com suas próprias possibilidades.

Uma grande variedade de terapias, bem como de ajuda de alta tecnologia — tudo, de brinquedos adaptados para o *playground* e brinquedos para educação especial, implantes cocleares (para ajudar a audição) e aparelhos robóticos — estão disponíveis para o seu filho deficiente crescer, desenvolver-se e aproveitar a vida. Pergunte a um membro da equipe de cuidados do seu filho sobre estes equipamentos ou peça informações junto às organizações adequadas.

## EFEITOS DO BEBÊ NOS IRMÃOS

*"Estamos preocupados sobre como nossa filha normal de 3 anos de idade vai lidar com as mudanças que ter um irmão com uma deficiência congênita vai trazer à vida dela."*

Dividir o lar com um irmão deficiente indubitavelmente trará mudanças para a vida da sua filha. E já que o relacionamento entre irmãos é geralmente o mais longo na família, estas mudanças vão continuar a afetá-la não só enquanto ela estiver morando na sua casa, mas enquanto ela e o irmão viverem. A boa notícia é que as mudanças podem acabar sendo positivas — e mesmo profundamente positivas — se você tomar medidas agora e em toda a infância de sua filha não só para ajudá-la a lidar com os desafios de ter um irmão com necessidades especiais, mas também para fazer com que ela saiba que ela também é especial. Na verdade, ter um irmão com deficiência torna as crianças, em média, mais pacientes e compreensivas, bem como mais propensas a terem bons relacionamentos com tipos diferentes de pessoas. Mas não ter aquele apoio tão necessário pode obrigar a criança a procurar pela atenção dos pais da maneira como puder, colocando-a em risco de ter uma variedade de problemas comportamentais e emocionais, de ter a sensação de estar deslocada e de ter sido desvalorizada, a se tornar distante e agressiva, desenvolver sintomas psicossomáticos e agir ou ir mal na escola.

Para garantir que as mudanças na vida de sua filha sejam altamente positivas, ela vai precisar de:

♦ Muito, muito apoio. A maioria das crianças que têm um irmão com necessidades especiais não precisam de aconselhamento, precisam de compreensão. Grande parte do apoio de que a sua filha vai precisar, pode — e deve — vir de você, sob a forma de amor incondicional, dado generosamente. Mas também pode vir de outras crianças que entendam como ela se sente. Muitos hospitais e organizações patrocinam programas para irmãos; verifique sobre esta possibilidade na sua região. Estes programas dão às crianças a oportunidade de falar sobre suas preocupações — e de trocar histórias e estratégias — em um ambiente seguro e solidário e descobrir que elas não estão sozinhas.

♦ Conhecer os fatos, no nível dela. Às vezes, os pais tentam proteger um irmão mais velho escondendo detalhes sobre o problema médico do bebê ou até mesmo evitando o assunto completamente. Já que a imaginação é sempre pior do que a realidade, pelo menos na mente de crianças pequenas, isto vai inevitavelmente fazer mais mal do que bem do ponto de vista emocional. Sente-se com a sua filha e divida, no nível dela, a realidade sobre as condições do seu novo bebê. Incentive-a a fazer perguntas e responda-as honestamente — dando todas as informações que ela pedir, mas não mais do que ela possa compreender. Procure por livros feitos para crianças pequenas que tenham irmãos com necessidades especiais para ajudar a reforçar os fatos, bem como para fazer com que ela saiba que não está sozinha. Mas embora você informe sua filha sobre o que há de diferente entre ela e o irmãozinho, não se esqueça de apontar o que é semelhante: que ele tem os mesmos olhos azuis que ela, que ele gosta de ficar aconchegado e de ficar fazendo barulhinhos, como todo bebê faz. Aponte também as diferenças que não têm nada a ver com a deficiência congênita do bebê (ele tem cabelos pretos e ela é loura) para que ela aprenda que não há nada errado em ser diferente.

♦ Saber que não é culpa dela. As crianças pequenas — por serem naturalmente egocêntricas — tendem a culpar a si mesmas quando algo acontece de errado na família. É importante que a sua filha saiba, através de palavras e atos de apoio (por exemplo, muitos abraços e beijos) que o problema congênito do irmão não é culpa de ninguém, muito menos dela.

♦ Saber que ela não tem de ser perfeita. Alguns irmãos mais velhos, quando confrontados com muito estresse em casa, sentem que têm de ficar muito bem comportados — ser a "criança perfeita" — para compensar o fato de que o bebê não é. Levar sua filha a entender que ela é amada incondicionalmente, do jeito que ela é, vai ajudar a fazer com que ela se sinta segura o suficiente para ser ela mesma.

◆ Ter oportunidades de expressar os sentimentos. Todo irmão mais velho tem a sua cota de sentimentos ambivalentes, até mesmo sentimentos antagônicos, em relação à nova chegada. Sua filha pode ter mais do que uma simples cota de tais sentimentos — simplesmente porque a nova chegada rompeu com a rotina normal da família de uma maneira maior do que a maioria dos bebês. Incentive-a a falar dos sentimentos dela sem censurá-la, deixando que ela saiba que você também tem sentimentos confusos. Algumas crianças preferem trabalhar suas emoções através de peças de teatro e outras por meio de trabalhos artísticos.

◆ Quando a sua filha chegar à idade escolar, os sentimentos dela podem se tornar complicados devido a pressões sociais. Ela pode se sentir envergonhada por ter um irmão deficiente ou sofrer com a implicância dos amigos ou coleguinhas. Novamente, deixe-a falar sobre os sentimentos dela livremente (não só com você mas, se possível, com outras crianças que enfrentam os mesmos desafios) e arme-a com es-

tratégias para lidar com estas dificuldades.

◆ Uma vida o mais normal possível. Frente a toda a confusão que um bebê com necessidades especiais inevitavelmente traz para casa, é essencial que a vida da sua filha permaneça o mais normal possível, dadas as circunstâncias. Em vez de tentar compensar a atenção perdida com presentes caros ou excursões elaboradas (que podem fazer com que ela se sinta menos reconhecida), procure manter a rotina normal que crianças pequenas tanto apreciam. Se a hora de ir para a cama sempre vem precedida de um banho e três histórias, agora não é a hora de cortar o banho ou uma das histórias. Se ela normalmente recebe amiguinhas algumas vezes na semana ou tem aula de dança às segundas-feiras, faça um esforço para manter o horário com o qual ela está acostumada. E, se for possível, planeje um passeio com a família que inclua o novo irmãozinho dela.

◆ A vida dela. Muitos novos irmãos de bebês normais começam a sentir que a vida — como a vida dos pais — foi colocada em segundo plano quando o bebê entra em cena. Quando o novo bebê tem necessidades especiais, isto é ainda mais provável. Para proteger a sua filha do sentimento de ser uma novata, certifique-se de que ela tenha o espaço dela, os amigos dela, a identidade dela, a vida dela. Quando você começar a se sentir à vontade, organizar encontros com os amiguinhos dela na sua casa vai permitir com que ela sinta que não é nenhuma vergonha ter um irmão deficiente. Mas à medida que o bebê crescer, não espere que a sua filha o inclua nas brincadeiras e atividades dela.

♦ Tempo sozinha com você. Não se esqueça de que as necessidades da sua filha mais velha — e a necessidade que ela tem da sua atenção — são pelo menos tão grandes quanto as necessidades do bebê com necessidades especiais. Mesmo que a sua pequena roda não chie (alguns irmãos mais velhos corajosamente tentam colocar as suas necessidades em segundo plano quando veem que os pais estão sob um estresse muito grande), certifique-se de colocar um pouco de óleo nela. Por mais impossível que possa parecer, tente dedicar algum tempo todos os dias para ficar só com ela: tome chá com os ursos dela, leia histórias ou montem um quebra-cabeça juntas, empurre o balanço dela no parque. Alternar os papéis nos cuidados do bebê com o seu marido — e passar um tempo sozinha com a sua filha mais velha — vai ajudar a garantir que ela receba o que precisa de vocês dois. Quando você não puder passar tempo sozinha com ela, tente incluí-la nas atividades enquanto você cuida do bebê (comprar uma boneca para ela cuidar pode ajudá-la a se sentir mais no domínio de uma situação que foge ao controle e, ao mesmo tempo, pode dar a ela a oportunidade de trabalhar os sentimentos através da arte dramática).

# EFEITOS NO SEU RELACIONAMENTO

*"Meu marido e eu choramos juntos muitas vezes desde que o nosso filho nasceu com um problema congênito, mas isso tem sido demais para o nosso relacionamento. Receio que nunca mais tenhamos energia emocional um para o outro."*

Todos os pais descobrem que ter um bebê em casa torna o simples ato de encontrar tempo para vocês dois um desafio. Para os pais de bebês nascidos com uma deficiência, os desafios são ainda maiores. Afinal de contas, cuidar do seu bebê toma não só a sua força física, mas também suas reservas emocionais. Vocês estão aprendendo não só a serem pai e mãe (uma tarefa bastante difícil para aqueles que não têm nenhuma experiência no assunto), mas pais de uma criança com necessidades especiais. Os seus dias e noites são consumidos não só pela logística normal da vida de um recém-nascido, como amamentar e trocar fraldas, mas por intermináveis logísticas médicas — isso sem mencionar as intermináveis perguntas, apreensões e preocupações.

Mas só porque o seu relacionamento tem estado em suspenso desde o nascimento do seu filho, não significa que será sempre assim. A maioria dos casais descobre que uma criança com necessidades especiais não enfraquece o relacionamento; na verdade, muitos descobrem que a experiência fortalece a relação do casal. Para ajudar a alimentar o seu relacionamento enquanto você alimenta o recém-nascido, certifique-se de que:

**O trabalho seja dividido.** Ninguém é capaz de cuidar sozinho de uma criança com deficiência e ainda ter energia sobrando para ser um companheiro adorável para o cônjuge. Se o seu parceiro trabalha o dia inteiro enquanto você fica em casa, deixe-o assumir pelo menos algumas das responsabilidades nos cuidados com o bebê à noite para que você possa ter um descanso. Se ele está pensando em pegar outro emprego para melhorar a situação financeira por você não estar trabalhando, pode ser melhor arrumar um emprego de meio expediente e transferir mais responsabilidades pelos cuidados com a criança para ele. Contratar ou ter alguém como voluntário para cuidar da criança e/ou da casa pelo menos por algumas horas por semana também pode ajudar a aliviar o peso e deixar algum tempo livre e energia para vocês dois.

**Cada parceiro tenha apoio suficiente do outro.** Ambos têm feridas que precisam ser tratadas: ambos precisam fazer ajustes em suas vidas. (Muitas pessoas não conseguem perceber que o pai de uma criança com deficiência pode estar precisando de apoio emocional tanto quanto a mãe.) Encarar o futuro como uma equipe será infinitamente mais produtivo e satisfatório do que enfrentá-lo individualmente. Dividam os seus problemas e preocupações e protejam um ao outro de ataques externos (de avós extremamente críticos, por exemplo).

**Vocês encontrem tempo um para o outro.** Todos os novos pais precisam fazer um esforço intenso para encontrar tempo para ficarem sozinhos um com o outro — ou então este tempo não vai acontecer. E por mais difícil que possa parecer para você e para o seu marido, vocês precisam fazer o mesmo. Veja as dicas na página 961.

**Vocês deem um tempo para si mesmos.** O romance pode ser a última coisa que vocês têm na cabeça neste momento, e pode levar meses até que o desejo retorne. Esta é a regra entre casais que acabaram de ter filhos e é ainda mais provável na situação de vocês. Portanto, em vez de ficarem se pressionando a ter relações sexuais quando ainda não estão prontos, esperem até que estejam. Lembrem-se de que vocês não precisam fazer amor para demonstrar amor. Ficar abraçados ou de mãos dadas — e às vezes chorar juntos — pode ser tudo o que vocês precisam neste momento.

## UMA REPETIÇÃO COM O PRÓXIMO BEBÊ

*"Nós gostaríamos de ter um outro bebê em um ano ou mais, mas temos medo de que a deficiência congênita da nossa filha possa se repetir no nosso próximo filho."*

Por mais comum que seja este medo entre pais de crianças nascidas com um problema congênito, na maioria dos casos ele é infundado. A probabilidade de terem um bebê normal é com frequência tão boa quanto a de outros pais. Mas, para prever o risco neste caso específico, a causa do problema do seu bebê precisa ser determinada. Existe uma variedade de possibilidades:

**Genética.** Se o problema do seu bebê for determinado como genético (passado por material genético através de você e/ou do seu marido), um consultor genético ou, com frequência, o médico do bebê provavelmente será capaz de falar com vocês da possibilidade de haver uma repetição. Em alguns casos, você também será capaz de testar se os futuros fetos têm o problema no início da gravidez, dando-lhe a oportunidade de se preparar física e emocionalmente — ou a opção de não levar a gravidez a termo — caso o problema possa vir a se repetir.

**Ambiental.** Se a deficiência foi resultado de um evento único, como a exposição durante a gravidez a uma infecção, a produtos químicos, a raios X, a medicamentos ou outros fatores que tenham interferido no desenvolvimento fetal normal, é provável que ele não se repita, a menos que a mesma série de circunstâncias recorram no mesmo ponto crítico da gravidez.

**Estilo de vida.** Se o problema foi motivado por fumo, consumo de álcool, abuso de drogas ou nutrição deficiente de sua parte, por exemplo, ele provavelmente não vai se repetir a menos que os erros no estilo de vida sejam repetidos.

**Fatores maternos.** Se os problemas do bebê parecem estar relacionados com a idade da mãe, a forma ou tamanho do útero, ou outros fatores impossíveis de serem mudados, eles podem se repetir, embora o risco às vezes possa ser reduzido. Por exemplo, se você já passou dos 35 anos e tem um bebê com síndrome de Down, o exame pré-natal pode diagnosticar o distúrbio em uma futura gravidez. Ou se o seu útero não tem o formato adequado, uma cirurgia pode corrigi-lo. Se um medicamento — seja ele receitado por causa de um problema de saúde crônico ou tomado para uma doença grave — pode ter desencadeado a deficiência, evite o medicamento ou troque para um que seja mais seguro para impedir que um futuro problema ocorra.

**Uma combinação de fatores.** Quando mais de um fator estiver envolvido, prever o resultado de uma gravidez pode ser complicado, mas o médico ou o consultor genético ainda pode ser útil nestes casos.

**Desconhecido.** Às vezes não há motivo aparente para um bebê ter um problema congênito. Geralmente estes casos não se repetem. Mas se ninguém puder dizer por que o seu bebê não nasceu completamente normal, seria uma boa ideia discutir a situação com um médico especializado em aconselhamento genético antes de engravidar novamente.

Se você decidir engravidar novamente, seu obstetra deve estar completamente a par de seu histórico anterior para que você possa ser monitorada durante toda a gravidez e assim evitar qualquer possível problema. Mas com bons cuidados médicos e um bom cuidado de si mesma, a probabilidade de você de dar à luz um bebê normal e saudável será excelente.

## UMA DEFICIÊNCIA CONGÊNITA DIFERENTE DA PRÓXIMA VEZ

*"Eu estou tão preocupada em ter outro filho com o mesmo problema congênito que fiz um exame com relação a isso.*

*O que me preocupa agora é ter um bebê com um problema congênito diferente."*

Mesmo que a probabilidade de uma repetição do problema congênito do seu primeiro filho no próximo seja um pouco maior do que a média (e nem sempre é assim), o mesmo não se aplica a outras deficiências não relacionadas. Na verdade, você e o seu marido têm tanta possibilidade de gerar uma criança sem outros problemas congênitos quanto os outros pais.

Por mais garantida que estas possibilidades sejam, é normal ainda ter sentimentos de medo depois de tudo o que já passaram. Para ajudar a aliviá-los, conversem com o seu médico, consultem um geneticista e sigam as precauções listadas na pergunta anterior.

# O Que É Importante Saber:
# PROBLEMAS DE NASCENÇA MAIS COMUNS

Se o seu filho não foi diagnosticado como portador de um problema de nascença, mas se você notou sintomas que a levam a ler as informações deste capítulo, lembre-se: o que você observou pode indicar algo muito menos sério do que você está imaginando. Mas verifique com o médico do seu bebê. Pode ser necessário apenas um telefonema para acalmar os seus medos; um exame ou um teste especial pode ser necessário. Se aparecer um problema, o reconhecimento precoce e a atenção e terapia médica imediata podem ser be-

néficos ou até mesmo corrigir o problema completamente.

## AIDS/HIV PERINATAL

**O que é?** A infecção por HIV geralmente não tem sintomas, mas com frequência causa a AIDS, um distúrbio grave da imunidade.

**O quanto é comum?** Está se tornando menos comum em recém-nascidos, já

# O BEBÊ COM NECESSIDADES ESPECIAIS

que o tratamento das mulheres infectadas durante a gravidez e de seus bebês após o nascimento tem diminuído acentuadamente a taxa de transmissão da doença de mães para filhos.

**Quais são as causas?** O vírus da imunodeficiência humana (HIV), mais frequentemente transmitido da mãe para o filho durante a gravidez, nascimento ou amamentação.

**Tratamento.** Drogas antivirais para mães HIV positivas durante a gravidez e para a criança após o nascimento.

**Prognóstico.** Muitas crianças sobrevivem por muitos anos. Tanto a sobrevivência como a qualidade de vida são melhoradas com o tratamento com drogas antivirais.

# ANEMIA FALCIFORME

**O que é?** Uma anemia na qual os glóbulos vermelhos (geralmente redondos) são anormais (em forma de foice) e têm dificuldade para levar o oxigênio para as células do corpo, ficando com frequência presos e bloqueando os vasos sanguíneos. Os sintomas (como fadiga, respiração difícil, inchaço nas juntas, especialmente nos dedos dos pés e das mãos e dor aguda nos ossos) geralmente só aparecem aos 6 meses de idade, mas os exames podem diagnosticar o problema imediatamente após o nascimento.

**O quanto é comum?** Afeta 1 em 400 crianças negras; a incidência é menor em outras.

**Quem é suscetível?** Basicamente descendentes de negros africanos, mas também brancos do Mediterrâneo ou do Oriente Médio. O risco é de 1 em 4 se ambos os pais são portadores e de 4 em 4 se ambos tiverem a doença.

**Quais são as causas?** Herança recessiva autossômica: ambos os pais têm de transmitir os genes recessivos para que o filho seja afetado. Crises periódicas podem ser desencadeadas por infecções, estresse, desidratação e oxigenação inadequada.

**Problemas relacionados.** Crescimento deficiente, puberdade tardia, corpo delgado, espinha encurvada e angina de peito; infecção, especialmente pneumocócica. Pode ser fatal se não for tratada.

**Tratamento.** Penicilina diariamente, a começar pelos 2 meses de idade e seguindo pelo menos até os 5 anos. Também alívio sintomático: analgésicos, transfusões de sangue, oxigênio, líquidos. Uma série completa de imunizações, incluindo a vacina contra pneumococos. Educação para os pais e aconselhamento genético também são importantes.

**Prognóstico. Razoável.** Ainda assim a maioria vive até a fase adulta e alguns chegam à meia-idade ou além. O tratamento melhora o prognóstico. Pesquisas estão sendo feitas para a obtenção de tratamentos novos e melhores.

# ANENCEFALIA

**O que é?** Um defeito no tubo neural no qual a falha de fechamento deste, normalmente no início da gravidez, leva a uma falta do desenvolvimento do cérebro. Todo o cérebro ou a maior parte dele está ausente.

**O quanto é comum?** Muito rara em bebês que nascem a termo, já que 99% dos fetos com o defeito são abortados espontaneamente.

**Quem é suscetível?** Não se sabe.

**Quais são as causas?** A hereditariedade está provavelmente envolvida de alguma maneira, além do ambiente pré-natal adverso. Uma deficiência de ácido fólico na mãe também pode causar anencefalia (e outros defeitos no tubo neural). A incidência tem sido reduzida pelo uso de suplementos vitamínicos que contenham ácido fólico antes da concepção e durante os dois primeiros meses de gravidez, bem como a fortificação de cereais e pães com ácido fólico.

**Problemas relacionados.** Todos os sistemas do corpo são afetados negativamente.

**Tratamento.** Nenhum, e a maioria dos médicos concorda que nenhuma intervenção médica é melhor, embora o bebê deva ser mantido o mais confortável possível.

**Prognóstico.** O problema é incompatível com a vida.

# AUTISMO

**O que é?** Uma incapacidade, que vem do nascimento ou se desenvolve nos primeiros 2 anos e meio de vida, de desenvolver relações humanas normais, até mesmo com os pais. Existem grandes diferenças entre crianças com autismo. Algumas que são levemente afetadas podem demonstrar apenas leves atrasos no desenvolvimento da fala e maiores desafios em interações sociais do que o normal. Outros, que têm uma forma mais grave de autismo, não sorriem nem respondem aos pais ou a qualquer outra pessoa de maneira nenhuma e não gostam de ser pegos ou tocados. Com frequência existem problemas extremos na fala (inclusive padrões estranhos de fala, como aquele em que a criança ecoa as palavras ouvidas em vez de responder), posições estranhas e maneirismos, comportamento errático e inadequado (compulsividade e ritualismo, ataques de gritos e bater os braços) e, às vezes, autodestruição. A criança pode ter inteligência normal mas parecer retardada ou surda devido à falta de resposta. O autismo pode às vezes ser confundido com a esquizofrenia na infância e ocasionalmente pode precedê-la.

# O BEBÊ COM NECESSIDADES ESPECIAIS

**O quanto é comum?** Há uma estimativa de 2 a 6 casos em 1.000 bebês.

**Quem é suscetível?** As crianças do sexo masculino são de três a quatro vezes mais propensas a ser autistas do que as do sexo feminino.

**Quais são as causas?** O autismo não tem uma causa única. Os pesquisadores identificaram uma série de genes que têm um papel importante no distúrbio. Em algumas crianças, os fatores ambientais (inclusive o tabagismo da mãe durante a gravidez) também podem desenvolver o distúrbio. Vários estudos sugerem que o autismo pode ser causado por uma combinação de fatores biológicos, inclusive a exposição ao vírus antes do nascimento, um problema no sistema imunológico ou genético. Ele não está relacionado com a paternidade ou com as vacinas usadas.

**Problemas relacionados.** Problemas de comportamento e desenvolvimento.

**Tratamento.** Não há cura no momento, mas algumas crianças podem ser ajudadas com terapia de modificação de comportamento, estímulo, treinamento especial e, às vezes, medicação. A intervenção precoce proporciona resultados altamente positivos para crianças pequenas com autismo. Com serviço, treinamento e informação adequados, a maioria das famílias é capaz de apoiar os seus filhos em casa. O aconselhamento, com frequência, é útil para o resto da família. Alguns pais têm sucesso com mudanças na dieta (como reti-

rar as fontes de glúten e caseína da dieta das crianças autistas), mas converse com o seu médico antes de começar qualquer nova dieta.

**Prognóstico.** Os sintomas em muitas crianças melhoram com a intervenção ou com a idade da criança. Algumas pessoas com autismo por fim levam uma vida normal ou quase normal. O panorama é melhor com a intervenção precoce e terapia.

# CARDIOPATIAS CONGÊNITAS

**O que são?** Qualquer defeito cardíaco, menor ou maior, que esteja presente no nascimento. Embora os defeitos geralmente possam ser diagnosticados com um estetoscópio, exames adicionais, como raios X, ultrassom e eletrocardiograma serão necessários para verificar as anormalidades. Dependendo do tipo de defeito, uma ou mais funções do coração podem ser adversamente afetadas. Os sintomas podem aparecer ao nascimento ou só se tornarem aparentes na idade adulta. A cianose ou o tom azulado da pele, especialmente em volta dos dedos e dos lábios, é o sintoma mais comum.

**O quanto é comum?** No Brasil, de oito a dez crianças em cada 1.000 nascem com um defeito congênito.

**Quem é suscetível?** Há um risco maior entre crianças de mães que tiveram rubéola durante a gravidez. Crianças com síndrome de Down e aquelas com irmãos afetados (embora o risco aumentado para elas seja pequeno).

**Quais são as causas?** Na maioria dos casos, os cientistas simplesmente desconhecem a causa, embora a genética pareça ter grande importância. Certas infecções (como a rubéola) e alguns produtos químicos (como a talidomida, anfetaminas ou álcool, por exemplo) podem causar anomalias cardíacas pré-natais, mas estas anomalias podem às vezes ser o resultado de um erro genético acidental.

**Problemas relacionados.** Às vezes pouco ganho de peso e crescimento, fadiga, fraqueza, dificuldade em respirar ou sugar (devido à fraqueza da falha cardíaca).

**Tratamento.** O defeito cardíaco mais comum (o VSC ou o defeito septal ventricular) com frequência não precisa de tratamento — se for pequeno, ele se fecha sozinho. A cirurgia (seja imediata ou posteriormente na infância), variando de acordo com o defeito presente, e às vezes drogas ou transplantes de coração podem remediar outros defeitos cardíacos (em alguns casos, um defeito que não causa nenhum sintoma pode requerer tratamento para prevenir problemas futuros na vida). Às vezes um defeito cardíaco pode ser diagnosticado antes do nascimento e uma medicação pode ser dada para corrigi-lo.

**Prognóstico.** A maioria dos defeitos congênitos cardíacos é tratável; apenas alguns deles que são muito graves (e estes são raros) podem trazer sequelas ou ser fatais. A maioria das crianças com um sopro leve pode levar uma vida normal sem restrição de atividades.

# DOENÇA CELÍACA

**O que é?** A doença celíaca é uma doença digestiva que afeta o intestino delgado e interfere na absorção de nutrientes dos alimentos. Crianças com doença celíaca não toleram uma proteína chamada glúten, encontrada no trigo, centeio, cevada e possivelmente na aveia. Quando a criança com doença celíaca ingere alimentos que contêm glúten, seu sistema imunológico reage causando danos ao intestino delgado. Os sintomas podem incluir diarreia crônica, perda de peso, palidez, fezes fétidas, anemia inexplicada (contagem baixa de glóbulos vermelhos), gases, fadiga, crescimento retardado, dificuldade de crescimento em bebês.

**O quanto é comum?** Na Europa, 1 em cada 250. Nos Estados Unidos, a prevalência é de 1 em 4.500, embora pesquisadores achem que a doença seja mal diagnosticada nesse país. As mulheres são afetadas duas vezes mais do que os homens, e os caucasianos do noroeste da Europa com mais frequência. Ela é rara em negros, asiáticos, judeus e outros descendentes do Mediterrâneo.

**Quem é suscetível?** Crianças cujos pais têm o gene para a doença.

**Quais são as causas?** Incertas, porém mais provavelmente uma combinação entre fatores ambientais e disposição genética.

**Problemas relacionados.** Sintomas de desnutrição, como atraso no desenvolvimento, retenção de líquidos, dentição tardia e raquitismo.

**Tratamento.** Dieta sem glúten, que geralmente começa a funcionar em três a seis semanas e que deve ser seguida por toda a vida. Também podem ser receitados um suplemento nutricional e às vezes esteroides.

**Prognóstico.** Geralmente, uma vida normal, se for seguida uma dieta sem glúten.

# DOENÇA DE TAY-SACHS

**O que é?** As crianças com esta doença de armazenamento de lipídios, na qual uma deficiência congênita de uma enzima necessária para quebrar depósitos de gordura nas células do cérebro e nervosas, parecem normais ao nascimento. Mas, cerca de seis meses depois, quando os depósitos de gordura começarem a obstruir as células, o sistema nervoso deixa de funcionar e a criança começa a regredir — ela para de sorrir, engatinhar, virar-se, perde a habilidade de segurar, fica cega, paralisada e inconsciente das coisas ao seu redor gradativamente. A maioria morre aos 3 ou 4 anos de idade.

**O quanto é comum?** Rara (menos do que 100 casos por ano nos Estados Unidos).

**Quem é suscetível?** Principalmente descendentes de judeus do Leste e Europa Central (os asquenazes). Quase 1 entre 25 judeus americanos são portadores do gene para Tay-Sachs e 1 em 3.600 bebês asquenazes é afetado.

**Quais são as causas?** Herança recessiva autossômica — é necessário um gene de cada genitor para que a criança seja afetada.

**Problemas relacionados.** Relativos aos futuros filhos; há uma probabilidade de 1 em 4 de uma criança afetada em cada gravidez.

**Tratamento.** Nenhum, embora os pesquisadores estejam tentando encontrar uma maneira de repor a enzima ausente. Os descendentes de asquenazes devem ser examinados antes da concepção ou durante o início da gravidez. Se ambos os pais têm o gene, uma amniocentese deve ser feita para ver se o feto herdou a doença.

**Prognóstico.** A doença é invariavelmente fatal.

# DOENÇA HEMOLÍTICA FETAL

**O que é?** Um problema no qual uma criança herda um tipo sangüíneo do pai que é incompatível com o da mãe. Se a mãe tem anticorpos para o sangue do bebê (de uma gravidez anterior, um aborto provocado ou espontâneo, ou transfusão de san-

## COMO OS DEFEITOS SÃO HERDADOS

Todas as coisas boas e belas que um bebê tem são resultado dos genes que ele herdou de ambos os pais, bem como do ambiente no útero durante os nove meses de gestação. Mas as coisas não tão boas com as quais um bebê nasce — uma deficiência congênita, por exemplo — são também resultado dos genes e/ou do ambiente. Geralmente os genes que um pai transmite ao filho são herdados de seus próprios pais, mas de vez em quando ocorrem mudanças no gene (devido ao ambiente ou a algum fator desconhecido) e esta mutação é passada adiante.

Existem diversos tipos de distúrbios herdados:

♦ Distúrbios poligênicos (como pé torto e lábio leporino) são considerados herdados por interação de vários genes diferentes, da mesma maneira que a cor dos olhos e a altura.

♦ Distúrbios multifatoriais (como algumas formas de diabetes) envolvem a interação de genes diferentes e condições ambientais (tenham sido elas anteriores ao nascimento ou não).

♦ Desordens de genes únicos podem ser transmitidas por herança recessiva ou dominante. Na herança recessiva, dois genes (um de cada genitor) deve ser transmitido para que o filho seja afetado. Na herança dominante, apenas um gene é necessário e ele é transmitido por um genitor que também tenha a desordem (simplesmente por ter o gene). As desordens do gene único também podem estar relacionadas com o sexo (hemofilia, por exemplo). Estas desordens, carregadas nos genes dos cromossomos que determinam o sexo (as mulheres têm dois cromossomos X e os homens, um cromossomo X e um Y) são mais frequentemente transmitidas da mãe portadora para o filho afetado. O filho homem, por ter apenas um cromossomo X, não tem um gene oposto para neutralizar aquele que carrega o defeito e é afetado com a desordem. Uma criança do sexo feminino que recebe o gene de um cromossomo X vindo da sua mãe e também um cromossomo X normal vindo do seu pai, o que faz dela uma portadora, geralmente não é afetada pela desordem.

---

gue), estes anticorpos podem atacar as hemácias do bebê.

**O quanto é comum?** Muito menos comum com o desenvolvimento de técnicas preventivas; ainda assim, 7.000 bebês por ano são afetados só nos Estados Unidos.

**Quem é suscetível?** Um bebê que herda o sangue Rh positivo do pai e cuja mãe tem sangue Rh negativo.

**Quais são as causas?** Anticorpos no sangue da mãe atacam os glóbulos vermelhos do bebê, reconhecendo-os como estranhos.

**Problemas relacionados.** Anemia grave e icterícia, levando a um possível dano cerebral ou morte antes do nascimento ou logo depois.

**Tratamento.** Com frequência uma transfusão completa do sangue do bebê (uma "transfusão de troca"). Alguns bebês podem não precisar de uma transfusão imediatamente, mas precisarão de uma em quatro ou seis semanas devido a uma grave anemia. A prevenção com a injeção de uma vacina chamada imunoglobulina anti-Rh para mães com Rh negativo 72 horas depois do parto (ou de aborto espontâneo ou provocado) de um bebê ou feto que é Rh positivo é a melhor maneira de evitar um problema em uma futura gravidez. Uma dose da vacina também pode ser dada durante a gravidez.

**Prognóstico.** Geralmente bom, com tratamento.

# Espinha aberta — ver espinha bífida

# Espinha bífida (espinha aberta)

**O que é?** A coluna vertebral ou espinha dorsal que ajuda a proteger a medula espinhal está normalmente aberta nos primeiros dias de desenvolvimento prénatal, mas depois é fechada. Na espinha bífida, o fechamento é incompleto. A abertura resultante pode ser tão pequena que não causa nenhum problema e não é notada exceto através de raios X tirados posteriormente por outras razões. Uma pequena ondulação ou tufos de pelos podem ser visíveis na pele coberta. Ou pode ser grande o suficiente para que parte da cobertura da medula espinhal fique protuberante, coberta por um cisto ou protuberância vermelha-arroxeada (meningocele), que pode variar de 2,5 a 5 centímetros de diâmetro ao tamanho de uma laranja. Se este meningocele estiver baixo na coluna vertebral, pode causar fraqueza nas pernas. Na forma mais grave de espinha bífida, a própria medula forma uma protuberância através da abertura. Ela, com frequência, tem pouca ou nenhuma pele de proteção, permitindo que o líquido medular vaze. A área é, com frequência, coberta com feridas, as pernas paralisadas e o controle da bexiga e do intestino tornam-se um problema mais tarde, embora algumas crianças consigam ter este controle.

**O quanto é comum?** Afeta de 1 a 2.000 bebês nascidos nos Estados Unidos, embora se estime que 1 em 4 podem ter uma espinha bífida escondida. A forma mais grave do problema felizmente é a menos comum. Há quase 20% de redução no número de bebês nascidos com defeitos no tubo neural, como a espinha bífida, nos últimos anos. Isto pode ser atribuído ao uso do ácido fólico pelas mães antes da concepção e até os dois primeiros meses da gravidez, bem como o enriquecimento de pães e cereais com ácido fólico.

**Quem é suscetível?** Crianças de mães que já tiveram um filho acometido têm um risco de 1 em 40; com duas crianças afetadas na família, o risco aumenta de 1 para 5. Primos de crianças afetadas têm um aumento duplo de risco.

**Quais são as causas?** Não são conhecidas até o momento. A hereditariedade está provavelmente relacionada de alguma maneira, junto com um ambiente pré-natal adverso. A nutrição pode também estar envolvida — especificamente por uma baixa ingestão de ácido fólico.

**Problemas relacionados.** Infecção, quando a espinha está visivelmente aberta. Também hidrocefalia em certa de 70 a 90% dos casos (leia na página 904). Paralisia dos membros inferiores, entorpecimento, perda de controle da bexiga e dos intestinos.

**Tratamento.** Nenhum é necessário para um defeito leve. Os cistos podem ser removidos cirurgicamente e a hidrocefalia pode ser derivada. Mas embora a cirurgia possa remover a maior parte dos cistos graves e consertar a abertura, cobrindo-a com músculos e pele, a paralisia nas pernas não pode ser curada. Provavelmente são necessários terapia física e posteriormente aparelhos nas pernas e muletas ou uma cadeira de rodas. Pode-se aplicar gesso para prevenir ou minimizar uma deformidade. Antes da cirurgia, é importante não pressionar (mesmo na forma de tecido) no cisto. A abordagem da equipe ao tratamento, com uma grande variedade de especialistas, é geralmente a melhor. A espinha

bífida pode ser detectada por exame pré-natal, exames de sangue, ultrassom e amniocentese. A cirurgia pré-natal para consertar o defeito congênito da espinha bífida está em fase experimental.

**Prognóstico.** Depende da gravidade do problema. A maioria das crianças com condições menos graves pode ter uma vida produtiva e ativa; a maioria das mulheres será capaz de ter filhos, mas a gravidez será de alto risco.

# ESTENOSE DO PILORO

**O que é?** Um problema provavelmente congênito na qual um espessamento ou um crescimento excessivo do músculo na saída do estômago causa um bloqueio, levando ao aumento de vômitos repetidos, geralmente começando com duas ou três semanas de idade e acompanhados de constipação. O espessamento pode ser sentido como uma protuberância pelo médico; os espasmos musculares são, com frequência, visíveis.

**O quanto é comum?** Afeta 1 menino em 200 e 1 menina em 1.000.

**Quem é suscetível?** Meninos mais do que meninas; às vezes tendem a ser recorrentes em famílias.

**Quais são as causas?** Não são conhecidas as causas que provocam o seu desenvolvimento.

**Problemas relacionados.** Desidratação.

**Tratamento.** A cirurgia, após os níveis líquidos do bebê terem sido normalizados, é segura e quase sempre completamente eficaz.

**Prognóstico.** Excelente.

# FIBROSE CÍSTICA (FC)

**O que é?** Um problema no qual existe uma disfunção generalizada das glândulas exócrinas, as glândulas que liberam suas secreções através de uma superfície epitelial (como a pele, as membranas mucosas, o revestimento dos órgãos). Quando as glândulas sudoríparas são afetadas, a transpiração é salgada e profusa e a transpiração excessiva pode levar à desidratação e ao choque. Quando o sistema respiratório é afetado, secreções grossas podem encher os pulmões, causando tosse crônica e um aumento no risco de infecção. Com o envolvimento do sistema digestivo, as secreções de muco podem fazer com que a evacuação após o nascimento seja difícil, causando uma obstrução intestinal. Os dutos pancreáticos também podem ser obstruídos, resultando em deficiência nas enzimas pancreáticas e na incapacidade de ingerir proteínas e gordura. As fezes, contendo material não digerido, são geralmente frequentes, volumosas, malcheirosas, pálidas e gordurosas. O ganho de peso é fraco, o apetite pode ser grande, o abdome pode estar distendido, os braços e pernas finos e a pele amarelada. O teste de suor é usado para detectar possíveis casos de FC e a falta do mecônio, a substância verde-escura que forma as primeiras fezes do recém-nascido, pele salgada e pouco ganho de peso juntamente com um grande apetite podem ser indicações precoces. Fazer o teste do suor no recém-nascido pode ser de grande ajuda para detectar a FC.

**O quanto é comum?** Relativamente rara.

**Quais são as causas?** Herança recessiva autossômica: ambos os pais precisam transmitir os genes recessivos para que o filho seja afetado.

**Problemas relacionados.** A pneumonia, por causa das secreções respiratórias, é comum. Também insuficiência pancreática, produção insuficiente de insulina, tolerância anormal à glicose, cirrose hepática e hipertensão, entre outros.

**Tratamento.** Quanto mais cedo, melhor para prevenir o desenvolvimento dos sintomas, quando possível. Não existe cura, mas o tratamento ajuda a criança a levar uma vida mais normal. Para a disfunção das glândulas sudoríparas, adicione mais sal aos alimentos, e a criança deve ingerir sal suplementar nos dias quentes. Para problemas digestórios, enzimas pancreáticas dadas por via oral, com as refeições e lanches, limitação de gordura, suplemento com vitaminas lipossolúveis (A, D, E e K). Para vários tipos de obstruções intestinais (íleo meconial, prolapso retal e assim por diante) associadas à FC, tanto o tratamento cirúrgico quanto o não cirúrgico estão disponíveis e geralmente são um sucesso. Para problemas respiratórios, uma ingestão de fluidos frequente para secreções finas, geralmen-

## AS PREOCUPAÇÕES ESPECIAIS

### QUANDO O DIAGNÓSTICO FAZ TODA A DIFERENÇA

A disponibilidade de exames para recém-nascidos possibilitou o diagnóstico precoce de muitos distúrbios do metabolismo. A boa notícia: com o diagnóstico precoce, pode-se fazer um tratamento e, para muitos bebês que morreriam alguns meses após o nascimento, há a probabilidade de ter uma vida completamente normal. Os problemas que podem ser diagnosticados e tratados incluem:

♦ Hipotireoidismo congênito, que resulta de um suprimento inadequado do hormônio da tireoide e afeta 1 bebê em 4.000. Doses orais de medicamentos para a tireoide impedem o crescimento atrofiado e um retardo mental associado com o hipotireoidismo.

♦ Hiperplasia adrenal congênita, uma condição na qual a deficiência de hormônios compromete o desenvolvimento genital e as funções renais, afetando 1 em cada 5.000 bebês e podendo ser tratada com reposição hormonal.

♦ Deficiência de acil-CoA desidrogenase de cadeia média (MCAD), resulta quando a enzima necessária para converter a gordura dos alimentos em energia está ausente. Ela afeta 1 em 15.000 bebês e pode levar a sérios problemas de metabolismo em uma doença comum. Já que o problema aparece apenas durante jejum prolongado (como pode ocorrer na perda de apetite devido a um vírus ou outra doença), o tratamento envolve alimentar-se em horários regulares.

♦ Galactosemia, na qual 1 em 50.000 bebês afetados não consegue converter a galactose, o açúcar do leite, em

---

te uma terapia física respiratória diária (incluindo a drenagem postural, para ajudar a soltar e remover as secreções) e terapia de oxigênio, se for necessário. O ar do ambiente deve ser frio e seco. As infecções são tratadas com doses amplas de antibióticos. Estudos iniciais indicam que o tratamento com agentes anti-inflamatórios (como prednisona) pode ajudar a reduzir as crises da doença. Pode-se conseguir uma cura no futuro.

**Prognóstico.** Hoje em dia, com o diagnóstico precoce, o tratamento agressivo (especialmente em um grande centro médico para tratamento de FC) e um grande apoio familiar, o prognóstico é muito bom, especialmente para aqueles portadores de outras deficiências.

## FÍSTULA TRAQUEOESOFÁGICA

**O que é?** Um problema congênito no qual a parte superior do esôfago (o tubo através do qual os alimentos vão da gar-

glicose (causando posterior retardo mental e uma doença hepática); pode ser tratada com a eliminação de derivados do leite.

♦ Deficiência da biotinidase, que ocorre em 1 em cada 70.000 bebês, resulta da deficiência da biotinidase, uma enzima que recicla a biotina (uma das vitaminas B). Sem o tratamento (suplemento de biotina), pode haver infecções frequentes, controle muscular deficiente, sequelas, perda de audição e retardo mental.

♦ Doença da urina em xarope de bordo (MSUD), que afeta 1 em 250.000 bebês e ocorre quando o corpo não é capaz de usar alguns componentes da proteína dos alimentos, o que pode resultar em alimentação deficiente, letargia e, por fim, coma. Recebeu este nome porque o cheiro da urina do bebê infectado tem o odor de xarope de bordo. A MSDU pode ser tratada com uma dieta especial.

♦ A homocistinúria afeta 1 em cada 250.000 e se deve a uma falta de enzimas no fígado. Se não for tratada, pode levar a anomalias esqueléticas, coágulos sanguíneos anormais, retardo mental e problemas de visão. Uma dieta especial, combinada com suplementos dietéticos, pode prevenir estes sintomas.

♦ A fenilcetonúria (PKU), um problema no qual o indivíduo é incapaz de metabolizar um aminoácido (ou "bloco construtor de proteína") chamado fenilalanina, afeta 1 entre 12.000 bebês. Se não for tratada, o aumento da fenilalanina na corrente sanguínea pode interferir no desenvolvimento cerebral e causar uma deficiência mental grave. Uma dieta com baixo teor de fenilalanina (poucos alimentos ricos em proteínas, como leite materno, leite de vaca ou fórmula e carne), iniciada imediatamente e seguida indefinidamente permitirá à criança com PKU ter uma vida normal.

---

ganta ao estômago) termina em uma bolsa e a parte inferior, em vez de se conectar com a superior, desce pela traqueia (traqueia-artéria) até o estômago. Como isso torna impossível alimentar-se pela boca, ocorrem vômito, engasgo e dificuldade respiratória durante a alimentação. Ocorre salivação excessiva, uma vez que a saliva não pode ser engolida. A comida que chega aos pulmões pode causar pneumonia e até mesmo a morte.[1]

**O quanto é comum?** Afeta 1 em 4.000 bebês.

**Quem é suscetível?** A prematuridade está associada com este problema. Com frequência, o primeiro sinal é o excesso de líquido amniótico durante a gravidez (porque o líquido não pode ser engolido pelo bebê no útero, como normalmente acontece).

**Quais são as causas?** Um defeito no desenvolvimento, possivelmente devido a causas hereditárias ou ambientais.

---

[1]Existem várias outras deformidades muito menos comuns da traquéia e do esôfago.

**Problemas relacionados.** Uma pequena porcentagem de bebês também tem malformações associadas, como anomalias cardíacas, espinhais, renais e dos membros.

**Tratamento.** A cirurgia imediata pode corrigir o problema.

**Prognóstico.** Se não existir nenhuma outra anomalia e a cirurgia corrigir o problema, o panorama é muito bom — embora com frequência existam problemas com refluxo a longo prazo.

# HIDROCEFALIA

**O que é?** A absorção de líquidos que normalmente banham o cérebro é bloqueada e o líquido é coletado. A pressão se espalha nas partes soltas no crânio, fazendo com que a cabeça fique maior. Este alargamento é com frequência a primeira pista do problema. Com frequência ocorre junto com a espinha bífida ou após uma cirurgia para fechar uma espinha aberta. A pele do couro cabeludo pode ficar brilhante e fina, os músculos do pescoço podem ficar subdesenvolvidos, os olhos podem parecer estranhos, o choro pode ser agudo e o bebê pode sofrer de irritabilidade, falta de apetite e vômito.

**O quanto é comum?** Relativamente rara.

**Quem é suscetível?** Não está claro, embora bebês com espinha bífida tenham um risco maior por causa da malformação associada ao cérebro.

**Quais são as causas?** No nascimento, um defeito na membrana que deve absorver o líquido cérebro-espinal; posteriormente, um ferimento ou um tumor.

**Problemas relacionados.** Retardo, se o líquido não for drenado regularmente; complicações com as derivações, inclusive infecções e mau funcionamento das derivações.

**Tratamento.** Sob anestesia, um tubo especial é inserido por um orifício feito no crânio para drenar o excesso de líquido, geralmente para dentro da cavidade abdominal. A cabeça gradativamente retorna ao seu tamanho normal, mas frequentes *check-ups* são necessários para garantir que tudo esteja indo bem e que o tubo não esteja obstruído. Os médicos agora estão tentando desenvolver um tratamento que não requeira cirurgia.

**Prognóstico.** Bom, se o tratamento for iniciado com antecedência; isto pode impedir o retardo e a criança pode levar uma vida normal. Deficiente, se o problema já estiver bem avançado na época que o bebê nascer. Neste caso, ele pode causar várias deficiências que podem afetar, entre outras coisas, a inteligência, a capacidade de linguagem, o movimento, a coordenação mão-olho e a visão. Também pode ser fatal em casos não tratados. O tratamento antes do nascimento não é amplamente feito e ainda não se sabe se há algum benefício em tratar este problema no útero.

# LÁBIO LEPORINO E/OU FENDA PALATINA

**O que é?** Uma divisão (às vezes extensa, às vezes pequena) onde partes do lábio superior ou palato (o céu da boca) não crescem juntas. Alguns bebês têm apenas lábio leporino, outros apenas a fenda palatina. Cerca de 40% dos bebês afetados têm ambas as formas.

**O quanto é comum?** Cerca de 5.000 crianças por ano ou aproximadamente 1 em 700 nascimentos.

**Quem é suscetível?** Mais comum entre asiáticos e americanos, menos comum entre negros. Também mais comum entre bebês prematuros e aqueles com outros defeitos.

**Quais são as causas?** A hereditariedade representa um papel importante em cerca de 1 a 4 casos; após ter um bebê que nasceu com uma fenda, a probabilidade de ter um outro aumenta ligeiramente. Mas a doença, certos medicamentos, falta de determinados nutrientes essenciais (especialmente o ácido fólico) e outros fatores que afetam adversamente o ambiente pré-natal também podem interferir no desenvolvimento normal do lábio e do palato, possivelmente em combinação um com o outro e/ou com a hereditariedade.

**Problemas relacionados.** Como sugar geralmente é difícil, a alimentação pode ser problemática; portanto, são necessários procedimentos especiais (geralmente uma posição ereta, pequenas quantidades, um bico com buracos grandes ou uma seringa especial). É possível amamentar no peito em alguns casos, especialmente quando apenas está presente o lábio leporino. O uso de um aparelho oral pode permitir que um bebê com uma fenda palatina mame no peito. Infecções no ouvido são também comuns e precisam ser controladas.

**Tratamento.** Geralmente uma combinação de cirurgia (às vezes nos primeiros meses de vida), terapia da fala e ajustes dentários (com frequência incluindo o uso de aparelhos posteriormente).

**Prognóstico.** Geralmente excelente com o tratamento.

# MALFORMAÇÕES

**O que são?** Um órgão ou parte do corpo parece anormal. Às vezes, vários órgãos ou partes do corpo são afetados e agrupados, formando uma síndrome que indica um problema específico (como a síndrome de Down). Às vezes há apenas uma malformação isolada — como um membro não desenvolvido.

**O quanto é comum?** Provavelmente menos de 1 em cada 100 recém-nascidos tem uma malformação que seja notada, e ela geralmente é branda.

**Quem é suscetível?** Aqueles com malformações semelhantes em outros membros da família; aqueles cujos pais, com mais frequência as mães, são expostos a certos riscos ambientais perigosos antes ou após a concepção.

**Quais são as causas?** Diferenciação ou organização anormal durante o desenvolvimento do embrião, por causa de uma anomalia do cromossomo, ou genética, ou devido a um fator ambiental (como uma alta dose de radiação ou infecção).

**Problemas relacionados.** Depende da(s) malformação(ões).

**Tratamento.** Varia de acordo com o defeito.

**Prognóstico.** Depende da malformação. (Ver problemas individuais, como espinha bífida, síndrome de Down etc.)

# Paralisia cerebral

**O que é?** Um distúrbio neuromuscular causado por danos no cérebro. Os danos motores podem ser brandos para causar deficiência. O bebê pode ter dificuldade em sugar ou reter o bico; baba constantemente; raramente se mexe voluntariamente; tem tremores nos braços ou pernas com movimentos voluntários; tem pernas que são difíceis de separar; tem um desenvolvimento motor retardado; usa apenas uma das mãos ou posteriormente usa as mãos, mas não os pés; engatinha de maneira estranha e anda na ponta dos pés. O tônus muscular pode ser excessivamente rígido ou mole, mas isto só fica evidente aos 3 meses de idade ou mais. Os sintomas exatos diferem em cada um dos três tipos de PC: espástico, atetósico e atáxico.

**O quanto é comum?** Está diminuindo em frequência (exceto nos recém-nascidos muito pequenos) devido a partos mais seguros. Cerca de 10.000 casos por ano.

**Quem é suscetível?** Bebês prematuros e aqueles nascidos abaixo do peso, meninos ligeiramente mais do que meninas, bebês brancos mais frequentemente do que bebês negros.

**Quais são as causas?** Na maioria dos casos, a causa da paralisia cerebral é desconhecida, embora às vezes esteja relacionada com insuficiência de oxigênio que chega ao cérebro do feto ou do recém-nascido. Nascimento prematuro, peso baixo ao nascimento, fator Rh ou incompatibilidade com os tipos de sangue A-B-O entre a mãe e o feto ou rubéola no início da gravidez são outros fatores de risco. A paralisia cerebral também pode resultar de infecções causadas por meningite ou encefalite.

**Problemas relacionados.** Às vezes, sequelas; distúrbios da fala, visão e audição; defeitos dentários; retardo mental.

**Tratamento.** Não tem cura, mas o tratamento precoce pode ajudar a criança a viver todo o seu potencial. Pode incluir: terapia física, aparelho nos dentes; talas ou outros aparelhos ortopédicos, móveis e utensílios especiais; exercícios; cirurgia, quando necessário; medicamento para sequelas ou para relaxar os músculos, se necessário.

**Prognóstico.** Varia de acordo com o caso. Uma criança com uma forma branda, tendo o tratamento adequado, pode viver uma vida quase normal. Uma criança com uma forma grave pode ficar completamente deficiente. O problema não piora progressivamente.

## PÉ TORTO E OUTRAS DEFORMIDADES DE PÉ E TORNOZELO

**O que é?** Uma deformidade no tornozelo ou no pé que ocorre de três formas. Na forma mais branda de deformidade, metatarsos varos, a parte frontal do pé está virada para dentro. Este tipo pode só ser diagnosticado quando o bebê tem alguns meses de idade, embora esteja presente no nascimento. No tipo mais comum de deformidade do pé, o calcâneo-vago, o pé está nitidamente voltado para o calcanhar e aponta para cima e para fora. No tipo mais grave e menos comum, o equinovaro, o pé "torto" está virado para dentro e para baixo. Se ambos os pés forem "tortos", os dedos dos pés apontam uns para os outros. O pé torto e outras deformidades dos pés não são dolorosos e não incomodam o bebê até que seja hora de ele ficar em pé ou andar.

**O quanto é comum?** Afeta 1 em 800 bebês.

**Quem é suscetível?** Meninos são duas vezes mais propensos a ter deformidades nos pés ou tornozelos do que meninas.

**Quais são as causas?** Não é a posição no útero, como se acreditava antigamente (os casos deste tipo são corrigidos por si sós após o nascimento). Provavelmente uma combinação de hereditariedade e de fatores ambientais, levando a anormalidades nos músculos ou nervos que sustentam o tornozelo e o pé, na maioria dos casos; mas alguns casos estão relacionados com espinha bífida, doenças dos nervos ou doenças dos músculos.

**Problemas relacionados.** Com o pé torto (a deformidade de equinovaro), o pé não se mexe para cima e para baixo como deveria normalmente ao se caminhar; a criança anda como se tivesse uma perna de pau. Quando ambos os pés são afetados, a criança pode andar com os lados ou até mesmo com a parte de cima do pé, levando a danificar o tecido e a um desenvolvimento anormal da perna. Ocasionalmente pode haver outros defeitos também.

**Tratamento.** Casos leves de deformidade no pé e no tornozelo podem ser tratados somente com exercícios. Gesso ou cirurgia são usados em casos mais graves para forçar o pé torto a gradativa e delicadamente voltar ao lugar, para que possa se mover para cima e para baixo normalmente. Para o pé torto, a avaliação e o tratamento precoces por um ortopedista pediátrico é essencial para um melhor resultado.

**Prognóstico.** Com um tratamento precoce especializado, a maioria cresce usando sapatos regulares, participa de esportes e leva uma vida ativa.

# PROBLEMA CARDÍACO — VER CARDIOPATIAS CONGÊNITAS
# DEFORMIDADE

**O que é?** Uma anomalia em um ou mais órgãos ou partes do corpo causada por forças externas ao feto, como aperto no útero.

**O quanto é comum?** Cerca de 2 em cada 100 bebês têm alguma deformidade deste tipo.

**Quem é suscetível?** Um feto muito grande em um útero apertado ou qualquer feto em um útero malformado, ou pequeno em um útero que tenha fibroides, um suprimento inadequado de líquido amniótico ou uma posição incomum da placenta; um feto que divide o útero com um irmão ou mais. As deformidades são mais comuns em bebês de mães pequenas e em primeira gravidez, e quando há uma apresentação anormal, como uma distorção pélvica.

**Quais são as causas?** Condições no útero, como as mencionadas, que impõem uma pressão indevida em uma ou mais partes em desenvolvimento do feto. Em alguns casos, uma combinação de hereditariedade e fatores ambientais, como infecções, drogas e doenças.

**Problemas relacionados.** Depende da anomalia.

**Tratamento.** Na maioria dos casos, não é necessário nenhum tratamento, já que a parte deformada vai gradativamente voltar à forma normal. Entretanto, alguns problemas, como a escoliose (curvatura lateral anormal da coluna), pé torto e deslocamento de quadril, requerem tratamento.

**Prognóstico.** Bom, para a maioria das condições.

# SÍNDROME ALCOÓLICA FETAL

**O que é?** Um grupo de sinais e sintomas que se desenvolvem durante a gestação em uma criança cuja mãe bebeu muito durante a gravidez. Os mais comuns são peso baixo ao nascimento, deficiência mental, deformidades na cabeça e no rosto, nos membros e no sistema nervoso central; a taxa de mortalidade neonatal é alta. Efeitos menos evidentes podem ocorrer em crianças de bebedores moderados.

**O quanto é comum?** Cerca de 1 entre 750 bebês.

**Quem é suscetível?** Bebês de mulheres que bebem muito. (Estima-se que de 30 a 40% das mulheres que bebem muito durante a gravidez têm bebês com SAF.)

**Quais são as causas?** Ingestão de álcool — geralmente cinco ou seis doses de cerveja, vinho ou bebidas destiladas por dia — *durante a gravidez.*

**Problemas relacionados.** Problemas de desenvolvimento.

**Tratamento.** Terapia para deficiências individuais.

**Prognóstico.** Depende da extensão do problema.

## SÍNDROME DE DOWN

**O que é?** Uma série de sinais e sintomas que geralmente incluem retardo mental leve ou grave, características faciais específicas (mais visíveis em alguns do que em outros), uma língua excessivamente grande e um pescoço curto. Eles também podem incluir uma parte posterior da cabeça chata, orelhas pequenas (às vezes dobradas nas pontas) e um nariz largo e chato. A audição e a visão podem ser deficientes e vários defeitos internos (especialmente no coração e no trato GI) também podem existir. As crianças com síndrome de Down são com frequência baixas e têm um tônus muscular frouxo (responsável em parte pelo desenvolvimento retardado). Eles também são geralmente muito doces e adoráveis.

**O quanto é comum?** A síndrome de Down afeta 2.800 bebês por ano, ou aproximadamente 1 em 1.300.

**Quem é suscetível?** Os filhos de pais que já tiveram um bebê com o mesmo problema congênito, uma mãe ou pai com uma anomalia no cromossomo, ou uma mãe que tenha mais de 35 anos, um pai acima de 45 a 50 (os riscos aumentam com a idade). Todos os grupos étnicos e níveis econômicos podem ser afetados.

**Quais são as causas?** Em 95% dos casos, um cromossomo extra dado pela mãe ou pelo pai faz com que o bebê tenha 47 em vez de 46 cromossomos. Esta causa da síndrome de Down é chamada de trissomia do cromossomo 21, porque três cromossomos número 21 estão presentes (normalmente seriam dois). Em cerca de 4% das vezes, outros acidentes que afetam o cromossomo 21 são responsáveis pela síndrome. Por exemplo, às vezes um pedaço de um cromossomo 21 normal se quebra e se conecta a outro cromossomo no pai (chamada de translocação). O pai permanece normal, porque ele ainda tem a quantidade correta de material genético. Mas se este cromossomo aumentado for transmitido para a criança, ela pode ter um excesso de material vindo do cromossomo 21, resultando assim na síndrome de Down. Muito raramente, um acidente durante uma divisão celular no ovo fertilizado resulta em um cromossomo extra em algumas, mas não em todas as células. Isto é chamado de mosaicismo e as crianças afetadas podem ter apenas algumas características da síndrome de Down, porque somente algumas células foram afetadas.

**Problemas relacionados.** Problemas dentários, visão e audição deficientes, doença cardíaca, defeitos gastrintestinais, disfunção da tireoide, envelhecimento precoce (inclusive doença de Alzheimer), risco maior de doenças respiratórias, bem como de leucemia e outros tipos de câncer.

**Tratamento.** Exames pré-natais podem diagnosticar a síndrome de Down em fetos. A cirurgia após o nascimento pode corrigir as anomalias cardíacas e outras anomalias médicas graves. Programas de educação especializados antecipados melhoram o QI das crianças que são leve ou moderadamente retardadas.

**Prognóstico.** A maioria das crianças com síndrome de Down tem capacidades maiores do que se acreditava anteriormente, e uma intervenção precoce pode fazer aflorar estas capacidades, deixando menos de 10% gravemente retardados. Muitos podem ter uma vida escolar normal; alguns chegam até a faculdade. A maioria mais tarde encontra colocação em abrigos e *workshops*; alguns vivem e trabalham independentemente.

# TALASSEMIA

**O que é?** Uma forma herdada de anemia na qual há um defeito no processo necessário para a produção de hemoglobina (os glóbulos vermelhos que transportam oxigênio). A forma mais comum, a talassemia B, pode variar da forma mais grave, chamada de anemia de Cooley, à talassemia mínima, que não tem efeito, mas aparece em testagem genética ou sanguínea. Mesmo nos casos graves, os bebês parecem normais ao nascerem, mas gradativamente se tornam desatentos, agitados e pálidos, perdem o apetite e tornam-se muito suscetíveis a infecções. O crescimento e o desenvolvimento são lentos.

**O quanto é comum?** É uma das doenças hereditárias mais comuns nos Estados Unidos. Cerca de 2.500 pessoas são hospitalizadas anualmente para tratamento.

**Quem é suscetível?** Mais frequentemente aqueles com ascendência grega ou italiana. Também aqueles do Oriente Médio, sul da Ásia e África.

**Quais são as causas?** Herança recessiva autossômica: um gene afetado deve ser herdado de ambos os pais para que a criança tenha a forma mais grave.

**Problemas relacionados.** Sem o tratamento, o coração, o baço e o fígado tornam-se maiores e o risco de morte por falência cardíaca ou infecções se multiplica. Por fim os ossos tornam-se quebradiços e ficam com aparência distorcida.

**Tratamento.** Frequentes transfusões de sangue de células sanguíneas jovens e, às vezes, transplantes de medula óssea para crianças com a forma mais grave da doença. O acúmulo de ferro, que pode levar a falência cardíaca, pode ser tratado com medicamentos. O diagnóstico pré-natal serve para determinar se um feto foi infectado.

**Prognóstico.** Excelente para aqueles com as formas menores da doença; aqueles com a doença moderada também podem se tornar adultos normais, embora a puberdade possa ficar atrasada. Daqueles com a doença grave, mais crianças estão vivendo da adolescência até os 20 anos, embora a ameaça de infecção e falência cardíaca ainda seja grande.

◆ ◆ ◆

# CAPÍTULO 22

# O Bebê Adotivo

Quer você leve para casa um recém-nascido do hospital ou um bebê de 9 meses vindo de outro continente, tornar-se um pai adotivo dá prazer, modifica a vida e acaba com os nervos da mesma forma que se tornar um pai biológico. Embora seja possível que você tenha esperado por este momento por mais tempo do que os pais biológicos, você pode se sentir surpreendentemente despreparado agora que este momento finalmente chegou. Junto com a excita-ção e o entusiasmo que sentirá quando pegar o bebê no colo pela primeira vez, provavelmente você vai sentir um pouco de apreensão e incerteza; da mesma maneira que os pais biológicos.

Como pais adotivos, este capítulo foi escrito especialmente para vocês; mas a maior parte deste livro teve o mesmo propósito. Seu bebê é como qualquer outro bebê — e vocês são iguais a outro pai ou outra mãe.

## As Preocupações Comuns

### PREPARATIVOS

*"As minhas amigas que estão grávidas estão envolvidas em todo tipo de preparativos — fazem aulas de parto, verificam hospitais, escolhem pediatras. Mas eu não sei por onde começar a preparação para a chegada da nossa filha."*

Em vez de surpreender os pais (de todos os tipos) com seus bebês sem os benefícios do aviso prévio, a mãe natureza sabiamente designou a "gestação". Este período de espera antes do nascimento (ou cria) foi feito para dar aos pais uma chance de se prepararem para a chegada de seus filhos. Uma chance para a mamãe passarinho preparar o ninho, da leoa prenhe preparar a toca e, hoje em dia, para a mamãe e o papai humanos decorarem o quartinho, fazerem cursos, escolherem nomes, tomarem decisões importantes sobre aleitamento, cuidados

## A MEDICINA DA ADOÇÃO

Hoje em dia, cada vez mais pais estão escolhendo adotar bebês nascidos em países estrangeiros, onde a assistência médica com frequência é precária. Embora a maioria dos desafios que eles enfrentam não seja diferente daquelas enfrentadas por pais que adotam ou têm bebês em seu país de origem (um bebê é sempre um bebê, não importa onde nasceu), pode haver algumas preocupações ou questões únicas em relação à adoção de uma criança estrangeira, para as quais um pediatra comum pode não ter as respostas. Alguns pais preferem dirigir suas questões a pediatras especializados em adoções de estrangeiros. Estes médicos têm uma vasta experiência em questões médicas, emocionais, de desenvolvimento e comportamentais de crianças nascidas no exterior (especialmente em países subdesenvolvidos) e adotadas por pais em nações desenvolvidas e podem oferecer aconselhamento pré-adoção (inclusive uma avaliação dos potenciais riscos para a saúde), baseando-se em registros médicos existentes. Já que estes registros normalmente estão incompletos ou não existem, os pediatras especializados em adoção também oferecem cuidados pósadoção, que rotineiramente detecta problemas específicos do país de origem da criança.

Embora a maioria dos pais adotivos não precise consultar um especialista em crianças adotadas, alguns — especialmente aqueles que têm motivos para estar preocupados com a saúde do seu novo bebê — acharão este serviço útil. Se você sentir que pode ser útil fazer uma consulta, mas não existe um médico especialista em adoção na sua região, seu pediatra pode entrar em contato com um e obter as respostas para as suas preocupações específicas.

---

com a criança e pediatras e geralmente para se prepararem emocional, intelectual e fisicamente para se tornarem uma família.

Para o casal que vai adotar um bebê, o período de espera não são geralmente os previsíveis e gerenciáveis nove meses como acontece com os outros pais que estão esperando um bebê. Para alguns, geralmente aqueles casais que recorrem a agências, o processo completo pode levar anos, mas o grande dia pode chegar inesperadamente, sem deixar tempo suficiente para enfrentar a realidade e muito menos para fazer preparativos; é como receber a notícia de que você está grávida em um dia e vai ganhar o bebê no dia seguinte. Para outros, geralmente aqueles que fazem uma adoção particular, os preparativos para adotar um bebê podem ser feitos com antecedência, antes da data prevista de nascimento do bebê, dando aos futuros pais adotivos a oportunidade de fazer os preparativos antes da chegada do bebê que não são diferentes daqueles feitos pelos pais biológicos. Mas não importa quanto tempo você tenha entre descobrir que você será pai e a chegada daquela trouxinha de alegria; aqui estão algumas

# O BEBÊ ADOTIVO

medidas que você pode tomar para tornar a transição mais suave:

**Faça compras com antecedência.** Leia o Capítulo 2 deste livro. A maior parte dos preparativos para a chegada do bebê é a mesma, quer você esteja adotando ou esperando o nascimento do seu filho. Se você não tiver certeza da data, pesquise berços, carrinhos, enxoval etc. com antecedência. Anote tudo (marcas, estilos e tamanhos) junto com os nomes e telefones das lojas para que você possa ligar e mandar entregar no momento em que a agência ou o advogado ligarem para você (verifique com antecedência com as lojas para ter certeza de que os itens escolhidos existem em estoque). Se você tiver uma adoção particular em processo e sabe da data aproximada da chegada, muitas lojas vão permitir que você faça o pedido e que ele só seja entregue quando você ligar. Esta compra com antecedência é muito melhor do que tentar fazer compras depois que o bebê chegar, quando você estiver ocupada tentando se familiarizar e se adaptar.

**Descubra como os pais adotivos se sentem.** Converse com outros casais que você conhece que adotaram bebês (ou descubra pais adotivos *on-line*) sobre suas preocupações, seus problemas e suas soluções. Descubra um grupo de apoio a pais adotivos e assista a algumas sessões — o seu pároco, pediatra, advogado ou agência de adoção pode ajudá-lo a encontrar indivíduos ou grupos. Novamente, você pode encontrar estes grupos de apoio — bem como uma grande quantidade de outros recursos — na internet. Ou procure por livros que tenham estas informações e estratégias.

**Descubra como os recém-nascidos se sentem.** Leia sobre nascimentos de bebês para que você tenha uma ideia de tudo aquilo pelo qual o seu bebê passou quando ele finalmente chegar. Você vai aprender que após uma longa e difícil luta para nascer, os bebês podem estar cansados — algo que os pais biológicos entendem porque eles estão cansados também. Geralmente os pais adotivos estão alegres e animados com a chegada do bebê, em vez de exaustos, e podem ficar tentados a estimular o bebê recém-nascido em lugar de permitir que ele tenha o merecido descanso. Se você estiver adotando um bebê mais velho, leia sobre os meses pelos quais ele já passou, bem como os que estão adiante, tendo em mente que o bebê pode estar menos desenvolvido se passou os primeiros meses em um orfanato ou em um ambiente não familiar.

**Aprenda os truques do ofício.** Faça cursos que a orientem em tarefas básicas como dar banho, trocar fraldas, alimentar e segurar o bebê. Ou planeje contratar uma babá ou uma assistente que seja boa em ensinar a você como cuidar do bebê ao mesmo tempo em que faz o serviço, por um dia ou dois, ou por mais tempo se você preferir, para ajudar com o básico (ver página 53). Mas certifique-se de que você vai contratar alguém que vai ajudá-la em vez de intimidá-la.

**Dê uma boa olhada em bebês.** Visite amigos ou conhecidos que tenham bebês novinhos ou passe em um berçário de hospital no horário de visitas, para que um recém-nascido não pareça estranho para você. Leia sobre as características de um recém-nascido no Capítulo 4. Se você estiver adotando um bebê mais velho, visite pessoas que tenham bebês da mesma idade que o seu.

**Escolha um pediatra.** É tão importante para você escolher o pediatra com antecedência quanto é para o casal que está esperando um bebê (ver página 70). E não espere até que você tenha o bebê nos braços para fazer uma visita ao médico. Uma consulta antes da chegada do bebê dará a você a oportunidade de fazer perguntas e expressar quaisquer preocupações que tenha em relação a adotar um bebê ou se tornar pai ou mãe. Você vai precisar de alguém que seja capaz de verificar as condições do seu bebê no primeiro dia em que ele estiver com você. Devido ao fato de a saúde de um recém-nascido ser de especial preocupação, você vai querer que o pediatra esteja disponível a qualquer momento para ser consultado quando o bebê nascer e lhe dar conselhos sobre prognósticos, se houver algum problema. Se o bebê vem de outro continente, pode haver problemas de saúde com os quais se preocupar. Você vai querer escolher ou consultar um pediatra que tenha alguma experiência na assistência a bebês que tenham vindo do exterior (ver o quadro da página 914).

**Considere o aleitamento.** Algumas mães adotivas são capazes de amamentar os seus bebês, pelo menos parcialmente. Se você estiver interessada, converse com o seu ginecologista sobre esta possibilidade e veja a página 918.

# NÃO SE SENTINDO PAI OU MÃE

*"Não ter passado pela gravidez me fez sentir menos mãe do meu filho, mesmo quando eu o estou segurando."*

Você não tem que ser um pai ou mãe adotivo para ter dificuldades para se sentir um pai "verdadeiro". A maioria dos pais biológicos passa pelas mesmas dúvidas quando segura seus bebês recém-nascidos, que com frequência parecem estranhos à primeira vista. Afinal de contas, embora a parte técnica de se tornar pai não exija mais do que fazer o parto ou assinar os papéis finais da adoção, a parte emocional precisa de muito mais. A ligação com um bebê, seja ele natural ou adotivo, é um processo que não ocorre de um momento para outro, mas sim gradativamente, com o passar dos dias, semanas e até mesmo meses. Poucos pais se "sentem" pais naqueles primeiros dias e noites desafiadores, ainda que por fim eles irão se sentir — em geral quando tiverem dominado as tarefas básicas de cuidados com um bebê e conseguirem entrar no ritmo (você vai conseguir!) do novo bebê.

Tenha em mente que, embora você possa ter momentos difíceis aceitando-se como pai ou mãe, seu bebê não terá nenhuma dificuldade nisso. Vocês — que amam, protegem e dão a ele tudo que ele precisa — são reais para ele. E você saberá disso muito antes de ouvir "ma-mã" ou "pa-pá" pela primeira vez.

## AMANDO O BEBÊ

*"Ouvi dizer que os pais biológicos se apaixonam por seus bebês ainda na sala de parto. Tenho medo de nunca ser capaz de amá-la da mesma maneira, por não ter carregado e dado à luz este bebê."*

Essa história de amor à primeira vista entre os pais e o bebê ainda na sala de parto é um mito. Na verdade, os seus medos são compartilhados por uma grande quantidade de pais biológicos que ficam surpresos e desapontados com o fato de não serem envolvidos por uma grande onda de amor quando seguram seus filhos pela primeira vez. E nem você nem eles têm de se preocupar com isso. O amor entre os pais e o bebê não atinge sua plenitude no primeiro encontro (ou mesmo nos primeiros encontros) — é preciso algum tempo e cuidado para este amor crescer.

Este amor aparentemente cresce tanto para os pais adotivos quanto para os pais biológicos. Estudos mostram que as famílias adotivas formam laços bons e fortes, especialmente quando a criança é adotada antes dos 2 anos de idade. As crianças adotadas são com frequência mais confiantes do que as não adotadas, tendem a ver o mundo de maneira mais positiva, se sentem mais no controle de sua vida e veem os pais como mais cuida-dosos do que as crianças não adotivas — talvez porque ser um pai adotivo, dife-rente de ser pai biológico, sempre acon-tece por opção própria.

## O CHORO DO BEBÊ

*"A nossa menininha chora muito. Estamos fazendo alguma coisa errada?"*

Não há nenhum bebê novinho e saudável que não chore, e muitos choram bastante — afinal, esta é a úni-ca maneira que eles têm de se comuni-car. Mas às vezes o choro é aumentado por estímulo excessivo ou por estímulo errado. Muitos pais adotivos ficam tão empolgados com a chegada do bebê e tão ansiosos para exibi-los que os ex-põem a uma grande quantidade de visi-tantes. Só porque você não está cansada do parto, isso não significa que o seu bebê não esteja.

**Dê ao bebê uma oportunidade de des-cansar.** Vá devagar, pegue-o gentilmen-te, converse com ele calmamente. Após algumas semanas de uma atmosfera tran-quila, você verá que ele vai estar choran-do menos. Se não, ele pode estar com cólica, o que não é um reflexo do tipo de cuidado que está recebendo, somen-te um padrão muito comum de compor-tamento nos primeiros três meses de vida (ver página 284 para mais informações sobre cólicas; página 197, para ajuda so-bre como decifrar o código do choro).

## O PERÍODO DE ESPERA

Não tem o suficiente com o que se preocupar agora que você é uma nova mamãe ou um novo papai? Eis algo que muitos pais adotivos precisam ter em mente: tão logo o período de espera termine (o tempo durante o qual a mãe biológica pode mudar de ideia em relação à adoção — trinta dias ou mais, em alguns estados), certifique-se de finalizar a adoção no tribunal. Alguns pais se esquecem disso no entusiasmo (e exaustão) do período e desta forma acabam não tendo nenhuma custódia legal de seus filhos, algo que pode levar a sérias complicações posteriormente.

## DEPRESSÃO PÓS-ADOÇÃO

*"Se a depressão pós-parto tem causa hormonal, porque eu estou me sentindo deprimida desde que trouxemos o nosso filho para casa?"*

Se a depressão devido ao bebê fosse desencadeada somente pelos hormônios, os pais adotivos não sofreriam dela — ainda assim, muitos a têm. Isto é porque uma grande variedade de fatores influencia na depressão e muitos não têm relação nenhuma com os hormônios.

Por exemplo, quer você tenha adotado ou concebido, a vida que você conhecia (do modo como passava os seus dias ao modo como gasta o seu dinheiro) jamais vai ser a mesma, e é preciso algum

tempo para se habituar a essa nova realidade. Até que você se adapte à vida com um bebê (isto é, a vida sem muito tempo para dormir nem tempo para romance, uma vida sem tempo livre, uma vida — se você está de licença-maternidade — sem uma carreira e possivelmente sem um salário), você está propensa a se sentir um pouco abalada, um pouco oprimida e deprimida. O que também contribui para a depressão pós-parto de muitos pais (biológicos e adotivos, mães e pais) é a quebra da confiança — aquele sentimento de que não se sabe fazer mais nada e de que tudo que se faz é desajeitado — um sentimento vivido quase universalmente por pais de primeira viagem.

Já que é provável que pelo menos algumas das causas da sua crise de humor sejam as mesmas que as da tradicional depressão pós-parto, muitas curas podem ajudá-la também. As dicas do Capítulo 23 podem ajudar você a espantar a depressão e fazer com que aproveite melhor o seu novo papel.

## AMAMENTANDO UM BEBÊ ADOTIVO NO PEITO

*"Após anos tentando conceber, estamos construindo a nossa família adotando um bebê. Eu estou bastante entusiasmada com a ideia, mas estou muito decepcionada porque não vou poder amamentar o bebê quando ele chegar."*

Uma vez que o bebê nasça, não há quase nada que a mãe biológica faça que a mãe adotiva não possa fazer. Nesta época de milagres médicos, isto também se aplica, até certo ponto, à amamentação. Embora a maioria das mães de bebês adotivos jamais irá produzir leite o suficiente para alimentar seus bebês exclusivamente com o peito, algumas mamães conseguem amamentar os filhos no peito, pelo menos parcialmente. Entre aquelas mães adotivas que tentam induzir a lactação, mesmo as que não conseguem produzir leite podem colher os benefícios da intimidade especial formada pela amamentação.

Só será possível amamentar se o bebê que você estiver adotando for um recém-nascido que ainda não esteja mamando de um bico artificial e se você não tiver nenhum problema médico (como um histórico de cirurgia no seio) que a impeça de produzir leite.

Antes de decidir se amamentar o bebê adotivo é bom para você, faça a si mesma as seguintes perguntas:

**Por que você está tão ansiosa para amamentar?** Se você quer simplesmente dar ao seu bebê o melhor início nutricional possível e quer dividir os prazeres emocionais de amamentar com o seu novo bebê, vá em frente e dê a ele tudo o que tiver. Por outro lado, se você está tentando provar o seu valor como mãe ou negar a si mesma e aos outros (consciente ou inconscientemente) que o seu bebê foi adotado, deve reconsiderar o caso. É importante que você compreenda o fato de que o seu bebê foi adotado, e se sinta abençoada por isso; caso contrário, você e o seu bebê podem ter problemas mais tarde.

**Qual é seu grau de comprometimento?** Você está disposta a deixar tudo de lado na vida enquanto tenta induzir a lactação? Você pode ter que amamentar quase que constantemente e enfrentar semanas de intenso esforço e possível frustração sem nenhum resultado. Você está pronta para aceitar a ideia de que pode não obter sucesso e que, se você obtiver, poderá fornecer apenas parte da alimentação do seu bebê?

**Você terá apoio?** Pergunte ao seu marido e aos outros membros da família se eles estão apoiando você totalmente. Sem este apoio, você tem muito menos chance de ser bem-sucedida.

Se estiver decidida a fazer qualquer coisa para tentar amamentar o bebê no peito, você aumentará sua probabilidade de sucesso se seguir estes passos:

◆ Faça uma visita ao médico. Vá ao ginecologista para discutir o seu plano e para se certificar de que não existe nenhum problema que impossibilite a amamentação ou a torne especialmente difícil no seu caso. Peça aconselhamento sobre a logística também. Se ele não estiver familiarizado com a indução de lactação, peça que recomende um médico que seja — possivelmente um pediatra.

◆ Leia. O Capítulo 3 informará sobre tudo o que você precisa saber sobre amamentação.

◆ Peça ajuda. Procure por um consultor em lactação que possa ajudá-la.

◆ Comece com antecedência. Se você souber com antecedência em que data o bebê vai chegar, comece a preparar seus seios para este dia memorável. Cerca de um mês ou mais antes, comece a estimular a lactação com uma bomba mamária, de preferência uma bomba elétrica. Se você tiver sucesso em produzir leite antes de o bebê chegar, armazene-o e congele-o para uso futuro. Veja na página 241 informações sobre este assunto.

♦ Estimule enquanto amamenta. Encomende uma sonda de amamentação para ser entregue quando o seu filho chegar. Ela vai permitir que o bebê estimule o leite sugando-o, enquanto é alimentado simultaneamente pela fórmula complementar. Mesmo que você não possa começar com antecedência a produção do leite (porque o bebê chegou inesperadamente), uma sonda de amamentação vai ajudá-la a recuperar o tempo perdido sem comprometer a nutrição do bebê. E se você não tiver leite o suficiente para satisfazer completamente o bebê, pode continuar usando a sonda de amamentação enquanto estiver amamentando. Veja na página 256 mais informações sobre a sonda de amamentação.

♦ Estimule o reflexo de descida. Se você estiver tendo problemas com o reflexo de descida do leite (isto é, há leite nos seus seios, mas ele precisa de ajuda hormonal para sair), pergunte ao médico sobre a prescrição de um *spray* nasal de ocitocina e/ou um medicamento como a clorpromazina ou teofilina. Um destes componentes

pode estimular a pituitária a produzir a prolactina (um hormônio essencial na produção de leite), mas nenhum deles deve ser usado por mais de uma semana.

♦ Relaxe. Descanse, relaxe e durma bastante. Mesmo uma mulher que acabou de ter um bebê não consegue produzir leite adequado se estiver tensa e exausta. O estresse também pode interferir na descida do leite, assim, procure relaxar bastante antes de cada amamentação ou sessão de estimulação no seio.

♦ Coma direito. Siga a Dieta Pós-Parto (ver página 930), com um cuidado especial em ingerir calorias e fluidos suficientes e tomar suplementos vitamínicos e minerais.

♦ Não desista tão fácil. O corpo de uma gestante em geral tem nove meses para se preparar para a lactação; dê ao seu corpo pelo menos dois ou três meses para se preparar. Seja persistente.

Você saberá que seus esforços estão valendo a pena se tiver a sensação da descida de leite nos seus seios e o seu bebê mostrar sinais de ingestão adequada (como contentamento após mamar, fraldas molhadas, movimentos pélvicos). Se ele não parecer satisfeito, continue a usar a sonda de amamentação. (Veja na página 252 maiores informações sobre como saber se o bebê está tendo leite suficiente e como aumentar o seu fornecimento de leite no caso de ele não estar satisfeito.)

Se apesar de todo o seu esforço você não obtiver sucesso em produzir leite ou não produzir leite o suficiente para fazer de você a única fornecedora de nutrientes para o bebê (algumas mães biológicas também não conseguem), você deve se sentir à vontade para abandonar os esforços, sabendo que você e o seu bebê já compartilharam alguns dos benefícios importantes da amamentação no peito. Ou você pode continuar amamentando simplesmente pelo prazer deste ato, complementando a alimentação do seu bebê com uma fórmula, seja com a sonda de amamentação ou com a mamadeira.

## ATITUDE DOS AVÓS

*"Meus pais já têm três netos, pelos quais são loucos. Estou muito chateada porque eles não parecem entusiasmados com o bebê que nós acabamos de adotar."*

É fácil para os seus pais se apegarem aos netos biológicos. Eles conceberam seus próprios filhos e podem facilmente amar os filhos dos filhos que conceberam. Mas eles podem ficar um pouco indecisos se serão capazes de amar um neto adotivo tão facilmente ou tão bem — da mesma maneira como muitos pais adotivos ficam inseguros — e podem ficar distantes por medo de falharem. É possível também que eles ainda não tenham resolvido os sentimentos de decepção (ou culpa) que podem estar sentindo por você não ser capaz de conceber — no fundo, podem até acreditar que você ainda pode. Eles podem

sentir um pouco de raiva se você estiver adotando por opção.

É compreensível que você se sinta magoada pelo fato de os seus pais parecerem não ter interesse no seu bebê, mas não se sinta tentada a fazer retaliações excluindo-os da vida do bebê. Quanto mais você incluí-los, mais eles vão aprender a aceitá-lo e amá-lo.

O ideal é envolver os avós na preparação para a chegada do neto adotivo da mesma maneira que você os envolveria se estivesse se preparando para a chegada de um neto biológico. Convoque-os para ir comprar os móveis e o enxoval, escolher os ursinhos de pelúcia e os móbiles musicais. Consulte-os sobre as possibilidades de cores para o quarto do bebê e sobre os possíveis nomes para ele. Escolher um nome da família para o seu filho fará com que ele se torne mais "parte da família" para os avós.

Depois que você trouxer o bebê para casa, peça conselhos aos seus pais sobre alimentação e colocar para arrotar, como dar banhos e trocar fraldas, mesmo que você não precise. Se eles moram perto, peça-lhes para tomar conta do bebê quando for conveniente. Se você está planejando um batizado, um ritual de circuncisão ou a cerimônia do nome, convide-os para participarem ativamente do planejamento e da celebração. Se você não pretende fazer uma cerimônia religiosa, considere a possibilidade de fazer uma festa de "boas-vindas ao bebê" para os parentes e amigos. Poder exibir o bebê vai fazer com que eles se sintam mais como avós.

Se você se sentir à vontade com isso, converse com eles sobre como você vê os sentimentos deles. Diga-lhes que com este tipo de nova experiência, as incertezas são naturais e que você também as sentiu. Se tiverem oportunidade de expressar os sentimentos, eles podem começar a se sentir mais à vontade com eles mesmos e com você e o bebê. Se você não conseguir levantar o assunto, talvez um parente respeitado, um amigo da família, um membro do clero ou um médico possa fazer isso por você.

Acima de tudo, dê a seus pais bastante oportunidade de conhecer o bebê; conhecer um bebê geralmente é amá-lo. Certifique-se de que você não está sendo sensível demais ou defensiva demais e apenas imaginando que o bebê está sendo tratado de maneira diferente. Se no final eles ainda parecerem não aceitar o bebê completamente, tente superar a dor e manter os laços de família na esperança de que a proximidade virá ao longo dos anos.

## PROBLEMAS DE SAÚDE DESCONHECIDOS

*"Nós acabamos de adotar uma linda garotinha. Ela parece perfeita, mas fico preocupada que apareça algum problema hereditário desconhecido."*

A formação genética de cada criança, adotiva ou não, é incerta. E todo pai ocasionalmente se preocupa com possíveis defeitos desconhecidos. Felizmente, as deficiências genéticas graves são raras e a maior parte da preocupação dos pais é desnecessária. Entretanto, seria útil se você conseguisse um histó-

rico completo de ambos os pais biológicos do bebê, se possível para fornecer ao médico do bebê no caso de uma doença futura. Também procure conseguir, quando obtiver os documentos da adoção, uma maneira de localizar a mãe do bebê para o caso de uma crise surgir e o seu bebê precisar de ajuda da mãe biológica (um transplante de medula óssea, por exemplo), você possa encontrá-la.

Mas ao mesmo tempo em que um bebê adotivo não tem uma probabilidade maior de ter uma doença hereditária do que um bebê não adotivo, ele está mais sujeito a uma infecção. Pelo fato de não ter vindo equipado com os mesmos germes que a mãe e o pai adotivos, ele tem menos probabilidade do que um filho biológico de ter anticorpos para defendê-lo de organismos infecciosos no novo ambiente. Tome algumas precauções extras nas primeiras semanas, como lavar as mãos antes de pegar o bebê, a mamadeira dele ou qualquer coisa que ele possa levar à boca ou entrar em contato com as mãos dele, e limite as visitas. Embora a tentação de exibi-lo seja grande, espere algumas semanas antes de expor o bebê a muita gente (ele também pode aproveitar para descansar também).

Se o bebê veio do exterior, ele também pode estar trazendo uma infecção ou parasitas que sejam raros aqui. O pediatra deve saber qual é o país de origem e deve verificar as doenças típicas daquela região assim que ele chegar aqui. O tratamento imediato de qualquer problema descoberto garantirá não só que o bebê tenha um bom início de vida, mas também protegerá o resto da família.

## ANTICORPOS DA ADOÇÃO

Se você adotou um bebê mais velho, vai precisar prestar atenção extra quando chegar a época de vacinação. Devido ao fato de algumas agências de adoção não terem registros corretos, será difícil saber que vacinas o seu bebê já tomou (se é que ele recebeu alguma). Se o seu filho foi adotado de outro país, ele pode não ter recebido todas as vacinas. Mesmo que exista um registro de vacinação para o bebê de além-mar, um registro de vacinas estrangeiro não é garantia de que seu filho esteja adequadamente protegido. Isto se deve ao fato de que as vacinas podem não ter sido adequadamente armazenadas ou administradas.

Para determinar o nível de imunidade do seu filho, o pediatra pode fazer um exame de sangue para detectar se ele tem anticorpos contra uma doença. Se o exame revelar uma falta de anticorpos, a vacina deve ser dada ao seu bebê. Não se preocupe com o risco de o bebê ser vacinado para a mesma doença duas vezes. Qualquer reação adversa (que geralmente é mínima e rara) é ainda mais segura do que contrair uma doença.

Os bebês mais velhos adotados internacionalmente também precisam ser testados contra outras doenças infecciosas, como a tuberculose e a hepatite B, porque correm um risco maior de terem sido expostos a estas doenças.

## COMO LIDAR COM AMIGOS E COM A FAMÍLIA

*"Alguns poucos amigos íntimos sabiam que íamos adotar uma menina. Mas agora que ela está aqui, temos que contar para todo mundo que conhecemos. Não sei como agir neste caso."*

Sejam eles adotivos ou concebidos, a maneira tradicional de os pais darem as boas-novas é enviando mensagens aos amigos e familiares e, às vezes, anunciando no jornal. O modo como você vai dizer ao mundo depende de você. Embora você possa especificar na mensagem que o seu bebê foi adotado, certamente não precisa fazê-lo. Em vez disso,

você pode apresentar o seu bebê como faria qualquer outro pai. Se ele é recém-nascido, você pode anunciar o seu nascimento: "Estamos felizes em anunciar o nascimento de..." Se ele é mais velho, pode anunciar a chegada: "Estamos muito felizes em anunciar a chegada de..." ou "Anunciamos com orgulho que... acaba de se juntar à nossa família". Seja de que maneira for, uma imagem vale mais do que mil palavras.

Quando estiver conversando com alguém sobre o seu bebê, comece dizendo "o nosso bebê" ou "o meu bebê". Ao se referir aos pais que o conceberam, use pais de "nascimento" ou "biológicos" em vez de "verdadeiros" ou "naturais". *Vocês* são os verdadeiros pais deste bebê, e quanto mais você se ouvir dizer isso, mais você e os outros aceitarão isso como fato. Se vocês tiverem outros filhos biológicos, não os chame de "os meus próprios" filhos nem deixe que outras pessoas refiram-se a eles desta maneira.

## COMO CONTAR AO BEBÊ

*"Embora nosso filho ainda seja um bebê, eu não consigo parar de me preocupar em como e quando vamos contar a ele que foi adotado."*

N ão é mais um problema, como era antigamente, decidir se você deve ou não contar à criança que ela foi adotada. Hoje em dia, os especialistas concordam que as crianças precisam e têm o direito de saber sobre a sua adoção e devem saber sobre isso por seus pais e não por indiscrições de familiares ou amigos. Os especialistas também concordam que a melhor maneira de contar é ir introduzindo o fato gradativamente desde a infância, para que ele cresça se sentindo completamente à vontade com o conceito.

Você pode começar agora mesmo, enquanto o bebê é pequeno e ainda não entende o que você está dizendo. Da mesma maneira como o pai biológico conta para o bebê como foi o dia em que ele nasceu, você pode falar sobre o dia que o bebê foi trazido para a sua casa: "Aquele foi o melhor dia da nossa vida!" Quando estiver brincando e conversando com ele, você pode dizer: "Você fez de nós uma família quando adotamos você!" ou "Nós estamos tão felizes por termos conseguido adotar você e formar

a nossa família!" Embora o seu bebê não seja capaz de entender, mesmo nos termos mais simples, o que significa "adoção", até que ele tenha 3 ou 4 anos de idade, a exposição precoce ao conceito fará com que pareça natural e a explicação futura facilitará o processo.

Outra maneira de ajudar o bebê a saber sobre a sua adoção é manter um diário que comemore o fato. Você pode incluir fotos e recordações do primeiro dia dele com vocês e da chegada dele, bem como alguns comentários detalhando o evento e as emoções que você estava sentindo quando o segurou pela primeira vez em seus braços, ou a primeira vez que o levou para casa. Se você viajou para um país estrangeiro para a adoção, o diário é o lugar perfeito para documentar a viagem — e para dar ao seu filho uma ideia de sua herança. Se a adoção foi aberta, fotos da mãe biológica (especialmente se foram tiradas com você enquanto estavam esperando pela chegada do bebê) também podem ajudar a

---

### APOIO PARA A FAMÍLIA ADOTIVA

O bebê está a caminho — ou já chegou? Todo novo pai pode precisar de um pouco de apoio (ou muito) e as famílias adotivas podem encontrá-lo nestas fontes na internet:

♦ www.adocao.com.br

♦ http://www.cecif.org.br/

## BENEFÍCIOS DA ADOÇÃO

A Constituição Federal brasileira de 1988, em seu art. 7º, XVIII, considera direito fundamental o afastamento de 120 dias da gestante com a garantia de seu emprego e do salário correspondente, mas esse direito não se estendia à mãe adotiva. O artigo 392-A da CLT, alterado pela Lei nº 10.421/02, garante à mulher que adotar ou obtiver a guarda judicial para fins de adoção (desde que comprovado — a mãe deve comparecer a um posto do INSS, munida de CIC, RG, Carteira de Trabalho e o Termo Judicial de Guarda da criança adotada) o direito à licença-maternidade, sendo que o tempo de duração da licença varia de acordo com a idade da criança: até 1 ano de idade, licença de 120 dias; entre 2 e 4 anos de idade, licença de 60 dias; entre 4 e 8 anos de idade, licença de 30 dias. A licença-maternidade só será concedida mediante a apresentação do termo judicial de guarda à adotante ou guardiã.

tornar o conceito de adoção mais tangível para ele. Não importa o que você inclua, olhar o diário juntos certamente vai se tornar a atividade favorita do seu filho quando ele crescer — uma lembrança especial de um dia especial, em que ele entrou na sua vida e "fez" da sua família uma verdadeira família.

◆ ◆ ◆

## Parte 3

# PARA A FAMÍLIA

## CAPÍTULO 23

# Para a Mamãe: Aproveitando o Primeiro Ano

Depois de nove meses carregando o bebê e de muitas horas de parto, seu corpo acabou de enfrentar um dos maiores desafios conhecidos pela humanidade. Dele foram subtraídas todas as reservas nutricionais, foi tirada dele a força, ele foi privado do descanso, levado a limites que você não sabia que existiam. E como se isso não fosse o suficiente, agora que terminou este trabalho árduo da gestação, você vai começar um trabalho novo e ainda mais árduo: a maternidade.

Devido ao fato de a gravidez, o trabalho de parto e o parto em si serem fisicamente exaustivos, as primeiras seis semanas após o nascimento de um bebê são consideradas "um período de recu-peração". Mas uma vez que a confusão das primeiras seis semanas pós-parto tenha acabado e as dores do parto já (quase) tenham desaparecido, você provavelmente começará a se sentir vagamente humana novamente. Você pode até mesmo começar a sentir que está entrando no ritmo do bebê (embora seja um ritmo exaustivo) e que a rotina com a qual você lutava anteriormente agora parece fácil para vocês dois. Ainda assim, mesmo que você tenha começado a entender o que é a maternidade, muitos desafios ainda estão esperando por você no primeiro ano de vida do bebê: de encontrar tempo para o seu marido até encontrar tempo para si mesma, de voltar ao trabalho a restabelecer amizades, de trabalhar equilibrando a maternidade a reconhecer que até mesmo os malabaristas profissionais deixam cair algumas bolas de vez em quando. E quando já estava começando a se perguntar se a vida algum dia iria voltar a ser o que era antes do bebê, você pode ficar surpresa em descobrir que está feliz que ela não seja mais a mesma.

# O Que Você Deve Comer:
# A DIETA PÓS-PARTO

Você se esforçou muito para corrigir seus hábitos alimentares durante a gravidez; agora não é a hora de abandonar os novos e melhores hábitos que adquiriu, temporária ou permanentemente. Se você não comia tão bem durante a gravidez, não poderia escolher melhor hora para desenvolver bons hábitos do que agora. Embora um plano de dieta pós-parto inclua alguns privilégios e muito mais declinação do que a dieta durante a gravidez, os hábitos alimentares cuidadosos serão essenciais se você quiser manter seu nível de energia (para que possa aguentar o ritmo do seu bebê), gradativamente perder alguns quilos que você ganhou durante os nove meses de gravidez e, se estiver amamentando, produzir leite de boa qualidade.

## NOVE PRINCÍPIOS BÁSICOS DA DIETA PARA NOVAS MÃES

Uma boa nutrição ajuda a acelerar o processo de recuperação do parto, enquanto mantém a energia abundante e uma ótima saúde, necessárias para uma excelente maternidade. Também é fundamental para uma amamentação bem-sucedida. Negligenciar os nutrientes essenciais quando você está amamentando não vai necessariamente reduzir o seu fornecimento de leite, pelo menos não por uns dois meses (até mesmo as mulheres que estão seriamente desnutridas podem produzir leite por algum tempo), mas pode afetar o valor nutritivo do leite e modificar o seu próprio corpo nutricionalmente. Quer você decida amamentar ou não, estes nove princípios básicos podem servir como um guia geral para comer bem no período pós-parto:

**Faça com que cada bocado tenha importância.** Embora os bocados que você come não sejam divididos com o bebê diretamente no período pós-parto como eram durante a gravidez (e não são divididos de maneira nenhuma se você não estiver amamentando), ainda assim é importante fazer com que a maior parte deles sirva para a boa nutrição. Selecionar os alimentos cuidadosamente vai ajudar a garantir uma boa quantidade e qualidade do seu leite, energia suficiente para sobreviver às noites sem dormir e aos dias intermináveis e vão acelerar o processo de volta do corpo ao que era antes da gravidez. Obviamente, se estiver ingerindo nutrientes e não calorias que podem fazer com que a perda de peso seja ilusória, você merece de vez em quando comer alguma guloseima para satisfazer a sua vontade.

**Nem todas as calorias foram criadas iguais.** Não importa quem da família você esteja alimentando, as duas mil calorias de *uma* refeição típica de uma lanchonete não são nutricionalmente iguais a duas mil calorias de *três* refeições bem balanceadas. Considere também: as 235 calorias presentes em uma fatia de bolo são inegavelmente deliciosas, mas são as mesmas 235 calorias presentes em meio melão com sorvete de iogurte de chocolate — e um deles (adivinhe qual) oferece nutrientes como bônus, enquanto o outro não oferece nada além de calorias. O mesmo vale para as 160 calorias de dez batatas fritas — nutricionalmente leves quando comparadas com as 160 calorias de uma batata assada coberta com queijo *cheddar* ralado e brócolis no vapor.

**Passe fome, engane o seu bebê.** Pular refeições não é potencialmente prejudicial (como era quando você estava grávida), mas um horário de alimentação irregular prolongado pode cortar suas próprias reservas, deixando-a lenta. Se você está amamentando, uma nutrição inadequada — como a que certas dietas da moda pregam (jejum com sucos, por exemplo) — pode, com o tempo, reduzir seriamente o seu suprimento de leite.

**Torne-se uma especialista em eficiência.** Para fazer com que o peso pós-parto continue diminuindo e sua nutrição aumentando, ainda é importante selecionar alimentos nutritivos em vez de alimentos calóricos — prefira peru a salsichão no almoço, massa com vegetais a massa com molho no jantar. Se o seu problema for perder peso demais, procure por alimentos ricos em nutrientes e calorias, mas pobres em massa, como o abacate e as castanhas, mas fique longe de alimentos como a pipoca, que enchem sem encher de verdade, ou você ficará sem nutrientes.

**Os carboidratos são uma questão complexa.** E os carboidratos complexos, não refinados, são exatamente o tipo que você precisa concentrar no pós-parto (e além deste período, para toda uma vida de boa nutrição para você e para a sua família). Pães, cereais e bolos integrais, arroz integral, feijão, ervilhas e outras leguminosas fornecem fibras (tão importantes agora quanto eram quando você estava grávida, para assegurar a regularidade) e bastante vitaminas e minerais. Elas também dão a você uma dose de energia mais duradoura do que aquela fornecida pelos carboidratos refinados.

**Doces são apenas doces e nada mais.** O brasileiro consome em média 60 kg de açúcar por ano. Deste açúcar, uma parte vem direto do açucareiro, cobrindo cereais e frutas ou misturados no café ou chá. Uma quantidade razoável é ingerida em bolos, biscoitos, balas, folhados e tortas. Mas uma proporção surpreendente vem de fontes insuspeitas, como sopas, molhos para saladas, cereais matinais, pães, cachorros-quentes, carnes e comidas congeladas, enlatadas ou processadas e acompanhamentos.

Se a sua ingestão de açúcar está na média, você está consumindo mais de 800 calorias vazias ou sem nutrientes por dia. Para uma nova mamãe que quer ter a certeza de receber sua dose diária sem ganhar uma dezena (ou mais) de quilos no processo, comer doces ocasionalmente não vai criar uma grande destruição, mas consumir muita caloria vazia por dia, sim.

**Coma alimentos que lembrem de onde eles vieram.** Alimentos que foram processados perdem muitos de seus nutrientes. Esses alimentos com frequência também contêm excesso de gordura saturada não saudável, sódio e açúcar, além de corantes artificiais e outros aditivos químicos que não vão melhorar a dieta, e podem inclusive contaminar o leite do peito (ver página 161). Quanto mais próximo o alimento que você ingerir estiver de seu estado natural, melhor para o seu bebê — e para você.

**Faça da boa alimentação um negócio de família.** Inclua toda a família no programa de bons hábitos alimentares e seu bebê vai crescer em um ambiente onde a boa nutrição é natural. Isto pode se traduzir em boa saúde (e vida longa) a longo prazo não apenas para você, mas para seu marido e seus filhos.

**Não sabote a sua dieta.** Embora você possa desfrutar de uma bebida alcoólica de vez em quando mesmo que esteja amamentando, álcool demais definitivamente afeta a você e ao seu bebê de modo adverso, da mesma maneira que o uso de qualquer quantidade de tabaco ou de drogas ilícitas (ver página 160).

# A DIETA IDEAL PARA O PÓS-PARTO E AMAMENTAÇÃO

Se você está familiarizada com a Dieta da Gravidez, já sabe que não precisa se sentar com um livro de registro, uma calculadora e tabelas de valores nutricionais antes de cada refeição para ter certeza de que está ingerindo os nutrientes de que necessita (para produzir leite e para ficar saudável, se estiver amamentando ou não). Tudo o que você precisa é fazer a Dieta Ideal.

**Calorias.** Você vai precisar ingerir calorias suficientes para fornecer a energia de que vai precisar para o seu novo papel de mãe, mas não tantas que não consiga começar a perder aqueles quilos a mais da gravidez. Se está amamentando, precisa de cerca de 400 a 500 calorias extra por dia acima do que você precisaria para voltar ao seu peso de antes da gravidez (o dobro, se estiver amamentando gêmeos e o triplo se forem trigêmeos). Você pode reduzir um pouco este número após as primeiras seis semanas pósparto se parecer que não está perdendo peso, mas não deve cortar calorias drasticamente, assim como não deve cortar o seu fornecimento de leite.

Mesmo que não esteja amamentando, você deve deixar a dieta mais pesada para depois das primeiras seis semanas. Durante o período de resguardo, você deve ser capaz de começar a perder estes quilos indesejados da gravidez enquanto sustenta o nível de energia comendo tantas calorias quanto precisaria para manter o peso pré-gravidez.[1] Quando a recuperação tiver sido completa e for mais seguro fazer dieta, você pode reduzir este número de 200 a 500 calorias por dia, mas não faça uma dieta muito rigorosa sem acompanhamento médico.

Amamentando ou não, pesar-se regularmente é a melhor maneira de determinar se sua ingestão de calorias está alta, baixa ou correta. À medida que você for perdendo aos poucos os quilos que ganhou na gravidez e parar de perder quando atingir o peso que deseja, você estará no ponto. Ajuste as calorias para cima ou para baixo, se não estiver. Tenha em mente também que é sempre aconselhável fazer mais exercícios físicos do que diminuir drasticamente as calorias. Se você não conseguir frear uma perda de peso rápida demais, consulte o médico.

**Proteína — três porções diárias se você estiver amamentando, duas se não estiver.** Muitas proteínas também fornecem cálcio. Uma porção delas é igual a qualquer uma das seguintes porções: 2½ a 3 copos de leite semidesnatado ou desnatado; 1¾ de xícara de iogurte desnatado; ¾ xícara de queijo *cottage* desnatado;

---

[1] Para descobrir quantas calorias você precisa para manter o seu peso pré-gravidez, multiplique o peso pré-gravidez por 12 se você é sedentária, 15 se você faz alguma atividade moderada e até 22 se você faz atividade intensa.

## UM PACOTE EM DOIS

Quer um pacote de nutrientes sem ter um pacote de quilos? Escolha alimentos que preencham eficientemente mais de um requisito por porção. Muitos derivados do leite fornecem proteína e cálcio, alguns mais do que frutas e vegetais oferecem, tanto os amarelos quanto os verdes, e vitamina C. Um superastro nutritivo? O brócolis, que contém um pacote em três (vegetal verde, vitamina C e, se ingerido em grande quantidade, uma porção de cálcio).

2 ovos grandes mais 2 claras; 5 claras de ovos; 85 a 100 gramas de peixe, carne ou frango; 140 a 170 gramas de tofu. Outros produtos derivados da soja (inclusive muitos congelados vegetarianos) podem também conter bastante proteína; verifique o rótulo. As mães que estão amamentando gêmeos ou trigêmeos precisam de uma porção extra para cada bebê. Os vegetarianos que não comem nenhum tipo de proteína animal devem acrescentar uma porção extra de proteína diariamente, já que a qualidade da proteína vegetal não é tão alta quanto a da proteína animal.

**Alimentos que contêm vitamina C —** duas porções se você estiver amamentando e pelo menos uma se não estiver. Tenha em mente que muitos dos alimentos que contêm vitamina C também atendem à necessidade de vegetais folhosos verdes e amarelos e de frutas amarelas.

Uma porção equivale a qualquer uma das seguintes: ½ xícara de morangos; ¼ de um melão pequeno; ½ *grapefruit*; 1 laranja pequena; ⅓ a ½ xícara de suco cítrico; ½ manga, mamão ou goiaba; ⅔ de xícara de brócolis cozido ou ¾ de xícara de couve-flor cozida; 1½ de repolho cru ralado; ¾ de xícara de couve cozida, couve-manteiga ou couve-rábano; 1 pimentão verde médio ou ½ pimentão vermelho médio; 2 tomates pequenos ou 1 xícara de suco de tomate.

**Vegetais folhosos verdes e vegetais amarelos e frutas amarelas — pelo menos três porções diariamente se você estiver amamentado, duas ou mais se não estiver.** Tenha em mente que muitos destes alimentos também preenchem os requisitos de vitamina C. Uma porção equivale a qualquer uma das seguintes: 2 damascos frescos ou secos; ⅛ de melão rosado; ½ manga; 1 pêssego ou nectarina amarelos (não os brancos); ¾ de xícara de brócolis cozido; ½ cenoura média; 8 a 10 folhas grandes de alface; ¼ a ½ xícara de verduras cozidas; ¼ de xícara de abóbora; ¼ de uma batata-doce pequena; 1 colher de sopa de abóbora em lata não adoçada.

**Cálcio — cinco porções diariamente se você estiver amamentando, três ou mais se não estiver.** Muitos destes alimentos fornecem uma quantidade considerável de proteína. Uma porção equivale a qualquer uma das seguintes: 35 gramas de queijo suíço; 42 gramas de queijo *cheddar*; 1 xícara de leite semidesnatado ou desnatado; 141 gramas de leite com cálcio; ½ xícara de leite em pó desnatado; ⅓ de xícara de leite desnatado em pó;

1½ xícaras de queijo *cottage* desnatado; 170 a 226 gramas de iogurte desnatado; sorvete de iogurte (o conteúdo de cálcio varia, então, verifique o rótulo ou peça informação nutricional); 170 gramas de suco de laranja com cálcio; 1¾ xícaras de brócolis cozido; 1 xícara de couve; 2½ colheres de sopa de melado; 113 gramas de salmão enlatado ou 85 gramas de sardinhas, com espinhas; tofu (o conteúdo de cálcio varia, então, verifique o rótulo; uma porção contém cerca de 30% por cento do valor diário — VD); 2 *tortillas* de milho (novamente, verifique o rótulo). As mães que amamentam gêmeos ou trigêmeos ou mais vão precisar de uma porção extra de cálcio para cada bebê e podem querer usar derivados do leite enriquecidos com cálcio ou tomar suplementos vitamínicos com cálcio para obter a sua cota. Os vegetarianos que não consomem derivados do leite podem encontrar dificuldades em atender às necessidades de cálcio somente com vegetais, a menos que eles sejam fortificados com cálcio (suco de laranja, por exemplo), e podem precisar de suplementos de cálcio. Embora a falta de cálcio durante a amamentação não afete a composição do leite materno, o cálcio retirado dos ossos da mãe para produzir o leite pode torná-la mais suscetível a osteoporose posteriormente.

**Outras frutas e vegetais — duas ou mais porções diariamente.** Uma porção equivale a qualquer uma das seguintes: 1 maçã, pera, banana ou pêssego branco; ⅔ de xícara de cerejas ou uvas frescas; ⅔ de xícara de cereja azul; 1 fatia de abacaxi; 2 xícaras de melancia; 5 tâmaras; 3 figos; ¼ de xícara de uva-passa; ¾ de xícara de vagem; 6 a 7 aspargos; ⅔ de xícara de couve-de-bruxelas cozida; ⅔ de xícara de batata-baroa, ervilhas (frescas ou não) 1 batata média; 1 xícara de cogumelos frescos.

**Grãos integrais e outros carboidratos complexos concentrados — seis porções diárias, quer você esteja amamentando ou não.** Uma porção equivale a qualquer uma das seguintes: ½ xícara de arroz integral cozido, arroz selvagem, painço, *kasha* (trigo-sarraceno); cevada, trigo quebrado, quinoa ou triticale; ½ xícara de feijão ou ervilhas cozidos; 1 porção (28 gramas) de cereal integral cozido ou pronto; 2 colheres de sopa de gérmen de trigo; 1 fatia de pão integral; ½ rosca integral ou bolinho inglês; 1 pão pita pequeno ou ½ grande integral; 1 *tortilla* de milho ou integral; 1 porção de biscoitos de soja ou integral; 2 bolinhos de arroz; 28 gramas de massa de soja, integral ou de proteína; 2 xícaras de pipoca.

**Alimentos ricos em ferro — uma porção ou mais diariamente.** O ferro é encontrado em variadas quantidades em frutas secas, carne, grão-de-bico e outras leguminosas, na casca de batata, abóbora, vegetais verdes cozidos, alcachofras, ostras, sardinhas, soja e seus derivados, espinafre, melado, alfarroba e fígado.[2] Também é encontrado no gérmen de trigo, em grãos integrais e em cereais fortificados pelo ferro.

---

[2]Coma fígado raramente, apesar de seu grande valor nutritivo, porque ele é um depósito de produtos químicos, inclusive os questionáveis, aos quais o animal é exposto.

**Alimentos com alto teor de gordura — pequenas porções diariamente.** Embora uma quantidade adequada de gordura seja essencial durante a gravidez e o seu corpo saiba lidar com esses alimentos ricos em colesterol com impunidade, agora é necessário que você pense em limitar a gordura na sua dieta e selecionar cuidadosamente o tipo de gordura que vai consumir. Concorda-se que um adulto médio não deve ingerir mais de 30% do total de calorias em gordura. Aqueles com alto risco de doenças cardíacas devem limitar a sua ingestão ainda mais rigorosamente. Isso significa que se seu peso ideal é de 56,7 quilos, você precisa de 1.875 calorias diárias, e não mais do que 30% por cento disso, isso é, 62 gramas de gordura. Isto equivale a 4½ porções de gordura (com 14 gramas cada) por dia. Se você é mais leve, vai precisar de menos porções; se for mais pesada, precisará de mais porções. Você pode consumir uma porção pequena de alimentos com baixo teor de gordura e o resto virá de alimentos gordurosos. Os alimentos com alto teor de gordura, que vão lhe fornecer metade da porção de gordura, incluem: 28 gramas de queijo (suíço, *cheddar*, provolone); 2 colheres de sopa de queijo parmesão ralado; 1½ colher de sopa de creme *light*, noz-pecã, amendoim ou amêndoas; 2 colheres de sopa de creme *chantilly*; 1 colher de sopa de *cream cheese*; 2 colheres de creme de leite; 1 xícara de leite ou iogurte integral; ½ xícara de sorvete normal; 170 gramas de tofu; ¼ de abacate pequeno; 1 colher de sopa de creme de amendoim; 99 gramas de carne vermelha ou 198 gramas de frango ou peru *light* (sem pele); 113 gramas de peixe gorduroso (como o salmão); 2 ovos grandes ou 2 gemas de ovos grandes; 2 biscoitos pequenos ou dois bolinhos médios; 1 fatia de bolo ou 3 *cookies* (o tamanho varia com a receita). A gordura pura, que fornece uma porção inteira, inclui: 1 colher de sopa de óleo de oliva, açafrão, milho, canola ou outro óleo vegetal, manteiga, margarina ou maionese comum; 2 colheres de sopa de maionese *light*; 2 colheres de sopa de molho para salada normal.

**Comidas salgadas — quantidades limitadas.** Embora não tivesse sido necessário limitar a quantidade de sódio que você ingeriu durante a gravidez, seria bom que você começasse a cortar os alimentos salgados agora. Leia as embalagens para detectar os alimentos que sejam ricos em sódio e evitar fazer deles a parte mais importante da sua dieta. A menos que alguém em sua família esteja em uma dieta que restrinja o uso de sódio, um pouco de sal na comida não tem problema algum. Mas lembre-se de que qualquer comida para a família que você esteja planejando usar também na alimentação do bebê deve ir sem sal para a mesa — além de os bebês não saberem lidar com uma grande quantidade de sódio, a exposição precoce fará com que desenvolva um gosto pelo sal.

**Líquidos — oito copos diariamente, quer você esteja amamentando ou não.** (Você pode precisar beber mais se você estiver amamentando gêmeos.) Água, com ou sem gás, frutas e sucos de vegetais e sopas são todos boas opções de líquidos. Você também pode contar com o leite (que tem cerca de ⅔ de água); as frutas e vegetais com grande conteúdo de água também podem ser acrescentados. Mas fique atenta para não exagerar: o excesso de líquidos (mais de 12 xícaras por dia, se você estiver amamentando uma criança) pode inibir a produção de leite materno.

**Suplementos vitamínicos.** Tome diariamente a fórmula gravidez/lactação se você estiver amamentando, não como substituto de uma boa dieta, mas como uma segurança nutricional. O suplemento deve conter zinco e vitamina K. Se você não consome produtos animais (nem mesmo leite ou ovos), deve também se certificar de que o seu suplemento contenha pelo menos 4 microgramas de vitamina $B_{12}$ (encontrada naturalmente apenas em alimentos animais), 0,5 miligrama de ácido fólico e, se não tiver pelo menos meia hora de sol diariamente, 400 miligramas de vitamina D (946 mililitros de leite).

## SE VOCÊ NÃO ESTIVER AMAMENTANDO

Uma boa nutrição é importante para todas as mães após o parto. Alimentar-se bem não só ajudará a garantir uma rápida recuperação, mas também dará a você a energia de que você precisará para acompanhar o ritmo do bebê em crescimento (e não deixará que você fique na condição de insone a que chamam paternidade). A boa nutrição também vai espantar uma grande quantidade de doenças (de certos tipos de câncer a osteoporose) relacionadas com o tipo de dieta. Então, mesmo que você não esteja amamentando, continue a comer bem para a sua saúde, usando os Nove Princípios Básicos e a Dieta Ideal — para o seu próprio bem e do seu bebê também.

# As Preocupações Comuns

## EXAUSTÃO

*"Eu esperava ficar cansada durante as primeiras semanas após o nascimento de meu bebê, mas já faz meses que eu tive meu filho e ainda estou exausta."*

Entre se recuperar do biatlo físico do trabalho de parto e do nascimento, cuidar de um recém-nascido que ainda não sabe a diferença entre o dia e a noite e ajustar-se às infinitas responsabilidades da criação de um filho, no início todas as novas mães sentem-se como zumbis ambulantes, que troca fraldas e amamenta. Mas embora o período de resguardo termine oficialmente após seis semanas, a sensação de exaustão normalmente não termina com ele. Raras são as mulheres (ou homens, especialmente aqueles que ficam em casa cuidando do filho) que escapam da síndrome da fadiga contínua da criação de filhos durante o primeiro ano, e isso não é de se surpreender. Não existe outro emprego tão emocional e fisicamente exaustivo como a criação de um filho no primeiro ano. A pressão e o cansaço não estão limitados a oito horas por dia ou cinco dias na semana, e não há hora de almoço ou do cafezinho para descansar. Para os pais de primeira viagem, há também

o estresse inerente a qualquer novo emprego: erros que são cometidos, problemas a resolver, muito a aprender. Se tudo isso não for suficiente para causar exaustão, a nova mãe também pode ter sua força sugada pela amamentação, somada ao rápido crescimento do bebê e de sua parafernália e por noite após noite de sono interrompido.

A nova mamãe que volta a trabalhar fora também pode sofrer de um tipo de fadiga que vem da tentativa de realizar bem os dois trabalhos. Ela acorda cedo para realizar o trabalho de mãe, que com frequência inclui amamentação, antes de sair para o seu trabalho fora de casa. Quando volta para casa, tem que cuidar do bebê e, frequentemente, cozinhar, limpar e lavar. Além disso tudo, pode ficar acordada boa parte da noite com o bebê e tem que acordar alerta, animada e eficiente pela manhã. A exaustão é inevitável para a supermãe.

Obviamente, é uma boa ideia consultar um médico para certificar-se de que não existe uma causa médica para a sua exaustão (por exemplo, tireoide pós-parto). Se você estiver perfeitamente bem de saúde, certifique-se de que com o tempo, à medida que ganha experiência e se acostuma com a rotina e seu bebê começa a dormir a noite inteira, a fadiga vá gradualmente desaparecendo (embora você não se sinta totalmente descansada até que seus filhos estejam em idade escolar). Seu nível de energia aumentará um pouco também à medida que seu corpo se ajustar às novas exigências. Enquanto isso, existem algumas maneiras de minimizar aquela sensação de noite dos mortos-vivos:

♦ Consiga toda a ajuda que puder. Peça ajuda, paga ou não, para recuperar a energia (e fazer compras e cuidar da casa para que você não tenha de fazer isso).

♦ Divida. Faça uma lista de todas as tarefas relacionadas com o bebê e com a casa que precisam ser feitas e divida-as entre você e o seu marido. Faça isso de acordo com o horário (se ele trabalha durante o dia, obviamente terá de fazer a parte dele de manhã cedo ou à noite), a preferência e a habilidade (tendo em mente que a única maneira de ser bom numa tarefa é praticando, seja trocar fralda ou dar banho). Se você estiver dando mamadeira, vocês podem alternar as mamadas da noite (uma noite você, outra ele) para que vocês possam conseguir dormir. Mas mesmo que você esteja amamentando no peito, o papai pode levantar e trocar a fralda, se necessário, antes de entregar o bebê para que você o alimente. Ou manter o bebê em um berço ao lado da cama para que você possa facilmente alcançá-lo. Você pode, também, tirar leite do seio e colocar numa mamadeira nos dias em que o papai for res-ponsável pela amamentação enquanto você dorme.

♦ Dê a seu marido oportunidades de ser pai iguais às suas. Não há nada além de amamentar no peito que um pai não possa fazer tão bem ou melhor do que a mãe. Ainda assim, muitas novas mamães não dão ao papai uma oportunidade de cuidar do bebê, ou ficam criticando tanto que ele acaba "jogando a fralda". Então, se é sua mentalidade do tipo "prefiro fazer eu mesma porque eu faço melhor" que está entre você e algumas horas de descanso, esqueça-a.

♦ Vá dormir cedo. Pode parecer óbvio, mas quanto mais cedo você for para a cama, mais cedo vai levantar. Não assistia a tevê nem navegue na internet até tarde. Vá para a cama o mais cedo possível para conseguir dormir o suficiente, mesmo que este sono seja interrompido.

♦ Tire um cochilo quando o bebê cochilar. Pode parecer maluquice (afinal de contas tem a roupa para lavar, comida para fazer, além de milhares de outras coisas) e irreal (especialmente se houver outra criança que esteja aprendendo a andar ou uma mais velha que precise de ajuda com o dever de casa), mas tente descansar quando o bebê descansar também, mesmo que seja apenas metade do tempo de soneca do bebê. Até cochilos de 15 minutos podem ser surpreendentemente revigorantes.

♦ Não se esqueça de se alimentar. É claro que você está ocupada tentan-

## RECÉM-NASCIDO?

Então você provavelmente tem quase tantas perguntas sobre os cuidados consigo mesma quanto tem sobre os cuidados com o seu bebê recém-nascido. Para respostas a tudo o que você vai encontrar (e se preocupar) durante o seu período de resguardo — de lóquios a hemorroidas, de perda de cabelo a suores noturnos, da primeira ida ao banheiro ao primeiro *check-up* pós-parto — leia os capítulos 15 e 16 do livro *O que esperar quando você está esperando.* Depois, quando o seu período de resguardo tiver passado, volte aqui para obter as respostas para suas outras perguntas sobre o primeiro ano pós-parto.

do alimentar o bebê (e, se você estiver amamentando, pode parecer que está sempre ocupada alimentando o bebê). Mas não negligencie as suas próprias necessidades nutricionais, que serão ainda maiores se você estiver amamentando.

## DEPRESSÃO PÓS-PARTO

*"Meu filho já tem mais de 1 mês e eu não consigo deixar de me sentir deprimida. Eu já não deveria estar me sentindo melhor agora?"*

Se a melancolia materna (que atinge de 60 a 80% das mulheres, mais comumente na primeira semana após o parto) não desaparecer com o tempo, é sinal de que pode ser uma depressão pós-parto. A verdadeira depressão pós-parto (DPP) é menos comum (afeta cerca de 10 a 20% das mulheres) do que a melancolia materna, muito mais duradoura (pode durar de algumas semanas até um ano ou mais) e muito mais grave. A DPP pode começar com o parto, porém mais frequentemente só começa um ou dois meses depois; em algumas mulheres, só começa quando ocorre o primeiro período menstrual após o parto ou no desmame (devido em parte à oscilação dos hormônios). As mulheres que tiveram DPP anteriormente, têm um histórico pessoal ou familiar de depressão ou TPM aguda, sentiram-se deprimidas durante a gravidez e/ou tiveram uma gravidez e um parto complicados, ou têm um bebê doente ou com dificuldade, são mais suscetíveis a esta doença.

Os sintomas da DPP são semelhantes aos da melancolia,[3] embora muito mais pronunciados. Eles incluem choro e irritabilidade; distúrbios do sono (não conseguir dormir ou dormir o dia inteiro); distúrbios do apetite (falta de apetite ou apetite excessivo); sentimentos persistentes de tristeza; incapacidade ou falta de desejo de cuidar de si própria ou do bebê; preocupações exageradas em relação ao bebê; perda de memória. Se os sintomas persistirem por mais de duas ou três semanas, há uma forte probabilidade de que você tenha uma DPP que não irá embora sem ajuda profissional. Não espere para ver se ela desaparece.

---

[3]Para maiores informações sobre melancolia, leia *O que esperar quando você está esperando.*

Primeiro, ligue para o médico e peça para fazer um exame de tireoide. Irregularidades nos níveis de hormônio na tireoide (muito comuns no período pós-parto) podem levar a instabilidade emocional. Se estes níveis forem diagnosticados como normais, peça a indicação de um terapeuta que tenha experiência clínica em depressão pós-parto e marque uma consulta *imediatamente*. Antidepressivos como o Zoloft e o Prozac (que parece ser seguro durante a lactação), combinados com aconselhamento, vão ajudá-la a se sentir melhor mais rapidamente. Uma terapia leve pode trazer alívio para a DPP, e pode ser usada no lugar dos remédios ou combinada com eles. (Estudos recentes mostraram que mulheres com alto risco podem tomar antidepressivos como o Zoloft e o Prozac logo após o parto para prevenir a depressão pós-parto. Alguns médicos até receitam doses baixas de antidepressivos durante o terceiro trimestre da gravidez para mulheres com um histórico de depressão pós-parto.)

Seja qual for o tipo de tratamento que você e o seu terapeuta decidirem como o melhor para a sua depressão pós-parto, tenha em mente que uma intervenção rápida é crucial. Sem ela, a DPP pode impedi-la de criar laços, cuidar e curtir o seu bebê. Ela também pode ter um efeito devastador na sua relação com o seu marido e seus outros filhos, bem como na sua própria saúde e bem-estar.

Algumas mulheres, em vez de (ou além de) se sentirem deprimidas após o parto, sentem-se extremamente ansiosas ou temerosas, às vezes sofrendo de crises de pânico, inclusive batimentos cardíacos ou respiração acelerados, ondas de frio ou de calor, tontura e calafrios. Estes sintomas requerem tratamento imediato por um terapeuta qualificado.

Muito mais rara e mais grave que a DPP é a psicose pós-parto. Seus sintomas incluem a perda da realidade, alucinações e/ou delírios. Se você estiver vivendo sentimentos agressivos, violentos, suicidas ou está ouvindo vozes ou tendo outros sintomas de psicose, não espere — ligue para o seu médico *imediatamente* e insista em obter ajuda imediata. Não deixe ninguém convencê-la de que estes sentimentos são normais durante o período pós-parto; eles não são. Para se assegurar de que você não tenha sentimentos perigosos, peça a um vizinho para ficar com você enquanto você entra em contato com o médico.

## CUIDANDO DAS TAREFAS DE CASA

*"Agora que eu tive o meu bebê, estou ficando atrasada em tudo: limpar, lavar a roupa, os pratos, literalmente tudo. Minha casa, que antigamente era impecável, agora está uma bagunça. Eu sempre me considerei uma pessoa centrada — até agora."*

Considere a responsabilidade de cuidar de um bebê recém-nascido pela primeira vez. Parece que os dias e as noites se juntaram em uma única interminável mamada. Junte-se a isso visitantes demais, uma generosa ajuda de uma elevação no nível hormonal pós-parto e

## CONSEGUINDO AJUDA PARA A DEPRESSÃO PÓS-PARTO

Até recentemente, a depressão pós-parto era um problema na maioria das vezes varrido para baixo do tapete da prática médica. Era ignorado pelo público, minimamente discutido pelos médicos e as mulheres que o viviam sofriam de uma vergonha e um silêncio desnecessários. Esta atitude impediu que as mulheres aprendessem sobre a depressão pós-parto e seus tratamentos muito eficazes. O pior de tudo, impediu que as mulheres conseguissem a ajuda de que precisavam.

Felizmente, houve uma mudança no modo como a comunidade médica vê e trata a DPP. Campanhas de educação pública estão acontecendo, ou logo vão acontecer, em alguns estados americanos, exigindo que os hospitais mandem as mulheres para casa com material educativo sobre o problema para que os novos pais consigam reconhecer os sintomas cedo e procurar tratamento.

Os médicos também estão começando a se educar sobre a DPP — aprendendo a procurar por fatores de risco durante a gravidez, examinando rotineiramente em busca de DPP nas consultas pós-parto e tratando-a com rapidez, segurança e sucesso. Os pesquisadores também procuram por outros instrumentos de exame (como um teste simples em que as mulheres têm de responder a uma série de perguntas na consulta da sexta semana pós-parto) para diagnosticar e tratar a depressão pós-parto mais rapidamente.

A depressão pós-parto é uma das formas mais tratáveis de depressão. Assim, se estiver afetando você, não sofra por mais tempo do que precisa. Fale e consiga a ajuda de que necessita agora.

---

possivelmente a desordem acumulada durante a sua estada no hospital ou dos seus últimos dias de gravidez — quando você mal podia se mover, quanto mais limpar alguma coisa. Além disso, a inevitável montanha de presentes, caixas, papéis de presente e cartões. É mais do que natural sentir que, à medida que a sua nova vida com o bebê começa, a sua vida antiga — com a sua ordem e limpeza — está se despedaçando a sua volta.

Não se desespere. Sua incapacidade de dar conta do bebê e da casa nas primeiras semanas em casa não é previsão de seu futuro sucesso em lidar com o que se chama de maternidade. As coisas tenderão a melhorar à medida que você recuperar a sua força, familiarizar-se com as tarefas de cuidados básicos com o bebê e aprender a ser um pouco mais flexível. Também será útil se você:

**Tiver controle de si mesma.** Viver ansiosa com tudo o que tem de fazer vai tornar as coisas duas vezes mais difíceis. Então, relaxe. Respire fundo. Em vez de tentar fazer tudo de uma vez (coisa que você não pode fazer), dê prioridade ao que é realmente importante: conhecer e curtir o seu bebê. Expulse pensamentos sobre as tarefas de casa enquanto estiver com ele (as técnicas de relaxamento aprendidas em aulas sobre bebês podem ajudá-la). Quando olhar em volta mais tarde, a bagunça e o caos ainda estarão lá, mas você será mais capaz de lidar com eles.

**Descansar.** Paradoxalmente, a melhor maneira de começar a fazer as coisas é começar a descansar mais. Dê a você mesma uma chance de se recuperar completamente do nascimento do seu filho e você se sentirá mais capaz de lidar com suas novas responsabilidades.

**Conseguir ajuda.** Se você ainda não arrumou ajuda para as tarefas do lar — ajuda paga ou não — e tomou medidas para administrar as tarefas da casa, agora é a hora de consegui-la. Certifique-se também que haja uma divisão justa do trabalho (cuidar do bebê e da casa) entre você e o seu marido.

**Estabelecer prioridades.** É mesmo importante aspirar a casa enquanto o bebê tira uma soneca, ou é mais importante colocar os pés para cima e relaxar para recuperar a energia quando ele acordar? É mesmo essencial que você tire o pó da estante de livros, ou levar o bebê para passear de carrinho seria uma maneira melhor de fazer uso do seu tempo? Tenha em mente que, se você fizer coisas demais em tão pouco tempo, pode roubar a sua energia e não fazer nada bem e que, enquanto a sua casa um dia pode ficar limpa novamente, o bebê nunca mais terá 2 dias, duas semanas ou 2 meses de idade.

**Organizar-se.** As listas são as melhores amigas da nova mamãe. A primeira coisa que você deve fazer pela manhã é fazer uma lista do que precisa ser feito. Divida as prioridades em três categorias: tarefas que devem ser feitas assim que possível, aquelas que podem esperar até mais tarde naquele dia e aquelas que você pode adiar até amanhã, até a semana seguinte ou indefinidamente. Defina tempos aproximados para cada tarefa, levando em conta o seu relógio biológico pessoal (você fica imprestável de manhã cedo, ou você funciona melhor ao nascer do sol?), bem como o relógio biológico do bebê (o quanto você puder determinar neste ponto).

Embora nem sempre signifique que você fará tudo dentro do horário (na verdade, para os novos pais isto raramente acontece), a organização do seu dia no papel lhe dará uma sensação de controle sobre o que agora pode parecer uma situação completamente descontrolada. Os planos no papel são sempre mais administráveis do que os planos soltos na sua mente. Você pode até mesmo descobrir, depois que fizer a sua lista, que na verdade tem menos a fazer do que imagina. Não se esqueça de riscar as tarefas concluídas para ter uma recompensadora sensação de realização. E não se preocupe com o que não foi cortado — apenas transfira estes itens para a lista do dia seguinte.

Outro truque para se organizar como nova mamãe é manter uma lista dos presentes recebidos pelo bebê e das pessoas que os deram à medida que são recebidos. Você acha que vai se lembrar que a sua prima Jessica mandou aquele conjuntinho azul e amarelo lindo, mas após o sétimo conjuntinho ter chegado, a sua memória pode ficar fraca. E verifique cada presente na lista para ver se foi enviada uma mensagem de agradecimento, para que você não acabe escrevendo duas mensagens para a tia Beth e para o tio Roberto e nenhuma para o seu chefe.

**Simplificar.** Pegue todos os atalhos que puder. Fique amiga dos vegetais congelados, do restaurante do bairro e do entregador de pizza.

**Adiantar o dia de amanhã hoje à noite.** Assim que você colocar o bebê para dormir toda noite e antes que você caia desmaiada no sofá para um merecido descanso, reúna suas forças para cuidar de algumas poucas tarefas para que você comece o dia bem na manhã seguinte. Reforce o estoque da bolsa de fraldas. Meça o café para a cafeteira. Separe a roupa limpa. Separe as suas roupas e as do bebê. Em dez minutos ou mais, você terá feito pelo menos três vezes mais do que teria feito se o seu bebê estivesse acordado. E você será capaz de dormir melhor (quando ele deixar) sabendo que tem menos a fazer pela manhã.

**Aprimorar-se em fazer duas coisas ao mesmo tempo.** Torne-se uma mestra na multitarefa. Aprenda a fazer duas ou mais coisas ao mesmo tempo. Lave os pratos ou corte verduras enquanto estiver ao telefone. Confira o seu talão de cheques ou dobre a roupa limpa enquanto assiste ao jornal na tevê. Cheque seu *e-mail* ou ajude um filho mais velho a fazer o dever de casa enquanto amamenta. Ainda não haverá horas suficientes durante o dia, mas desta maneira você precisará apenas de 36 horas em vez de 48.

**Sair para passear.** Planeje uma saída todo dia — mesmo que seja somente uma caminhada pelo *shopping*. A mudança de ritmo e de espaço vai fazer com que você retorne com mais energia.

**Esperar pelo inesperado.** Os melhores planos elaborados pelas mães com frequência são arruinados. O bebê está pronto para dar uma voltinha, a bolsa de fraldas está pronta, você já vestiu o casaco e, de repente, você sente que tem alguma coisa estranha na parte de baixo do bebê. Lá se vão o casaco, o macacãozinho, a fralda — dez minutos perdidos de um horário que já estava apertado. Para permitir que o inesperado aconteça, deixe um pouco de tempo em tudo que você fizer.

**Tiver bom humor.** Se você puder rir, terá uma probabilidade menor de chorar. Então, mantenha o seu senso de humor mesmo diante de total desordem e extrema confusão; isto vai ajudá-la a manter a sua sanidade também.

**Acostumar-se.** Viver com um bebê significa viver com uma certa quantidade de caos também. À medida que o bebê crescer, o desafio de manter a desordem controlada também aumentará. Assim que você tiver colocado os blocos de volta à lata, eles serão jogados para fora novamente. Tão logo você tenha limpado o purê de ervilhas da parede atrás da cadeirinha alta do bebê, ele terá redecorado a mesma parede com suco de pêssego. Você colocará trincos de segurança nos armários da cozinha e ele descobrirá como abri-los, cobrindo o chão da cozinha com os seus potes e panelas.

E lembre-se de que, quando você finalmente mandar seu último filho para a escola, sua casa ficará impecável novamente — e tão quieta que você estará pronta para dar as boas-vindas ao pandemônio (e à roupa suja) em que eles transformam a casa durante as férias.

## NÃO ESTAR NO CONTROLE

*"Nos últimos dez anos eu administrei minha empresa, minha casa e todos os outros aspectos da minha vida com eficiência. Mas desde que voltei para casa com o meu bebê, não tenho controle de mais nada."*

Houve um golpe de estado na sua casa — e na casa de todos os novos pais. E o homem que seria o rei no seu castelo não é mais um homem, e sim um menino recém-nascido. Embora ele pareça inofensivo, é bem capaz de despedaçar a sua vida e usurpar o controle que você tinha antes. Ele não se importa se você costumava tomar banho às 7:15h e o seu café às 8:05h, se você apreciava um drinque às 18:30h e jantava pontualmente às 19:00h, se você gostava de dançar até altas horas da madrugada no sábado e dormia até tarde na manhã seguinte. Ele exige ser alimentado e a sua atenção a hora que ele quiser, sem primeiro verificar o horário para ver se é conveniente para você. O que significa que a sua rotina e muitos dos seus velhos e confortáveis hábitos provavel-

mente terão de ser abandonados por vários meses, se não por vários anos. O único horário com o qual você vai se importar, especialmente nestas primeiras semanas, é o dele. E este horário, no início, pode não ter um padrão definido. Dias, especialmente noites, podem passar despercebidos. Você pode com frequência se sentir mais como uma autômata (e se você estiver amamentando, como uma vaca leiteira) do que como uma pessoa, mais uma escrava do que senhora, sem ter o menor controle sobre a sua vida.

O que fazer? Passar o cetro graciosamente — pelo menos por enquanto. Com a passagem do tempo, à medida que você se tornar mais competente, confiante e confortável no seu novo papel e à medida que o bebê se tornar mais capaz e menos dependente, você ganhará novamente algum (se não todo) controle que havia perdido.

Em outras palavras, você pode até mesmo aceitar o fato de que a sua vida nunca mais será a mesma. Mas afinal, quem gostaria que ela voltasse ao que era antes?

## NÃO SE SENTIR COMPETENTE

*"Eu realmente pensei que pudesse dar conta disso. Mas no momento em que nossa garotinha foi entregue a mim, toda a minha confiança se dissolveu. Eu me senti um verdadeiro fracasso como mãe."*

Embora as recompensas definitivas de criar um filho sejam maiores do que as de qualquer outra profissão, o estresse e os desafios são maiores também — especialmente no início. Afinal de contas, não existe outro emprego no mundo que seja dado a você sem um treinamento ou experiência prévios, e sem a orientação de um supervisor, com responsabilidades de turnos de 18 a 24 horas. Além disso, não há outro emprego que ofereça menos retorno durante as primeiras semanas para que você saiba se você está se saindo bem. A única pessoa que pode fazer uma avaliação sobre o seu trabalho é um recém-nascido que é indiferente, imprevisível e não coopera, que não sorri quando está satisfeito, não a abraça quando está agradecido, dorme quando deveria estar comendo, chora quando deveria estar dormindo, quase nunca olha para você mais do que alguns minutos e não parece saber a diferença entre você e o vizinho ao lado. Uma sensação de satisfação pelo dever cumprido pode parecer totalmente ausente. Praticamente tudo que você faz — trocar fraldas, fazer mamadeira, lavar as roupas dele, alimentá-lo — é rapidamente desfeito e/ou precisa ser refeito quase imediatamente. Não é de se surpreender que você se sinta um fracasso na nova profissão.

Nem para um profissional o período pós-parto é um piquenique. Para um novato, pode parecer uma série interminável de enganos, tropeços, acidentes e desventuras. Ainda assim, dias melhores virão (embora você possa ter dificuldades em imaginá-los); a competência na criação dos filhos está mais perto do que você imagina. Enquanto isso, mantenha estes pontos em mente:

**Você é singular.** E o seu bebê também é. O que funciona para outros pais e seu bebê pode não funcionar para você e vice-versa. Evite fazer comparações.

**Vocês não são os únicos.** Um número maior do que nunca de pais estão tendo a primeira experiência com recém-nascidos. Mesmo entre aqueles que já tiveram algum, muito poucos conseguem passar pelas primeiras semanas como se tivessem feito aquilo a vida inteira. Lembrem-se, não se nasce pai ou mãe; eles são talhados ao longo do trabalho. Os hormônios não transformam mulheres que acabaram de ter filhos em mães capazes como que por mágica; o tempo, a tentativa e erro e a experiência se encarregam disso. Se vocês tiverem a oportunidade de dividir suas preocupações com outros novos pais, perceberão que, embora vocês sejam únicos, suas preocupações como pai ou mãe não são exclusivas.

**Você precisa ser tratada como um bebê.** Para ser uma mãe eficiente, você precisa ser tratada como um bebê. Diga a si mesma, do mesmo modo como seus pais lhe diriam, que você precisa comer direito e descansar, especialmente no período pós-parto, e que exercícios moderados para manter o seu nível de energia alto e um pouco de relaxamento de vez em quando para elevar o moral são importantes também.

**Vocês dois são apenas humanos.** Não existe mãe perfeita nem bebê perfeito — então, tente manter as expectativas realistas, levando em conta que vocês dois são apenas seres humanos.

# QUANDO VOCÊ ESTÁ SOZINHA

Quer você seja mãe solteira (ou pai solteiro) por opção sua ou por circunstância, quer você esteja sozinha por um futuro indeterminado ou só até seu marido voltar de uma longa viagem de negócios, ou se ele estiver em um navio a serviço no mar, ficar sozinha — e possivelmente ser o único provedor — para criar seu bebê significa pelo menos duas vezes mais trabalho, duas vezes mais responsabilidade e duas vezes mais desafio do que dividir a criação de um filho. Pode ser também solitário, especialmente quando você vê casais cuidando de seus bebês juntos (ele fecha o carrinho enquanto ela segura o bebê e entra no ônibus), enquanto você cuida sozinha do seu bebê (você luta para fechar o carrinho enquanto segura o bebê para entrar no ônibus). Pode ser solitário, especialmente se forem duas horas da manhã e você estiver andando de um lado para o outro com um bebê chorando no colo por uma hora e meia, sem mais ninguém para segurá-lo. E pode ser frustrante quando você lê revistas e livros (inclusive este) que oferecem dicas sobre aliviar o peso da mãe "confiando no pai".

O fato é que não existem dicas fáceis para aliviar este peso da mãe quando ela o carrega sozinha. As dicas neste capítulo se aplicam duplamente a você. Verifique também os recursos para pais solteiros disponíveis *on-line*.

Lembre-se também de que, embora a tarefa de ser o único pai ou mãe para o seu filho seja duplamente desafiadora, ela também é duplamente recompensadora, com laços entre vocês dois que serão pelo menos duas vezes mais fortes e duas vezes mais especiais. Em outras palavras, o esforço extra é altamente gratificante.

**Você precisa confiar em seus instintos.** Em muitos casos, até mesmo o pai ou mãe mais "verde" com frequência sabe mais o que é certo para o bebê do que amigos e parentes ou livros sobre bebês.

**Você não precisa fazer tudo sozinha.** Entenda que você não precisa sempre saber o que fazer — nenhum pai ou mãe sabe — e pedir uma orientação não significa que você não tem instintos, significa apenas que você não tem experiência. Há muitos bons conselhos por aí dos quais você pode se beneficiar. Avalie cuidadosamente cada informação vinda de terceiros, teste o que lhe parecer bom para você e para o seu bebê, despreze o que não servir.

**Seus erros podem ajudá-la a crescer e não vão se colocar contra você.** Ninguém vai demiti-la se você cometer erros (embora você possa desejar ter a possibilidade de desistir em um dia ruim). Os erros são uma parte importante do aprendizado de ser pai ou mãe. Você deve esperar continuar a cometê-los pelo menos até que seus filhos comecem a faculdade. E se no início você não for bem-sucedida, apenas tente, experimente outra coisa (o bebê só grita mais alto se você sacudi-lo em seus braços de um lado para o outro, portanto, tente segurá-lo no seu ombro, balançando-o para a frente e para trás).

**Seu amor nem sempre será fácil.** Às vezes é difícil relacionar amor com um recém-nascido — uma criatura basicamente indiferente que tira mas não dá muito em troca (exceto uma interminável munição de cuspidelas e fraldas sujas). Pode levar algum tempo até que você pare de se sentir uma idiota falando como um bebê, cantando canções de ninar desafinadas e antes que você abrace e beije este pacotinho naturalmente e sem pensar em você mesma. Mas isso vai acontecer.

**Seu bebê é capaz de perdoar.** Esqueça a ideia de trocar as fraldas antes de dar de mamar. Deixe sabão cair no olho quando estiver lavando o cabelo dele. Deixe que uma camiseta fique presa na cabeça enquanto tenta vesti-lo. Seu bebê vai perdoar e esquecer tudo isso e um monte de outros pequenos acidentes — contanto que ele entenda e sinta que você o ama.

**As recompensas definitivas são ímpares.** Pense na criação de um filho como um projeto de longo prazo, com resultados que vão se desdobrar por meses e anos à frente. Quando vir o seu bebê sorrir pela primeira vez, quando o observar tentando pegar um brinquedo, rindo alto, ficando em pé e dizendo, "Mamãe, eu te amo", saberá que os seus esforços foram recompensados e que você realmente realizou algo muito especial.

# FAZENDO A COISA CERTA

*"Estou tão preocupada em fazer algo errado, que passo horas pesquisando cada pequena decisão que tenho de tomar em relação ao meu bebê. Eu quero ter certeza de que está tudo dando certo para ele, mas estou ficando louca e deixando meu marido louco também."*

Nenhuma mãe consegue fazer *tudo* certo. Na verdade, toda mãe tem a sua parcela de erros — a maioria deles é pequena, de vez em quando alguns são grandes — ao criar seus filhos. E é cometendo alguns erros e aprendendo com eles (pelo menos às vezes) que você se torna uma mãe mais eficiente. Tenha em mente também que já que toda mãe e todo bebê são diferentes, o que é certo para uns pode não ser certo para outros.

Mesmo ler toda a literatura e fazendo consultas a especialistas não vai dar a você todas as respostas. Conhecer seu bebê e a si mesma e aprender a confiar em seus instintos e bom senso é frequentemente o melhor caminho para tomar decisões que sejam boas para ambos. É verdade, por exemplo, que alguns bebês adoram ser confortavelmente postos em um cueiro, mas se o seu chora toda vez que ele é enrolado em um cobertor, considere a possibilidade de que ele prefere ficar livre. Os especialistas podem dizer que um bebê novinho gosta de ouvir a voz dos pais cantando com voz aguda para eles, mas se o seu reage mais positivamente a uma voz mais grave, abaixe uma oitava. Confie em si mesma e no seu bebê — você pode não estar sempre certa, mas não irá muito longe estando errada.

## DORES E SOFRIMENTOS

*"Estou tendo dores nas costas e uma dor irritante no pescoço, no braço e no ombro desde que nosso filho nasceu."*

Os novos pais não precisam ir à academia para fazer levantamento de peso — tudo que eles têm de fazer é carregar um bebê e uma bolsa de fraldas sempre cheia de coisas o dia inteiro. Mas além de fortalecer os músculos, carregar este peso pode desencadear uma grande variedade de dores no pescoço, nos braços, nos pulsos, nos dedos, nos ombros e nas costas das mamães e dos papais — especialmente se for feito da maneira errada.

Enquanto for o principal meio de transporte e conforto do seu filho, você estará fisicamente sobrecarregada pelo bebê. Para minimizar as dores e o sofrimento:

♦ Tire o peso. Se você ainda não tirou todo o peso da sua gravidez, tente fazer isso gradativamente. O excesso de peso coloca tensão desnecessária sobre as suas costas.

♦ Exercite-se. Faça exercícios regularmente, concentrando-se naqueles exercícios que fortalecem seu abdome (que sustenta as costas) e aqueles que fortalecem os braços.

♦ Fique em uma posição confortável para amamentar o bebê. Não relaxe totalmente e certifique-se de que as suas costas têm apoio. Se não conseguir ficar totalmente apoiada no encosto da cadeira, coloque um travesseiro nas suas costas. Use travesseiros ou descansos para braços, quando necessário, para apoiar os braços enquanto segura o bebê e direciona o seu seio ou a mamadeira para ele. E não cruze as pernas.

♦ Fique atenta ao modo de levantar e curvar-se. Você vai precisar fazer mais destes movimentos de levantar (o bebê ou a parafernália do bebê) e de se curvar (para pegar todos aqueles brinquedos espalhados no chão) do que antes. Mas fazer os movimentos certos, compensa. Quando levantar o bebê, coloque o peso dele nos seus braços e pernas em vez de colocar nas suas costas. Dobre os joelhos com os pés afastados na direção dos ombros e não na direção da sua cintura.

♦ Durma bem. Durma em um colchão firme ou coloque uma tábua sob ele, se for macio demais. Um colchão que afunda no meio vai fazer com que você afunde também. Deite de costas ou de lado com os joelhos dobrados.

♦ Use um apoio para subir. Não se estique para alcançar lugares altos; em vez disso, use uma escada ou um banquinho.

- Ouça a sua mãe. Lembre-se de todas as vezes em que ela disse: "Não fique curva. Corrija as costas!" Seja esperta e siga estes conselhos agora, ficando sempre alerta para a sua postura. Ande, sente-se e deite-se com as nádegas e o abdome encaixados (isso se chama "encaixe da pelve") e mantenha os ombros para trás em vez de caídos para a frente.

- Faça ajustes. Se você empurra o carrinho, certifique-se de que a barra de direção está em uma altura confortável para você. Se não estiver, veja se consegue ajustá-la ou, se não der, compre outro carrinho.

- Troque o lado. Se um dos ombros começar a doer devido ao peso da bolsa de fraldas, troque-a de ombros periodicamente, carregue a bolsa na curva do seu braço por algum tempo ou opte pela mochila. Troque o bebê de braço também, em vez de sempre carregá-lo no mesmo braço. Em lugar de andar pela casa a noite toda com o seu bebê com cólica, passe um tempo ninando-o nos seus braços, alternando com um tempo na cadeirinha de balanço.

- Use uma *kepina* ou *sling* — o que parecer mais fácil nas suas costas — para dar um descanso aos seus braços doloridos.

- Ligue o aquecedor. Uma bolsa de água quente ou um banho quente pode dar alívio ao desconforto e aos espasmos musculares.

- Sente-se. Procure não ficar em pé por longos períodos de tempo. Se você precisar ficar em pé, mantenha um dos pés em um banquinho baixo, com o joelho dobrado. Use um tapetinho como almofada embaixo do pé se você precisar ficar muito tempo em pé em um chão duro.

## RETORNO DA MENSTRUAÇÃO

*"Eu desmamei minha filha há dois meses e depois disso ainda não tive o meu período menstrual. A menstruação já não deveria ter voltado?"*

Não existem fórmulas para calcular quando uma mãe que esteja amamentando vai voltar a menstruar — e isso é normal. Algumas mulheres produzem estrogênio suficiente para começar a menstruar novamente mesmo antes de desmamarem os bebês, ocasionalmente entre seis semanas a três meses após o parto. Mas outras, especialmente aquelas que amamentaram por muito tempo ou que tiveram períodos menstruais irregulares antes da gravidez, terão férias de até vários meses da menstruação após desmamarem seus bebês. Existe uma grande probabilidade de que você seja sortuda o bastante e recaia neste grupo. Entretanto, certifique-se de que você está se alimentando direito e que não esteja perdendo peso rápido demais; uma dieta severa, especialmente quando combinada com exercícios extenuantes, pode temporariamente adiar o retorno do ciclo menstrual. Converse sobre essa

## HORA DE FAZER ESTOQUE DE ABSORVENTES?

Embora não haja um jeito certo de dizer quando as suas férias menstruais vão acabar, existem algumas médias a serem consideradas. O mínimo que uma mãe que esteja amamentando pode esperar pelo retorno da menstruação é seis semanas após o parto, embora este retorno precoce seja raro. Até 30% terão a menstruação de volta três meses após o parto e 50% na marca dos seis meses. Outras ainda só vão tirar os absorventes do armário perto do final do primeiro ano, e algumas poucas que continuarem amamentando ficarão livres da menstruação até o segundo ano. Embora algumas mulheres tenham um primeiro ciclo estéril (sem ter a liberação de um óvulo), quanto mais tarde vier o primeiro ciclo, mais provavelmente ele será fértil.

Em média, a mulher que não está amamentando estará de volta à rotina muito em breve. A primeira menstruação pode ocorrer quatro semanas após o parto (embora novamente, isto seja menos comum); 40% terão a menstruação de volta seis semanas após o parto; 65% em doze semanas e 90% por cento em 24 semanas.

---

situação com o seu médico na próxima consulta, que provavelmente será marcada para alguns dias após o parto. (Veja o quadro acima para obter mais informações sobre o período menstrual pósparto.)

Tenha em mente que só porque você não está menstruando não significa que não pode engravidar (é possível ovular antes do primeiro período menstrual após o parto). Veja na página 966 maiores informações sobre os métodos contraceptivos mais confiáveis.

*"Minha primeira menstruação após a gravidez foi muito intensa e dolorosa. Será que tem alguma coisa errada?"*

O seu ciclo ficou em suspenso provavelmente por um ano ou mais, então, não é de surpreender que ele tenha alguns problemas para funcionar direito quando retornar. Na verdade, a maioria das mulheres acha que a primeira menstruação após o parto é diferente daquelas que teve antes da gravidez. Com frequência ela é mais intensa, com mais cólica e mais longa, embora possa ocasionalmente ser mais leve e curta. Os ciclos podem ficar irregulares também, por pelo menos alguns meses. Uma vez que o seu corpo se acostume com a ovulação e a menstruação novamente, e uma vez que os níveis hormonais finalmente voltem aos níveis pré-gravidez, os seus períodos certamente retornarão ao normal de sempre. Algo além que vai fazer com que você queira que isso aconteça logo: muitas mulheres acham que a menstruação acaba se tornando menos dolorosa e menos intensa após terem dado à luz um bebê.

# INCONTINÊNCIA URINÁRIA

*"Desde que meu segundo filho nasceu, acho que eu deixo sair um pouco de urina quando tusso, rio ou me esforço para levantar alguma coisa."*

Parece a incontinência do estresse, um sintoma comum em mulheres após o nascimento de um filho, especialmente entre aquelas que têm mais de um filho. Irritante, anti-higiênica e embaraçosa, a incontinência do estresse pósparto geralmente é um resultado direto do trabalho e do parto, quando os tecidos e músculos conectivos que apoiam a bexiga e a uretra são esticados e enfraquecidos, permitindo que a urina vaze toda vez que a bexiga é pressionada (como quando você tosse ou espirra). Os nervos pélvicos também podem ser danificados pelo trabalho e pelo parto, agravando o problema.

A boa notícia é que a incontinência urinária geralmente é temporária (embora possa durar alguns meses ou até mais) e é tratável (você não terá de comprar fraldas para você e para o bebê). Aqui vão algumas dicas para ajudá-la a recuperar o controle da bexiga:

♦ Faça o exercício do assoalho pélvico (Kegel). Fazer exercícios de Kegel ao longo do dia, todos os dias, por alguns meses (veja o quadro abaixo) pode ajudar a fortalecer os músculos da parede vaginal e eliminar o problema. Comece com séries de dez, três a quatro vezes por dia e vá aumentando gradativamente. A eletroestimulação ou o *biofeedback* podem tornar os exercícios do Kegel mais eficientes; pergunte ao seu médico.

---

## É HORA DO KEGEL NOVAMENTE

É claro que fazer o Kegel durante a gravidez era uma ótima maneira de fazer o seu períneo entrar em forma para o parto. Mas existem ainda mais motivos para que você mantenha a sua rotina de Kegel agora que já deu à luz — a começar, na verdade, assim que você tiver dado à luz. Estes exercícios de contração do períneo fortalecem os músculos que se afrouxaram durante o parto, aumentam a circulação na área (promovendo a recuperação), previnem e/ou tratam a incontinência urinária ou fecal e aliviam as hemorroidas.

Se você nunca fez o Kegel antes ou se precisar refrescar a sua memória, é simples: Tensione firmemente os músculos que você usa para interromper o fluxo da urina. Segure pelo tempo que puder, de 8 a 10 segundos. Repita. Faça pelo menos 25 repetições várias vezes ao dia durante o dia, enquanto estiver sentada, em pé, deitada de costas, fazendo amor (uma ótima maneira de misturar negócios com prazer), em pé na fila do mercado, falando ao telefone, verificando o *e-mail*, trocando as fraldas do bebê, tomando banho... Basicamente qualquer hora é hora de fazer o Kegel!

- Coma direito. Evite alimentos que irritam a bexiga, como bebidas com cafeína, álcool, bebidas gaseificadas, bebidas cítricas e comidas picantes.

- Não fume. A nicotina age diretamente nos músculos da bexiga, fazendo com que se contraiam. Os fumantes também tendem a tossir com frequência, levando a mais vazamento de urina.

- Perca peso. Muito peso sobre a bexiga pode causar estresse no assoalho pélvico e causar incontinência. Se você está acima do peso, tente perder alguns quilos.

- Não segure. Urine frequentemente para que a sua bexiga não fique cheia demais.

Enquanto você espera por alguma melhora, use absorventes grandes ou calcinhas que absorvam o fluxo da urina. Se a incontinência continuar, consulte o médico. Em vários casos, pode ser necessária uma cirurgia para remediar a situação.

# RECUPERANDO A FORMA

*"Eu sabia que não estaria pronta para usar um biquíni logo após o parto, mas ainda pareço grávida de seis meses depois de algumas semanas."*

Quando você estava grávida, era uma diversão se olhar. Você se lembra do entusiasmo ao comprar o seu primeiro jeans para grávidas? A euforia ao observar a barriga crescer, de quase imperceptível (se você puxasse a barriga para trás) a proeminente como uma melancia? E o dia glorioso em que pôde finalmente andar pela rua confiante de que todos que passassem por você veriam claramente que você estava grávida e não gorda?

Depois do parto, parecer grávida perde o encanto. Nenhuma mulher quer parecer que ainda tem um bebê na barriga quando já o tem em seus braços.

Embora o nascimento do bebê produza uma perda de peso inicial mais rápida do que qualquer dieta que você vai encontrar na lista de *best-sellers* (uma média de 5,44 quilos no parto), poucas mulheres ficam satisfeitas com o resultado. Especialmente após darem uma olhada no espelho na sua silhueta pósparto e verem que ainda parecem aflitivamente grávidas. A boa notícia é que a maioria delas poderá se livrar do seu jeans de gravidez nos primeiros dois meses. O jeans antigo pode não caber da maneira como cabia antigamente.

A rapidez com que você retornará a sua forma e peso de antes da gravidez vai depender de quantos quilos e gramas você ganhou durante a gestação — e onde eles estão localizados. Mulheres que ganharam o número recomendado de quilos com uma boa dieta e um passo firme e gradual conseguirão perder todos estes quilos sem fazer dieta, ao final do segundo mês pós-parto. Por outro lado, aquelas que ganharam muito mais do que aquele número mágico — especialmente se ganharam peso de maneira desigual ou devido a uma dieta composta de comida não saudável — podem achar o retorno à forma pré-gravidez mais difícil.

Não importa quantos quilos você tenha ganho e como os adquiriu; se você seguir a Dieta Pós-Parto agora, ela a levará a uma perda de peso lenta e constante — sem perda de energia. As mamães que não estão amamentando podem, uma vez que tenha terminado o período de seis semanas de resguardo, iniciar uma dieta bem balanceada, adequada e redutora de peso para eliminar os quilos restantes. As mães que estão amamentando e não estão perdendo peso podem reduzir a ingestão de calorias em duzentas ao dia e aumentar a atividade para estimular a perda de peso sem interromper a produção de leite. Embora algumas não consigam perder todo o peso enquanto estão amamentando, a maioria será capaz de tirar o excesso restante assim que desmamarem seus bebês.

É claro que uma das maiores razões pelas quais a maioria das mulheres continua a parecer grávida após o parto — e às vezes até depois que perderam todos os quilos da gravidez — não tem nada a ver com o ganho de peso. Tem mais a ver com o estiramento dos músculos abdominais e da pele. (Veja a próxima pergunta.)

## VOLTANDO À FORMA

*"Eu perdi todo o meu peso da gravidez, mas ainda não estou como era antes da gravidez. Como posso fazer com que meu corpo volte a ser como era antes?"*

Para muitas mulheres, não são os quilos ganhos na gravidez que as mantêm parecendo grávidas; a maioria é perdida sem muito esforço nas primeiras seis semanas após o parto. O que as faz parecerem grávidas são os músculos abdominais estirados que ficam entre estas novas mães e o seu velho perfil pré-gravidez.

Infelizmente, limitar-se a esperar não dá certo. Os músculos estirados durante a gravidez recuperam um pouco do tônus à medida que o tempo passa, mas jamais vão voltar à condição pré-gravidez sem exercícios. Deixe os músculos da sua barriga fazerem este trabalho sozinhos e você descobrirá que eles ficarão cada vez mais caídos à medida que os anos passam e com cada bebê que você tiver.

Os exercícios pós-parto farão mais do que simplesmente ajudar a acabar com a sua barriga. As rotinas abdominais vão melhorar a circulação geral e reduzir o risco de problemas nas costas (aos quais as novas mães estão mais suscetíveis, simplesmente por causa do ato de carregar o bebê), varizes, cãibras nas pernas, inchaço dos tornozelos e pés e a formação de obstrução dos vasos sanguíneos. Exercícios perineais (Kegel) vão ajudá-la a evitar a incontinência do estresse (vazamento da urina) que às vezes ocorre após o nascimento da criança, bem como a queda ou prolapso dos órgãos pélvicos. Além disso, vão estreitar o seu períneo para que o ato de fazer amor seja tão bom ou melhor do que antes. Os exercícios regulares também vão promover a recuperação dos seus músculos uterinos, abdominais e pélvicos, acelerando a volta ao normal e prevenindo um futuro enfraquecimento por inatividade, bem como ajudarão no estreitamento das suas juntas frouxas por causa da gravidez e do parto. Se os quilos em excesso forem um problema, os exercícios ajudarão a eliminá-los (você pode queimar 100 calorias de uma batata assada em apenas 20 minutos de caminhada rápida, até mesmo mais rápido se você estiver fazendo *power walking*). Finalmente, os exercícios podem fornecer benefícios psicológicos, aumentando sua capacidade de lidar com o estresse e de relaxar, enquanto minimiza a melancolia materna.

Se você tiver tempo, oportunidade e inclinação, entre para um curso de exercícios pós-parto (você normalmente pode levar o bebê junto) ou compre um livro ou vídeo sobre o assunto e encaixe-o na sua rotina diária em casa (o bebê provavelmente vai adorar vê-la pulando). Se você estiver cansada demais para encarar um programa de exercícios intensos, fazer alguns exercícios simples regularmente, direcionados para a sua área de problema específica (como barriga, coxas, nádegas), também pode fazê-la voltar à forma. Acrescente uma caminhada rápida diariamente ou outra atividade aeróbica (ou combine ambas como no exercício do carrinho) em sua agenda e você terá um programa de exercícios adequado. Antes de iniciar qualquer programa de exercícios, certifique-se de ter o consentimento seu médico.

Tenha estas dicas em mente quando estiver fazendo exercícios pós-parto:

♦ Mantenha um horário. Exercícios feitos esporadicamente são inúteis e, desta forma, são uma perda de tempo. Os exercícios para tonificar os músculos (levantamento de pernas, abdominais e inclinação pélvica, por exemplo) são mais eficientes se feitos diariamente em sessões pequenas; duas ou três sessões de 5 minutos por dia vão tonificar os seus músculos mais do que se você fizer uma única sessão de 20 minutos. Uma vez que você comece os exercícios aeróbicos (caminhada rápida, corrida, bicicleta e natação, por exemplo), direcione pelo menos 3 sessões de 20 minutos de atividade por semana — embora 40 minutos, quatro ou cinco vezes por semana, sejam melhores para o fortalecimento dos ossos e para prevenir a osteoporose posteriormente.

♦ Não se apresse. Os exercícios de tonificação dos músculos são mais eficientes quando feitos lenta e deliberadamente, com um tempo adequado de recuperação entre as repetições. É durante os períodos de recuperação que ocorre a formação do músculo.

♦ Comece devagar se você não fez exercícios recentemente ou se estiver fazendo exercícios com os quais não esteja familiarizada. Faça apenas algumas repetições no primeiro dia e aumente o número gradativamente nas próximas semanas. Não faça mais do que a quantidade recomendada, mesmo que você se sinta ótima. Pare de se exercitar assim que começar a se sentir cansada.

♦ Evite esportes competitivos até que você obtenha o aval do médico para praticá-los.

## UM EXERCÍCIO COM O CARRINHO

Você tem um par de tênis? Você tem um bebê? Você tem um carrinho? Você tem tudo o que precisa para experimentar o exercício com o carrinho — um programa desenvolvido para novas mamães. O exercício do carrinho é tão fácil quanto levar o bebê para passear de carrinho; não é necessário nenhum outro equipamento. Comece passeando por 5 minutos em um ritmo lento, para aquecer os músculos. A seguir, acelere o passo. Por estar empurrando, você terá de trabalhar mais forte (especialmente à medida que o bebê ficar mais pesado) do que se estivesse andando sem o bebê ou com o bebê em uma kepina. Você também pode usar o carrinho (e o bebê) como uma peça de resistência, permitindo que você faça vários alongamentos e exercícios para fortalecimento dos músculos. Outra vantagem: o movimento alivia as cólicas do bebê.

♦ Devido ao fato de suas articulações ainda estarem instáveis e de seu tecido de ligamento estar frouxo, evite pular, fazer movimentos rápidos de mudança de direção, movimentos de tração, bruscos ou saltitantes; flexões ou extensões prolongadas das articulações. Também evite exercícios com o joelho no peito, abdominais e levantamento duplo de pernas durante as seis primeiras semanas após o parto.

♦ Faça exercícios para tonificar os músculos em um assoalho de madeira ou em uma superfície acarpetada para reduzir o impacto.

♦ Faça 5 minutos de aquecimento (exercícios leves de alongamento, caminhada lenta ou bicicleta estacionária com baixa resistência) antes de iniciar a série de exercícios. Relaxe ao final de cada sessão com mais alguns exercícios de alongamento, mas evite prejudicar as articulações ainda instáveis e não se alongue ao máximo nas primeiras seis semanas.

♦ Levante-se lentamente para evitar tontura devido a uma queda brusca de pressão sanguínea e para igualar a circulação, mantendo as pernas em movimento por alguns instantes (andando, por exemplo) quando você se levantar.

♦ Uma vez que você inicie os exercícios aeróbicos, tenha cuidado para não exceder a taxa de batimentos cardíacos. Pergunte ao médico qual é a sua.

♦ Beba bastante líquido antes e depois dos exercícios e, se o tempo estiver muito quente ou se você estiver transpirando muito, beba alguma coisa durante o exercício também. A água é a melhor bebida esportiva; evite bebidas com adição de açúcar, inclusive aquelas que são anunciadas como especialmente feitas para atletas.

♦ Não use o seu bebê como desculpa para não se exercitar. A maioria dos bebês adora ficar deitado sobre o peito da mamãe durante as sessões de calistenia; ficar aconchegado enquanto ela pedala a bicicleta ergométrica, se exercita no aparelho de remo ou anda sobre a esteira; ser empurrado em um carrinho enquanto a mamãe anda ou corre. Mas não pule com um bebê dentro do carrinho enquanto você corre.

Existem, no entanto, algumas mudanças após o parto que vão ficar em você para sempre, independente de quantos abdominais ou levantamento de pernas você faça e do cuidado com que você monitora a dieta. Estas mudanças — que podem ser imperceptíveis ou significativas o suficiente para aumentar o tamanho do sapato ou do vestido — são, em sua maioria, devido ao afrouxamento das articulações durante a gravidez (para abrir espaço para o parto) e a sua contração (embora não exatamente na mesma configuração) após o parto. As mulheres que fizeram cesarianas também podem notar uma ligeira alteração na forma do abdome, que não cederá com o exercício.

## DEVOLVENDO O SEXO À VIDA

*"Nós já tivemos permissão para voltar à atividade sexual, mas sexo é a última coisa que eu quero fazer agora."*

Acabou a lua de mel? O clima romântico diminuiu, agora que existe uma nova pessoa dividindo o seu ninho de amor? Você terá algum dia aquela sensação de entrega na cama novamente? A propósito, você algum dia vai deixar de se sentir cansada por alguns instantes para poder sentir outra coisa?

Para a maioria das mulheres, mesmo para aquelas que viveram uma vida amorosa intensa antes do parto, as dúvidas sobre se qualquer tipo de relacionamento sexual com o marido vai voltar, pelo menos em um padrão normal, são nu-

# FACILITANDO A VOLTA AO SEXO

É claro que talvez a única coisa de que vocês precisam é um do outro — e 5 minutos sem interrupções — para fazer amor no período pós-parto. Mas para fazer amor e realmente aproveitar, as seguintes medidas podem ser úteis:

**Lubrifique.** Os níveis hormonais alterados durante o período pós-parto (que podem não ser normalizados na mãe que está amamentando até que o bebê seja total ou parcialmente desmamado) podem tornar a vagina desconfortavelmente seca. Use um produto lubrificante (tipo K-Y) ou supositórios lubrificantes vaginais até que suas próprias secreções naturais voltem ao normal.

**Medique.** Se necessário, peça ao seu médico para prescrever um creme de estrogênio tópico para diminuir a dor.

**Aqueça.** Levando-se em conta que você tem algum tempo, prolongue as preliminares. Pense nelas como um aperitivo que estimulará seu apetite para o prato principal.

**Solte-se.** Experimente uma massagem, um banho a dois ou qualquer coisa que ajude a acalmar e relaxar. Ou experimente tomar uma taça de vinho para aliviar a tensão (mas lembre-se de que álcool demais pode interferir no desejo e no desempenho sexual).

**Exercite-se.** Os exercícios de Kegel (veja o quadro na página 951) vão ajudar a tonificar os músculos pélvicos que estão associados à sensação e à reação da vagina durante o ato sexual.

**Varie as posições.** As posições de lado ou com a mulher por cima permitem maior controle da profundidade da penetração e impõem uma pressão menor em um períneo dolorido. Experimente para descobrir o que funciona melhor para você.

---

merosas e irritantes. O fato é que muitos casais descobrem que o período pósparto (e às vezes por vários meses após este período) é um desperdício sexual.

Não são poucos os motivos para você não sentir vontade de fazer amor agora, mas, entre eles, podemos destacar:

♦ O reajuste dos hormônios pode fazer o desejo e a resposta sexual desaparecerem no período pós-parto, especialmente se você estiver amamentando.

♦ A libido (a sua e a do seu marido) geralmente perde quando tem que competir com noites insones, dias de exaustão, fraldas sujas e as intermináveis necessidades de um bebê exigente.

♦ O medo da dor, da sua vagina se alargar ou de engravidar novamente pode afugentar qualquer tentativa romântica antes que ela aconteça.

♦ Uma primeira relação pós-parto dolorosa pode fazer com que a ideia de tentativas posteriores não seja atraente. A dor em tentativas subsequentes pode tornar o sexo extremamente estranho e desconfortável. Esta dor pode continuar por um tempo, mesmo após a recuperação do períneo.

♦ O desconforto devido à diminuição da lubrificação da vagina, um resultado das mudanças hormonais durante o período pós-parto, também pode diminuir o desejo. O problema geralmente dura mais tempo em mães que estão amamentando, mas pode continuar por até seis meses, mesmo naquelas que não estão amamentando.

♦ O desconforto devido à repentina falta de privacidade, especialmente se o bebê estiver no quarto com vocês, pode ajudá-la a perder aquele romantismo. Mesmo que a sua cabeça acredite no que você ouvir — que o bebê não vai se lembrar e não será afetado pelo seu ato —, seu corpo pode não aceitar a ideia.

♦ A maternidade pode estar tirando todo o amor e carinho que você tem para dar neste momento, e você pode às vezes ser incapaz de guardar um pouco para alguém, até mesmo para seu marido.

♦ Amamentar pode satisfazer a sua necessidade de intimidade (sem que você se dê conta disso), tornando-a menos interessada em encontros do tipo sexual.

♦ O vazamento do leite do peito, estimulado pelas preliminares sexuais, pode fazer com que você ou seu marido se sintam pouco à vontade, tanto física quanto psicologicamente. Ou, com os seus seios tendo o papel de nutrir, você pode ter problemas com a ideia de usá-los como fonte de prazer.

♦ Existem tantas outras coisas que você sente que precisa ou quer fazer, que o sexo pode parecer a menos importante delas neste momento — se você tivesse meia hora, fazer amor não estaria no topo da sua lista (ou não estaria na lista de modo algum).

Ainda assim, existe uma promessa para o futuro. Você certamente viverá para amar novamente com tanto prazer e paixão como antes — e talvez, por ter que dividir a criação do filho e com isso ficar mais próxima do seu marido, ainda mais. Enquanto isso, existem algumas medidas que você pode tomar para melhorar tanto o seu interesse quanto o seu desempenho agora:

**Não se apresse.** Leva pelo menos seis semanas para o seu corpo se recuperar totalmente, às vezes mais tempo do que isso — especialmente se você teve um parto normal difícil ou se teve uma cesariana. Seu equilíbrio hormonal pode não voltar ao normal até que a sua menstruação volte, o que, se você estiver amamentando, pode levar vários meses ou mais. Não se sinta obrigada a pular na

# PARA A MAMÃE: APROVEITANDO O PRIMEIRO ANO

cama até que sinta vontade de fazer isso — mental, emocional e fisicamente.

**Expresse amor de outras maneiras.** O ato sexual não é a única maneira de um casal fazer amor. Se você ainda não estiver pronta para ele, tente simplesmente ficar junto ou fazer carinhos diante da tevê, fazer massagem nas costas na cama e andar de mãos dadas enquanto passeiam no parque com o bebê. Como qualquer casal que esteja se conhecendo (e afinal de contas vocês ainda estão se conhecendo novamente, do ponto de vista físico), o romance que se encaminha para a cama é um passo importante. Se você não estiver muito cansada, vocês podem até mesmo arriscar uma masturbação mútua. Mas, em algumas noites, não pode haver nada mais satisfatório do que a intimidade dividida de estar nos braços um do outro.

**Espere algum desconforto.** Muitas mulheres ficam surpresas e abatidas ao descobrirem que o ato sexual pós-parto pode realmente doer. Se você levou pontos, pode ter alguma dor ou desconforto (que pode variar de suave a forte) por semanas e até mesmo meses após os tecidos terem se recuperado. Você pode sentir dor com o ato sexual, embora em menor escala, se teve parto vaginal, com o seu períneo intacto — e mesmo se você tiver feito uma cesariana. Para minimizar a dor, experimente as dicas dadas no quadro Facilitando a Volta ao Sexo, na página 957.

**Não espere a perfeição.** Não conte com os seus orgasmos perfeitamente orquestrados em seu primeiro ato sexual. Muitas mulheres normalmente orgásmicas não têm orgasmos por várias semanas ou até por mais tempo quando começam a fazer amor novamente. Mas, com tempo, carinho e paciência, o entusiasmo retorna e o sexo se torna tão satisfatório quanto era antes (talvez ainda mais, se você tiver sido fiel aos exercícios de Kegel!).

**Se você não pode lutar contra o horário do bebê, trabalhe com ele.** Cair nos braços um do outro quando e onde o espírito guiar pode não ser mais possível. Em vez disso, vocês podem acertar o relógio sexual de vocês de acordo com o pequenino despertador que está dormindo no berço. Se ele está tirando uma soneca às 3 horas da tarde no sábado, larguem tudo e corram para o quarto. Ou, se o anjinho tem dormido sempre de 7 às 10 toda noite, planeje com antecedência o seu encontro amoroso. Ou se ele acorda chorando bem na hora em que a sua noite está chegando ao clímax, tente ver o lado cômico da situação. (Se conseguir realmente se concentrar, você pode ser capaz de terminar o que estava fazendo enquanto deixa o seu pequeno intruso esperando por alguns minutos.) Se os encontros sexuais com seu marido continuarem a ser menos frequentes por algum tempo (talvez até mesmo por um bom tempo), esforce-se para ter qualidade em vez de quantidade.

**Mantenha as suas prioridades.** Se fazer amor é importante para você, reserve sua energia para isso, tirando-a de outro lugar (em áreas que não vão afetar o bem-estar físico ou emocional da sua família, como por exemplo nas tarefas de casa). Se passar o dia inteiro na pressão, você não terá forças para fazer nada além de fechar os olhos na cama.

**Converse sobre o assunto.** Um bom relacionamento sexual é formado com confiança, compreensão e comunicação. Se, por exemplo, você está muito cansada numa noite após o seu turno de 24 horas cuidando do bebê para se sentir sensual, não ponha a culpa numa dor de cabeça. Em vez disso, diga o que está sentindo. Se seu marido tem dividido a responsabilidade de cuidar do bebê desde o início, é bem provável que ele entenda (ele pode até se sentir pai demais em algumas noites). Se ele não a tem ajudado, esta pode ser a hora de explicar as muitas razões, inclusive esta, pelas quais ele deveria estar ajudando.

Comunique a ele também sobre problemas como vagina seca ou dor durante o ato sexual. Diga a seu marido o que dói, o que é bom e o que você deseja deixar para uma outra hora.

**Não se preocupe com isso.** Quanto mais você se preocupar com a falta de libido, menos libido terá. Então, encare os fatos da vida pós-parto, relaxe e retome a sua vida sexual uma noite após a outra, confiante de que o romance vai retornar a sua vida.

## Vagina dilatada

*"Parece que a minha vagina está mais larga do que era antes de eu dar à luz, e fazer amor não é tão satisfatório para nós dois."*

A maioria das mulheres fica com a vagina mais larga após um parto vaginal. Com frequência, a mudança não

---

### ALERTA DE SANGRAMENTO LEVE

De vez em quando, alguns meses após o parto, uma nova mãe nota um sangramento muito leve após o ato. Isto se deve ao crescimento de abas na pele no local da incisão ou do corte. Estas abas são facilmente reparadas. Relate estes sangramentos ao seu médico.

---

é significativa o suficiente para ser notada por ela ou por seu parceiro. Às vezes, se as condições anteriores eram apertadas demais para se ter conforto, esta nova situação pode ser muito bem-vinda. Entretanto, ocasionalmente um parto vaginal pode deixar a mulher, que era "apertadinha" antes, larga demais e com isso diminuir o prazer que ela e o marido experimentavam durante o ato sexual.

O passar do tempo pode ajudar a estreitar um pouco as coisas, então, continue a fazer o seu Kegel. Repita estes exercícios musculares tonificantes pelo tempo que puder durante o dia; tenha por hábito fazê-lo enquanto cozinha, assiste tevê, amamenta ou lê — e até mesmo durante o sexo.

Muito raramente, os músculos não se estreitam de forma satisfatória. Se já se passaram seis meses desde o parto e você ainda se sente muito dilatada, discuta com o seu médico sobre a possibilidade de uma cirurgia de reparo para voltar ao normal. O procedimento é mínimo, mas pode fazer uma diferença enorme na sua vida amorosa.

## O ESTADO DE SEU ROMANCE

*"Meu marido e eu estamos tão ocupados — com nossos empregos, nosso novo filho, a casa — que raramente encontramos tempo para nós dois. Quando temos algum tempo, estamos cansados demais para aproveitar."*

O trio composto pelo bebê não forma necessariamente uma multidão, mas cuidar daquele bebê pode povoar os seus dias e noites de tal maneira que vocês se sentem como se não tivessem tempo para a companhia um do outro. E embora seja verdade que o relacionamento com seu marido seja o mais importante da sua vida (os bebês crescem e se tornam crianças que crescem e se mudam de casa, mas, com sorte, seu companheiro será seu até que fiquem velhos), também é verdade que é mais fácil considerar parte de sua vida. Deixe de lado o seu bebê, seu emprego, sua casa e as consequências serão claras e rápidas. Mas o resultado da negligência ao casamento muitas vezes não é evidente. Ainda assim, ele pode destruir uma relação antes mesmo que os parceiros percebam.

Então, comece a dar o devido valor ao seu relacionamento. Faça um esforço consciente para manter as luzes do amor acesas; se elas parecem ter se apagado, acenda-as novamente. Repense suas prioridades e reorganize o seu tempo de maneira que vocês tenham algum tempo livre juntos. Por exemplo, considere colocar o bebê na cama em um horário mais cedo, para que você e seu marido tenham um tempo real juntos. Dividam o prazer de jantar juntos (sem tevê, telefonemas, sem ler o jornal ou verificar *e-mails* e, com alguma sorte, sem o choro do bebê). Uma taça de vinho pode ajudá-los a relaxar (a menos que vocês precisem de três ou quatro, o que pode desembaraçá-los completamente). Luz de velas e uma música suave ao fundo vão ajudar a criar um clima romântico.

Nem toda noite como esta precisa culminar em sexo. Na verdade, o sexo pode se tornar um prazer relativamente raro nestes primeiros e exaustivos meses — pode até mesmo ser um prazer no qual você não esteja nem um pouco interessada por algum tempo. Neste momento, o ato verbal pode ser ainda mais benéfico para o seu relacionamento do que a variedade sexual. Mas resista à tentação de conversar exclusivamente sobre o bebê; isto vai acabar com o objetivo do seu interlúdio.

Programe uma noite romântica fora uma vez por semana (se for sempre na mesma noite, com uma babá fixa, provavelmente vocês não encontrarão um motivo para não ter a noite de vocês). Jantem, vejam um filme, visitem amigos ou façam o que quiserem para se divertir ao máximo juntos. Procurem também conseguir uma hora ou duas no final de semana sem o bebê para praticar algo em comum. Contrate uma babá, troque com um vizinho ou recorra aos avós.

Se você não conseguir encaixar esta farra regular no seu horário atual, é hora de começar a fazer do seu relacionamento uma prioridade máxima.

*"Desde que nosso filho nasceu, eu sinto como se meu marido me visse apenas como a mãe do filho dele e não como uma amante."*

Os bebês pequenos podem trazer mudanças enormes quando aparecem na vida da família. De quanto tempo você tem para dormir (ou não) a como vai gastar o dinheiro e o tempo livre, e quanto dinheiro e tempo livre você tem, um bebê tem um impacto em quase todos os aspectos da vida, inclusive sua vida romântica. Quase todo casal descobre que a dinâmica do relacionamento sofreu mudanças significativas à medida que se adaptam ao fato de deixarem de ser uma dupla e formarem um trio.

Assim como você está se adaptando à realidade de ter se tornado mãe, seu companheiro está se adaptando à realidade de ter se tornado pai. Com tanta energia voltada para esta transição desafiadora chamada paternidade, não é de surpreender que o lado romântico do seu relacionamento tenha sido colocado em suspenso. Mas embora muitas destas mudanças que você notou em sua casa sejam permanentes — pelo menos até que o bebê cresça e deixe o ninho — a mudança no seu relacionamento não será. Uma vez que estejam à vontade nos novos papéis como pais, vocês conseguirão direcionar a energia no restabelecimento de vocês dois como amantes. Estes papéis não são mutuamente exclusivos — vocês podem ser pais e amantes ao mesmo tempo —, mas são mutuamente benéficos. Não existe melhor maneira de assegurar que uma criança cresça em um lar feliz e intacto do que dar o devido tempo para alimentar o romance que gerou aquela criança.

Sendo assim, não é fácil alimentar um romance quando você está ocupada demais alimentando um recém-nascido ou ver o outro como amante quando se está ocupado demais aprendendo a ser pai ou mãe. Estas dicas, bem como as outras anteriores, podem ajudá-la:

**Sinta-se uma mulher:** Sim, você está preocupada com os cuidados com o bebê e isto deixa muito pouco tempo para cuidar de si mesma. Mas ficar três dias sem lavar o cabelo ou dois dias com a mesma camiseta manchada não vai dar a nenhum de vocês dois o clima para romance. Passar meia hora arrumando o cabelo e outra meia hora ajeitando a maquiagem obviamente não é algo realista quando se é a mãe de um recém-nascido, mas encontrar um tempo para cuidar dos cabelos, colocar um rímel e um batom (talvez um bocado de corretivo para os olhos), um pouco do seu perfume favorito e algumas roupas novas, é. Este esforço não só vai torná-la mais atraente, como fará com que você se *sinta* mais atraente.

**Faça-o sentir um homem.** A maioria das mães transfere o foco de sua atenção do parceiro para o bebê, pelo menos no início. Isto é bom para a perpetuação da espécie, mas não é tão bom para a perpetuação do seu relacionamento. Faça questão de namorar o seu marido do mesmo modo como gostaria de ser namorada. Abrace-o inesperadamente pelas costas enquanto ele está lavando a louça, aperte a mão dele quando ele estiver passando xampu no bebê, note quando ele chega em casa com um novo corte de cabelo, beije-o a qualquer hora (e em qualquer lugar).

**Arrume tempo para o romance.** Escolha jantar juntos quando o bebê já estiver dormindo em vez de jantar rapidamente enquanto vocês se revezam ninando o bebê. Tenha um vidro de óleo de massagem e algumas velas perto da sua cama e façam massagens um no outro depois que o bebê adormeceu (e antes que vocês façam o mesmo). Estabeleça uma "noite do namoro" uma vez por semana e use-a para ficarem juntos. Seja impulsiva também, puxe-o para um banho de banheira ou dê uma rapidinha enquanto o bebê está tirando uma soneca.

# PENSANDO NO PRÓXIMO BEBÊ

*"Minha filha tem quase 1 ano de idade. Nós estamos seriamente pensando em ter outro filho, mas não temos certeza de quanto tempo devemos dar entre um e outro."*

Apesar da mãe natureza, a decisão de quantos meses ou anos esperar antes de engravidar novamente é somente do casal, e diferentes casais se sentem de maneira diferente em relação ao assunto. Alguns sentem que querem ter muitos filhos, um após outro. Outros sentem que eles gostariam de vários anos, ou mais, de espaço para respirar (e dormir)

entre os partos. E a maneira como os casais se sentem em relação ao intervalo entre os filhos antes que eles se tornem pais de verdade ("Não seria maravilhoso se pudéssemos tê-los com um ano de diferença?") não seria necessariamente a maneira como se sentem depois que acaba a realidade das intermináveis trocas de fralda e noites insones ("Talvez a gente precise de um descanso antes de ter outro filho").

Não existem fatos muito seguros para ajudar os pais a tomarem esta decisão. A maioria dos especialistas concorda que adiar a concepção por pelo menos um ano após o primeiro filho permite que o corpo da mulher se recupere totalmente da gravidez e do parto antes de começar o ciclo reprodutivo novamente. Mas deixando o fator saúde um pouco de lado, não há evidência que prove qual é o espaço de tempo ideal entre um filho e outro. Os pesquisadores não encontraram um espaço que afete a inteligência da criança ou o seu desenvolvimento emocional, o relacionamento eventual das crianças (que tem mais a ver com a personalidade delas do que com a diferença de idade) ou o relacionamento com os pais.

A conclusão é: só depende de você. A melhor época para que você decida acrescentar mais um membro à família é quando você e o seu marido sentirem que a sua família está pronta para isso.

Ainda não sabe quando? Existem muitas perguntas que podem ser feitas a você mesma para decidir se já é hora ou não de ter outro filho:

**Serei capaz de lidar com as demandas de dois bebês?** Crianças de menos de 3 anos de idade são de alta manutenção, exigem atenção e cuidados constantes. Se o seu segundo filho chegar antes que o mais velho complete 2 anos de idade, você fará jornada dupla na troca de fraldas, aguentará noites insones intermináveis e, se eles forem bastante próximos em idade, lidará com o aspecto bastante difícil do comportamento de um bebê que está aprendendo a andar (ataques de mau humor e negatividade) em dois bebês ao mesmo tempo. Por outro lado, embora os cuidados com crianças com uma pequena diferença de idade provavelmente vai deixá-la exausta no início, uma vez que os primeiros anos tenham passado você terá deixado estes desafios para trás (a menos que você decida começar tudo de novo com um número três). Embora os seus filhos não sejam tão próximos, apesar da proximidade de idade, eles provavelmente — devido às semelhanças de desenvolvimento — serão companheiros de brincadeiras. Outra conveniência: eles vão achar os mesmos brinquedos, filmes, atividades e férias interessantes.

**Eu quero começar tudo de novo?** Uma vez que você esteja no "clima de bebê", às vezes é fácil ficar daquele jeito, consolidando os anos gastos com os cuidados com o bebê. O berço está armado, as fraldas no lugar, o carrinho ainda não está cheio de poeira e as grades de segurança ainda estão no lugar. Ter filhos com um espaço muito grande entre eles faz com que você tenha que se reorientar sobre as demandas de se ter um bebê novamente, logo quando o seu mais velho está indo sozinho para a escola e você

está tendo a sua "vida" de volta ao normal. É claro que ter um novo bebê poucos anos após o primeiro permite a você bastante tempo para aproveitar e dar atenção a um filho antes da chegada do próximo. E já que o mais velho provavelmente não estará em casa o tempo todo, você terá a mesma oportunidade de dar atenção individualizada ao seu filho mais novo.

**Eu estou fisicamente preparada para enfrentar uma nova gravidez?** Algumas mulheres simplesmente não se sentem prontas para passar por outra gravidez tão cedo, especialmente se a primeira gravidez foi difícil. Carregar um bebê no colo enquanto equilibra uma barriga do tamanho de uma melancia não é fácil; nem é fácil correr atrás do seu bebê de 15 meses de idade enquanto você se está tentando ir ao banheiro por causa do seu enjoo matinal. Leve também em consideração seus sentimentos em relação a ir de uma gravidez para a amamentação e dali para outra gravidez e amamentação novamente. Você pode decidir que gostaria de dar ao seu corpo um intervalo — experimentar um corpo completamente livre de bebês novamente antes de pensar em retomar a reprodução. Por outro lado, mulheres que apreciam totalmente a gravidez e a amamentação podem não ver nenhuma razão para adiar este novo momento de felicidade. E os pais que preferem ter seus filhos até uma certa idade ou mulheres que sentem que o tique-taque de seus relógios biológicos não as deixa tempo para esperar, podem optar por encurtar o tempo de espera simplesmente porque esta é a sua melhor opção.

## O que é melhor para os meus filhos?
Certamente não existe um consenso sobre este assunto — e os resultados podem variar amplamente, dependendo do temperamento das crianças, da maneira como os conflitos entre os irmãos são resolvidos, da atmosfera no lar e de muitos outros fatores. Por exemplo, se houver uma grande diferença de idade entre os irmãos, eles podem crescer sem se sentir como se fossem irmãos — ou eles podem ter uma afeição especial um pelo outro. Os irmãos que têm uma diferença muito grande de idade podem experimentar menos rivalidade do que aqueles que estão mais próximos em idade, uma vez que o irmão mais velho já tem uma vida fora de casa (escola, esportes, amigos), e pode, na verdade, apreciar um novo acréscimo à família e gostar de ajudar a cuidar do bebê. Ou pode se ressentir das responsabilidades que com frequência vêm com o fato de ser um filho muito mais velho.

Se a diferença é muito pequena — menos do que dois anos — a proximidade na idade não vai necessariamente garantir a proximidade entre os filhos. Como tiveram desenvolvimentos semelhantes, eles podem ser companheiros de brincadeira para sempre, embora eles também possam, pelo mesmo motivo, ter uma propensão maior a brigar. O fato de que eles provavelmente gostem dos mesmos brinquedos pode ser tanto uma conveniência (menos brinquedos para comprar) ou um pesadelo em potencial (mais cabos de guerra por causa dos brinquedos). Ter crianças com idades próximas pode minimizar a adaptação da criança mais velha ao novo irmãozinho; os sentimentos de deslocamento são menos comuns e menos pronunciados, já que o mais velho não se lembra de como era ser o "único". Por outro lado, um irmão mais velho com pouca idade pode se ressentir do fato de que de repente ele passou a ter menos colo — colo de que ele ainda precisa.

## O que é melhor para a minha personalidade?
Se o seu temperamento é calmo, o fato de ter um outro filho com maior ou menor diferença em relação ao primeiro pode não ter a menor importância. Ter dois filhos com uma diferença pequena de idade pode não incomodá-la nem um pouco; nem ter que voltar à rotina de vida de um bebê após um longo hiato. Por outro lado, se você acha difícil lidar com o caos e a desordem, um intervalo maior entre os seus filhos pode ser melhor para você.

## O quão próximos em idade são os meus irmãos de mim?
A maneira como você cresceu pode influenciar na maneira como você gostaria que a sua família fosse estruturada. Se você teve uma ótima experiência crescendo com um irmão 18 meses mais velho do que você, você pode desejar que os seus filhos tenham a mesma experiência. Se você odiou o fato de ter que ir para a faculdade quando a sua irmã mais nova ainda estava no primário, você pode escolher ter filhos que tenham uma diferença de idade menor. Se você estava sempre brigando com a sua irmã que tinha quase a mesma idade que você, talvez seja melhor dar um espaço maior entre os seus filhos.

## PLANEJANDO COM ANTECEDÊNCIA

Pensando em aumentar a sua família de novo? Existem várias medidas pré-concepção que você e o seu marido podem tomar para melhorar a probabilidade de sucesso na fertilidade, bem como a probabilidade de ter uma gravidez segura e um bebê saudável. Para uma lista completa de dicas, veja o Capítulo 21 do livro *O que esperar quando você está esperando*.

# ANTICONCEPCIONAIS

*"Eu definitivamente ainda não estou pronta para ter outro filho. Quais são as minhas opções de controle da natalidade?"*

Tudo bem, talvez o sexo não seja a prioridade de vocês nestes dias — especialmente quando vocês ficam brincando de "passe o bebê" (ninar e cantar cantigas de ninar até que os seus braços estejam doendo e você rouca, passa o bebê para o seu parceiro, descansa e repete). Talvez seja a última coisa em que pensem na maior parte do tempo. Ainda assim, haverá uma noite (ou um domingo à tarde, quando o bebê estiver dormindo) em que vocês vão tirar as fraldas sujas do quarto e as chupetas da cama e vão se entregar um ao outro — quando o desejo vai voltar a sua vida e a paixão vai pegá-los no mesmo lugar onde parou antes de terem o bebê.

Então, esteja preparada. Para evitar uma gravidez logo em seguida, você vai precisar usar alguma forma de método contraceptivo tão logo comece a fazer sexo novamente. E como nunca se sabe quando o desejo vai surgir, é bom que você tenha um contraceptivo à mão (ou perto da sua cama) bem antes do contato amoroso.

A menos que você seja do tipo que gosta de se arriscar (e daquelas que não se importarão em engravidar novamente logo em seguida), contar com a amamentação como método anticoncepcional pode ser, no mínimo, perigoso. Embora algumas mulheres não comecem a menstruar enquanto estão amamentando, muitas delas podem. E já que é possível ovular e conceber antes de ter o primeiro período pós-parto, algumas mulheres que se arriscam acabam tendo uma gravidez após outra sem menstruar entre elas. Em outras palavras, o fato de que os seus períodos menstruais foram suprimidos pela amamentação não significa que você não seja capaz de conceber ou que você deva se considerar "segura" sem um método anticoncepcional.

Assim, você vai precisar de uma forma mais confiável de contracepção. Quase todos os métodos anticoncepcionais estão disponíveis para as novas mães, embora existam muitos fatores (como se você está amamentando, o quanto o parto alterou o tamanho do seu colo do útero) que devem ser considerados antes de escolher qual o melhor método para você. Não suponha automaticamente que o tipo de anticoncepcional que você usava antes de engravidar seja o melhor após o parto. Suas necessidades e preocupações contraceptivas podem ser diferentes agora. E com o avanço rápido que os anticoncepcionais têm hoje em dia, pode haver opções abertas a você que não estavam nem mesmo no mercado quando você engravidou. Certifique-se de ler e discutir com o seu médico sobre todos os métodos anticoncepcionais disponíveis antes de escolher aquele que é o certo para você agora.

Cada um dos métodos a seguir tem seus benefícios e desvantagens. Decidir qual deles vai funcionar melhor para você vai depender do seu histórico ginecológico, do seu estilo de vida, da recomendação do seu médico, se você quer engravidar novamente no futuro (e o grau de certeza que você quer ter de estar se prevenindo contra uma nova gravidez neste meio tempo) e dos seus sentimentos e circunstâncias. Todos são eficientes quando usados corretamente e de maneira consistente, embora alguns ofereçam melhores resultados do que outros.

## MÉTODOS HORMONAIS

**Anticoncepcional oral.** Disponíveis somente com receita médica, os anticoncepcionais orais (ou a "pílula") estão entre os métodos anticoncepcionais não permanentes mais eficientes, com uma eficácia de 99,5% (a maioria das falhas estão no fato de a usuária esquecer de tomar a pílula ou de tomar as pílulas na ordem errada). Outra vantagem: permitem a espontaneidade na hora de fazer amor.

Existem dois tipos básicos de contraceptivos orais: uma combinação de pílulas (que contém tanto estrogênio quanto progestina) e pílulas somente de progestina (minipílulas). Ambas funcionam prevenindo a ovulação e engrossando o muco do colo do útero para impedir que o esperma chegue ao óvulo, caso algum seja expelido. Elas também impedem que um ovo fertilizado se aloje no útero. A combinação de pílulas é um pouco mais eficiente na prevenção da gravidez do que as minipílulas. Para obter eficácia máxima, as minipílulas devem ser tomadas na mesma hora todo dia (as pílulas combinadas têm um intervalo mais longo).

Algumas mulheres experimentam efeitos colaterais ao tomarem o anticoncepcional oral (que variam, dependendo de qual pílula elas usam), sendo os mais comuns a retenção de líquidos; alterações no peso; náusea; sensibilidade nos seios; um aumento ou diminuição do apetite sexual; perda de cabelo e irregularidade menstrual (sangramento, sangramento entre as menstruações ou raramente amenorreia ou interrupção total da menstruação). Menos comuns são os relatos de depressão, desânimo ou tensão. Após os primeiros ciclos de uso da pílula, os efeitos colaterais podem diminuir ou desaparecer completamente. Em geral, os anticoncepcionais orais desencadeiam menos efeitos colaterais do que as pílulas de anos atrás. Novas versões de pílulas (Yasmin, Cyclessa) liberam níveis constantes de estrogênio e um novo tipo de progestina ou usam três níveis diferentes de estrogênio e progestina para reduzir o inchaço e a TPM. Uma novidade nesta categoria, que pode ser especialmente atraente para mulheres que não gostam muito do fluxo mensal, é a Seasonale. Ela vem em um pacote com 84 pílulas de hormônio e 7 pílulas inativas; a mulher toma os hormônios por 12 semanas seguidas antes de parar para ter o seu período menstrual (que só vai ocorrer então quatro vezes por ano). No entanto, algumas mulheres experimentaram mais sangramentos entre menstruações com a Seasonale do que com as pílulas mensais. (A maioria dos médicos concorda que é seguro tomar qualquer pílula monofásica continuamente — pulando as pílulas inativas — para evitar a menstruação.)

Mulheres com mais de 35 anos de idade e fumantes podem ter um risco maior de sofrer efeitos colaterais adversos (como coágulo sanguíneo, ataques cardíacos ou derrames) devido à pílula. A pílula também pode ser inadequada para mulheres com certos problemas médicos, inclusive um histórico de coágulos sanguíneos (trombose), fibroides, diabetes, hipertensão e certos tipos de câncer. Verifique com o seu médico.

Do lado positivo, a pílula parece proteger contra uma grande variedade de problemas, inclusive doença inflamatória pélvica, câncer não maligno de mama, gravidez ectópica, câncer no útero e no ovário, cistos no ovário e anemia por deficiência de ferro (porque o fluxo menstrual é mais leve); tomá-la também pode reduzir o risco de artrite, possivelmente da osteoporose e a incidência de cólicas menstruais. Outros benefícios vividos por algumas mulheres que tomam a pílula são a diminuição da tensão pré-menstrual, menstruações bastante regulares e (mais com algumas pílulas do que com outras) uma pele mais limpa.

Pesquisas mostram que tomar a pílula não aumenta o risco de desenvolver câncer de mama.

Se você está planejando ter um outro filho, a fertilidade pode demorar um pouco mais para voltar se você estiver usando a pílula do que se estiver usando um anticoncepcional de barreira. O ideal seria que você mudasse para o método de barreira (ver página 972) três meses antes da época que você está planejando conceber. Cerca de 80% das mulheres ovulam em de um período de três meses após pararem a pílula e 95%, em um ano.

Se você decidir tentar a pílula, seu médico vai ajudá-la a determinar que tipo e qual a dosagem mais adequada para você baseado no fato de você estar amamentando ou não (qualquer anticoncepcional oral contendo estrogênio não é recomendado durante a lactação, mas uma pílula somente de progestina é de uso seguro), bem como no seu histórico clínico, sua idade, peso e ciclo menstrual. Garantir que a pílula escolhida funcionará da maneira adequada só depende de você. Tome-a regularmente; se você esquecer uma que seja ou se tiver diarreia ou vomitar (o que pode interferir na absorção da pílula pelo organismo), use outra proteção por segurança (como o preservativo ou um espermicida) até sua próxima menstruação. Consulte o seu médico a cada seis meses ou anualmente para monitorar a saúde; relate qualquer problema ou sinal de complicação que apareça entre as visitas, e certifique-se de informar a outros médicos que estejam receitando outros medica-

# SINAIS DE ALERTA CONTRA ANTICONCEPCIONAIS HORMONAIS

A grande maioria das mulheres que usa anticoncepcional hormonal o faz com muito poucos efeitos colaterais, a maioria deles com efeitos brandos. Mas devido ao fato de um efeito colateral poder ocorrer, você deve ficar alerta para os sinais de aviso a seguir.

Se você está tomando um anticoncepcional oral (ou usando qualquer outro anticoncepcional oral) e experimentando qualquer dos sintomas a seguir, ligue imediatamente para o médico. Se ele não puder ser encontrado, vá até o pronto-socorro mais próximo.

♦ Dores agudas no peito

♦ Tosse com sangue

♦ Dificuldade súbita em respirar

♦ Dor ou inchaço na panturrilha ou coxa

♦ Dor de cabeça aguda

♦ Tontura ou desmaio

♦ Fraqueza ou paralisia muscular

♦ Distúrbios na fala

♦ Súbita perda total ou parcial da visão, visão embaçada ou com pontos luminosos

♦ Depressão grave

♦ Amarelamento da pele

♦ Dor abdominal aguda

---

mentos que você está tomando anticoncepcionais orais (algumas ervas e medicamentos, como antibióticos, reagem de maneira adversa com a pílula, tornando-a menos eficaz).

A pílula não protege contra doenças sexualmente transmissíveis, portanto, certifique-se de complementar a proteção com um preservativo caso haja risco de contrair uma DST do seu parceiro. Como os anticoncepcionais orais aumentam a necessidade de certos nutrientes (embora eles diminuam a necessidade de outros), tome um suplemento vitamínico diário que contenha as vitaminas $B_6$, $B_{12}$, C, riboflavina, zinco e ácido fólico enquanto estiver tomando a pílula.

**Injeções.** A injeção hormonal, como a Depo-Provera, é um método anticoncepcional muito eficiente (com uma eficácia de 99,7%) que cessa a ovulação e espessa o muco do colo do útero para impedir que o esperma encontre o óvulo. A injeção, dada no braço ou na nádega, tem um efeito que dura meses. A Depo-Provera é uma injeção de progestina apenas, tornando-a segura para mamães que estão amamentando.

Como ocorre com o anticoncepcional oral, os efeitos colaterais podem incluir menstruação irregular, ganho de peso e inchaço. Para algumas mulheres, a menstruação pode ficar menos frequente e de fluxo reduzido e muitas

# SINAIS DE ALERTA DO DIU

A maioria das mulheres que usa o DIU acha que ele é um método anticoncepcional duradouro, descomplicado, com poucos efeitos colaterais, se existir algum. Entretanto, devido ao fato de existirem complicações em potencial, a mulher que estiver usando o DIU deve ligar para o médico imediatamente se experimentar qualquer um dos sintomas a seguir:

♦ Período menstrual ausente ou atrasado, seguido de sangramento irregular, inconsistente ou ralo

♦ Desmaio ou urgência em ir ao banheiro associado a dor

♦ Ato sexual doloroso

♦ Cólicas, inchaço, dor aguda na pélvis ou no baixo-ventre (após o desconforto da inserção inicial ter passado)

♦ Dor que irradia pelas pernas ou dor no ombro

♦ Sangramento vaginal incomum ou anormal, com ou sem dor (que não seja o sangramento seguido da inserção inicial)

♦ Calafrios e febres sem motivo

♦ Feridas genitais ou secreção vaginal

---

mulheres não a terão após cinco anos de uso do Depo-Provera. Outras mulheres podem ter menstruações mais longas e mais intensas. E, como acontece com a pílula, a injeção não é para qualquer mulher; isso vai depender da saúde e da condição clínica.

A maior vantagem da injeção é que ela previne a gravidez por 12 semanas e isto pode ser ótimo para quem não gosta de ficar pensando em métodos anticoncepcionais ou com que frequência esquece de tomar a pílula ou de colocar o diafragma. Ela também protege contra o câncer endometrial e de ovário. Mas existem desvantagens também; ter de retornar ao seu médico a cada 12 semanas para tomar outra injeção, o fato de que os efeitos da injeção não podem ser revertidos imediatamente (se você de repente quiser engravidar) e que pode levar até um ano após descontinuar o uso do Depo-Provera para que a fertilidade volte.

**Adesivos.** O adesivo Ortho Evra, um adesivo do tamanho de uma caixa de fósforos, libera os mesmos hormônios que as pílulas combinadas, só que em formato de *patch*. Diferente dos contraceptivos orais, o *patch* mantém os níveis hormonais em estado contínuo porque libera constante e continuamente hormônios através da pele. O *patch* é usado por uma semana e é trocado no mesmo dia da semana por três semanas consecutivas. A quarta semana é "*patch-free*"; é durante esse período que você vai menstruar. O *patch* pode ser trocado a qualquer hora do dia. Se você se esquecer de trocar o *patch* e continuar com ele por mais de sete dias, existe um período de dois dias durante os quais os hormônios ainda estão eficientes.

O *patch* pode ser usado durante todos os tipos de atividade — ao tomar banho, exercitar-se, na sauna ou banheira de hidromassagem etc. O adesivo não é afetado pela umidade ou pela temperatura. A maioria das mulheres escolhe usar o *patch* nas nádegas ou no abdome. Ele também pode ser usado na parte superior do peito (exceto sobre os seios) ou na parte externa do braço.

Como outros contraceptivos hormonais, o *patch* é altamente eficiente na prevenção da gravidez (99,5% de eficácia). Entretanto, o *patch* pode ser menos eficiente em mulheres que pesam mais de 89 quilos. Os efeitos colaterais do *patch* são os mesmos da pílula.

**Anéis.** O NuvaRing é um pequeno anel flexível de plástico transparente que pode ser achatado com um elástico, inserido na vagina e deixado no lugar por 21 dias. Uma vez inserido, o anel libera doses baixas de estrogênio e progestina. O posicionamento exato do anel dentro da vagina não é crucial para o seu funcionamento porque não é um método de barreira. Você mesma pode inserir facilmente o anel uma vez por mês e não precisa se lembrar de tomar uma pílula diária ou de colocar o diafragma antes do ato sexual. Uma vez removido, você terá o seu período menstrual. Você precisará inserir um novo anel uma semana após o último ter sido removido (mesmo que a menstruação não tenha acabado). Estudos mostram que o nível de controle do ciclo com o NuvaRing é melhor do que com a pílula e não há sangramento entre as menstruações. Como os hormônios são os mesmos usados nas pílulas combinadas, os efeitos colaterais são geralmente os mesmos, e as mulheres que não podem usar anticoncepcionais orais não podem usar o anel também. O anel também não se presta para mães que estão amamentando. Ele tem uma eficácia de 98 a 99%.

**Implantes.** Os implantes de progestina sob a pele mostraram-se um método anticoncepcional seguro e eficiente (com uma eficácia de 99,9%), mas o fabricante do Norplant parou de produzi-lo. A próxima geração de implantes inclui um sistema de microbastão, como o Implanon, que é eficiente por três anos, e outro sistema que é eficiente por cinco anos. Estes implantes estão sendo testados atualmente e devem chegar em breve ao mercado.

## DISPOSITIVO INTRAUTERINO (DIU)

O DIU é o método anticoncepcional reversível para mulheres mais comumente utilizado no mundo, entretanto apenas 1% das mulheres no Brasil usa este método. Os DIUs atuais são considerados um dos métodos mais seguros de contracepção — com uma taxa de gravidez equivalente àquela da esterilização (acima de 99% de eficácia). Eles são também os mais convenientes e, para a maioria das mulheres, livre de problemas — definitivamente algo a se considerar.

Os DIUs são pequenos dispositivos plásticos inseridos pelo médico no útero da mulher e são deixados lá por alguns anos, dependendo do tipo de DIU. Existem dois tipos de DIU disponíveis. O DIU de cobre ParaGard libera cobre no útero para imobilizar o esperma. Ele também impede a implantação no útero. O DIU ParaGard pode ser deixado na mulher por dez anos. O DIU Mirena libera progestina nas paredes uterinas, tornando o muco do colo do útero mais espesso, bloqueando assim o esperma, enquanto também previne a implantação. Sua duração é de cinco anos.

A maior vantagem do DIU é que ele oferece total conveniência. Uma vez que seja inserido, ele pode ser esquecido, a não ser pela verificação (mensal, o que é uma boa ideia) regular do cordão anexado a ele. Isto permite a espontaneidade da vida sexual — sem intervalos para encontrar e colocar o diafragma ou o preservativo, ou lembrar-se de tomar a pílula diariamente. Além disso, o DIU não interfere na amamentação e não afeta o bebê que é amamentado.

Você pode aumentar esta já excelente proteção contra a gravidez dada pelo DIU se verificar regularmente o cordão do DIU e se usar camisinha e/ou espermicida nos primeiros dois ou três meses após a inserção (quando ocorre a maioria das falhas).

O DIU não deve ser usado por mulheres com gonorreia ou clamídia, nem por mulheres expostas a múltiplos parceiros ou que tenham um parceiro promíscuo. Também não deve ser usado por uma mulher com histórico de doença inflamatória pélvica (DIP) ou gravidez ectópica; malignidade ou pré-malignidade cervical ou uterina conhecida ou suspeita (ou até mesmo um papa-nicolau inexplicavelmente anormal); anormalidades do útero ou um útero pequeno; irregularidades menstruais ou outros sangramentos anormais (o DIU pode aumentar o fluxo menstrual e as cólicas, embora nem sempre isso aconteça); infecção pós-parto ou pós-aborto nos últimos três meses; ou por uma mulher que tenha dado à luz um bebê, sofrido um aborto espontâneo ou que tenha feito um aborto nos últimos seis meses. Aquelas com alergia ou suspeita de alergia ao cobre também não devem usar o DIU.

As possíveis complicações incluem cólicas (que podem ser fortes) durante a inserção e raramente, por algumas horas ou até mesmo dias após a inserção; perfuração uterina (extremamente rara); expulsão acidental (pode ocorrer sem que você perceba e com isso deixá-la desprotegida); infecções tubárias ou pélvicas (também raras). Algumas mulheres podem experimentar sangramento entre as menstruações nos primeiros meses após a inserção. As primeiras menstruações também podem ser mais longas e com fluxo mais intenso. Também não é incomum que uma mulher continue a ter menstruações mais longas e mais intensas enquanto usa um DIU, embora a liberação de progestina pelo DIU possa diminuir a quantidade de sangue.

## MÉTODOS DE BARREIRA

**Diafragma.** O diafragma é um capuz macio de borracha côncava que é colo-

# SINAIS DE ALERTA DOS MÉTODOS DE BARREIRA

Verifique com o seu médico se qualquer dos sintomas a seguir ocorrer quando você estiver usando um diafragma ou o capuz cervical:

♦ Desconforto quando o diafragma ou o capuz está no local

♦ Sensação de ardência ao urinar

♦ Irritação ou coceira na área genital

♦ Secreção incomum da vagina

♦ Sangramento irregular

♦ Vermelhidão ou inchaço da vulva ou da vagina

♦ Febre alta repentina

♦ Diarreia e/ou vômito

♦ Tontura, desmaio e fraqueza

♦ Erupções na pele semelhantes à queimadura de sol sem que tenha havido exposição ao sol

---

cado cobrindo o colo uterino para bloquear a entrada de esperma. É um método de controle eficiente quando usado de maneira adequada, com um gel espermicida para tornar inativo qualquer esperma que possa ter passado pela barreira (94% de eficácia).

Tirando o possível aumento nas infecções do trato urinário e uma ocasional reação alérgica desencadeada pelo espermicida ou pela borracha, o diafragma é seguro. Na verdade, usado com o espermicida, parece reduzir o risco de infecções pélvicas que podem levar à infertilidade. Ele não interfere de maneira nenhuma na lactação nem afeta um bebê que esteja sendo amamentado.

O diafragma deve ser receitado e ajustado por um profissional médico. O reajuste é essencial após o nascimento do bebê, porque o tamanho e a forma da cervical pode ter mudado. O diafragma tem a desvantagem de ter de ser inseri-

do antes de cada relação sexual (a menos que você tenha outra relação em algumas horas, o que fará com que precise apenas de mais espermicida), deixado por seis ou oito horas e removido em 24 horas. (Alguns especialistas sugerem que é prudente remover o diafragma entre 12 e 18 horas e alguns recomendam que a mulher insira o diafragma toda noite quando for escovar os dentes para que não se esqueçam dele em um momento de paixão). O fato de o diafragma ter que ser inserido pela vagina torna o método nada atraente para algumas mulheres. O diafragma precisa ser verificado periodicamente para se certificar de que não haja buracos.

**Capuz cervical.** O capuz cervical é semelhante ao diafragma de muitas maneiras. Deve ser ajustado por um médico, deve ser usado com um espermicida e faz o seu trabalho impedindo que o esperma entre no útero. Sua eficácia em prevenir a gravidez é mais baixa do que a do diafragma (aproximadamente 60% a 75%). Entretanto, o capuz oferece vantagens ao casal em relação ao diafragma. No formato de um dedal, o capuz de borracha flexível tem uma borda firme que se encaixa em volta da cervical, tendo a metade do tamanho do diafragma. Uma conveniência a mais: ele pode ser deixado no local por 48 horas em vez das 24 horas, limite recomendado para o diafragma. Algumas mulheres acham que um cheiro desagradável pode se desenvolver quando o capuz cervical é deixado no corpo por dois dias; para outras, o processo de inserção apresenta problemas.

O FemCap, o mais novo método anticoncepcional de barreira (com eficácia de 85%), é um capuz de silicone no formato de um chapéu de marinheiro. Ele se encaixa sobre a cervical com uma aba que sela as paredes vaginais e tem um depósito que armazena o espermicida e prende o esperma. Ele também possui uma tira removível.

**Esponja vaginal.** A esponja Today, que atualmente tem disponibilidade limitada, bloqueia a entrada do útero; funciona impedindo o espermatozoide de nadar para encontrar o óvulo e também absorvendo o esperma. Para usar a esponja não é preciso visitar um médico nem ter uma receita; ela é relativamente fácil de usar (você insere como um diafragma); permite maior espontaneidade do que outros métodos de barreira (fornecendo proteção contínua por 24 horas após a inserção) e não tem efeito na amamentação do bebê. O maior efeito

anticoncepcional da esponja é provavelmente através do espermicida que ela libera. É um pouco menos eficiente do que o diafragma (cerca de 80% de eficácia), mas porque contém nonoxynol-9 (um espermicida que age como desinfetante), ela parece reduzir o risco de contrair doenças sexualmente transmissíveis, como a gonorreia e a clamídia. Entretanto, pode aumentar o risco de infecção por cândida. Algumas pessoas são alérgicas ao espermicida e algumas mulheres se sentem desconfortáveis ao inserir a esponja na vagina. Ela não deve ser deixada no corpo por mais do que o recomendado e um grande cuidado deve ser tomado ao removê-la (um pedaço deixado dentro do corpo pode produzir odor e infecção). A esponja não pode ser reutilizada.

**Preservativos.** Uma capa para o pênis feita de látex ou de pele natural (dos intestinos de uma ovelha) e com frequência chamado de camisinha, o preservativo é um método eficiente de contracepção se usado com consciência, embora tenha uma taxa de eficácia um pouco menor do que os outros métodos (taxa de eficácia de 86%). Sua eficácia, bem como sua capacidade de combater infecções pélvicas, é potencializada se usado com um agente espermicida e se for observado um certo cuidado se há algum dano antes de usá-lo. O preservativo é totalmente inofensivo, embora o látex ou o espermicida usado com ele possa causar uma reação alérgica em algumas pessoas. Tem a vantagem de não precisar de uma visita ao médico ou de receita, de ser facilmente encontrado e fácil de car-

# PARA A MAMÃE: APROVEITANDO O PRIMEIRO ANO

regar e de reduzir o risco de transmitir infecções como a gonorreia, a clamídia e a AIDS (o modelo em látex é melhor para a prevenção da passagem do vírus da AIDS). Por não interferir na amamentação e não afetar o bebê que é amamentado, e porque não precisa de um ajuste pós-parto (como o diafragma), é um método de "transição" ideal para muitos casais. Entretanto, alguns podem achar que, porque precisa ser colocado antes da relação sexual (após se conseguir a ereção), ele interfere na espontaneidade. Outros acham que colocar um preservativo pode ser uma parte prazerosa do ato amoroso.

Para aumentar a eficácia, o pênis deve ser tirado da vagina antes que se perca a ereção e o preservativo seguro para que se evite um vazamento. O uso de um creme lubrificante (ou um preservativo lubrificado) vai ajudar a tornar a inserção mais confortável quando a vagina estiver seca após a gravidez e durante a lactação. (Mas não use lubrificantes à base de petróleo, como óleos de massagem, óleos de banho, óleos para bebê ou vaselina).

O preservativo feminino é uma bolsa fina de poliuretano lubrificada que recobre a vagina e é segura no lugar por um anel interno que fica próximo da cervical e um anel externo na abertura da vagina. O preservativo feminino é inserido na vagina até oito horas antes da relação sexual e é removido logo após o sexo. As desvantagens do preservativo feminino são que ele é mais caro do que o masculino, pode impedir uma sensação completa e é claramente visível depois de posicionado. A boa notícia é que ele é mais eficiente do que o masculino (eficácia de 95%) e, como o preservativo masculino, previne contra as DST e o HIV.

**Espumas espermicidas, cremes, geleias, supositórios e filmes contraceptivos.** Usados sozinhos, estes agentes antiesperma são razoavelmente eficazes (aproximadamente 74% a 94%) para prevenir uma gravidez. São fáceis de obter sem receita e não interferem no ato sexual, mas podem ser inconvenientes e causar sujeira. Podem ser inseridos até uma hora antes da relação sexual.

## ANTICONCEPCIONAIS DE EMERGÊNCIA

A pílula anticoncepcional de emergência (PAE) é o único método de controle de natalidade que pode ser usado após a relação sexual (ou como suporte, quando o seu método anticoncepcional falhou, no caso de um preservativo furar ou de o diafragma sair ou de esquecer de tomar a pílula) mas antes que a gravidez aconteça.[4] Tanto a Preven quanto a Plan B reduzem o risco de a mulher engravidar em 75% quando tomadas até 72 horas após fazer sexo sem proteção. Quanto mais cedo a PAE for tomada após o ato sexual sem proteção, mais eficaz ela será. (Seu médico pode também recomendar que você use pílulas comuns como um anticoncepcional de emergência, mas consulte primeiro para confirmar a dose que você deve usar.)

---

[4]A pílula de emergência não funciona se você já estiver grávida. Não é uma pílula abortiva como a RU486.

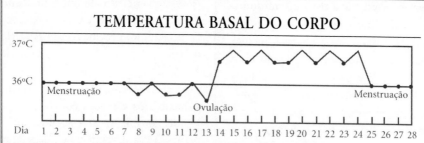

**Temperatura basal do corpo (TBC):** *A TBC pode ajudar a determinar com mais precisão o período da ovulação durante o qual é mais arriscada uma relação sexual sem proteção. Para obter a TBC, a mulher mede sua temperatura com um termômetro basal especial toda manhã, imediatamente ao acordar, antes de falar, sentar-se etc. (O termômetro deve ser preparado e deixado do lado da cama na noite anterior.) Na maioria das mulheres, a temperatura cai e depois sobe abruptamente no momento da ovulação, como visto acima. Três dias após a ovulação, pode-se voltar a ter relações. Veja na página 977 mais informações sobre planejamento familiar natural.*

A PAE funciona parando temporariamente a ovulação ou impedindo a fertilização. Elas podem também funcionar impedindo que um ovo fertilizado se aloje no útero.

Como nas pílulas combinadas, a Preven contém estrogênio e progestina. Os efeitos colaterais são semelhantes àqueles associados às pílulas anticoncepcionais orais e são geralmente brandos. A Plan B contém somente progestina e pode causar poucos efeitos colaterais.

Atualmente, as pílulas de emergência estão disponíveis sob prescrição médica.

## ESTERILIZAÇÃO

A esterilização é frequentemente a escolha para casais que sentem que suas famílias estão completas, não têm problemas com o fechamento (e trancamento) das portas para a concepção e estão ansiosos para eliminar o uso de anticoncepcionais. É altamente segura (sem efeitos conhecidos para a saúde a longo prazo) e à prova de falhas. A falha ocasional pode ser atribuída a um deslize na cirurgia ou, no caso da vasectomia, não se ter usado um método de controle de natalidade até que todo o esperma tenha sido ejaculado. Embora a esterilização seja reversível em certos casos, ela deve ser considerada permanente.

A ligação tubária é um procedimento feito sob anestesia geral ou epidural no qual uma pequena incisão é feita no abdome e nas trompas de Falópio, que são cortadas, amarradas ou bloqueadas. Não requer muito tempo de repouso, geralmente dois dias (às vezes mais) de atividade moderada apenas. Uma vasectomia (a amarração e o corte dos canais deferentes, os tubos que transportam o esperma dos testículos para o pênis) é um procedimento muito mais fácil, feito no consultório com anestesia local e que tem muito menos riscos do que a ligação tubária. Ela não afeta (como alguns homens temem) a capacidade de obter uma ereção ou de ejacular. As pesquisas também mostraram que não há um aumento do risco de câncer de próstata em homens que fizeram vasectomia.

Uma nova opção de anticoncepcional permanente para mulheres é o Essure. Uma alternativa para a ligação tubária, este tipo de esterilização não requer uma incisão abdominal (como na ligação tubária) ou uma anestesia geral. Um dispositivo macio e flexível é colocado em cada tuba de Falópio via cateter (tubo) inserido pela cervical. Em um período de três meses, novos tecidos crescem na tuba de Falópio (dentro do dispositivo), bloqueando os tubos completamente. Outro método anticoncepcional deve ser usado até que o médico possa confirmar, por exames, que suas tubas estão realmente bloqueadas (geralmente após três meses).

## CONSCIÊNCIA DA FERTILIDADE

As mulheres que preferem não usar anticoncepcionais mecânicos ou hormonais podem optar por uma forma "natural" de controle (também chamada de "planejamento familiar natural"). Esta abordagem se baseia no fato de a mulher se tornar ciente dos inúmeros sinais ou sintomas do corpo para determinar a hora da ovulação. Este método funciona melhor naquelas que têm ciclos regulares. Mas, por causa da irregularidade do ciclo menstrual de muitas mulheres, este é o menos eficaz dos vários métodos populares de controle de natalidade.

Quanto mais fatores um casal levar em consideração, maior será a eficácia. Estes fatores incluem controlar o ritmo do calendário; mudanças do muco na vagina (o muco é claro, tem a consistência de clara de ovo e pode ser esticado como se fosse um cordão durante a ovulação); a temperatura basal do corpo muda (a temperatura basal, medida logo que se acorda pela manhã, cai ligeiramente um pouco antes da ovulação, alcança seu ponto mais baixo durante a ovulação e depois sobe imediatamente para um ponto alto antes de retornar à sua base pelo resto do ciclo; veja o diagrama na página 976); e as mudanças cervicais (a cérvice normalmente firme se torna um pouco mais macia). Kits que avisam sobre a ovulação também podem ajudar a identificar o momento da ovulação (embora usá-los todo mês para *prevenir* a gravidez possa ficar caro). Testes de saliva para ovulação também podem ajudar algumas mulheres a prever quando a ovulação está iminente e são mais eficientes. A relação sexual é evitada ao primeiro sinal de que a ovulação está para ocorrer a três dias depois.

# DIAGNOSTICANDO UMA NOVA GRAVIDEZ

*"Eu tive o meu bebê 12 semanas atrás e comecei a ficar enjoada ontem. Posso engravidar novamente tão cedo assim e, se estiver amamentando, como saber?"*

Uma nova gravidez 12 semanas após o parto é muito incomum, especialmente se a mãe estiver amamentando, embora possa acontecer. O fato é que, a menos que você ou o seu parceiro tenham sido esterilizados, vocês correm o risco de conceber a qualquer momento em que tiverem uma relação sexual, mesmo que estejam usando um anticoncepcional e especialmente se não estiverem usando nenhum. Uma gravidez pós-parto, no entanto, pode ser difícil de identificar. Isto é especialmente verdadeiro se você ainda não menstruou novamente, já que a primeira dica que a maioria das mulheres tem de que provavelmente estão grávidas é a falha no período menstrual. Se você estiver amamentando, outra dica sobre possível gravidez na qual muitas mulheres confiam, seios maiores e mais macios com veias mais visíveis, pode ser mascarada. Entretanto, você pode começar a notar outras pistas de que pode ter concebido uma vez que a nova gravidez tenha sido estabelecida: um fornecimento diminuído de leite devido aos diferentes grupos de hormônios que operam na gravidez e na lactação (mas esta queda na produção pode se dever a exaustão, a não estar amamentando o suficiente ou outros fatores); enjoos matinais ou mal-estar (que pode ser o resultado de algo que você comeu ou de um vírus gastrintestinal); ou micção mais frequente (isto pode ser devido a uma infecção do trato urinário).

Se você tiver qualquer razão para suspeitar de que está grávida ou até mesmo se estiver nervosa em relação a esta possibilidade, faça um teste de gravidez caseiro. Se você por acaso descobrir que está grávida, certifique-se de começar os

cuidados pré-natais assim que possível. Uma nova gravidez tão próxima de um parto representa um peso tremendo sobre o corpo e você vai precisar de orientação médica constante, muito repouso e uma ótima alimentação.

Se ainda se sentir capaz, você pode continuar a amamentar o seu bebê enquanto espera por outro. Se você se sentir extremamente exausta, pode querer usar uma fórmula suplementar ou até mesmo desmamá-lo completamente. Discuta as opções com o seu médico. Se você resolver amamentar enquanto estiver grávida, será extremamente importante que consuma calorias suficientes (cerca de 300 para o feto e outras 200 ou 500 para a produção do leite); proteína (quatro porções diárias) e cálcio (o equivalente a seis porções diárias), bem como descansar bastante.

## PASSANDO GERMES PARA O BEBÊ

*"Estou com uma gripe horrível. O meu filho pode pegá-la?"*

Os germes têm uma maneira de ficar na família e, mais tarde, quando do o seu filho estiver na escola, ele vai trazer mais deles para casa. Por enquanto (a menos que ele já esteja na creche), a probabilidade é de que você ou alguém da família passe os germes para ele.

Para minimizar a possibilidade do seu bebê pegar a sua gripe — ou qualquer outra infecção que você ou outra pessoa da família tenha — lave bem as mãos

# PARA A MAMÃE: APROVEITANDO O PRIMEIRO ANO

antes de pegar o bebê ou qualquer coisa que ele vá levar à boca (inclusive as mãos dele, a mamadeira ou chupeta e seus seios) e evite beber na mesma xícara. Impeça que o bebê toque qualquer ferimento ou qualquer outra urticária contagiosa e não fique dando beijos nele (embora seja difícil ficar sem beijar aquela coisa fofa) enquanto você ainda tiver os sintomas da sua infecção. Certifique-se de que outros membros da família sigam as mesmas regras. A propósito, não há problema em continuar amamentando o bebê enquanto você estiver doente; na verdade, seu leite só aumenta a imunidade do bebê.

Deste modo, você também terá que se resignar com o fato de que poucos bebês escapam de seu primeiro ano sem um resfriado. Mesmo com todas as precauções, ele provavelmente vai sucumbir às fungadas do resfriado a qualquer momento, e porque você passou muito tempo junto com ele e divide a susceptibilidade (ele recebe apenas imunidade que você já tenha), na verdade ele está mais propenso a pegar um resfriado de você do que de um transeunte que espirre na rua.

## ENCONTRANDO TEMPO PARA SI MESMA

*"Estou tão ocupada cuidando das necessidades da minha filha que nunca tenho tempo para cuidar de mim mesma. Às vezes eu nem mesmo tenho chance de tomar um banho."*

As pequenas coisas podem ter um significado enorme para os pais de um novo bebê. E com frequência estas pequenas coisas que outros acham que são normais — ir ao banheiro quando tem vontade, tomar uma xícara de café enquanto ainda está quente, sentar para almoçar — tornam-se luxos que você não pode mais ter.

Ainda assim, é importante *arrumar* tempo só para você. Não apenas para que você (e o seu marido) se lembre de que as suas necessidades são importantes, mas que o seu bebê, à medida que cresce, reconheça isso também. A palavra "mãe" não precisa (e realmente não deve ser) sinônimo de "mártir". Você não tem que sofrer de infecção do trato urinário ou de constipação por ir pouco ao banheiro, de indigestão por ter que comer andando ou ficar com o cabelo sujo por não poder lavá-lo. Embora você vá precisar ter um jogo de cintura muito grande para atender a suas necessidades sem deixar de lado as do bebê, isto será bom para vocês dois. Afinal de contas, uma mãe feliz é uma mãe melhor.

Como fazer o melhor para ter tempo para você vai depender de fatores como o seu horário, suas prioridades e para o que você precisa encontrar tempo. As dicas a seguir vão ajudar a colocar um pouco mais de tempo para si mesma na sua vida:

**Deixe o bebê chorar.** Não por meia hora, mas certamente não vai doer se você colocá-lo no berço e deixá-lo chorar enquanto você escova os seus dentes ou vai ao banheiro.

**Inclua o bebê.** Sente-se para almoçar com o seu bebê. Se ele ainda não está comendo alimentos sólidos, coloque-o na cadeirinha de bebê na mesa (somente quando você se sentar perto dele) e converse com ele enquanto você come. Ou leve o seu almoço para o parque se ele ficar mais contente no carrinho e se o tempo permitir. Coloque-o na cadeirinha de bebê no chão do banheiro enquanto você faz suas necessidades — ele será treinado desde já a usar o banheiro enquanto você se alivia. Ou brinque de se esconder atrás da cortina enquanto você toma banho.

**Confie no papai.** Tome banho enquanto ele toma café com o bebê pela manhã ou faça uma limpeza de pele enquanto ele vai levar o bebê para passear no sábado à tarde. Não se sinta culpada de entregar o bebê a ele quando ele estiver livre; o trabalho da mãe (seja ele integral ou meio período) é muito mais cansativo e exige muito mais do que qualquer trabalho remunerado. Criar um filho é uma parceria e, quando os dois pais estão em cena, todas as responsabilidades em relação aos cuidados do bebê devem ser divididas igualmente.

**Troque favores.** Troque os serviços de babá com outros pais que também precisem de um pouco de tempo livre. Cuide do bebê de uma amiga e do seu em uma tarde ou manhã da semana enquanto ela faz tudo que precisar fazer; ela fará o mesmo para você um outro dia.

**Contrate ajuda.** Você pode não ter condições de ter uma babá por meio período, mas provavelmente pode pagar uma adolescente responsável para distrair o seu bebê (enquanto você está em casa), enquanto fica com este tempo livre para você.

# Descobrindo outros interesses

*"Estou tão envolvida com o fato de ser mãe em tempo integral que estou começando a me sentir sufocada por ficar em casa com a minha filha. Existem muito mais coisas na vida do que apenas trocar fraldas."*

Nos primeiros meses de vida de um bebê, quando a demanda por alimentá-lo e cuidar dele são ininterruptas e parecem intermináveis, tudo que a nova mãe quer é ter tempo para dormir. Mas uma vez que o bebê tenha entrado na rotina e a mamãe em um ritmo gerenciável, o tédio pode se abater sobre o ritmo frenético das primeiras semanas. Em vez de ter muitas coisas para fazer em muito pouco tempo, você terá tempo de sobra para não fazer nada. O desafio de realizar todas as tarefas relacionadas com o bebê durante o dia já não existe mais, e você pode começar a se sentir como uma "mãe de corda", indo mecanicamente de uma tarefa a outra e lutando para ter estímulos e satisfações entre as quatro paredes da sua casa. Especialmente se você estava envolvida em muitas atividades antes do bebê — carreira, *hobbies*, escola, esportes, trabalho comunitário — você pode começar a sentir que estas paredes estão se fechando e começar a duvidar do seu próprio valor, bem como a questionar sua decisão de ficar em casa com o bebê.

# PARA A MAMÃE: APROVEITANDO O PRIMEIRO ANO

Ainda assim, um estilo de vida satisfatório, rico e completo e a vida com o seu bebê não são, como pode parecer agora, mutuamente exclusivos. O primeiro e importante passo para alcançar tal estilo de vida é reconhecer que a mulher (ou o homem) não pode viver só pelo bebê. Mesmo que adore cada momento com seu filho, você ainda precisa de estímulo intelectual e da oportunidade de se comunicar com alguém que possa dizer mais do que *ah-guu, ah-guu* (por mais engraçadinho que isso pareça). Existem várias maneiras de alcançar estes objetivos e de ter de volta a noção de identidade que você sentia haver perdido.

## ATRAVÉS DO SEU BEBÊ

Você pode olhar para o seu bebê como um obstáculo para voltar ao mundo adulto — ou como um ingresso a ele. As sugestões a seguir vão lhe dar uma ideia de como descobrir uma interação com o mundo adulto através do seu bebê:

**Grupos para brincar.** Encontre um grupo que já exista ou procure por mães interessadas em se juntar a você e formar um novo grupo, colocando um anúncio no consultório do pediatra, na sua igreja; no seu prédio; no supermercado ou no quadro de avisos da associação comunitária. Procure formar um grupo com mães que tenham interesses iguais aos seus. Veja na página 628 mais informações sobre como formar o grupo.

**Cursos para bebês.** Os cursos especiais para bebês são com frequência mais úteis para os pais do bebê. Ao inscrever o seu filho em uma destas turmas (certificando-se primeiro de que elas são adequadas e seguras para o bebê, veja na página 633), você terá a oportunidade semanal de conhecer e conversar com outras mulheres, muitas das quais escolheram ficar em casa com os seus bebês.

**Grupo de discussão para pais.** Entre para um que já exista ou envolva-se na formação de um novo. Convide palestrantes (um pediatra local, uma enfermeira, um escritor e outros que possam falar sobre as suas necessidades como pais e/ou mulheres); contrate uma ou mais babás para cuidar das crianças enquanto estão nas reuniões. Reúnam-se em casa, na escola, no centro comunitário — ou onde houver um espaço disponível — semanalmente ou a cada duas semanas ou mensalmente. Entrar em salas de bate-papo e listas de discussão na internet também vai ajudá-la a se sentir conectada, fornecerá a você recursos valiosos, dará a você a chance de se expressar e, acima de tudo, irá lembrá-la de que você não está sozinha nesta situação.

**O *playground* ou o parquinho.** Onde existem bebês brincando, existem pais bem próximos. O *playground* não é somente um ótimo lugar para os bebês (mesmo que ele seja pequeno demais para se locomover sozinho, eles acham fascinante observar as outras crianças brincando) e os bebês mais velhos (quando eles já sabem ficar sentados, eles normalmente adoram os balanços e muitos já sabem descer pelo escorrega e gostam de áreas em que podem subir antes que completem 1 ano de idade), é também o lugar ideal para as mães se encontrarem e organizarem "encontros". Estes encontros são mais benéficos para os pais neste momento do que para os bebês que ainda não são capazes de "brincar juntos".

## ATRAVÉS DE ATIVIDADES PARA ENRIQUECIMENTO PESSOAL

Ser mãe em tempo integral não significa que você não possa ser mais nada. Continue a buscar antigos interesses ou descubra novos com as seguintes sugestões:

**Um curso numa faculdade local.** Faça por créditos, apenas por diversão ou enriquecimento intelectual.

**Um curso para adultos.** Elas estão se espalhando pelo país e oferecem de tudo, de aeróbica a prática zen.

**Aulas de ginásticas.** Desafiar o corpo ativa a mente. Além disso, um programa de exercícios, especialmente que ofereça um serviço de creche ou combine exercícios para mães com exercícios para bebês, é um bom lugar para encontrar outras mulheres com interesses semelhantes.

**Esportes ativos.** Jogar tênis, vôlei ou o seu esporte favorito regularmente ajudará a manter o seu corpo e sua mente bem tonificados, bem como para encontrar companhia para você.

**Um museu ou uma galeria de arte.** Torne-se membro de um museu local e visite-o regularmente, estudando cada exposição. (Será ainda mais divertido se você for com outra mãe.) Benefícios extras para o bebê: a exposição precoce à arte e artesanato é visual e intelectualmente estimulante (os bebês geralmente ficam fascinados com pinturas e esculturas) e vão ajudar a manter a mente jovem dele aberta à arte no futuro.

**DVDs ou CDs educacionais.** Assista a um DVD enquanto faz suas tarefas domésticas ou enquanto amamenta; ouça CDs enquanto dirige; mantenha um velho interesse ou explore um novo (aprenda uma língua estrangeira pelo computador, por exemplo). Fitas educacionais também estão disponíveis em bibliotecas públicas.

**Livros.** Eles podem levá-la a qualquer lugar, a qualquer época. Leia enquanto amamenta, enquanto o bebê dorme, antes de dormir. Você estará não só se divertindo e estimulando a si mesma pela leitura, mas também, pelo exemplo, você vai encorajar uma vida de amor à leitura em seu filho. Uma ótima maneira de combinar o amor à literatura e a necessidade de companhia de um adulto é começar ou se tornar membro de um clube do livro. Se o clube for composto de outras mães ou pais, pode ser também um clube de pais (onde se pode falar sobre livros e bebês). Os bebês podem ser convidados ou o clube pode contratar uma babá para tomar conta deles enquanto os pais conversam.

## ATRAVÉS DE BONS TRABALHOS

Se você não trabalha fora, as organizações de serviço comunitário e de caridade locais podem contar com a sua ajuda. Escolha uma organização à qual você já pertença ou torne-se membro de uma e ofereça os seus préstimos. Se não souber por onde começar, você pode entrar em contato com uma central de voluntários, se houver uma na sua cidade, ou perguntar na escola, hospital, igreja ou centro comunitário onde encontrar um local que precise de voluntários. As possibilidades são infinitas: ajudar uma criança ou um adulto com as disciplinas escolares; visitar um asilo de idosos (eles apreciarão duplamente sua visita se você levar o seu bebê) ou prisões; animar pacientes em um hospital; agir como "irmã mais velha" e fonte de apoio para mães adolescentes ou futuras mamães; servir refeições para os mais carentes e assim por diante.

Ou use o trabalho voluntário relacionado com a sua própria área para impedir que você fique enferrujada. Ensine sobre o seu trabalho ou área de atuação em um centro para adultos; escreva um boletim; desenvolva um *site* para a Web ou uma campanha de mala direta; ou forneça um serviço médico ou aconselhamento legal *pro bono*.

## ATRAVÉS DE TRABALHO REMUNERADO

Ser mãe em tempo integral não significa que você não possa trabalhar meio-expediente. Algumas horas por semana trabalhando em algo relacionado a sua

---

### TRAGA O BEBÊ JUNTO

Cada vez mais faculdades, centros comunitários, ambientes de trabalho e academias de ginásticas estão oferecendo uma creche no local onde os pais deixem o bebê enquanto estudam, trabalham ou se exercitam. Outra opção se você estiver fazendo um curso: veja se existem outros pais de bebês ou de crianças pequenas matriculadas e pergunte se eles não gostariam de dividir as despesas com uma babá em comum.

---

área de especialização atual ou um a outra que você queira explorar vai mantê-la em contato com adultos e oferecer uma válvula de escape para a sua rotina diária. Veja no quadro das páginas 992-993 sugestões de como encontrar ou criar estas opções de trabalho, especialmente trabalhos que você pode realizar em casa.

## AMIZADES

*"Eu me sinto desconfortável com amigas que não têm filhos, mas não conheço outras mulheres que tenham bebês e eu tenho me sentindo muito sozinha."*

As maiores mudanças na vida de uma pessoa — uma nova escola, um novo emprego, um novo casamento, a mudança para uma nova comunidade, um divórcio, filhos deixando o ninho, aposentadoria, viuvez — quase sempre têm algum efeito sobre os relacionamentos. A chegada de um bebê não é diferente. Então, não é de se surpreender que muitas mulheres pareçam inseguras sobre como lidar com a mudança nas suas amizades quando elas se tornam mães.

Muitos fatores podem contribuir para as mudanças na sua vida social pós-bebê. Primeiro, você sem dúvida vai ter muito menos tempo e energia para uma vida social. Segundo, até que você volte ao seu emprego — sejam seis semanas ou seis anos após o nascimento do seu bebê —, você vai se sentir um pouco afastada emocional e fisicamente do seu círculo de amizades que giram em torno de sua profissão. Além disso, seus interesses começarão a mudar, se é que já não mudaram. Você se interessa em conversar sobre política internacional, filmes, literatura ou fofocas do mundo artístico, mas provavelmente agora também tem interesse em discutir os méritos da aula de ginástica para bebês ou a eficácia dos vários tratamentos para brotoejas, compartilhando opiniões sobre como acalmar um bebê que está chorando ou como conseguir dormir mais, gabar-se da primeira tentativa bem-sucedida de seu bebê de se virar ou do seu primeiro dentinho. Outro fator que vai perturbar a sua vida social: alguns amigos solteiros parecem menos à vontade com você. Em parte isto pode se dever ao fato de vocês terem menos em comum agora e em parte porque alguns deles, consciente ou inconscientemente, têm inveja de sua nova família. E, finalmente, as amizades que são apenas do trabalho (ou de festas) com frequência não sobrevivem às mudanças.

O que a maioria das mulheres está procurando é uma maneira de integrar a mulher que elas eram com a mãe que elas se tornaram — sem diminuir nenhuma das duas. O que não é fácil. Tentar ficar completamente dentro do velho círculo nega que você é uma mãe agora. Abandonar os velhos amigos e passar seu tempo apenas com outras novas mães nega a antiga você. Fazer novos amigos enquanto mantém a maioria dos antigos é provavelmente o mais feliz e realizador dos acordos, que satisfaz tanto a mulher quanto a mãe que há em você.

Veja seus amigos socialmente de vez em quando — para almoçar, tomar um drinque ou ir ao cinema. Eles vão querer saber sobre o seu filho e o seu novo estilo de vida (mas não exclusivamente sobre isso) e você vai querer saber o que há de novo e o que permanece igual, no trabalho e na vida pessoal deles. Tente falar sobre assuntos que vocês têm em comum, aquilo que os fez amigos no início do relacionamento. Você pode se sentir pouco à vontade no início, mas logo vai perceber que amizades vão permanecer e quais não vão, exceto talvez em aniversários e datas festivas. Você pode se surpreender ao descobrir que um ou mais dos seus velhos amigos se envolveram com a sua nova vida e podem ser uma grande fonte de apoio. E aqueles velhos amigos com os quais você perdeu contato podem procurá-la novamente quando começarem a própria família.

Fazer novas amizades entre as mães na sua comunidade é relativamente fácil.

Você só precisa aparecer em lugares onde as mães de bebês se reúnem (em *playgrounds*, grupos para brincar, na sua igreja). Procure por aquelas que dividem não só o interesse por crianças, mas também outro interesse seu, para que estas amizades sejam multidimensionais e para que você tenha mais sobre o que falar além de fraldas e creches — embora você descubra que os bebês serão com frequência o assunto de sua preferência.

## ESTILOS DIFERENTES DE MATERNIDADE

*"Minha melhor amiga é relaxada e desorganizada, não se preocupa se o bebê de 7 meses não almoça até a hora do jantar, leva-o para festa até altas horas e não está com pressa em voltar a trabalhar. Eu sou compulsiva com tudo — hora de dormir, refeições, roupa limpa — e voltei a trabalhar em meio-expediente quando meu filho completou 3 meses. Será que uma de nós está fazendo algo errado?"*

Não — as duas estão fazendo o que acham certo para si mesmas e não existe uma maneira "mais certa" de ser um pai ou mãe do que esta. Vamos falar francamente: você provavelmente quase teve um ataque de nervos ao tentar levar o estilo de maternidade *laissez-faire* da sua amiga e ela deve ter se sentido do mesmo modo tentando levar o seu. A única vez que você precisa ficar com medo de estar fazendo algo errado é quando o seu bebê diz a você — cho-

rando muito, não reagindo ou não se desenvolvendo fisicamente — que ele não está satisfeito com a sua maneira de ser mãe. Se isto acontecer, você tem de fazer ajustes, porque bebês, como mães, são indivíduos, com estilos diferentes.

Um bebê que está feliz e saudável está dizendo à mãe dele: "Você está fazendo um ótimo trabalho!", não importando o estilo que ela usa.

## CIÚMES DAS HABILIDADES DE PATERNIDADE DO PAPAI

*"Eu achava que as mães eram naturalmente melhores do que os pais em cuidar dos bebês. Mas o meu marido tem um jeito com o nosso filho — faz ele rir, sabe fazer ele se acalmar, nina até que ele durma — que eu não tenho. E isto faz com que eu me sinta inadequada e insegura."*

Todo pai ou mãe tem algo a oferecer ao novo bebê, com contribuições que não são mais valiosas ou desejáveis do que as outras, pelo menos até onde o pequeno beneficiário consegue entender. Alguns pais são melhores no aspecto diversão e brincadeiras na criação de um bebê (fazer com que ele dê uma boa risada, brincar de se esconder), outros nas tarefas básicas (alimentar, dar banho, vestir o bebê sem luta). Alguns, como o seu marido, mostram destreza para estabelecer um bom nível de comunicação com o bebê.

Não é incomum que um dos pais tenha um pouco de inveja da sutileza do outro. Mas é possível afastar este sentimento:

**Considere-se sortuda.** Enquanto muitas mulheres ainda reclamam que seus maridos não fazem o suficiente, você tem sorte por ter um companheiro que não só está contente em fazer a parte dele, mas que tem talento para fazê-la. Um pai que se envolve pode aliviar grande parte da pressão da mãe — e pode ter um efeito bastante positivo no desenvolvimento da criança. Então, deixe-o praticar a sua mágica com o bebê sempre que possível.

**Não seja chauvinista.** Os estereótipos sexuais que mostram a mulher como naturalmente melhor preparada para criar os filhos do que o homem são incorretos e definitivamente destrutivos. Não existe uma responsabilidade única no cuidado de uma criança — além de amamentar no peito — em que as mães sejam mais bem preparadas do que os pais ou vice-versa. Alguns pais (independentemente do sexo) têm uma habilidade natural para isso; outros têm que se esforçar para conseguir dominar a técnica de criar uma criança. Com a oportunidade e com o tempo, qualquer pai ou mãe pode superar uma natural falta de aptidão ou de experiência.

**Dê mais crédito a si mesma.** Você pode não perceber o quanto faz pelo seu bebê e a qualidade do que faz — embora o bebê quase certamente perceba, e ele não poderia viver sem você.

**Dê uma chance a você mesma.** Só porque certas habilidades no cuidado com o bebê parecem não ser tão fáceis para você quanto são para seu marido, não

significa que elas sejam difíceis de se compreender. Se estiver amamentando, você pode descobrir que assim que você desmamar o bebê e que a distração do leite do peito for coisa do passado, você será capaz de acalmá-lo no seu peito igual ao papai. Com a prática e com menor constrangimento, você também aprenderá a cantar canções de ninar e musiquinhas que o seu bebê adora, brincar com os dedos, fazer caras engraçadas e niná-lo em um ritmo confortável. Mas, para obter melhores resultados, não tente imitar o que parece funcionar para o seu marido ou comparar as suas técnicas com as dele. Em vez disso, tente fazer o que parecer natural a você. Seu próprio estilo de criar o filho surgirá e vai se desenvolver se você deixar isto acontecer.

E lembre-se, não importa o quão maravilhosa seja a relação que o papai e o bebê tenham desenvolvido, haverá sempre um momento quando ninguém estará lá para o seu filho além de você e você ouvirá uma frase que ficará bem conhecida muito em breve: "Eu quero a minha mãe."

## CIÚMES DA ATENÇÃO QUE O PAPAI DÁ AO BEBÊ

*"Pode parecer terrível, mas eu acho que estou com ciúmes do tempo que meu marido passa com nossa filha. Eu às vezes quero que ele dedique metade desta atenção a mim."*

P or mais comovedor que o relacionamento entre o pai e o bebê pareça para um estranho, ele pode ser uma verdadeira ameaça à mulher que não está acostumada a dividir a afeição do marido, especialmente se ela aproveitou a atenção especial que ele dispensou a ela durante os nove meses da gravidez.

Embora o ciúme provavelmente vá desaparecer por si próprio quando a dinâmica familiar tiver se ajustado, existem várias maneiras de fazer com que você saiba lidar com este sentimento enquanto isso não acontece:

**Sinta-se segura.** A primeira coisa que você precisa fazer para superar o sentimento que você está experimentando é reconhecer que ele é normal e comum — e não pequeno, egoísta e vergonhoso. Livre-se desta culpa.

**Seja grata.** Pense na sorte de ter um homem que tem vontade de ficar com o bebê. Aproveite este tempo que eles passam juntos para fazer algumas tarefas ou para suas próprias necessidades pessoais. Observe com apreciação o amor que está crescendo entre os dois e procure apoiar este crescimento. Os laços que eles estão construindo agora vão durar a vida inteira, através da fase dos 2 anos e até da turbulência na adolescência, e tornarão a sua filha uma mulher melhor (ou o seu filho um homem melhor).

**Participe.** O pai e o bebê devem obviamente compartilhar alguns momentos juntos sozinhos, mas às vezes uma terceira jogadora será bem-vinda. Junte-se a essa festa de aconchego (ele pega a barriga, você pega os dedos do pé), deite-se na cama ao lado deles enquanto eles leem um livro, sente-se e faça do jogo de "pega-pega" com duas pessoas no tapete virar um jogo de três.

**Seja franca e abra-se.** Não fique aborrecida quando o papai e o bebê a deixarem de lado enquanto estão juntos. No entusiasmo de descobrir um novo melhor amigo, seu marido pode não ter se dado conta de que ele está se fechando para o seu outro (relativamente) velho amigo; ele pode até mesmo achar que está ajudando você. Diga a ele, sem ser agressiva ou colocá-lo na defensiva, como você se sente e exatamente o que ele pode fazer em relação a isso (por exemplo, dizer tanto a você quanto ao bebê o quanto são lindos; dar um beijo e um abraço em ambos quando chegar ou sair; ficar aconchegado com vocês dois espontaneamente). Se ele não puder atender a suas necessidades, pelo menos saberá quais são.

**Esteja lá quando ele precisar.** Lembre-se, uma relação só funciona se for em mão dupla. Você não pode pedir a seu marido para dedicar mais atenção a você se você não fizer o mesmo por ele. Certifique-se de que você também não está gastando todo o seu tempo, energia e afeição com o seu bebê, inconscientemente, sem deixar nada para o seu marido. Mime-o e você provavelmente será mimada também.

# TEMPO DE QUALIDADE

*"Eu sempre ouço falar sobre a importância de se passar um tempo*

*de qualidade com os filhos. Mas embora eu passe quase todo o meu tempo com o meu filho, estou sempre tão ocupada que não tenho certeza se há alguma qualidade nisto."*

Muito antes da proliferação do termo "mãe trabalhadora" (um erro, já que *todas* as mães trabalham) veio a popularização do conceito de "tempo de qualidade": se uma mãe não pudesse passar muito tempo com seu filho, o mínimo que ela podia fazer era tornar este pouco tempo o melhor possível. A teoria parecia implicar que a quantidade não era mais importante. Mas há qualidade na quantidade também. Você não tem de largar tudo, sentar-se no chão e brincar com o bebê o dia inteiro para dar tempo de qualidade a ele. Você dá tempo de qualidade toda vez que troca as fraldas e sorri para ele, toda vez que o alimenta e conversa com ele, sempre que dá banho nele e espalha brinquedos na água. Você faz isso até quando conversa com ele da cozinha, enquanto ele engatinha pela casa, canta para ele no carro enquanto você está dirigindo, inclina-se para fazer cócegas nele dentro do cercadinho enquanto você aspira a casa ou senta-se com ele com um brinquedo enquanto confere algumas contas.

Qualidade no tempo para os pais é tempo passado se relacionando com o filho tanto de maneira passiva quanto ativa, e é algo que um pai ou mãe que ama, é receptivo e passa muito tempo com o filho não consegue deixar de dar. Você vai saber se está tendo sucesso apenas observando seu filho: ele sorri, ri,

responde, parece basicamente satisfeito? Se a resposta for sim, ele está tendo bastante tempo de qualidade.

*"Como mãe que trabalha fora em tempo integral, eu me preocupo de não estar passando suficiente tempo de qualidade com minha filha."*

Quando você limita o tempo que tem para ficar com o bebê, é grande o impulso de fazer com que cada minuto tenha importância. Aceitar a impossibilidade disto (haverá momentos em que você precisará fazer outras coisas além de cuidar de sua filha; momentos em que ela vai querer voltar os interesses dela para outras coisas; dias em que você estará de mau humor, dias em que seu bebê estará de mau humor) será, ironicamente, o primeiro passo para garantir que o seu tempo com ela seja bem gasto. A seguir, outras medidas que você pode tomar:

**Aja naturalmente.** Você não precisa vestir a sua capa de Supermãe sempre que entra em casa. Tudo o que a sua filha quer é *você*. Não há necessidade de preencher cada minuto que tem com ela com atividades estimulantes. Em vez disso, seja espontânea e aprenda a entender o que sua filha quer (ela pode estar cansada demais no fim do dia para brincar). Tempo de qualidade é tempo passado juntos, seja comendo, aconchegando-se juntinhos ou simplesmente estando juntos no mesmo quarto (mesmo que vocês não estejam fazendo a mesma coisa).

**Envolva o seu bebê nas suas atividades.** Leve-a com você para o seu quarto enquanto você troca de roupa; inclua sua filha na sua rotina quando você chegar do trabalho. Ela pode brincar com os envelopes vazios enquanto você abre a correspondência, esvaziar os sacos de supermercado enquanto você arruma as compras ou bater potes e panelas enquanto você prepara o jantar.

**Conte a ela sobre o seu dia.** Isto será bom por dois motivos. Primeiro, vai assegurar que você está se comunicando com ela (ela adora ouvir você falar, mesmo que não entenda nada do que diz). Segundo, descarregar suas experiências do dia (em um tom otimista, mesmo que o seu dia tenha sido péssimo) vai ajudar você a se desligar e fazer uma transição mais rápida entre a sua vida no trabalho e no lar.

**Não dê muita importância à sua casa.** Tendo o tempo como prêmio, dedique menos dele aos assuntos que são menos importantes (limpar, cozinhar e cuidar da roupa, por exemplo). Tome atalhos na preparação do jantar sempre que possível (cozinhe quantidades duplas, congele metade e aqueça na noite seguinte; use vegetais congelados; compre as verduras em embalagens já prontas para servir). Deixe o pó acumular durante a semana e espere até o final de semana para tirá-lo com a ajuda do seu marido. Ou, se você puder pagar, contrate alguém para fazer a faxina uma vez por

semana. Guarde o ferro e mande as roupas para a lavanderia, se tiverem que ficar perfeitas.

**Deixe o seu jantar em segundo plano.** Ou só coloque toda a comida quando o bebê for dormir. Refeições feitas tarde podem não ser as melhores para a digestão, mas darão a você mais tempo para ficar com sua filha enquanto ela ainda estiver acordada (dê a ela total atenção enquanto ela estiver jantando) e mais tempo para passar com o seu marido enquanto o bebê dorme. Embora a hora do jantar em família seja importante mais tarde, ela não é realmente necessária agora. Na verdade, nesta idade, as refeições com o bebê podem ser tão estressantes que, em vez de incentivarem o hábito de ficarem juntos, elas podem ser terríveis.

**Esqueça as distrações.** Você não pode dar tempo de qualidade ao seu bebê enquanto está assistindo ao noticiário na televisão. Deixe a televisão, a internet e os telefonemas para depois que o seu bebê tiver ido dormir. Deixe a secretária eletrônica se ocupar do telefone e só retorne as ligações depois que ela tiver ido para a cama.

**Não abandone seu marido.** Em sua busca por passar tempo de qualidade com o bebê, não se esqueça do resto da família. Inclua o seu marido em tudo que estiver fazendo com o bebê, de dar banho a ficar juntinhos. Tenha em mente também que o tempo que cada um de vocês passa sozinho com o bebê é importante, dando ao bebê os benefícios da proximidade com dois indivíduos únicos — e com isso dobrando o tempo de qualidade.

## DEIXANDO O BEBÊ COM UMA BABÁ

*"Eu não trabalho fora, mas de vez em quando deixo o meu filho de 9 meses com uma babá e sempre me sinto culpada quando faço isso."*

Como todo trabalhador sabe, ninguém pode ficar no serviço o dia inteiro e o ano inteiro e ainda assim ser eficiente. Como uma mãe autônoma, você tem que reconhecer este fato também. Não importa o quanto goste do seu filho e ele de você, os dois vão sentir os benefícios destes momentos longe um do outro. Portanto, não se sinta culpada, aproveite.

# O Que É Importante Saber:
# TRABALHAR OU NÃO TRABALHAR

Para a maioria das mulheres, não há decisão nenhuma a tomar. Devido a uma série de pressões — financeira, profissional, social —, retornar ao trabalho após o nascimento do bebê é a única opção. Entretanto, para aquelas que têm alternativas, o processo de decisão pode ser uma agonia. Os especialistas em desenvolvimento de crianças — por estarem em discordância — são de pouca ajuda a estas mães. Alguns acreditam que não há prejuízo e possivelmente há algum benefício quando a mãe começa a trabalhar, deixando o bebê em uma creche. Outros acreditam fortemente que existe mais do que um simples risco para o bebê que tem dois pais trabalhando fora, e incentivam que pelo menos um dos pais fique em casa, pelo menos por meio expediente, até que o bebê complete 3 anos de idade.

As pesquisas objetivas não são de grande ajuda também. Os resultados dos estudos são contraditórios, primeiramente porque são estudos difíceis de fazer e de avaliar (como julgar os efeitos nos filhos quando a mãe trabalha fora? Que efeitos devem ser avaliados? Quais deles são difíceis de se quantificar? Existe algum que não pode ser previsto? Os problemas surgirão logo ou somente na fase adulta?). Além disso, a pesquisa não é tão objetiva quanto deveria ser. Sempre é descrita de acordo com a tendência do pesquisador. Também são raras as pesquisas que mostram todo o quadro.

Sem nenhuma evidência clara sobre os riscos ou benefícios a longo prazo de a mãe trabalhar fora, o peso da responsabilidade desta decisão recai inteiramente sobre os pais. Se você está ponderando sobre a questão, as perguntas a seguir podem ajudá-la a decidir que caminho tomar.

**Quais são as suas prioridades?** Analise cuidadosamente o que é mais importante na sua vida. Coloque no papel uma lista de suas prioridades por ordem de importância. Elas podem incluir o bebê, a família, sua carreira, segurança financeira, os prazeres da vida, férias, estudos — e podem ser completamente diferentes da lista da sua vizinha ou da colega de trabalho. Depois que você listar as suas prioridades, analise se voltar ao trabalho ou ficar em casa será melhor para alcançar as prioridades mais importantes.

**Qual dos dois papéis é mais adequado à sua personalidade?** Você fica melhor se estiver em casa com o bebê? Ou ficar em casa faz você se sentir impaciente e tensa? Você será capaz de deixar em casa todas as preocupações com o bebê quando sair para trabalhar e deixar as preocupações com o trabalho no escritório quando estiver em casa com o bebê? Ou será que uma incapacidade de separar as coisas na sua vida vai impedir que você dê o melhor de si em qualquer um dos dois trabalhos?

**Você se sentiria à vontade sabendo que outra pessoa está tomando conta do seu filho?** Você acha que ninguém mais pode fazer o trabalho tão bem quanto você? Ou você se sente segura de que pode encontrar (ou já encontrou) uma pessoa (ou um grupo) que pode substituí-la bem durante as horas em que você estiver fora de casa?

**Como você se sente em relação a perder alguns momentos preciosos na vida do seu bebê?** A primeira vez que o seu bebê rir, sentar-se sozinho, ficar de quatro e engatinhar ou dar o primeiro passo — você acha que vai se importar de ouvir outra pessoa lhe contar, caso isso aconteça enquanto você estiver no trabalho? Você vai se sentir diminuída se seu filho criar um laço afetivo com a babá? Você acha que pode aprender a entender as necessidades e sentimentos que o bebê ainda não sabe expressar em palavras ficando com ele apenas durante as noites e os finais de semana? Lembre-se de que a maioria das mães que trabalham fora conseguem formar relacionamentos tão intensos com seus filhos quanto as mães que ficam em casa. E não importa o quão próximo o seu bebê fique da babá, ninguém pode tomar o seu lugar no coração do seu filho.

**Quanta energia você tem?** Você vai precisar de muita energia emocional e física para se levantar com o bebê, arrumar-se para ir para o trabalho, dispor de sua energia em um dia inteiro de trabalho e depois retornar para as exigências do bebê, da casa e do marido novamente (embora você também precise de muita energia para ser uma mãe que fica em casa). Por outro lado, muitas mulheres — especialmente aquelas que realmente adoram o trabalho — acham o tempo passado no escritório revigorante, uma folga da vida em casa que permite que elas retornem a seus lares à noite completamente renovadas e prontas para enfrentar o desafio dife-

# TRABALHOS QUE AJUDAM A FAMÍLIA

Trabalhar nem sempre tem que ser de 9:00 às 17:00 (ou de 8:00 às 19:00). As inovações no mercado de trabalho podem às vezes permitir aos pais mais flexibilidade, fazendo com que o equilíbrio família-trabalho seja mais administrável. Aqui estão algumas das muitas opções disponíveis:

**Meio expediente.** Esta é uma das mais antigas opções favoritas das mamães que trabalham, e cada vez mais os papais estão tirando proveito deste tipo de trabalho também. Resultado: se as suas habilidades são de algum valor para alguém em tempo integral, então você pode vendê-las em meio expediente, seja para o seu atual empregador, para um anterior ou para um novo. Veja qual a melhor das opções para você e o seu empregador — cinco manhãs ou tardes, dois dias inteiros e metade de um dia (eles podem ser consecutivos ou espalhados durante a semana), algumas manhãs, algumas tardes.

*Free-lance.* O trabalho *free-lance* não é uma maneira fácil de ganhar a vida — você tem que apressar as tarefas de casa antes de começar a trabalhar —, mas para algumas mamães esta é a melhor forma. Ele permite que você seja seu próprio patrão e que decida seu próprio horário de trabalho.

**Teleconferências.** O mundo corporativo de hoje funciona eletronicamente, tanto que muitos trabalhos podem ser feitos em qualquer lugar, inclusive da própria casa. Se você tiver o equipamento certo, pode realizar a maioria dos seus negócios por *e-mail,* fax e telefone — até mesmo por videoconferência (neste caso lembre-se de não vestir o roupão de banho e de limpar a baba da blusa).

**Semana de trabalho compacta.** Para aquelas que têm energia, trabalhar dez horas por dia pode dar uma semana inteira de 40 horas em apenas quatro dias, deixando um dia livre para você. Você pode tirar este dia durante a semana ou optar por um fim de semana de três dias.

**Horário flexível.** Se o problema é a flexibilidade e se seu empregador estiver disposto a ceder, você pode organizar um horário que funcione melhor para

---

rente de cuidar do bebê. Entretanto, tenha em mente que é o relacionamento entre os cônjuges o que mais se ressente quando há falta de energia em uma família com dois pais que trabalham fora e com crianças pequenas. Se você decidir voltar ao trabalho, vai precisar fazer um esforço para alimentar o relacionamento também.

**Qual é o grau de estresse de seu emprego e do bebê?** Se seu emprego não é muito estressante e se é muito fácil cuidar do bebê, pode ser relativamente fá-

você e para o bebê em vez de cumprir o horário regular de 9:00 às 17:00. Por exemplo, você pode trabalhar algumas horas à noite ou no final de semana (quando seu marido estiver trabalhando em casa também), para que possa passar alguns dias durante a semana em casa. Ou você pode trabalhar em um horário mais cedo (de 6:30 às 14:30, talvez).

**Dividir o trabalho.** Existe uma grande possibilidade de que você não seja a única mãe (ou pai) na sua empresa que queira ficar mais tempo com a família. Se o seu empregador for receptivo (e se você puder dividir o salário), pense na possibilidade de dividir o trabalho com outro funcionário (você trabalha pela manhã enquanto ele trabalha à tarde; você e ele se alternam entre segunda-quarta-sexta ou terça-quinta). Desta maneira, dois funcionários em meio-expediente farão o trabalho de um em tempo integral.

**Bebê a bordo.** Alguns pais conseguem misturar bebês com negócios — literalmente — levando os filhos para o escritório. Outra opção (se você estiver na linha certa de trabalho e se o bebê tiver um bom temperamento): leve o bebê junto com você para visitar clientes ou para outros compromissos de negócios. As viagens de negócios podem até ser possíveis se você levar uma babá junto ou contratar uma no seu destino.

**Trabalhar em casa.** Administrar um negócio em tempo integral ou em meio-expediente fora de casa pode dar a você o melhor dos dois mundos. Se você é contadora, ou redatora de publicidade, encontre clientes cujas contas você possa gerenciar da sua toca. Se você é escritora, editora de textos ou *designer* gráfica, procure por trabalhos *free-lance*. Se tem habilidade com o tricô, faça suéteres para vender em lojas para bebês. Se você faz bolos de cenoura maravilhosos, leve as suas criações para lojas de *gourmets*.

Tenha em mente que, se você decidir mesmo sair para trabalhar — seja por conta própria ou para outra pessoa —, você ainda assim pode precisar de uma babá por pelo menos parte das suas horas de trabalho. Mas você também pode planejar trabalhar enquanto o bebê tira um cochilo ou depois que ele dormir à noite e (embora a logística não seja fácil) buscar os pedidos e fazer as entregas com o bebê a tiracolo. Entretanto, conseguir ajuda para as tarefas domésticas e para as compras é importante para que você não tenha de abrir mão de tempo demais com o seu bebê.

cil lidar com esta dupla. Se você está sob alta pressão no emprego e o bebê também não for dos mais fáceis, você acha que vai conseguir lidar com ambos todo santo dia? É claro que o jeito como você lida com o estresse também é um fator importante a ser levado em conta; algumas mulheres conseguem se sair muito bem com ele.

**Se resolver mesmo voltar ao trabalho, você terá apoio adequado de seu marido ou de outra fonte?** Nenhuma mãe consegue fazer tudo sozinha, e nenhuma mãe, quer trabalhe fora ou não, deve esperar que isso aconteça. Seu marido fará a parte dele (leia-se: a metade) de cuidar do bebê, fazer compras, cozinhar, limpar e cuidar da roupa suja? Vocês têm condições de bancar uma ajuda externa para preencher a lacuna ou para reduzir a carga dos dois?

**Qual é sua situação financeira?** Se você não trabalha, isso vai ameaçar a sobrevivência econômica da sua família, ou simplesmente significa que você terá de cortar alguns gastos extras? Existem maneiras de cortar despesas para que a diminuição de sua renda não faça tanta diferença? Se você voltar ao trabalho, como as despesas relacionadas com o trabalho (roupas, transporte, creche) vão pesar em sua renda? Em alguns casos, se você fizer as contas, talvez não compense o esforço.

**O quanto seu trabalho é flexível?** Você poderá tirar uma folga se o seu bebê ou se a babá ficarem doentes? Ou chegar tarde e sair cedo se houver uma emergência em casa? Seu emprego requer que você trabalhe por muitas horas, trabalhe no final de semana e/ou que você viaje? Você está disposta a passar algum tempo longe do bebê?

**Se você não retornar ao trabalho, como isso vai afetar a sua carreira?** Deixar uma carreira em suspenso às vezes pode atrasar você quando retornar ao mercado de trabalho. Se você suspeita de que isso vá acontecer (embora muitas mulheres descubram, quando retornam, que seus medos não se materializaram), está disposta a fazer tal sacrifício? Existem maneiras de manter o contato profissional durante os anos que você ficar em casa sem se comprometer totalmente?

**Existe meio-termo?** Talvez você não possa ter tudo e continuar sã, mas pode ter o melhor dos dois mundos se procurar por um meio-termo criativo. As possibilidades são infinitas e dependem de suas habilidades e de sua experiência de trabalho (veja o quadro da página 992).

Qualquer que seja a escolha que você faça, é provável que ela requeira algum sacrifício. Mesmo comprometida como estará ficando em casa, você pode, às vezes, sentir uma ponta ou duas (ou mais) de arrependimento quando conversa com os amigos que ainda estão na luta pela carreira deles. Ou, se resolver retornar ao emprego, você pode se arrepender quando passar por mães e seus bebês a caminho do parque enquanto você está indo para o trabalho.

Estas dúvidas são normais e, como são poucas as situações perfeitas existentes neste mundo tão imperfeito, elas são algo com o que você terá de aprender a conviver. Se, no entanto, começarem a se multiplicar e você achar que a insatisfação está superando os momentos de satisfação, é hora de reavaliar a escolha que você fez. Uma decisão que parecia certa em tese quando você a tomou pode parecer totalmente errada agora na prática — seja qual for o caso, você não deve hesitar em revertê-la ou alterá-la, se for possível. Nenhuma decisão é definitiva.

E quando tudo for tão idílico quanto você gostaria, lembre-se de que as crianças que recebem bastante amor e atenção são muito flexíveis e provavelmente vão crescer felizes e seguras, quer suas mães trabalhem fora ou não.

## QUANDO RETORNAR AO TRABALHO

Não há nenhum momento perfeitamente previsível quando alguém pode dizer: "Tudo bem, agora você pode voltar ao trabalho. Você e o bebê vão ficar bem." Se decidir voltar ao trabalho antes do primeiro ano do seu filho, o momento certo para isso vai depender em parte de seu emprego e da duração da licença-maternidade que você conseguiu e em parte de quando você e o seu bebê estarão prontos. Tudo isso é muito pessoal e individual.

Se tiver opção, os especialistas sugerem que você espere pelo menos até se sentir "ligada" ou "unida" ao bebê e competente como mãe. A ligação pode levar três meses (embora, se o seu bebê tiver cólica, vocês provavelmente só estarão começando a se tornar amigos agora), ou pode levar cinco ou seis meses. Algumas pesquisas sugerem que há benefícios em esperar um ano, se possível (embora, para muitos pais, seja impossível), para voltar em tempo integral.

Mas, como sempre, nenhuma pesquisa — e nenhum especialista — pode dizer o que é certo para você e para o seu bebê. No final, esta é uma decisão que só você pode e deve tomar.

◆ ◆ ◆

# CAPÍTULO 24

# Tornando-se Pai

Durante os nove meses de gravidez, cuidar diretamente do seu filho estava fora do seu alcance — não por opção própria, mas pelas excentricidades da biologia reprodutiva. Você podia ficar por perto, oferecer amor e apoio (e um sorvete de vez em quando) a sua esposa grávida, mas não podia tomar para si a responsabilidade de cuidar do bebê nem mesmo por um momento.

Agora que o cordão foi cortado, as regras do jogo mudaram. Você não precisa mais de um equipamento biológico especial para cuidar do seu filho (embora os seios pudessem ser bem-vindos). Você nem mesmo precisa de experiência (assim como sua esposa, você vai aprender tudo o que precisa saber durante o trabalho). Tudo que você precisa para ser um parceiro na criação do filho é de entusiasmo, um bom senso de humor, uma certa dose de energia (haverá muitas noites perdidas) e uma dedicação persistente à atividade maravilhosa, imprevisível, exaustiva, estimulante, enriquecedora e sempre desafiadora de criar uma criança.

## As Preocupações Comuns

### LICENÇA-PATERNIDADE

*"Eu gostaria de tirar alguns dias quando o meu filho nascer, mas não temos certeza se eu devo usar as minhas férias para isso."*

Felizmente, a maioria dos pais de hoje não tem que escolher entre aproveitar as primeiras semanas de vida do bebê em casa e tirar férias depois. O artigo 208 da Lei nº 8.112/90 garante o direito licença-paternidade aos pais brasileiros. Garante cinco dias consecutivos concedidos ao servidor por nascimento ou adoção de filho, sem considerar os dias de férias e sem desconto salarial.

Por esta razão — e porque muitos homens temem que tirar a licença-paternidade, que lhes é garantida por lei, resulte em hostilidade por parte de seus colegas de trabalho e pela gerência — a maioria dos pais não faz uso de seus direitos. Alguns tiram não mais do que um dia ou dois, outros usam seu direito a férias e outros ainda alguns dias de licença por doença para esticar o seu tempo em casa com o bebê.

Mas a tendência está definitivamente mudando para a direção certa. Um número cada vez maior de pais está aproveitando o direito à licença-paternidade para que possam passar mais tempo com sua nova família. E quase todos concordam que é um momento que não deve ser perdido — não importa o preço.

Para tirar o máximo de proveito dos seus direitos trabalhistas e para aproveitar ao máximo o seu tempo com o bebê:

♦ Conheça os seus direitos. Todas as empresas têm de oferecer a licença-paternidade; algumas oferecem mais do que a lei exige. Para ter uma visão geral, leia o regulamento interno da sua empresa (se houver um) ou pergunte a alguém do departamento de recursos humanos.

♦ Pesquise. Se você não tem certeza de o quanto sua empresa é amiga da família — e como seu empregador reagiria se você decidisse tirar uma licença maior — procure outros homens na sua empresa que passaram pela experiência de tirar uma licença-paternidade (com ou sem suces-so). É possível que você possa usar a experiência deles para fazer da sua uma experiência melhor.

♦ Acumule tempo extra. Alguns pais acumulam horas durante as semanas antes do parto e trocam estas horas quando o bebê chega. É claro que isto só vai funcionar se a política da sua empresa permitir e se você for normalmente remunerado por estas horas extras.

♦ Misture. Se você não puder tirar mais dias sem remuneração, considere a possibilidade de combinar estes dias com alguns dias de férias ou de licença por motivo de doença.

♦ Divida o tempo. Se você quiser tirar várias semanas de folga, mas o seu empregador não fica satisfeito com a ideia de você tirar várias semanas consecutivas, tente espaçar o tempo por um longo período. As opções são infinitas: você pode tirar uma semana por mês, um ou dois dias por semana (escolha as sextas-feiras e fique com um final de semana prolongado), trabalhe meio-expediente por alguns dias. Isso fará com que não só o tipo de horário interfira no seu trabalho, mas também vai prolongar a excitação em relação ao bebê e dar a você a oportunidade de passar tempo com ele em fases diferentes de desenvolvimento.

♦ Trabalhe por telefone. A telecomunicação é uma opção viável para muitos trabalhadores, trabalhem eles em tempo integral ou em meio expediente. Você também pode ir ao escritório para reuniões importantes, se for necessário.

## NÃO PARE POR AQUI

É claro que este capítulo é dedicado às preocupações especiais dos novos papais — assim como o capítulo sobre o pós-parto (páginas 929 a 995) é dedicado às preocupações especiais das novas mamães. Mas isto não significa que a sua leitura deva parar por aqui. A menos que você já tenha tido uma ou duas experiências com bebês, há provavelmente muita coisa que você (bem como a sua esposa) precisam aprender sobre os cuidados e a alimentação de um bebê. Você vai descobrir o que precisa saber no resto deste livro (embora algumas coisas você simplesmente tenha de descobrir por si só através da tentativa e erro). Então, não pare por aqui — comece pelo início e descubra o que esperar deste primeiro ano.

Se acontecer de você ter que usar o período das férias para ficar em casa durante as primeiras semanas, ou se preferir assim, lembre-se de que balneários, cruzeiros e excursões ainda estarão lá no ano que vem, mas seu filho será um recém-nascido apenas uma vez. A licença-paternidade quase sempre vale o ingresso.

## PAI EM TEMPO INTEGRAL

*"Minha esposa e eu decidimos que eu devo ficar em casa com o bebê enquanto ela trabalha fora. Eu estou muito animado com a perspectiva de ser um pai que fica em casa, mas também estou um pouco nervoso."*

Embora a imagem de pai em tempo integral criada por Hollywood — a do incompetente atrapalhado que mancha as roupas brancas de rosa, queima o jantar e coloca a fralda do bebê pelo avesso — ainda seja bastante persistente, é só uma questão de tempo antes de se tornar ultrapassada e infundada. Cada vez mais papais estão contrariando os papéis tradicionalmente moldados pela sociedade para ficar em casa com seus filhos. Longe de serem desastrados, estes papais em tempo integral estão provando de uma vez por todas que, com exceção da amamentação no peito, não há nada que uma mãe possa fazer que um pai não possa fazer pelo menos tão bem quanto ela.

Para alguns, é uma escolha feita por necessidade econômica: se as esposas ganham mais do que eles, faz sentido que ela se torne a única provedora da família enquanto o papai se torna o único a cuidar da casa. Para outros, é uma opção feita por causa da carreira, como quando o tipo de emprego do pai pode ser mais fácil de ser mantido em suspenso do que o da mãe, ou quando o emprego da mãe significa mais para ela do que o emprego do pai para ele. Outros pais, ainda, preferem ficar em casa simplesmente porque querem ou porque o temperamento deles é mais adequado do que o de suas esposas para cuidar de uma criança em tempo integral.

Enquanto muitos pais de tempo integral abandonam suas pastas quando resolvem assumir a nova responsabilidade, outros descobrem maneiras de combinar a paternidade com o trabalho — sendo *free-lance* ou trabalhando com telecomunicações. Outros escolhem o cenário mais desafiador de todos — o papai trabalha à noite depois de passar o dia com as crianças (embora este arranjo seja fisicamente exaustivo e não deixe praticamente nenhum tempo para o casal).

Embora existam inúmeras alegrias e infinita satisfação para o pai de tempo integral (é ele que com frequência verá o primeiro sorriso de verdade ou ouvirá a primeira palavra), há também alguns imprevistos — em sua maioria divididos com mães que ficam em casa após terem deixado temporariamente suas carreiras de lado, mas alguns são específicos dos pais. Primeiro, a menos que conheçam outros pais na mesma situação, eles podem se sentir um pouco isolados. Enquanto as mães de tempo integral podem fazer parte de uma rede de outras mães, os pais de tempo integral podem se sentir como um peixe fora d'água em grupos para brincar, cursos de bebês e outros ambientes que só mães e bebês frequentam. Além disso, alguns homens têm problemas para lidar com perguntas e comentários insensíveis que provavelmente vão encontrar: "Quando você vai voltar ao trabalho?" ou: "Você foi demitido?" Eles também podem ter dúvidas em relação a sua própria autoestima para resolver, se a ausência de um salário ou de um plano de carreira fizer com que se sintam menos valorizados. Ficar repentinamente sem o estímulo de uma carreira (e conversas de adulto) pode ser algo difícil de se acostumar para qualquer pai ou mãe de tempo integral.

Ainda assim, a maioria dos papais acha que o prazer de ficar em casa cuidando do bebê faz com que os desafios valham mais a pena. E por fim muitos dos desafios ficam mais fáceis de se lidar. Eles aprendem a tirar de letra as piadinhas feitas em festinhas. Eles descobrem como se misturar com as mães em grupos para brincar e em *playgrounds* ou como procurar os poucos papais na vizinhança que também são pais de tempo integral. E o mais importante de tudo, eles entendem que, embora o trabalho que estejam fazendo não traga um salário, ele traz muito mais benefícios e bonificações do que qualquer outro.

E como um pai que optou por ficar em casa nos dias de hoje, você provavelmente vai encontrar menos desafios do que aqueles que fizeram o mesmo alguns anos atrás. Existem mais banheiros para famílias em locais públicos, mais banheiros masculinos que vêm equipados com fraldários (embora ainda não sejam em número suficiente). Existem grupos de apoio para papais de tempo integral, bem como salas de bate-papo *on-line*. Existem até conferências e reuniões onde papais de tempo integral podem trocar ideias e recursos.

Para maiores informações sobre como ser um papai de tempo integral, procure por sites na internet; verifique www.pai.com.br.

# A DEPRESSÃO PÓS-PARTO DA ESPOSA

*"Nós temos uma menininha linda e saudável, tudo que minha esposa sempre sonhou ter. Mesmo assim, ela*

*tem chorado e ficado infeliz desde que veio do hospital."*

Uma série de fatores — desde a sensação de abandono por não estar mais grávida à frustração por ainda parecer como se estivesse —, combinados com o aumento da taxa hormonal, desencadeia a melancolia em mais de metade de todas as mulheres que tiveram bebês há pouco tempo. Felizmente, esta depressão não dura muito. Na verdade, a maioria das mamães com a depressão começam a se sentir melhor em algumas semanas.

Embora as mudanças hormonais possam contribuir para a depressão pós-parto, você não precisa ser um endocrinologista — somente um companheiro amoroso, atencioso e que dá apoio — para ajudar a eliminar estas alterações no humor que são comuns às novas mamães. Procure:

**Diminuir a carga de sua esposa.** A fadiga, um dos principais fatores que contribuem para a depressão, é um componente inevitável do período pós-parto. Certifique-se de que sua esposa tenha toda a ajuda de que precisa (que nas primeiras semanas, enquanto ela estiver se recuperando do parto, será muita) de você, quando estiver por perto, e de outros, quando você não estiver. Lembre-se de que, mesmo que você trabalhe fora em tempo integral (com sorte você terá conseguido uma licença-paternidade maior, então, você não estará trabalhando agora), ser um companheiro na criação do filho significa dividir igualmente todos os aspectos relacionados com os cuida-

dos com o bebê. E ser um companheiro de vida significa dividir igualmente todos os aspectos em relação aos cuidados com a casa — de lavar a roupa suja e passar o aspirador de pó a ir ao supermercado e cozinhar.

**Ilumine o dia dela — e a noite também.** Quando o recém-chegado se torna o centro de todas as atenções, a nova mãe se sente com frequência negligenciada. Ela pode também se sentir inadequada (ela tem muito que aprender sobre os cuidados e a alimentação do bebê), além de possivelmente não se sentir atraente (com muitos quilos da gravidez ainda para perder). Aqui você também pode fazer a diferença. Elogie-a em momentos inesperados sobre como é boa com o bebê, como está radiante, como está esbelta, como a maternidade fez bem a ela. Anime-a com pequenos presentes — flores, um par de brincos, um novo CD que ela pode ouvir enquanto está amamentando, uma camisola bonita com acesso fácil aos seios.

**Tire-a de perto de tudo.** O tempo passado juntos e sozinhos é fundamental não apenas para o bem dela, mas para o bem do relacionamento de vocês. Encontre tempo para vocês dois todos os dias.

Embora a melancolia pós-parto vá desaparecer por si só (e vai desaparecer ainda mais rápido com a sua ajuda), a verdadeira depressão pós-parto, que afeta 10 a 20% das novas mães, não desaparece assim. A DPP é um problema grave que requer atenção profissional imediata. Se a depressão da sua esposa durar mais de duas semanas, se for acompanhada de insônia (ou um desejo de dormir o dia inteiro), falta de apetite, expressões de desesperança ou abandono, raiva, ansiedade ou agitação extrema, tendências suicidas ou violentas, não espere mais tempo para ver se ela passa. Insista para que ela procure a ajuda do médico e que ela receba a indicação de um terapeuta que tenha experiência no tratamento da DPP. Não deixe ninguém convencê-lo de que a DPP é normal — ela não é. Além de psicoterapia de apoio e de medicamentos com antidepressivos, o tratamento para a DPP também inclui uma terapia leve. (Veja na página 939 mais informações sobre a DPP.)

De vez em quando, a DPP retorna quando a nova mãe desmama o filho. Como qualquer outro tipo de depressão, ela deve ser tratada imediatamente.

## A SUA DEPRESSÃO

*"Por que a minha mulher se sente maravilhosa desde que o nosso filho nasceu e eu é que estou sofrendo de depressão pós-parto?"*

Tirando o fato de carregar o feto e de amamentar o bebê, não há praticamente nenhum aspecto da criação do filho de que os pais não possam tomar parte — inclusive as mudanças de humor no período pós-parto. Na verdade, 62% dos pais em um estudo sofriam da "melancolia". E, como nas mulheres, especula-se que os hormônios tenham pelo menos parte da culpa (as pesquisas mostram que muitos homens experimentam um aumento dos hormônios femininos durante a gravidez de suas parceiras e durante o período pós-parto, talvez uma maneira que a natureza encontrou de trazer à tona a qualidade de provedor no macho das espécies). Mas também é provável que qualquer um dos fatores a seguir (todos eles podem também afetar as novas mamães) estejam combinados para deixá-lo para baixo em um momento que você esperava que fosse um dos pontos altos da sua vida.

**Estresse financeiro.** Raro é o pai que não tenha preocupações financeiras uma vez que exista outra boca para alimentar, um corpo para vestir, uma mente para educar e um futuro para planejar. O estresse pode redobrar quando um dos contracheques de uma família, que antigamente tinha dois, de repente desaparece, mesmo que temporariamente.

**Sentindo-se em terceiro plano.** Um pai que estava acostumado a ser o centro da vida da sua esposa pode ficar um pouco deprimido quando de repente se descobre deixado um pouco de lado, observando como a atenção dela é capturada por um novato barulhento.

**Uma vida amorosa perdida.** Com as infinitas trocas de fraldas, amamentação e noites insones para enfrentar, o sexo é provavelmente a última coisa que a sua esposa tem na cabeça agora — e possivelmente na sua também. Este fato por si só já pode ser deprimente. Mas também pode ser deprimente o medo de que o romance — e a intimidade — nunca mais possa ser revivido completamente, agora que a agradável companhia um do outro foi invadida por uma terceira pessoa muito exigente.

**Relacionamentos trocados.** Um marido que era muito dependente da sua esposa para a realização de uma grande variedade de necessidades pode ficar aborrecido ao descobrir que ela está indisponível porque está ocupada atendendo às necessidades de outra pessoa. Por outro lado, um marido que costumava ter a esposa sempre dependendo dele pode ficar irritado ao descobrir que ela, que agora tem alguém que depende dela, não é mais dependente do marido. Até que se adapte à dinâmica modificada da sua família, um novo pai pode se sentir emocionalmente deslocado.

**Estilo de vida alterado.** Mesmo que não tivesse uma vida social ativa antes da chegada do bebê, ainda assim você pode ficar deprimido por ter que ficar mais em casa, agora que ele está aqui. Pelo menos por enquanto, até mesmo um cinema ou um jantar com amigos pode parecer algo inatingível e ficar em casa toda noite pode certamente causar mau humor em qualquer um, inclusive no pai ou na mãe.

**Falta de horas de sono.** Embora o pai que normalmente atenda aos chamados noturnos do bebê provavelmente fique exausto de ficar ninando o bebê de madrugada, o pai que não faz isso pode também sentir os efeitos de noites seguidas de sono interrompido. A exaustão

física pode em breve ter um peso emocional, com frequência na forma de depressão.

Estar ciente das possíveis causas de sua melancolia pode ajudá-lo a escapar dela ou pelo menos administrá-la — especialmente se você toma medidas para modificar os seus efeitos (veja as dicas ao longo deste capítulo). Os ajustes às demandas da criação do filho (você vai acabar entrando no ritmo) e as mudanças no seu estilo de vida e na dinâmica da família (você vai se acostumar a ela também) também vão ajudá-lo a se sentir melhor. Então, é possível que a sua depressão permaneça por algumas semanas, não importando o que você faça, e depois desapareça tão inesperadamente quanto veio. Se ela não desaparecer e se começar a interferir em seu trabalho ou no relacionamento com a sua esposa e/ou filho, converse com o médico ou entre em contato com um terapeuta.

## SENTIMENTOS CONFUSOS

*"Agora que a minha mulher está amamentando, eu não me sinto à vontade para tocar nos seios dela quando fazemos sexo."*

Os seios servem tanto para o prazer quanto têm a função de amamentar. Embora estes propósitos não sejam mutuamente exclusivos e na verdade sejam interdependentes no grande esquema das coisas (se brincar com os seios não fosse divertido, não haveria tantos bebês para amamentar), eles podem ser temporariamente conflitantes durante a lactação.

Muitos casais, seja por razões estéticas (leite que vaza, por exemplo) ou porque se sentem constrangidos por usar a fonte de alimento do bebê para o seu próprio prazer sexual, acham o ato de amamentar algo que os deixa sem apetite sexual. No entanto, outros acham que isso aguça o apetite sexual, possivelmente por causa de sua natureza sexual inerente. As duas reações são perfeitamente normais.

Se você sente que os seios da sua esposa estão funcionais demais neste momento para serem atraentes, se ocorre um vazamento quando você os estimula e você acha que isso é desagradável, ou se tocá-los deixa a sua mulher desconfortável, simplesmente deixe-os de fora das preliminares sexuais até que o bebê seja desmamado.

Entretanto, certifique-se de ser aberto e franco com a sua esposa agora. Parar de tocar nos seios dela subitamente sem maiores explicações pode fazer com que ela sinta que o fato de ter se tornado mãe a deixou, de alguma forma, menos atraente como amante. Certifique-se também de que, apesar disso, as preliminares não sejam esquecidas. Por causa do ressecamento vaginal (mais acentuado em mulheres que estão amamentando), fadiga e uma série de outros fatores pós-parto, ela pode precisar de muito mais aquecimento do que precisava antes de o bebê nascer.

*"A primeira vez em que fizemos sexo depois que o bebê nasceu foi muito dolorosa para a minha mulher. Agora eu estou com tanto medo de machucá-la que tenho evitado o sexo."*

Você pode feri-la muito mais ainda se evitar o sexo. Possivelmente mais do que antes, a sua esposa precisa se sentir atraente, desejável e querida — mesmo que ela também tenha sentimentos confusos (seja porque tem medo da dor ou pela falta de desejo). Embora as suas intenções sejam certamente nobres, ficar sem fazer amor pode fazer aflorar sentimentos de raiva e ressentimento em um de vocês ou em ambos, o que pode, na verdade, colocar o relacionamento em risco.

Mas antes que você se aproxime dela novamente com intenções sexuais, aborde-a verbalmente. Conte a ela de suas preocupações e descubra as dela. Decidam juntos se querem tentar fazer amor novamente logo ou se preferem esperar mais um pouco. O que quer que vocês decidam, as dicas na página 957 vão ajudar a minimizar a dor e maximizar o prazer quando vocês voltarem a fazer amor. (A dica número um é: amplie a duração das preliminares.) Lembre-se também de que relação sexual após o parto não significa adiar a intimidade. Neste momento, como pais exaustos, vocês podem achar tanto prazer em passar uma noite somente abraçados quanto em uma noite de amor.

## Ciúmes da atenção da mãe ao bebê

*"Eu amo minha filha recém-nascida, mas também amo minha esposa e*

## UM CASO A TRÊS

Você acha que a amamentação é uma coisa entre mãe e bebê? Na verdade, o pai também influencia. Pesquisas mostram que quando os pais dão apoio, as mães gostam muito mais de amamentar — e por mais tempo. Em outras palavras, são necessários dois para amamentar, mas parece que são necessários três para fazer com que a amamentação seja um sucesso.

odeio ter que admitir, mas eu tenho ciúmes dos momentos que a minha mulher passa com ela. Ela não parece ter energia sobrando para mim."

Parece haver uma nova dupla na sua família, mas isso não significa que três sejam demais. Para ajudá-lo a lidar com este sentimento de ciúmes (que, a propósito, é normal e comum entre novos pais e com frequência entre novas mães também), siga estas sugestões — elas também vão ajudá-lo a preservar e melhorar o relacionamento da dupla adulta na sua família:

**Exponha seus sentimentos.** Talvez a sua mulher não tenha percebido que, enquanto ela se dedica a conhecer o bebê, ela está perdendo contato com você. Diga a ela o quanto você aprecia o excelente trabalho que ela está fazendo como mãe, mas lembre-a de que homens crescidos também precisam de doses regulares de carinho e atenção — embora eles possam não expressar isso verbalmente, como fazem os bebês.

**Forme um triângulo amoroso.** Junte-se a eles. À medida que o tempo que passam sozinhos um com o outro se torna um artigo cada vez mais raro, concentre-se em passarem mais tempo juntos como uma família — ampliando a dupla mamãe-bebê em um trio de amigos — o que vai fortalecer os laços entre o casal. Dividir totalmente as responsabilidades e alegrias dos cuidados com o bebê dará a sua esposa mais tempo para se dedicar a você, ao mesmo tempo em que dará a você menos inclinação (e energia) para ter ciúmes.

**Torne-se útil.** Mesmo os pais que acreditam estarem ajudando bastante em casa com frequência estão fazendo a parte justa que lhes cabe, que deve ser metade das responsabilidades do lar. Quanto mais tarefas você fizer — sozinho ou junto com ela — mais energia sua esposa vai ter sobrando para você. Ela provavelmente também vai sentir menos ressentimento, um sentimento que pode ter um impacto negativo nos momentos em que vocês estiverem juntos.

**Faça um acordo.** Negocie algum tempo sozinho com a sua esposa. Tente arrumar uma hora por noite (depois que o bebê estiver dormindo e antes que a televisão seja ligada) para vocês dois passarem juntos jantando (se não for muito tarde), relaxando, conversando (não somente sobre o bebê), conhecendo-se novamente. Negocie reservar pelo menos uma noite por mês (um encontro por semana seria melhor, um objetivo a ser alcançado assim que o bebê tiver um horário mais regular) para uma noite romântica fora de casa.

**Dê um pouco de amor.** O romance é uma via de mão dupla. É possível que sua esposa esteja se sentindo negligenciada por você desde que o bebê nasceu, da mesma maneira como você está se sentindo abandonado por ela. Então, mude as coisas para ter de volta o clima romântico: seja espontâneo (flores sem motivo especial), flerte (abrace-a por trás enquanto ela se curva para pegar uma fralda), cubra-a de cumprimentos (especialmente quando ela mais precisar).

Apesar de todos os seus esforços, e até mesmo das boas intenções da sua esposa, você pode achar que ela ainda parece distante. Isto não é incomum em mulheres que estão entre seis semanas e seis meses após o nascimento de um bebê. Esta atitude pode ser parte de um mecanismo de proteção interno que impede a nova mãe de coabitar (e conceber) logo depois do parto e assegura que a atenção e a energia dela se concentrem no recém-nascido. Não é um reflexo do parceiro ou um barômetro do amor dela por ele. Seja paciente — e solidário — e isto vai passar. Se, no entanto, você ainda tiver problemas em estabelecer uma conexão amorosa na segunda metade do ano, e conversar sobre isso não ajudar, vocês podem precisar de aconselhamento profissional.

# Sentindo-se inadequado como pai

*"Eu quero me envolver nos cuidados com o bebê e com isso ajudar minha esposa. Mas nunca tive experiência antes com um bebê e eu estou me sentindo um completo inútil."*

A maioria dos novos pais — e a maioria das novas mães — se sente da mesma maneira que você nas primeiras semanas da chegada de um filho. Isto se deve ao fato de que poucos pais têm experiência e, como resultado, poucos têm confiança em suas habilidades. Enquanto a maioria das outras profissões oferece treinamento, apoio e uma supervisão, a criação de um filho não oferece nada disso — as novas mamães e papais têm de aprender a tarefa através da prática.

E a melhor maneira de aprender é fazendo. O fato é que você não precisa de experiência anterior para ser bem-sucedido na tarefa de ser pai ou mãe — tudo o que você precisa é estar disposto a tentar e ter muito amor para oferecer. Embora aqueles que já tiveram a experiência de cuidar de um bebê anteriormente possam ter um início mais rápido, até mesmo um novato como você estará superando (e embalando, dando banho e trocando fraldas) os obstáculos em poucos meses. Enquanto isso, você não precisa se preocupar com o sofrimento do bebê por causa de sua inexperiência. Antes de tudo, os bebês são flexíveis e muito mais resistentes do que você imagina. Seu filho não vai "quebrar" se o seu toque for hesitante ou estranho. Em segundo lugar, ele será camarada enquanto você aprende. Ele não tem referência nem modelo do que

## O TOQUE DO PAI

Você acha que só a mamãe tem um toque especial quando se trata do bebê? Pense novamente. As pesquisas mostram que o toque do papai tem um efeito igualmente positivo na saúde, no bem-estar e no desenvolvimento do bebê (a massagem está ligada a menos problemas para dormir e melhor digestão em bebês, entre muitas outras vantagens físicas e emocionais). E o bebê não é o único que ganha quando você o massageia da maneira correta. Os pais que aprendem a aliviar os seus bebês com massagens veem seus próprios níveis de estresse diminuírem, a experiência aumenta a autoestima deles como pais e se cria um relacionamento positivo e caloroso com os filhos recém-nascidos que continuará por toda a infância. Veja a página 442, para obter dicas sobre como fazer uma massagem no seu bebê.

bebês que estão chorando e eles podem ser tão sensíveis às dicas que o bebê dá (embora, infelizmente, eles passem menos tempo com o bebê do que a mãe, tendo menos oportunidade de aguçar a sensibilidade e a resposta). Alguns pais, na verdade, logo após o período inicial de turbulência, demonstram uma habilidade natural e até maior para a criação de um filho do que a de suas parceiras. Os bebês não estão cegos para isso: à época do seu primeiro aniversário, as crianças não gostam de se separar nem do pai nem da mãe, e 25% delas provavelmente vão preferir ficar com o pai em vez de com a mãe, se tiverem a oportunidade de escolher.

Se sua esposa já teve a experiência anterior de cuidar de bebês ou está aprendendo o trabalho mais rápido do que você, peça a ela para lhe mostrar como se faz. Se ela for tão verde quanto você, aprendam juntos (as dicas do Manual dos Cuidados com o Bebê, a partir da página 211, vão ajudar). Vocês serão profissionais quando o próximo bebê vier.

seria um "pai perfeito" para comparar com você. À medida que as necessidades imediatas dele são atendidas e ele percebe as suas boas intenções, ele provavelmente vai apreciá-lo também — com as imperfeições e inexperiência, as fraldas tortas e tudo o mais. (Tenha em mente que não existe pai ou mãe "perfeitos"; mesmo aqueles que têm experiência cometem muitos erros.)

Não ache que você não tem intuição só porque é homem. Os estudos mostram que os pais exibem as mesmas respostas psicológicas que as mães em relação a

# FARDO INJUSTO?

*"Eu trabalho o dia inteiro no escritório enquanto a minha mulher fica em casa com a nossa filha. Eu não me importo em ajudá-la no final de semana, mas fico chateado quando ela me pressiona para ajudá-la durante a semana, especialmente de madrugada."*

Cuidar do seu bebê quando você chega do trabalho, um momento

# COISAS DE PAPAIS

Abra espaço para o papai. Parece que quando se fala em desenvolvimento de crianças, os pais são tão importantes quanto as mães — e em alguns aspectos, ainda mais. As pesquisas revelaram que bebês e crianças que começam a andar, cujos pais brincam com elas de maneira sensível, apoiando-as e desafiando-as (conversando com a criança no seu nível, encorajando-a em vez de criticá-la e sugerindo atividades que são feitas para crianças) acabam formando relacionamentos de maior confiança e proximidade com os outros quando elas se tornam adolescentes e adultos. Além do mais, os especialistas concluíram que a qualidade das brincadeiras com o papai não é menos importante do que a interação mãe-bebê para prever o bem-estar emocional e social futuro da criança, especialmente à medida que os anos da adolescência se aproximam.

As crianças se desenvolvem melhor quando suas mães não têm a exclusividade nos relacionamentos com elas. De acordo com os especialistas, é mais provável que as crianças que têm um bom relacionamento com os pais até os 5 anos sejam mais confiantes e tenham mais sucesso social no ensino fundamental.

Mais alguns bons motivos para fazer de todos os dias o Dia dos Pais.

---

que você costumava usar para relaxar e se desligar das pressões do dia, pode parecer um fardo injusto; assim parece para muitos maridos de mulheres que não trabalham fora. Mas, na verdade, não é injusto e está longe de ser um fardo.

Leve em consideração os seguintes fatos. Enquanto o seu trabalho tem horas limitadas — oito, talvez dez por dia, no máximo —, o papel de ser pai ou mãe de um novo bebê não para. O que significa que sua esposa trabalha as mesmas horas que você — e se você não divide as responsabilidades com ela quando chega em casa, são mais 14 ou 16 horas que você não trabalha. O dia de trabalho dela é tão física e emocionalmente exigente quanto que o seu (mais, se ela estiver amamentando). Enquanto você precisa se levantar cedo pela manhã para começar outro dia de trabalho, ela também precisa, exceto que, diferente de você, ela não será capaz de tirar o horário de almoço, intervalos para um cafezinho e com frequência nem mesmo um intervalo para ir ao banheiro. Em outras palavras, ela precisa de alívio à noite mais do que você precisa do descanso que estará deixando de lado ao dividir totalmente a carga da criação do filho.

Cuidar do seu bebê também é uma oportunidade inigualável. No passado, poucos pais passavam uma parte significativa do tempo com seus bebês. Como membro de uma geração mais esclarecida, você tem a oportunidade de conhecer sua filha como não poderia anteriormente. Você pode sentir falta de assistir ao noticiário da TV ou de se exercitar antes do jantar, mas vai desco-

## UM PRESENTE PARA A VIDA INTEIRA

As crianças filhas de pais fumantes têm consideravelmente mais doenças do que filhos de não fumantes, têm uma probabilidade maior de morrer de SIDS (síndrome da morte súbita infantil) e têm uma probabilidade maior de serem fumantes também. Elas também estão mais propensas a ter cólica. Se você é fumante e tem dificuldade em parar, procure ajuda do seu médico ou junte-se a um programa para parar de fumar. Um ambiente livre da fumaça do cigarro — e um pai que não fuma — é um dos melhores presentes que você pode dar ao seu bebê.

brir que existe uma maneira ainda melhor de relaxar e de se desligar que é ficando com o seu bebê. Nada pode fazer você esquecer um problema pessoal, um trabalho malfeito, um acordo perdido mais rapidamente do que conversar com o bebê enquanto troca a fralda dele, observá-lo espalhar água e dar risadinhas na banheira ou niná-lo para dormir. E enquanto se esquece de suas preocupações diárias, você também estará colecionando momentos para se lembrar no futuro.

Isso não quer dizer que cada momento que você passar com a sua menininha, especialmente de madrugada, vai ser memorável (alguns vão passar como uma neblina densa e embaçada que você não será capaz de lembrar mesmo que queira). Como qualquer outro emprego, os cuidados com o bebê têm uma cota de trabalho árduo.

Tenha em mente também que, na próxima vez que você estiver andando de um lado para o outro com o seu bebê cheio de cólica, embora agora pareça que os cuidados com o bebê são mais uma tarefa do que um prazer, em breve a recompensa vai superar todo o estresse. Primeiro, serão os sorrisos e os murmúrios dados somente para você, depois um "pa-pá" quando você entrar, depois um dedo levantado para você dar um beijo para fazer um dodói sarar mais rápido. Mais tarde, nos anos que se seguirão, a compensação virá na forma de uma relação mais próxima com a sua filha, que trará não só alegria, mas também tornará mais fáceis os tempos mais difíceis.

É claro que às vezes tanto você quanto sua esposa vão precisar de um descanso dos cuidados com a criança; assim, certifique-se de ter uma noite fora somente para vocês dois.

## NÃO TER TEMPO SUFICIENTE PARA PASSAR COM O BEBÊ

*"Eu trabalho muitas horas por dia e com frequência fico até tarde no escritório. Quero passar mais tempo com o meu filho recém-nascido, mas eu não tenho mais nenhum tempo disponível."*

Se existe alguma coisa para a qual vale a pena arrumar tempo é o seu bebezinho. Por mais maravilhoso que o trabalho de ser pai ou mãe possa ser, você pode fazê-lo duas vezes melhor. Os bebês meninos que recebem muita atenção de seus papais são mais inteligentes e felizes quando chegam aos 6 meses de idade do que os meninos que não recebem. Então, não é só você que perde quando não passa tempo com o seu filho. (As menininhas também crescem com mais confiança quando estão próximas dos papais.) As pesquisas também mostram que crianças que têm pais ativos e envolvidos em atividades aprendem melhor, têm uma autoestima maior e são menos propensas à depressão.

Arrume mais tempo para o seu filho, mesmo que isto signifique tirar tempo de outras atividades importantes na sua vida. A organização pode ajudar neste caso. Tente ajustar as suas horas de trabalho com as horas em que o seu filho estiver acordado. Se você só precisa chegar no escritório às dez horas, passe a manhã com ele. Se você não chega em casa antes das oito da noite, veja com sua esposa se ela não pode arrumar o horário do bebê para que ele tire uma soneca no início da noite e esteja acordado para brincar com você antes de ir para a cama (é claro que isso vai fazer com que você tenha menos tempo sozinho com ela). Ou traga trabalho para casa, para que você possa sair do escritório mais cedo. Se você tem muitas atividades extras (sejam elas reuniões noturnas ou esportes de fim de semana) que o mantenham longe do seu bebê, diminua o ritmo.

Especialmente se você não for capaz de ficar uma boa parte do seu tempo com o bebê, é importante dar o máximo de si no pouco tempo disponível com ele. Segure a colher para ele no café da manhã, dê o banho da noite, leve o bebê ao parquinho no sábado de manhã.

Você pode arrumar tempo para o seu bebê incluindo-o, quando possível, em suas outras atividades. Se você tem lugares para ir, coloque o bebê em um *sling* e leve-o junto. Se der uma corridinha, coloque-o em um carrinho e aumente o seu esforço aeróbico empurrando-o enquanto corre (mas não corra com ele no *sling*). E se você tem algumas tarefas para fazer ou tem que trabalhar no computador, acomode o bebê de maneira segura na cadeirinha ou em um bebê-conforto e deixe-o observá-lo enquanto você dá a ele uma descrição minuciosa do que está fazendo.

◆ ◆ ◆

# CAPÍTULO 25

# De Filho Único a Filho mais Velho

Quando trouxeram o primeiro filho para casa, vocês eram novatos na criação de filhos, com muito que aprender sobre viver e cuidar de um novo bebê. Agora que estão prestes a trazer para casa o segundo bebê, vocês são profissionais que já fizeram e passaram por tudo isso e sobreviveram para contar a história. Você sabe se virar para trocar uma fralda (dormindo), não fica confusa quando o choro começa e não fica assustada ao ver a cicatriz umbilical ou com medo da possibilidade de ter que dar um banho de esponja. Neste período, será o seu primeiro filho que

terá muito o que aprender — e muitos ajustes terão que ser feitos — à medida que ele faz a mudança de filho único para filho mais velho. Seguir as sugestões e dicas deste capítulo não tornará esta transição menos difícil para o seu filho mais velho (ou para você), mas certamente ajudará a torná-la mais suave.

A melhor dica de todas? Relaxe. As crianças percebem as reações dos adultos ao redor delas. Se você estiver ansiosa para ver como o seu filho vai reagir em relação ao novo irmãozinho, ele vai ficar ansioso também.

# As Preocupações Comuns

## COMO PREPARAR UM FILHO MAIS VELHO

*"Nós temos uma filha de 2 anos e meio e estamos esperando outro filho. Como podemos preparar melhor nossa primeira filha para que ela não se sinta ameaçada?"*

Já se foram os dias quando as crianças ouviam misteriosas conversas sobre repolhos e cegonhas. Hoje em dia, a preparação para a chegada do futuro irmãozinho é considerada tão importante quanto a preparação do nascimento da criança, pelo menos para pais de segunda viagem. Em vez de ser excluído do entusiasmo que vai culminar com a chegada de um novo irmão ou irmã, os primogênitos são com frequência envolvidos na gravidez da mamãe desde os primeiros meses.

O primeiro passo para preparar a sua filha para o fato de que ela logo vai se tornar a irmã mais velha é contar sobre a gravidez. Quando e como isso será feito vai depender da idade dela. Para a perspectiva de uma criança pequena, nove meses pode ser uma eternidade e, no caso da sua filha, quase metade da vida dela. Para que a espera pelo novo irmãozinho não seja interminável e porque muitos futuros pais se sentem mais à vontade dando a notícia sobre a gravidez após o fim do primeiro trimestre, você pode querer segurar até o final do terceiro mês ou início do quarto para dizer a ela que existe um bebê a caminho. (Se você estiver ansiosa sobre o âmnio ou outros testes, pode até mesmo esperar que tenha certeza de que está tudo certo.) Apenas certifique-se de que você conte a ela antes que ela ouça de outra pessoa, comece a sentir que há alguma coisa errada ou que algo está sendo escondido dela (a mamãe está se sentindo doente, cansada, tem que ir ao médico; a barriga dela inchou de repente; existem mudanças inexplicáveis acontecendo na casa). Já que crianças pequenas não têm muita consciência da passagem do tempo, relacionar a data prevista com algo concreto ("O bebê vai chegar no verão, quando estiver calor") pode tornar o fato um pouco mais tangível.

Como dar a notícia? Faça isso de maneira honesta, mas no nível dela. Deixe de lado os pássaros, abelhas cegonhas e repolho e apenas dê a ela os fatos usando uma linguagem simples que ela possa entender. Ao tentar precisar o quanto de informação deve ser suficiente e o quanto é demais, deixe que a sua filha seja o seu guia. Comece sempre com os fatos mais básicos, algo do tipo: "Nós vamos ter um bebê. O bebê está crescendo dentro da mamãe e quando ele ficar grande o suficiente para sair, você vai ter um novo irmão ou uma nova irmã." Não diga mais nada por conta própria, mas esteja pronta para outras perguntas, se vierem. Em suas respostas, procure usar os termos corretos para as partes do corpo — "útero" ou "barriga" para a localização do bebê, "vagina" para a rota de saída do bebê. Para ajudar a encontrar as palavras certas e um conceito difícil de entender, porém real, leia livros sobre o assunto com gravuras adequadas para a sua filha.

Depois que o segredo já tiver sido revelado, há uma série de medidas que você pode tomar para tornar a chegada esperada menos ameaçadora para o filho que você já tem em casa — e talvez até ansiosamente aguardada:

◆ Faça qualquer grande mudança planejada na vida da criança no início da gravidez, se você ainda não teve oportunidade de fazê-la, antes da concepção. Por exemplo, matricule-a e deixe-a se acostumar à vida na pré-escola ou em grupos para brincar (se isto estava nos seus planos anteriormente), para que ela tenha uma experiência fora de casa para onde escapar depois que o novo bebê chegar, e que não a faça se sentir deslocada por causa do novo bebê. Comece a treiná-la para usar o vaso sanitário sozinha (se ela estiver pronta) ou tire a mamadeira dela (se você ainda não o fez), em vez de fazer tudo isso após o nascimento do bebê. Qualquer mudança significativa que não tiver sido feita em um mês ou dois da data prevista para o parto deve ser adiada para até alguns meses após o nascimento, se possível.

◆ Faça com que a sua filha passe um pouco menos de tempo com a ma-

mãe. Inicie (ou continue) algumas atividades divertidas com o papai (café da manhã fora no domingo, sábado à tarde no grupo de brincar, uma saída para comer pizza fora numa terça à noite). Se é a mamãe quem sempre a coloca para dormir, pode ser um bom momento agora para começar a troca (você pode continuar a trocar quando o bebê nascer, para se certificar de que ambos tenham bastante contato individual com ela e com o novo bebê). Comece deixando-a só com a babá por curtos períodos durante o dia, se você ainda não faz isso, o que precisará fazer quando o bebê chegar. Entretanto, tome cuidado para não se distanciar muito ou rápido demais da sua primogênita; ela precisa ter certeza (mediante atos de amor, nem tanto por palavras) de que a chegada do novo bebê não significa a perda de qualquer um dos pais dela.

◆ Seja franca e fale sobre as mudanças físicas pelas quais a mamãe está passando. Explique que você está cansada, enjoada ou irritadiça porque "fazer um bebê" é um trabalho difícil, e não porque você esteja doente ou cansada dela. Mas não use a sua gravidez como desculpa para não pegá-la no colo tanto quanto costumava fazer antes. Pegar uma criança no colo não é de maneira nenhuma uma ameaça a sua gravidez, a menos que o seu médico tenha algum motivo (como uma dilatação prematura da sua cérvice) para proibi-la. Se você não pode pegá-la porque está com muita dor nas costas, culpe as suas costas e não o seu bebê (que nesta altura pode fazer com que a rivalidade entre irmãos se estabeleça) e dê a ela muitos abraços com você sentada. Se você precisar se deitar com mais frequência, sugira que ela se deite com você e durma, leiam uma história ou assistam a tevê juntas.

♦ Apresente o novo bebê a sua filha enquanto ele ainda estiver no útero. Mostre a ela figuras do desenvolvimento fetal mês a mês que parecerem adequadas para a idade dela (novamente, um livro de gravuras é o ideal). Explique que à medida que o bebê crescer, a barriga da mamãe também crescerá e que, quando o bebê estiver grande o suficiente, ele estará pronto para sair. Tão logo os chutes comecem a ser visíveis e sentidos por outros, deixe-a ter a experiência de sentir os movimentos do bebê. Encoraje-a (mas não a force, se ela resistir) a beijar, abraçar, cantar e conversar com o bebê. Quando se referir ao bebê, chame-o de "nosso bebê" ou "seu bebê" para dar a ela um senso de que ele pertence a ela tanto quanto a você. Se você não conseguir saber o sexo do bebê através da ultrassonografia ou amniocentese, faça um jogo com ela para adivinhar se ela tem um irmão ou uma irmã a caminho.

♦ Leve sua filha pelo menos uma ou duas vezes às visitas pré-natais (e, se ela parecer interessada e não ficar interrompendo a toda hora, leve-a a todas as visitas) para que ela se sinta como mais uma participante no drama da gravidez que se desenrola. Explique que estas visitas são como um *check-up* para o bebê e que assim como ela faz o *check-up* dela no pediatra, o médico (ou a parteira) estará medindo o bebê para ver o quanto ele cresceu e ouvindo os batimentos do coração dele. Ouvir o coração do bebê fará com que ela sinta que o bebê é mais real para ela. Se uma ultrassonografia foi feita e existe uma imagem do bebê, mostre-a a ela também. Mas certifique-se de levar um lanche e um livro ou o brinquedo favorito dela para o consultório médico, para o caso de uma longa espera ou se a atenção dela se dispersar. Se ela decidir que não se importa de ir à próxima consulta, não a obrigue a ir.

♦ Envolva a sua filha nos preparativos que interessarem a ela para a chegada do bebê. Deixe-a ajudar escolher os móveis, o enxoval e os brinquedos. Olhem juntas os antigos brinquedos e roupas dela (isso também vai ajudá-la a entender o conceito de crescimento) para escolher os itens que podem ser reciclados, mas não a pressione a ceder em nada até que ela queira. Torná-la oficialmente a pessoa responsável por abrir os presentes para o bebê (já que os bebês são pequenos demais para abrir seus próprios presentes) vai ajudá-la a se sentir com menos ciúmes da grande quantidade que o bebê está recebendo. Assim, isso vai explicar que todos os bebês recebem muitos presentes quando eles nascem porque é como se fosse o "aniversário" deles, assim como ela também recebeu quando nasceu.

- Familiarize sua filha com bebês em geral. Mostre a ela fotos dela mesma quando bebê e diga a ela como era (certifique-se de incluir algumas histórias que vão mostrar a ela o quanto ela cresceu desde então). Se possível, leve-a a um berçário de um hospital para olhar os recém-nascidos (para que ela saiba que eles não são tão bonitinhos quanto os bebês mais velhos). Se você tem amigos com bebês pequenos, arranje para que vocês duas passem algum tempo com eles. Aponte bebês em toda parte — no supermercado, no parque, em livros de gravuras. Para que ela esteja preparada para a realidade, explique que os bebês fazem muito pouco além de comer, dormir e chorar (o que eles fazem muito) e que eles não são bons companheiros de brincadeiras por um bom tempo. Se você está planejando amamentar, explique que o bebê vai tomar leite dos seios da mamãe (exatamente como ela fez, se ela tiver feito) e, se você tiver uma amiga que esteja amamentando, marque uma visita casual na hora da amamentação. Um livro de gravuras que mostre fatos concretos sobre novos bebês pode ajudar também.

- Brinque com as vantagens de ser a irmã maior e de ser maior de modo geral. Quanto mais atraente o papel de irmã maior parecer a ela, mais ela vai ansiar por viver este papel. Explique todas as coisas que o bebê não saberá fazer e que ela vai ajudar a ensiná-lo. Façam uma lista juntas das coisas que os bebês que são muito pequenos não podem fazer e crian-

ças maiores podem, como usar o balanço, brincar com os amigos e tomar sorvete.

- Ao tentar preparar a sua filha, não levante assuntos que podem não acontecer. Por exemplo, não diga a ela, "Não se preocupe, nós vamos amá-la tanto quanto amamos o novo bebê" ou: "Nós ainda teremos bastante tempo para você." Este tipo de comentário pode trazer preocupações que nem sequer podem ter passado pela cabeça de sua filha, sobre questões de competição por amor e atenção com o novo irmãozinho dela.

- Se você está planejando fazer com que a sua filha desocupe o berço para o irmãozinho que vai chegar, faça isso vários meses antes da data prevista para o parto. Se ela ainda não estiver pronta para usar uma cama, compre outro berço para ela — de preferência que possa se converter em uma cama mais tarde. (Ou deixe-a ficar com o berço dela e compre ou peça emprestado outro para o novo bebê.) Se você vai mudá-la de quarto, faça isso também com antecedência e peça a ajuda dela para a decoração e para a escolha dos móveis. Destaque o fato de ela estar mudando para uma cama e para um novo quarto porque está crescendo em vez de estar sendo deslocada do quarto velho pelo bebê.

- Se você tem um carro e sua filha costumava se sentar no meio do banco, mova a cadeirinha dela para o lado agora; se ela já for grande o suficiente (ver página 110), use um assento de elevação infantil. Coloque uma boneca no meio do banco por algumas semanas antes de o bebê chegar para que ela se acostume a ter companhia nas viagens.

♦ Experimente nomes que você está considerando para o seu filho, envolvendo a sua filha no processo de seleção. Ajudar na escolha do nome do bebê fará com que ela se sinta mais próxima dele (é claro que não seria sensato dar a uma criança no pré-escolar o controle criativo completo. Você terá que tomar a decisão final, a menos que queira que o seu segundo filho se chame Mickey ou Barney.)

♦ Se houver uma turma para crianças que terão irmãozinhos no seu bairro — alguns hospitais as oferecem — matricule a sua filha. É importante que ela saiba que existem outras crianças que estão na mesma situação que a dela — elas vão se tornar irmãos ou irmãs maiores de um novo irmãozinho.

♦ À medida que a data do parto se aproximar, faça a sua filha se acostumar com a ideia de que você terá de passar algum tempo no hospital ou maternidade quando o bebê chegar. Peça ajuda a ela para fazer a mala e estimule-a a colocar algo que pertença a ela e que ela gostaria que você levasse para fazer companhia — um ursinho, uma foto dela ou um desenho que ela fez, por exemplo. Certifique-se de que quem quer que fique cuidando dela neste período esteja totalmente familiarizado com a roti-

na dela, para que não haja nenhuma quebra neste momento delicado. Diga-lhe com antecedência quem vai ficar com ela (o papai, a vovó, o vovô, outro parente, uma babá ou um amigo íntimo) e assegure a ela que você estará de volta em alguns dias. Se o hospital permitir visitas de irmãos (a maioria permite), diga-lhe quando poderá visitar você e o bebê. Quer ela possa visitá-la ou não, um giro pelo hospital, antes do parto, se possível, fará com que ela fique mais confortável com a sua ausência.

♦ Não a encha de presentes ou passeios especiais nas semanas antes do parto. Em vez de fazer com que ela se sinta mais segura em relação ao seu amor, esta benevolência demasiada, com a qual ela não está acostumada, pode muito bem dar a entender a sua filha que algo terrível está para acontecer e que você está tentando suavizar o choque. Isto também pode dar a ela a ideia de que a iminente chegada do bebê está conferindo a ela um valioso poder de barganha e pode levá-la a tentar trocar um bom comportamento por presentes e favores no futuro. Compre apenas dois presentes pequenos e úteis para dar a ela, um no hospital e o outro quando você chegar em casa, por ela ter ajudado enquanto a mamãe esteve fora. Para uma criança relativamente nova, uma boneca-bebê de plástico é com frequência um bom presente. Posteriormente ela poderá dar banho nela, "amamentá-la" ou trocar a fralda da boneca-bebê enquanto você cuida do bebê de verdade. Compre junto com ela um presente para o

## LEIA SOBRE O ASSUNTO

Para uma criança pequena que está prestes a se tornar uma irmã ou irmão mais velho, um livro de gravuras pode valer mais do que mil explicações dos pais. Procure por livros que são dirigidos a crianças mais velhas, mas que pintem um quadro realista (adequado à idade) sobre do que se trata a gravidez — e como será a vida com o recém-nascido.

bebê "que ela tenha dado" e que ela possa levar para o hospital quando eles se conhecerem.

♦ Em seus esforços para preparar a sua primeira filha para o nascimento do segundo filho, não exagere. Não deixe que a gravidez e o membro da família esperado se tornem o foco principal da sua casa ou o assunto dominante das conversas. Lembre-se de que há e deve haver outras preocupações e interesses na vida da sua pré-escolar — e que também merecem a sua atenção.

## IRMÃOS NA HORA DO PARTO

*"Nosso segundo filho vai nascer em uma maternidade e nós temos a opção de trazer nosso filho de 4 anos para assistir ao parto. Devemos deixá-lo vir conosco?"*

Todo mundo quer participar — ou pelo menos estar na sala de parto — nos dias de hoje. Mães e pais com frequência recebem uma multidão de pessoas importantes quando trazem o novo membro da família para o mundo, inclusive os futuros avós, tios e tias, amigos íntimos e às vezes filhos mais velhos. Sempre uma opção em nascimentos feitos em casa ou em maternidades, estes partos com a presença da família são também oferecidos em ambientes hospitalares mais tradicionais.

Mas, como na maioria das opções de parto (pelo menos aquelas que não são ditadas pela prática médica), a decisão de incluir ou não seu filho na celebração do nascimento do irmãozinho é inteiramente sua. Ao tomar esta decisão, você vai precisar levar em conta a sua própria coragem (afinal de contas, ninguém conhece melhor o seu filho e o que ele pode aguentar como você), bem como os prós e contras apresentados por especialistas e pais em ambos os locais. Alguns especialistas e pais que optaram por ter irmãos presentes no parto citam vários benefícios, de menor rivalidade e maior envolvimento entre os irmãos (já que o irmão mais velho estava envolvido desde o momento que o seu irmão chegou) até menor possibilidade de trauma para o primogênito (já que ele não foi abandonado quando a mamãe e o papai saíram para pegar o "substituto" dele). Outros especialistas e pais acreditam que existem desvantagens, algumas bastante significativas, ao se convidar um irmão para assistir ao nascimento — incluindo o fato de que a mãe em trabalho de parto pode se sentir desconfortável, distraída ou inibida pela presença do filho mais velho (pode querer chorar ou grunhir e pode se sentir apreensiva em fazê-lo na frente do filho). Se ela acabar fazendo barulhos que não são familiares à criança mais velha, ele pode ficar desconcertado ou mesmo ter medo de que a mãe esteja em perigo. Os especialistas também se preocupam que, se for necessária uma cesariana de emergência ou algo estiver significativamente errado com o bebê, a frenética agitação de atividade seja verdadeiramente assustadora para o irmão mais velho, especialmente se ele for muito novo. Outro fator a ser levado em conta são os sentimentos de seu filho. Se ele expressou um grande interesse na sua gravidez e está ansioso para participar das visitas pré-natais, pode ser um bom candidato a estar na sala de parto. Se ele pareceu indiferente ou ambivalente (ou até mesmo antipático) em relação aos procedimentos até agora, provavelmente vai ficar mais bem sentado (ou dormindo) do lado de fora com o avô favorito ou com a babá.

Se você está inclinada a ter o seu filho presente assistindo ao nascimento do irmãozinho (você pode mudar de ideia até a hora do parto, obviamente), existem várias medidas a serem tomadas antes da hora para garantir uma experiência positiva para todos:

♦ Prepare. Embora vocês dois saibam o que esperar do trabalho de parto e do parto em si (já tendo passado por isso antes), seu filho terá muito o que aprender. E o que ele não sabe pode assustá-lo desnecessariamente. Explique que dar à luz um bebê é um trabalho difícil e que a mamãe pode fazer muitos barulhos estranhos, como grunhidos, gemidos e até mesmo gritos enquanto tenta ajudar o bebê a sair, podendo fazer algumas caretas estranhas. Prepare-o demonstrando os barulhos e caretas que você pode fazer (você pode até fazer um jogo de demonstração onde ele imita você). Diga a ele como o nascimento provavelmente vai acontecer (na água, na cama, de cócoras) e explique que vai haver um pouco de sangue (que ajuda o bebê a crescer, é normal e não é motivo para se preocupar). Você pode também pensar na possibilidade de assistirem a vídeos ou DVDs de nascimentos juntos e matriculá-lo em uma aula para irmãos que discuta o trabalho e o parto. Tudo isso não vai prepará-lo, mas dará a ele a oportunidade de descobrir exatamente por que ele está ali e pode permitir que ele recuse o convite caso se sinta apreensivo com a ideia de assistir a um nascimento.

♦ Permita flexibilidade e escolha. Apesar da sua presença no parto ser obrigatória, tenha em mente que seu filho é um participante voluntário. Ele deve se sentir livre para ir e vir à vontade (e é por esta razão que é preciso haver uma creche no local; veja a seguir), bem como pode mudar de ideia na última hora se preferir ficar olhando o livro de gravuras na sala de espera. Não o pressione a ficar nem o faça se sentir culpado se optar por ficar de fora do evento principal. Lembre-se também de que até o irmão mais velho mais entusiasmado não tem atenção ou energia física suficientes para suportar a maratona do trabalho de parto e do nascimento. Se o trabalho começar no meio da noite e o nascimento não estiver iminente, deixe-o dormir um pouco até que você esteja pronta (um irmão exausto não será um irmão alegre).

♦ Proporcione diversão e sustento. Vocês dois podem não ter nada em mente além do nascimento daquele bebê — mas seu filho mais velho deve ter e terá. Leve livros, brinquedos e outras diversões para manter o seu assistente de parto mais jovem ocupado. E porque um assistente de parto com fome pode ficar irritadiço, não se esqueça de levar um lanchinho também.

♦ Leve alguém para cuidar do seu filho. Convoque alguém com quem o seu filho se sinta à vontade — uma avó ou avô, uma tia ou tio, um amigo da família ou uma babá de confiança — para ficar responsável por cuidar do seu filho enquanto você estiver em trabalho de parto. A pessoa escolhida não deve ser a mesma que vai acompanhar o parto (cuidar do seu filho deve ser a única responsabilidade dela) e ela deve estar preparada para perder o nascimento se o seu filho resolver não assistir na última hora.

♦ Construa um laço de fraternidade. Certifique-se de incluir seu filho mais velho em todos aqueles primeiros momentos do pós-parto.

Se você decidir que não vai querer que seu filho esteja presente no nascimento do irmãozinho dele — ou se ele decidir

que não quer estar lá — outra possibilidade é levá-lo à sala de parto para cumprimentar o novo irmão imediatamente após o nascimento. Se isto não for possível nem viável (ou se você der à luz enquanto ele estiver dormindo, por exemplo), lembre-se de que os laços com o irmãozinho podem começar posteriormente, quando ele o visitar na maternidade ou quando você levar o novo bebê para casa.

## SEPARAÇÃO E VISITAS NO HOSPITAL

*"O fato de minha filha mais velha ir me visitar no hospital vai fazer com que ela sinta mais saudade de mim do que se ela não fosse me visitar em momento nenhum?"*

A verdade é o contrário. Ficar longe da sua filha não vai fazer com que ela esqueça você. Vê-la no hospital será uma garantia para ela de que você está bem, que você não foi embora e a abandonou para ficar com outra criança e que ela ainda é importante na sua vida.

Leve em conta também que não é apenas você que ela vai ver quando for ao hospital. Ela também vai poder ver, tocar e "segurar" o novo irmãozinho, o que dará a ela um senso de realidade sobre este novo irmão (que até este ponto era um conceito bastante abstrato). Isto também vai ajudá-la a fazer com que ela se sinta incluída no clima de entusiasmo pelo novo bebê.

Para não falar dos momentos de hesitação quando ela chegar e possivelmente de algumas lágrimas quando ela for embora. Para tornar as visitas ao hospital — e a separação — mais fáceis:

♦ Certifique-se de que sua filha seja preparada com antecedência para a visita. Ela deve saber quanto tempo vai ficar e que terá de voltar para casa sem você e o bebê. Informe a ela se o regulamento permitir que ela veja o bebê apenas pela janela do berçário (no caso de o bebê estar na UTI neonatal).

♦ Certifique-se de estar preparada para a visita da sua filha. Se estiver esperando que ela corra para os seus braços e se apaixone à primeira vista pelo novo irmãozinho, você pode ficar desapontada. É muito possível que ela ignore você e o bebê, que ela pareça hesitante ou irritadiça e que tenha um acesso de raiva ou de choro doloroso na hora de ir embora. Estas reações negativas ou neutras são comuns, não são um motivo para preocupações e são — acredite ou não — melhores para ela do que não fazer nenhuma visita. Seja realista em relação a suas expectativas e você ficará agradavelmente surpresa se tudo sair bem — e não fique excessivamente aborrecida, se for o contrário.

♦ Se você for para o hospital no meio da noite ou quando a sua filha mais velha estiver na escola ou fora de casa, deixe um bilhete para ela que pode ser lido quando ela acordar ou quando voltar para casa. Diga a ela que o "nosso" bebê está pronto para chegar, que você a ama e que vai vê-la ou falar com ela muito em breve. Se for prático (um parente ou uma babá pode trazê-la e ficar com ela) e possível (se o hospital permitir), leve-a para o hospital com você para esperar pela chegada do bebê. Faça uma malinha para ela, como fez para você mesma. Ela deve conter uma muda de roupas, fraldas (se ela ainda as tiver usando), brinquedos e lanchinhos que você sabe que ela irá gostar. Se o trabalho de parto for longo (o que é menos provável da segunda vez) e você estiver confinada na sala de parto, faça o papai sair e dar boletins regulares, possivelmente até almoçar com ela na lanchonete do hospital (se houver tempo suficiente). É claro que, se chegar a hora de ela ir para a cama antes de o bebê nascer, você provavelmente vai querer que ela seja levada para casa para que ela possa dormir na própria cama. Se sua filha ainda estiver por perto quando o bebê chegar, tente organizar uma visita — pelo menos a você e possivelmente ao novo irmãozinho.

♦ Leve para o hospital uma foto da sua filha mais velha e coloque-a ao lado da cama, para que ela saiba que você esteve pensando nela quando ela for visitá-la.

♦ Se possível, peça à pessoa que estiver levando a sua filha para parar em uma loja no caminho, onde ela possa comprar presentes para você e para o novo irmãozinho. Trocar presentes (esta é a hora para você dar a ela o presentinho que comprou antes do parto) vai ajudar a quebrar o gelo e fazer com que ela se sinta importante. A prática de dar presentes "vindos do bebê" é comum, mas a maioria das crianças percebe o truque e não é uma boa ideia começar este relacionamento com uma mentira, ainda que seja inocente.

♦ Faça uma pequena festa de "aniversário" para a nova família ampliada no seu quarto de hospital. Programe um bolo (a irmã mais velha provavelmente vai adorar poder comer um pedaço do bolo que o irmãozinho não vai poder comer), velas (ela pode soprá-las) e uma decoração (deixe que ela escolha).

♦ Faça com que a mesma pessoa que a levou para a visita leve-a de volta para casa. Se o papai a levou e depois ficar por mais tempo enquanto ela é levada para casa com um avô, avó ou um amigo, ela pode se sentir duplamente abandonada.

♦ Entre as visitas, ou se ela não puder visitá-la, mantenha contato por telefone (evite horários críticos, como antes de ir para a cama, se você sentir que o som da sua voz pode aborrecê-la) e através de bilhetes que o papai pode ler para ela. Ela pode se sentir bem também em fazer um desenho ou dois para você colocar no seu quarto de hospital. Faça o papai ou o parente favorito levá-la para jantar fora ou a outro lugar especial, para que fique bem claro que o bebê não é a única pessoa que interessa a todos no momento — e certifique-se de que a conversa durante a saída não gire em torno do bebê, a não ser que ela queira falar dele.

♦ Organize-se para ir logo para casa, se você quiser e puder, para que sua filha comece a dividir a experiência com o novo bebê o mais rápido possível e para que o tempo de separação seja reduzido.

## TORNANDO A VOLTA PARA CASA MAIS FÁCIL

*"Como posso tornar a vinda para casa com o bebê menos traumática para o meu filho mais velho?"*

Um irmão mais velho tem sentimentos confusos quando se trata da volta para casa. Por um lado, ele sabe que quer que sua mãe volte para casa; por outro, ele não tem certeza sobre o bebê que a sua mãe está trazendo com ela. De certa maneira ele está animado por ter um novo bebê em casa — é excitante e diferente e, se ele tiver idade suficiente, um motivo para se vangloriar com os amigos. Mas, ao mesmo tempo, provavelmente ele está nervoso, no mínimo, quando imagina o desconhecido — como a vida dele vai mudar depois que o bebê for levado para dentro da casa dele e colocado no que costumava ser o berço dele.

Como você vai lidar com a vinda para casa determinará, pelo menos inicialmente, se as maiores expectativas ou os piores medos do seu filho em relação ao novo bebê realmente acontecerão. Aqui vão sugestões de como acentuar o positivo e minimizar o negativo:

- Considere a possibilidade de deixar seu filho vir para casa com você. Fazer parte do grupo que está vindo para casa, em vez de esperar em casa, vai ajudá-lo a se sentir menos ameaçado pela chegada do bebê. Isto também vai aumentar o entusiasmo dele, bem como o sentimento de "posse". Então, se possível (e isso vai funcionar apenas se houver um parente ou outro adulto conhecido junto, para que o papai possa ficar livre para cuidar da papelada e carregar a mala e os presentes), faça-o vir junto com o papai ao hospital para levar você e o novo bebê para casa.

- Se ele não puder se juntar a você no hospital, faça-o ajudar na preparação para a chegada do bebê em casa. Enquanto o papai pega você, um parente ou amigo pode ajudá-lo a arrumar fraldas e bolas de algodão, fazer cartazes ou colocar outro tipo de decoração, fazer biscoitos ou outras guloseimas e, desta forma, tornar festiva a vinda ao lar. Procure chegar em casa primeiro (talvez o papai possa esperar no carro com o bebê) para que você possa cumprimentar seu filho mais velho sozinha por apenas alguns minutos.

- Comece logo a usar o nome do bebê em vez de sempre se referir ao novo irmãozinho como "o bebê". Isto dará a seu filho mais velho a ideia de que este bebê é uma pessoa de verdade, e não um objeto.

- Limite as visitas nos primeiros dias em casa — para a sua própria saúde e sanidade e pelo bem de seu filho mais velho. Até as visitas bem-intencionadas tendem a falar incessantemente do novo bebê, ignorando a criança mais velha. Aquelas visitas a que você não puder negar acesso imediato (avós, tias e tios e amigos íntimos) devem ser instruídas com antecedência para não ficarem efusivos demais com relação ao bebê e para dar bastante atenção ao irmão mais velho. Você também pode sugerir que as visitas venham quando ele estiver na escola ou depois de ele ter ido dormir. Há outros benefícios em limitar as visitas na primeira semana — mais tempo para você recuperar suas forças e mais oportunidade para ficar mais próxima da sua família aumentada.

- Dê muito da sua atenção ao seu filho mais velho, especialmente nos primeiros dias, quando o bebê provavelmente estará dormindo e comendo a maior parte do tempo. Pendure os desenhos dele na geladeira, elogie o uso do vaso sanitário se ele estiver começando a usá-lo, diga a ele como você está orgulhosa por ele estar sendo um irmão mais velho tão bom; sente-se e leia histórias para ele sempre que puder (as sessões de amamentação são perfeitas para isso), seja rápida no elogio e lenta na raiva. Cuidado com a adoração ao redor do berço do bebê ("Oh, olhe estes dedinhos!" ou "Ela não é linda?" ou "Olha, ela está rindo!"), que pode deixar seu filho se sentindo parte do passado. Mas não vá ao outro extremo, evitando demonstrar conscientemente afeto pelo novo bebê na frente do seu filho mais velho. Esta tática pode confundi-lo ou preocupá-lo ("Eu pensei que a gente devia amar este bebê. Será que os meus pais vão deixar de me amar em breve também"?) ou levá-lo a tirar conclusões que provocam ansiedade ("Eles estão fingindo não gostar do bebê para que eu não saiba que eles realmente gostam mais dele do que de mim"). Em vez disso, relacione os assuntos do bebê com ele: "Olhe estes dedinhos; você acredita que os seus foram pequenos assim"? ou: "Ela não é linda? Eu acho que ela parece muito com você" ou :"Olha, ela está rindo para você; eu acho que ela já ama você."

♦ Algumas visitas inteligentes se lembram de levar um pequeno presente para a criança mais velha; mas se vários dias se passarem e caminhões de presente para o bebê chegarem e nenhum chegar para o irmão mais velho, peça ao papai ou à vovó para levar algo especial somente para ele. Se o fluxo de presentes realmente parecer excessivo, guarde aqueles que não chamarem a atenção dele. Um dia aqueles cartões e presentes vão parar de chegar.

♦ Se seu filho mais velho decidir que quer ficar em casa em vez de ir ao jardim de infância por alguns dias, deixe-o ficar. Isto vai fazer com que ele tenha certeza de que você não o está empurrando para fora de casa para que possa curtir o bebê sem ele por perto, e dará a ele a oportunidade de criar laços com o bebê (e se adaptar a ele também). Decida com

antecedência por quanto tempo ele vai poder ficar de "férias", para que ele não fique com a ideia de que pode ficar em casa permanentemente. Entretanto, não force o seu filho a ficar em casa se ele preferir ir ao jardim de infância. Ele pode sentir a necessidade de estar em um lugar onde não exista um novo bebê e onde existam outros centros de interesse.

É claro que, se seu filho mais velho já estiver na escola, faltar alguns dias de aula pode não ser uma boa opção (ou pelo menos não uma opção que vá agradar à professora dele). Neste caso, encontre maneiras de lembrá-lo de que ele é especial também. Coloque um bilhete dizendo "eu te amo" na lancheira dele, planeje uma atividade após a escola ou um lanche para ele que o faça se sentir especialmente bem-vindo em casa.

## RESSENTIMENTO

*"Minha filha está francamente ressentida por causa do novo bebê. Ela diz que quer que ele volte para o hospital."*

Você obviamente não pode realizar todos os desejos de sua filha, mas pode — e deve — deixá-la expressar os dela. Embora os sentimentos dela pareçam muito negativos, o fato de ela ser capaz de expressá-los é, na verdade, muito positivo. Todo irmão mais velho sente um certo grau de ressentimento em relação ao novo intruso (ou com os pais, por terem trazido o intruso para casa). Alguns expressam este sentimento mais abertamente do que outros. Em lugar de sugerir a sua filha mais velha que ela é má por estar se sentindo assim ("Oh, que coisa horrível de se dizer sobre o bebê!"), procure ser compreensiva. Diga a ela que você entende que nem sempre é divertido ter um novo bebê em casa — tanto para ela quanto para você. Deixe-a falar sobre o ressentimento, se ela precisar fazer isso. Divida algumas histórias sobre quando ela era um bebê para que ela comece a ver que há alguma esperança para o bebê também (quando o bebê crescer, não vai precisar ficar no colo por tanto tempo; quando ele aprender a se comunicar de outras maneiras, não vai chorar tanto; quando ele ficar mais crescido, será capaz de fazer as coisas sozinho). Então, em vez de ficar batendo na mesma tecla, troque rapidamente para uma atividade que seja focalizada nela ("Que tal se a gente agasalhasse o bebê e fosse ao *playground* juntas?").

Algumas crianças não se sentem à vontade para expressar sentimentos negativos em relação ao novo bebê e é uma boa ideia estimulá-las a falar de como se sentem. Uma maneira de fazer isso é confidenciar o seu próprio sentimento confuso em relação ao bebê: "Eu amo o bebê, mas às vezes detesto ter que me levantar no meio da noite para dar de mamar a ele" ou "Nossa, com o novo bebê eu quase não tenho um tempo para mim mesma". Outra maneira é contar e/ou ler histórias sobre irmãos mais velhos que têm sentimentos confusos em relação à nova chegada. Se você for uma irmã mais velha também, pode falar de como você se sentiu quando o irmão mais novo nasceu.

*"Meu filho não demonstra nenhuma hostilidade em relação à nova irmã. Mas ele tem estado muito mal-humorado e desagradável comigo."*

Alguns irmãos mais velhos não veem nenhum motivo para se voltar contra um recém-nascido (afinal, não se consegue nenhuma reação dele, não importa o que se faça). O alvo melhor e mais próximo, que eles sentem que podem atormentar com menos culpa e com resultados mais satisfatórios, são a mamãe e o papai. Afinal, é a mamãe quem passa horas alimentando e ninando a neném e é o papai que está sempre ocupado em trocar as fraldas e acariciá-la — e ambos estão, neste momento, passando menos tempo com ele do que antigamente, porque a atenção deles está centrada no bebê. Um primogênito pode expressar seus sentimentos em relação aos seus pais fazendo má-criação, exibindo um comportamento regressivo, recusando-se a comer ou rejeitando os pais completamente e escolhendo outra pessoa (uma babá, por exemplo) como o "favorito" dele. Este tipo de comportamento é um componente comum e normal no período de adaptação.

Não leve o comportamento do seu filho para o lado pessoal — e definitivamente não brigue com ele nem o castigue por isso. Para resultados muito melhores, tente responder com paciência, compreensão, tranquilizando-o e dando a ele uma atenção a mais. Estimule seu filho a dar voz aos sentimentos dele ("Eu entendo que você deva estar com raiva por causa de todo o tempo que eu estou passando com o novo bebê"). E lembre-se, isto também vai passar — geralmente em poucos meses.

*"Eu estava totalmente preparada para a rivalidade entre irmãos quando decidimos ter outro filho. Mas durante toda a minha gravidez e nos quatro meses desde a chegada do irmão, minha filha não demonstrou nenhum ciúme nem ressentimento. Isto é saudável?"*

Ciúme e ressentimento são reações comuns quando um filho novo chega, mas elas certamente não são ine-vitáveis — nem essenciais para o desen-volvimento de laços fraternos fortes. Uma criança que parece encantada com um novo irmão não está necessariamen-te escondendo a hostilidade crescente; ela pode estar entusiasmada com a nova chegada e sinceramente animada com o papel de irmã mais velha. Ou pode estar completamente segura do seu amor e não se sentir ameaçada pela mudança na dinâmica familiar.

O que não significa que ela nunca terá nenhum outro sentimento que não seja de afeto pelo irmão. Ela pode descobrir alguma base sólida para ressentimento ao longo do desenvolvimento — quan-do o pequeno e desamparado novato co-meçar a engatinhar, rasgar os livros dela, espalhar os blocos dela no chão e masti-gar os dedos da sua boneca favorita (ver página 1036).

Enquanto isso, você deve se certificar de que sua filha mais velha receba pelo menos tanto tempo e atenção quanto o irmão mais novo, mesmo que ela não precise. Se você por acaso começar a não dar muita importância a ela porque ela tem sido amiga do novo bebê, sua filha pode começar a se sentir negligenciada e por fim ressentida. Afinal de contas, até mesmo as rodas que não rangem pre-cisam de óleo de vez em quando.

## COMO EXPLICAR AS DIFERENÇAS GENITAIS

*"Minha filha de 3 anos está obcecada pelo pênis do irmãozinho. Ela quer saber o que é e por que ela não tem um igual. Eu não sei o que dizer a ela."*

Experimente dizer a verdade. Por mais nova que sua filha seja, ela tem idade suficiente para fazer perguntas sobre o corpo dela e do irmãozinho e tem idade suficiente para receber algu-mas respostas francas. Pode ser um cho-que para uma garotinha ver algo no irmãozinho que ela não tem (ou para um garotinho notar a ausência de um pênis na irmãzinha). Note (e certifique-se de que ela saiba) que o interesse dela não é inadequado; como pequenos cientistas, as crianças são curiosas em relação a tudo no ambiente onde vivem, incluindo o seu corpo e o corpo dos que estão a sua volta. A simples explicação de que me-ninos (e homens como o papai) têm um pênis e as meninas (e mulheres como a mamãe) têm uma vagina provavelmen-te será o necessário e ajudará sua filha a entender uma diferença fundamental entre homens e mulheres. Certifique-se de usar os nomes corretos para estas partes do corpo, assim como você faria para os olhos, o nariz e a boca, e acrescente mais informações apenas se ela pedir (se ela perguntar por quê, por exemplo, você pode dizer que as meninas têm vaginas para que, quando crescerem, possam ter bebês, e os meninos têm pênis para que eles possam ser pais). Se sua filha fizer perguntas mais profundas e você não se sentir à vontade para responder, procure um livro para pais que possa ajudá-la na tarefa, e/ou um livro escrito e ilustrado no nível da sua filha para que você possa ler para ela.

## AMAMENTANDO NA FRENTE DO FILHO MAIS VELHO

*"Estou planejando amamentar meu segundo filho, mas estou preocupada em fazer isso na frente do meu filho de 4 anos."*

Não há com o que se preocupar. Não há absolutamente nenhuma razão para você não amamentar na frente do seu filho. Em vez de se sentir desconfortável, é saudável para ele entender que a amamentação é um processo natural e normal — e não algo que deva ser feito às escondidas ou motivo de vergonha. Na verdade, é mais provável que ele fique magoado se você o mantiver afastado enquanto amamenta — levando-se em conta o tempo que é gasto amamentando um recém-nascido, você vai passar muito pouco tempo com o seu

filho mais velho. Além da hora do cochilo do bebê, não existe nenhum outro momento de total atenção que você possa dar ao seu filho enquanto estiver amamentando. Quase toda atividade tranquila, da leitura de uma história, montar um quebra-cabeça a participar de um jogo, pode ser feita durante as mamadas.

Se você se sentir desconfortável com o fato de seu filho mais velho ver os seus seios, amamente discretamente, cobrindo-os o máximo que você julgar necessário. Mas não tenha uma reação exagerada se ele conseguir dar uma olhadinha ou mesmo se a mão curiosa dele tentar apertar um dos seus seios. Isto é um sinal de curiosidade normal, e não de interesse sexual inadequado. Em vez de reagir com rigor, o que pode dar a ele a ideia de que há algo "ruim" no corpo humano, reaja casualmente. Explique que os seus seios são a fonte de alimento do bebê agora (como foram para ele quando ele era um bebê), e a seguir desvie a atenção dele rapidamente para outra atividade.

## O FILHO MAIS VELHO QUER MAMAR

*"Meu filho de 2 anos e meio, ao me observar dando de mamar ao bebê, anda dizendo que quer leite também. Eu achei que o interesse fosse passar se eu ignorasse, mas isso não aconteceu."*

Na verdade, uma maneira de curar um irmão mais velho do desejo de mamar é dizer a ele que ele também pode (mas somente se o irmão mais velho for ainda muito pequeno; uma criança de 4 anos ou mais precisa entender que mamar no peito é para bebês). Com frequência, o seu consentimento será suficiente e ele não vai sentir necessidade de tocar neste assunto novamente. Se ele insistir, considere a possibilidade de deixá-lo fazer isso — se você se sentir à vontade para tanto. Ele vai sentir que está tendo acesso a este relacionamento misterioso e especial que o bebê tem com você. É provável que baste uma só mamada para que ele perceba que o leite que os bebês recebem não é tão bom assim. O líquido leitoso, morno, aquoso e diferente que ele vai extrair quase certamente não valerá o esforço envolvido (e ele pode até mesmo desistir antes que o leite chegue à boca). Com a curiosidade satisfeita, ele provavelmente nunca mais vai pedir para mamar no peito de novo e ele provavelmente vai sentir mais pena do bebê (que está preso, bebendo aquela coisa, enquanto ele está devorando tortas de maçã e leite "de verdade", e comendo macarrão com queijo e sanduíches de manteiga de amendoim e geleia) do que ciúmes. (Obviamente, não tente esta abordagem se você não se sentir à vontade com ela; em vez disso, dê atenção a ele de outras maneiras.)

Se ele continuar a demonstrar interesse em mamar no peito, ou se ele protestar dizendo que o bebê está sendo mimado, é provável que não seja um peito para mamar que ele esteja querendo, e sim um peito (e uma mamãe) para se aninhar e um pouco da atenção que ele acha que o bebê está sempre recebendo quando mama. Incluir seu filho mais velho nas sessões de amamentação pode ser o bastante para acabar com o interesse dele em mamar no peito.

Existem várias maneiras simples de fazer isso. Antes de se sentar para amamentar, por exemplo, diga: "Eu vou dar de mamar para o bebê agora. Você quer um suco?", ou: "Você quer almoçar agora enquanto o bebê mama?" Ou aproveite a oportunidade de calma para ler uma história para ele, para ajudá-lo a montar um quebra-cabeça, ou ouça música com ele (uma atividade que é boa porque você não tem que usar as mãos). Certifique-se também de que o seu primogênito receba muitos abraços e carinhos quando você não estiver amamentando o bebê.

## COMO AJUDAR UM IRMÃO A CONVIVER COM CÓLICAS

*"O choro constante do nosso novo bebê parece estar aborrecendo bastante a irmã dele, que tem 3 anos de idade. O que eu posso fazer?"*

Se existe um espectador em uma casa com um bebê com cólica, este espectador é um irmão mais velho. Afinal de contas, ele não pediu para este bebê nascer (e se pediu, pode estar se arrependendo). Com toda a atenção que está sendo dada a ele, provavelmente sua filha está se sentindo de alguma maneira ameaçada e até mesmo trocada por ele. E lá está ele fazendo um barulho terrível durante o que antigamente era a parte do dia favorita dela — a hora do jantar (e provavelmente banho e histórias para dormir) com a mamãe e com o papai. Para ela, o choro, além de insuportável, traz muita confusão. Em vez de ser um momento para comer, compartilhar e brincar calmamente, o início da noite se torna um momento de refeições interrompidas, ritmo frenético e pais irritados e distraídos. Talvez o pior de tudo seja o sentimento de abandono que ela provavelmente está sentindo. Enquanto os adultos da casa são capazes de pelo menos tomar uma providência em relação à cólica (por mais inútil que pareça) e ser solidário um com o outro, a ela só resta sentar-se, impotente e infeliz.

Você não pode tornar a cólica do bebê mais fácil para ela do que pode torná-la para você. Mas pode ajudá-la a enfrentar esta realidade de uma maneira melhor se você:

**Conversar.** Explique, no nível da sua filha mais velha, o que é uma cólica. Garanta a ela que não vai durar muito, que assim que o bebê se acostumar a estar neste mundo novo e estranho — e aprender outras maneiras de se comunicar — a maior parte do choro vai cessar. Diga a ela que quando ela era um bebê novinho também chorava muito (mesmo que ela não tenha tido cólicas na verdade). Isto dará a ela esperanças de que o mesmo aconteça com o irmãozinho.

**Diga que não é culpa dela.** Crianças pequenas tendem a se culpar por tudo que acontece de errado na casa, de uma briga entre a mamãe e o papai e a morte do bisavô ao choro do novo bebê. Sua filha mais velha precisa de garantias de que ninguém é culpado aqui, muito menos ela.

**Mostre e diga que você a ama.** Lidar com um bebê com cólica pode ser algo que deixe você distraída — especialmente em um dia já bastante atarefado — a ponto de esquecer as pequenas coisas especiais que demonstram a sua filha mais velha o quanto você se importa com ela. Então, esforce-se para fazer pelo menos uma destas coisas (brincar de "nadar" no banho, fazer bolinhos com ela, ajudá-la a pintar um mural em um pedaço grande de papel) todo dia, antes que a sessão de cólicas comece. Até mesmo durante a pior das tempestades, certifique-se de quebrar o ritmo do embalo do bebê de vez em quando para dar um abraço na sua filha.

**Divida o bebê, conquiste a rivalidade entre irmãos.** Quando ambos os pais estiverem em casa, procure alternar os "passeios" pela casa com o bebê durante a maratona de cólicas, para que a sua filha mais velha tenha a atenção de pelo menos um dos pais. De vez em quando, se o tempo permitir, um dos dois pode levar o bebê para dar um passeio de carrinho ou de carro (o movimento com frequência ajuda a controlar a cólica) enquanto o outro passa algum tempo em casa com a filha. Ou um de vocês pode levar a filha para jantar fora (para comer pizza com um pouco de paz e sossego) ou, se ainda estiver claro, para um passeio ao *playground* no início da noite enquanto o outro luta em casa com o "gritão".

**Não sacrifique os rituais.** As rotinas são tranquilizadoras para crianças pequenas e, quando são quebradas, pode ser bastante perturbador — especialmente numa época em que a vida está mais perturbada do que o normal (como quando existe um novo bebê que chora muito em casa). Faça o máximo para assegurar que sua filha seja coberta de rituais que não se quebrem devido à cólica do bebê; se a hora de ir para a cama sempre foi precedida de um banho divertido (completo, com bolhas de sabão e muita água espalhada), uma festa de carinho e quatro histórias toda noite, procure manter a rotina de banho divertido, festa de carinhos e quatro histórias por noite, mesmo que o bebê esteja cheio de cólica. Dividir a obrigação de cuidar da cólica, com sorte, permitirá que estas rotinas permaneçam assim.

**Reserve algum tempo para ficar só com ela.** Mesmo que seja só por meia hora, tente encontrar algum tempo todo dia para ficar com a sua filha mais velha sem a presença do irmãozinho. Use o tempo enquanto o bebê estiver tirando um cochilo (é mais importante do que colocar os papéis em dia), quando a sua mãe ou uma amiga vier visitá-la ou, se você puder pagar, quando você tiver uma babá para o bebê.

# COMPORTAMENTO REGRESSIVO

*"Desde que a irmã nasceu, minha filha de 3 anos começou a agir como se fosse um bebê. Ela usa linguagem de bebê, quer ficar no colo o tempo todo e até tem alguns acidentes no banheiro."*

Até adultos não podem deixar de sentir inveja da vida sem exigências de um bebê recém-nascido ("Oh, isso é que é vida!", suspiram enquanto o bebê é levado para passear em um carrinho). Não é de se surpreender que sua filha, recém-saída do carrinho e apenas começando a dominar algumas das muitas responsabilidades que vêm com o crescimento, deseje voltar à fase de bebê quando confrontada com a irmã. Especialmente quando ela vê que agir como um bebê funciona muito bem para a irmãzinha, que pode ficar deitada só aproveitando (sem falar no colo dos pais), é carregada para todo lugar, é alimentada até se cansar, abre a boca para chorar e recebe exatamente o que quer, quando quer (em vez de ganhar um "Pare com este choro!").

Em vez de pressionar sua filha mais velha para ser uma "mocinha" neste momento delicado, trate-a como um bebê quando ela quiser ser tratada como um bebê — mesmo que isto signifique carregar dois "bebês" ao mesmo tempo. Dê-lhe a atenção de que ela necessita (embale-a em seus braços quando ela estiver cansada, leve-a no colo pelas escadas de vez em quando, alimente-a quando ela pedir) e não a repreenda quando ela regredir para frases de uma só palavra (mesmo que isso dê nos seus nervos), quando quiser tomar o leite dela na mamadeira (mesmo que nunca tenha feito isso antes) ou se voltou a agir como bebê na hora de usar o banheiro. Ao mesmo tempo, estimule-a a agir como alguém da idade dela, fazendo com que o comportamento de uma mocinha seja uma grande coisa, por exemplo, quando ela se limpar sozinha, ajudá-la com o bebê ou for ao banheiro sozinha. Fazer tais elogios na frente de outras pessoas só reforça os benefícios. Lembre-a de que ela foi o seu primeiro bebê e que agora é a sua primeira mocinha. Aproveite todas as oportunidades para apontar as coisas especiais que ela sabe fazer e a irmã ainda não sabe, como saborear um sorvete em uma festa de aniversário, descer pelo escorrega no *playground* ou sair para comer uma pizza com o papai e com a mamãe. Cozinhe com ela enquanto o bebê estiver dormindo, convoque a ajuda dela quando for fazer compras, leve-a para assistir a um filme enquanto o bebê fica com uma babá. A seu próprio tempo, ela vai perceber por si só as vantagens de ser a filha mais velha e vai decidir deixar o passado de bebê para trás.

## Quando o filho mais velho machuca o bebê

*"Eu saí do quarto por um minuto e fiquei horrorizada quando voltei e vi meu filho mais velho batendo na irmãzinha dele com um brinquedo. Ela não se machucou desta vez, mas parece que ele estava tentando fazê-la chorar de propósito."*

Embora esta agressão tenha parecido, a princípio, uma tentativa sádica de ferir um novato indesejado, não é o que acontece normalmente. Embora possa haver um elemento de hostilidade (e isto é muito natural, considerando a confusão que um recém-nascido causa na vida do irmão mais velho), estes ataques que parecem ser maldosos são, com frequência, investigações inocentes. Seu filho pode estar tentando fazer a irmã dele chorar não por maldade, mas por curiosidade em descobrir como funciona esta estranha criaturinha que você trouxe para casa (assim como está constantemente examinando e testando tudo no ambiente dele). O truque é reagir à situação sem exageros. Enfatize para o seu filho, com exemplos e envolvendo-o nos cuidados com o bebê quando você estiver por perto, sobre a importância de ser gentil com o bebê. Quando ele ficar grosseiro, reaja calma e racionalmente, evitando a raiva ou recriminações que possam provocar a culpa nele (se ele estiver querendo atormentá-la, vai adorar ter feito você explodir). Evitar reações explosivas é ainda mais essencial se o bebê tiver sido realmente machucado; fazer um filho mais velho se sentir culpado pelo que fez, quer esta ação tenha sido intencional ou não, pode deixar cicatrizes emocionais e ter pouco retorno positivo.

Mas, ao mesmo tempo que ter uma reação exagerada ao comportamento agressivo de seu filho mais velho em relação ao irmãozinho não é uma boa ideia, ignorá-lo também é má ideia. Faça com que o seu filho entenda, de maneira calma e compreensiva mas firme, que bater ou machucar qualquer pessoa (o bebê ou outra pessoa qualquer) é inaceitável. Dê a ele formas alternativas de

## ENXERGANDO VERDE?

O pequeno monstro verde invadiu o berçário desde a chegada de seu novo bebê? Ou você está apenas querendo acabar com o ciúme do irmão mais velho? Todas as dicas deste capítulo para lidar com a rivalidade entre irmãos devem ajudar a impedir ou melhorar aquele sentimento normal de ciúme. Pode também ser útil se referir ao bebê usando o nome dele ou como "nosso bebê" ou "o seu irmão (ou irmã) bebê" — nunca como "meu bebê".

Procure também evitar ordens que façam o filho mais velho se sentir como se a vida dele girasse em torno do filho mais novo: "Fique quieto — o bebê está dormindo", ou: "Você não pode se sen-

tar no meu colo — o bebê está mamando", ou: "Pare de pegar o bebê — você vai machucá-lo!" Você conseguirá um resultado melhor se limitar os "nãos" diretos e refizer os pedidos de uma maneira mais positiva: "O bebê está dormindo. Vamos ver se nós podemos sussurrar para que ele não acorde", ou: "Que tal se sentar nesta cadeira perto de mim para que possamos ficar juntos enquanto eu amamento o bebê?", ou: "O seu irmãozinho adora quando você o acaricia gentilmente assim." Mas lembre-se também de que uma certa dose de ciúmes é inevitável e, se você parar para pensar no assunto, perfeitamente compreensível.

---

expressar seus sentimentos confusos (ou hostis) que não machuquem o bebê — como usar palavras ("Bebê, você me deixa com muita raiva!"), socar um travesseiro, dar murros na massinha de modelar, pular ou fazer um desenho.

Ainda assim, tenha em mente que quando um irmão mais velho (mas ainda muito novo) machuca um mais novo, a prevenção é preferível à punição. Não importa que você acredite que seu filho mais velho tenha entendido a mensagem, não deixe os dois sozinhos no mesmo quarto sem a presença de outra pessoa novamente até que seu filho tenha idade suficiente — provavelmente por volta dos 5 anos — para entender os danos que ele pode causar. Crianças mais novas realmente não entendem a dimensão da lesão que podem causar

com seus atos e que elas podem provocar ferimentos graves por acidente.

## COMO DIVIDIR O TEMPO E A ATENÇÃO

*"Eu me pergunto como posso me dividir de maneira justa, para que tanto meu filho de 4 anos quanto o irmãozinho recebam a atenção de que precisam e para que meu filho mais velho não fique com ciúmes."*

Na verdade duas de você (ou pelo menos mais dois braços) seriam algo útil neste momento da sua vida, mas isto obviamente não é possível. O que significa que há apenas uma de você

# IRMÃOS COM UMA GRANDE DIFERENÇA DE IDADE

Nem todos os irmãos vêm com uma diferença de dois ou três anos. Graças aos segundos casamentos, à infertilidade secundária (dificuldade em engravidar pela segunda vez), a uma necessidade renovada de preencher um ninho quase vazio e a uma boa e velha "surpresa", muitas irmãs e irmãos mais velhos são, na verdade, *muito* mais velhos — seis, oito ou até dez anos mais velhos, ou mais.

Esperar muitos anos para ter o segundo bebê tem várias vantagens. Por um lado, as crianças mais velhas geralmente são excelentes nos cuidados com o bebê. Enquanto uma criança de 3 anos ainda não pode segurar um bebê recém-nascido sem a supervisão de um adulto nem mesmo por um instante, uma criança de 8 ou 9 anos pode olhar o irmãozinho enquanto a mamãe toma banho ou o papai termina de lavar a louça. Um irmão adolescente pode até mesmo servir de babá ocasional (se você conseguir convencê-lo de desistir de passar uma noite se divertindo com os amigos). Como os filhos mais velhos já têm vida própria, além da casa e dos pais, provavelmente se sentirão menos ameaçados pela invasão do bebê do que uma criança que está começando a andar ou uma que esteja na pré-escola (e menos provavelmente sentirão falta do seu colo). E porque eles estão na escola ou fazendo outras atividades durante a maior parte do dia, há mais oportunidade para os pais centralizarem a atenção — ininterruptamente — no novo bebê, e menos daquele sentimento de divisão.

É claro que irmãos de todas as diferenças de idade podem e experimentam a rivalidade e a sua dose de problemas de transição quando chega um novo bebê. (Na verdade, para aqueles que aproveitaram o *status* de único herdeiro por uma década ou mais, a transição pode ser ainda mais difícil, embora, no fim das contas, a revelação de que a vida da família não gira em torno dele pode ser um benefício, se não bem-vindo inicialmente, como um sinal de alerta.) E os desafios enfrentados por estes irmãos com grande diferença de idade — e por seus pais — são muito diferentes daqueles enfrentados pelos que estão próximos em idade. Por exemplo, filhos mais velhos podem não se ressentir pela perda do colo da mãe, mas podem ficar ressentidos por ela nem sempre poder aparecer nos jogos ou atividades após a escola porque o bebê tem que dormir. Um pré-adolescente pode ficar orgulhoso do novo membro da família — ou decididamente envergonhado (é prova de que seus pais fizeram... sexo!). Toda a logística — de onde vocês vão comer (voltar a frequentar "restaurantes para famílias" logo depois que o filho mais velho foi promovido para frequentar restaurantes sofisticados), que música ouvir no carro (o mais recente sucesso do hip-hop ou o refrão da mesma música do Barney novamente), que filmes assistir (de suspense ou aventuras de um ratinho), para onde ir nas férias (uma aventura nas corredeiras de um rio ou uma viagem à Disney) — estas coisas podem ser complicadas pela diferença de idade. E é claro que existem as noites em duas frentes diferentes: como você pode ficar acordada tarde da noite esperando que seu filho adolescente vire a chave da porta quando você sabe que tem que estar de pé novamente em uma hora para a próxima mamada do seu filho?

Para ajudar o filho mais velho ou para que seus filhos se adaptem à vida com o novo bebê:

♦ Não se esqueça de prepará-lo. Só porque seu primogênito é mais velho e mais esperto não significa que ele sabe tudo sobre recém-nascidos. Um pequeno manual sobre bebês para iniciantes — na forma de livros feitos para o nível de leitura do seu filho, visitas a bebês de amigos, uma olhada no próprio livro do bebê — vai ajudar a pintar um quadro realista de como os bebês realmente são.

♦ Preste atenção. Os sinais de que seu filho mais velho está precisando de um pouco do tempo da mamãe ou do papai podem ser menos evidentes do que seria com um filho que está aprendendo a andar ou na idade pré-escolar. Mas só porque o seu primogênito não chora por ele, isto não significa que ele não precise. Na verdade, com o estresse da escola, a pressão dos colegas e o peso do crescimento, seu filho mais velho pode precisar da sua atenção mais do que nunca (mesmo que ele provavelmente não admita). Arranje tempo para vocês dois ou vocês três — longe do bebê. Contrate uma babá e leve o primogênito para um jantar para adultos e ao cinema, uma tarde no parque de diversões, o *shopping* ou o clube.

♦ Evite transformar o filho mais velho em um minipai ou minimãe. Pedir ocasionalmente a seu primogênito, desde que tenha idade suficiente, para que cuide do bebê enquanto você corre ao mercado ou ao correio é justo. Pedir a ele para passar todas as noites de sábado em casa cuidando do bebê não é. Ser babá não deve ser a obrigação de um filho muito mais velho. Se quiser que seu filho faça este serviço com frequência à noite, você deve pedir (e não exigir) e pagar por isto.

♦ Deixe os seus filhos agirem de acordo com a idade deles. Até mesmo um adolescente ainda é uma criança e tem todo o direito de agir como uma. Então, mantenha as suas expectativas dentro da realidade.

para fazer tudo — deixando-a dividida pelo menos em duas nos muitos anos que estão por vir. A questão é como fazer a divisão de uma maneira que será melhor para o seu filho que já está na pré-escola e para o novo irmãozinho.

Mais tarde, quando você se dedicar à educação das crianças, a divisão terá de ser bem equânime; a quantidade de tempo que você passará com um filho terá de ser igual à do tempo que você passará com o outro (assim como cada maçã ou fatia de bolo que terão que ser divididas precisamente para satisfazer as duas crianças). Entretanto, agora, uma pequena desigualdade em favor do seu filho mais velho não é somente aceitável, é o melhor a se fazer. Leve em conta, primeiro, que seu filho mais velho está acostumado a ser um filho único que nunca teve que dividir a atenção com ninguém antes. Seu bebê, por outro lado, felizmente não está ciente de quem está recebendo mais atenção sua e ficará basicamente feliz contanto que as necessidades dele estejam sendo atendidas. Tenha em mente também que, ao contrário de seu primogênito, que veio do hospital para uma casa relativamente sossegada, seu novo bebê nasceu em uma casa muito ativa, com bastante interação entre pais e filhos para manter os sentidos dele ocupados e estimulados. Se ele se senta no seu colo enquanto você está construindo uma cidade de blocos ou encaixando as peças de um quebra-cabeça com o seu filho mais velho ou você o aninha no carrinho enquanto empurra o balanço do filho mais velho, ele está recebendo tanto estímulo como estaria se você estivesse brincando diretamente com

ele. Finalmente, lembre-se de que existe outro provedor de carinho na sua casa agora — o seu filho mais velho — que estará dando atenção ao bebê.

Existem algumas maneiras de tornar o trabalho duplo mais viável e de impedir o ciúme excessivo (você provavelmente não será capaz de impedir todo ele). Primeira, você pode dividir sua atenção com o seu filho mais velho sem cortar o tempo com o mais novo cuidando das necessidades de ambos ao mesmo tempo (por exemplo, ler um livro para seu filho enquanto amamenta ou dá a mamadeira para o irmão). Segunda, você pode nomear o primogênito seu assistente principal. Ele pode pegar fraldas para o bebê quando estiver molhado, cantar e dançar para o bebê quando ele estiver mal-humorado e ajudar você a dobrar e guardar as roupas do bebê — achar os pares das meias é uma tarefa simples para você, mas é um desafio e uma experiência de aprendizado para uma criança. Você pode recrutar o mais velho para tarefas para "rapazinhos", como tirar o pó, abrir pacotes de vegetais ou arrumar a mesa. Até quando a ajuda dele não é necessária, reconhecer os esforços dele ("Você me ajuda muito!") vai fazê-lo se sentir um membro valioso da família — e, especialmente, parte do time da mamãe e do papai. Sentir-se útil — e parte do seu time — ajudará a fazer com que ele não se sinta negligenciado.

Mas o irmão mais velho precisa de mais do que tempo dividido; ele também precisa de um tempo sem interrupção sozinho com você todos os dias —

mais do que o recém-nascido. A hora do cochilo do bebê é a ideal, bem como todas as horas em que os dois pais estão em casa e os cuidados com o bebê são divididos. (Tenha em mente que seu filho mais velho vai querer passar algum tempo sozinho com cada um de vocês, portanto é importante alternar as posições de vez em quando.)

É claro que nem sempre é possível colocar as necessidades do seu filho mais velho em primeiro lugar, ou dar a ele mais do que a cota de atenção dele. Nem é uma boa ideia, mesmo enquanto o bebê ainda for muito novinho para notar isto. Dividir você com o bebê é uma parte da vida de um irmão que seu filho mais velho terá de aprender a aceitar — e quanto mais cedo ele aprender a aceitar, menor será rivalidade com a qual você terá de lidar. Haverá momentos — muitos momentos — em que ele vai ter que esperar enquanto você termina de alimentar o bebê ou trocar a fralda dele. Será mais fácil para ele se você continuar a lembrá-lo dos benefícios de ser o filho mais velho e se você o elogiar por sua independência (quando ele faz algo por si só ou brinca sozinho) e por sua paciência (quando ele espera pela sua atenção sem fazer manha). Também será útil que você de vez em quando vire o jogo. Então, ocasionalmente, diga para o bebê (mesmo que o seu filho tenha dúvidas sobre a compreensão do bebê), "Você vai ter que esperar um momento antes de eu trocar a sua fralda porque eu tenho que dar o lanche ao seu irmão", ou: "Eu não posso pegá-lo agora porque tenho que pôr o seu irmão na cama."

## LIGAÇÃO ENTRE IRMÃOS

*"Gostaria de saber como posso ajudar meu filho mais velho a se sentir mais ligado ao seu irmão bebê."*

Mães e pais que passam muitas horas por dia cuidando dos recém-nascidos têm oportunidades para se ligar a eles. E não há uma boa razão para que os irmãos não possam fazer o mesmo. Com a orientação de um adulto à pequena distância, até o mais novo dos irmãos mais velhos pode compartilhar os cuidados com o bebê e começar a ter um sentimento de ligação com o bebê — e uma redução no ciúme pós-parto. Dependendo da idade do filho mais velho, ele pode participar de várias maneiras, inclusive as seguintes:

**Trocar fraldas.** Uma criança em idade escolar pode, na verdade, trocar uma fralda molhada com a mamãe ou o papai ao lado. Uma criança pequena pode ajudar pegando uma fralda limpa, alcançando os lenços umedecidos, apertando o velcro ou as abas ou distraindo um bebê que fica se mexendo durante a troca.

**Alimentação.** Se o seu bebê está mamando na mamadeira ou a usa ocasionalmente, até uma criança relativamente pequena pode segurá-la para ele. Se o bebê está mamando exclusivamente no peito, seu filho mais velho não pode dar de mamar, mas pode se aninhar perto de você com um livro enquanto você amamenta o irmãozinho dele. Ou pode cantar para o irmãozinho enquanto você o amamenta.

**Arroto.** Até mesmo uma criança pequena pode dar tapinhas suaves nas costas do bebê para fazer com que ele arrote após as refeições — e ele provavelmente vai ficar encantado com o resultado.

**Banho.** A hora do banho pode ser uma hora de diversão para toda a família. Um irmão mais velho pode passar o sabonete, a toalha de banho ou e rosto, derramar água para enxaguar (a temperatura deve ser testada por um adulto) o corpo do bebê (mas não a cabeça) e divertir o bebê com seus próprios brinquedinhos de banho ou com músicas. Mas não deixe um irmão com menos de 12 anos de idade ser o único a cuidar do bebê na hora do banho — nem mesmo por um único instante.

**Servir de babá.** Apesar de um irmão mais velho não poder assumir responsabilidade total por um irmão mais novo até que ele seja um adolescente (nunca permita que uma criança em idade pré-escolar cuide sozinha de um bebê nem por um minuto), ele pode ser chamado de "babá" quando você estiver por perto. Os bebês acham que não existe ninguém mais divertido do que os irmãos mais velhos, e descobrir que eles podem divertir o bebê é algo que infla o ego de irmãos mais velhos.

# AUMENTANDO A GUERRA

*"Minha filha tinha muito amor pelo irmãozinho desde que nasceu. Mas agora que ele está engatinhando e consegue pegar os brinquedos dela, ela se voltou contra ele repentinamente."*

Para muitos irmãos mais velhos, um recém-nascido não representa uma grande ameaça. Ele é fraco, basicamente imóvel, incapaz de arrancar livros de outras pessoas ou de aparecer nas festas de bonecas. Dê a ele alguns meses para desenvolver as habilidades de pegar objetos, engatinhar, locomover-se e outras habilidades motoras e o quadro deixa de ser idílico. Até uma criança mais velha, que era adorável (pelo menos na maioria das vezes) com o irmãozinho mais novo até este ponto, pode repentinamente começar a demonstrar hostilidade. E você não pode culpá-los — um bárbaro em miniatura acabou de invadir o território deles. A caixa de giz de cera deles foi saqueada, seus livros violados e suas bonecas roubadas.

Para defender seu território, a irmã mais velha (a tensão geralmente é maior se a diferença de idade entre os dois irmãos for de três anos ou menos) começa a gritar, empurrar e derrubar o bebê. Às vezes há um misto de afeto e agressão nas ações: o que começa como um abraço termina com o bebê chorando no chão. A ação frequentemente reflete corretamente os sentimentos conflitantes da criança. Como mãe, você tem que andar na corda bamba nesta situação, protegendo o filho mais novo sem punir o mais velho. Embora você deva deixar claro para sua filha que ela não pode machucar o irmão mais novo intencionalmente, também deve deixar claro que você entende e é solidária com o problema e as frustrações dela. Tente dar a ela a oportunidade de brincar sem ele por perto (enquanto ele tira um cochilo, está no parquinho ou no andador ou está ocupado com outra coisa). Especialmente quando ela tem convidados em casa, respeite a privacidade e propriedade dela e certifique-se de que o irmão mais novo também respeite (retirando o bebê, quando necessário). Passe algum tempo extra com ela, interfira em favor dela quando o bebê arrancar ou tentar destruir os pertences dela, em vez de sempre dizer a ela: "Deixa ele, ele é só um bebê." Mas elogie-a bastante nas ocasiões em que ela chegar a esta conclusão sozinha.

Muito em breve, o jogo vai virar. O irmãozinho, cansado de ser empurrado e forte o bastante para empurrar intencionalmente (e puxar o cabelo e morder), vai começar a lutar também. Isto geralmente ocorre perto do final do primeiro ano e é seguido de alguns anos de sentimentos confusos entre irmãos — uma mistura de amor e ódio. Você pode esperar por estes anos, quando com frequência se sentirá mais um juiz do que uma mãe, como um constante desafio a sua paciência e sua engenhosidade — bem como uma alegria.

◆ ◆ ◆

# *Parte 4*

# REFERÊNCIA RÁPIDA

# As Primeiras Receitas do Bebê

## 4 a 8 Meses

### QUALQUER VEGETAL NO VAPOR

RENDE DE 1 A 2 XÍCARAS, DEPENDEN-DO DO TIPO DE VEGETAL

*1 batata, batata-doce ou abóbora;
3 a 5 cenouras; 1 xícara de
vagens ou 1 xícara de ervilhas
frescas escovadas ou lavadas
Água, leite materno ou fórmula
(opcional)*

1. Remova a casca das batatas, abóbora ou cenouras e corte em pedaços ou fatias. Arrume as vagens e corte-as ao meio. Coloque 2,5 cm de água em uma panela de tamanho médio e deixe ferver em fogo alto.

2. Coloque o vegetal de sua preferência em um escorredor e coloque o escorredor na panela. O nível de água deve estar abaixo do nível do escorredor. Cubra a panela.

3. Diminua o fogo e deixe os vegetais no vapor até ficarem macios, 7 a 10 minutos para as cenouras, vagens e ervilhas; 15 a 20 minutos para as batatas e a abóbora.

---

### DICA

Quando o bebê tiver sido apresentado a todos os tipos de vegetais ou frutas, separadamente, comece a combinar dois ou mais vegetais ou frutas.

4. Para bebês mais novinhos, faça um purê com o vegetal, batendo no liquidificador ou no processador, acrescentando algumas colheres de chá de água, leite materno ou fórmula, se desejar.

Para bebês mais velhos, amasse com um garfo, deixando pedaços macios e pequenos para o bebê mastigar.

5. Guarde as sobras, cobertas, na geladeira por 2 dias ou no *freezer* por até 2 meses.

## QUALQUER FRUTA ASSADA

RENDE DE 1 A 2 XÍCARAS, DEPENDENDO DA FRUTA USADA

> *2 maçãs, peras, pêssegos ou ameixas frescas ou 3 a 5 damascos, bem limpos, sem casca, caroços ou sementes e cortados em pedaços médios*
> *Água, suco de maçã ou de uva verde, leite materno ou fórmula (opcional)*

---

### DICA

Muitas frutas, especialmente quando bem maduras, são naturalmente doces. Se o purê da fruta parece um pouco azedo, adicione uma gotinha de suco de maçã ou de uva. Mas lembre-se, seu bebê ainda não tem o paladar apurado para o doce, e o ideal é que você o conserve assim por quanto tempo puder, evitando adoçar demais as frutas..

---

### DICA

Sem tempo para bater vegetais no vapor ou frutas cozidas todo dia? Não tem problema. Você pode congelar o purê de vegetais ou frutas ou até mesmo cozidos em uma bandeja de cubos de gelo. Depois que estiverem sólidos, transfira as porções individuais para sacos próprios para congelamento; guarde por até 2 meses. Descongele um cubo de cada vez (deixando-o na geladeira na noite anterior) para evitar desperdícios. Cada porção-cubo equivale aproximadamente a uma colher de sopa; dependendo da idade ou do apetite do seu bebê, uma porção pode variar de um a quatro cubos ou mais. Não há necessidade de reaquecer antes de servir (após descongelar) a menos que o bebê prefira a comida dele quente.

---

1. Em uma panela de tamanho médio, coloque 2,5 cm de água e ferva em fogo alto.

2. Coloque a fruta escolhida na panela, cubra e abaixe o fogo para ferver e cozinhe a fruta até que fique macia, de 7 a 10 minutos.

3. Para bebês mais novos, faça um purê com as frutas no liquidificador ou no processador, adicionando algumas colheres de chá de água, suco, leite materno ou fórmula se ficar muito grosso, se assim desejar.

Para bebês mais velhos, amasse com um garfo, deixando pedaços pequenos macios.

4. Guarde as sobras, cobertas, na geladeira por 2 dias ou no *freezer* por até 2 meses.

# 6 a 12 Meses

## COZIDO DE LENTILHAS

RENDE APROXIMADAMENTE ½ XÍCARA

28 gramas (cerca de 1/8 de xícara)
de lentilhas secas
1 batata pequena, bem lavada,
descascada e cortada em cubos
½ colher de chá de suco de tomate (se
você já introduziu tomates na
dieta do bebê) ou vegetal pobre
em sódio ou caldo de galinha
1 cenoura pequena, bem lavada,
descascada e fatiada

1. Coloque todos os ingredientes em uma panela e adicione água o suficiente para cobrir.

2. Ferva em fogo alto, depois abaixe o fogo e ferva o cozido até que a água seja absorvida e os vegetais estejam cozidos, por cerca de 30 minutos.

3. Faça um purê com o cozido e as cenouras em um liquidificador ou processador ou amasse com um garfo.

4. Guarde as sobras, cobertas, na geladeira por 2 dias ou no *freezer* por até 2 meses.

## PRIMEIRA CAÇAROLA DO BEBÊ

RENDE DE 4 A 6 PORÇÕES

1 colher de chá de azeite de oliva
½ cebola pequena, descascada e
picada

1 batata pequena, bem lavada,
descascada e cortada em pequenos pedaços
1 cenoura, bem lavada, descascada e
fatiada
¼ de xícara de lentilhas secas
¼ de xícara de feijão-branco, jalo
ou roxinho, escaldado (veja a
Nota)
1½ de caldo de vegetal pobre em
sódio

1. Preaqueça o forno a aproximadamente 180ºC.

2. Aqueça o azeite de oliva em uma panela pequena em fogo brando. Acrescente a cebola e cozinhe até que esteja macia, de 3 a 5 minutos.

3. Coloque a cebola em uma caçarola que possa ir ao forno. Acrescente os ingredientes restantes, cubra e cozinhe até que a lentilha e os feijões estejam bem macios, por 1 hora. Para bebês mais novos, amasse ou faça um purê com o feijão e os vegetais.

4. Guarde as sobras, cobertas, na geladeira por até 3 dias.

*Nota:* Para escaldar o feijão, coloque-o em uma panela com duas xícaras de água e dê uma rápida fervura. Retire a panela do fogo, cubra e deixe descansar por 1 hora. A seguir, escorra o feijão e continue com a receita.

# 8 a 12 Meses

## MACARRÃO COM QUEIJO E TOMATE

Certifique-se de que o médico do bebê já tenha dado o sinal verde para tomates e trigo antes de servir este prato.

RENDE APROXIMADAMENTE DUAS PORÇÕES

*56 gramas de macarrão de letrinhas (ou outro pequeno)*
*½ colher de chá de azeite de oliva*
*1 tomate grande maduro, bem lavado, sem pele, sementes e cortado em fatias finas*
*¼ de queijo cheddar com pouca gordura*
*1 colher de sopa de queijo* cottage

1. Coloque uma vasilha de água para ferver em fogo alto. Acrescente o macarrão, abaixe o fogo para médio e cozinhe até que fique bem macio (e não *al dente*). Escorra e reserve.

2. Aqueça o azeite em uma panela em fogo alto. Adicione o tomate e cozinhe até que fique bem macio, 2 minutos. Retire a panela do fogo e adicione o queijo, mexendo até que o *cheddar* derreta.

3. Coloque o molho sobre o macarrão e esfrie ligeiramente antes de servir.

4. Guarde as sobras, cobertas, na geladeira por até 2 dias.

## PRIMEIRO PERU PARA O BEBÊ

RENDE DE 1 A 2 PORÇÕES

*1 fatia média de peru cozido, cortado*
*1 colher de chá de água*
*1/8 de xícara de molho de uva-do-monte (só a fruta)*

1. Coloque o peru e a água em um liquidificador ou processador e bata até adquirir a consistência desejada (purê para bebês pequenos, pequenos pedaços para bebês mais velhos).

2. Misture o molho de uva-do-monte e sirva.

## PÃO PASSADO NO OVO

Certifique-se de que o médico do bebê já tenha dado o sinal verde para trigo e gemas de ovo antes de servir este prato.

RENDE DE 1 A 2 PORÇÕES

*1 ovo batido (use duas gemas se a clara do ovo ainda não tiver sido introduzida)*
*1 fatia de pão branco*
*½ colher de sopa de óleo de canola*

1. Bata o ovo em uma vasilha grande. Mergulhe o pão no ovo, virando-o para

# AS PRIMEIRAS RECEITAS DO BEBÊ

que os dois lados fiquem cobertos e o ovo seja absorvido.

2. Aqueça o óleo em uma frigideira antiaderente em fogo médio.

3. Coloque o pão na panela e frite, removendo as cascas, se necessário, e sirva quente.

## CROQUE BEBE

Certifique-se de que o médico do bebê já tenha dado o sinal verde para trigo e gemas de ovo antes de servir este prato.

RENDE DE 1 A 2 PORÇÕES

*1 ovo (use duas gemas se a clara do ovo ainda não tiver sido introduzida)*
*¼ de xícara de fórmula ou leite materno*
*1 fatia (cerca de 28 gramas) de queijo suíço ou* cheddar
*1 fatia de pão branco, cortado na metade*
*Óleo vegetal de cozinha para borrifar*

1. Bata o ovo e o leite materno ou fórmula juntos em uma vasilha larga.

2. Coloque o queijo entre as porções de pão. Usando um pegador, junte as peças de pão, mergulhe o sanduíche na mistura de ovo, virando até que o líquido seja absorvido.

3. Borrife uma frigideira antiaderente com o óleo vegetal de cozinha. Aqueça em fogo de médio para alto e depois reduza para médio, acrescente o sanduíche e cozinhe até que fique dourado em ambos os lados, por cerca de 5 minutos. Corte o sanduíche em pequenos pedaços, retire as cascas, se necessário, e sirva quente.

4. Deve ser servido no dia em que for preparado. Guarde embrulhado em papel-alumínio para servir posteriormente no mesmo dia como lanche ou em outra refeição. Reaqueça, se necessário, em uma torradeira preaquecida a 180ºC.

## RABANADA DE BANANA

Certifique-se de que o médico do bebê já tenha dado o sinal verde para trigo, gemas de ovo e frutas cítricas antes de servir este prato.

RENDE DE 2 A 4 PORÇÕES

*1 ovo (use duas gemas se a clara do ovo ainda não tiver sido introduzida)*
*2 colheres de sopa de suco de laranja concentrado (ou use suco de maçã extra se os cítricos ainda não tiverem sido introduzidos)*
*2 colheres de sopa de suco de maçã concentrado*
*½ banana madura pequena, amassada*
*¼ de xícara de leite materno ou fórmula*

2 fatias de pão branco
Óleo vegetal de cozinha para
    borrifar

1. Coloque o ovo, o suco concentrado, a banana e o leite materno em uma vasilha grande e misture bem.

2. Coloque o pão na mistura concentrada, virando as fatias com um garfo ou pegador até que o líquido seja absorvido.

3. Borrife uma frigideira antiaderente com o óleo vegetal de cozinha. Aqueça em fogo de médio para alto e então reduza para médio. Acrescente o pão e cozinhe até que fique dourado em ambos os lados, por cerca de 5 minutos. Corte o pão em pequenos pedaços, retire as cascas, se necessário, e sirva quente.

4. Guarde embrulhado em papel-alumínio por até 2 dias ou congele por até 1 mês. Uma vez descongelado, reaqueça em uma torradeira preaquecida a 162ºC.

# TIRINHAS DIVERTIDAS

Certifique-se de que o médico do bebê já tenha dado o sinal verde para o trigo antes de servir este prato.

RENDE DE 1 A 2 PORÇÕES

Óleo vegetal de cozinha para borrifar
1 pedaço pequeno (10 cm
    de comprimento por 5 cm de
    largura) de filé de peixe, como

linguado ou hadoque; peito de
frango desossado ou tofu
¼ de xícara de farinha de rosca
    (veja a Nota)
1 colher de sopa de queijo parmesão
    ralado (opcional)
½ colher de chá de maionese

1. Preaqueça o forno a 176ºC. Borrife uma assadeira pequena com o óleo vegetal. Reserve.

2. Corte o peixe (verifique para ver se não tem espinhas), frango ou tofu em tiras de 1,3 centímetro.

3. Coloque a farinha de rosca e o queijo em uma vasilha pequena, mexendo para misturar.

4. Passe maionese nas tiras do peixe, frango ou tofu, passando a seguir na mistura com farinha de rosca.

5. Arrume as tiras na assadeira previamente preparada e asse por 5 minutos. Vire as tiras e continue a assar até que fiquem douradas e cozidas, por cerca de mais 5 minutos. Sirva quente.

6. Guarde as sobras embrulhadas em papel-alumínio na geladeira por até 2 dias.

Nota: Para fazer a sua própria farinha de rosca, torre um pedaço de pão, pique e passe no liquidificador ou processador até que vire pó. Guarde em um pote hermeticamente fechado por até 3 dias.

# *SUNDAE* DE FRUTA

Só prepare frutas que tenham sido aprovadas pelo médico.

RENDE DE 1 A 2 PORÇÕES

> ¼ de xícara de frutas frescas, como
> banana, melão, pêssego e/ou
> morango
> ¼ de xícara de iogurte de leite inte-
> gral
> 1 colher de chá de conserva de suco
> adoçada
> Anéis de aveia (como Cheerios)

1. Dependendo da fruta, esfregue ou lave-a bem antes de descascar ou retirar a casca. Tire a parte verde dos morangos.

2. Pique a fruta ou corte-a em pedaços, dependendo da idade do seu bebê. Arrume os pedaços em um prato pequeno e coloque iogurte por cima, depois coloque a conserva e finalmente os anéis de aveia.

3. Esta receita deve ser servida no dia em que for preparada. Guarde as sobras, cobertas, na geladeira, para servir posteriormente no mesmo dia como lanche ou em outra refeição.

# CUBOS DE UVA-DO-MONTE E MAÇÃ

RENDE 4 PORÇÕES

> 1 colher de sopa de gelatina sem
> sabor

> ¼ de xícara de água
> 1½ xícara de suco de maçã/uva-do-
> monte sem açúcar ou um suco
> de outro sabor
> ¼ de xícara de suco concentrado de
> maçã

1. Misture a gelatina com a água em uma vasilha de tamanho médio; deixe amolecer, 1 minuto.

2. Enquanto isso, ferva o suco de maçã/uva-do-monte em uma panela pequena em fogo médio. Retire a panela do fogo e adicione o suco sem açúcar à mistura de gelatina. Mexa até que a gelatina tenha dissolvido completamente. Mexa o suco concentrado e despeje a mistura em forminhas de alumínio de 20 centímetros. Refrigere até ficar firme e faça um montinho em um prato de sobremesa.

3. Guarde as sobras, cobertas, na geladeira, por até 4 dias.

# GELATINA DE BANANA E LARANJA

Certifique-se de que o médico do bebê já tenha dado o sinal verde para os cítricos antes de servir este prato.

RENDE 4 PORÇÕES

> 1 colher de sopa de gelatina sem
> sabor
> ¼ de xícara de água
> 1 xícara de suco de laranja fresco

# COMIDINHAS FABULOSAS

Deixe o seu filho que já se alimenta sozinho comer os itens a seguir:

◆ Cheerios ou qualquer outro cereal integral com baixa quantidade de açúcar

◆ Torrada integral

◆ Bolos de arroz

◆ Bolachas integrais (procure pelas de frutas)

◆ *Pretzels* sem sal

◆ *Bagels* (prefira as que têm alguns dias e integrais)

◆ Palitos de queijo

◆ Queijo *cheddar*

◆ Fatias bem maduras e descascadas de pera, pêssego, ameixa, abacate ou manga

◆ Fatias de banana

◆ Ervilhas amassadas com o garfo

◆ Feijão (branco, jalo ou roxinho) cozido amassado com o garfo

◆ Pequenas almôndegas (de carne ou frango em caldo ou molho para não ficarem duras)

◆ Fatias de peixe empanadas (mas cuidado com as espinhas)

---

*½ xícara de suco concentrado de banana e laranja*
*1 banana pequena madura em fatias*

1. Misture a gelatina com a água em uma vasilha de tamanho médio; deixe amolecer por 1 minuto.

2. Enquanto isso, ferva em fogo médio o suco de laranja e o suco concentrado em uma panela pequena. Retire a panela do fogo e acrescente a mistura do suco à mistura da gelatina. Mexa até que a gelatina esteja totalmente dissolvida.

3. Derrame metade da mistura em forminhas de alumínio de 20 centímetros e coloque no *freezer* até que endureça, por cerca de 10 minutos. Adicione uma camada de banana fatiada e cubra com o restante da mistura de gelatina. Refrigere, coberto, até que fique firme, depois corte em quadradinhos e sirva.

4. Guarde as sobras, cobertas, na geladeira, por até 4 dias.

## *FROZEN* IOGURTE DE PÊSSEGO

RENDE 4 PORÇÕES

*2 xícaras de iogurte natural*
*1 xícara de pêssegos amarelos frescos, bem lavados, descascados em fatias*
*¼ de xícara de suco de maçã concentrado*

# AS PRIMEIRAS RECEITAS DO BEBÊ

1. Coloque todos os ingredientes em um liquidificador ou processador até ficarem uniformes.

2. Coloque em uma fôrma de alumínio quadrada de 20 centímetros e congele até ficar polpudo. Raspe a mistura em uma vasilha para misturar e bata até que fique macio. Repita o processo congelamento-bater mais uma ou duas vezes. A seguir, congele até chegar à textura desejada. Se a sobremesa ficar muito congelada, deixe descongelar até que seja possível tirar com uma colher.

## PRIMEIRO BOLO DE ANIVERSÁRIO

Geralmente, à época do primeiro aniversário, as claras de ovos e o trigo já foram introduzidos. Se o médico ainda não deu sinal verde ao seu bebê para estes ingredientes, deixe esta receita para o segundo aniversário ou para outra ocasião.

RENDE UM BOLO COM UMA CAMADA DE 22 CENTÍMETROS

*Óleo vegetal de cozinha para borrifar*
*2½ xícaras de cenouras lavadas, sem casca e cortadas em fatias bem finas*
*Cerca de 2½ xícaras de suco concentrado de maçã*
*1½ xícara de passas*
*2 xícaras de farinha de trigo integral*
*½ xícara de gérmen de trigo*
*2 colheres de sopa de fermento em pó pobre em sódio*

*1 colher de sopa de canela em pó*
*¼ de xícara de óleo de canola*
*2 ovos inteiros*
*4 claras de ovos*
*1 colher de sopa de essência de baunilha*
*¾ de xícara de molho de maçã sem açúcar*
*Glacê de* cream cheese *(receita a seguir)*

1. Preaqueça o forno a 176ºC. Forre duas assadeiras quadradas de 22 centímetros com papel vegetal e borrife o papel com o óleo vegetal. Reserve.

2. Misture as cenouras com 1 xícara mais 2 colheres de sopa de concentrado de suco em uma panela média. Ferva em fogo alto, a seguir, abaixe o fogo para médio e deixe ferver, coberto, até que as cenouras amoleçam, de 15 a 20 minutos. Transfira a mistura das cenouras para um liquidificador ou processador e faça um purê até ficar uniforme. Acrescente as passas e bata até que fiquem bem picadas. Reserve para deixar a mistura esfriar.

3. Misture a farinha, o gérmen de trigo, o fermento e a canela em uma vasilha grande. Adicione o 1¼ restante de suco concentrado (e qualquer resto que sobrar do glacê de *cream cheese*, veja a seguir), o óleo, os ovos inteiros, as claras e a baunilha e bata apenas até misturar bem. Junte a mistura ao purê de cenoura e o molho de maçã. Divida a massa entre as duas assadeiras, alisando com uma espátula de borracha.

4. Asse até que uma faca enfiada no centro do bolo saia limpa, de 35 a 40

## IDEIAS RÁPIDAS PARA A HORA DA REFEIÇÃO

♦ Omelete de queijo ou ovos mexidos (apenas as gemas, até que as claras sejam introduzidas)

♦ Iogurte natural misturado com purê de frutas ou frutas frescas cortadas em fatias finas

♦ Queijo derretido em pão integral

♦ Queijo *cottage* e pedaços de melão

♦ Hambúrguer vegetal (verifique antes se contém ingredientes que ainda não tenham sido introduzidos na dieta do bebê)

♦ Atum amassado como recheio de um pão pita integral

♦ Vegetais congelados misturados no vapor com cobertura de queijo derretido

minutos. Coloque as assadeiras sobre descansos de prato para esfriar, tirando as assadeiras logo a seguir para esfriarem completamente.

5. Quando estiverem frios, cubra com o glacê de *cream cheese* (veja a receita a seguir). Coloque uma camada em uma bandeja. Espalhe um pouco do glacê no topo da camada. Coloque uma segunda camada em cima da primeira camada, ajeite e use o resto do glacê para cobrir a parte de cima e os lados do bolo.

6. Guarde as sobras, cobertas levemente, na geladeira por até 2 dias.

# GLACÊ DE *CREAM CHEESE*

O SUFICIENTE PARA COBRIR UM BOLO COM UMA CAMADA DE 22 CENTÍMETROS

> ½ *xícara de suco de maçã concentrado*
> 455 *gramas de* cream cheese *na temperatura ambiente*
> 2 *colheres de sopa de essência de baunilha*
> ½ *xícara de passas picadas*
> 1½ *colhere de chá de gelatina sem sabor*

1. Reserve duas colheres de sopa de suco concentrado. Bata o restante do suco, o *cream cheese*, a baunilha e as passas em um liquidificador ou um processador até ficar uniforme. Transfira para uma vasilha para misturar. Reserve.

2. Misture a gelatina com as duas colheres de sopa de suco concentrado que foram reservadas em uma panela pequena; deixe que amoleça, por 1 minuto. A seguir, aqueça até que ferva em fogo médio, mexendo para dissolver a gelatina.

3. Bata a mistura da gelatina com a mistura do *cream cheese* até que estejam bem misturados. Cubra e leve à geladeira até que o glacê comece a se formar, de 30 a 60 minutos. A seguir, cubra o bolo.

♦ ♦ ♦

# Remédios Caseiros Comuns

Os médicos recomendam fazer uma sucção no nariz do bebê para melhorar a congestão em caso de um resfriado. As compressas frias, segundo dizem, são o que há de melhor para tratar uma queimadura. E o vapor é o ideal para tratar um bebê com crupe. Mas o quanto de sucção você deve fazer? O que é uma compressa fria? E como fazer para ter vapor o suficiente para melhorar uma crupe? Este guia para remédios caseiros lhe dará as respostas.

## ALMOFADA TÉRMICA

Uma almofada térmica que não tenha cordões ou um elemento que aqueça é geralmente mais segura para usar com um bebê. Se você usar uma bolsa de água quente, releia as instruções antes de cada uso, certifique-se de que a bolsa e o cordão estão em boas condições e cubra-a inteiramente com uma fralda de pano se a bolsa não tiver um pano para cobrir. Mantenha a temperatura baixa, não deixe o bebê sozinho durante o tratamento e não use por mais de 15 minutos por vez.

## ASPIRAÇÃO NASAL

Com o bebê seguro na posição ereta, esprema a bombinha do aspirador (veja a ilustração na página 768) e coloque a ponta cuidadosamente em uma das narinas dele. Solte a bombinha lentamente para puxar o muco para dentro dela. Repita na segunda narina. Se o muco estiver seco e endurecido, irrigue com soro fisiológico (veja a seguir) e aspire novamente.

## AUMENTO DE LÍQUIDOS

Se o conselho médico foi para aumentar a ingestão de líquido: amamente com frequência seu bebê que só se alimenta com o leite materno, a menos que você tenha sido instruída de outra maneira pelo médico. Dê água entre as refeições a bebês com mais de 6 meses, se recomendado pelo médico. Se o bebê estiver tomando suco, dilua o suco com água em partes iguais. Para um bebê mais velho, pergunte ao médico sobre fluidos de reidratação. *Não* force o líquido a menos que o médico diga para fazê-lo. Quando o bebê vomitar, pequenos goles de fluidos espaçados seguram melhor do que grandes quantidades. (Veja as doenças específicas para o líquido preferível em cada caso.)

## BOLSA DE ÁGUA QUENTE

Encha a bolsa de água quente com água que seja apenas um pouco mais quente ao toque. Envolva a bolsa em uma toalha ou fralda de pano antes de aplicar na pele do bebê.

## BOLSA DE GELO

Use uma bolsa de gelo comercial que você possa manter no *freezer* ou um saco de plástico cheio de cubos de gelo (e algumas toalhas de papel para absorver o gelo derretido) e feche com um arame ou um elástico. Você também pode usar uma lata não aberta de suco concentrado congelado ou um pacote de comida congelada não aberto. Não aplique a bolsa de gelo diretamente sobre a pele do bebê.

## COMPRESSAS FRIAS

Encha uma bacia com água fria. Mergulhe um pano ou uma toalha na água, torça e coloque sobre a área afetada. Repita o processo quando o pano não estiver mais molhado e frio.

## COMPRESSAS GELADAS

Encha uma bacia (um balde de poliestireno ou isopor são melhores) com água gelada e uma bandeja ou duas de cubos de gelo. Mergulhe um pano limpo na água, torça e coloque sobre a área afetada. Repita o processo quando o pano não estiver mais frio.

## COMPRESSAS MORNAS

Encha uma bacia (um balde de poliestireno ou um isopor são melhores) com água morna, não quente (ela não deve estar desconfortável para a parte de cima do seu braço). Mergulhe um pano limpo na água, torça e coloque sobre a área afetada.

## COMPRESSAS NOS OLHOS

Para os olhos, mergulhe um pano limpo em água morna, não quente (teste com a parte interna do pulso ou com o antebraço) e aplique nos olhos do bebê de 5 a 10 minutos a cada 3 horas.

## COMPRESSAS QUENTES

Veja "Compressas Mornas". Nunca use compressas quentes em um bebê.

## IMERSÃO EM ÁGUA QUENTE

Encha uma bacia com água que seja confortavelmente quente para a parte interna do seu pulso ou braço (não para os seus dedos). Nunca use a água se você não tiver testado antes. Mergulhe a parte machucada na bacia.

## IMERSÃO GELADA

Encha uma bacia (um balde de poliestireno ou um isopor são melhores) com água gelada e alguns cubos de gelo. Mergulhe a parte machucada de 15 a 30 minutos, se possível. Repita 30 minutos após a primeira imersão, se necessário. Não aplique gelo diretamente na pele do bebê.

## IRRIGAÇÃO COM SORO FISIOLÓGICO

Embora seja possível usar uma solução caseira de sal (adicione 1/8 de colher de chá de sal a ½ xícara de água fervida res-

friada), as soluções salinas comerciais são mais seguras e vale a pena tê-las em casa. Coloque duas gotas em cada narina com um conta-gotas pequeno e limpo para amolecer as crostas e limpar a congestão. Espere de 3 a 5 minutos e faça uma sucção com um aspirador nasal.

## UMIDIFICADOR

Veja "Vapor".

## VAPOR

Use um umidificador de ar quente ou um vaporizador de água colocado longe do alcance do bebê para umedecer o ar; ou coloque uma bacia de água quente no radiador quente (fora do alcance do bebê) ou uma chaleira ou panela de água quente no fogão no mesmo cômodo que o bebê. Para obter vapor rapidamente e em abundância para um bebê com crupe (ver página 1060), feche a porta do banheiro, abra o chuveiro quente no máximo e encha o cômodo com o vapor. Permaneça com o bebê no banheiro até que a tosse cesse. Se a tosse não melhorar em 10 minutos, verifique com o médico do bebê.

# QUADRO DE DOSAGEM PARA REMÉDIOS
## CONTRA A FEBRE PARA BEBÊS*

| TYLENOL (ACETAMINOFEN)** | GOTAS | SUSPENSÃO ORAL |
|---|---|---|
| **Menos de 3 meses****** De 2,700 a 5 kg | ½ conta-gotas | |
| **De 4 a 11 meses****** De 5,400 a 7,700 kg | 1 conta-gotas | ½ colher de chá |
| **De 12 a 23 meses** De 8 a 10,500 kg | 1½ conta-gotas | ¾ de colher de chá |
| **De 2 a 3 anos** De 11 kg a 16 kg | 2 conta-gotas | 1 colher de chá |
| MOTRIN OU ADVIL (IBUPROFENO)*** | GOTAS | SUSPENSÃO ORAL |
| **De 4 a 11 meses****** De 5,400 a 7,700 kg | ½ conta-gotas | |
| **De 12 a 23 meses** De 8 kg a 10,500 kg | 1 conta-gotas | ½ colher de chá |
| **De 2 a 3 anos** De 11 a 16 kg | 2 conta-gotas | 1 colher de chá |

*A aspirina não deve ser dada sem a recomendação do médico.

**Dê o medicamento a cada 4 horas, se necessário, mas não mais do que 5 doses em 24 horas.

***Dê o medicamento a cada 6 ou 8 horas, se necessário, mas não mais do que 4 doses em 24 horas.

****Não dê o medicamento a bebês com menos de 6 meses de idade sem a recomendação médica. Se o peso e a idade não forem correlatos, use a dosagem apropriada para o peso do bebê.

# Infecções Comuns na Infância

Embora normalmente seja o médico quem vai diagnosticar as doenças do seu bebê, você pode achar úteis as informações básicas destes quadros quando tentar avaliar as possibilidades e se preparar para procurar ajuda médica. Os sintomas estão numerados na ordem que se espera que apareçam durante o curso de cada doença, e as irritações estão listadas separadamente para uma referência rápida e uma fácil comparação. Tenha em mente que nem toda criança tem um quadro clínico de todas as infecções que possa ser descrito no livro — os sintomas podem variar, assim como a duração deles.

Os detalhes de como tratar os sintomas específicos (como tosse, diarreia ou uma coceira, por exemplo) ou de como lidar com uma febre foram omitidos do quadro para evitar repetição. Para informações sobre como tratar os sintomas, veja na página 770; para tratar uma febre, veja na página 798.

Outra coisa importante a ser lembrada: mesmo que este quadro diga a você tudo que queira saber sobre uma infecção infantil específica, lembre-se de que não há substituto para a recomendação médica. Consulte o médico do bebê conforme recomendado.

| DOENÇA/ESTAÇÃO/ SUSCETIBILIDADE | SINTOMAS | |
| --- | --- | --- |
| | **SEM ERUPÇÃO** | **COM ERUPÇÃO** |
| | (os números indicam a ordem em que aparecem) | |
| **BRONQUIOLITE** (inflamação dos pequenos ramos da árvore bronquial) **Estação:** Vírus sincicial respiratório (VSR), no inverno e primavera; o parainfluenza (VPI), no outono. **Suscetibilidade:** Maior em crianças com menos de 2 anos, especialmente com menos de 6 meses ou com um histórico familiar de alergia. | 1. Sintomas de resfriado. 2. *Alguns dias depois*: Respiração fraca e rápida; tosse mais pronunciada; chiado ao expirar; febre baixa por cerca de 3 dias. **Às vezes:** O peito não parece se expandir com a inspiração; palidez ou cianose. | Nenhuma. |
| **CATAPORA (varicela)** **Estação:** Mais comumente no final do inverno e primavera em zonas temperadas. **Suscetibilidade:** Ninguém que não seja imune. | Febre leve; mal-estar; perda de apetite. | Manchas vermelhas que viram pápulas; depois formam bolhas, casca e crosta de ferida; coceira aguda; novas vesículas continuam a se desenvolver por 3 ou 4 dias, na maior parte do corpo. |

# INFECÇÕES COMUNS NA INFÂNCIA

| CAUSA/ TRANSMISSÃO/ INCUBAÇÃO/ DURAÇÃO | LIGUE PARA O MÉDICO/ TRATAMENTO/ DIETA | PREVENÇÃO/ RECORRÊNCIA/ COMPLICAÇÕES |
|---|---|---|
| **Causa:** Vários vírus, com mais frequência o VSR. **Transmissão:** Geralmente via secreções respiratórias pelo contato direto ou em objetos domésticos. **Incubação:** Varia com o organismo causador; geralmente de 2 a 8 dias. **Duração:** Fase aguda pode durar apenas 3 dias; tosse de 1 a 3 semanas ou mais. | **Ligue para o médico imediatamente** se a criança estiver tendo problemas de respiração ou **vá a um pronto-socorro** se o médico não puder ser encontrado. **Tratamento:** Drogas broncodilatadoras (para abrir os tubos de respiração). Se não houver sucesso, hospitalização. **Dieta:** Se a comida puder ser ingerida pela boca, refeições pequenas e frequentes. | **Prevenção:** Lavar bem as mãos, limitar a exposição a bebês de alto risco. Injeções mensais para bebês com risco muito alto podem reduzir a gravidade da infecção e reduzir as taxas de hospitalização (ver página 789 para maiores informações). **Recorrência:** Pode recorrer, mas os sintomas podem ser mais brandos. **Complicações:** Falência cardíaca, asma bronquial. |
| **Causa:** Vírus Varicella-zoster. **Transmissão:** De pessoa para pessoa via partículas ou transportado pelo ar; muito contagioso de 1 a 2 dias antes do surgimento até que todas as lesões sejam eliminadas. **Incubação:** Geralmente 14 a 16 dias, mas pode ser de 11 a 20. **Duração:** As primeiras vesículas aparecem em 6 a 8 horas, as crostas em 24 a 48; as crostas duram de 5 a 20 dias. | **Ligue para o médico** para confirmar o diagnóstico; **ligue** se a coceira virar uma dor; **ligue** se houver febre por mais de 3 dias; **ligue imediatamente** para crianças com alto risco; **ligue novamente** se os sintomas da encefalite aparecerem. **Tratamento:** Para coceira (página 770) e febre (página 798). NÃO DÊ ASPIRINA por causa do risco da síndrome de Reye. | **Prevenção:** Evitar a exposição em bebês; imunização para varicela nos 12 meses. **Recorrência:** Extremamente rara, mas vírus dormentes podem aparecer como cobreiro posteriormente. **Complicações:** Raramente encefalite; qualquer um que esteja tomando esteroides ou aqueles que têm sistemas imunológicos comprometidos podem ficar seriamente doentes. **Em mulheres grávidas,** possível risco para o feto; contate o médico se a exposição ocorrer. |

| DOENÇA/ESTAÇÃO/ SUSCETIBILIDADE | SINTOMAS | |
|---|---|---|
| | **SEM ERUPÇÃO** | **COM ERUPÇÃO** |
| | (os números indicam a ordem em que aparecem) | |
| **CAXUMBA** Estação: Final do inverno e primavera. Suscetibilidade: Ninguém está imune. | 1. *Às vezes*: Dor fraca; febre; perda de apetite. 2. *Geralmente*: Inchaço das glândulas salivares em 1 ou ambos os lados da mandíbula, abaixo e na frente da orelha; dor de ouvido, dor ao mastigar ou ao ingerir comidas e bebidas ácidas ou azedas inchaço das outras glândulas salivares. Nenhum sintoma em cerca de 30 por cento dos casos. | Nenhuma. |
| **CONJUNTIVITE** (olho vermelho; inflamação da conjuntiva ou revestimento do olho). | *Dependendo da causa podem surgir*: olhos vermelhos, lacrimejamento, secreção, ardência, coceira, sensibilidade à luz. Geralmente começa em um olho, mas pode ir para o outro. | Nenhuma. |

# INFECÇÕES COMUNS NA INFÂNCIA

| CAUSA/ TRANSMISSÃO/ INCUBAÇÃO/ DURAÇÃO | LIGUE PARA O MÉDICO/ TRATAMENTO/ DIETA | PREVENÇÃO/ RECORRÊNCIA/ COMPLICAÇÕES |
|---|---|---|
| **Causa:** Vírus da caxumba. **Transmissão:** Geralmente 1 ou 2 dias (mas pode durar até 7) antes do aparecimento até 9 dias depois do aparecimento, via contato direto com secreções respiratórias. **Incubação:** Geralmente 16 a 18 dias, mas pode ser de 12 a 25. **Duração:** De 5 a 7 dias. | **Ligue para o médico** para o diagnóstico; **Ligue imediatamente** se houver vômito, tontura; possível dor de cabeça, dor nas costas ou rigidez no pescoço, ou outros sinais de meningoencefalite ao mesmo tempo ou após a caxumba. **Tratamento:** Sintomático para febre e dor; compressas frias aplicadas nas bochechas. **Dieta:** Dieta sem alimentos ácidos ou azedos | **Prevenção:** Imunização MMR. **Recorrência:** Rara **Complicações:** Meningoencefalite; outras complicações raras em bebês, mas podem ser graves em homens adultos após a puberdade devido ao inchaço dos testículos. |
| **Causa:** Muitas, incluindo vírus, bactéria, alérgenos, canal lacrimal bloqueado (ver página 311), clamídia. **Transmissão:** Por organismos infecciosos, mão no olho. **Incubação:** Geralmente breve. **Duração:** Varia: vírus, dois dias a três semanas (pode se tornar crônico); bactéria, cerca de duas semanas; outros, até que alérgenos, irritantes ou o bloqueio do canal sejam removidos. | **Ligue para o médico** para confirmar o diagnóstico; **ligue novamente** se a condição piorar ou não começar a melhorar. **Tratamento:** Compressas nos olhos (ver página 1052); toalhas e lençóis separados para prevenir que a infecção se espalhe; eliminação dos irritantes, como a fumaça do cigarro, quando possível colírios ou pomadas receitadas para infecções de herpes ou bacterianas, possivelmente para conjuntivite viral (para prevenir uma infecção secundária), e para aliviar o desconforto da reação alérgica. | **Prevenção:** Boa higiene (separar as toalhas quando um membro da família estiver infectado); evitar os alérgenos e outras substâncias irritantes. **Recorrência:** Algumas pessoas são mais suscetíveis e mais propensas a recorrências. **Complicações:** Inflamação crônica dos olhos, dano aos olhos por infecções repetidas. |

| DOENÇA/ESTAÇÃO/ SUSCETIBILIDADE | SINTOMAS | |
| --- | --- | --- |
| | **SEM ERUPÇÃO** | **COM ERUPÇÃO** |
| | (os números indicam a ordem em que aparecem) | |
| **CRUPE** (**Laringotraqueíte aguda**) **Estação:** Varia, geralmente pior à noite. **Suscetibilidade:** Crianças pequenas. | Rouquidão, tosse resistente e aguda, grasnado ou som rouco ao respirar (estridor). *Às vezes*: dificuldade em respirar. | Nenhuma. |
| **DISTÚRBIO GASTRINTESTINAL** Ver **Diarreia** na página 775. | | |

# INFECÇÕES COMUNS NA INFÂNCIA

| CAUSA/ TRANSMISSÃO/ INCUBAÇÃO/ DURAÇÃO | LIGUE PARA O MÉDICO/ TRATAMENTO/ DIETA | PREVENÇÃO/ RECORRÊNCIA/ COMPLICAÇÕES |
|---|---|---|
| **Causa:** Geralmente, vírus; ocasionalmente, bactéria ou objeto inalado. Às vezes não relacionada à infecção; ataques repentinos à noite chamados de "crupe espasmódica". **Transmissão:** Provavelmente, de pessoa para pessoa; objetos contaminados. **Incubação:** 2 dias "geralmente seguindo um resfriado ou gripe". **Duração:** Pode recorrer por vários dias. | **Ligue para o médico** imediatamente se o vapor não trouxer alívio; se o bebê parecer azulado, estiver com os lábios azuis, estiver salivando excessivamente, tiver estridor, ou respiração difícil; ou se você suspeitar de um objeto inalado. **Tratamento inicial:** Vapor (ver página 1053). A crupe espasmódica geralmente responde bem ao banho de vapor ou sair e respirar o o ar frio da noite. **Acompanhamento:** Umidificador. Dormir no mesmo quarto que o bebê para garantia e estar pronto para um tratamento de outra crise ou usar um monitor para que você possa ouvir a crise e agir imediatamente. | **Prevenção:** Fornecer ar umidificado ao bebê com resfriado ou gripe. **Recorrência:** Tende a se repetir em algumas crianças. **Complicações:** Problemas respiratórios; pneumonia, infecção no ouvido por 5 dias após a recuperação. |

| DOENÇA/ESTAÇÃO/ SUSCETIBILIDADE | SINTOMAS | |
|---|---|---|
| | SEM ERUPÇÃO | COM ERUPÇÃO |
| | (os números indicam a ordem em que aparecem) | |
| **DOENÇA DA MÃO-PÉ-BOCA** <br> **Estação:** Verão e outono em climas temperados. <br> **Suscetibilidade:** Maior em bebês e crianças pequenas. | 1. Febre; perda de apetite. **Com frequência:** Dor de garganta e boca (amamentação dolorida); dificuldade em engolir. | 2. **Em 2 ou 3 dias:** Lesões na boca; depois nos dedos das mãos, talvez nos pés; nádegas, às vezes nos braços, pernas e menos frequentemente no rosto. Lesões na boca normalmente formam bolhas. |
| **DOENÇA DE LYME** <br> **Estação:** Verão e outono. <br> **Suscetibilidade:** Qualquer um. Concentração maior de casos nos Estados Unidos, Europa e Ásia, mas a doença está se espalhando. | 1 ou 2. *Com frequência*: Fadiga; dor de cabeça; febres e calafrios; dor generalizada; glândulas inchadas próximas ao local da mordida. <br> *Às vezes*: Conjuntivite; inchaço nos olhos; mudanças de comportamento intermitentes devido ao envolvimento do sistema nervoso; dor de garganta; tosse não produtiva. <br> 3. *Semanas a anos mais tarde*: Dores nas juntas (artrite); anomalias cardíacas. | 1. *Geralmente (mas nem sempre)*: Uma erupção vermelha, redonda no local da mordida, que geralmente se expande após alguns dias ou semanas até formar uma mancha grande. <br> 2. *Às vezes*: Se a doença se espalha, manchas múltiplas se desenvolvem, semelhantes, mas com frequência menores, do que a lesão primária. |

| CAUSA/ TRANSMISSÃO/ INCUBAÇÃO/ DURAÇÃO | LIGUE PARA O MÉDICO/ TRATAMENTO/ DIETA | PREVENÇÃO/ RECORRÊNCIA/ COMPLICAÇÕES |
|---|---|---|
| **Causa:** Vírus Coxsackie. **Transmissão:** Boca a boca; fezes na mão ou na boca. **Incubação:** 3 a 6 dias. **Duração:** 1 semana. | **Ligue para o médico** para confirmar o diagnóstico. **Tratamento:** Sintomático (ver página 770). **Dieta:** Alimentos macios podem ser mais agradáveis. | **Prevenção:** Nenhuma. **Recorrência:** Possível. **Complicações:** Nenhuma. |
| **Causa:** Uma espiroqueta. **Transmissão:** Espalha-se pela mordida de carrapatos do tamanho da cabeça de um alfinete (cujos hospedeiros são os cervos, os ratos e outros animais) e possivelmente por outros carrapatos. Já que os carrapatos levam muito tempo para injetar a bactéria, a remoção imediata pode prevenir a infecção. **Incubação:** De 3 a 32 dias. **Duração:** Sem o tratamento, possivelmente anos. | **Ligue para o médico** se a mancha ou outro sintoma aparecer. **Tratamento:** antibióticos são eficazes, até mesmo em estágio avançado. **Dieta:** nenhuma mudança. | **Prevenção:** roupas protetoras em ambientes externos de áreas infestadas; alerta a possíveis mordidas de carrapato; remoção *imediata* dos carrapatos. **Recorrência:** Possível; não há imunidade duradoura. **Complicações:** Anomalias neurológicas, cardíacas, motoras. |

| DOENÇA/ESTAÇÃO/ SUSCETIBILIDADE | SINTOMAS SEM ERUPÇÃO (os números indicam a ordem em que aparecem) | COM ERUPÇÃO |
|---|---|---|
| **DOR DE GARGANTA VIRAL (amidalite; faringite)** **Estação:** Outono, inverno e verão. **Suscetibilidade:** Maior ocorrência em crianças mais velhas. | Febre moderada (38,3°C a 39,4°C); fadiga; dor na garganta ou desconforto; alguma dificuldade em engolir; irritabilidade e inquietação. A garganta parece vermelha e as amídalas podem estar inchadas. *Às vezes:* Rouquidão, tosse e conjuntivite (olhos vermelhos), especialmente se causadas pelo adenovírus. | Nenhuma. |
| **ENCEFALITE (inflamação do cérebro)** **Estação:** Depende da causa. **Suscetibilidade:** Varia com a causa. | Febre; tontura; dor de cabeça, vômito. Às vezes: Dano neurológico. | Nenhum. |

| CAUSA/ TRANSMISSÃO/ INCUBAÇÃO/ DURAÇÃO | LIGUE PARA O MÉDICO/ TRATAMENTO/ DIETA | PREVENÇÃO/ RECORRÊNCIA/ COMPLICAÇÕES |
|---|---|---|
| **Causa:** Vários vírus, mais frequentemente o adenovírus; também o enterovírus. (Dor de garganta crônica pode ser devido a uma alergia; fumaça do cigarro, calor, ar seco ou outros fatores.) **Transmissão:** Depende do vírus causador; provavelmente via respiratória com adenovírus. **Incubação:** Depende do vírus causador; 2 a 14 dias com o adenovírus. **Duração:** 1 a 10 dias. | **Ligue para o médico** se você suspeitar que o bebê tem uma dor de garganta para que o médico possa determinar a causa. **Tratamento:** Sintomático. Acetaminofeno para a dor. (Bebês são pequenos demais para fazer gargarejo ou para chupar pastilhas.) NÃO DÊ ASPIRINA por causa do risco da síndrome de Reye. **Dieta:** Alimentos frios e macios podem ser mais fáceis para o bebê tolerar. Líquidos. | **Prevenção:** Isolamento da pessoa infectada e boa higiene. Em dores de garganta crônicas a remoção da causa (eliminação da fumaça do ambiente, por exemplo). **Recorrência:** Possível. **Complicações:** Improvável, exceto em crianças com baixa imunidade. |
| **Causa:** Com frequência uma complicação de uma outra doença viral. **Transmissão:** Depende da causa; alguns vírus transmitidos via insetos. **Incubação:** Depende da causa. **Duração:** Varia. | **Ligue para o médico** imediatamente ou vá a um pronto-socorro se você suspeitar de encefalite. **Tratamento:** Hospitalização. | **Prevenção:** Imunização contra doenças para as quais isto é uma complicação (por exemplo, sarampo). **Recorrência:** Improvável. **Complicações:** Dano neurológico; pode ser fatal. |

| DOENÇA/ESTAÇÃO/ SUSCETIBILIDADE | SINTOMAS | |
|---|---|---|
| | SEM ERUPÇÃO | COM ERUPÇÃO |
| | (os números indicam a ordem em que aparecem) | |
| **EPIGLOTITE** (inflamação da epiglote) Estação: Meses de inverno em climas temperados. Suscetibilidade: Não é comum em crianças com menos de 2 anos. | Voz abafada, dificuldade de respirar e engolir; salivação. O surgimento repentino de uma febre alta é típico. A criança parece doente. Às vezes: Tosse aguda; língua protuberante; febre. | Nenhuma. |
| **FARINGITE** Ver Dor de Garganta | | |
| **FEBRE ESCARLATE** (escarlatina) Estação: O ano inteiro, mais comum nos meses frios. Suscetibilidade: Maior entre crianças em idade escolar; menos comum nas com menos de 3 anos e em adultos. | Semelhante à infecção estreptocócica, mas com frequência anunciada pelo vômito e caracterizada pela erupção. Os bebês geralmente não têm garganta inflamada ou dor de garganta; em vez disso eles provavelmente ficarão pálidos (e em geral "parecem doentes" e têm secreção nasal crônica). | Manchas vermelhas no rosto, na virilha e nas axilas; espalhadas pelo resto do corpo e membros; deixa a pele áspera e escamosa. |

# INFECÇÕES COMUNS NA INFÂNCIA

| CAUSA/ TRANSMISSÃO/ INCUBAÇÃO/ DURAÇÃO | LIGUE PARA O MÉDICO/ TRATAMENTO/ DIETA | PREVENÇÃO/ RECORRÊNCIA/ COMPLICAÇÕES |
|---|---|---|
| **Causa:** Bactéria, mais frequentemente *hemophilus influenzae* (Hib). **Transmissão:** Provavelmente de pessoa para pessoa ou por inalação de partículas. **Incubação:** Menos de 10 dias. **Duração:** De 4 a 7 dias ou mais. | **Ligue para a emergência ou vá a um pronto-socorro.** Enquanto espera por ajuda, mantenha o bebê ereto, inclinado para trás, com a boca aberta e com a língua para fora. **Tratamento:** Hospitalização; estabelecimento da via aérea; antibiótico. | **Prevenção:** Imunização para Hib. **Recorrência:** Levemente possível. **Complicações:** Pode ser fatal sem cuidado médico imediato. |
| **Causa:** A bactéria do estreptococos. **Transmissão:** Contato direto com a pessoa infectada. **Incubação:** 2 a 5 dias. **Duração:** Cerca de 1 semana em bebês abaixo de 6 meses, mas o corrimento nasal e a irritabilidade podem durar 6 semanas; cerca de 1 ou 2 semanas em bebês mais velhos. | Ver **Infecção Estreptocócica.** | **Prevenção:** Isolamento das pessoas infectadas pelo menos até que elas tenham tomado antibióticos por 1 ou 2 dias e boa higiene preventiva. **Recorrência:** Pode ocorrer. **Complicações:** Ver **Infecção Estreptocócica.** |

# REFERÊNCIA RÁPIDA

| DOENÇA/ESTAÇÃO/ SUSCETIBILIDADE | SINTOMAS | |
| --- | --- | --- |
| | SEM ERUPÇÃO (os números indicam a ordem em que aparecem) | COM ERUPÇÃO |
| **HERPANGINA** **Estação:** Principalmente no verão e outono em climas temperados. **Suscetibilidade:** Maior em bebês e crianças pequenas. Ocorre sozinha ou com outras doenças. | 1. Febre (37,7°C a 40°C até 41°C); dor de garganta.1 ou 3. Dor ao engolir. **Às vezes:** Vômito; perda de apetite; diarreia; dor abdominal; letargia. | 2. Pápulas branco-acinzentadas no fundo da boca ou na garganta que formam bolhas ou úlceras de 5 a 10 em número. |
| **HERPES SIMPLES** (feridas, febre, bolhas) **Estação:** Qualquer uma, mas o sol pode precipitar o aparecimento do vírus. **Suscetibilidade:** A maior parte das infecções primárias ocorre na infância. | *Infecção primária*: Febre pode ser de até 41°C; dor de garganta; glândulas inchadas; salivação; mau hálito; perda de apetite. *Com frequência*: Sem sintomas. *Sintomas subsequentes*: *Possivelmente:* dor de cabeça. Infecção pode ocorrer também no olho. | *Infecção primária*: Feridas nas membranas mucosas da boca. *Sintomas subsequentes*: Feridas nos lábios ou proximidades, prurido ou coceira, depois bolhas e secreção (estágio dolorido), finalmente crostas e casquinhas (pode coçar). |
| **HIDROFOBIA** Ver Raiva. | | |

# INFECÇÕES COMUNS NA INFÂNCIA

| CAUSA/ TRANSMISSÃO/ INCUBAÇÃO/ DURAÇÃO | LIGUE PARA O MÉDICO/ TRATAMENTO/ DIETA | PREVENÇÃO/ RECORRÊNCIA/ COMPLICAÇÕES |
|---|---|---|
| **Causa:** Vírus *Coxsackie virus*. **Transmissão:** Boca a boca; fezes na mão ou na boca. **Incubação:** 3 a 6 dias. **Duração:** 4 a 7, mas a cura pode levar de 2 a 3 semanas. | **Ligue para o médico** para confirmar o diagnóstico. **Ligue imediatamente** se convulsões ou outros sintomas ocorrerem. **Tratamento:** Sintomático (ver página 770). **Dieta:** Alimentos macios podem ser mais agradáveis. | **Prevenção:** Nenhuma. **Recorrência:** Possível. **Complicações:** Nenhuma. |
| **Causa:** O vírus da herpes simples (HSV) permanece no corpo e pode ser reativado pelo sol, estresse, dentição, resfriado ou febre. **Transmissão:** Contato direto com a lesão, saliva, fezes, urina ou lágrima ou com artigos domésticos após horas da contaminação. **Incubação:** Possivelmente de 2 a 12 dias. **Duração:** As casquinhas caem em 3 semanas. | **Ligue para o médico** apenas se o bebê parecer doente (a menos que o bebê tenha menos de 3 meses, então ligue imediatamente). **Tratamento:** Pomadas podem ajudar (NÃO a cortisona); drogas antivirais em crianças com alto risco. **Dieta:** Para infecção primária alimentos macios não ácidos; durante sintomas subsequentes, iogurte natural com culturas vivas pode ajudar. | **Prevenção:** Evite os fatores desencadeantes quando possível. **Recorrência:** Infecção latente pode aparecer a qualquer momento. **Complicações:** Comprometimento dos olhos. |

| DOENÇA/ESTAÇÃO/ SUSCETIBILIDADE | SINTOMAS | |
|---|---|---|
| | **SEM ERUPÇÃO** | **COM ERUPÇÃO** |
| | (os números indicam a ordem em que aparecem) | |
| **INFECÇÃO ESTREPTOCÓCICA** (faringite estreptocócica) **Estação:** Épocas mais frias do ano. **Suscetibilidade:** Mais comum nas crianças em idade escolar. | *Em bebês*: Corrimento nasal; temperatura flutuante; irritabilidade; perda de apetite; aparência pálida. *Em crianças mais velhas*: Febre alta; garganta avermelhada, com bolsas de pus; dificuldade para engolir; glândulas e amídalas inchadas; dor abdominal. | Geralmente nenhuma. Possivelmente erupções de escarlatina em crianças mais velhas (ver **Febre Escarlate**). |
| **INFECÇÃO NO OUVIDO** (otite média) ver página 778. | | |
| **INFECÇÃO RESPIRATÓRIA SUPERIOR (URI)** Ver Resfriado Comum (página 766) e *Influenza* | | |

# INFECÇÕES COMUNS NA INFÂNCIA

| CAUSA/ TRANSMISSÃO/ INCUBAÇÃO/ DURAÇÃO | LIGUE PARA O MÉDICO/ TRATAMENTO/ DIETA | PREVENÇÃO/ RECORRÊNCIA/ COMPLICAÇÕES |
| --- | --- | --- |
| **Causa:** Bactéria estreptococos do grupo A. **Transmissão:** Por contato direto com um indivíduo infectado de 1 dia antes do aparecimento até 6 dias depois, mas antibióticos reduzem a comunicabilidade para 24 horas. Altamente contagiosa. **Incubação:** 2 a 5 dias. **Duração:** Geralmente cerca de 1 semana, mas a forma crônica da infecção em crianças com corrimento nasal e irritabilidade geral podem durar 6 semanas. Cerca de 1 a 2 semanas em bebês mais velhos. | **Ligue para o médico** inicialmente para o diagnóstico (cultura do nariz ou garganta confirmarão); ligue novamente se a febre não ceder em dois dias ou se novos sintomas aparecerem. **Tratamento:** Sintomático. Antibióticos para matar as bactérias e prevenir complicações. **Dieta:** Alimentos frios e macios podem ser mais fáceis para o bebê tolerar. Líquidos. | **Prevenção:** Isolamento das pessoas infectadas e boa higiene. **Recorrência:** Possível. **Complicações:** Infecções não tratadas podem espalhar-se pelas orelhas, mastoides, sinus, pele (impetigo), pulmões, cérebro e rins. Febre reumática, menos comum, mas pode ocorrer em bebês; também dores nas juntas e infecções. |

| DOENÇA/ESTAÇÃO/ SUSCETIBILIDADE | SINTOMAS | |
|---|---|---|
| | SEM ERUPÇÃO (os números indicam a ordem em que aparecem) | COM ERUPÇÃO |
| **INFECÇÕES VIRAIS NÃO ESPECÍFICAS** **Estação:** Principalmente no verão. **Suscetibilidade:** Principalmente em crianças pequenas. | Variam, mas pode haver: febre; perda do apetite e diarreia. | Vários tipos de erupções são vistas com IVNE |
| *INFLUENZA* (gripe) **Estação:** Mais frequente nos meses frios; com frequência epidêmica. **Suscetibilidade:** Qualquer um, mas idosos e crianças podem ficar muito doentes. | *Às vezes*: Nenhuma notada. 1. *Geralmente surgimento abrupto de:* Febre (de 38°C a 40°C); tremores; mal-estar; tosse seca e impro-dutiva; diarreia e vômito. 2. *Com frequência 3 ou 4 dias depois do surgimento:* Sintomas de resfriado. *Pode incluir:* Febre, mal-estar, dor de cabeça, leve dor no pescoço, dor geral intermitente ou variável. 3. *Às vezes pelas próximas 1 ou 2 semanas:* Tosse produtiva e fadiga. *Em alguns casos:* À medida que a doença se espalha: dor de cabeça, fadiga, dores, envolvimento do sistema nervoso. 4. *Final da doença se não tratada:* Artrite crônica, especialmente nos joelhos; envolvimento maior do sistema nervoso central; raramente danos ao coração. | Nenhuma. |

| CAUSA/ TRANSMISSÃO/ INCUBAÇÃO/ DURAÇÃO | LIGUE PARA O MÉDICO/ TRATAMENTO/ DIETA | PREVENÇÃO/ RECORRÊNCIA/ COMPLICAÇÕES |
|---|---|---|
| **Causa:** Vários enterovírus. **Transmissão:** Fezes na boca ou mãos; possivelmente boca a boca. **Incubação:** De 3 a 6 dias. **Duração:** Geralmente poucos dias. | **Ligue para o médico** para confirmar o diagnóstico; ligue novamente se o bebê parecer piorar ou se novos sintomas aparecerem. **Tratamento:** Sintomático. **Dieta:** Maior ingesta de lí-líquidos para a diarreia e febre (ver páginas 776 e 784). | **Prevenção:** Nenhuma. **Recorrência:** Comum. **Complicações:** Muito raras. |
| **Causa:** *Influenza* A, *Influenza* B. **Transmissão:** Inalação de partículas respiratórias; uso de artigos contaminados. Contagiosa a partir de 5 dias antes dos sintomas aparecerem. **Incubação:** De 1 a 2 dias. **Duração:** Fase aguda, poucos dias; fase convalescente, 1 a 2 semanas. | **Ligue para o médico** se o bebê tiver menos de 6 meses, se os sintomas forem graves ou continuarem por 3 dias ou se a febre estiver acima de 38°C. **Tratamento:** Sintomático; em casos graves drogas antivirais podem ser receitadas. NÃO DÊ ASPIRINA por causa do risco da síndrome de Reyes. **Dieta:** Bastante líquido. | **Prevenção:** Imunização anual para todos os bebês acima de 6 meses de idade; evitar multidões na estação da gripe; lavar as mãos. **Recorrência:** Comum. **Complicações:** Infecções bacterianas secundárias: otite média, bronquite, crupe, pneumonia. |

## 1074 REFERÊNCIA RÁPIDA

| DOENÇA/ESTAÇÃO/ SUSCETIBILIDADE | SINTOMAS | |
|---|---|---|
| | **SEM ERUPÇÃO** | **COM ERUPÇÃO** |
| | (os números indicam a ordem em que aparecem) | |
| **MENINGITE** (inflamação das membranas em volta do cérebro e/ou medula espinhal)<br>**Estação:** Varia com o organismo causador: para a Hib, no inverno.<br>**Suscetibilidade:** Depende do organismo causador; para a Hib, maior em bebês e crianças pequenas. | Febre; choro agudo; tontura; irritabilidade; perda de apetite; vômito; abaulamento da fontanela. *Em crianças mais velhas,* também: enrijecimento do pescoço; sensibilidade à luz; visão embaçada e outros sinais de doenças neurológicas. | Nenhuma |
| **MENINGO ENCEFALITE** (uma combinação de meningite e encefalite). Ver **Meningite e Encefalite.** | | |
| **OTITE MÉDIA**<br>Ver página 778. | | |

# INFECÇÕES COMUNS NA INFÂNCIA

| CAUSA/ TRANSMISSÃO/ INCUBAÇÃO/ DURAÇÃO | LIGUE PARA O MÉDICO/ TRATAMENTO/ DIETA | PREVENÇÃO/ RECORRÊNCIA/ COMPLICAÇÕES |
| --- | --- | --- |
| **Causa:** Mais frequentemente, bactéria, como a Hib, pneumococos ou meningococos; também vírus, que causam uma doença menos grave. **Transmissão:** Depende do organismo. **Incubação:** Varia com o organismo; para a Hib, provavelmente menos de 10 dias. **Duração:** Varia. | **Ligue para o médico** imediatamente se você suspeitar de meningite, ou vá a um pronto-socorro se o médico não puder ser encontrado. **Tratamento:** Para a meningite viral, sintomático; para a bacteriana, hospitalização; antibióticos. **Dieta:** Líquidos extras para a febre. | **Prevenção:** Imunização PCV; imunização Hib para infecções Hib. **Recorrência:** Possível. **Complicações:** Formas virais geralmente não causam danos a longo prazo; Hib ou outras formas bacterianas podem causar danos neurológicos duradouros. |

| DOENÇA/ESTAÇÃO/ SUSCETIBILIDADE | SINTOMAS | |
| --- | --- | --- |
| | SEM ERUPÇÃO | COM ERUPÇÃO |
| | (os números indicam a ordem em que aparecem) | |
| **PERTUSSIS** (tosse convulsa) **Estação:** Final do inverno/início da primavera. **Suscetibilidade:** Metade dos casos ocorre em bebês com menos de 1 ano. | 1. Sintomas do resfriado com tosse seca; febre baixa; irritabilidade. 2. *Uma ou duas semanas depois*: Tosse em acessos descontrolados sem intervalos entre eles; muco grosso expelido. *Com frequência*: Olhos saltados e língua protuberante; pele vermelha ou pálida; vômito; suor abundante; exaustão. *Às vezes*: Apneia em bebês; hérnia devido à tosse. 3. Cessação da tosse e do vômito; redução da tosse; melhora do apetite e humor. Branda em crianças imunizadas. | Nenhuma. |

# INFECÇÕES COMUNS NA INFÂNCIA

| CAUSA/ TRANSMISSÃO/ INCUBAÇÃO/ DURAÇÃO | LIGUE PARA O MÉDICO/ TRATAMENTO/ DIETA | PREVENÇÃO/ RECORRÊNCIA/ COMPLICAÇÕES |
|---|---|---|
| **Causa:** *Pertussis bacteria.* **Transmissão:** Contato direto via partículas; mais contagiosa durante estágio inicial; antibióticos reduzem o período de contágio. **Incubação:** 7 a 10 dias; raramente mais do que 2 semanas. **Duração:** Geralmente 6 semanas, mas pode durar muito mais. | **Ligue para o médico** imediatamente no caso de tosse persistente. **Tratamento:** Hospitalização para bebês; antibiótico (pode ajudar a reduzir os sintomas no primeiro estágio, e contágio posteriormente); oxigênio; sucção do muco; umidificação. **Dieta:** Pequenas quantidades de comida ingeridas com mais frequência, reposição de líquidos; alimentação intravenosa se necessário. | **Prevenção:** Imunização (DTaP). **Recorrência:** Nenhuma; uma ocorrência confere a imunidade. **Complicações:** Muitas, incluindo: otite média; pneumonia; convulsões. Pode ser fatal, especialmente em bebês. |

# REFERÊNCIA RÁPIDA

| DOENÇA/ESTAÇÃO/ SUSCETIBILIDADE | SINTOMAS | |
| --- | --- | --- |
| | **SEM ERUPÇÃO** | **COM ERUPÇÃO** |
| | (os números indicam a ordem em que aparecem) | |
| **PNEUMONIA** (inflamação nos pulmões) **Estação:** Varia com o fator causador. **Suscetibilidade:** Qualquer pessoa, mas especialmente crianças pequenas e idosos ou portadores de doenças crônicas. | *Comumente, após um resfriado ou outras doenças, o bebê parece piorar repentinamente, com*: Aumento da febre; tosse produtiva; respiração acelerada; cianose; respiração difícil, com chiado ou dolorida; dor e inchaço abdominais. | Nenhuma. |
| **QUINTA DOENÇA** (eritema infeccioso) **Estação:** Início da primavera. **Suscetibilidade:** Maior em crianças de 2 a 12 anos. | **Às vezes:** Dor de garganta, dor de cabeça, olhos vermelhos, fadiga, febre branda ou coceira. **Raramente:** Dor nas juntas. | 1. Vermelhidão intensa na face (como uma face esbofeteada). 2. *Dia seguinte*: Erupções nos braços e pernas. 3. *Três dias depois*: Erupções nas superfícies internas, dedos dos pés e das mãos, tronco e/ou nádegas. 4. Erupções podem reaparecer com a exposição ao calor (água do banho ou sol) por duas ou três semanas. |

# INFECÇÕES COMUNS NA INFÂNCIA

| CAUSA/ TRANSMISSÃO/ INCUBAÇÃO/ DURAÇÃO | LIGUE PARA O MÉDICO/ TRATAMENTO/ DIETA | PREVENÇÃO/ RECORRÊNCIA/ COMPLICAÇÕES |
|---|---|---|
| **Causa:** Vários micro-organismos, inclusive bactérias; fungos, vírus e protozoários, bem como irritação por um objeto ou substância química inalada. **Transmissão:** Varia com a causa. **Incubação:** Varia com a causa. **Duração:** Varia com a causa. | **Ligue para o médico** se houver tosse persistente ou produtiva ou se um bebê levemente doente parecer pior ou tiver aumento de febre ou tosse; ligue imediatamente ou vá a um pronto-socorro se o bebê tiver dificuldades em respirar, ficar com uma coloração azul ou parecer muito doente. **Tratamento:** Sintomático. A maioria dos casos pode ser tratada em casa. Antibiótico se necessário. **Dieta:** Líquidos, nutrição adequada. | **Prevenção:** Imunização Hib para infecções Hib; proteção de bebês suscetíveis contra a doença. **Recorrência:** Muitos tipos podem recorrer. **Complicações:** Maiores riscos para bebês enfraquecidos por outras doenças, prematuridade ou baixo peso ao nascer. |
| **Causa:** Parvovírus humano. **Transmissão:** Provavelmente de pessoa a pessoa. **Incubação:** 4 a 14 dias, geralmente 12 a 14. **Duração:** 3 a 10 dias, mas as erupções podem reaparecer em até 3 semanas. | **Ligue para o médico** somente se você precisar da confirmação do diagnóstico ou se outros sintomas ocorrerem. **Tratamento:** Nenhum. **Dieta:** Nenhuma mudança. | **Prevenção:** Nenhuma. **Recorrência:** Possível. **Complicações:** Só naqueles que têm deficiência imunológica. Mulheres grávidas devem informar ao médico se elas forem expostas devido ao leve risco para o feto. |

| DOENÇA/ESTAÇÃO/ SUSCETIBILIDADE | SINTOMAS | |
| --- | --- | --- |
| | SEM ERUPÇÃO | COM ERUPÇÃO |
| | (os números indicam a ordem em que aparecem) | |
| **RAIVA** <br> **Estação:** A qualquer época, mas existem mais animais com raiva no verão. <br> **Suscetibilidade:** Qualquer pessoa. | 1. Dor local ou irradiada, ardência, sensação de frio, coceira, formigamento no local da mordida. <br> 2. Febre leve (38,3°C a 38,8°C); letargia; dor de cabeça; perda de apetite; náusea; dor de garganta; tosse solta; irritabilidade; sensibilidade à luz e ao barulho; pupilas dilatadas; batimento cardíaco acelerado; respiração curta; salivação excessiva; lacrimejamento; suor. <br> 3. *2 a 10 dias depois*: Aumento da ansiedade e da inquietude; problemas de visão; fraqueza facial; febre de até 38,8°C. <br> *Com frequência*: Medo de água; com expulsão de líquidos; salivação espumosa. <br> 4. *Cerca de 3 dias depois*: Paralisia. | Nenhuma. |

# INFECÇÕES COMUNS NA INFÂNCIA

| CAUSA/ TRANSMISSÃO/ INCUBAÇÃO/ DURAÇÃO | LIGUE PARA O MÉDICO/ TRATAMENTO/ DIETA | PREVENÇÃO/ RECORRÊNCIA/ COMPLICAÇÕES |
|---|---|---|
| **Causa:** Vírus da raiva. **Transmissão:** mordida de animal infectado; raramente pela saliva; arranhões ou abrasões; possivelmente exposição a um morcego ou outro animal com raiva (como raposa, gambá, guaxinim). **Incubação:** De 5 dias a 1 ano ou mais; 2 meses é a média. **Duração:** Cerca de 2 semanas desde o início dos sintomas até o ponto de paralisia. | **Ligue para o médico** logo após uma mordida por qualquer animal ou se um morcego for encontrado no quarto da criança. **Tratamento:** Prenda o animal; veja as instruções de primeiros-socorros para mordidas (página 819). Profilaxia pós-exposição (PEP) com imunoglobulina humana antirrábica (HRIG) e com vacina produzida em cultura de células diploides humanas (HDCV) serão dadas se o animal não for encontrado ou tiver raiva; reforço contra tétano será dado se necessário. Hospitalização se a doença não for prevenida. **Dieta:** Sem mudanças na dieta. | **Prevenção:** Imunização de animais e indivíduos com alto risco; ensinar crianças pequenas a ter cuidado com animais estranhos ou selvagens (e manter bebês longe deles); esforços comunitários para tirar animais abandonados das ruas e manter a população de animais selvagens livres da raiva. **Recorrência:** Nenhuma. **Complicações:** A doença, se não for tratada, é fatal. Uma vez que os sintomas ocorram, a taxa de mortalidade é alta, mesmo com tratamento. |

# REFERÊNCIA RÁPIDA

| DOENÇA/ESTAÇÃO/ SUSCETIBILIDADE | SINTOMAS | |
| --- | --- | --- |
| | **SEM ERUPÇÃO**  **COM ERUPÇÃO** (os números indicam a ordem em que aparecem) | |
| **ROSÉOLA INFANTIL** **Estação:** O ano inteiro, porém mais comum na primavera e outono. **Suscetibilidade:** Maior em bebês e em crianças pequenas. | 1. Irritabilidade; perda de apetite; febre (38,8°C a 40,5°C). *Às vezes*: Corrimento nasal; glândulas inchadas; convulsões. 2. *No 3° ou 4° dia*: A febre cede e o bebê parece melhor. | 3. Manchas levemente rosadas que ficam brancas ao se pressionar o corpo, pescoço, braços e, às vezes, rosto e pernas. As erupções aparecem depois que a febre cede. Em alguns casos pode não haver erupções. |
| **SARAMPO** (rubéola) **Estação:** inverno e primavera. **Suscetibilidade:** qualquer pessoa não imune. | 1. *Por 1 ou 2 dias:* Febre; corrimento no nariz; olhos vermelhos, lacrimejantes; tosse seca. *Às vezes*: Diarreia; glândulas inchadas. | 2. Pequenas manchas brancas como grãos de areia aparecem dentro das bochechas; pode haver sangramento. 3. Manchas vermelhas e levemente protuberantes começam na testa, atrás das orelhas e depois se espalham para baixo, dando uma aparência vermelha à pessoa. |

# INFECÇÕES COMUNS NA INFÂNCIA

| CAUSA/ TRANSMISSÃO/ INCUBAÇÃO/ DURAÇÃO | LIGUE PARA O MÉDICO/ TRATAMENTO/ DIETA | PREVENÇÃO/ RECORRÊNCIA/ COMPLICAÇÕES |
|---|---|---|
| **Causa:** Vírus da herpes humana, dos tipos 6 e 7 (HHV-6 e HHV-7). **Transmissão:** Das secreções respiratórias dos membros da família e amigos que podem estar saudáveis. **Incubação:** De 9 a 19 dias. **Duração:** De 3 a 6 dias. | **Ligue para o médico** para confirmar o diagnóstico; ligue novamente se a febre persistir por 4 ou 5 dias, se o bebê desenvolver convulsões ou parecer doente. **Tratamento:** Sintomático. **Dieta:** Aumento de líquidos para febre. | **Prevenção:** Nenhuma conhecida. **Recorrência:** Incomum em pessoas saudáveis. **Complicações:** Muito raras. Sequelas febris brandas ocorrem em 10 por cento dos casos devido à febre alta. |
| **Causa:** O vírus do sarampo. **Transmissão:** Contato direto com partículas de 2 a 4 dias antes que as manchas apareçam. **Incubação:** De 8 a 12 dias. **Duração:** Cerca de uma semana. | **Ligue para o médico** para obter o diagnóstico; ligue imediatamente se a tosse se tornar grave, se convulsões ou sintomas de pneumonia, encefalite ou otite média ocorrerem, ou se a febre subir depois de ceder. **Tratamento:** Sintomático; imersões em água morna, luzes diminuídas se os olhos estiverem sensíveis (mas luzes fortes não são prejudiciais). **Dieta:** Líquido extra para a febre. | **Prevenção:** imunização (MMR); isolamento rigoroso de pessoas infectadas. **Recorrência:** Nenhuma. **Complicações:** Otite média, pneumonia, encefalite; pode ser fatal. |

# REFERÊNCIA RÁPIDA

| DOENÇA/ESTAÇÃO/ SUSCETIBILIDADE | SINTOMAS | |
| --- | --- | --- |
| | SEM ERUPÇÃO (os números indicam a ordem em que aparecem) | COM ERUPÇÃO |
| **SARAMPO ALEMÃO** (rubéola) **Estação:** Final de inverno e início da primavera. **Suscetibilidade:** Ninguém está imune. Nenhuma em 25 a 50% dos casos | 1. *Às vezes*: Febre leve; glândulas do pescoço inchadas. | 2. Manchas avermelhadas e pequenas no rosto. 3. Erupções espalhadas pelo corpo, e às vezes no céu da boca. |
| **SÍNDROME DE REYE** **Estação:** Principalmente no inverno e primavera. **Suscetibilidade:** Principalmente em crianças que ingeriram aspirina durante uma doença viral como a catapora ou a gripe. É uma doença rara. | *1 a 7 dias após a infecção viral*: Vômito persistente; letargia; estado mental em rápida deterioração (irritabilidade, confusão e delírio); batimento cardíaco e respiração acelerados. *Pode progredir para*: Coma. | Nenhuma. |

# INFECÇÕES COMUNS NA INFÂNCIA

| CAUSA/ TRANSMISSÃO/ INCUBAÇÃO/ DURAÇÃO | LIGUE PARA O MÉDICO/ TRATAMENTO/ DIETA | PREVENÇÃO/ RECORRÊNCIA/ COMPLICAÇÕES |
|---|---|---|
| **Causa:** Vírus da rubéola. **Transmissão:** 7 a 10 dias antes da erupção aparecer, possivelmente 7 dias depois da erupção aparecer; via contato direto ou por partículas. **Incubação:** 14 a 21 dias; geralmente 16 a 18. **Duração:** Poucas horas ou 4 a 5 dias. | **Ligue para o médico** se uma mulher grávida não imune for exposta. **Tratamento:** Sintomático. **Dieta:** Dose extra de líquidos. | **Prevenção:** Imunização (MMR). **Recorrência:** Nenhuma. Uma ocorrência confere a imunidade. **Complicações:** Muito raramente trombocitopenia ou encefalite. O risco é primário no feto se a mulher grávida não imune for exposta. |
| **Causa:** Desconhecida, mas parece estar relacionada ao uso de aspirina durante doenças virais como catapora e gripe. **Transmissão:** Desconhecida. **Incubação:** Desconhecida, mas parece ocorrer alguns dias após o aparecimento da infecção viral. **Duração:** Varia. | **Ligue para o médico** imediatamente se você suspeitar da síndrome de Reye; ou vá a um pronto-socorro. **Tratamento:** O tratamento hospitalar é vital. | **Prevenção:** Evite dar aspirina em caso de doenças virais como catapora e gripe. **Recorrência:** Nenhuma. **Complicações:** Pode ser fatal, mas os sobreviventes geralmente não têm sequelas. |

| DOENÇA/ESTAÇÃO/ SUSCETIBILIDADE | SINTOMAS | |
|---|---|---|
| | **SEM ERUPÇÃO** | **COM ERUPÇÃO** |
| | (os números indicam a ordem em que aparecem) | |
| **TÉTANO** **Estação:** Quando mais tempo é passado ao ar livre. **Suscetibilidade:** Qualquer pessoa não imunizada. | **Localizados:** Espasmos e tônus muscular dilatado perto da ferida. **Generalizados:** Contrações musculares involuntárias que podem arquear as costas, travar a mandíbula, torcer o pescoço, convulsões; batimento cardíaco acelerado; suor abundante; febre baixa; dificuldade em engolir, em bebês. | Nenhuma. |
| **TONSILITE** Ver *Dor de Garganta* | | |
| **TOSSE CONVULSA** Ver *Pertussis* | | |
| **VÍRUS RESPIRATÓRIO SINCICIAL (RSV)** Ver página 787. | | |

# INFECÇÕES COMUNS NA INFÂNCIA

| CAUSA/ TRANSMISSÃO/ INCUBAÇÃO/ DURAÇÃO | LIGUE PARA O MÉDICO/ TRATAMENTO/ DIETA | PREVENÇÃO/ RECORRÊNCIA/ COMPLICAÇÕES |
|---|---|---|
| **Causa:** Toxina produzida pela bactéria que se espalha pelo corpo. **Transmissão:** Via contaminação por bactéria através de uma ferida, uma queimadura, um arranhão profundo ou um cordão umbilical mal cicatrizado. **Incubação:** 3 dias a 3 semanas, mas em média, 8 dias. **Duração:** Várias semanas. | **Ligue para o médico** imediatamente ou vá ao pronto-socorro se um bebê não vacinado tiver feridas suscetíveis. **Tratamento:** Tratamento médico essencial: toxoide do tétano para prevenir o desenvolvimento da doença; antitoxinas do tétano; relaxantes musculares; antibióticos; ventilador. | **Prevenção:** Imunização de (DTaP); cuidados higiênicos com o cordão umbilical; evitar feridas expostas quando possível. **Recorrência:** Nenhuma. **Complicações:** Muitas, incluindo: úlceras; pneumonia; batimento cardíaco anormal; coágulo sanguíneo no pulmão. Pode ser fatal. |

# Quadros de Altura e Peso

Registre o peso e o comprimento do bebê em um registro permanente de saúde e atualize o progresso dele a cada visita ao pediatra. Para registrar as medidas nestes gráficos, encontre a idade do bebê na parte de baixo do quadro e o peso (em quilogramas) ou comprimento (em centímetros) ao lado. Coloque um ponto colorido no local onde os dois se encon-

tram. Para ver o progresso do seu bebê, ligue os pontos à medida que eles forem sendo acrescentados. Noventa de cada cem crianças ficam entre os 59 e 95%. Embora aqueles 5% no topo e no final possam vir no seu tamanho genético e serem saudáveis, alguns podem crescer devagar demais ou ganhar peso rápido demais. Se o seu bebê recair em qualquer um destes grupos, discuta suas preocupações com o pediatra. Verifique também com o pediatra sobre qualquer variação repentina no padrão típico (em altura ou peso ou ambos), embora esta variação possa ser perfeitamente normal para o seu bebê.

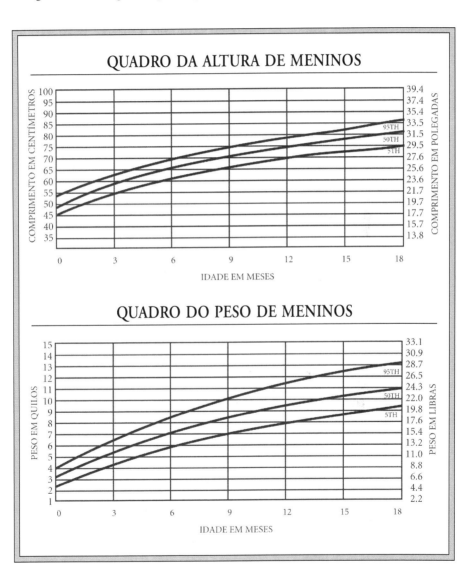

# ÍNDICE

## A

abdominal
dor, e alergia a alimentos, 478
dor, e cólica, 286
dor, e fórmula demais, 264
dor, em bebês doentes, 754
empurrões, em crianças engasgadas, 827
lesões, e primeiros socorros para, 811
abelha, picadas de
alergia a, 764, 820
primeiros socorros para, 820-821
protegendo o bebê de, 724
reação grave a, 820-821
abrasões, primeiros socorros para, 809
abscesso nas mamas, 149-150
absorventes para seios, 140, 146
abuso de drogas, e amamentação, 46
acetaminofeno (paracetamol), 798; ver também medicação
dose para bebês, 1054
leite materno e, 160
acidentes
prevenção de, 575-592
quedas, 657-658
reação dos pais a, 646, 657-658
ácido fólico
deficiência materna e problema de nascença, 894, 900
suplemento, em bebês de mães vegetarianas, 265-266
acne, bebês, 304-305
adaptabilidade fraca, bebê de, 355
adesão peniana, 348-349

adesivo, como anticoncepcional, 970-971
aditivos em alimentos, 495-496
aleitamento materno e, 162
adoçantes artificiais
amamentação e, 162
não são alimento para bebês, 494
adoçantes, e aleitamento materno, 162
adoção
aleitamento materno e, 47, 242, 918-921
anunciando, 923-924
atitude dos avós e, 921-922
bebês que choram e, 917
contando ao bebê sobre, 924
depressão pós-adoção e, 918
finalizando a, 918
não se sentir pai ou mãe e, 916-917
preparando-se para, 913-916
problemas de saúde desconhecidos e, 922
vacinas e, 923
vínculos e, 917
Advil, ver ibuprofeno
afogamento, primeiros socorros para, 805
Agência de Proteção Ambiental (EPA), 490, 494
agitação
alergia a leite e, 271
bebê "rebelde" e, 352-357
cadeirinha do carro e, 431-434
dentição e, 464

na cadeirinha, 431-432
ver também cólica; choro
água
contaminada, e risco menor para o bebê, 488-490, 497
dando ao bebê, 264-265, 438, 726
intoxicação, 727, 728
purificador de, 490
segurança do bebê perto da, 587-588, 590, 726-729
temperatura, na casa, 586
AIDS
circuncisão e, 59
materna, e amamentação, 46
perinatal, 892-893
air bags laterais, e cadeirinha do carro, 221
air bags, e cadeirinha do carro, 219, 221
ajuda
para famílias adotivas, 924
para mães no pós-parto, 56-57
para pais de bebês com necessidades especiais, 885
para pais em casa, 1000-1001
para pais solteiros, 946
álcool
amamentação e, 160-161
dor de dentição e, 495
para cuidar do cordão umbilical, 235, 298
riscos de dar ao bebê e, 495
aleitamento materno
adoçantes e, 162
adoção e, 47, 242, 918
ajuda com, 124-125

# ÍNDICE

álcool durante, 160-161
amendoim e, 162
ansiedade com, 44-45
bebê prematuro, 860-862
bebê que dorme durante, 607; *ver também* alimentação
bebê que recusa, 428-429
beber durante, 158-159
benefícios do, 36-41
benefícios do, ampliado, 394
cafeína durante, 161
combinado com mamadeira, 152-154
começando, 121-125
comer peixe durante, 163
contínuo, 394-395, 620
contraindicações a, 45-47
diante de irmãos mais velhos, 1026
dieta da mãe durante, 156-159
direitos da mãe e, 148
durante doença materna, 150-151
em público, 146-148
ervas e, 161
estilo de bebê, 134
exercícios e, 151-152
falta de liberdade e, 401-402
frequência do, 135, 254
fumar durante, 160
icterícia e, 207
incapacidade de, 258
interrupção da sucção durante, 132
irmão mais velho querendo, 1026-1027
legislação sobre, 148
medicamentos e, 159-160
mudança de ideia sobre, 263
mudanças hormonais durante, 44-45, 126-127
no hospital, 122
o que vestir durante, 146
pai e, 40
pegada, 130-132
perda de interesse do bebê em, no oitavo mês, 598-600

posições para, 128-130
precoce, 122
preparando os seios para, 69-70
relactação e, 154-156
sapinho e, 205
sentimentos em relação a, 44
SIDS e, 37, 385
substâncias a evitar durante, 160-163
substâncias químicas e, 161-163
suplementação, 155
tempo passado, 145
todo o tempo, 145, 253
trabalho e, 371-375
*ver também* alimentação, leite materno, desmame
alergia(s), 761-766
alimentos, 459-460, 478-479, 765
amamentação e, 37, 765
amamentação ampliada e, 394-395, 478-479
amendoim, 95, 696
animais de estimação, 762-763
cólica e, 284
alimentar, exame para, 480
introdução de sólidos e, 458-459, 765
leite, 269-270
leite, em bebês que mamam no peito, 271
mofo, 763-764
poeira, 763
pólen, 762
reação à vacina, 344
soja, 765
veneno de abelha, 764
alfinetes para fraldas, 224
alimentação
bebê com baixo peso ao nascimento, 842-848, 860-862
bebê doente, 755-756
cadeira, *ver* cadeirinha
contínua, 198-199
criando bons hábitos de, 595-598

dicas, 123-124
duração da, e aleitamento materno, 132-133
na mesa, 598
noturna, e mamadeira, 41-42, 184
programa, 259
recusa de, por dentição, 464
recusando-se a comer sozinho, 698
redução das mamadas noturnas, 381-382
segurança, 476-477
sob pedido, 123
sólidos, 454-463; *ver também* sólidos
sozinho, 603
tornando mais fácil, 200
*ver também* aleitamento materno; mamadeira; sólidos
alimentos
a oferecer ao bebê, 454, 457
alergia a, 478-480, 765; *ver também* alergias
contaminantes nos, e risco menor para o bebê, 493-498
intoxicação, prevenção de, 728
introduzindo novos, 458
mudanças nos, quando o bebê tem diarreia, 776
mudanças nos, quando o bebê está constipado, 775
mudanças nos, quando o bebê tem refluxo, 784
processados, 495-496
segurança, 473-474, 494-495, 556-557
*ver também* alimentação; sólidos
almofada térmica, 1051
mamilos feridos e, 142-143
alta intensidade, bebê de, 356
altitudes elevadas, viajando a, 746
altura, 439; *ver também* peso/altura, gráficos de
amarelamento da pele, 207

# ÍNDICE

amarelos
frutas, *ver* frutas
vegetais, *ver* vegetais
ambiente, criando um bom, para o bebê, 359-361
amendoim
aleitamento materno e, 162
alergias e, 696
manter fora da dieta do bebê, 458
óleo de, em loções para bebês, 95
amizades, mudanças nas, depois de ser pai ou mãe, 983-985
amor dos pais
pelo novo bebê, 186-187
por bebês adotivos, 916-918
por bebês com necessidades especiais, 878-879
analgesia e circuncisão, 60
analgésico, *ver* medicamentos
andadores, 481-483
anel hormonal, como anticoncepcional, 971
anemia
em bebês prematuros, 873
exame para, 525-526
anencefalia, 894
animais de estimação
alergia e, 762-763
segurança perto do bebê, 308
animais, *ver* animais de estimação, zoológico,
primeiros socorros para mordidas, 819
aniversário, primeira festa de, 678-680
ansiedade
amamentação e, 44, 429
dos pais, e cólica, 286, 287-289
dos pais, sobre o desenvolvimento do bebê, 378
estranhos, *ver* estranhos, ansiedade de
separação, *ver* separação, ansiedade de
social, e timidez, 689

antibióticos
maternos, e amamentação, 46
para infecção de ouvido do bebê, 780
anticoncepcionais, 966-977
alimentação com fórmula e, 43
amamentação e, 151
anticoncepcional de emergência, 975-976
anticorpos, e leite materno, 38
colostro e, 135-136
aparência
do bebê prematuro, 853
aparelho estacionário para pular, 483, 485
apego, 698-699
*ver também* ansiedade de separação
apertos no peito, para bebê engasgado, 828
apetite
aumento do, 697
em bebês doentes, 754
errático, 600-603
perda de, 602-603
perda de, e dentição, 464-465
queda do, 693-694
Apgar, teste de, 166, 169, 170
apneia, 385-388
da prematuridade, 387-388
apoiando
bebê, 430-431
mamadeira, desvantagens de, 181
aprendizagem precoce, 551-552
aquecendo
mamadeira, 179
sólidos, 477
ar
bebê engolindo, 293; *ver também* colocar o bebê para arrotar; gases
poluído, e risco menor para o bebê, 490-493
viagem, 744-746

ar interior poluído, e risco menor para o bebê, 490-493
ar livre, segurança ao, 587, 724-726; *ver também* playground
ARA
em alimentos infantis, 503
na fórmula, 176
ar-condicionado e o bebê, 719
área das fraldas, lavando, 213
areia, em caixas, e risco menor para o bebê, 489
arenosas, fezes, 604
aréola
amamentação e, 130-131, 143-144
leite expresso manualmente e, 247-248
armário de remédios, como guardar, 95-96
armazenamento
de comida, 473-474
de fórmula, 180
de leite materno expresso, 249-250
arnês de cinco pontos, para carro, 109
arnês de ombro, na cadeirinha do carro, posição adequada para, 219-220
arnês, na cadeirinha do carro, 109
arranhões, primeiros socorros para, 809
arrasta, bebê que não se, 315-316, 561-563
arrepio, 561-562
arrotar, colocando o bebê para, 217, 221, 257, 293
artéria temporal, termômetro, 96, 794
asma, 761
amamentação para prevenir e, 37
aspartame, e amamentação, 162
aspirador nasal, *ver* nasal, aspirador
Aspirina, 798-799
assadura
calor, 719

1094 ÍNDICE

de fraldas, *ver* assaduras de fraldas

eczema, 470-471

em infecções comuns da infância, 1056-1087

no queixo e boca, de dentição, 463-465

no rosto, *ver* pele; acne

assaduras de fraldas, 396-399

leite materno e, 37

pomada para, 222

assentos infantis, 102-103

bebê agitado na, 431-432

assistência médica

para bebês prematuros, 854-855

para bebês com necessidades especiais, 885-886

*ver também* check-ups; pediatra; médico

assistente pediátrica, 74

ataduras, 826

borboleta, 809

atividade física, *ver* exercícios

ativo, bebê, 354

audição

danos à, 306-307

estimulação em bebês mais velhos, 530

estimulação nos primeiros meses, 363-364

exame de, 168

música alta e, 306-307

perda de, 168

preocupações quanto à, 306-307

aulas para bebês, 445, 633-634, 727

autismo, 894

vacinas e, 341

automóveis, *ver* carro

auxiliares do sono, desmame de, 509, 510

aviões, e cadeirinhas, 220

viajando em, 745

avós, 50-53, 56-57

adoção e, 921-922

bebê com defeitos de nascença e, 880

falta de, 53

mimando bebê, 538-540

axilar, temperatura, 795

axilas, tomando temperatura nas, 795

azia, 782

cólica e, 286

# B

babá, câmera da, 412

baba, e dentição, 463

babá, impostos, 413

babá-eletrônica, 103-104

babador, para as mamadas, 456

babás

ansiedade de separação e, 681-684

deixando o bebê com, 403, 990

encontrando uma, 405-413

instruções para, 406

*ver também* cuidados com o bebê

Babinski, reflexo de, em recém-nascidos, 171

bactérias, *ver* germes

baixo peso ao nascimento, bebê com, 841-874

amamentação, 860-862

aparência de, 853

cadeirinhas de carro para, 867-868

contar aos irmãos sobre, 859-860

cuidados em casa, 848-849, 866-867

cuidados ideais com, 854-855

culpa em relação a, 868-869

levando para casa, 862

lidar com as emoções e, 851-854

lidar com, 862-863

nutrição para, 842-847

perda de peso, 843

problemas de saúde, 869-874

problemas permanentes de, 863-864

seguir o ritmo dos pares, 864-867

tirando leite para, 844-845

vacinas e, 885

vínculos com, 855-857

baixo peso, *ver* magro, bebê

balançando o bebê nos braços, 681

balançar o bebê

direção mais eficaz, 100

enquanto chora, 291-292

balançar ou rolar (hábito do bebê), 625-626

balanço, 485

balbucio, 328

banheira

bebê, 102; *ver também* banho

suporte, 117

banheiro, precauções de segurança no, 586

banho

banheirinha, 102

como dar, 211-216

como parte da rotina de dormir, 606

medo de, 513-516

na banheira grande, 513-516

para tratar a febre, 801

segurança no, 308, 514-515

suporte para, 117-118, 514-515

banho de esponja, como tratamento para febre, 800-801

barriga

bebê dormindo sobre, 357-358, 512

bebê brincando sobre, 316

barulho

bebês prematuros e, 849

medo de, 638-639

quando o bebê dorme, 278

bebê(s)

afastando os germes de, 304

agitando-se na cadeirinha, 431-432

alimentos, *ver* sólidos

animais de estimação e, 66-68, 762-763

aparência ao nascimento, 172-173, 188-189

apoiando, 430-431

armário de remédios, 95-96

# ÍNDICE

baixo peso ao nascimento, *ver* baixo peso ao nascimento, bebê com
balanço, 102-103
banheira, 102
calçados, 526
carrinho, 111-115, 351
casa à prova de, 574-592
comparando com outros bebês, 335-338
dentes, lesão nos, 659-660
desenvolvimento, *ver* desenvolvimento
doente, 751-801
dotados, 541-544
erguendo-se, 431
estados de consciência, 194
fala de, 332
infeliz, 256
infeliz na cadeirinha de carro, 431-434
mamadeira, 520-521
mantendo confortavelmente aquecido/frio, 301-302
mantendo seguro, 308-309
mimando, 295-296
monitor, 104-105
necessidades de alimentação, 96-97
necessidades de higiene, 94-95
necessidades no quarto de bebê, 97-105
nome para, 64-66
peso ao nascimento, 166; *ver também* peso
prematuro, *ver* baixo peso ao nascimento, bebês com
próximo, pensando em, 963-965
rebelde, 352-357
reflexos, *ver* reflexos
roupa de cama, 92-94
roupas, *ver* roupas
saídas com, 231, 303
sem prosperar, 254-259
sem se sentar aos 7 meses, 544
sinais, 559-561
*sling, ver slings*

talco, 94
tamanho ao nascimento, 166; *ver também* tamanho
temperamento do, 354-356
travessuras, 540
xampu, 94
*ver também recém-nascido*
benzopirenos, e risco menor para o bebê, 491
berçário, 53-56
berço, 98-101
amortecedores, 99
colchão, 99
dormir em, e SIDS, 384
escolha do, 98-99
graduação de, 703
lençol para, 93
passando um bebê para, 282-283
portátil, 105
segurança, no oitavo mês, 573
bichos de pelúcia
como objetos de conforto, 612-613
segurança de, 448
*ver também* brinquedos
bico de mamadeira
escolha de, 97
tamanhos de, 183-184
bilirrubina, 205-207
colostro e, 135-136
biotinidase, deficiência de, 903
exame para, no bebê, 167
bloqueio de anel subcutâneo, e circuncisão, 60
bloqueio do nervo peniano dorsal, e circuncisão, 60
boca
cistos (ou manchas), 204
desenvolvimento, e leite materno, 38
desenvolvimento, e copos com canudinho, 474-475
em bebês doentes, 754
lesões na, e primeiros socorros para, 813
sapinho na, 204-205
manchas brancas na, 204

boca a boca, ressuscitação, 833-834
bolsa de fraldas
escolha de, 115
preparando a, 231
preparando para viagem, 741-744
bomba
escolha de, 242-243
tipos de, 243-245
uso de, 245-249
bomba a bateria, 244
bomba elétrica, 244, 249
bomba em bulbo, 245
bomba em buzina de bicicleta, 245
bomba manual, 245, 248
bombeamento
ingurgitação e, 137
*ver também* expressando leite materno
brincadeiras brutas, 400-401
brincar em grupo, 628-630
compartilhar e, 690-692
golpes e, 692-693
brinquedos, 446-449, 528-529, 712
para bebês novos, 362-363
segurança de, 448
bronquiolite, 787-788, 1056-1057
brotoeja, 718

# C

cabeça
achatada, devido à posição de dormir, 274
aparência da, ao nascimento, 172
circunferência da, ao nascimento, 166
em recém-nascidos, 188
erguer o queixo, em RCP, 832-833
lesões na, primeiros socorros para, 814-815
mantendo estável, aos quatro meses, 424

# ÍNDICE

sacudir, 625-626

cabelos
cuidados dos, 637
falta de, ao oitavo mês, 614
puxar ou torcer, 627
recém-nascido, 172

cadeira de balanço, 103

cadeira, alimentação, *ver* cadeirinha

cadeirinha
alimentação com sólidos e, 455
dicas de segurança, 480-481
em restaurante, 546
escolha da, 116-117
quando colocar o bebê na, 480-481

cadeirinha para carro
*air bags* e, 220, 221
bebê insatisfeito em, 431-434
em aviões, 220, 739, 740
instalação de, 219
para bebês de baixo peso ao nascimento, 867-868
tipos de, 107-112
usando com segurança, 219, 308

cães
bebê e, 66-68
mordidas, *ver* mordidas
*ver também* animais de estimação

cafeína
amamentação e, 161
RGE e, 785

calafrios
como sintoma de infecção mamária, 150
como sintoma em bebês doentes, 755

cálcio
dieta infantil e, 461
dieta pós-parto e, 934
dieta vegetariana e, 523-524

calços, para manter posição para dormir, 385

calor, para ingurgitamento dos seios, 137

calorias
na dieta infantil, 460-461
na dieta pós-parto, 932-933

calos
de mamar, 259
em gengivas, 204

cama
colocando o bebê na, 380, 604-608
dividindo com o bebê, 388-392, 509
retirando o bebê da, 685-686
segurança da, se dormem juntos, 390
trocando do berço para, 703
*ver também* dormir, berço

câmera
*flash*, segurança do, 310
para observar a babá, 412

caminhar
ainda não, aos 12 meses, 680-681
calçados para, 634-637
precoce, 609-610

caminhar, reflexo de, em recém-nascidos, 172

camisinha, 974-975

canais, para ouvidos, 780

canal de dente, bebê, 659-660

câncer
de mama, e amamentação, 46
peniano, e circuncisão, 58
rejeição do seio e, 350
risco de, e amamentação, 39

cândida, e sapinho, 204-205

caneca
começando com a, 472-478
golinhos, 473

canguru, e bebês prematuros, 856

capuz cervical, 973

carboidratos complexos
na dieta do bebê, 461
na dieta pós-parto, 935

carboidratos, *ver* carboidratos complexos

carrapatos
protegendo o bebê de, 724
remoção de, 820

carregando o bebê, 226-228, 536-538

carrinho, exercícios em, 955

carrinhos de supermercado, e cadeirinha do bebê, 220

carrinhos, 105-108

carro
não deixar bebê sozinho no, 309, 719
segurança, 592; *ver também* cadeirinha para carro

casa
à prova de crianças, 574-592
bebê bagunçando a, 563-565
fazendo tudo na, 940-944

casa bagunçada, e bebê, 563-565

casamento, *ver* relacionamento

caseiro, alimento infantil, 504

caspa, 346

caspa do berço, 346

cavidades, e leite materno, 38

caxumba, 1058-1059; *ver também* sarampo, caxumba e rubéola, vacina contra

CD-ROMS para bebês, 706-707

cegonha, bicadas de, 202

cercadinhos, 118, 569-570

cereais, 454, 457, 602
armazenamento, 476
rejeição de, 522-523

cérebro
alimentos infantis enriquecidos e, 503
amamentação e, 38, 394
desenvolvimento precoce, 335
fórmula enriquecida e, 176
inflamação no, 1064-1065
lesão, de sacudir, 400

certidão de nascimento, 171, 230

cesto para fraldas, 101

chá de ervas
aleitamento materno e, 161
dar ao bebê, 495

chatos, pés, 609

**check-up**
décimo segundo mês, 672-673
dentário, 520-521
nono mês, 595
primeiro mês, 239-241
quarto mês, 425
segundo mês, 321
sexto mês, 501-502
chegando em casa com o bebê e irmãos mais velhos, 1021-1023
choque, primeiros socorros para, 805
choque elétrico, primeiros socorros para, 805
choro, 283; *ver também* cólica
acalmando o bebê, 290-291
como sintoma em bebês doentes, 754
decodificando, 197
do bebê, de raiva, 287
em bebês adotivos, 917-918
lidando com, 290-292
muito, depois da vacina, 344
choro, deixando o bebê, para dormir, 505
chumbo
envenenamento, 489
exame para, 489
na água, e risco menor para o bebê, 488-490, 495
no solo, e risco menor para bebê, 489-490
tinta, e risco menor para o bebê, 488
chupeta
aleitamento materno e, 122, 257, 296
choro e, 293, 296-297
como objeto de conforto, 612-613
confusão de mamilo e, 209-210
considerando o uso de, 209-210, 296-297
escolha de, 96-97
ser dependente de, 392-393
SIDS e, 385
uso contínuo, e infecção de ouvido, 297

churrasco, segurança perto de, 725-726
cinza, dentes, 550
circulação
imatura, em recém-nascidos, 305
verificação da, na RCP, 835
circuncisão
AIDS e, 59
alívio da dor e, 60
câncer e, 59, 60
cuidados com o pênis e, 233, 299
infecção do trato urinário e, 59
tomando a decisão de, 58-60
citomegalovírus (CMV)
creches e, 418
perda de audição do bebê e, 168
ciúme
da mãe, 985-987
de irmãos, 1024-1025, 1031
do pai, 1004-1006
clima
inverno, e cuidados com o bebê, 729-736
mudança de, 731
verão, e cuidados com o bebê, 718-719
clima quente, preocupações com, 729
cobertor
bebê, 93
como objeto de conforto, 612-613
enquanto dorme, 703-704
risco de SIDS e, 385
coceira, tratamento para, 770-771
colchão do berço, 99
segurança do adulto, se dormem juntos, 390
colesterol
leite materno e, 37-38
na dieta do bebê, 660-661
colher, tipo de, para alimentar bebê, 455-456
cólica uterina e amamentação, 39

cólica, 283-295; *ver também* choro
ajudando os irmãos a lidar com, 1027-1029
lidando com, 290-291
medicamentos para, 288
posição para carregar e, 292, 442-443
colite alérgica, 271
colocando a fralda no bebê, 222-224
retorcendo-se na hora da troca, 430
colostro, 135-136
comer
bagunça, 623-625
fora, com o bebê, 546-548
independente, 603
no chão, 565-566
recusa a, sozinho, 698
terra, 567
*ver também* alimentos; dieta; sólidos
comida estragada, 476-477, 728
comparar bebês, 335
comportamento
imprevisível, 698-699
mudança no bebê doente, 753-754
rebelde, 352-357
*ver também* hábitos, disciplina
comportamento agressivo, 631
em irmãos mais velhos, 1030-1031
comportamento regressivo em crianças mais velhas, 1029-1030
compras para o bebê, 87-119
compressão do peito em RCP, 836-839
compressas frias para seios ingurgitados, 137
compressas frias, 1052
conchas mamárias, 69, 248, 255
confundir dia e noite, 277-278
congelamento de leite materno, 249-250

cônjuge
dividindo o cuidado com o bebê, 56, 1007-1009
relacionamento com, 961-963
sentindo-se não apreciado por, 986-987
conjuntivite, 1058-1059
consciência, perda de, 806
conselhos
conflitantes, 191
gratuitos, 471-472
constipação, 273, 773-775
alergia a leite e, 273
como sintoma em bebês doentes, 754
fezes, 208
leite materno e, 37-38
contracepção, *ver* anticoncep-cionais
controle
dar algum ao bebê, 648-649
perda de, como nova ma-mãe, 944
controle de pragas, 487-488
convulsões
como sintoma em bebês doentes, 755
depois de vacina, 344
febris, 755, 791, 797
primeiro-socorros para, 797, 806
convulsões de febre, 791, 797
convulsões, *ver* tremores
coqueluche, *ver* difteria, té-tano, pertussis acelular, vacina contra
coração
defeito, 895-896
ritmo, 752-753
sopro, 441-442
coriza, *ver* nariz; respiratório, sintomas
corrida desabalada, 563
cortes, primeiros socorros pa-ra, 806
costas
dor pós-parto, 948-949
golpes, quando o bebê está engasgado, 828

lesões, e primeiros socorros para, 823
costas, colocando o bebê para dormir de, 274-275, 383-384
desenvolvimento mais lento e, 315-316
em creches, 419
não dormir bem e, 357-358
cotovelo deslocado, 681
cozinha, precauções de segurança na, 585-586
creches
comerciais, 413-419
corporativas, 420
em casa, 404-414
familiar, 419
*ver também* babás
creme
para área das fraldas, 399
para eczema, 471
creme EMLA, e circuncisão, 60
crescimento
gráficos, 439
oscilações de, 662
surto de, 253
criança mais velha, *ver* irmãos
criatividade, estímulo da, 531
crosta nos olhos do bebê, 311-312
crupe, 1060-1061
tratamento para, 770
cueiro, 234, 235, 300-301
choro e, 292
manter o bebê de costas quan-do dorme e, 358
cuidados com o bebê, 211-235
banho, 211-216
colocando para arrotar, 217, 221
corte das unhas, 228-229
coto umbilical, 235, 298
erguendo e carregando, 226-228
lavando a cabeça, 216-217
lidando com, 250

limpeza do nariz, 229
limpeza do pênis, 233, 300
ninando, 234, 300-301
ouvidos, 226
preocupações especiais de pais adotivos, 922-923
sentindo-se incompetente nos, 944-947
troca de fraldas, 222-224
vestindo, 224-225, 302, 303
culpa
sobre bebês prematuros, 868-869
sobre deficiência de nascença, 878
sobre deixar o bebê com a babá, 990
Cyclessa, 967

# D

dedos cortados, primeiros so-corros para, 816-818
dedos, lesões nos, e primeiros socorros para, 816-818
DEET, como repelente de in-setos, 724
defeito cardíaco congênito, 895-896
defeitos de nascença, bebê com
causas de, 890-891
diferentes, com o bebê se-guinte, 892
explicando aos outros, 879-880
herança de, 898
mais comuns, 892-911
obtendo informações sobre, 883-884
obtendo o diagnóstico cor-reto, 881-884
repetição de, com o bebê seguinte, 892
síndrome alcoólica fetal e, 908-909
*ver também defeitos* indivi-duais; necessidades espe-ciais do bebê

# ÍNDICE

deficiência de acil-CoA desidrogenase de cadeia média, 902
exame para, no bebê, 166
deformidades, 905-906
dos pés ou tornozelo, 907-908
deglutição
dificuldade com, como sintoma em bebê doente, 754
objeto estranho, e primeiros socorros para, 828
degraus, *ver* escadas
deitado de lado, posição, e aleitamento, 130-131
dentes
*check-up*, 520-521
delicados, 519
emergências, 814
escovar, 517-520
falta de, aos 9 meses, 614
fluoreto e, 267
lascados, 659-660
leite materno e, 38
lesão, 659-660
manchas nos, por excesso de ferro, 267, 550
precoces, 204
quebrados, 814
queda, 814
rangendo, 627
saúde dos, 517-521
tortos, 550
*ver também* queda de dentes; dentição
dentição, 463-466
atrasada, 614
ordem de, 466
precoce, 204
recusa a mamar no peito e, 428
sono e, 466, 607
tratamento para dor de, 466
dentista, 520, 659
Depo-Provera, 969
depressão pós-parto, 939-940
do pai, 1002-1003
em mãe adotiva, 918
dermatite atópica, 397; *ver também* eczema

dermatite de marca de fralda, 397
dermatite perianal, 397
dermatite de contato, 396-397
dermatite por *Candida*, 397
dermatite seborreica, 270; *ver também* caspa do berço
descongelando leite materno, 249-250
descongestionantes, 767, 779
desenvolvimento do bebê, 238, 314-317, 335, 361-367
comparações de bebês, 335
de bebês prematuros, 863-867
décimo mês, 617-619
décimo primeiro mês, 651-652
décimo segundo mês, 670-672
fala, 474
ficando para trás, 671
intelectual, 335, 367, 530
intuição dos pais sobre, 671
lento, 610
linguagem, 315, 328-333, 528-529
motor, 315, 366, 527-530
nono mês, 593-594
oitavo mês, 553-555
pai e, 1008
primeiro mês, 237-239
quarto mês, 423-424
quinto mês, 451-452
regredindo, 693
segundo mês, 319-320
ser dotado e, 542-543
sétimo mês, 533-534
sexto mês, 499-500
social, 314, 365, 530, 690
terceiro mês, 369-370
desenvolvimento social, 314, 690
*ver também* brincadeira em grupo
desidratação, 778
bebê que mama no peito e, 253

deslocamento de ombros ou cotovelo, primeiros socorros para, 806
desmaios, primeiros socorros para, 806-807
desmame
bebê pronto para, 429
da mamadeira, 653-656
decidindo quando, 619-622
do peito, 673-678
precoce, 393
súbito, 675
despertar
bebê, na hora da refeição, 195-198
dentição e, 465-466
padrões de, na primeira infância, 275
precoce, 510-512
*ver também* sonambulismo
despertar sistemático, e conseguir que o bebê durma a noite toda, 507-508
detergente, para as roupas do bebê, 313
DHA
fórmula e, 176
leite materno e, 38
no alimento infantil, 503
dia e noite, confusão de, 277-278
diafragma, como anticoncepcional, 972-973
diarreia, 775-778
alergia a leite e, 269-270
bactéria *E. coli* e, 491
como sinal de alergia, quando sólidos são introduzidos, 459
como sintoma em bebês doentes, 754
dentição e, 465
fezes, 209
leite materno e, 37-38
melhor suco para, 779
quando chamar médico, 776-777
suco demais e, 438
tratamento para, 776-777

dieta do bebê
Dieta do Primeiro Ano para Iniciantes, 459-463
excesso de peso e, 436-440
mantendo-a variada, 497, 597
para bebês com necessidades especiais, 876-877
Dieta do Primeiro Ano para Iniciantes, 459-463
dieta materna, pós-parto, 930-937
alergia ao leite materno e, 271
alimentação com fórmula e, 43, 936-937
amamentação e, 156-159
diferença de idade entre filhos, 963-966
difteria, tétano, pertussis acelular, vacina contra (DtaP), 340, 345
digestivos, problemas
alergia a leite e, 269-271
amamentação ampliada e, 394-395
cólica e, 286
como sintoma, em bebês doentes, 754
leite materno e, 37
ver também diarreia; vômitos; RGE
dirigir com o bebê, 746-747; ver também carro; cadeirinha para carro
disciplina, começando, 639-649
displasia broncopulmonar (DBP), 870
dispositivo intrauterino, ver DIU
distúrbio de hiperatividade de déficit de atenção, 709
distúrbio metabólico em bebês, 902-903
exame para, 166
distúrbio metabólico na mãe, e amamentação, 46-47
DIU, 970, 971-972
dividir
cama, com bebê, 390-391

com outras crianças, 690-692
quarto, com bebê, 388-389
doces, evitando a introdução de, 596-597
doença celíaca, 478, 896-897
amamentação ampliada e, 394-395
doença materna
aleitamento materno e, 150-151
disseminação de germes para o bebê e, 978-979
grave, e aleitamento materno, 46
doença, bebês, ver bebês doentes
doenças
alergia, 761-766
ao nascimento, 892-911
diarreia, 775-778
em bebês prematuros, 869-874
inflamação no ouvido, 778-782
mais comuns, 761-789
prevenindo a disseminação de, 769
resfriado comum, 766-773
transmissível, 1055-1087
tratamento de, 770-771
doente, bebê, 751-801
dor
abdominal, ver abdominal, dor
de dentição, 464, 467
de ouvido, 429, 770, 778
mamilo, 130-131, 141
nas costas, pós-parto, 948-949
tratamento para, 770
vacinação, 340
dor no braço, pós-parto, 948-949
dores pós-parto, 948-949
dormir
barulho enquanto o bebê dorme, 278
bebê sonâmbulo, 195-198, 278
colocando o bebê na cama, 380

conseguindo que o bebê durma, 605-607
dentição e, 607
dicas para o melhor sono do bebê, 280-281
dividir cama com bebê e, 390-391
dividir quarto com bebê e, 388-389
horário, 277
movendo o bebê enquanto dorme, 281-283
no meio da refeição, 195-198, 257
noite toda e suplementação com fórmula, 325
noite toda, conseguindo que o bebê durma, 380-383, 505-510
padrões, 275-278
padrões, mudança nos, 605-607
posição, 234, 274-275, 357-359
problemas para, com sintoma em bebês doentes, 754
respiração do bebê enquanto dorme, 278-281
sono irrequieto, 276
virando-se enquanto dorme, 512
dormir juntos, 390-392, 509
dotado, bebê, 542-543
doula, 53-57
drogas, ver medicamentos
DTaP, ver difteria, tétano, pertussis acelular, vacina contra
duto arterioso persistente, 871
duto lacrimal obstruído, 311-312
duto lácteo, obstrução do, 148-149

# E

E. coli, bactéria, e zoológicos, 491
eczema, 469-470
alergia a leite e, 270
amamentação e, 37

emergências médicas
  preparando-se para, 804
  primeiros socorros para, 803-839
  respiratórias, RCP para, 826-839
  sufocamento, primeiros socorros para, 827-831
emissões otoacústicas, exame de audição, 168
emoções
  adoção e, 916-918
  do pai, *ver* pai
  sobre bebê prematuro, 851-854, 854-857, 868-869
  sobre bebês com necessidades especiais, 876-879
emprego, *ver* trabalho
empurrar a língua, reflexo de, e início dos sólidos, 427
encefalite, 1064-1065
enfermeira do bebê, 53-56
enfermeira pediátrica, 74
engasgos/sufocamento
  alimentos que podem causar, 556-557
  apoio de mamadeira e, 181
  primeiros socorros para, 827-831
entendendo seu bebê, 334
enterocolite necrotizante, 846, 872-873
envenenamento, primeiros socorros para, 808
epiglotite, 1066-1067
Epstein, pérolas de, 204
ereção em bebês durante troca de fraldas, 223, 568
erguer o bebê, 226-227
erguer-se precocemente, 510-511
erros inatos de metabolismo, 167, 240, 902-903
ervas
  aleitamento materno e, 155, 161
  dar ao bebê, 774
escadas, segurança em, 118, 580, 589

Escala de Marcos Clínicos Auditivos e Linguísticos, 238
escarlate, febre, 1066-1067
escova de dentes para bebês, 519
escovar os dentes, 518-520
escroto
  caroço no, 349
  inchado, 300
esfregar a bochecha, e dentição, 466
espásticos, movimentos, 400
espermicida, 975
espinha bífida, 899-900
espinhas, 203
espirro, 312
esponja, banho de, 211-214
esquecendo uma habilidade, 693
estados de consciência, em recém-nascidos, 194
estenose pilórica, 269, 900-901
esterilização, 976-977
esterilizando
  água para fórmula, 179
  mamadeiras, 179
esteroidal, creme, para eczema, 471
estilo de mamar do bebê, 134
estilo de vida, mudança de, 48-49
estimulando seu bebê, 335, 551
  bebê mais velho, 527-531
  primeiros meses, 359-367
  1 ano de idade, 710-714
estímulos, sensibilidade a, 357
estrabismo, 311
estranho, ansiedade de, 611-612, 689
estranhos, exposição a, 304
estrogênio e amamentação, 126
evacuação solta, *ver* diarreia
evacuação, 208-209; *ver também* fezes

como sinal de desenvolvimento do bebê, 253
explosiva, 272
mudanças na, 517-518
mudanças na, como sintoma em bebês doentes, 754
número de, em recém-nascidos normais, 271-272
número decrescente de, 395
evento letal aparente, 385-388
exame físico, 239-241; *ver também* check-ups
exames clínicos
  para anemia, 525-526
  para audição, 168
  para chumbo, 489-490
  recém-nascido, 166, 239-240
exames de sangue, *ver* exames clínicos
exaustão pós-parto, 937-939
exercícios
  amamentação e, 151-152
  carrinho, 955
  para o bebê, 444-446, 711
  pós-parto, 953-956

# F

fala, *ver* linguagem
falando com o bebê, *ver* falar
falar
  ajudando o bebê a, 662-667
  com o bebê, 330-331, 332, 528-529
  primeiras palavras, 557-558
  segunda língua, 332-334
  *ver também* linguagem, desenvolvimento da
falciforme, anemia, 893-894
  exame de, em bebê, 167
família, cama da, 390-392
faringite, *ver* garganta, inflamação na
fazenda, *ver* zoológico
fazer amor
  aleitamento materno e, 43
  dividir o quarto com o bebê e, 388-389

1102 ÍNDICE

mamadeira e, 43
*ver também* sexo
fazer as malas
bolsa de fraldas, 231
para viagem, 741-744
febre, 790-801
avaliação da, 796-797
convulsões durante, 792
dentição e, 465
depois da vacina, 344
insolação e, 719-720
quando chamar o médico, 796-797
tratamento da, 770, 798-801
FemCap, 974
fenda palatina, 905
amamentação e, 47, 255
fenilcetonúria, *ver* PKU
feno-grego, 155, 161
ferro
cereais e, 522-523
deficiência de, 526
fezes pretas e, 208, 209, 442-443
fórmula fortificada com, 177
na dieta pós-parto, 935
recomendações nutricionais para, 462
suplementos, 268-269, 523-524, 525-526
ferroadas
de insetos, *ver* picada de insetos
fertilidade, consciência da, 977
fezes, 208-209
arenosas, 604
como sinal de que o bebê está comendo o bastante, 253
de aparência estranha, 604
laranjas, 518
muco nas, 208, 269, 459
pretas, 208, 442
sangue nas, 271
*ver também* constipação; diarreia; evacuação

fibra ótica, cobertores de, para icterícia, 207
fibrose cística, 901-902
ficar de pé, 431
erguendo-se para, 608-609
filosofia dos pais, 379
fio dental, dentes do bebê, 519
fissuras retais, e aparência das fezes, 208
fístula traqueoesofágica, 902-903
*flash* de câmera, 310
Flu Mist, 344
fluoreto, 267
na pasta de dentes, 519
folhas verdes, *ver* verduras
fome, *ver* apetite
formaldeído, e risco menor para o bebê, 492
fórmula
alergia a, 269-270
aquecimento de, 179-180
armazenamento de, 180-229
benefícios da, 41-43
demais, 264
DHA e, 176
escolha de, 175
fezes do bebê e, 208
para bebês prematuros, 847
preparação de, 179
suplementação com, enquanto amamenta no peito, 325-326
tipos de, 175-179
*ver também* fórmula de acompanhamento; fórmula hipoalergênica; fórmula hidrolisada; fórmula de soja; fórmula sem lactose
forro para mamadeiras, 183
fortificador de leite humano (FLH), 847
FPS, *ver* protetor solar
fraldas, 93
assaduras e, 397-399
de pano, 62, 101, 224

descartáveis, 61
pomada (ou creme) para, 399
fratura óssea, primeiros socorros para, 822-823
frutas
descascando, antes de servir ao bebê, 494-495
na dieta pós-parto, 934-935
para oferecer ao bebê, 453, 457-458
recomendações nutricionais para, 461
fumaça, detectores de, 584
fungo, infecção por
na área das fraldas, *ver* assaduras das fraldas
na boca, 204-205

# G

galactosemia, 902-903
exame para, em bebês, 166
garganta inflamada, 1064-1065
tratamento para, 771
gases
bebê soltando, 272-273
choro e, 293
cólica e, 284
como sinal de alergia, quando sólidos são introduzidos, 459
leite materno e, 36
medicamentos para, 288
gatilho, bomba operada por, 245
gatos, 68
gelo
bolsa de, 1052
ingurgitação e, 137
gêmeos, 260-262
gênero, diferenças de, 700-703
genética, e problemas de nascença, 898
gengivas
calombos na, 204
hematomas na, e dentição, 466
inchadas, 659, 754

genitais do bebê
bebê brincando com, 568-569
explicando diferenças em, a irmãos mais velhos, 1025-1026
inchados, em recém-nascidos, 173
limpeza de, 213-214
*ver também* vagina; pênis; escroto; testículos
germes
canecas e, 474
mantendo o bebê longe de, 304, 565-568, 978-977
golpes, outras crianças, 692-693
gonococos, infecção por, e olhos dos recém-nascidos, 189-190
gorducho, bebê, *ver* excesso de peso
gordura
do bebê, *ver* peso, bebê com excesso de
na dieta do bebê, 461-462, 495, 660-661
na dieta pós-parto, 935-936
na dieta vegetariana, 524
no leite de soja, 685
grãos integrais
como hábito, 596
na dieta pós-parto, 935
recomendações nutricionais de, 461
gravidez
aleitamento materno e, 39, 978
diagnóstico de uma nova, 977-978
prevenção, *ver* anticoncepcionais
greve de mamar, 428-429
gripe, 767
*spray* nasal, 346
vacina contra, 344, 345, 767
guarda-roupa do bebê, *ver* roupas

# H

habilidades motoras
desenvolvimento das, 315
estimulando as habilidades motoras amplas, 366-367, 444-445, 527-528, 710-712
estimulando as habilidades motoras finas, 366, 528, 712-713
hábitos
agitação ao comer, 600-603
bagunça ao comer, 623-625
chupar o dedo, 434-435
objetos de conforto, 612-613
piscar, 631-632
prender a respiração, 632-633
puxar os cabelos, 627
sacudir a cabeça, 625-626
uso da chupeta, *ver* chupeta
hábitos de comer
confusos, 623-625
estabelecendo bons, 596-598
irregulares, 693-694
manhosos, 600-602, 695-697
hemangioma cavernoso, 201-202
hemangioma venoso, 201-202
hematomas, primeiros socorros para, 809
cabeça ou couro cabeludo, 814
dedos da mão ou do pé, 816
hemocistinúria, 897-899
exame para, em bebês, 166
*Hemophilus influenzae* b, vacina contra (Hib), 343-344
hemorragia interna, e primeiros socorros para, 811
hemorragia intraventricular (IVH), 872
hepatite A
materna, e amamentação, 46
vacina (hep A), 344

hepatite B
materna, e amamentação, 46
vacina, 241, 344
hera venenosa, 725, 808
hérnia
escrotal, 349
inguinal, 300, 349
umbilical, 298-299
herpangina, 1068
herpes labial, 1068
herpes simples, 1068
hidrocéfalo, 904
hidrocele, 200
hidrofobia, *ver* raiva
hidrolisada, fórmula, 270, 765
hiperatividade, 709
hiperplasia adrenal congênita, 902
hipoalergênica, fórmula, 176
hipoglicemia, 873
hipospadias, 300
hipotermia, primeiros socorros para, 824-825
hipotireoidismo congênito, 902
hipotireoidismo, exame para, em bebês, 167
DPP e, 941
HIV, *ver* AIDS
hora de dormir, 380
ansiedade de separação e, 685-686
dificuldades na, 604-607
rotinas de, 606-607, 685-687
horário, estabelecendo um regular, 376-378
hormônios da mãe, e bebê que rejeita o peito, 429
aleitamento materno e, 126, 151
depressão pós-parto e, 939-940
hormônios, injeção de, como anticoncepcional, 969-970
hospital
*check-ups* para o bebê, 166-169

# ÍNDICE

primeira alta de, 208
procedimentos para bebês nascidos em casa, 171
hospitalização
de bebês prematuros, 857-859, 874
hotéis, viajando a, com o bebê, 747-748

## I

ibuprofeno, 798-799, 1054; *ver também* medicamentos
icterícia
colostro e, 207-208
em bebês prematuros, 873
idade corrigida em bebês prematuros, 864-867
imersão gelada, 1053
impetigo, 397
Implanon, 971
implantação, reflexo de, 170
aleitamento materno e, 130-131
implante hormonal, como anticoncepcional, 971
inadequação, sentimentos de
como mãe, 944-947
como pai, 1006-1007
como pais adotivos, 917
incêndios, precauções de segurança para, 582-586
incubadora, 849
independência, ambivalência quanto a, 698-699
infecção
comum na infância, 1055-1087
coto umbilical, 298
em bebês prematuros, 873
gastrintestinal, e aleitamento prolongado, 394-395
grave materna, e aleitamento, 46
mamas, 144, 149
ouvido, *ver* ouvido, infecção de
infecção por clamídia, e olhos de recém-nascidos, 188, 189-190
infecções comuns na infância, 1055-1087

infeliz, bebê, 356
inguinal, hérnia, 300, 349
ingurgitação, 138
como sinal de que o bebê comeu o suficiente, 254
falta de, 138-139
injeções, *ver* vacinação
inseticidas, e bebês, 487-488
insolação
prevenção de, em bebês, 719-720
primeiros socorros para, 818
sinais de, 719
insônia
alimentação e, 381-382
aos 12 meses, 686-688
aos 6 meses, 505
aos 3 meses, 381-382
dentição e, 465-466, 607
no bebê acostumado a dormir a noite toda, 686-688
no primeiro mês, 275-276
treinamento no sono e, 505-510
*ver também* sono
insônia, de recém-nascidos, 192-193
intelectual, desenvolvimento, *ver* desenvolvimento intelectual
inteligência, *ver* QI
intertrigo, 397
intravenosa, alimentação, e bebê com baixo peso ao nascimento, 850
inverno, e cuidados com o bebê, 729-736
IPV, *ver* poliomielite, vacina contra
irmãos, 1011-1037
amamentar na frente do mais velho, 1026
bebê recém-chegado e, 1021-1023
comportamento regressivo, 1029-1030
de bebê com cólica, 1027-1028
de bebê com necessidades especiais, 885-889
de prematuro, 859-860
diferença de idade grande, 1032-1033
dividir quarto, 389

explicando diferenças genitais a, 1025-1026
falta de ressentimento em relação ao bebê, 1025
ligação, 1035
machucando o bebê, 1030-1032
mamadeira e, 42
nascimento do bebê e, 1017-1019
preparação, para a chegada do bebê, 1012-1017
querendo mamar no peito, 1026-1027
ressentimento em relação ao bebê, 1023-1024, 1031, 1036-1037
rivalidade, 1023-1025, 1031, 1036-1037
tempo dividido com justiça entre, 1031-1035
visitando mãe em hospital, 1019-1021
irregular, bebê, 354-355
irritabilidade, *ver* agitação
irritação gastrintestinal, *ver* diarreia; vômitos

## J

janela, segurança em, 577, 725
jogos de computador, para bebês, 706-708
jogos, 614-616
jogos que os bebês brincam, 614-616

## K

Kegels, 951, 957

## L

lábio leporino, 905
amamentação e, 47
lábios
aleitamento e, 132
lesões no, primeiros socorros para, 813
lactação, consultor em, 144
lactação, *ver* aleitamento materno

lactase, deficiência de, 270
lactose, fórmula sem, 176
lactose, intolerância a
  materna, e aleitamento, 46-
    47
lactose, intolerância a, no bebê, 270, 478, 764
lanches, 596-598
  para o bebê, nas saídas, 232
  para a mãe que amamenta,
    232
lanugem, em recém-nascidos,
  173
*lapware*, software para bebês,
  706-708
laranja, fezes, 518
lareiras, segurança, 733
lascas, primeiros socorros para, 810
LATCH, 113
lático, ácido, no leite materno,
  152
lavar
  área das fraldas, 213-214
  bebê, *ver* banho; esponja,
    banho de; cuidados com
    o bebê
  mãos, para evitar dissemi-
    nação de infecções, 769
  roupas do bebê, 313
laxantes, 273, 775
Lei de Licença-maternidade e
  Familiar, *ver* FMLA
Lei de Licença-maternidade,
  51, 997-998
Lei de Proteção à Saúde da Mãe
  e do Recém-nascido, 210
leite de soja, 685
leite de vaca
  integral, 597, 599, 676
  não dar ao bebê, 393-394,
    521-522, 600
  1 ano de idade, 676
leite materno
  armazenagem de, 249-250
  bebê obtendo o bastante,
    253-259
  comer para fazer, 158
  composição do, 36, 126

congelando leite expresso,
  249-250
conveniência do, 37
cor do, 136, 158, 243
custo do, 39
descida de, *ver* descida
descongelando, 250
enchendo uma mamadeira
  de, 324
expressando, antes do nascimento, 69
expressando, *ver* expressando
  leite materno
fezes do bebê e, 37, 208
icterícia, 207
insuficiente, e cólica, 286
leite de transição, 136
mantendo-o seguro e sau-
  dável, 156-163
para bebês prematuros,
  846
produção de, 126
sacos para armazenar, 250
segundo leite, 38, 127, 133,
  255, 438
superabundante, 138-139;
  *ver também* vazamento
ter o bastante, 252-259
vazamento de, 138-141
*ver também* colostro
leite, alergia a, 269-271
  em bebês que mamam no
    peito, 271
  fezes e, 208, 269-270
leite, caneca de, 249
lenços umedecidos, e assadura
  de fraldas, 398
ler para o bebê, 570-572
  como parte da rotina de dor-
    mir, 606
libido, falta de, 956-960, 1003-
  1004
licença-paternidade, 997-
  998
ligação com os pais, 379, 509
limiar sensorial baixo, bebê,
  355-356
limites, estabelecendo, 641
língua estrangeira, aprendendo,
  332-334

língua presa, e aleitamento
  materno, 255
linguagem
  ajudando o bebê a falar, 662-
    667
  desenvolvimento, 315, 328-
    334, 528-529, 557-558
  não verbal, 699-700; *ver*
    *também* sinais com o bebê
líquidos
  na dieta do bebê, 462-463
  na dieta pós-parto, 935-936
  no clima quente, 725-726
  para bebês doentes, 755
  quando o bebê está consti-
    pado, 775
  quando o bebê tem diarreia,
    776
  quando o bebê tem febre,
    799
  quando o bebê tem resfria-
    do, 769
livros
  como parte da rotina de dor-
    mir, 606
  lendo para o bebê, 529, 570-
    572, 666
local de trabalho, levando ao
  bebê para, 421
luz noturna, 105
Lyme, doença de, 1062-1063
  protegendo de, 724

# M

magro, bebê, 251-252, 440-
  441
maisena e assaduras, 398
malformação em recém-nascido, 905-906
mamadeira, tomar
  com amor, 180-181
  combinada com o peito, 152-
    154
  começando, 174-178, 182-
    184
  desmame da, 653-656
  dicas para desmamar o bebê,
    326

gêmeos, 260-262
interferindo com o peito, 123
monitorando a ingestão, 42, 177
precauções de segurança, 178-180
sentimentos em relação a, 44
suplementar, 256, 322-327
*ver também* alimentação, fórmula
mamadeiras
apoio para, 181
como objeto de conforto, 612-613
desmame da, 653-656
eliminando, 521-522
escolhendo, 96-97
esterilização, 179
introduzindo, para um bebê que mama no peito, 322-327
ligação do bebê com, aos 12 meses, 684-685
não introduzir, 322-323
queda dos dentes e, 520-521
rejeição do bebê, 516-517
mamar, *ver* aleitamento materno
mamas inchadas, em recém-nascidos, 173
mamilo invertido
na mãe, *ver* mamilos
no bebê, 350
mamilo, concha de, 255
mamilo, confusão de, 153
mamilos maternos
achatados, aleitamento e, 40, 256
doloridos durante as mamadas, 130, 141-142
feridos, 142-143, 255
invertidos, e aleitamento, 40, 69, 256
mordida do bebê, 544-545
pegada e, no aleitamento, 130-132
rachados, 142-145
mamilos, bebê
invertidos, 350

mancha na pele, 305
mancha de vinho claro, 202
manchas de café com leite, 203
maneiras à mesa, 623-625
*manny*, 410
mantendo o bebê frio, no clima quente, 718
mantendo o bebê quente, no clima frio, 729-730, 732
mãos
cor azulada de, 305
temperatura das, 301-302
marca preta e azul, *ver* hematomas
marcas de nascença, 202
marido, *ver* cônjuge
massa nos seios, 148-149
massagem
bebê, 442-444, 1007
de bebê prematuro, 855-856
de duto lacrimal obstruído, 311-312
de mamas, 137, 149
do bebê, para acalmar quando chora, 291-292
mastite, 149
matéria particulada, e risco menor para o bebê, 491-492
maternidade
adaptando-se à, 940-944
diferentes estilos de, 985
exaustão de, 937-939
lidando com, 47-48; *ver também* pós-parto
preparando-se para, 48-49
sentindo-se inadequada com, 944-947
tédio com, 980-983
mecônio, 208
colostro e, 136
medicamentos maternos
aleitamento e, 46, 159-160, 192, 242
para ingurgitação, 137
medicamentos, bebê, 756-761
dando corretamente, 756-758
dando sabor a, 758-759
para cólica, 289
para dor de dentição, 467
para febre, 798, 799
para viagens, 736-738

perguntas sobre, 756
reduzindo, 758-761
sensibilidade à luz solar e, 723
medicina alternativa e complementar, 82, 774
médico da família, 73; *ver também* médico
médico; *ver também* pediatra
antes de procurar, quando o bebê está doente, 751-754
em UTI, 850-851
escolha de, 70-85
medos, 638-639
de banho, 513-516
de estranhos, 611-612
mel, 462
meninas, e diferenças de gênero, 700-702
meningite, 1074-1075
meningoencefalite, 1074-1075
meninos, e diferenças de gênero, 700-703
menstruação
aleitamento materno e, 39, 151, 254
volta da, pós-parto, 950
mesa
alimentando o bebê na, 598
maneiras à, 623-625
mesa de trocas, 101
mesa estacionária de brinquedos, *ver* sistemas de entretenimento estacionários
método anticoncepcional de barreira, 972-976
micose
na área das fraldas, 397
micro-ondas
aquecimento de comida e, 477
aquecimento de mamadeira e, 180
milia, 203
mimado, bebê, 295-296, 536-538
pelos avós, 538-539
minipílula, 967
Mirena, DIU, 972
miringotomia, 780

MMR, *ver* sarampo, caxumba e rubéola, vacina contra

moda para aleitamento, 145-146

mofo em casa
alergia a, 763-764
risco menor para o bebê e, 492

moisés (berço), 100

moleira, *ver* fontanelas

mongóis, manchas, 203

monitorando a respiração do bebê, 383-388

monóxido de carbono, e risco menor para o bebê, 490-491

morango, hemangioma em, 201-202

morder, 631
dentição e, 465
mamilos, enquanto mama, 544-545

mordidas, primeiros socorros para
animais, 819
cobras, 821
humanas, 819
insetos, 820

Moro, reflexo de, em recém-nascidos, 170, 199

mosquitos, protegendo bebê de, 724

Motrin, *ver* ibuprofeno

móveis para bebê, escolha segura de, 97-105

movimento rápido dos olhos, *ver* REM

movimentos espásticos, 400

muco
nas fezes, 208, 270, 458
no nariz, *ver* nariz
nos olhos, 311-312

mudanças de cor em bebês, 305

múltiplos, 260-263

música
audição do bebê e, 306
estimulando o bebê com, 364, 529

# N

nadar, ensinando o bebê a, 726-729

não descidos, testículos, 347-348

nariz
escorrendo, 753, 767
gotas, 768
hemorragia de, 815-816
lesões no, primeiros socorros para, 816
obstruídos, como sinal de alergia, quando sólidos são introduzidos, 458
obstruídos, como sinal de doença, 753
*ver também* espirros

nariz, cuidados com, 229

nasal, aspirador, 229, 768, 769, 1051

nasal, hemorragia, tratamento para, 815-816

nasal, obstrução, *ver* nariz tratamento para, 771

natação
aula de, 726-727
piscina, 726-729

náuseas
em recém-nascidos, 194-195
por medicamento, 758-759

necessidades especiais, bebê com, 875-911
aceitando tratamento de suporte de vida para, 884-886
conseguindo o diagnóstico certo, 883-884
conseguindo o melhor tratamento para, 885-886
efeitos de, nos irmãos, 886-888
efeitos de, nos pais, 889-890
falando com os outros de, 879-880
lidando com a responsabilidade, 880-881
não amar o, 878-879
raiva em relação a, 877-878
repetir com o bebê seguinte, 890-891

sentindo-se responsável por defeito de, 876-877

negação, 709-710

negativo, bebê, 356

neonatal, exames, 167, 239-240

nervo do dente, lesão no, 659-660

*nevi* pigmentado congênito, 203

*nevus flammeus*, 202

*nevus simplex*, 202

nicotina, *ver* tabagismo

nitrato de prata, para olhos de recém-nascidos, 190

noite e dia, confusão de, 272-278

nome para o bebê, 64-66

Norplant, 971

nozes, 458, 459, 696

NPT, 843

nudez dos pais, 656-657

UTIN, 849-854, 885

nutrição
garantindo a adequada, 695-697
*ver também* dieta; alimentação; sólidos

nutrição parenteral total (NPT), 843

nutrindo, 335
audição, 361-364
desenvolvimento intelectual, 367
desenvolvimento motor, 366-367
desenvolvimento social, 365
tato, 364-365
visão, 362-363

NuvaRing, 971

# O

obesidade, 436-440
leite materno e, 37-38
*ver também* peso, excesso de

objetos de conforto, 612-613, 687-688

ocitocina, e aleitamento materno, 126

olfato, 362

# ÍNDICE

olhos
aquosos, como sinal de alergia, quando sólidos são introduzidos, 458
colírio, dando ao bebê, 759
crosta nos, 311-312, 754, 1058
descarga de, 311-312, 754, 1058
determinando a cor dos, 189
estrábicos, 311
exposição à luz, e bebê prematuro, 856
*flashes* fotográficos e, 310
inchaço dos, no recém-nascido, 188
injetados, 189-190, 1058-1059
lacrimejantes, 311
lesão nos, e primeiros socorros para, 811-812
lesão, de sacudir, 400
limpeza dos, 1052
muco nos, 311-312, 754
mudanças na aparência dos, como sintoma em bebês doentes, 754
objeto estranho nos, e primeiros socorros para, 811
piscar de, 631-632
pomada para, em recém-nascidos, 166, 188, 190
proteção do sol e, 722
pupilas dilatadas, 811
*ver também* visão
ombro deslocado, 681
ombro, dor pós-parto no, 948-949
ômega 3, ácidos graxos
na fórmula, 176
*ver também* DHA; ARA
oral
anticoncepcional, 967-969
desenvolvimento, e leite materno, 38
orelhas/ouvidos
cuidados com, 226
curvas, em recém-nascidos, 189
descarga dos, como sintoma em bebês doentes, 754
lesão nos, e primeiros socorros para, 812-813

objetos estranhos nos, e primeiros socorros, 812-813
pressão nos, em aviões, 745
puxando, e dentição, 466, 468
termômetro, 793-794
*ver também* audição; ouvido, dor de; ouvido, infecção do
orgânico(a)
alimento e amamentação, 162
alimento, para bebê, 494, 496, 504
fórmula, 177-178
Ortho-Evra, 970-971
ossos quebrados, primeiros socorros para, 822
osteoporose, e aleitamento materno, 39
otite média aguda, 778-782; *ver também* ouvido, infecção do
otite média, 778-782; *ver também* ouvido, infecção do
ouvido médio, inflamação do, 778-782; *ver também* ouvido, infecção do
ouvido, dor de
infecção e, 778
recusa a mamar no peito e, 429
tratamento para, 770
ouvido, infecção do, 778-782
amamentação ampliada e, 394-395
apoio de mamadeira e, 181
uso contínuo da chupeta e, 297
ovos
crus, evitando, 477
introduzindo, 458, 459
ovulação
aleitamento materno e, 39
planejamento familiar natural e, 976, 977

# P

pai ou mãe solteira, 946
pai, 997-1010
ajuda pós-parto e, 56, 1007-1010

aleitamento materno e, 41, 45, 1003-1005
sentindo-se inadequado, 1006-1007
atenção ao bebê, mãe ciumenta de, 986-987
ciúme da atenção da mãe ao bebe, 1004-1006
dar mamadeira e, 42
depressão e, 1002-1003
depressão pós-parto do cônjuge e, 1000-1002
desenvolvimento da criança e, 1008
falta de tempo para passar com o bebê, 1009-1010
habilidades na criação dos filhos, ciúme da mãe de, 985-986
licença-paternidade e, 997-999
que fica em casa, 999-1000
sexo pós-parto e, 1003-1004
tabagismo e, 1009
vínculos com o bebê, 186
pais, intuição dos
bebê doente e, 753
desenvolvimento do bebê e, 670
pais, *ver* maternidade; pai
paladar, estimulando, 361
palavras, primeiras do bebê, 557-558
Palmar, reflexo de agarrar de, em recém-nascidos, 173
ParaGard, DIU, 972
paralisia cerebral, 906-907
parenteral
hiperalimentação, 843
paroxístico, choro, 284-285
partos em casa e procedimentos hospitalares, 171
passaporte para bebê, 737
pasta de dentes, 519
PCV7, *ver* pneumocócica conjugada, vacina
pé torto, 907-908
pé, deformidade do, 907-908
Pedialyte, *ver* reidratação, fluido de

pediatra, 72; *ver também* médico
*check-up* e, 239-241
Pediatrix, vacina, 340
pegada, e aleitamento, 130-132
peixe
  aleitamento materno e, 163
  servir ao bebê, 494-495
pele
  acne, 304-305
  amarelamento da, 207
  feridas, primeiros socorros para, 808-811
  marcas de nascença na, 200-203
  mudanças de cor, 305
  mudanças na, como sintoma em bebês doentes, 754
  problemas, 203
  seca, no inverno, 732
pele azulada
  em emergências respiratórias, 833
  temporária, 305
pele seca, 732
pênis
  adesão, 348-349
  bebê brincando com, 568-569
  cuidados do, circuncidado, 234
  cuidados do, não circuncidado, 233
  defeito em (hipospadias), 300
  ereções de, enquanto troca as fraldas, *ver* ereções
  feridas, 399
  *ver também* circuncisão
pera, suco de, e diarreia, 779
perda da consciência, primeiros socorros para, 806-807
perfuração, primeiros socorros para, 810
periódica, respiração, 278-279
pernas
  andar cedo e, 609-610
  arqueadas, *ver* pernas tortas

ficar de pé cedo e, 431
formato das, 347
pernas arqueadas, 347, 431, 609-610, 656
pertussis acelular, *ver* difteria, tétano, vacina para pertussis acelular
pertussis, 1076-1077
  vacina, *ver* difteria, tétano, pertussis acelular, vacina contra
pés
  chatos, 609
  tortos, 347
pés tortos, 347
pescoço tônico, reflexo de, em recém-nascidos, 174
pescoço, dor pós-parto, 948-949
pés de pombo, 347
peso ao nascimento, 184; *ver também* baixo peso ao nascimento, bebês com
peso, bebê com excesso de, 436-440
  aleitamento prolongado e, 394-395
  fórmula e, 264
  leite materno e, 37-38
peso, do bebê, 167, 251, 440
  ao nascimento, 166, 184
  quadros de, 782-783
peso, ganho de
  falta de, em alergia a leite, 270-271
  fraco, 440-441
peso, perda de
  em recém-nascido, 188
  início, em bebê com baixo peso ao nascimento, 843
  pós-parto, 952-953
pesticidas
  aleitamento materno e, 162
  risco menor para o bebê e, 488
picada de animal marinho, primeiros socorros para, 821

picada de cobra, primeiros socorros para, 821
picadas de insetos, 723-724
  primeiros socorros para, 820-821
  protegendo o bebê de, 724
picadas de insetos, *ver* insetos, picadas de
pílula, 967-969
piscar, 631-632
piscina, segurança na, 587-588, 726-729
PKU, 903
  exame de, em bebê, 169
planejamento familiar natural, 976, 977
Plan B, 975-976
plano de saúde, 71, 205
plantar, reflexo, em recém-nascidos, 171
plantas venenosas, 588, 591
  primeiros socorros para, 808
*playground*
  bebê brincando/engatinhando no, 567-568
  segurança em, 588, 592
pneumocócica conjugada, vacina (PCV7), 344, 345
pneumonia, 1078-1079
poeira, alergia a, 763-764
polegar, chupar o, 4359
pólen, alergia a, 762
poliomielite, vacina (IPV), 342
pomada
  olho, *ver* pomada antibiótica
  para área das fraldas, 399
  para eczema, 471
pomada antibiótica
  cordão umbilical e, 166
  olhos do recém-nascido e, 166, 188, 189-190
  para primeiros socorros, 826
pomada para troca de fraldas, 222
porção de comida, na dieta do bebê, 456, 460-461
portão, segurança
  escolha de, 118
  uso de, 580, 589

posição cruzada e amamentação, 128-129
posição do futebol americano, e amamentação, 129
posição neutra, em RCP, 834
pós-parto
  depressão, 939-940, 1000-1002
  descobrindo interesses fora, 980-983
  dores, 948-949
  encontrando tempo para si mesma, 979-980
  exaustão, 937-939
  exercícios, 953-956
  fazendo tudo, 940-944
  fazer as coisas certas, 947-948
  não estar no controle, 944
  não se sentir competente, 944-947
  recuperando a forma, 952-953
  recuperação, e aleitamento, 38
  voltando a trabalhar, 990-995
prematuro, bebê, *ver* baixo peso ao nascimento, bebê
prender a respiração, 632-633
preocupações com o clima frio, 729-733
preparando irmãos mais velhos, 1011-1017
preparando-se para o bebê, 35-119
prepúcio
  retração do, 348-349
  *ver também* circuncisão
presentes, segurança dos, 735
pressão sanguínea baixa, 873-874
pressão sanguínea baixa, em bebês prematuros, 873-874
pré-termo, bebê, *ver* baixo peso ao nascimento, bebê
Preven, 975

previdência social, número da, solicitando, 230
primeiras palavras, 557-558
primeiro aniversário, festa de, 678-680
primeiro leite, *ver* leite materno
primeiros socorros, 803-839
  suprimentos para, 95-96, 804
problemas de compleição, 203
progesterona, e aleitamento, 126
prolactina
  aleitamento materno e, 126
  bombeamento e, 244
  deficiência de, e aleitamento, 258
proteína
  na dieta pós-parto, 933
  obtendo adequada, 695
  recomendações nutricionais, 461
protetor solar, 232, 722
protetores de berço, 99, 573
Prozac, 940
pulseiras de identificação no hospital, 167
pulso braquial, 752-753
pulso, tirando o, 752-753
pupilas, em lesão na cabeça, 815

# Q

QI
  aleitamento prolongado e, 394-395
  leite materno e, 38
  redução de, por causa de chumbo, 488
qualidade, tempo de, 987-990
quarto do bebê, compras para, 97-105
quarto, compartilhando com bebê, 388-389
queda dos dentes
  apoio de mamadeira e, 181
  descoloração e, 550

dormir juntos e, 391, 509, 521
  prevenção de, 518-521
quedas, 657-658
queimadura com água, primeiros socorros para, 823-824
queimadura pelo frio, prevenindo, 731-732
queimadura solar
  prevenção de, 720-723
  primeiros socorros para, 824
  sinais de, no bebê, 723
queimaduras
  prevenção de, 582-586
  primeiros socorros para, 823-825
queimaduras por eletricidade, e primeiros socorros para, 824
queimaduras químicas, e primeiros socorros para, 824
queixo, tremor do, 199
quente
  bolsa de água, 1052
  compressas, 1053
quicar, risco para o bebê, 352
quinta doença, 1078-1079

# R

radônio, e risco menor para bebê, 492-493
raiva dos pais, 644, 646-647
  por causa de bebê prematuro, 852
  por causa de criança com necessidades especiais, 877-878
  porque o bebê chora, 287-289
raiva, 1080-1081
raquitismo, e suplemento de vitamina D, 266, 656
rebelde, bebê, 237-241
receitas, Primeiro o Bebê, 1041-1050
recém-nascido, 165-235
  aparência, 172-173
  *ver também* bebê
recém-nascido, exames, 166-167, 902-903
  audição, 168

reflexo de descida
aleitamento e, 126-127, 139-141
como sinal de que o bebê está mamando bastante, 252
estimulando, quando bombeia, 247
falta de, 139, 255
lento, e bebê que recusa o peito, 429
reflexo de esgrima, em recém-nascidos, 174
reflexos, em recém-nascidos, 170-174
refluxo
cólica e, 286
*ver também* gastroesofágico, refluxo
refluxo gastroesofágico, 782-785
regurgitação e, 269
reforço dos ritmos do sono, e conseguir que o bebê durma a noite toda, 509-510
regurgitação, 268-269
excessiva, e RGE, 782
limpeza de, 269
sangue em, 269
reidratação, líquidos de, 755, 776-777
relacionamento
com cônjuge e bebê de necessidades especiais, 889-890
pós-parto, 961-963, 1004
relactação, 154-156, 242
REM, sono, 276, 279
repelente de insetos, 724
repolho, folhas de, para seios ingurgitados, 137
repouso, para bebê doente, 755
resfriado comum, 766-773
da mãe, 150-151, 978-979
do bebê, e recusa a mamar no peito, 428
frequente, 772
respiração
do bebê, enquanto dorme, 279-281

lapsos, 385-387
monitor, 383-384, 387
periódica, 279
relatando emergências ao médico, 385-387
som de chiados durante, 1078
respiração ofegante
alergia a leite e, 269-270
como sinal de alergia, quando introduz sólidos, 458, 478-479
objeto inalado e, 828
respiração, ritmo de, 753
respiratório, infecção no trato inferior, e leite materno, 37
respiratório, infecção no trato superior, *ver* resfriado comum
respiratório, síndrome do desconforto (SDR), 869-870
respiratórios, sintomas, e bebê doente, 753
resposta cerebral auditiva, exame de audição, 168
ressuscitação cardiopulmonar, 826-829
ressuscitação, técnicas de, 831-839
restaurante, comendo em, com bebê, 546-548
restrição de crescimento intra-uterino (RCIU), 859
retal, tomando a temperatura, 794
retinopatia da prematuridade (ROP), 871-872
Reye, síndrome de, 1084-1085
Rh, doença do, 897-899
riscos ambientais, e o bebê, 486-498
riscos de festas, 733-735
riscos elétricos, 586, 590
romance, encontrando tempo para, 961
rosa, urina, 158, 253, 786
Roséola infantil, 1082-1083

rotinas
hora de dormir, 605-607
horários e, 376-377
roupa de cama do bebê, 92-94
roupas do bebê
características, 89-90
detergente para, 313
o que comprar, 91-92
tamanhos, 89
rubéola, 1084-1085; *ver também* sarampo, coqueluche e rubéola, vacina contra

# S

sacos de armazenamento para leite materno, 248
sacudir o bebê, 400-401
saídas
equipamento, 105-115
o que levar, 229-232
sal e alimentos com sal
na dieta do bebê, 462, 522, 597
na dieta pós-parto, 936
salina, gotas nasais, 768, 769, 1053
saliva
dentição e, 464
mudança na, como sintoma, em bebês doentes, 754
salmão, mancha, 202
salvamento, respiração de, 835-836
sangramento, e primeiros socorros para, 809-810
da boca, e primeiros socorros para, 813
do nariz, e primeiros socorros para, 815-816
interno, e primeiros socorros para, 811
sangue
na regurgitação, 269
nas fezes, 208, 271
sapinho
bebê que se recusa a mamar no peito e, 429

# ÍNDICE

dor na mama durante amamentação, 142
no bebê, 204-205
nos mamilos da mãe, 204-205
saquinhos de chá, para mamilos feridos, 143
sarampo, 1084-1085; *ver também* sarampo, caxumba e rubéola, vacina contra
Sebulex, 349
segunda língua, 332-334
segundo leite, *ver* leite materno
segurança
  ao ar livre, 725-726
  da casa, 574-592
  da parafernália do bebê, 97-119
  de brinquedos, 448
  de envenenamentos, 578-579
  do bebê, 309
  do berço, 573; *ver também* berço
  ensinando o bebê sobre, 588-592
  equipamento, 584
  fogo, 583-585
  na preparação de comida, 476-477
  nas festas, 733-735
  no carro, 218-220, 592
  no *playground*, 592
  no verão, 724-729
  nos presentes dados, 735
  perto da água, 726-729
  perto de lareiras, 733
  portão, 118, 580, 589
  quando o bebê fica mais velho, 713
  quando o bebê se ergue, 608
  quando viaja, 748-749
segurança no quintal, 587-588
seguro
  de vida, 116
  incapacidade, 116
  saúde, *ver* plano de saúde
seios maternos
  abscesso, 150
  câncer, e amamentação, 46
  cirurgia, e amamentação, 46, 258

desmame, 673-678
favorito do bebê, 350
infecção, 144, 149-150
ingurgitados, 136-138
pequenos, e amamentação, 40
preparando para amamentar, 69-70
rejeição do bebê aos, 428-430
sensação de vazio, 193-194
sensibilidade a estímulos, 357
sentando-se
  posição, apoiando o bebê, 308
  puxando para, 424
  tarde, 544
separação, ansiedade de, 681-684
  hora de dormir e, 686-688
  timidez e, 689
separação, dificuldades com, 698-699
seringa, bomba em, 245
serosa, otite média, 778-782; *ver também* infecção do ouvido
sexo pós-parto, 956-973
  aleitamento materno e, 43, 958
  sentimento do pai sobre, 1003-1004
  tornando-o agradável, 957
SIDS, 383-388
  aleitamento materno e, 37, 385, 394-395
  dormir juntos e, 390
  posição de dormir e, 275
  prevenção, 385
  tabagismo e, 63-64, 160, 384
  vacinas e, 342, 388
  *ver também* costas, colocar o bebê para dormir de
sífilis, e perda de audição, 168
sinais, linguagem de, 559-561
sincicial respiratório, vírus, *ver* VSR
síndrome alcoólica fetal, 908-909

síndrome da morte súbita infantil, *ver* SIDS
síndrome de Down, 909-910
sintomas, de bebê doente, 751-754
*slings*, 112-115, 351
sobrecarga sensorial, e cólica, 285-286
sobressalto, reflexo de, em recém-nascidos, 170
sobressaltos, 199
sódio, *ver* sal e alimentos com sal
software para bebês, 706-707
soja, fórmula de, 178, 271
  alergia a, 765
soja, leite de, 37, 685, 765
sol
  danos para os olhos e, 722-723
  mantendo o bebê longe do, 720-723
  segurança em 720-723
  vitamina D e, 720
sólidos
  adiando, e alergias alimentares, 452
  alimento infantil preparado em casa, 479
  alimentos infantis industrializados, 502-504
  começando, 453-458
  decidindo quando o bebê está pronto para, 426-427
  introduzindo gradualmente, 479
  introduzindo novos, 458-459
  orgânicos, 504
  passando dos amassados para os cortados, 555-557, 601
  segurança alimentar, 476-477
  tipos de, para dar ao bebê, 454, 502-504
soluços, 313
sonecas
  desistindo, 604-605
  mudança do padrão de, 604-605

número e duração das, 468-469

sono noturno e, 280

sono, dividir, *ver* dormir juntos

sono, treinamento para, 505-510

sopro cardíaco funcional, 442

sopro cardíaco, 441-442

sopro inocente, 442

soro fisiológico, irrigação, 1053

sorrir, 312-313, 328

bebê que não sorri com frequência, 355

Splenda, e aleitamento materno, 162

substâncias químicas, e amamentação, 161-163

substâncias venenosas

afastando dos bebês, 578-579, 590, 591

suco de maçã, 437

diarreia e, 779

suco de uva, 437

diarreia e, 779

sucos, 437, 602, 696

melhores, quando bebê tem diarreia, 779

sucralose, e aleitamento materno, 162

sugar

aleitamento e, 132

choro e, 292-293

não nutritivo, 38

reflexo de, em recém-nascidos, 173

superaquecimento

clima quente e, 719

em *kepina*, 351

febre e, 793

risco de SIDS e, 385

superbebê, criando um, 551-552

suplementação

com mamadeira, 322-327

quando o bebê não está prosperando, 327

suplementar, sistema de nutrição (SNS), 155, 255, 258, 920

suplementos, vitamina, *ver* vitaminas

surdez, *ver* audição, perda de

surra, 646-647

sutiã de aleitamento, 145

duto obstruído e, 148-149

ingurgitação e, 137

# T

tabaco, *ver* tabagismo

tabagismo

aleitamento materno e, 160

cólica e, 286

parar de fumar, 63, 1009

SIDS e, 384, 385

talassemia, 910-911

talco para bebê, 94, 399

Tay-Sachs, doença de, 897

Td, vacina, para crianças mais velhas, programa recomendado, 345

tédio de ficar em casa, 980-983

televisão, ver, 704-706

temperamento do bebê, 352, 357

temperatura

como sintoma em bebê doente, 752

corpo normal, 792, 796

do corpo, anormalmente alta, 790-791

do corpo, anormalmente baixa, 824-825

tomando a do bebê, 792-796

tomando a retal, 794-795

tomando a axilar, 795

temperatura corporal basal, 976

tempo

divisão de, entre irmãos, 1031-1035

encontrando, para si mesma, 979-980

falta de, do pai, 1009-1010

qualidade, 987-990

Tempra, *ver* acetaminofeno

tensão dos pais, *ver* ansiedade

termômetro

artéria temporal, 96, 794

chupeta, 794

digital, 96, 793

escolha do, 793-794

mercúrio, 793

timpânico, 96, 794

terra

bebê brincando na, 567-568

bebê comendo, 566-567

testamento, escrevendo um, 116

testes de análise do desenvolvimento de Denver, 238

testículos

não descidos, 347-348

*ver também* escroto

tétano, 1086-1087

tétano, vacina contra, *ver* difteria, tétano, pertussis acelular, vacina contra

timidez, 688-690

timpânico, termômetro, 96, 794

tirando leite materno, 241-250

antes do nascimento, 69

para prematuros, 844-845

tireoide, problemas na

exame de, em bebês, 902

DPP e, 941

tolerância

com a maternidade, 937-938, 940-948

com as necessidades especiais do bebê, 880-881

com bebês prematuros, 855-874

com o choro, 287-296

tonsilite, 1086-1087

tornozelo, deformidade do, 907-908

tosse

crônica, 467-468

dentição e, 464

falsa, 467-468

# ÍNDICE

remédio, 767
súbita, 772
tratamento para, 770
toxoplasmose, e perda de audição, 168
trabalho
 aleitamento materno e, 371-375
 diminuição do leite materno e, 257
 flexibilidade em tipos de, 994
 quando voltar ao, 995
 se volta ao, 49-50, 990-995
transição
 fezes de, 208
 leite de, 136
 objeto de, 612-613, 687-688
travesseiro, uso de, 385, 703-704
trem, viajando de, 745-746
trigo integral, 596
trigo, introdução de, 458
trismo, *ver* tétano
tubária, ligação, 976
tuberculose materna, e aleitamento, 46
TV, *ver* televisão
Tylenol, *ver* acetaminofeno (paracetamol)

# U

ulceração pelo frio
 prevenção, 730-731
 primeiros socorros para, 824-825
umbigo, *ver* cordão umbilical
umbilical
 granuloma, 298-299
 hérnia, 298-299
umbilical, cordão
 cuidados com o toco, 235, 298-299
 cura de, 298
 grampos depois do nascimento, 166
 infecção de, 298
umidificador, 96, 1053
unhas

cortador, 229
cuidando da, do bebê, 228-229
lesões nas, primeiros socorros para, 817-818
tesoura, 229
unidade de cuidados intensivos neonatais, *ver* UTIN
urina
 com cheiro, e infecção, 778
 cor da, em bebê que não come o bastante, 253
 desidratação e, 778
 frequência de, em bebê doente, 754, 778
 frequência de, em bebê saudável, 253
 mais frequente, e infecção, 786
 opaca, e infecção, 786
 rosa, 253, 754, 786
 rosada brilhante, 158
 síndrome de Usher, e perda de audição, 168
urinária, incontinência, pós-parto, 951-952
urinário, infecção do trato, 786
 circuncisão e, 58
urticária, e alergia a leite, 269-270
útero
 fragmentos da placenta no, e perda de leite materno, 258
 retração, e aleitamento, 39
uva branca, suco de, 437

# V

vacina, 335-346
 adoção e, 923
 asma e, 341
 bebês prematuros e, 865
 combinada, 241, 340-341
 dor de, 340-341
 injeções múltiplas e, 340-341
 leite materno e, 38
 mitos sobre, 340-341
 programa, 345
 pulando, 341

quando procurar o médico depois de, 346
relatando reações a, 339
SIDS e, 388
*ver também vacinas individuais*
vacinas combinadas, 241, 340-341
vagina
 bebê brincando com, 568
 defeito em (hipospadias), 300
 descarga de, em recém-nascidos, 173
 dilatada, pós-parto, 960
vaginal, esponja, e anticoncepcionais, 974
vaginal, lubrificação, pós-parto, 957
vaginal, ressecamento, pós-parto, 957
vapor, 1053; *ver também* umidificador
vapores
 nocivos, exposição a, e primeiros socorros para, 807-808
 risco menor para o bebê e, 492
Var, *ver* varicela, vacina contra
varicela, vacina contra (VAR), 343, 345
varicela, *ver* varíola
varíola, 343
vasectomia, 976
vazamento de leite materno, 138-141
vegetais
 descascando, antes de servir a bebê, 494-495
 na dieta pós-parto, 934-935
 obtendo o bastante, 695-696
 para dar a bebê, 454, 458
 recomendações nutricionais de, 461
vegetariana, dieta, 523-525
 aleitamento materno, e vitaminas suplementares para bebê, 461
venenos, controle de, 582
verão
 assaduras, 719
 clima, cuidados com o bebê no, 718-729

vermelhidão no queixo, e dentição, 464

verniz caseoso, em recém-nascido, 173

vestido demais, bebê, 302

vestindo o bebê, 224-226, 302, 303

na mudança de tempo, 731

no clima frio, 729-730

no clima quente, 718

no sol, 723

para dormir, e SIDS, 385

prematuro, 866

viajar

com bebê, 736-749

de avião, 744-746

de carro, 746-747

de trem, 745-746

uso de fórmula e, 180

vias aéreas

desobstrução de, na RCP, 832-833

sucção de, ao nascimento, 166

verificar, quando o bebê está engasgado, 827, 828

vida social, mudança na, depois do bebê, 983-985

vínculo, 185-188

amamentação e, 40

bebês com necessidades especiais e, 878-879

bebês prematuros e, 855-857

violentos, sentimentos, em relação a bebê, 289

viral, infecção não específica, 1072

virando-se durante a noite, 512-513

vírus Coxsackie, 1063, 1069

vírus, e aparência das fezes, 208

vírus sincicial respiratório (VSR), 787-788

visão, 307-310

estimulando a, 362

vitamina A, alimentos, recomendações nutricionais de, 461

vitamina B12, 266, 524

vitamina C, 266-267

alimentos, recomendações nutricionais de, 461

alimentos, na dieta pós-parto, 933-934

vitamina D, 266-267

vitamina K, para recém-nascidos, 169

vitaminas

na dieta pós-parto, 936

para bebê, 265-268, 463, 495

suplementos pré-natais, 43, 265

voar com o bebê, 738-740, 744-746

vômito

como sinal de alergia, quando introduz os sólidos, 458

como sintoma em bebê doente, 754, 777

RGE e, 782

na alergia ao leite, 270

projétil, 270

tratamento para, 771, 776

# W

Waardenburg, síndrome de, e perda de audição, 168

# X

X, raios, dentário, 660

xampu no bebê, 216-217

cabelos compridos, 637

xarope de bordo, doença da urina em, 903

exame para, no bebê, 167

# Y

Yasmim, 967

# Z

Zoloft, 940

zoológico, e minimizar riscos para bebês, 491

Este livro foi composto na tipologia Agaramond,
em corpo 10,5/13, e impresso em papel off-set
$70g/m^2$ no Sistema Digital Instant Duplex da
Divisão Gráfica da Distribuidora Record.